Zu diesem Buch

«Europa im 15. Jahrhundert: Die Ideen der Antike lebten wieder auf, Kunst und Kultur sprengten die religiösen Fesseln, das Bürgertum erstarkte und der Handel blühte. In dieser Zeit spielt der historische Abenteuerroman. Held des Buches ist der Kaufmannssohn Claes Charetty aus Brügge, dessen Streiche, Eskapaden und kaufmännische Erfolge die Autorin mit ungestümer Freude am Fabulieren erzählt. Das Buch der schottischen Autorin liest sich spannend und amüsant.» («Welt am Sonntag»)
«Wie eine Handelsdynastie der Renaissance sich ihren kometenhaften Aufstieg erkämpft, erzählt die bekannte Autorin historischer Romane mit Kenntnis, Kunst und Spannung.» («Buch aktuell»)

Dorothy Dunnett (auch Dorothy Halliday), geboren 1923 in Dunfermline / Schottland, war ursprünglich Malerin. Dann veröffentlichte sie zahlreiche international erfolgreiche historische Romane, so einen weiteren Roman über das Handelshaus Niccolò, «Der Frühling des Widders» (Wunderlich 1990), einen Bestseller über Macbeth «King Hereafter» und sechs Kriminalromane der «Dolly»-Serie. Sie ist mit dem Schriftsteller Alastair N. Dunnett verheiratet, hat zwei Söhne und lebt in Edinburgh.

Dorothy Dunnett

Die Farben des Reichtums

Der Aufstieg des Hauses Niccolò

Roman

Deutsch von Margaret Carroux
und Sonja Schleichert

rororo
Rowohlt

Die Originalausgabe erschien 1986 unter dem Titel
«The House of Niccolò: Niccolò Rising»
bei Michael Joseph Ltd., London
Umschlaggestaltung Walter Hellmann
(Fresko von Benozzo Gozzoli, Florenz, Medici-Kapelle)

17.–22. Tausend Oktober 1991

Veröffentlicht im Rowohlt Taschenbuch Verlag GmbH,
Reinbek bei Hamburg, August 1991

Gesamtherstellung Clausen & Bosse, Leck
Printed in Germany
1680-ISBN 3 499 12855 1

Die Farben des Reichtums
Der Aufstieg des Hauses Niccolò

Kapitel 1

Von Venedig bis Kathei, dem Reich der Mitte, von Sevilla bis zur Goldküste Afrikas gingen Schiffe vor Anker, schlugen Kaufleute ihre Hauptbücher auf und wickelten ihre Geschäfte ab, als ob nichts sich jemals ändern würde, als ob es keine Dummköpfe gäbe, gleich welchen Geschlechts, die eines Tages Handel (ausgerechnet Handel!) zu ihrem eigenen Vergnügen betreiben könnten.

Die fatale Kette von Ereignissen, die die Bankiers so sehr aus der Fassung bringen sollten, fing recht harmlos an – zu Wasser, in der Septembersonne: drei junge Männer, bis auf ihr Wams entblößt, lagen in der Badewanne des Herzogs von Burgund.

Claes und Felix hielten nach den Mädchen am Kanalufer Ausschau. Julius, der ein Jahrzehnt älter war und sich die Hörner wohl schon abgestoßen hatte, rekelte sich selbstzufrieden in der Wanne und vergaß, daß er Erzieher war. Ein guter Astrologe hätte ihm jetzt geraten, sofort auszusteigen.

Die Sonne wärmte die mächtige Badewanne, die sich auf der letzten Etappe ihrer umständlichen Reise befand. Von einer Bleigießerei in England aus war sie als Luxusfracht in einer soliden Karavelle durch die Meerenge gelangt und hatte nun die Niederlande erreicht. Unter einigen Mühen hatte man sie im geschäftigen Hafen von Sluis ausgeladen und anschließend nicht ohne Schwierigkeiten quer über einem Kanalboot vertäut, zu dem eine bunt zusammengewürfelte Mannschaft gehörte.

Und da war sie nun. Mit Engelsköpfen verziert. Eine Badewanne für den erlauchten Philipp, Herzog von Burgund, Graf von Flandern, Markgraf des Heiligen Römischen Reiches und was er sonst noch an einträglichen Ehrentiteln trug. Eine riesige Badewanne auf dem Weg zur Residenz des Herzogs in der Handelsstadt Brügge. Und in dieser Wanne hatten Julius, Felix und Claes ihre Überfahrt verbracht.

Im Augenblick gab es nichts zu tun. Alles war friedlich, und Julius fühlte sich philosophisch. «Was», fragte er, «ist Glück?»

«Ein neuer Jagdhund», antwortete Felix, der Siebzehnjährige. Die Armbrust lag quer auf seinem Schoß, und seine Nase, spitz wie die eines Nagetiers, war von der Sonne gerötet. «Die Sorte mit den großen Ohren.»

Julius verzog spöttisch, aber ohne Häme den Mund – so war Felix eben. Dann richtete er seinen Blick auf Claes. Der war achtzehn, stämmig wie eine Eiche und hatte Grübchen.

«Ein neues Mädchen», sagte Claes. Mit einem Ruck öffnete er die Weinflasche, wobei er den Hals packte wie das Sprunggelenk eines Hengstes. «Die Sorte mit...»

«Das reicht», sagte Julius. Mit den beiden philosophieren zu wollen war aussichtslos. Was Claes anging, war überhaupt alles vergebens. Manchmal war Julius froh darüber, daß die Zivilisation ein Niveau erreicht hatte, auf dem sie Gestalten wie Claes standhalten konnte. Die alten Griechen hätten wohl kapituliert und wären vor mehreren seiner Art zu Zelten zurückgekehrt.

Claes sah ihn gekränkt an. «Ich habe doch nur...» Felix neben ihm grinste.

«Trink nur, trink!» sagte Julius. «Ich meinte, es reicht, was Mädchen betrifft. Vergiß, daß ich überhaupt etwas gefragt habe.»

«Schon gut», entgegnete Claes überrascht. Er trank und atmete tief ein. Seine Nasenlöcher verfärbten sich ins Blaue. «Das ist schön.»

Julius unterließ es, ihm zuzustimmen. Ein Färberlehrling fand wahrscheinlich jede Abwechslung schön. Felix (sein Zögling, der Sohn seiner Brotherrin, seine tägliche Bürde) hatte die heutige Kaninchenjagd genossen, ohne sie allerdings verdient zu haben. Aber er, Julius, hatte seine Pflichten als Erzieher in der Färberei zurückgelassen und konnte es sich mit Fug und Recht einen Tag lang wohl sein lassen.

Die Kanalufer glitten vorüber. Die Männer der Leichterbesatzung pflaumten sich untereinander an. Dann und wann, während sie ruderten, sangen sie ein Lied. Drei schläfrige Engelsgesichter: Die von der Sonne gewärmten Cherubim stützten ihre Köpfe dicht an dicht auf den Rand der Badewanne. Julius bemerkte die Weinflasche in seiner Hand und hob sie gegen das Licht, so daß ihr Boden genau das Rund der Sonne verdeckte. *Ein fleißiger junger Mann, doch von besorgniserregender Leichtfertigkeit.* So war er beurteilt worden, als er in Bologna seinen juristischen Studien nachging.

Gott möge alle Rechtsakademien holen und sie vernichten. Hier ist Flandern, nicht Italien. Man meldet sich freiwillig, um beim Ausladen einer Badewanne aus einem Schiff zu helfen. Man erklärt sich bereit, in dieser Wanne an seinen Wohn- und Arbeitsort zurückzufahren. Man schließt die Augen, um besser überlegen zu können. Wo ist da die Leichtfertigkeit? Julius, Aktuarius der Familie Charetty, versuchte ernsthaft zu denken. Beinahe gleichzeitig versetzte ihm jemand einen kräftigen Rippenstoß. Noch im Halbschlaf holte er seinerseits zu einem Faustschlag aus und traf irgend etwas.

«He», rief Felix. Sein Gesicht glühte, und er setzte zu einem zweiten Fußtritt an.

Julius rollte beiseite und konnte dem Fuß ausweichen. Jetzt hörte er das Wasser rauschen und begriff, warum Felix ihn geweckt hatte. Sie näherten sich einer Schleuse.

Felix' Stimme dröhnte immer noch gewaltig in der Badewanne. «Du hast mir mein Barett heruntergeschlagen, die Feder ist abgebrochen.»

Die Leichtermannschaft, die die Schleuse ansteuerte, warf neugierige Blicke herüber; ebenso Claes, der aufgestanden war, um den Leuten zu helfen. In der Tat war es schwierig, Felix zu schlagen, ohne gleichzeitig seine Kopfbedeckung zu treffen. Mit ihrer Spitze und der breiten, hochgebogenen Krempe sah sie aus wie ein Papierboot. Jetzt krümmte sich ihre Reiherfeder mit gebrochenem Rückgrat auf dem Kaninchensack. Wo das Barett gesessen hatte, lag Felix' braunes Haar verschwitzt und flach gedrückt, und seine Locken hingen wie Korkenzieher herab. Er schien sehr wütend zu sein.

«Du hast doch selbst gesagt, daß du die Feder nicht mehr magst», gab Claes zu bedenken. «Es ist Zeit für das Bier, Meester Julius.»

Claes lebte seit seinem zehnten Lebensjahr bei den Charettys, und als ein Bastard der Familie konnte er so mit Felix reden. Im Laufe der

Jahre war Claes nicht nur Lehrling geworden, sondern auch eine Art Diener und Gefährte für den Charetty-Erben. Felix fing ständig Streit an und balgte sich mit Claes, arrangierte sich aber meistens mit ihm. Felix' Mutter, dankbar für Frieden, entband Claes von seinen Pflichten in der Färberei, wann immer Felix es verlangte. Und Julius, ebenso dankbar, hoffte, Claes' sporadische Lehrzeit werde andauern, bis Felix die Zeit seiner Reife, wenn nicht gar seines Alters und seiner Beerdigung überstanden habe.

Julius, ein unbeschwerter Mann, hatte nicht direkt etwas gegen seinen Schüler Jonkheer Felix; er konnte ihn in Schach halten. Claes hatte natürlich keine Befugnis, irgend jemanden in Schach zu halten, und deshalb wurde er so ausgiebig verprügelt. Das machte ihn gefügig und hilfsbereit. Julius beobachtete Claes, der noch einmal mit seinem Ruder abstieß, es hinlegte, dann auf Felix zuging und ihm sein Barett gab. Alles, was einem einfiel, wenn man an Claes dachte, waren seine Größe, die Grübchen in seinen Wangen und seine Hilfsbereitschaft. Und daß kein weibliches Wesen unter zwanzig vor seinen Nachstellungen sicher war.

Jetzt stand er vor der Riesenwanne. Julius sah, daß er etwas sagte, und hörte Felix von drinnen zurückschreien. Julius beteiligte sich nicht an der Diskussion, in der es um das übliche Thema ging. Natürlich, auch er beobachtete gern schöne Frauen. Er war nicht frei von Eitelkeit und wußte, daß sein stattliches Aussehen Aufmerksamkeit erregte. Mehr als einmal hatte er sich aus einem Verhältnis zurückziehen müssen, das sich mit der jungen Frau eines Klienten anbahnte. Allerdings hatte er auch nicht erwogen, in den geistlichen Stand zu treten, jedenfalls bisher nicht. Aber wenn sich eine gute Gelegenheit bot, sollte ein Mann bereit sein. Er war gelassen. Er gierte nicht wie Claes und schmachtete auch nicht wie der arme Felix, angesichts der drei Meilen Fesseln und Knie, die sich, wenn man Glück hatte, während der Fahrt durch den Kanal zwischen Sluis und Damme präsentierten...

Erreichbare Knöchel überdies. An den Kais, zwischen den Schuppen und Lagerhäusern und an den Liegeplätzen in den beiden Häfen von Brügge fand man keine feinen Damen mit rasierten Augenbrauen, mit kegelförmigen Hauben und perlenbestickten Schuhen. Vielmehr gab es keck gebügelte weiße Kappen und verstohlen gelüpfte Arbeitskleider zu sehen: genug davon, um sogar Claes zufriedenzustellen, dachte Julius. Die muntersten Mädchen riefen etwas herüber, und Männerstimmen krakeelten zurück. Knaben liefen am Ufer entlang und versuchten, mit den Ruderern Schritt zu halten. Einer warf einen Kiesel in die Badewanne; es klang, als habe der Klöppel einer Kirchenglocke angeschlagen. Der Junge schrie bald lauter als jedes Glockenläuten, als sein Vater herbeieilte und ihn versohlte. Wo Herzog Philipp auch gerade war, ob in Brüssel, Dijon oder Lille, den Krach könnte er wohl hören.

Claes blieb neben Felix stehen, der gebieterisch mit seinem Barett wedelte. Die Feder hatte Claes sich angeeignet. Drei Fuß war sie lang und schlängelte sich wie eine Angelleine von seinem Haarschopf. Auf der anderen Seite des Schiffs war Julius behilflich, Taue zur Seeschleuse hinaufzuwerfen. Dann wuchtete er die vorgeschriebene Kanne Brügger Bier zum Schleusenwärter hoch.

Der Mann sah ihn zweimal an, ehe er ihn mit Namen anredete. Ohne den Talar war es nicht Meester Julius, der Aktuarius, sondern einfach noch einer dieser vielen Lümmel in den Zwanzigern. In nüchternen Momenten war sich Julius bewußt, daß Unternehmungen wie diese für ihn unschicklich waren. In weniger klaren Augenblicken lehnte er es ab, sich darüber Gedanken zu machen. Dem Schleusenwärter fiel es nicht schwer, Felix oder Claes zu erkennen. Jedermann in Brügge oder Löwen kannte den Charetty-Erben und seinen treuen Gefährten.

Es lag kein anderes Schiff in der Schleuse: dem Besitz des Herzogs durfte niemand zu nahe kommen. Der Leichter fuhr hinein, und hinter ihm schlossen sich knarrend die Fluttore. Der Schleusenwärter verstaute sein Bier und ging, um das Siel zu öffnen. Vom Oberwasser aus blickte Julius nach vorn, über die geschlossenen Holztore hinweg auf den schnurgerade durch das Marschland schneidenden Kanal, der zu den fernen Kirchtürmen von Brügge führte. Gleich außerhalb des Siels lag ein weiteres Kanalboot doppelt vertäut am Ufer, den Bug seewärts, und wartete darauf, einfahren zu können.

Auch dieses Boot lag tief im Wasser und hatte nur ein einziges Frachtstück geladen: einen dick verpackten, etwa fünfzehn Fuß langen Gegenstand, der nicht, wie die Prinsenhof-Badewanne, an beiden Seiten über das Schandeck hinausragte, sondern sicher geborgen im Schiffsrumpf lag und sich in den Wellen kaum merklich hob und senkte.

Auf einem freigemachten und abgesperrten Platz am Ufer oberhalb des Schiffs stand eine Gruppe offensichtlich wohlhabender und hochgestellter Personen, unter ihnen eine Dame mit einer kostbaren hohen Haube. Vom Oberwasser in der Schleuse aus starrten alle, Julius, Felix, Claes und die Leute der Leichtermannschaft, neugierig auf die Gruppe. Fahnen, Soldaten und mehrere vornehm gekleidete Geistliche, die einen mittelgroßen, breitschultrigen Bischof begleiteten, an dessen Gewändern überall Edelsteine aufblitzten. Julius wußte, wer das war. Diesem Mann gehörte die schottische *St. Salvator*, das größte Schiff, das sie in Sluis gesehen hatten. Es war schon ausgeladen worden und nahm gerade Frachtgut für Schottland an Bord.

«Das ist Bischof Kennedy», sagte Felix, «der Vetter des Königs. Er ist gekommen, um den Winter in Brügge zu verbringen. Die anderen sind seine Begleiter, er hat sie aus Schottland mitgebracht. Sie müssen sich schon seit ihrer Landung in Damme aufgehalten haben. Worauf warten sie wohl?»

«Auf uns», meinte Claes fröhlich. Seine Feder wippte langsam.

«Auf den Leichter», erwiderte Felix. Gelegentlich kam bei ihm der zukünftige wahlberechtigte Bürger zum Vorschein. «Was ist das da im Leichter? Vielleicht Fracht für die *St. Salvator*?»

Manchmal hatte Felix tatsächlich recht. «Wichtige Fracht», sagte Julius. «Sieh mal. Überall Herzog Philipps persönliches Siegel.»

Deshalb auch die Militäreskorte und all die anderen, übertrieben herausgeputzten Würdenträger. Dort das herzogliche Banner und unter ihm der stellvertretende Schatzmeister des Herzogs. Daneben flatterte die Fahne von Brügge über dem Bürgermeister und einigen Schöffen. Auch der erfolgreichste und wohlhabendste Kaufmann von Brügge war da: Anselm Adorne, in einem pelzverbrämten Gewand, das lange Poetengesicht umgeben von den Bändern seiner Kopfbedeckung. Seine Frau, geschmückt mit einer stattlichen, drahtverstärkten Haube, stand bei ihm. Ihr Mann hatte sie offenbar zur Betreuung der einzigen Dame in der kleinen Reisegesellschaft des Bischofs mitgebracht. Als sich diese Dame umdrehte, erwies sie sich als ein gut aussehendes, schlecht gelauntes Mädchen.

«Das ist Katelina van Borselen», sagte Felix. «Sie ist neunzehn. Man hatte sie nach Schottland geschickt, damit sie sich verheirate. Sie muß mit dem Bischof zurückgekommen sein, und ich mag blind sein, aber ich sehe keinen Ehemann.»

Verheiratet oder unverheiratet, jedenfalls trug das Mädchen mit Namen Katelina einen hohen Kopfputz. Der von der Spitze herabhängende Schleier wurde vom Wind um die Haube gewickelt wie um eine Fahnenstange und wieder aufgebläht, so daß Katelina ihn mit beiden Händen festhalten mußte. Sie trug keinen Ring, war aber in Gesellschaft von zwei möglichen Freiern, die vermutlich mit demselben Schiff gekommen waren. Der eine war ein eleganter älterer Mann mit Bart, angetan mit einer dekorativen Kopfbedeckung und einem Gewand, das, wie Julius hätte schwören können, aus Florenz stammte. Der andere war irgendein alberner Galan.

Ein guter Astrologe (ach, es gab ihn ja nicht!) hätte Julius in diesem Augenblick am Arm genommen und gesagt: Sieh den Bischof nicht an. Sprich nicht mit der Dame. Halte dich von Anselm Adorne und dem bärtigen Florentiner fern. Und vor allem, mein Freund, verlasse jetzt das Schiff, bevor du mit dem Mann Bekanntschaft schließt, den du *einen albernen Galan* nennst.

Niemand nahm Julius am Arm, das Schicksal hatte andere Pläne. Es ließ ihn den Anflug von Eifersucht überwinden und sich eingestehen, daß da vor ihm auf dem Kai ein bemerkenswert gutaussehender, hellhäutiger Mann stand, der ein seidenes Wams, kurz wie ein Hemdenschoß, trug. Das Haar dieses Burschen schimmerte wie Kirchengold unter der Kappe hervor. Zwischen den hochgezogenen Brauen und dem Kinngrübchen stellte er einen Ausdruck von Ungeduld und unsäglicher Geringschätzung aller anderen zur Schau.

Nach der Livree seines Pagen zu urteilen, war er ein bedeutender Mann. Der Page hielt mit einiger Vorsicht die Leine eines kräftigen Jagdhundes, auf dessen Schabracke dasselbe Wappen zu sehen war wie auf der Livree des Pagen. Der Herr stand mit der Hand auf dem Schwertgriff da, als posierte er für ein Gemälde, ein wohlgeformtes Bein in blau, leicht gebeugt, das andere, stramm durchgedrückt, in weiß gekleidet. Sein müßig über die Zuschauer schweifender Blick fiel auf ein Dienstmädchen, das ihn anstaunte. Der Edelmann zog die Augenbrauen höher, das Mädchen drückte heftig errötend seinen Eimer fest an sich.

Wie versteinert stand Claes neben Julius, nur die Feder bewegte sich. Julius nieste, ohne dieses Muster an Vollkommenheit aus den Augen zu lassen, das nun seinerseits die Badewanne erblickte. Sie schien ihn zu belustigen. Er schnalzte mit den Fingern, ergriff die

Leine seines Jagdhundes, schlenderte auf die Schleuse zu und warf im Vorbeigehen der Dame eine Bemerkung zu. Ein Gesicht, als könnte er auch nach ihr mit den Fingern schnalzen, dachte Julius. Immerhin – er tat es nicht. Sie sah ihm zwar nach, aber sie folgte ihm nicht.

Der gutgekleidete Edelmann kam näher. Er war gar nicht so jung, wie man von weitem hätte denken können. Dreiunddreißig, vierunddreißig. Sein seidenes Wams, der auf einer Schulter drapierte Mantel und die schrägsitzende Tellermütze mit ihrem Rubin waren von französischem Schnitt. In den zwei Jahren, die Julius schon in Brügge war, hatte er ihn nie gesehen. Aber Felix wußte Bescheid. Seine Finger zupften an seinem grauenhaft ausgefransten Samtwams herum, und er sprach in unwillkürlich ehrfürchtigem Tonfall: «Das ist Simon, der Erbe eines Onkels in Kilmirren, Schottland. Es heißt, er habe noch nie einen Korb bekommen. Die reichen Damen hoffen, er werde sie heiraten, und den armen Mädchen ist es gleichgültig.»

«Was?» fragte Julius. Claes war still, die Feder bewegte sich nicht mehr.

Felix wiederholte: «Die Reichen...»

«Schon gut», Julius hatte genug gehört. Simon of Kilmirren blieb am Ufer direkt neben ihnen stehen. Die Unterwasser-Schleusentore hatten sich geöffnet. Das Wasser unter ihnen begann sich ein wenig zu kräuseln und zu wirbeln, und eine nasse Linie zeichnete sich auf der Schleusenmauer ab. Der Schleusenwärter kam heran.

Der Fremde mit Namen Simon pöbelte: «Mein lieber Freund, ihr laßt euch Zeit, ihr flämischen Trampel, oder? Ich habe Bier gesehen.»

Sein Flämisch war sehr gut. Dem Schleusenwärter fiel es nicht schwer, Beleidigungen von feinen Herrn einzustecken, am wenigsten, wenn er sich einen Vorteil davon erhoffte. «Es ist so üblich, Mylord», sagte er. «Bier auf der Fahrt nach Brügge, und die Gebühren werden auf dem Rückweg bezahlt. Der gnädige Herr fährt nach Brügge?»

Julius fragte sich, wie irgend jemand, und sei es ein Schleusenwärter, bloß glauben konnte, dieses lächelnde Gesicht verheiße kostenloses Bier. Der edle Schotte hörte nicht auf zu lächeln. «Mylord hat Durst», sagte er. «Während er darauf wartet, daß dieses Pack die Schleuse freimacht. Wenn du Bier hast, werde ich es nehmen.»

«Verzeihung», sagte Julius.

Aber offenbar hatte er nicht laut genug gesprochen. Jetzt bildete das Wasser außerhalb der sich leerenden Schleuse heftige Strudel, und das wartende Schiff begann zu schaukeln. Der Leichter, auf dem Julius stand, sank stetig, so daß seine Augen auf gleiche Höhe mit Simons schlanker Taille kamen. Der wandte den Kopf nicht. Nur sein Hund war interessiert, streckte die Vorderbeine, stützte sich ab, sprang, riß Simon die Leine aus der Hand und landete unten neben Julius. «O nein, das läßt du», rief Felix, packte den Hund am Halsband und zog ihn von dem Kaninchensack weg. Der Schotte wendete sich verblüfft um und sah zu ihnen hinunter.

«Verzeihung, Mylord», wiederholte Julius, «aber das Bier stellt einen Teil der Gebühren hierzulande dar. Um dem Mann gegenüber gerecht zu sein müßtet Ihr ihn dafür bezahlen.»

Der charmante Herr starrte ihn an und musterte dann die Gesichter von Felix, Claes und der Leichterbesatzung. Der Blick kehrte zu Julius zurück und blieb an ihm haften. «Den Jagdhund eines Edelmanns zu stehlen», sagte er, «wird meines Wissens schwer bestraft.»

«Und was ist mit dem Stehlen von Bier?» gab Felix zurück. «Und was mit den Kaninchen von anderen Leuten? Wenn Ihr Euren Hund wiederhaben wollt, dann kommt herunter und holt ihn Euch.»

Felix hatte noch viel zu lernen, aber Julius unterbrach ihn nicht in seinen Klagen. Der Schotte oben wandte sich ab und beachtete sie nicht weiter. Er sah dem Schleusenwärter nach, der eilig wegging, mit dem Bier zurückkam und es Simon präsentierte. Katelina, das Mädchen mit der hohen Haube, war herangekommen, stand jetzt neben Simon und sagte: «Ich dachte, nur Knechte trinken Bier.»

Sie hatte Simon überrascht, seine hübschen Augen blitzten kurz auf, dann antwortete er: «Wenn man im Schweinestall steckt, soll man sich auch verhalten wie die Schweine. Ihr habt die Wahl: Bier oder noch eine halbe Stunde in Gesellschaft des Bischofs.»

«Bier», sagte sie gleichmütig. Sie sprach Schottisch, was nicht leicht zu verstehen war. «Aber bezahlt den Mann. Oder die Kinder.»

Der Schleusenwärter hatte inzwischen seine Meinung über Simon geändert. Er verstand das Schottisch und sagte: «Danke, Demoiselle, Meester Julius wird Euch sagen, was es wert ist. Meester Julius ist Rechtsgelehrter, er hat in Bologna studiert.»

Statt blaß zu werden, ließ der Schotte seinen abwägenden Blick wieder über die Leichtermannschaft schweifen und blieb an deren armseligstem Mitglied hängen, einem Schiffer mit drei Tage altem Stoppelbart und Hautausschlag. «Meester Julius?»

«Meester Julius?» wiederholte Claes ungläubig.

«Schon gut.» Julius wußte, daß er gefrotzelt wurde. Aber er wußte auch, daß er sein Geld bekommen würde, und wenn er den Hund dafür zurückhalten müßte.

«Gebt ihm eine Münze», sagte das Mädchen. «Hier.» Sie neigte den Kopf, so daß sich die spitze Haube schräg legte wie ein Schiffsmast, und begann die Geldtasche an ihrer Taille abzuschnallen. Sie hatte dunkle, feingezeichnete Augenbrauen und ihre zarte Haut war – vielleicht aus Belustigung, vielleicht auch vor Ärger – leicht gerötet. Julius beobachtete sie.

«Meester Julius», sagte Claes.

Der Schotte legte lächelnd einen Finger auf Katelinas Hand, stöberte in seiner eigenen hübschen Geldtasche und förderte eine Handvoll kleiner ausländischer Münzen zutage. Er warf sie absichtlich heftig in das Kanalboot und sah lächelnd zu, wie einige in der Badewanne herumhüpften und andere zwischen den Schiffsplanken und Tauen verschwanden. Plötzlich lächelte er nicht mehr; er sagte zu Claes: «Laß meinen Hund in Ruhe!»

Julius sah sich um. Sie sanken jetzt schneller, das Haltetau glitt rasch durch die Hände der Schiffer. Nach und nach verloren sie die Würdenträger auf dem unteren Ufer, die ihnen alle die Köpfe zugewandt hatten, aus dem Blickfeld. Die Schleusenmauer, grün von Algen, ragte hoch über ihnen auf.

Wie immer gab es undichte Stellen in der Mauer. Sie hatte sich mit Wasser vollgesaugt, das jetzt herausspritzte, genau in den Leichter und auf den gepolsterten Schoß von Felix' Wams. Es benetzte das Barett von Julius und lief daran herab. Auch der Hund wurde naß, sprang beiseite, knurrte und funkelte Claes wütend an. Er hatte, wie Julius sah, mit gespreizten Beinen über dem Kilmirren-Wappen auf seiner abgeschnallten Schabracke gestanden wie auf einer Badematte. Das Wappen hatte sehr gelitten. «Es tut mir leid, Meester Julius», sagte Claes, «aber ich mußte etwas tun. Der Herzog von Burgund hätte es nicht gern gehabt.»

Julius mußte lachen. Im selben Moment ergoß sich ein geradezu verheerender Wasserschwall aus der Mauer in den Leichter. Er wurde immer stärker und das Wasser sammelte sich in einer Ecke der Badewanne des Herzogs von Burgund. Durch die Kraft des Wassers neigte sich die Wanne und drückte das Boot zur Seite. Wie hypnotisiert ließen die Leichterschiffer das schlaff gewordene Tau nach oben laufen. Ein weiterer Wasserschwall, heftiger als alle bisherigen, traf die andere Seite der Badewanne, gerade als die landeinwärts gelegenen Schleusentore sich öffneten und die Haltetaue fielen. Von hoch oben sagte der Schotte etwas, sein Gesicht war vor Ärger rot-weiß gefleckt. Das Mädchen Katelina neben ihm biß sich auf die Lippen; das Bier stand vergessen zwischen ihnen. Auch im Leichter dachte niemand daran, das Geld aufzusammeln. Es war Felix, der sagte: «Wir bewegen uns rückwärts.»

«Seitwärts», Claes sagte es nachdenklich.

«Vorwärts», meinte Julius.

Die Schleusentore öffneten sich weiter, und die Badewanne des Herzogs von Burgund wartete schwankend darauf, in den Kanal einzulaufen. Die Schiffer stießen sich mit ihren Rudern ab. Der bleierne Rand der Wanne schaukelte auf und ab. Das schmutzige Wasser darin floß nach hinten und nach vorn, durchnäßte die sandigen Stiefel und Hosen, schwappte über die Kaninchentasche und säuberte hin- und herwogend das Kilmirren-Wappen. Klirrend schlug der Wannenrand gegen die Mauer und trieb das ganze Boot aus der Schleuse heraus, wo es wirbelnd erst an einem Tor abprallte und dann gegen das andere stieß. Der Hund taumelte und bellte.

Aus dem Augenwinkel sah Julius, daß sich der Schotte eilig zu der Gruppe am Ufer begab. Alle dort hatten ihre bestürzten Gesichter auf den Leichter gerichtet. Der Hund bellte immer aufgeregter, und die Leute am Ufer begannen sehr laut zu schreien.

Julius begriff, warum sie schrien. Er konnte voraussehen – das konnte jeder –, was geschehen würde. Er hatte Muße, sich zu fragen, was sich wohl in dem herzoglichen Paket befand, das in dem flachen Flußboot an der Kanalseite so hübsch verstaut war. Er hatte sogar noch Zeit, darüber nachzugrübeln, als die Badewanne auf den auslaufenden Leichter zutrieb, der die persönliche Fracht des Herzogs von Burgund geladen hatte. Die beiden Schiffe stießen zusammen. Das vertäute Boot konnte nicht ausweichen; der Leichter mit Julius, Felix und Claes raste darauf los und riß eine Seite auf.

Die Badewanne krängte und schleuderte Claes und Julius in den Kanal. Felix wurde auf ihre tiefe Seite gespült, wo er sich herumwälzte und sich an dem unter Wasser stehenden Rand festklammerte. Dann richtete sich die Wanne wieder auf.

Der beschädigte auslaufende Leichter zerrte an seinen Haltetauen, zerriß sie, kippte seine Ladung still und leise in die dunklen Fluten und bedeckte sie schließlich mit seinem algenbewachsenen Rumpf.

In eben diesem Augenblick kam Julius wieder an die Oberfläche und erblickte entgeisterte Gesichter, burgundische und flämische. Aus seinen Ohren troff Wasser, und er vernahm einen ersten Entsetzensschrei, den nicht die Flamen ausstießen, sondern der schottische Bischof. *«Martha!»* rief er mit protestierender Bruststimme. «Was habt ihr getan? Was habt ihr getan? Ihr Narren, ihr habt Martha versenkt!»

Niemand lachte. Vor allem Julius lachte nicht. Denn jetzt wußte er, was in dem Kanalboot gewesen war und was sie auf den Grund geschickt hatten.

Es gab keine Gelegenheit, die anderen zu warnen. Claes, der seine Feder verloren hatte, strampelte sich da drüben ab. Felix schwamm flott und hatte fast das Ufer erreicht, Kopf an Kopf mit dem Hund, der nach ihm hinaufkletterte. Der Leichter mit der Badewanne war inzwischen vertäut, und die Besatzung stand, verlegen dreinschauend, schon auf dem Treidelpfad. Triefend machte sich Felix auf den Weg zu ihnen, was auch ratsam schien. Claes folgte ihm. Julius, der sich plötzlich alt vorkam, krabbelte hinauf und platschte ihnen hinterher. Der Hund schüttelte sich, und der Page des Schotten nahm ihn, finster dreinblickend, vorsichtig am Halsband.

Aus dem Kreis der vornehmen Persönlichkeiten hatten sich immer wieder Stimmen erhoben. Forderungen des Bischofs waren zu hören: «Wollen die Herren bitte Schritte unternehmen! Holt Eure Baumeister, Eure Schleppfischer, Eure Matrosen!» Und später: «Es sei denn, natürlich, diese Beleidigung ist mutwillig geschehen. Meinem Vetter in Schottland wurde ein Geschenk versprochen, und das Geschenk geht durch des Herzogs eigene Beamte und auf des Herzogs eigenen Wasserwegen zugrunde. Was soll ich davon halten?»

Der Kommandant und der Bürgermeister sprachen aufgeregt durcheinander. Dann endlich hörte man die ruhige Stimme von Anselm Adorne. Er hatte in seiner Zeit das höchste Amt in Brügge inne, und Julius traute ihm zu, die Gemüter zu besänftigen. «Bischof, Ihr habt nur einen Wind und eine Flut verpaßt. Der Bürgermeister wird Euch nach Brügge begleiten, und der Kommandant wird diese Leute in Gewahrsam nehmen. Der Kanal wird mit dem Schleppnetz abgesucht und das verlorene Gut entweder gefunden oder ersetzt werden. Es war, glaube ich, lediglich ein Unfall, aber die Stadt wird trotzdem Untersuchungen anstellen und Euch Bericht erstatten. Einstweilen können wir Euch nur unsere demütigsten Entschuldigungen anbieten.»

«So ist es», bestätigte der Bürgermeister. «So ist es. Die Leichterschiffer werden vor ihrem Innungsmeister Rechenschaft ablegen müssen, und sollten sie nachlässig gewesen sein, wird man sie bestrafen.»

«Es waren nicht alles Schiffer», warf jemand ein. «Diese drei da. Diese drei tragen keine Abzeichen.» Es war Simon of Kilmirrens Stimme; er war gerade von der Schleuse herübergekommen und stand lässig da in seiner blauen Seide, das hübsche Gesicht völlig ausdruckslos. Julius wurde von hinten fest an den Armen gepackt. «Und», fuhr dieselbe Stimme in amüsiertem Ton fort, «sie schulden dem Schleusenwärter Geld.»

Anselm Adorne wandte den Kopf, sah Felix und Claes flüchtig an und musterte Julius eingehender. Sein hohlwangiges, trügerisch asketisch aussehendes Gesicht hatte einen unverbindlichen Ausdruck. «Ich kenne Meester Julius», sagte er. «Jedes Versäumnis in bezug auf Geld war, dessen bin ich sicher, nur ein Versehen. Aber ich muß trotzdem fragen: Wie seid ihr drei auf dieses Boot gekommen?»

«Wir wurden gebeten», antwortete Julius. «Es lagen so viele Schiffe im Hafenbecken, daß die Mannschaften sehr unter Druck standen und nicht alle bedienen konnten.»

«Der Herzog kann nicht über eine Leichtermannschaft verfügen, wenn er sie haben will?» fragte der Bischof. Er hatte seine Kapuze zurückgeschoben. Er war nicht sehr groß, aber sein Kinn sah aus wie das eines Faustkämpfers.

Der Mann in dem Florentiner Gewand hatte das Interesse verloren. Er wandte dem Bischof den Rücken und schlenderte zum Kai, um sich das in der Schleuse plätschernde Wasser anzusehen. Auch Katelina kam von der Schleuse herüber und blieb mit nachdenklichem Gesicht zwischen Simon und der Frau von Adorne stehen. Dann drehte sie sich zu Julius um, aus dessen Wams, Jacke und Haar immer noch Wasser troff, und lächelte. In dem Lächeln lag keine Sympathie; und als ihr der schöne Simon etwas ins Ohr flüsterte, lachte sie leise. Es stand ihr ausgezeichnet. Ohne einen Ehemann zurückgekehrt, hieß es. Mit Simon, der noch nie einen Korb bekommen hatte. Die Reichen hoffen, er werde sie heiraten, und den Armen ist es gleichgültig.

«Euer Hochwürden, es waren genug Schiffer da», sagte Julius. «Aber keine, die sich um die Badewanne kümmern konnten. Ein Beamter bat uns...» Er hörte sich, einen gut ausgebildeten, achtbaren Aktuarius, hingestammelte Erklärungen abgeben. Auf dem Rückweg von der Kaninchenjagd, den Durst gestillt mit dem guten Wein, den ihnen der dankbare Dünenschäfer gegeben hatte, erpicht auf Neues und sowieso mit der Aussicht auf sieben beschwerliche Meilen zurück nach Brügge – wer hätte da nicht die Gelegenheit beim Schopf ergriffen, in der Badewanne des Herzogs zu reisen?

Er beendete seine Rede, so gut er eben konnte: «Und in der Tat, Mijnheer, weder wir noch die Leichterbesatzung haben an dem Unfall schuld. Die Mauern waren undicht, und die Wanne hat sich selbständig gemacht. Wir hatten keine Gewalt über sie.»

Simon begab sich an die Seite des Bischofs und blieb lächelnd dort stehen. «Keine Gewalt! Eine Brügger Leichterbesatzung, die ein solches Hab und Gut transportiert! Wer hat gesteuert?»

Niemand hatte gesteuert. Alle hatten gesteuert. Einer der Schiffer fühlte sich bedrängt und gab plötzlich zu, daß der Lehrling Claes gesteuert habe.

Alle Augen richteten sich auf Claes. Mein Gott, der freundliche, lustige, arglose Claes, der nichts im Kopf hatte als Witze zu reißen und seine Vorgesetzten nachzuäffen. Claes mit dem größten Mundwerk in ganz Flandern. Claes, der jetzt in einer Pfütze von Modder stand, die Augen weit aufriß und sagte: Natürlich, Mijnheer, er habe gesteuert, aber nicht in der Schleuse. Mit der Reiherfeder hätte er eine bessere Figur abgegeben. Sein Haar, von der Nässe dunkel wie Bratensauce, hing ihm in Kringeln über Augen und Wangen, und Tropfen rannen in den ausgefransten Ausschnitt seines Wamses. Er schüttelte sich, und alle hörten das saugende Geräusch, das seine Stiefel von sich gaben.

Ein ungezwungenes Lächeln zog über Claes' Gesicht, verblaßte aber wieder, als niemand darauf reagierte. «Mijnheer», sagte er, «wir haben unser Bestes getan und sind dafür getaucht worden. Wir haben unsere Jagdbeute und unsere Armbrüste verloren. Und immerhin – der Herzog hat seine Badewanne noch.»

«Ich finde, du bist unverschämt», antwortete der Bürgermeister.

«Und ich glaube, du lügst. Bestreitet Ihr, Meester Julius, daß der junge Claes gesteuert hat?»

«Er hat gesteuert», sagte Julius. «Aber...»

«Das haben wir gehört. Er ließ es sein, als Ihr in die Schleuse kamt. Das heißt, Ihr habt gesehen, daß er es sein ließ. Aber er könnte ja wieder angefangen haben.»

«Hat er nicht», rief Felix.

«Ich weiß, daß er nicht wieder angefangen hat», versicherte Julius nachdrücklich. Und vergebens. Er sah, daß die Leichterschiffer Blicke tauschten, und wußte, als hätte man es ihm vorhergesagt, daß sie seine Versicherungen nicht unterstützen würden. Sie konnten es sich nicht leisten. Als ausgebildeter Jurist durchschaute er, wie ungerecht das Ganze war. Aus Erfahrungen mit den Höfen von Herzögen, Königen und Kirchenfürsten wußte er, daß Gerechtigkeit dort keine Rolle spielte. Er hoffte, seine Brotherrin, die Mutter von Felix, werde einen kühlen Kopf behalten. Er hoffte, der Bischof werde weniger rachsüchtig sein, als er aussah. Und irgendein Gott sollte das prächtige Seidenwams dieses Stutzers, Simon, beflecken, zerreißen oder wenigstens durchnässen. Der flüsterte immer noch mit Katelina van Borselen, und wurde dabei, wie sie alle, von den neugierig gaffenden Zuschauern, beobachtet.

Das Dienstmädchen war auch noch da. Sie hatte es aufgegeben, um die Aufmerksamkeit des Seidenwamses zu buhlen. Ihr rundes Gesicht sah besorgt aus. Vielleicht hatte Claes gespürt, daß ihre Augen an ihm hingen. Er blickte auf, sah sie und schenkte ihr sein strahlendstes Lächeln. Du Heilige Mutter Gottes, dachte Julius. Er scheint überhaupt nicht zu wissen, was geschehen ist. Soll ich es ihm sagen? Daß das versenkte Frachtgut ein Geschenk war – ein Geschenk des Herzogs von Burgund an seinen lieben Neffen James, König von Schottland. Ein fünfzehn Fuß langes Geschenk von einiger Bedeutung. Rundheraus gesagt, ein fünf Tonnen schweres Geschütz, getauft auf den grausigen Namen *Verrückte Martha*.

Plötzlich ein Schrei. Julius hielt es für möglich, daß er selbst es gewesen war. Dann sah er verblüfft einen zerzausten braunen Schopf am Bischof vorbeiflitzen und erkannte die sportliche Gestalt des Mädchens Katelina. Ihr nach rannte Claes, verfolgt von immer mehr Soldaten.

Am Rand der Schleuse hatte sich der bärtige Mann in dem langen Gewand umgedreht. Er sah das Mädchen kommen und versuchte hastig, ihr den Weg freizumachen. Dann sah er, wonach sie jagte, und streckte eine Hand aus. Der Wind hatte ihr die spitze Haube vom Kopf gerissen und ließ sie zu Füßen des Mannes rollen und hüpfen. Gerade als er sich danach bückte, überholte Claes das Mädchen im Laufschritt und stürzte auf den Kopfputz zu. Die beiden prallten zusammen.

Der bärtige Mann fiel hin, und es gab ein scheußliches Krachen, das rings um die Schleuse zu hören war. Claes stolperte, machte einen Hechtsprung über den Mann hinweg und plumpste unter gewaltigem Aufspritzen wieder in den Kanal. Das Mädchen hielt inne, warf einen ärgerlichen Blick auf das Wasser und bückte sich dann stirnrunzelnd neben der daliegenden Gestalt des Florentiners.

Die Fäuste, die Julius festgehalten hatten, ließen von ihm ab. Felix war auch wieder frei. «O mein Gott!» rief er und stürzte zur Kanalböschung. Julius folgte ihm. Zwischen den Köpfen hindurch konnte er Claes im Wasser herumstrampeln sehen. Als der Lehrling aufschaute, fixierte er Katelina van Borselen, die jetzt an der Böschung stand, und nicht die dort postierten Soldaten.

«Sie ist verbogen», sagte Claes bedauernd. Damit meinte er, wie deutlich zu sehen war, eine durchweichte spitze Kopfbedeckung, die er in seiner kräftigen, blau verfärbten Hand hielt. Er hustete, und Wasser lief ihm aus der Nase. Vorsichtig schwamm er zu den Stufen zurück und blickte entschuldigend zu der zerzausten Eigentümerin der Haube empor.

Katelina trat schroff zurück. Claes erklomm die Stufen, und die Soldaten packten ihn. Seine Augen weiteten sich, und er mußte blinzeln, als Wasser hineinlief. Nun richtete er seine Aufmerksamkeit auf die Soldaten, auf Katelina und auf die Haube, die kein schneeweißer Kegel mehr war, sondern eine verbeulte, blaugetüpfelte Rolle. Verstört nahm Katelina sie entgegen.

Jenes wunderbare Lächeln, das jedes Dienstmädchen in Flandern bezaubert hätte, umspielte seine Lippen. «Ich habe die Algen abgezupft», sagte Claes zu Katelina van Borselen. «Der Schlamm wird schnell herausgewaschen sein, und unser Meister wird das Indigo entfernen. Bringt die Haube in die Werkstatt. Nein, schickt besser eine Dienerin, eine Färberei ist nicht der richtige Aufenthaltsort für eine Dame.»

«Danke», sagte Katelina van Borselen, «daß du dir die Mühe gemacht hast. Aber vielleicht solltest du deine Anteilnahme für den Herrn aufsparen, dessen Bein du zerschmettert hast. Da ist er, da drüben.»

Claes hatte das Mißgeschick des anderen gar nicht bemerkt, das konnte man an seinem veränderten Gesichtsausdruck sehen. Er war ein gutherziger Junge. Aber als er einen Schritt auf sein Opfer zu machte, hielten ihn die Bewaffneten sofort zurück. Sie ohrfeigten ihn und schlugen ihn wieder, sobald er nur den Mund aufmachte. Das frechste Mundwerk im Land und der meistgeprügelte Rücken. Julius sah seinen jungen Herrn an. Felix sagte: «Claes ist selbst schuld, er scheint nie erwachsen zu werden.»

Das klang nach Felix' Mutter. Sollten sie Claes in Stücke reißen, würde sie ihrem Aktuarius die Schuld geben. Niemand sonst würde Claes bedauern oder sich um ihn sorgen. Er war ein unglücklicher Bastard (in gewisser Weise hatte Julius Mitleid), deren Verwandte entweder tot oder an ihm nicht interessiert waren. «Wer ist der Mann, dessen Bein Claes verletzt hat?» fragte Julius. «Wer ist das?»

Niemand wußte es. Ein Florentiner. Ein Gast des Bischofs, aus Schottland gekommen, mit dem Bischof selbst, mit dem schönen Simon und mit Katelina van Borselen, die, hätte Gott es gewollt, in Schottland einen Ehemann gefunden hätte und dort geblieben wäre. Wer immer jener dicke Fremde war, sie würden es spätestens dann erfahren, wenn er oder der Henker Claes' Kopf für die Verletzungen forderten.

Sie sahen zu, wie Claes fortgeschleppt wurde. Anselm Adorne schenkte ihm keine Beachtung, und das war ein schlechtes Zeichen. Allerdings war Adorne, wie die anderen, damit beschäftigt, dem bärtigen Mann Hilfe zu leisten.

Jedenfalls wie die meisten anderen. Der Stutzer Simon hatte sein blaues Seidenwams ausgezogen, es zusammengerollt und der Dame als Kopfbedeckung angeboten; jetzt gerade war er dabei, ihr loses

Haar damit zu bändigen. Das sah sehr hübsch aus. Er befestigte es mit der Rubinspange und redete die ganze Zeit. Kurz darauf lächelte sie flüchtig. Wäre man daran interessiert, könnte man sich fragen, was das Mädchen gegen den jungen Lord habe. Vielleicht hatte er sie auf der Überfahrt von Schottland nicht beachtet und war jetzt anderen Sinnes? Oder war er womöglich zu weit gegangen? Oder hatte sie sich einem Rivalen zugewandt, und er suchte sie jetzt für sich zurückzugewinnen?

Das alles ging Julius durch den Kopf, während er Simon beobachtete. Dann kehrte er ihm entschlossen den Rücken zu. Wäre dieser verliebte Edelmann nicht gewesen, hätten er, Felix und Claes womöglich unbemerkt verschwinden können. Julius kam noch nicht auf den Gedanken, daß die Einmischung des schönen Simon etwas anderes als zufällig gewesen sein konnte. Dabei kannte er die in dieser Stadt üblichen Praktiken.

Und genauso wie der schöne Simon wußte auch er, wer von ihnen dreien letztlich am schwersten leiden würde.

Kapitel 2

Was Julius auf dem Rückweg nach Brügge dem Kommandanten auch immer an fundierten juristischen Argumenten entgegenhielt, es fruchtete nichts. Nichts bewahrte Felix und ihn vor dem Gefängnis. Noch ehe die Mittagsglocken läuteten, waren sie eingesperrt.

Eine göttliche Fügung wollte es, daß seine Brotherrin, die Mutter von Felix, nicht in Brügge, sondern in Löwen war. Julius schickte eine in Geld eingewickelte Botschaft an Henning, ihren Meister in der Färberei in Brügge, und an drei weitere Leute, die ihm eine Gefälligkeit schuldig waren. Dann wartete er ab und hoffte das Beste. Er hatte den Eindruck, daß niemand sich wirklich für ihn oder Felix interessierte. Wenn jemandem die Schuld an allem in die Schuhe geschoben werden sollte, dann Claes.

Es war später Nachmittag, als sie die ersten Nachrichten über ihn erhielten. Durch die Gitter fauchend, teilte ihnen der Gefängniswärter mit, ihr junger Freund sei der Folter unterworfen worden. Dieser Bursche, der nicht ganz richtig im Kopf sei, habe, während das Stundenglas einmal abgelaufen sei, von nichts anderem als der Kaninchenjagd geredet. Das habe ihm natürlich nichts genützt, aber er habe sich als großer Witzbold erwiesen. Alle hätten gesagt: so gut wie einer von Herzog Philipps Zwergen. Vielleicht würde Herzog Philipp ihn als Hofnarren zu sich nehmen, wenn er das Auspeitschen überlebe. Sie hätten es diesmal gründlicher gemacht als gewöhnlich, weil sie auf ein Geständnis hofften.

Claes tat Julius leid. Aber glücklicherweise nahm der ja Mißlichkeiten dieser Art gleichmütig hin; und zu gestehen gab es sowieso nichts.

Dann erfuhren sie, daß er ins Gefängnis gebracht worden sei. Natürlich in das berühmte dunkle Verlies, einen unterirdischen Kerker. Julius bezahlte (ebenfalls gleichmütig) für warmes Wasser und Handtücher und stellte dem Büttel einen Schuldschein aus, den der Stadtschreiber unbedenklich gegengezeichnet hatte. Er sollte auch für Claes einen Anspruch auf das obere Stockwerk erwirken, wo er selbst und Felix über Bettzeug und Nahrungsmittel verfügten.

Der arme Tölpel schleppte Ketten hinter sich her, als er kam, und auch dafür, daß man sie ihm abnahm, mußte Julius bezahlen. Diesen Betrag fügte er der laufenden Aufrechnung seiner Ausgaben hinzu, die zu gegebener Zeit säuberlich spezifiziert als Unterrichtskosten für Felix wieder auftauchen würde.

Natürlich. Selbst gewissenhaft und ehrlich, wußte Meester Julius inzwischen, für welche Erlebnisse ihres Sohnes Felix Marian de Charetty zu zahlen bereit war und für welche nicht. In den letzten zwei Jahren hatte sie ein- oder zweimal Gelegenheit gehabt, das Gedächtnis ihres Aktuarius in bezug auf seine vertraglichen Pflichten aufzufrischen. Zu seinen erzieherischen Pflichten gehörte es jedenfalls nicht, bei irgendwelchen wilden Unternehmungen zusammen mit Felix über die Stränge zu schlagen. Tatsächlich waren Felix' Unternehmungen vor der Ankunft des Aktuarius mehr als wild gewesen. Felix fing leicht Feuer, er wußte nie, wann Schluß war. Selbst Claes hatte nie so leidenschaftlich Unfug getrieben wie Felix, obwohl er immer in größere Schwierigkeiten geriet als sie alle.

Eine lange Zeit hatten Hunde und Pferde Felix' heftigste Gefühlsregungen in Anspruch genommen. Aber nun konnten auch jederzeit Mädchen hinzukommen. Bis jetzt hatten die Mädchen Felix entweder zappeln lassen oder ganz übersehen, denn er behandelte sie grob, so wie er auch seine kleinen Schwestern grob behandelte. Aber das würde sich ändern, und Julius hoffte, daß Claes ihm diesen Teil in der Erziehung von Felix abnehmen würde. Und daß sie dann wieder in Löwen sein würden, wo die Leute Verständnis für die Lebhaftigkeit der Studenten hatten. Fest stand, daß Felix kein übler Bursche war, wie er da kniete, gleich einem liebevollen Pferdebesitzer, der half, Claes' muskulösen, aber malträtierten Rücken zu verarzten. Allerdings richtete er dabei nicht viel aus, vor allem weil er seine Bemühungen dauernd unterbrach, um mit Claes herumzustreiten.

Claes, dessen gutmütiges Gesicht wieder ein wenig Farbe bekam, beschrieb mit fünf verschiedenen Akzenten, wie es im untersten Stockwerk des Steen zuging. Dort gab es nichts zu essen und kein Licht. Man mußte betteln, so gut man konnte, indem man eine Stange, an der ein Sack befestigt war, durch die Fenstergitter steckte. Weil er blutete, hatte ihm ein anderer die Bettelstange kurz überlassen, und als er sie zurückzog, fand er einen Beutel Butter in dem Sack.

Wieder hielt Felix ein: «Butter?»

«Von den Wollküpen. Für meinen Rücken. Aber ehe ich sie noch benutzen konnte, hat sie mir jemand weggenommen. Ich wünschte, ich hätte sie jetzt. Hast du vielleicht deine Turnierhandschuhe an? Du hast Hände wie Dornbüsche. Sie kam von Mabelie, die Butter.»

«Mabelie.» Felix hielt von neuem inne.

«Stand draußen vor dem Gefängnisfenster. Hast du sie nicht in Damme gesehen? Das Mädchen mit dem dicken Zopf, sie trug einen Eimer. Ich wußte ihren Namen auch nicht. Sie heißt Mabelie und arbeitet in Jehan Metteneyes Haus.»

«Und sie hat dir Butter gebracht.» Julius merkte, daß er ebenfalls aufgehört hatte, Claes' Rücken zu behandeln.

«Na ja, wir taten ihr leid. Allen tun wir leid. Es standen viele Leute in der Burg herum. Die Hutmacher, das wollte ich Euch noch erzählen, Meester Julius. Ich habe ihnen gesagt, wo sie sich ihre Kaninchen holen können, aber besonders erfreut schienen sie nicht zu sein. Ich hoffe doch, wenn Meester Cambier die Kanone aus dem

Kanal fischt, wird er aus Gefälligkeit auch den Kaninchensack herausholen und vielleicht sogar das Geld von Mylord Simon. Zwei von Euren Mandanten waren da, Meester Julius. Sie wollten wissen, ob die Verträge rechtskräftig bleiben, wenn Ihr aufgehängt werdet. Und Henning von der Färberei sagte, er wolle jemanden nach Löwen schicken. Außerdem würde alles, was Ihr zu zahlen hättet, von Eurem Lohn abgezogen. Und all die Burschen im Hof mit Bier. Ihr hättet mich im Verlies lassen sollen», sagte Claes sehnsuchtsvoll. «Dann hätte ich, ehe sie uns aufhängen, wenigstens die Butter bekommen und das Bier und all das.»

«Sie werden uns nicht aufhängen», entgegnete Felix zuversichtlich. «Wir haben nichts Unrechtes getan, es war nicht unser Leichter. Nicht wir waren dafür verantwortlich, sondern die Leichterschiffer. Der Schleusenwärter hat sein Bier zurückbekommen, und wir haben dich, Julius. Du verstehst mehr von Rechtsdingen als irgendeiner von denen.»

«Felix», sagte Julius, «der Bischof war wütend. Er ist der Vetter des schottischen Königs. Die schottische Königin ist eine Nichte von Herzog Philipp. Die Schwester des schottischen Königs ist mit Wolfaert van Borselen verheiratet. Es muß etwas getan werden, um all diese Leute davon zu überzeugen, daß es ein Unfall war und keine Straftat.»

Über seine Schulter hinweg lächelte Claes Felix zu. «Also muß jemand bestraft werden. Verstehst du? Sie müssen es als Unfall ausgeben, sonst könnten sie nicht wagen, jemanden zu bestrafen.»

Claes sah die Dinge sehr einfach. Verwickelte Angelegenheiten existierten für ihn nicht, und Julius war oft traurig über diese Nüchternheit. Felix war einfach wütend: «Das ist verrückt. *Uns* werden sie bestrafen? Weil wir nichts getan haben?»

«Mich haben sie bestraft», sagte Claes, der Lehrling. Vorsichtig drehte er sich um, damit sie ihm die Tücher auf der Brust zusammenstecken konnten. Er saß jetzt im Schneidersitz und hatte sein Hemd über die Schultern gezogen. Die Hose war faltig und zerknittert auf seinen Schenkeln getrocknet, und auch sein Haar war wieder trocken. Es war dick und glatt und an den Enden wie von der Brennschere ein wenig gekräuselt.

«Natürlich haben sie dich bestraft. Du hast dem Herrn das Bein gebrochen», sagte Felix nicht ganz zu Unrecht. «Und du warst nicht respektvoll. Und du hast das Mädchen lächerlich gemacht, um das dieser Lord Simon herumscharwenzelte. Noch dazu ist er ein Schotte. Diese Katelina. Sie wollte ihre alberne Haube, die ins Wasser gefallen war, gar nicht wiederhaben, du Dummkopf. Sie könnte sich doch zwanzig neue kaufen.»

«Dein Haar ist ja gar nicht mehr lockig», sagte Claes mitfühlend. Kein Wunder, dachte Julius, daß Claes so oft Prügel bekam. Dann aber fiel ihm etwas Wichtiges ein. Ein Mädchen mit Namen Mabelie arbeitete bei Jehan Metteneye, und die Metteneyes von Brügge waren schon seit fünf Generationen Gastwirte und Makler für herüberkommende schottische Kaufleute.

«Dieses Mädchen, Mabelie...» begann Julius.

«Ein langer, dicker Zopf bis hier, braun wie ein Fuchs. Ein Mund voller Zähne, so gut wie dein Pferd, rosa Wangen wie gemalt, eine Nase wie eine Pflaume und ein langer weißer Hals mit Muskeln, die hinunterführen bis – bis...»

Gerade noch rechtzeitig kam Claes wieder zu Verstand und sprach das Wort nicht aus. «Sie sagt, die Schotten dürsteten nach unserem Blut. Sie brauchten die Kanone, um gegen England Krieg zu führen. Mabelie sagt, der Herzog werde Brügge die Schuld zuschieben, und der Bürgermeister werde sich schützen müssen. Sie will mich morgen um elf unter dem Kran treffen.»

Julius schloß die Augen. Hätte er Claes nicht gekannt, hätte er das für ein Hirngespinst gehalten. Nicht einmal Claes konnte durch Gefängnisgitter von einem Mädchen, mit dem er noch nie im Leben gesprochen hatte, zu einem Treffen aufgefordert worden sein. Andererseits, wenn man Claes kannte, dann wußte man auch, was sein Lächeln bewirkte. Dennoch...

«In Stücke gerissen?» fragte Julius. «Mit blauem Gesicht und heraushängender Zunge? Oder werden sie alle Leichterschiffer verhaften und dich und mich und Felix morgen zurück in die Färberei gehen lassen?»

«Das wollte ich euch gerade erzählen», sagte Claes. «Wenn ihr meinen Rücken nicht so malträtiert hättet. Ich konnte dabei nicht klar denken. Alle Jungen aus der Färberei waren draußen vor dem Gefängnis.»

«Das hast du uns schon erzählt», sagte Felix.

«Ja, aber es waren auch alle Genossen der Färberzunft da, und der Obermeister und der Kaplan. Sie sagten, sie hätten an den Beisitzer und die Schöffen und die Ratsmitglieder und den stellvertretenden Kämmerer und natürlich an Meester Anselm eine gehörige Beschwerde gerichtet, von einem empörenden Vorgehen gesprochen und gedroht, daß man den Handel mit Schottland einstellen werde. Daraufhin hätten alle Amtspersonen die Köpfe zusammengesteckt und seien übereingekommen – vorausgesetzt, wir können Meester Anselm von unserer Unschuld überzeugen –, keine weiteren Maßnahmen zu ergreifen außer der Verhängung eines beträchtlichen Bußgelds für die Familie Charetty...»

«Oh», sagte Felix.

«...an dem die Färberzunft und die Zunft der Leichterschiffer sich beide beteiligen werden. Sie lassen uns morgen früh raus. Um elf unter dem Kran, hat sie gesagt.»

Meester Julius starrte den Lehrling der Familie an. «Das hast du gewußt, als du herkamst.»

Claes schenkte ihm sein umwerfendes Lächeln.

«Und der Büttel wußte es», fuhr Julius fort, «und wahrscheinlich der Gefängnisaufseher und die beiden Schließer, die mir mein ganzes Geld abgenommen haben.» Er spürte, daß er eine Erkältung ausbrütete und begnügte sich deshalb damit, eine scharfe, treffende und vernichtende Schmährede vom Stapel zu lassen, die Claes mit gebührender Demut entgegennahm, während Felix die ganze Zeit über kicherte. Dann legte er sich hin und überließ sich samt Erkältung einer zwar unbehaglichen, aber nicht verhängnisvollen Nacht.

Am nächsten Morgen wurden die drei jungen Leute in Anselm Adornes stattliches Haus neben der Jerusalemkirche geführt. Adorne war eingeschaltet worden, um den Fall zu untersuchen und sie einzuschüchtern – diese Kinder.

Kinder? Zwei waren Jugendliche, und einer war ein hochgebildeter Aktuarius und nur sieben Jahre jünger als Anselm Adorne. Aber in Sachen Diplomatie benahmen sie sich wie Kinder. Die Adornes gehörten seit fast zweihundert Jahren zu den mächtigen und angesehenen Familien des Landes. Sie waren aus Italien gekommen, um sich mit dem damaligen Grafen, der eine Tochter des Königs von Schottland geheiratet hatte, in Flandern niederzulassen. Generationen von Adornes mit den edlen Gesichtszügen, den spöttisch hochgezogenen Augenbrauen und dem blondgelockten Haar hatten der Stadt Brügge und den Herzögen von Flandern gedient, und zwar in dieser Reihenfolge. Sie vergaßen auch nie den anderen Zweig ihrer verstreuten Familie, dessen Männer der Republik Genua sogar noch länger gedient hatten, im Handel und im Geldgeschäft und sogar im allerhöchsten Regierungsamt, als Dogen von Genua.

Für einen Mann mit Familie und Vermögen wie Anselm Adorne, geschult in ritterlichen Fertigkeiten und schöngeistiger Literatur, einen Latinisten, der fließend Flämisch und Französisch, Deutsch und Englisch sprach und die ländlichen Dialekte von Schottland beherrschte, waren die drei törichten jungen Männer, die des Bischofs neue Kanone zum Kentern gebracht hatten, einfach Kinder. Er stand nicht auf, als sie in den großen Raum des Hauses geführt wurden. Auch seine Frau, mit der er seit sechzehn Jahren verheiratet war, blieb am anderen Ende des Saals bei ihren Gästen, ihrer Dienerin und den älteren ihrer vielen Kinder.

Der gotische Stuhl, auf dem Anselm saß, und die Balken über seinem Kopf trugen die ineinandergeschlungenen Wappen seiner Mutter und seines Vaters, Bradericx und Adorne, und sie zierten auch in farbigem Glas die hohen gotischen Fenster. Der Aktuarius war schon früher hier gewesen. Am Kai von Damme hatte Adorne die schräg stehenden Augen und die einnehmenden, offenen Züge sofort erkannt. Jetzt wirkte Meester Julius um einiges gesetzter in seinem korrekten schwarzen Gewand mit Kragen, mit der auf die Schulter fallenden Hutschärpe und den am Gürtel befestigten Gerätschaften seines Berufs. Mit seinen weichbeschuhten Füßen stand er fest auf dem Boden, und das hörnerne Tintenfaß und das Federkästchen hingen reglos und ruhig an seinem Gürtel. Der junge Mann besaß den Stolz des im Kloster ausgebildeten Schriftkundigen und Gelehrten. Aber Eskapaden waren etwas für Studenten.

Die anderen waren nichts Besonderes. Der Knabe Felix drohte zu verwildern, als Cornelis de Charetty starb, aber er hatte eine vernünftige Mutter. Ob er die Klugheit seines Vaters geerbt hatte, war eine andere Frage. Cornelis war es gewesen, der bei der Panik vor zwei Jahren, als alle lombardischen Pfandhäuser bankrott machten, einen kühlen Kopf behalten und den Vater seiner Frau Marian gerettet hatte, indem er sein Geschäft übernahm.

Es wurde als ein gutes Gewerbe angesehen, die Verbindung von Pfandleihe und Färberei. Der Laden in Löwen florierte, und de Charetty besaß dort mehrere Häuser, hieß es, außerdem seine *blauw ververij*, die Färberwerkstatt, sein Haus hier in Brügge sowie seine vortreffliche Leibwache. Er muß recht wenig Zeit für seine Kinder gehabt haben. Aber ein Mann wie Cornelis hätte klüger sein, hätte an die Zukunft denken, hätte sich überlegen müssen, wer sein Nachfolger werden würde, wenn er vor der Zeit starb. Jetzt war nur seine Frau Marian da, und die Betriebsleiter, die so verläßlich waren, wie Betriebsleiter es gewöhnlich sind, dieser wahnsinnige Söldner und der Knabe. Der Knabe Felix, der immer zu Streichen mit seinem Freund Claes, dem Lehrling, aufgelegt war und keinen Gedanken an das Geschäft verschwendete.

Dann betrachtete Anselm Adorne schließlich den Lehrling und stellte etwas fest. Er drehte sich um und sagte: «Ich werde Euch nicht auffordern, Platz zu nehmen, Meester Julius, denn ihr seid hier, um abgeurteilt zu werden. Aber sagt mir zuerst, ist dieser Bursche gezüchtigt worden?» Er hatte Flämisch gesprochen.

Der junge Felix machte den Mund auf, aber nachdem ihm der Aktuarius einen Blick zugeworfen hatte, machte er ihn wieder zu. Der Aktuarius sagte in derselben Sprache: «Mijnheer, Claes ist wegen der Verletzung ausgepeitscht worden, die er dem Freund des Bischofs zugefügt hat. Er wurde auch für sein Betragen ausgepeitscht, das man unverschämt fand. Er hat es aber nicht böse gemeint.»

«Er war unverschämt», sagte Anselm ruhig, «und er hat Messer de' Acciajuoli wirklich verletzt. Bestand denn kein Grund, ihn wegen der Kanone auszupeitschen? Gab es keinen Beweis und kein Schuldgeständnis?»

«Nein, Mijnheer», sagte der Aktuarius mit Bestimmtheit. «Claes führte nichts gegen die Kanone im Schild. Es war ein Unfall. Er stand auch nicht am Steuer, als das Unglück geschah. Verzeiht, Mijnheer, aber es gibt viele, die das bestätigen könnten.»

«Es gibt mittlerweile viele, die meinen, es läge in ihrem Interesse, dies zu bestätigen», sagte Adorne. «Ich halte es nicht für zweckmäßig, diese Untersuchung auszuweiten, die meiner Ansicht nach schon zu öffentlich geworden ist. Ob ich es nun als Unfall akzeptiere oder nicht. Tatsache ist, daß ein schweres Unrecht gegen einen Verbündeten des Herzogs und gegen den Herzog selbst begangen worden ist. Meester Julius, wart Ihr als Aktuarius der Familie de Charetty gestern nachmittag verantwortlich für diese beiden jungen Leute?»

«Ich bin der Demoiselle de Charetty gegenüber verantwortlich», sagte Julius.

«Dann werde ich es der Demoiselle de Charetty überlassen, mit Euch so zu verfahren, wie sie meint, daß ein solcher Angestellter es verdient. Du, mein lieber junger Mann, bist der Erbe des Geschäfts deines Vaters?»

«Mijnheer», sagte Felix, «Meester Julius war nicht schuld. Wir haben ihn veranlaßt, mit uns auf die Jagd zu gehen. Wir alle haben beschlossen, auf die... in die...»

«Ihr hattet alle ziemlich viel getrunken und wart der Meinung, eine Fahrt in der Badewanne des Herzogs von Burgund würde euch Spaß machen. Das ist verständlich bei kleinen Kindern. Ihr seid aber keine kleinen Kinder mehr. Ihr seid, wie ich auch, Diener unseres durchlauchtigen Herzogs und müßt sein Eigentum und die Würde seines Rangs und die all seiner Freunde respektieren. Hätte sich dein Vater über derlei Dinge hinweggesetzt? Tut deine Mutter es? Was hast du ihrem Namen und ihrem Geldbeutel angetan, du, ihr Sohn, Ihr, der Aktuarius, und du, ihr Lehrling?»

Felix errötete. Der Aktuarius sagte: «Wir werden in Zukunft achtgeben. Wir haben nichts aus Bosheit getan und werden es auch nie tun.»

Eine Spitze? Nein, dachte Adorne. Meester Julius war vernünftig und fand sich mit der Sache ab. Der junge Felix sah nur die Ungerechtigkeit: er hatte Tränen in den Augen. Es war Zeit, daß er etwas über Ungerechtigkeit erfuhr. Der Lehrling Claes stand völlig gleichmütig da; er hatte das Zeug, aus dem gute Arbeiter und gute Soldaten gemacht sind.

Adorne wandte sich an den Aktuarius. «Ihr habt von dem zu zahlenden Bußgeld und den Bedingungen gehört. Mein Urteil lautet, daß die Eurer Brotherrin und Eurer Zunft auferlegte Zahlung Strafe genug ist für das, was Ihr getan habt. Weitere Haft wird Euch erlassen. Zum Zeichen dafür biete ich Euch in meinem Haus Wein an. Meester Julius, da ist ein Schemel für Euch und einer für Euren Schüler. Margriet!» Den Knaben Claes, der vor ihm stand, hatte er übergangen.

Es war eigentlich nicht nötig gewesen, seine Frau zu rufen. Sie kannte seine Gewohnheiten, hatte schon längst seinen Blick aufgefangen und nach seinem Haushofmeister geschickt. Jetzt stand sie lächelnd auf. Adorne stand auch auf, als sie näher trat, obwohl sie dem Jungen und dem Aktuarius bedeutete, sie sollten sitzenbleiben. «Mevrouw», sagte Anselm Adorne, «wir haben hier einen jungen Burschen, der gestern der Tochter unseres Freundes Florens einen Dienst erwiesen hat und noch nicht belohnt wurde. Bittet sie herzukommen.» Er beobachtete die drei jungen Männer, während er sprach. Er wußte, daß noch keiner von ihnen Katelina van Borselen am anderen Ende des Raums bemerkt hatte. Zwei von ihnen drehten sich um und wurden rot. Der Lehrling rührte sich überhaupt nicht und wartete geduldig ab.

Anselm Adorne machte sich lustig über Menschen, handelte aber niemals allein aus Mutwillen. Er war noch nicht sicher, ob er den Lehrling durchschaut hatte. Er wollte auch herausfinden, wie Wolfaert van Borselens Cousine nach den drei (ehelosen) Jahren im Ausland als Hofdame der schottischen Königin gestimmt war.

Er brauchte dazu nicht lange. Heute trug sie keinen Hennin, sondern hatte ihr Haar in einem Netz verstaut, das nur einen Lockentuff an jedem Ohr sehen ließ. Das war sehr vorteilhaft für ihren langen Hals, und ihr Kleid war eng und schlicht nach der schottischen Hofmode. Sie besaß die Borselen-Augenbrauen, die sie jetzt zusammengezogen hatte. Der Lehrling drehte sich um, und die Brauen lösten sich voneinander.

«Ah», sagte Katelina van Borselen, «die Badewannenbegleiter. Ich weiß nicht, wann ich mich zuletzt so amüsiert habe. Und da ist auch der Apportierhund. Trocken sieht er ganz anders aus.»

«Ja, Mevrouw», sagte Claes. Er lächelte offen und gutmütig, die Freundlichkeit selbst. «Und Ihr seht auch anders aus, Mevrouw. Ich glaube, Meester Adorne möchte, daß Ihr Euch bei mir entschuldigt.»

Adorne sah, daß das Gesicht seiner Frau zuckte und ernst wurde. Er bedauerte ein wenig, daß es ihm nicht gelungen war, den Jungen richtig einzuschätzen. Er fragte: «Claes – so heißt du?»

Der Junge mit dem offenen Lächeln des Kindes, des Schwachsinnigen, des Greises, des Klosterinsassen, antwortete: «Claes van der Poele, Mijnheer.»

Der Nachname war ihm zugeteilt worden. Er hatte keinen eigenen. Anselms Haushofmeister, dem nichts verborgen blieb, hatte auch alles über Claes in Erfahrung gebracht. Als zehnjähriger Knabe war er hergekommen, um in der Charetty-Färberei Dienst zu tun. Bis dahin hatte er im Haushalt der Kaufleute Thibault und Jaak de Fleury in Genf gelebt, da er der Bastard von Jaaks Nichte war. Er war nie wieder zu der Familie de Fleury zurückgekehrt, die sich ihrer Verpflichtung ihm gegenüber entledigt zu haben schien, indem sie das Lehrgeld für ihn bezahlte. Es war eine alltägliche Geschichte. Ein Diener des einen Haushalts und die Tochter eines anderen begingen einen Fehltritt, und der Fehltritt wurde, wie es sich gebührte, großgezogen und tauchte mit blauverfärbten Fingernägeln in Flandern auf.

An belanglosem Klatsch war Adorne nicht interessiert, aber an Brügge und seinem Geschäftsleben. Eines Tages würde Felix de Charetty zu diesem Gemeinwesen gehören, und es war die Pflicht des Gemeinwesens, dafür zu sorgen, daß er ohne Schaden oder unwürdige Gefährten dazukam. Anselms Haushofmeister behauptete, dieser Lehrling sei sanftmütig und ohne Falsch. Dergleichen ließ sich leicht nachprüfen. Daher sagte er: «Du solltest wissen, Claes van der Poele, daß eine Dame sich nicht bei einem Lehrling entschuldigt.»

«Warum, Mijnheer?» fragte der Lehrling. «Wenn ich sie beleidigt habe, muß ich mich bei der Dame entschuldigen.»

«Dann entschuldige dich. Du hast mich beleidigt», sagte Katelina van Borselen.

«Weil Mylord Simon Euer offenes Haar gesehen hat. Ich verstehe. Es tut mir leid, Mevrouw», sagte der Lehrling.

Anselm Adorne merkte, daß seine Frau im Hintergrund amüsiert zwinkerte und Katelina ihn böse ansah, als sie zu ihm sagte: «Und Ihr habt mich in Euer Haus kommen lassen, um mich einer Begegnung mit *ihm* auszusetzen? Schottland war zivilisierter.»

«Vielleicht ist es in Seeland besser», sagte der Lehrling. «Es mag dort weniger Wind wehen. Falls Mevrouw es wünscht, könnte ich ihr ein Haubengestell biegen, das nicht wegfliegt. Wie ich es immer für Felix' Mutter mache.»

«Claes», sagte Julius, der Aktuarius. «Mit der Erlaubnis von Meester Anselm darfst du dich jetzt sicher zurückziehen.»

Das sonnige Lächeln fiel auf Adorne. «Darf ich mich zurückziehen? Darf ich vorher noch mit Euren Kindern sprechen, Mijnheer? Wir kennen einander.»

Adorne wußte das schon von seiner Frau. Er war mit diesem Schlingel noch nicht fertig, aber es könnte vielleicht ganz interessant sein, den Dingen ihren Lauf zu lassen. Er nickte zustimmend.

Nicht zu seinem ältesten Sohn Jan und dessen Cousine begab sich der junge Mann, wie Adorne sah, sondern zu den Kleinen: Katelijne und Antoon und Lewijse. Erstaunt, was sie wohlerzogen verbarg, sah die Dame Katelina ihn an sich vorbeigehen, dann drehte sie sich um und sprach mit ihren Gastgebern, wobei sie von Zeit zu Zeit geduldig wartete, ob Meester Julius zum Reden aufgefordert würde. Kleine Lachsalven kamen von den Kindern am anderen Ende des Raums. Sie schienen mit einem Brettspiel beschäftigt. Später sah Adorne, daß Claes ihnen seine Hände zeigte, die eine Art Fadenmuster hielten. Noch später vernahm er Stimmen, von denen er hätte schwören können, daß sie Leuten gehörten, die er kannte, etwa Tommaso Portinari und dem schottischen Bischof und Meester Bladelin, dem Stadtkämmerer, und dem Zunftmeister der Obsthändler, der zwei Oberlippen hatte, Gott möge ihm beistehen.

Dann verstummten alle Stimmen, und er wußte, daß Nicolai Giorgio de' Acciajuoli wie auf ein Stichwort den Saal betreten hatte. Er trug dieselbe Kleidung wie gestern am Kai von Damme: die gefältelte Kopfbedeckung und das aus Florenz stammende Gewand aus Seidenbrokat. Er beherrschte den Raum. Sein gepflegter schwarzer Bart war nach italienischer Mode geschnitten, aber die Beschaffenheit seiner Haut und die eng zusammenstehenden dunklen Augen waren levantinisch. Ein Grieche Florentinischer Herkunft: Der Gast vom Schiff der Schotten, den der Lehrling Claes gestern umgerannt hatte, dessen Bein Claes hörbar gebrochen hatte.

Neben sich sah Adorne den Aktuarius erstarren. Felix hatte Mund und Nase aufgesperrt und wurde blaß. Am Ende des Saals erhob sich Claes mit qualvoller Langsamkeit. Dann lächelte er und sagte: «Ich habe mich gefragt, Monsignore, warum ich nichts über Eure Verletzungen erfahren habe. Ich muß um Verzeihung bitten. Es war nicht meine Absicht, Euch ein Leid zu tun.»

Er hatte Genfer Italienisch gesprochen und erhielt die Antwort im Florentiner Dialekt.

«Eine Prellung am Ellbogen», sagte der bärtige Mann trocken. «Du warst mit anderen Dingen beschäftigt. Ich hoffe, du fandest sie lohnend.»

Alles, was er an Blut entbehren konnte, schoß dem Jungen ins Gesicht und verweilte kurz bei seinen Grübchen. Er sagte: «Solange Monsignore mir verzeiht.»

«Oh, ich verzeihe dir», sagte Herr Nicolai Giorgio de' Acciajuoli. «Solange du das nicht noch einmal machst. Ich hatte einen Ersatz. Meine anderen Gliedmaßen sind in Boudonitza. Deine Freunde sehen erstaunt aus. Du solltest es ihnen erklären.»

Aber der Aktuarius hatte es inzwischen begriffen. Er verstand Italienisch, wie Adorne einfiel, womöglich sogar etwas Griechisch. Er hatte ja in Bologna studiert. «Habt Ihr...» fragte der Aktuarius, «...war es aus Holz, Monsignore?» Sein Gesicht verriet Erleichterung und Verlegenheit.

«Ich habe ein Holzbein», gab der andere zu. «Was das Aufstehen erschwert, wenn ich seiner beraubt bin. Was auch das Sitzen angenehm erscheinen läßt, wenn mein Gastgeber gestattet? Vielleicht neben der Dame Katelina, deren Anwesenheit allein unsere kürzliche Seereise erträglich machte.» Er setzte sich. «Und nun macht mich mit den drei jungen Leuten bekannt.»

Anselm Adorne stellte sie vor. Mit derselben Feierlichkeit stellte er ihnen dann seinen einbeinigen Gast vor, wobei er sich des Flämischen bediente.

Er erwartete nicht, daß ihnen der Name der Fürsten von Athen geläufig sei. Er stellte diesen Nachkommen lediglich als Nicolai de' Acciajuoli vor, der die Christenheit bereise, um Gold als Lösegeld für seinen Bruder zu sammeln, der in Gefangenschaft geriet, als Konstantinopel an die Türken gefallen war. Er machte die Dinge nicht noch durch weitere Erklärungen komplizierter. Monsignore habe in Schottland Erfolg gehabt. Der König sei gerührt gewesen, und der Bischof habe eine große Summe für Monsignores Bruder gesammelt. Der andere Teil seines Appells an die Christenheit war weniger geglückt. Wie alle im Osten wünschte der Grieche einen neuen Kreuzzug, um Konstantinopel zu befreien. Mehr nicht. Aber die Herrscher der Christenheit hatten schon genug Schwierigkeiten, ohne sich auch noch darauf einzulassen.

Es begann eine Unterhaltung auf italienisch. Adorne bemerkte, daß dies Katelina van Borselen mißfiel, setzte sich aber darüber hinweg. Auch der junge Felix war ausgeschlossen und begann an seinen Nägeln zu knabbern. Das Wort «Grieche» kam im Gespräch vor.

Der edle Herr aus Boudonitza sah Felix an. Er sagte in außerordentlich langsamem Griechisch: «Ich höre von Eurem Freund, daß Ihr an Pferden interessiert seid.»

Die Wirkung war verblüffend. Felix wurde puterrot und faltete rasch die Hände. Dann begann er zu reden. Wer immer in Löwen Griechisch unterrichten mochte, war kein begnadeter Lehrer, und der Knabe Felix war sicherlich nicht besonders sprachbegabt. Aber er war offensichtlich verrückt nach Pferden, und das Gestüt der Acciajuoli war weltberühmt. Er stotterte, staunte und lauschte.

Katelina van Borselen fragte: «Worüber reden sie jetzt?»

Anselm Adorne sagte es ihr. Aus dem Augenwinkel sah er, daß seine Frau etwas unruhig wurde. Er benahm sich heute nicht wie ein Gastgeber.

«Ich fürchte», sagte Katelina van Borselen, «daß ich die Zeit für eine griechische Lektion über Pferde nicht erübrigen kann. Margriet, darf ich Euch stören? Ich habe meinem Vater versprochen, ihn zu unterstützen, wenn er einige schottische Freunde empfängt. Den Bischof. Den Lord Simon.»

«Es wäre besser, Ihr würdet Euch auf griechisch über Pferde unterrichten lassen», bemerkte Claes.

Anselm sah ihn an. Nach kurzem Zögern sagte er: «Die Schotten sind Verbündete unseres Herzogs, mein Junge. Du befindest dich hier unter höflichen Menschen. Werde nicht ausfallend.»

Vielleicht war es ihr Ton gewesen, der den Griechen dazu veranlaßte, das mühsame Gespräch mit Felix abzubrechen. Ihm war auch ein Name aufgefallen, ein Ausdruck. Unerwartet sprach er Claes direkt auf italienisch an. «Du kannst den hübschen Simon nicht leiden, junger Fant? Bist du womöglich neidisch? Weil er gut gekleidet ist, sich mit schönen Demoiselles wie dieser Dame unterhält? Aber er kann kein Italienisch sprechen und Kinder nicht zum Lachen bringen, und er ist auch nicht so um seine Freunde besorgt wie du. Warum hast du etwas gegen ihn?»

Claes überlegte, die unnatürlich glänzenden Augen auf den Griechen geheftet. Dann sagte er: «Ich habe gegen niemanden etwas.»

«Aber du kränkst die Menschen. Du verspottest sie. Du machst sie nach. Die Dame Katelina hast du gestern und heute beleidigt», sagte Adorne.

Der Blick wandte sich ihm zu. «Sie beleidigen mich, und ich beklage mich nicht. Die Leute sind nun mal so. Bei manchen fällt es einem schwerer, sie zu bemitleiden, als bei anderen. Felix würde sich gern so kleiden wie Lord Simon, aber er ist erst siebzehn. Mylord Simon ist nicht siebzehn, aber er benimmt sich wie ein Dummkopf und hat die Veranlagung eines Mädchens, kann man sagen; was beschämend für seinen Vater sein muß. Aber ich glaube, Meester Adorne, daß er doch Italienisch spricht, denn er hat über Euch einen Witz in dieser Sprache gemacht. Demoiselle Katelina wird sich sicher daran erinnern.»

Messer de' Acciajuoli ergriff das Wort, ehe Adorne wieder zu Atem kam.

«Ich glaube», sagte der Grieche und legte dem Lehrling vorsichtig eine Hand auf den Arm, «daß es für Claes Zeit ist, nach Hause zu gehen, wenn ihn kein neuerliches Auspeitschen heimsuchen soll. Vielleicht können sich seine Freunde darum kümmern. Ehrlichkeit, Messer Adorne, ist eine Tugend, die sich aber nicht überall empfiehlt. Indes bin ich froh, sie angetroffen zu haben, und möchte nicht, daß sie bestraft wird.»

«Sie ist bereits bestraft worden», erwiderte Adorne. «Und Ihr habt recht. Wir haben in diesen letzten fünf Minuten über das schlechte Wetter gesprochen. Meester Julius, Ihr seid entlassen.»

Er konnte nicht verhindern, daß die Kinder Claes auf den Hof nachliefen und sich von ihm verabschiedeten. Er hoffte, der Aktuarius werde so vernünftig sein, den Lehrling gleich in die Charetty-Färberei zu bringen und ihn dazubehalten, bis sich die Lage wieder entspannt hatte. Oder, was noch besser wäre, ihn mitsamt dem Knaben Felix nach Löwen zurückzuschicken. Er fragte sich – Margriet würde das sicherlich von ihm wissen wollen –, ob es wohl stimmte, daß der Junge die Haubengestelle für Marian de Charetty mache; und als er sich bückte und das Gewirr von Fäden aufhob und prüfend ansah, was die Kinder hatten fallen lassen, kam er zu dem Schluß, daß es wahrscheinlich stimmte.

Er kümmerte sich um den Aufbruch von Katelina und fand, als er zurückkam, den Griechen im Gespräch mit Arnolfini, dem Seidenhändler aus Lucca, konnte sich aber nicht erinnern, ihn eingeladen zu haben. Messer de' Acciajuoli hielt das Brettspiel der Kinder in der Hand und verschob gedankenverloren die Steine. Beide sahen auf, als Anselm hereinkam, und er und Arnolfini begrüßten einander.

Der Lucceser hatte, wie es schien, ohne besonderen Grund hereingeschaut. «Es sei denn», sagte er, «um Euch wegen Eures selbstlosen Dienstes meine Hochachtung zu bekunden. Ihr habt, so hat man mir gesagt, Eure Freizeit geopfert, um den Schöffen diese gefährliche Geschichte mit der versenkten Kanone zu ersparen. Wir sind alle sehr beeindruckt.»

Der Grieche sprach leise, den Blick auf das Brettspiel gerichtet. «Hohe Bußgelder sind verhängt worden. Aber die Zünfte sind reich.»

«So ist es», sagte Arnolfini. «Reich und solvent. Wie ich höre, ist die Zahlung schon geleistet worden. Ehe das Urteil überhaupt verkündet war. Wer hat dieses höchst eigenartige Spiel erfunden?»

«Ich kann mich nicht erinnern», sagte Anselm und war nicht überrascht, als er dem lächelnden Blick des Griechen begegnete.

Kapitel 3

Blau strahlte der Himmel, als Katelina van Borselen mit ihrer Zofe Adornes Haus verließ, und der Wind blähte ihren Umhang aus Seidensamt nur wenig. Seit zwei Tagen war sie wieder in Flandern.

Das Haus, das ihr Vater in der Zilverstraat bezogen hatte, lag auf der anderen Seite der Stadt. An den Anlegestufen im Garten erwartete sie das bemalte Kanalboot von Anselm Adorne mit drei Dienern, die sie betreuen sollten. Sie ließ sich von ihnen auf einem Umweg nach Hause rudern, vorbei am Kloster der Karmeliterinnen und der St. Gilliskirche, den großen Bauten der Augustiner und der hübschen St. Jakobskirche, von der aus man die Türme des Prinsenhofs sehen konnte, wohin die Badewanne des Herzogs von Burgund gerade mit so viel Mühe geschleppt worden war. Aber daran wollte Katelina nicht denken, auch nicht an den Blick des Aktuarius Julius. Sie ließ die Leute fast bis zum Freitagmarkt rudern.

Es hieß, in Venedig gäbe es auch Brücken, aber Brügge hatte wohl Hunderte davon: aus Stein mit Heiligen mit mandelförmigen Augen und matt gewordener Vergoldung; aus Holz mit verwitterten und bemoosten Balken. Die Straßen wimmelten von Menschen, aber der Fluß, überall unterteilt, verschlungen und kanalisiert, war der Hauptverkehrsweg, auf dem Boote Dollbord an Dollbord aneinander vorbeifuhren, mit Persenning oder ohne, beladen, vollgestopft mit Säcken und Kisten und Tieren und Körben und Menschen: Nonnen und Amtspersonen, heimische und ausländische Kaufleute, Geistliche und Kapitäne von in Sluis auf Reede liegenden Schiffen, Konsuln und Gastwirte, die auf geraden Strecken in ihren Ruderbooten vorbeiflitzten und ihre Masten umlegten, um unter den glitzernden Brückenbögen hindurchzugleiten.

Zu beiden Seiten zogen die krummen Mauern von Backsteinhäusern vorbei, die unregelmäßig von schiefen Fenstern und Balkonen mit Blumentöpfen durchbrochen wurden und deren Dächer geriffelt waren wie Napfkuchenformen. Ihre Fundamente, ihr Zugang und ihre Lagerhaustüren waren in den Kanal hineingebaut. Die Stufen von den Bootsstegen führten hinauf zu kleinen verschwiegenen Gärten, wo Rosen über die Mauer rankten, sich im Luftzug eines vorbeifahrenden Bootes wiegten und ihm ihren Dufthauch hinterherschickten.

Die Familie van Borselen war in Seeland zu Hause, aber Katelina konnte verstehen, was es hieß, ein Bürger von Brügge zu sein.

Edinburgh war grauer Stein und graues, silbern überzogenes Holz, und alle Straßen waren steil. Brügge war eben. Brügge, das war warmer rötlicher Backstein. Türmchengeschmückte Herrenhäuser und Paläste und hohe Kaufmannshäuser mit vielen Fensterreihen säumten die Straßen. Brügge war eine Polyphonie des ständig in Bewegung befindlichen Wassers, des von Backsteinmauern zurückgeworfenen Echos, war das Rauschen von Bäumen und das Schlagen von trocknendem Tuch im Flachlandwind und das Sumpffroschquaken der gefolterten Stoffe, die auf den Spannrahmen der Färber bebten. Brügge war heiseres Möwengeschrei und Glockenläuten.

Von allen Türmen in Edinburgh läuteten die Glocken, aber ein Bürger Brügges war von Geburt an dem Puls des Mutterleibs und dem Stundenschlag des Belfrieds unterworfen. Viermal am Tag die Arbeitsglocke, wenn Mütter ihre Kleinen vor den Füßen der Weber retteten. Die Sturmglocke. Die große Glocke, die im Kriegsfall oder für Fürsten geläutet wurde und die man auf den Achterdecks in Damme hören konnte. Die Hochzeitsglocke. Daran mochte Katelina auch nicht denken. Sie war in Ungnade aus Schottland zurückgekehrt, nachdem sie den von ihrem Vater ausgesuchten Gatten abgelehnt hatte. So etwas tat man nicht. Es war die Pflicht einer Tochter, so zu heiraten, wie es für das Wohl der Familie erforderlich war, und ihr Vater besaß keine Söhne. Jetzt gab es für sie nur noch zwei Möglichkeiten: das Kloster oder die Ehe mit einem anderen, den ihr Vater auswählte. Und sie wußte, wer der wahrscheinlichste Freier sein würde.

Simon, der Kilmirren-Erbe, hatte sich bisher noch nicht erklärt. In Schottland hatte sie der Königin dort aufgewartet, wo sich der Hof gerade befand, und das war nicht immer Edinburgh, wo Simons Onkel ein Stadthaus besaß und wo er all seine Geschäfte abwickelte. Aus mehreren Gründen wußte Katelina genau über Simon Bescheid. Seine Schwester Lucia war damals Hofdame von zwei schottischen Prinzessinnen gewesen, von denen die eine nach Frankreich und die andere Katelinas Vetter Wolfaert geheiratet hatte.

Katelina, die damals noch ein Kind war, konnte sich nicht an Lucia erinnern. Jedenfalls war sie sehr bald abgereist, da sie mit einem portugiesischen Adligen verlobt war. Aber der Klatsch über ihren Bruder, den schönen blonden Simon, hatte die Borselens noch lange Zeit danach belustigt. Daher wußte Katelina, daß Simon eine stürmische Jugend in Frankreich verbracht hatte und in Ungnade zu seinem Onkel, dem Familienoberhaupt, zurückgeschickt worden war. Sie hatte Alan kennengelernt, den Lord von Kilmirren. Ein kleinlicher, begriffsstutziger Mann, der sich nur in der Gesellschaft von Soldaten wohl fühlte, die ihm Klatschgeschichten lieferten, und der keinen anderen Ehrgeiz hatte, als ein bequemes Leben zu führen. Er war ganz offensichtlich außerstande, mit jemandem wie Simon fertig zu werden.

Es blieb dem Gutsverwalter überlassen, sich Simon vorzunehmen. Fünf Jahre lang, hieß es, habe er sich jedem Bändigungsversuch widersetzt, und mit seiner französischen Kleidung und seinen französischen Manieren soviel Furore gemacht, wie es ihm die kleine Apanage erlaubte, die ihm sein Onkel zugestand. Was ihn anderen Sinnes hatte werden lassen, konnte man nur vermuten. Geldmangel, nahm Katelina an. Der Gutsverwalter starb und Simon übernahm dessen Aufgaben. Als Katelina nach Schottland kam, war Simon Verwalter der Besitzungen seines Onkels in Kilmirren und Dunbar: ein reicher Mann mit einem erprobten Spürsinn für günstige Gelegenheiten, der für seine Bedürfnisse genug Geld verdiente und Geschäfte, die ihn langweilten, von einem Verwalter erledigen ließ.

Sie wußte, daß er das Leben eines ausschweifenden Höflings in Schottland und Flandern genoß, aber er war sorgsam darauf bedacht, sich nicht durch öffentliche Ämter zu binden. Er hatte keine Frau, und es hieß, er sei ein Wüstling. Das stimmte offenbar. Andererseits war sein Onkel kinderlos, und Simon selbst war ein einziger Sohn. Eines Tages würde Kilmirren ihm gehören, und deshalb mußte er heiraten. Das hatte sie während ihres Aufenthalts in Schottland erfahren, aber damals war sie für einen anderen bestimmt gewesen. So hatte weder sie Simon Aufmerksamkeit geschenkt noch er ihr. Auf der Schiffsreise war sie zu unglücklich, zu ängstlich gewesen, um sich nach Gesellschaft zu sehnen. Auch Stolz hatte eine Rolle gespielt. Den von ihrem Vater Erwählten abzulehnen und den Anschein zu erwecken, als schmachte sie statt dessen nach dem Stutzer Simon, wäre alles andere als würdevoll gewesen. Zumal der Stutzer Simon ihr womöglich gar keinen Heiratsantrag machen würde.

Als sie während des letzten Teils ihrer Überfahrt zuließ, daß er ihr nahekam, war es offensichtlich, daß er sie für sich einzunehmen wünschte und – vielleicht von ihrer Zurückhaltung fasziniert – sich zu ihr hingezogen fühlte. Als sie in Sluis landeten, wußte sie, daß er den Entschluß gefaßt hatte, sie zu erobern.

Sie ließ nicht erkennen, daß sie geschmeichelt war. Wenn er um sie anhielt, würde ihr Vater einwilligen, ebenso vermutlich auch Simons Onkel und sein Vater, mit dem er sich entzweit hatte, falls er diesen überhaupt fragte. Da stand Geld in Aussicht, Landbesitz und der Titel eines kleineren Feudalherrn. Unter den jungen Männern, deren Eltern ein Interesse an ihr bekundet hatten, war er der annehmbarste. Das heißt, abgesehen von dem Lord, den sie abgewiesen hatte. Dieser Mann war vierzig Jahre älter als sie und lasterhaft gewesen. Simon, Kilmirrens Neffe, sah so aus, daß ihm die Zuneigung jedes Mädchens auf Erden gewiß war. Katelina war nicht weit gereist und hatte noch keinen Mann getroffen, der so schön war wie Simon. Warum ließen ihn dann Frauen aller Stände (wie es hieß) in ihre Betten, heirateten ihn aber nicht? Warum heiratete er sie nicht? In einem Punkt war sie ganz sicher. Ohne Ehe würde er sie niemals besitzen. Ob sie ihn mit Ehe haben wollte, wußte sie noch nicht.

Nachdenklich betrat Katelina van Borselen das Haus ihres Vaters und bereitete sich darauf vor, würdevoll seine Gäste zu empfangen.

Felix de Charetty und Claes, der ihm wie ein Schatten folgte, verbrachten den Nachmittag auf dem Rasen am Waterhuus mit einigen ihrer Freunde, die eine Ausrede hatten, um sich vor der Arbeit zu drücken.

Felix hatte keine Ausrede, denn Julius hatte ihm mit zusammengekniffenen Lippen ganz eindeutig gesagt, er solle zur Färberei zurückgehen und da bleiben. Aber Julius war von einer Gruppe Männern aufgehalten worden, die mit ihm über Kaninchen reden wollten, und Felix hatte die Gelegenheit zur Flucht genutzt und Claes mitgenommen. Die Strafe würde folgen, wenn seine Mutter aus Löwen kam. Daran war nicht zu zweifeln. Felix hatte wenig Interesse für Leute, die sich ihren Lebensunterhalt durch Arbeit verdienten, obwohl seine Freunde manchmal schwören mochten, sie sähen den alten Cornelis über seine Schulter blicken, wenn Felix plötzlich anfing, zäh um eine Kleinigkeit zu feilschen. Einer der Gründe, warum er Claes mochte, war, daß dieser nichts besaß.

Die Gruppe auf dem Rasen unterhielt sich mehrsprachig, denn sie bestand hauptsächlich aus den jüngeren Mitgliedern der Kaufmannsgemeinde. Unter ihnen befanden sich Anselm Sersanders, Adornes Neffe, und John Bonkle, der die übelsten englischen Ausdrücke beisteuerte, und einer der Cants. Auch Lorenzo Strozzi war da, und er war trübsinnig. Sie taten, was sie konnten, um seine Trübsal zu vertreiben, und es wurde in der Tat ein ziemlich anstrengender Nachmittag. Er war fast vorüber, als Strozzi zufällig die Geselligkeit erwähnte, die in Florens van Borselens Haus stattfand, zu der er und Tommaso eingeladen waren.

Felix' Haar war schon wieder strähnig unter dem hochgeformten Hut mit Krempe, und die weiten Ärmel seines schlichten Wamses waren naß bis zu den Ellbogen, aber seine Energie hielt unvermindert an. «Geh!» sagte er. «Lorenzo, du mußt Tommaso abholen!»

«Felix will wissen, was Simon anhat», sagte Claes.

«Tommaso wird nicht für dich und Claes hingehen», sagte Lorenzo gehässig. «Ihr wißt doch, daß er es nicht mag, wenn Claes ihn nachmacht, wie er mit seinen Ringen angibt.»

«Das wird ihn vielleicht davon abhalten, mit seinen Ringen anzugeben», meinte Sersanders. «Tommaso wird jedenfalls hingehen, wenn van Borselen ihn einlädt.»

«Natürlich», erwiderte Lorenzo. «Tommaso ist nur eingeladen worden, weil der Leiter der Niederlassung der Medici-Bank in Brügge auf Geschäftsreise ist und sie sich mit seinem Stellvertreter zufriedengeben müssen. Ich bin nur eingeladen worden, weil der Chef der Niederlassung der Firma Strozzi in Brügge ebenfalls nicht da ist, aber wenigstens ist der Leiter der Cousin meines Vaters, daher können sie sicher sein, daß ich Wein zu trinken verstehe, ohne ihn zu verschütten. Ich gehe nicht hin. Ich muß nicht hingehen. Sie sind flämische Wurstmacher.»

«Sag das noch mal», forderte Felix und nahm seinen Hut ab.

John und Anselm, die neben ihm standen, wechselten diskret die Stellung, so daß notfalls beide seinen rechten Arm zu fassen bekommen konnten. Claes sagte: «Felix mag die junge Borselen-Dame nicht. Er hat ihre Haube mit dem Fuß ins Wasser gestoßen.»

Das wütende Funkeln in Felix' Augen machte einer bloßen Gereiztheit Platz. Seine Schultern entspannten sich. «Ich hab's dir ja gesagt. Du hättest nicht hinterherspringen sollen. Aber Lorenzo sollte nicht...»

«Lorenzos Bruder in Neapel ist krank, und er macht sich Sorgen», meinte Sersanders.

«Ihm fehlt Spanien», fand John Bonkle. «Stell dir vor, du wärest mit dreizehn nach Spanien geschickt worden. All diese jungen schwarzen Dienerinnen und das Klima. Felix, warum gibt es keine Charetty-Niederlassung in Spanien? Du wärest der Handelsvertreter, und wir würden alle kommen und dir helfen. Du könntest Julius hier bei deiner Mutter lassen.»

Felix errötete. Das Unternehmen Charetty mit einem großen Handelshaus zu vergleichen, das Niederlassungen in ganz Europa hatte, war ein Kompliment. «Oh», antwortete er, «ich würde Julius mitnehmen. Er ist ein tüchtiger Mann.»

«Und mich?» fragte Claes. Sein Haar war feucht geworden und hatte einen braunen, seidigen Schimmer angenommen. Er lag auf dem Bauch und hatte bisher noch nicht gemerkt, daß Felix die Schleifen aufgezogen hatte, mit denen seine Hose am Wams befestigt war.

«Dich?» spottete Lorenzo. «Du hättest das halbe christliche Spanien und das halbe muslimische Spanien geschwängert, ehe ein Monat um wäre.»

«Dann werde ich in Brügge bleiben», sagte Claes. «Lorenzo, warum wollte Felix, daß du zu den van Borselens gehst?»

Alle sahen Felix an.

«Er hat doch nichts gegen das Mädchen, er mag sie», sagte John Bonkle. «Ach, komm schon. Das ist doch der Grund, nicht wahr?»

Felix lächelte höflich.

Tatsächlich wollte er erfahren, was Simon anhatte. Und er bekam es auch heraus, denn Lorenzo war sich bewußt, daß er die Geduld seines Freundes auf eine harte Probe gestellt hatte, ging hinüber zur Residenz der Strozzi in der Ridderstraat, zog sich trockene Kleider an und fand sich dann mit Tommaso Portinari im Haus von Florens van Borselen und seiner Tochter Katelina ein.

In der Zilverstraat hatten den ganzen Nachmittag Männer mit ihren Frauen vorgesprochen, um dem gerade aus Schottland zurückgekehrten Fräulein Katelina ihre Aufwartung zu machen. Ihre jüngere Schwester Gelis beobachtete diese Leute und unterrichtete Katelina, kaum daß die Damen außer Hörweite waren, welche von ihnen schwanger war und von wem.

Der Empfang wurde im Garten abgehalten, einem bescheidenen, gepflasterten Hof mit hübschen Kübelpflanzen, kleinen Bäumen und einem Springbrunnen. Auch eine mit Kissen belegte steinerne Bank stand da, auf der Bischof Kennedy aus Schottland saß; sein Schatzmeister stand hinter ihm.

Es war natürlich eine Zusammenkunft von Freunden Schottlands, da Wolfaert van Borselen mit der Schwester des schottischen Königs verheiratet war. Das wichtigste Thema war denn auch das Kentern der *Verrückten Martha*, der Kanone aus Mons, das allgemein beklagt wurde, nicht zuletzt von den Importeuren französischer Weine. Niemand wies darauf hin, daß England, wenn es von den Schotten bombardiert werden würde, schwerlich Truppen erübrigen könnte, um in Frankreich einzumarschieren, was Bischof Kennedy freuen und dem englischen König Heinrich VI. nützen würde. Niemand erwähnte, daß einige englische Flüchtlinge, die König Heinrich nicht anerkannten, gerade jetzt planten, nach England überzusetzen und den Monarchen mit aller Höflichkeit zu verhaften; die weiße Rose war eines ihrer Embleme. Niemand erwähnte den Dauphin, den französischen Thronerben.

Sie sprachen über Zucker aus Madeira und die Pfefferpreise. Sie redeten von gesalzenem Lachs und beantworteten Bischof Kennedys Fragen nach der Ausfuhr von guten Schieferplatten und Quadersteinen. Sie schnitten höflich und vorsichtig das heikle Thema der Schiffsversicherung an. Die Unterhaltung war mit ihren Anspielungen, Doppeldeutigkeiten und unerwarteten Neuigkeiten überaus faszinierend, sofern man Kaufmann war.

Katelina entdeckte ihren möglicherweise zukünftigen Ehemann am anderen Ende des Raums, wo er mit seinem schicken Hund spielte und sich an diesem nützlichen Austausch von Informationen überhaupt nicht beteiligte.

Sie fragte sich, ob es ihm wohl an Geschäftssinn mangelte. Sie fragte sich, da er von Zeit zu Zeit zu ihr herüberschaute, ob er aus anderen Gründen so ungeduldig war. Ihr fiel auf, daß Tommaso Portinari, der junge Florentiner von der Medici-Bank, mehr sprach, als den Älteren recht sein konnte. Ihr fiel auf, daß sein Gefährte, der mißmutige junge Strozzi, sich mehr für Simons Kleidung als für die Ansichten des guten schottischen Bischofs zu interessieren schien.

In seinem kurzen, enggegürteten Wams mit den breiten, wattierten Schultern und dem hohen Hut mit aufgerollter Krempe auf dem säuberlich kurzgeschnittenen dichten Haar war Simon – wie immer – ein lohnender Anblick. Sein Kinn war glatt wie helles Holz und sah unnachgiebig aus. Sobald er sich etwas in den Kopf gesetzt hatte (man denke bloß daran, wie er diese albernen jungen Männer in Damme aufs Korn genommen hatte), konnte er sehr hartnäckig sein.

Aber unter den Schulterpolstern waren auch Muskeln. In Schottland hatte er oft an Turnieren teilgenommen, und zwar erfolgreich. Auf diese Weise machte er seine Eroberungen unter den zuschauenden hochgeborenen Witwen und vernachlässigten Ehefrauen. Wenn er Bastarde hatte, dann hatte sie jedenfalls nie etwas davon gehört.

Sie sprach mit allen: Jacopo Doria, Richard Wylie, Alexander Napier. Michiel Losschaert war gerade aus Konstantinopel entkommen und kannte die griechische Familie Acciajuoli. Noch verbittert und gelbgesichtig von den Entbehrungen, zögerte er nicht, verächtlich von dieser Familie zu sprechen. Florentinische Emporkömmlinge, über Neapel nach Griechenland gekommen, wo sie eine Dynastie athenischer Fürsten begründeten. Es gäbe immer noch Acciajuolis in Florenz. Angestellte der Medici.

Er erlaube sich zu bezweifeln, sagte Losschaert, ob Nicolai Giorgio de' Acciajuoli wirklich erwarte, daß die Flotte der vereinigten Christenheit durch das Mittelmeer segeln und den türkischen Sultan Mehmed schlagen würde. Er glaube eher, Messer Nicolai Giorgio habe nichts weiter vor, als das Lösegeld für seinen Bruder Bartolomeo zusammenzubekommen, damit Bartolomeo weiterhin mit dem Sultan Seidengeschäfte machen könne. Er fragte sich laut, wo das in Schottland für Acciajuoli gesammelte Geld sei und wer das Vergnügen haben würde, es weiterzuleiten.

Eine gewisse Befangenheit befiel die Gesellschaft, und das Atmen des Bischofs hörte sich wie Pfeifen an. In Schuhen maß er fünf Fuß und acht Zoll und sah mit seinem mageren, faltigen Gesicht und dem schütteren Haar erheblich älter aus, als er war. An Bord hatte Katelina gelernt, ihn nicht zu unterschätzen. Wenn er sprach, sah man die buschigen Augenbrauen und das energische Kinn eines lebhaften, kräftigen Mannes, der zumindest geistig noch beweglich war.

Jetzt warf er von der Bank, auf der er saß, einen Blick auf Losschaert und sagte: «Ich müßte mich sehr irren, wenn mein Cousin James, der König von Schottland, sein Volk um Gold bat, damit ein Seidenhändler in Konstantinopel sein Geschäft wiederaufnehmen kann. Oder diese würdigen Männer – Ihr müßt die Namen gehört haben, sie sind berühmt –, die aus dem Osten nach Mantua kamen, um den Papst unter Tränen um Hilfe anzuflehen?»

«Mein Bischof, das ist ein Mißverständnis», sagte Losschaert rasch. «Ich meinte bloß, es stehen viele Interessen auf dem Spiel, in Zeiten des Krieges zwischen der östlichen Welt und dem Westen ebenso wie in Zeiten des Friedens. Mit einzelnen Bittstellern empfiehlt es sich, vorsichtig zu sein. Wenn die vereinte christliche Kirche des Ostens um die Freundschaft und Hilfe von Rom bittet, ist es etwas anderes.»

Katelina sah, daß Tommaso Portinari einen Becher Wein entgegengenommen hatte und in den Kreis der Diskussionsteilnehmer getreten war. Der Bischof sah ihn an und sagte: «Wenn Ihr Zweifel habt hinsichtlich des für Nicolai de' Acciajuoli gesammelten Geldes, dann, finde ich, solltet Ihr sie äußern. Die Summe war mir anvertraut, um sie nach Brügge zu bringen, und ich habe sie hier in die erfahrenen Hände von Messer Tommaso gelegt. Von Brügge wird sie, wie ich höre, an die Medici-Niederlassung in Mailand übersandt, die sie ihrerseits nach Venedig weiterleiten wird. Nach den erforderlichen Verhandlungen mit den Türken wird sie von Venedig aus in geeigneter Form nach Konstantinopel gebracht und Messer Nicolais Bruder wird ausgelöst. Habe ich recht, Mijnheer Tommaso?»

«So ist es, Bischof», sagte Portinari. Er trug Keulenärmel, einen niedrigen Biberhut und Ringe an fast allen Fingern, die weiß und zart waren. Die Ringe waren nicht sehr kostbar: Er hatte es erst bis zum stellvertretenden Geschäftsführer gebracht. Als Zwölfjähriger war er in die Bank gekommen. Katelina hatte ihn ihr Leben lang gekannt, und alle anderen auch. Daher sein Bedürfnis, Eindruck zu machen.

«Die Bank», sagte er, «ist stark in Anspruch genommen durch den Freikauf von Christen, wie Monseigneur weiß. Unsere Niederlassung in Rom tut kaum noch etwas anderes.» Er sprach das Flämisch eines Italieners mit einem Anflug von anderen Akzenten, darunter einem englischen. Gerade heute morgen hatte Katelina, wie sie sich erinnerte, jemanden gehört, der ihn nachmachte. Sie runzelte nachdenklich die Stirn.

Tommaso machte sich die günstige Gelegenheit zunutze und fuhr fort: «Mijnheer Losschaert ist sich vielleicht nicht darüber im klaren, welches Vertrauen die Kurie meiner Firma schenkt. Was die Geldsendungen angeht, versteht sich. Seine Exzellenz, der Bischof, bringt uns die durch neue Kirchenämter angefallenen Gebühren, und wir leiten sie nach Rom weiter. Aber wir sind auch Agenten für andere Dinge. Gerade heute habe ich drei Garnituren Wandteppiche über Land an einen der Kardinäle geschickt.»

«Vertraut Ihr den Alpenpässen im Winter?» fragte Doria. «Mit Geld?»

«Heutzutage schicken wir Kreditbriefe», sagte Portinari. Sein Verhalten ließ zugleich Festigkeit und Ehrerbietung erkennen. «Aber mit entsprechender Bewachung würden wir auch Silber schicken, wenn es nötig wäre. Ihr selbst schickt Waren auf diese Weise, wenn die Flandern-Galeeren Güter bringen, die nicht bis zum Frühling warten können. Sie sind spät dran dieses Jahr, Bischof.»

«Sie sind schon nahe», sagte der Sekretär der Herzogin von Burgund. Er hob den Kopf von der Blume, an der er gerochen hatte, bückte sich und steckte sie hinter das Halsband von Simons daliegendem Hund, der zur Ermutigung ein paarmal mit dem Schwanz wedelte.

Messer Vasquez richtete sich auf. «Wir werden nicht lange warten müssen, glaube ich. Es heißt, die Auktion verzögere sich dies Jahr, und die Galeeren hätten Venedig spät verlassen. Mir wurde gesagt, die Seide sei gut, und sie brächten außergewöhnliche Gewürze. Der Herzog ist unterrichtet worden.»

Tommaso drehte sich rasch um, so daß Katelina seine hohen Wangenknochen, die lange Nase und die lebhaften Augen sehen konnte. Er fragte: «Hat Monseigneur gehört, wer der Kommandant ist?»

Messer Vasquez hatte nichts dagegen, es den anderen mitzuteilen. «Einer von den Duodo, heißt es. Ich nehme an, Messer Alvise, der immer von Venedig nach Trapezunt segelte. Wenn dem so ist, mag sich Brügge auf gute Unterhaltung freuen. Als die Türken Konstantinopel angriffen, durchbrach Alvise Duodo die Hafensperre und brachte den größten Teil der eingeschlossenen Schiffe in die Freiheit. Die Duodo sind eine reiche Familie und es mangelt ihnen nicht an Stil.»

Er lächelte Katelina zu. «Jetzt ist die geschäftigste Zeit hier, Demoiselle Katelina: wenn alle Keller leer sind und man auf die beiden kostbaren Ladungen wartet. Aber als Kind habt Ihr doch die Flandern-Galeeren eintreffen sehen?»

Sie schwieg. Wenn die Fastenzeit kommt, der Rausch des Karnevals. Wenn der Spätsommer kommt, das Staunen über die großen Galeeren, die mit ihren Schätzen aus Venedig hereinsegeln. Die beiden Wunder im Jahr eines Kindes, die sie in Schottland am meisten entbehrt hatte. Nach denen sie sich sogar noch mehr gesehnt hatte als nach der Weite des Himmels und dem Wasser und dem warmen, buntscheckigen Backstein.

«Manchmal», sagte Katelina. «Monseigneur, nehmt Ihr noch ein wenig Wein?»

Simon blieb zum Abendessen bei ihnen und war unterhaltsam. Es hätte ihrem Vater allerdings besser gefallen, dachte Katelina, wenn er das nachmittägliche Gespräch wiederaufgenommen, Fragen gestellt oder seine Meinung über diejenigen, die gesprochen hatten, geäußert oder auf etwas Klatsch aus Schottland angespielt hätte.

Simon wußte das natürlich. Er war also sicher, den Segen ihres Vaters zu erhalten, wenn er ihn erbat (oder hatte er es vielleicht schon getan?), und hatte es statt dessen vorgezogen, sie zu beeindrucken. Eine Zeitlang war sie nicht beeindruckt. Aber er benahm sich bemerkenswert zwanglos. Er brachte den Kaplan ihres Vaters zum Lächeln, tauschte mit seinem Sekretär Anekdoten aus und ließ sie und ihren Vater über den Hof in Veere erzählen, wo Simons Schwester Lucia einst der schottischen Prinzessin gedient hatte. Ihr Vater fragte nach dieser Schwester, die einen Portugiesen aus dem Gefolge der Herzogin geheiratet hatte und jetzt in der Wärme des südlichen Portugal zu Hause war. Sie hatten offenbar einen Sohn, und Lucia war mehr als zufrieden.

«Zufrieden so weit weg von der Heimat? Seid Ihr dessen sicher?» Katelina hatte es schalkhaft gesagt, aber Simon antwortete ihr ganz ernsthaft.

«In Euren drei Jahren in Schottland habt Ihr Heimweh gehabt. Aber die Ehe ist eine Bindung. Die sechs Schwestern meines Königs sind über ganz Europa verstreut worden. Ihr wißt, daß die Prinzessin in Veere immer noch glücklich ist. Das sind die anderen auch, nur nicht die beiden, die nach Schottland zurückgeschickt wurden. Fragt sie, ob sie es genießen, wieder in Schottland zu sein.»

«Sind sie noch am Leben?» fragte Katelina.

«Hör mal, Katelina», sagte ihr Vater. «Das ist nicht gerade höflich. Diese Damen sind ihren Herren und Gebietern treu, wie sie es auch sollten, und schließen sich bereitwillig deren Lebensweise an, wie die Pflicht es ihnen auferlegt. Ob es warm oder kalt ist, hügelig oder eben, hat nichts zu bedeuten.»

«Und ob ihre Ehemänner warm oder kalt sind, hügelig oder eben?» sagte Katelina. «Das muß etwas bedeuten, sonst wären die Nonnenklöster ganz leer.»

Der Kaplan zog einen Schmollmund und sah niemanden an. Ihr Vater sagte: «Demoiselle, du hast, scheint es, auf deinen Auslandsreisen nicht gelernt, taktvoll zu sein. Das ist kein Tischgespräch. Lord Simon wird dich entschuldigen.»

Sie stand langsam auf. Lord Simon erhob sich ebenfalls, ergriff ihre zur Faust geballte Hand und zog den Stuhl für sie weg. «Wenn Ihr, Monseigneur», sagte er, «auch Euren Gast Simon entschuldigen wollt. Im Garten gibt es einen schönen Sonnenuntergang, der uns beide beruhigen wird, wenn einer Eurer Diener uns aufwartet.»

Es trat eine Pause ein, dann nickte ihr Vater und gab einem der jüngeren Diener, dessen Augen über der Livree vor Interesse blitzten, mit einem Blick den Befehl dazu. Katelina dachte daran, sich zu weigern, denn sie war in einer rebellischen Stimmung. Sie war der väterlichen Autorität lange entzogen gewesen, und ihr letzter Freier stand ihr noch überdeutlich vor Augen. Sie ging aus dem Zimmer und durch die fliesenbelegten Korridore und war immer noch unschlüssig und ärgerlich, weil Simon nach wie vor ihre Hand hielt, und weil ein irgendwie angenehmer Duft aus seinen Kleidern aufstieg und sein Haar eine Tönung aufwies, die ihr zu verleihen sie einst die Jungfrau Maria angefleht hatte.

Als der Diener die Tür zum Garten öffnete, entzog sie halb ihre gefangene Hand der seinen und erschrak, als sie merkte, daß diese festgehalten wurde. Aber er behielt sie nur lange genug, um sie an die Lippen zu heben, dann ließ er sie wieder los und folgte ihr fügsam in den Garten. Der Diener entfernte sich und war zwar nicht mehr zu sehen, aber, wie sie vermutete, noch in Hörweite. «Warum seid Ihr in Flandern?» fragte sie.

Er war stehengeblieben. Hinten am Haus waren die Fensterladen von gelbem Lampenlicht umrandet, nur das Küchenfenster, aus dem aromatische Gerüche kamen, stand offen; eine Katze saß auf dem Fensterbrett. Die niedrigen Bäume vor ihr verbargen, während Katelina weiterging, die Lampen in den anderen Häusern, die, als das Tageslicht schwand, eine nach der anderen angezündet wurden. Der Himmel war voll blasser Marzipanfarben, und ebenso das Wasser im Becken des Springbrunnens und der Schimmer, der von dem

Quell ausging. Etwas stach sie durch den gerafften Voile über ihrem Schlüsselbein, und dann an der Schläfe.

«Mücken», sagte sie. «Wir müssen wieder hineingehen.»

Neben ihnen stand eine Bank. «Ich wollte gerade Eure Frage beantworten», sagte er. «Bin ich nicht eine Mücke wert?»

«Nein. Sagt es mir ein andermal. Oder verscheucht die Mücken. Da liegen ein paar Blätter. Rauch wäre gut. Ederich?»

Bei Gott, er war nicht außer Hörweite. Ihres Vaters Diener erschien. «Hol ein schwelendes Holzscheit aus der Küche und wirf es auf diese Blätter. Was habt Ihr gesagt?»

Simon sah dem Diener nach, der recht gemächlich verschwand, dann führte er sie zur Bank, wo er seinen Halbmantel auszog und ihn für sie ausbreitete. «Ich wollte sagen, daß ich wie alle auf der schönen *St. Salvator* des guten Bischofs in Brügge bin, um einen Teil der Ladung zu verkaufen, um die Erlöse anzulegen, Waren zu kaufen und Aufträge zu erteilen und vor allem, um mich an der Ankunft der Flandern-Galeeren zu erfreuen. All das hättet Ihr mich an Bord fragen können.»

Die Bäume wurden dunkler. Ein heller werdendes Licht nahte und verriet ihr, daß Ederich zurückkam. «Ich frage mich, warum ich es nicht tat», sagte sie. Sie setzte sich.

«Weil Ihr befürchtet habt, ich könnte Euch eine andere Antwort geben. Alles zu seiner Zeit.»

«Und jetzt ist die Zeit gekommen?» fragte sie. Ederich bückte sich und legte das schwelende Holzscheit auf den Haufen feuchter Blätter. Die Blätter zischten, ein wenig Rauch stieg auf, und eine Spur Bewegung unter den Insekten machte sich bemerkbar. Simon wollte sich gerade hinsetzen. «Wenn Ihr stehenbleibt», sagte Katelina, «könntet Ihr Euch um das Feuer kümmern, während Ederich das Holzscheit in die Küche zurückbringt. Es ist jedenfalls nicht die Zeit, das Haus meines Vaters niederzubrennen.»

Blauer Rauch stieg vom Feuer auf. Ederich sah seine Herrin an und ging weg. Zumindest außer Sichtweite. Erstaunlicherweise kniete sich Simon neben dem Feuer hin, wobei seine Hose schmutzig wurde, beugte sich vor und blies auf die dunkleren Bereiche. Die dunkleren Bereiche rächten sich. «Wenn Ihr sehen wollt, wie ich schwarz werde», sagte er, «habe ich nichts dagegen. Was Eure Frage betrifft, so ist die Zeitmessung eine typisch flämische Kunstgattung.

Wenn die Stunde kommt, nehme ich an, daß ein Flame es mir sagen wird.»

«Ihr scheint sehr lange darauf gewartet zu haben, daß es Euch gesagt wird. Vielleicht werdet Ihr wiederum feststellen, daß Ihr lange warten müßt. Au.»

«Ich fürchte», sagte Simon, «wenn Ihr da drüben sitzt, werdet Ihr immer wieder gestochen werden. Ich empfehle Euch diese Seite des Feuers, da wird der Rauch an Euch vorbeiziehen. Warum habt Ihr Seiner Lordschaft einen Korb gegeben? Er hatte Vermögen und wäre sehr bald gestorben.»

«Ja, wirklich?» Katelina überlegte, stand dann auf, nahm seinen Halbmantel mit und breitete ihn neben dem Feuer aus. Er hatte recht. Der Rauch reichte gerade aus, um die Mücken zu vertreiben, aber er zog in seine Richtung, nicht in ihre. Seine helle Haut war schon rußbefleckt, seine ebenmäßigen Züge waren dadurch verändert, seine Augen blitzten.

«Natürlich wäre er bald gestorben, wenn Ihr seine Frau wärt. Obwohl ich gehört habe, er sei sehr stolz auf seine Liebeskünste. Ihr habt sie nicht ausprobiert?»

Er mußte sehr wohl wissen, daß Ederich in Hörweite war. «Ich kann mich nicht daran erinnern. Ich finde das Freien langweilig.»

Er hatte den Hut abgenommen. Sein Haar und seine Augen schimmerten im Schein des Feuers. Der Himmel war düster, der Garten dunkel. Ihr schottischer Kavalier neigte den Kopf und betrachtete sein schwach flackerndes Feuer. «Seht mal», sagte er. «So feucht und so kümmerlich. Doch mit einemmal –» er beugte sich vor und blies – «mit Feingefühl natürlich... Wärme. Licht. Behaglichkeit.»

Katelina van Borselen, schwarz von der Stirn bis zum Busen, sah sich nach ihm um. Und dann an ihm vorbei, denn er war aufgestanden und hatte sich rasch neben sie gesetzt.

«Manchmal», sagte er, «ist Feingefühl gar nicht behaglich. Aber wie kann ich herausfinden, ob mein Freien langweilig ist, sofern wir nicht beide schwarz sind? Meine schwarzen Hände hier und hier, und meine schwarzen Lippen, wo Ihr sie gern hättet. Katelina?»

Sein Atem war wohlriechend. Die Seide auf seinen Armen und seinem Oberkörper war warm. Seine Lippen, die ihren Mund erreichten, schmeckten nach Holzasche.

Seine schwarzen Lippen waren auf ihren, und seine rosa Zunge war in ihrem rosa Mund und verwirrte sie. Ihr Kinn war naß und klebrig, als sie es mit einem Ruck wegzog. Ihre Hand zitterte, als sie es abwischte.

«Mutter Gottes», sagte sie. «Es hieß, Ihr habt das Benehmen eines Dummkopfs und die Veranlagung eines Mädchens, was beschämend für Euren Vater sei. Jetzt glaube ich es.»

Eine Hand blieb an ihrer Brust zurück. Die andere lag schlaff in ihrem Nacken. Er war plötzlich ganz bewegungslos. «Wer hat das gesagt?» fragte er. «Euer Vater?»

Sie konnte keine Lügen über ihren Vater verbreiten. Sie machte eine Drehung mit den Schultern, und seine Hände fielen herunter. Es war eine Lücke zwischen ihnen. Auf seinem verrußten Gesicht, das er ihr gebannt zugewandt hatte, schimmerte der Feuerschein. Mücken und Nachtfalter leuchteten auf, starben und fielen ihnen in den Schoß.

«Hat Euch das noch niemand gesagt?» fragte sie.

«Wer? Wer hat das gesagt?»

«Niemand, vor dem Ihr Angst zu haben braucht. Aber ich habe es gehört. Und es ist wahr.» Ohne seine Berührung schwankte ihre Haut zwischen kalt und heiß, und sie zitterte immer noch.

Sehr langsam stand Simon von Kilmirren auf, und die Schmutzflecken auf seinem Gesicht waren nicht komisch. «Euer Vater glaubt das nicht», sagte er. «Verstehe ich allmählich, warum Ihr Seiner Lordschaft einen Korb gegeben habt und mit neunzehn noch unverheiratet seid? Seid Ihr mißgebildet?»

Sie stand auch auf. «Ja», sagte sie, «wenn es bedeutet, daß ich plumpe Zärtlichkeiten nicht mag.»

«Ihr habt mich eingeladen. Ich verstehe. Ihr wollt also nichts als das Kloster?» Die Wut in seiner Stimme wurde so gut in Schach gehalten, daß sie kaum zu merken war. Die Stimme selbst war leise genug, um jedem Lauscher zu entgehen.

«Ich will nichts als einen Mann, der Lebensart besitzt», sagte Katelina laut.

Und befand sich, was nicht sehr verwunderlich war, allein im Garten.

Kapitel 4

Aufgescheucht aus der gemütlichen Küche der van Borselens, mußten die Diener des edlen Simon schleunigst ihre Jacken anziehen, den Hund holen und mit der Fackel in der Hand bereitstehen, als ihr Herr, ohne von seinem Gastgeber Abschied zu nehmen, sich forschen Schritts zum Marktplatz und der Kranbrücke aufmachte, hinter der seine Unterkunft lag. Der Hund, den er nicht beachtete, machte Luftsprünge und bellte, erregt durch sein streifiges Gesicht, sein geschwärztes Hemd und sein mißvergnügtes Gehabe. Seine Diener schritten behutsam voran.

Die Abendglocke läutete um neun Uhr, und wer noch auf der Straße war, begab sich nach Hause. Später war nur noch an den Toren der Reichen Licht, leuchtete kurz von vorüberfahrenden Booten und schien schwach auf Heiligenstatuen in ihren Nischen.

Nach neun Uhr fand das Nachtleben von Brügge bei geringer oder gar keiner Beleuchtung statt. Obwohl Burgemeester van de Courpse und seine Beamten oft auf Streife waren, gab es Schenken und Badehäuser und gewisse andere Etablissements, die ihre Tore zwar nicht um neun schlossen, aber sorgsam darauf bedacht waren, daß kein Lichtschein nach draußen drang.

Die Ordnungshüter, die am Fuß des Belfrieds postiert waren und die Nacht über auf und ab gingen, hatten keine Lampen, ebensowenig die Männer, die oben mit Glocke und Horn Wache hielten. Die neun geschlossenen Tore und die fünf Meilen langen Wälle waren nicht beleuchtet, denn Brügge hatte Frieden. Nur aus einiger Entfernung von der Stadt konnte man hier und da eine Färbung der Wolken bemerken, wo Lampen über einem Palast, einem Hof oder Kloster hingen. Und in der Stadt selbst hätte man an den erhellten Ritzen zwischen den Fensterladen und breiten Falltüren der Keller feststellen können, welche Hausväter noch auf und fleißig waren.

Später würden Tiere raschelnd die Abfälle durchstöbern, die morgens von den Straßenkehrern so vortrefflich aufgefegt wurden. Die Baggerprahme würden langsam vom Kanal zum Fluß ziehen, um die Wasserwege zu entschlammen und das Kontingent des Tages an ertrunkenen Haustieren und verwesenden Pflanzen mit Netzen herauszufischen. In der Nähe der Brücke (hier, wo Mylord Simon vorbeikam, ohne sich zu einem Gruß herabzulassen) überprüften und schmierten die *Kraandrijvers* den Grue, den städtischen Kran, eine Arbeit, die nur nachts erledigt werden konnte, wenn der Betrieb ruhte.

Ihre Laternen flackerten auf dem Boden und beleuchteten das gewaltige Holzgerüst, das seinen Rüssel gen Himmel reckte, dessen zwei riesige Treträder Dächer wie Bauernhäuser hatten und dessen mächtige Doppelhaken herabbaumelten. An seiner Spitze war – scherzhaft vielleicht – ein Abbild des Vogels aufgestellt worden, der ihm seinen Namen verliehen hatte, und auf seinem langen, schrägen Hals standen kleinere Kraniche, des Nachts bewahrt vor den Übergriffen der sich dort drängelnden Möwen. Denjenigen, die in Brügge lebten oder es häufig besuchten, war der Kran ebenso vertraut wie der Belfried, so daß ihm die schottischen Diener des schönen Simon, des Verwalters von Kilmirren, keinen Blick schenkten. Nur einer der Filzkappen tragenden Männer, die innerhalb der Räder lagen, pfiff durch die Zähne, um den anderen ein Zeichen zu geben, und zuckte mit dem Kopf, so daß ein Tropfen Schmierfett auf seiner Wange landete und ihn veranlaßte, leise zu fluchen. Keiner verließ seinen Arbeitsplatz, das war auch nicht nötig, denn jeder, der abends in Brügge etwas zu tun hatte, kam früher oder später am Kran vorbei.

An der Herberge von Jehan Metteneye mußte einer der Kilmirren-Leute erst die Glocke ziehen, damit das Hoftor geöffnet wurde, und die Laterne über dem Tor verschaffte dem Pförtner einen interessanten Blick auf Mylord Simons Erscheinung. Das Zimmer, das er mit Napier und Wylie und noch ein paar schottischen Kaufleuten teilte, lag im oberen Stockwerk und war zu dieser Zeit gewöhnlich leer, aber natürlich traf er Bischof Kennedys Schatzmeister George Martin vor dem Speisesaal und Metteneyes Frau auf der Treppe und rannte John of Kinloch in die Arme, dem schottischen Geistlichen, der aus dem Schlafsaal kam und gerade das letzte Waschwasser verbraucht hatte. Es dauerte eine gute halbe Stunde, bis Simon gesäubert und reinlich gekleidet herunterkommen und sein Abendessen einnehmen konnte, während er die anderen mit den amüsanteren seiner Abenteuer unterhielt. Er ärgerte sich über John, den Kaplan von St. Ninian, zwang sich aber, besonders liebenswürdig zu ihm zu sein.

Währenddessen hatte er nicht den geringsten Zweifel darüber, wie er den Rest der Nacht verbringen würde. In einer Rolle hatte er schon die Schriftstücke heruntergebracht, die er vor seinem ersten Kauf studieren mußte. Von Demoiselle Metteneye erbat und erhielt er die Erlaubnis, sich im Kontor des Gastwirts Jehan, wo dieser sein Geld und seine Geschäftsbücher aufbewahrte, mit einer Lampe am Arbeitstisch niederzulassen.

Sie war fünfzig, und ihr Lächeln ließ ihn zurückschrecken, aber er lächelte sie auch an, als sie die Lampe putzte, ihm einen besseren Stuhl brachte und fragte, ob er noch irgend etwas benötigte. Er verneinte es, dann besann er sich eines Besseren und fragte, ob Mabelie ihm die Flasche Wein bringen könnte, die sie für ihn beiseite gestellt hätte. Es war ein Wagnis, aber ein kleines. Jehan würde wahrscheinlich nicht zulassen, daß seine Frau zweimal hierherkam.

Er entrollte seine Schriftstücke und zog den Stöpsel aus dem Tintenfaß, aber nachdem sich die Tür geschlossen hatte, traf er keine Anstalten, zu lesen oder zu schreiben. Wie immer, wenn er in eine Stadt zurückkehrte, hatte er in Gedanken seine früheren geglückten Eroberungen und vergeblichen Annäherungsversuche Revue passieren lassen und sie dann, halb in frivoler Vorfreude, halb über sich selbst belustigt, nach der Reihenfolge der Inangriffnahme geordnet.

Diesmal stand Mabelie ganz obenan. Als er letztens einige Tage bei den Metteneyes verbrachte, hatte er entdeckt, daß sie eine Jungfrau von beträchtlichem Reiz und pikanter Einfalt war, ein Zustand, aus dem herauszukommen er ihr behilflich war, was ihm ein recht ungewohntes Vergnügen bereitete. Sie gehörte natürlich zum Gesinde: eine der unzähligen armen Cousinen oder deren Kinder, die das Personal für den Haushalt jedes guten Bürgers stellten. Daher würde man es nicht so eilig haben, einen Ehemann für sie zu finden. Er hatte gehofft, daß er sie, wenn er diesmal wiederkam, noch im Haus vorfinden würde. Als er sie mit ihrem Eimer am Kai sah, immer noch mit strahlenden Augen, immer noch züchtig errötend, war er ganz gerührt gewesen.

Letztes Mal war sie hierher zu ihm gekommen, und später hatte er die beiden Dienstmädchen bestochen, damit sie woanders schliefen, während er Mabelie in ihrer Dachkammer aufsuchte. Es gab so viele Gelegenheiten, sich in Brügge zu vergnügen, daß der Schlafsaal manchmal die ganze Nacht über leer blieb und sie es sich dort gemütlich machen konnten. Es war die einzige Möglichkeit, eine solche Nacht zu verbringen, ohne das Haus zu verlassen. Frauen durften die Gast- und Zunfthäuser der Kaufleute nicht betreten.

Als eine Viertelstunde verstrichen und Mabelie nicht gekommen war, wurde er ungeduldig und öffnete die Tür. Weil einer der Diener vorbeiging, schloß er sie wieder. Nach fünf Minuten versuchte er es noch einmal und hätte fast die Demoiselle Metteneye über den Haufen gerannt, die gerade anklopfen und ihm seinen Wein bringen wollte. Er setzte ein strahlendes Lächeln auf, plauderte eine Weile mit ihr und fragte dann nach Mabelie. Das Mädchen, sagte sie, sei manchmal eine rechte Plage, wie alle Mädchen, aber meistens arbeite sie tüchtig und sei ihr Brot wert in Zeiten wie den jetzigen, wenn jedermann bedient sein wolle, ohne an diejenigen zu denken, die sich dabei die Hacken abrennen. Sie machte vielleicht gerade für die heute angekommenen Herren die Betten. Sie wisse es nicht. Aber Mylord Simon werde sie zweifellos noch sehen, entweder heute abend oder morgen.

Zehn Minuten später versuchte er es wieder, und diesmal fand er ein Dienstmädchen, das er kannte und dem er gewöhnlich aus dem Weg ging, weil sie seine Bestechungen immer mit einem höhnischen Grinsen entgegennahm. Sie kicherte und sagte, natürlich werde sie Mabelie ausrichten, daß der Herr bis spät in die Nacht arbeite. Aber, Monseigneur, Mabelie arbeite auch bis spät in die Nacht. Sie grinste höhnisch.

Dummes Ding. Der Blick, den er Mabelie am Kai zugeworfen hatte, war unmißverständlich gewesen, und auch die Tatsache, daß sie extra dort hingekommen war, um ihn zu sehen. Er ließ das Mädchen gehen und wanderte mit seinem Weinglas in der Hand gemächlich durch das Haus, von den Gesindekammern zur Küche, war allen gegenüber liebenswürdig und wurde immer wütender. Im Gemeinschaftsraum war ein Kartenspiel im Gange. Er blieb stehen und sah zu, plauderte und trank. Andere Dienstboten kamen und gingen, aber keine Mabelie. Er würde doch noch ausgehen müssen. Er war schon fast dazu entschlossen, als die Hofglocke schrillte und schrillte, so daß das Kartenspiel unterbrochen wurde und Köpfe sich umwendeten.

Stimmen. Gebell. Jemand hatte seinen Jagdhund aufgescheucht. Metteneyes Stimme, und dann sein Gesicht am Türpfosten – «Kein

Grund, meine Herren, sich zu beunruhigen. Jemand hat den Seidenhändlern von offenen Ballen berichtet, und sie sind hergekommen, um danach zu suchen. Es wird nicht lange dauern, bis sie ihren Irrtum erkennen. Alles ist in Ordnung.»

Die Leute stöhnten. Das kam dann und wann vor. Ausländische Kaufleute mußten sich an strenge Regeln halten. Nur an bestimmten Tagen und zu bestimmten Zeiten durften sie in ihren Unterkünften Waren verkaufen, die wieder verpackt werden mußten, wenn die Zeit abgelaufen war. Unverpackte Waren bedeuteten Geldstrafen und Beschlagnahme. Die Händler von Brügge waren gut geschützt. Man war – wie jetzt – höflich zu den Beamten mit ihren von Kinnriemen gehaltenen Mützen und dicken Jacken und den hinter ihnen stehenden breitschultrigen Knechten. Und man war natürlich bereit, in die Kellerräume hinabzusteigen, wo die großen Stoffballen aufbewahrt wurden und wo, wie ein Passant sagte, aus jeder Falltür Licht schimmerte.

Das Fußgetrappel machte Simons Hund verrückt, deshalb ließ er ihn heraus, hielt ihn am Halsband und ging mit ihm wie alle anderen die Kellertreppe hinunter. Der Hund schnüffelte und zerrte, selbst als sich der Keller natürlich als völlig leer erwies bis auf die Handelsgüter, die alle säuberlich in Ballen verpackt und verschnürt waren, wie sie sein sollten. Metteneye ging, um das gefährliche Licht zu löschen, das irgendein Narr hatte brennen lassen.

Der Hund hätte ihn fast umgeworfen. Er hatte sich von Simons Hand losgerissen, sprang an Metteneye vorbei, um einen Pfeiler herum und durch ein Gewölbe und verschwand pfotenscharrend hinter einem großen Stapel kleiner Fässer. Sie gingen ihm nach. Er war vor fünf Ballen grüner und brauner Wolle und einem Sack Häute stehengeblieben, die gerade inspiziert worden waren. Er bellte vor den Ballen, als würden sie seinen Seelenfrieden bedrohen oder sein Abendessen enthalten.

Simon ging näher heran. Zwischen den Ballen und der Mauer war ein Zwischenraum. In dem Zwischenraum schien ein Behelfsbett hergerichtet worden zu sein, das, soweit er sehen konnte, aus einer Kollektion unzureichend getrockneter Felle von Füchsen, Katzen und Hasen bestand. Die Pelze verbargen eine einzige wogende Gestalt, die sich, während er hinschaute, in zwei getrennte Gestalten teilte. Ein weißer Gegenstand, der an einem Ende zum Vorschein kam, erwies sich erstaunlicherweise als Haube auf dem liebreizenden Kopf des Mabelie geheißenen Dienstmädchens, der ruckweise die Schultern folgten.

Sie hätte es damit bewenden lassen, aber ringsum waren die Seidenhändler und die schottischen Kaufleute schon in Gelächter ausgebrochen und zogen sie heraus. Sie hatte die Augen geschlossen und bedeckte ihr scharlachrotes Gesicht, so gut es ging. Sie hatte ihre Strümpfe an. Sonst war der einzige bekleidete Körperteil ihre Taille. Metteneye lächelte zornig, zog seine Jacke aus und warf sie über Mabelie.

Simon trat drei Schritte zurück. Er stand am anderen Ende des warmen Pelzhaufens, vor dem sein Hund immer noch bellte, und hatte den kleinen Dolch in der Hand, den ausländische Kaufleute tragen durften, um sich vor Räubern zu schützen. Er beugte sich vor, vielleicht, um mit der Klinge zu stochern, vielleicht, um sich zu verteidigen. Er brauchte weder das eine noch das andere zu tun. Vor seinen Augen tauchte langsam ein Kopf mit zerzaustem hellbraunem Haar auf, dann zwei muskulöse Schultern und ein schwitzender Brustkorb, teilweise bedeckt von weichem Segeltuch, das zu einem Hemd verarbeitet worden war, und darüber ein noch schäbigeres Wams, dessen Strumpfbänder offenbar nicht alle befestigt waren.

Simon kannte das Gesicht. Er kannte die breite Stirn, die mondrunden Augen, die Eulennase zwischen den Wangen voller Grübchen, und er kannte das Abbitte leistende, entwaffnende Lächeln.

Claes, der Lehrling der Charettys. Claes, dessen Ausdruck in diesem Augenblick weder ängstlich noch reumütig oder schalkhaft war, sondern eine Mischung von alldem. Der mit einem Seufzer die Augen schloß und sagte: «Ich will es nicht leugnen. Ich gebe es zu. Ich habe das Benehmen eines Dummkopfs und die Veranlagung eines Mädchens, und das ganz zweifellos sehr zum Verdruß meines Vaters, wo immer er sein mag.»

Das war der beste Witz des Abends, fanden die Seidenhändler. Statt einer häßlichen Szene mit den Schotten, eines Gerichtsverfahrens und einer Menge Groll gab es bloß eine Dienstmagd, der es Marian de Charettys großer, lächelnder Lausejunge besorgte, Claes, der mit abgeknöpften Strumpfbändern dalag und sich mit seinen Reden wieder eine Tracht Prügel einbrockte.

Wenn man sah, wie dieser Simon die Sache aufnahm, mußte man

sich fragen, ob der edle schottische Lord womöglich selbst ein Auge auf das Mädchen geworfen hatte. Tatsächlich hatte sein Gesicht sich verfärbt, und der Dolch, den er in der Hand hielt, blitzte ein- oder zweimal auf, als ob er nicht abgeneigt wäre, damit zuzustoßen.

Und vielleicht dachte Claes das auch, denn mit einem gewaltigen Satz sprang er von den Fellen auf, stürmte an dem Hund und den beiden Burschen vorbei, die dastanden und über ihn lachten, durch das Gewölbe und um den Pfeiler herum, die Treppe hinauf und durch das Haus in Richtung Hof. Die Kaufleute und die Seidenhändler sahen ihm lachend nach, und jemand schlug Metteneye auf den Rücken. Dann schien der edle Simon wieder zu sich zu kommen, fing auch an zu lachen, steckte seinen Dolch in die Scheide, rief seinen Hund und sagte: «Na, worauf warten wir denn? Das ist ein Schlingel, der Prügel verdient, und wir brauchen ihn bloß zu fangen.»

Die anderen merkten, worauf er hinauswollte. Der Spaß war gut und brauchte noch nicht vorbei zu sein. Lehrling Claes, der große Liebhaber, hatte noch einen weiten Weg bis zu seiner Dachkammer im Hause Charetty. Das mindeste, was sie für den armen Metteneye tun konnten, dessen Vertrauen mißbraucht und dessen braves Hausmädchen jetzt womöglich in anderen Umständen war, war, den Burschen zu erwischen und ihm einen Denkzettel zu verpassen. Unter großem Hallo stürzten sie aus dem Keller und überließen es Metteneye, das Stückchen Malheur am Arm zu packen und die Treppe hinauf zu seiner Frau Gemahlin zu zerren.

Das Mißliche war natürlich der Geruch nach Fuchs, Katze und Hase und sogar noch ein bißchen nach Kaninchen. Doch das Bürschlein war wirklich erfindungsreich. Er flitzte um die Ecke auf den Sint Jansplaats und am Haus der englischen Kaufleute vorbei, ehe man sich's versah, und dann direkt hinüber und hinein in die Schenke der Engländer, wo die Leute keineswegs entzückt waren, als er hindurchfegte, Bier verschüttete und die Würfel- und Kartenspiele umwarf, und sich noch weniger freuten, als eine Schar Verfolger zur Tür hereinplatzte, darunter welche, die sehr genau zu sehen vermochten, um was hier gewürfelt worden war. Inzwischen hatte sich Simons Hund ein zweiter angeschlossen.

Als sie sich dann den Weg durch die Hintertür bahnten, war Claes verschwunden, aber in der Winesackstraat schwang ein Pförtchen hin und her, und beide Hunde standen bellend davor, so daß sie es aufstießen und hindurch über einen Hof gingen bis zu einer Tür, die, als sie dagegenhämmerten, höflich geöffnet wurde von einem beleibten, frisch gewaschenen Herrn in Bademantel, welcher locker – allzu locker – in Hundehöhe flatterte.

Niemand tröstete ihn. Ohne den Rat der besser Informierten zu beherzigen, drängten sich Kaufleute und Seidenhändler an ihm vorbei und folgten Simon. Sie gelangten vom Korridor ins Wohnzimmer und dann in ein Gewirr von Kammern, die wie das Paradies möbliert waren, nämlich mit nichts als weißen Wolken und seraphischen rosa Körpern. Unter ihnen befanden sich weitere Seidenhändler, eine Hebamme, zwei Stadträte, der Standgeld-Kassierer, ein Archidiakon, zwei Gildeschwestern und ein Glockengießer mit Muskeln wie Ankerketten.

Kein flüchtender Lehrling war in dem Dampf zu sehen noch wurde er zielstrebig gesucht. Zwei der Verfolger hatten das Pech, auf den schlüpfrigen Fliesen auszurutschen und in die Badewannen zu fallen, übermannt von der Hitze, dem Lärm und unbeabsichtigten Bewegungen der Badenden. Diejenigen, die dann triefend in die Septembernacht hinauskamen, hätten nach Hause gehen können, wären sie nicht Simons ansichtig geworden, der mit verbissenem Gesicht leichtfüßig vor ihnen herrannte, gefolgt von drei oder vier Hunden.

Sie schlossen sich ihm an und wurden mit dem Anblick des Jungen belohnt, des vierschrötigen geilen Bastards, der die ganze Aufregung verursacht hatte und jetzt durch die Dunkelheit zum Kai und die Stufen hinunter zum Wasser flitzte. Einen Augenblick später stieß eines der dort vertäuten Kanalboote ab und wurde in die Strommitte in Richtung Damme gestakt. Auf den Stufen blieb Simon stehen, dann machte er kehrt, sprang zum Kai hinauf und begann mit den Hunden um die Wette zur nächsten Brücke zu rennen, gefolgt in immer größerem Abstand von den atemlosen Kaufleuten und Seidenhändlern, denen sich der eine oder andere neugierige Hauswirt angeschlossen hatte und auch der Pförtner des Badehauses, die alle guten Willen bekundeten und die Bereitschaft, sich von fast jedem bestechen zu lassen.

Wie kraftvoll der Lehrling sein Ruder auch handhabte, er war nur ein Mann in einem Kanalboot, das zum Staken zu breit war.

Schwerfällig näherte es sich gerade der Brücke, als der schottische Lord sich sehr geschickt auf das Geländer schwang und, nachdem er sein Gleichgewicht wiedergewonnen hatte, heruntersprang.

Den Gestank mußte er schon während des Sprungs wahrgenommen haben. Ehe er noch in dem beladenen Kanalboot landete, wußte er wohl bereits, in was er hineinsprang. Jedenfalls prallte er zuerst auf den Jungen, der sein Ruder ins Wasser fallen ließ. Dann erreichten Lord Simons Füße die Ladung, er stolperte und versank in etwas, das mit Quietschen, gequältem Grunzen und sonderbaren Pfeiftönen reagierte, die jeweils von einem Schwall unerfreulicher Dünste begleitet waren. Luft aus den Bäuchen und Blasen der in Brügge verendeten Hunde und Katzen und der kleinen toten Ferkel des heiligen Antonius, die allabendlich von eben diesem Kanalboot, der schwimmenden Straßenreinigung, aufgefischt wurden.

Leider lag der schottische Lord zwischen ihnen. Das einzige Ruder war über Bord gegangen. Ebenso, mit einem wenig eleganten Kopfsprung, der Knabe Claes, der sich zum zweitenmal in zwei Tagen durch das unsichere Wasser des Kanals zum anderen Ufer vorankämpfte. Hörbar würgend rappelte sich Simon of Kilmirren hoch, stand auf, machte einen Hechtsprung und begann dem wild strampelnden Lehrling mühelos und elegant nachzuschwimmen.

Auf beiden Ufern folgten die Kaufleute ihm und den Hunden. Dank ihrer Laternen sahen sie, wie er die störende Gegenströmung meisterte und dem dunklen Kopf folgte, der sich vor ihm ruckweise durch das Wasser bewegte und auf die Brücke der Poortersloge zusteuerte, hinter der sich ein hohes, gitterartig verziertes Gebäude befand, das Vereinshaus der adligen Zunft der Kämpfer des Weißen Bären.

Der Junge war kein guter Schwimmer. Er mußte wissen, wie schnell Lord Simon ihn einholte. Er würde an der Poortersloge an Land gehen müssen, und wenn er – was der Fall sein könnte – vor Simon dort ankäme, dann bestimmt nicht vor dem Rudel Hunde. Jammerschade, daß es soweit kommen mußte, armer, törichter Knabe. Denn wenn das Wasser vielleicht auch den größten Teil des Geruchs abgewaschen hatte, würde trotzdem noch eine Menge an ihm haften. Alle Köter der Stadt würden am Ufer stehen und ihm einen heißen Empfang bereiten. Und der schottische Lord Simon, der mühelos und kühl hinter ihm herschwamm, würde keine Anstalten treffen, den Lehrling zu retten. Nicht nach alldem, was geschehen war.

Simon erreichte die Brücke kurz nach den Hunden. In dem Lärm wurde ein Fensterladen nach dem anderen aufgeschlagen. Der Lichtschein aus den Fenstern fiel auf die Hunde, die sich knurrend und kläffend oben an der Treppe zusammengeschart hatten, und auf den Lehrling, der, noch halb im Wasser, unten an der Treppe zögerte.

Dort standen auch Männer. Sie waren keine Hauswirte, denn das Licht ließ Abzeichen erkennen. Es war eine durch das Gebell angelockte Gruppe von patrouillierenden *Hondeslagers*, die von der Stadt dafür bezahlt wurden, daß sie die Straßen von streunenden Hunden befreiten. Entgegenkommend verscheuchten sie die Köter von der Treppe und hielten sie von Claes fern. Das ärgerte natürlich den schottischen Lord. Da er glaubte, der Junge könnte entkommen, warf er sich rasch nach vorn, machte einen Satz, packte ihn am Knöchel und zog daran. Claes verlor das Gleichgewicht und fiel mit der Schulter auf die Stufen. Er schrie auf. Die Hunde, zur Raserei getrieben durch den verdoppelten Gestank, waren nicht mehr zu halten und stürzten sich auf die beiden Männer, den liegenden und den stehenden. Krallen schlitzten dem Lord das Wams auf, und er zog seinen Dolch. Die Männer, die bleibeschwerte Knüppel schwangen, schlugen um sich, und Hunde wirbelten jaulend herum und fielen zu Boden, als der Lehrling, dreiviertel nackt, aufstand. Der schottische Lord hinter ihm reckte sich.

Die Kaufleute, die mit ihren Laternen angerannt kamen, wußten nicht, was in Simon vorging, obwohl sie einiges davon hätten vermuten können, und den Rest hätte Claes ihnen erklären können. Der Widerhall von vergessenen, schwärenden Kränkungen. Die Erinnerungen, zu denen Mabelies scheues, einladendes Lächeln und ihr jugendfrischer Körper gehörten. Die Unverschämtheit am Kai. Die sarkastische Stimme (aber davon wußten weder die Kaufleute noch Claes etwas) dieser schamlosen Person, der van Borselen: *Niemand, vor dem Ihr Angst zu haben braucht.* Und die anderen zotigen Wörter, die sie wiederholt hatte und die, wie Simon jetzt wußte, von diesem boshaften Jüngling stammten. Der sich darüber amüsierte und sie gerade eben erst Simon ins Gesicht gesagt hatte, überzeugt, daß Simon sie nicht verstehen werde.

Er hatte den Dolch noch in der Hand und gedachte schlicht und einfach, ihn zu gebrauchen.

Claes drehte sich gerade um, als Simon den Arm hob. Es war zu spät, um sich zu ducken, denn seine Beine waren durch Männer und Hunde behindert. Er schnappte sich die einzige Waffe in Reichweite, den bleibeschwerten Knüppel in der Hand des Mannes neben ihm, und wehrte den Stoß ab, als er kam, und den nächsten auch. Er schlug weiter wie wild um sich.

Bei dem allgemeinen Gemetzel erregte das Duell keine Aufmerksamkeit. Die *Hondeslagers* machten sich das Durcheinander zunutze und droschen gewaltig drauf los, und wenn ein Hund davonkam, dann war es schieres Glück. An dem Kanalufer und die halbe Brücke entlang war das angehäuft, was ihnen in Form von Fellen und barem Geld zwei Wochen lang ihr Bier garantieren würde. Die Laternen schwenkend, stolperten die Kaufleute hierhin und dahin, lachten und riefen, bis die Schlägerei nachzulassen begann, die letzten Hunde erledigt waren und sogar der Kampf im Zentrum des Geschehens eine neue Wendung genommen hatte. Selbst als er ganz aufhörte, bemerkten die Kaufleute dies kaum. Als sie sich schließlich nach dem Anlaß für die ganze Aufregung umschauten, sahen sie nur noch den schönen Simon, allein und in höchster Wut.

Allein, weil der Knabe Claes irgendwie entkommen war. Das heißt, er war einfach verschwunden.

Schade, könnte man sagen. Aber er hatte ihnen allen doch wirklich genug Zeitvertreib geboten. Simon ebenfalls, der tropfnaß und stinkend dastand, so daß man sich luvwärts von ihm halten mußte, wenn man mit ihm reden wollte. Natürlich war er wütend. Er warf sogar den Hundetötern vor, den jungen Mann beschützt zu haben.

Es war etwas dran an dem, was er sagte. Da war ein Kreis von Männern gewesen – es war schwer zu verstehen, wie der Junge zwischen ihnen hätte durchschlüpfen können. Aber wohin konnte er gegangen sein? Nicht über die Brücke. Nicht wieder ins Wasser. Nicht am Kai entlang, auf dem sie selbst hergekommen waren. Er hatte sich doch nicht in die Lüfte erhoben?

Es war John of Kinloch, dem so viele Kränkungen gegolten hatten, welcher die freundliche Hoffnung zum Ausdruck brachte, Freund Simons Jagdhund möge heil davongekommen sein. Da er ein anderes Wild gehetzt hatte, hatte Simon seinen eigenen Hund vergessen. Er sah sich nach ihm um. An seinem Halsband war er leicht zu erkennen: ein prachtvolles Tier, das nun tot zu Füßen des Ober-*Hondeslagers* lag.

Der *Hondeslager* erbleichte. Den Hund eines Ritters anzurühren bedeutete Auspeitschen. Ein Hund mit Halsband oder mit Brandzeichen mußte nachts von allen anderen unterschieden werden. Darin bestand die Sachkenntnis, die sein Amt erforderte. Und hier, in der Dunkelheit, hatte er den Jagdhund eines adligen schottischen Kaufmanns getötet. Er sagte das einzige, was er sagen konnte: «Mylord, Ihr habt gesehen, wie Euer Hund herumsprang. Er mag irgendeinem Knüppel in den Weg geraten sein. Keiner meiner Leute hat ihn absichtlich getötet. Das schwöre ich Euch. Und was mich betrifft, wie hätte ich es gewesen sein können? Ich habe keinen Knüppel in der Hand.»

«Ein *Hondeslager* ohne Knüppel?» fragte ein Zyniker.

«Der Junge hat ihn genommen. Der Lehrling. Ihr habt ihn gesehen», sagte der *Hondeslager* zu Simon.

«Und er hat meinen Hund getötet?» fragte Simon. «Er muß es gewesen sein oder du.»

Der Mann schwieg. Er war ein anständiger Kerl, er wandte den Blick nicht ab. Simon schickte sich an, etwas zu sagen, sein Gesicht verfinsterte sich. Von der Mauer der Pförtnerloge hoch über ihnen kam ihm eine freundlich, friedlich klingende Stimme zuvor.

«Oh, wie jammerschade!» sagte der Charetty-Lehrling. «Meine Freunde, ich werde das alles gestehen müssen. Denn die Juristen werden es euch niemals glauben.»

Die Menschenmenge schaute hinauf. Von seiner hohen, überdachten Nische an der Ecke blickt der älteste freie Bürger von Brügge, der Weiße Bär, *Beertje van de Loge*, nicht hinunter zu seinen Verfolgern, sondern hinauf zu den Wolken und Dächern. Er trägt einen hohen goldenen Kragen, goldene Riemen kreuzen sich über dem weißbemalten Fell auf seiner Brust, und zwischen seinen beiden Tatzen hält er das rot-goldene Wappenschild der Stadt.

So stand er an jenem Abend da, den Blick stolz erhoben, und nahm keine Notiz von den beiden übel zugerichteten Armen, die sich an ihm festhielten, von dem braunen Wuschelhaar, das sich an seine Backenknochen schmiegte, und von dem hübschen Kinn, das sich an seine Schulter drückte. An einer der umklammernden Fäuste baumelte der blutbeschmierte bleibeschwerte Stock des *Hondeslagers*, ein eindeutiger Schuldbeweis.

«Verhaftet mich, ich bin der Eure», sagte Claes sanftmütig. «Ich verdiene es nicht, ein nettes Mädchen wie Mabelie zu haben; und dann gehe ich los und töte Hunde, und ich verpasse Eurem Beertje einen scheußlichen Gestank.»

«Komm runter», sagte Simon leise.

Der Junge, der den Bären umarmte, nickte zustimmend. «Aber erst, wenn der Büttel kommt, wenn Ihr nichts dagegen habt. Und falls es einen Christen unter euch gibt, könnte der dem Meester Julius sagen, daß ich wieder im Steen bin und daß er wohl mit dem Kahnführer ein Wort reden muß?»

Kapitel 5

Am nächsten Morgen war die Schar der Lehrlinge, die sich vor dem Steen eingefunden hatten, noch größer als am Vortag. Weber auf dem Weg zur Arbeit und Wohlwollende, die nach Hause gingen, blieben stehen und lächelten aufmunternd durch die Fenstergitter. Zu ihnen gehörten auch die beiden Kranführer.

Diesmal war keine Mabelie da, um für Claes Butter in die Bettelsäcke zu legen, aber ihr Name lag in der Luft, als stünde er auf einer Flagge. Selbst als die Arbeitsglocke läutete und der Platz vor dem Gefängnis sich notgedrungen leerte, stellte sich immer noch der eine oder andere neugierige Bürger auf die Zehenspitzen, um das gleichmütige Gesicht des Lehrlings zu sehen, und rief ihm in einem nicht gerade strengen Tonfall ein paar saftige Bemerkungen zu.

Stehen blieb auch ein hochgewachsener, schwarzbärtiger und freundlich aussehender Mann, der kein Flame war. «Na, Claes van der Poele?» sagte er. Die Häftlinge, die Claes eine vortreffliche nächtliche Unterhaltung verdankten, hoben ihn bereitwillig zum Fenster hinauf und umringten ihn grinsend.

Claes' übel zugerichtetes Gesicht erschien, und es zeigte das übliche fröhliche Lächeln. «Guten Tag, Messer de' Acciajuoli», sagte er. «Wenn Ihr für mich sammelt, versucht es diesmal lieber nicht beim König von Schottland.»

Nicolai Giorgio de' Acciajuoli schürzte die bartumwucherten Lippen, aber seine Augen blickten belustigt drein. «Und wohl auch nicht beim Herzog von Burgund», erwiderte er, «nach der Episode mit der Badewanne und der Kanone. Vermutlich auch nicht bei Gastwirten und Maklern, die hübsche Dienstmädchen haben. Richtest du in Löwen auch soviel Durcheinander an?»

Claes legte den Kopf schräg und hob ihn dann vorsichtig wieder. «Vielleicht», sagte er. «Aber die Universität ist an so etwas gewöhnt.»

«Wo du natürlich deinem jungen Herrn aufwartest. Und seine Mutter, die Witwe de Charetty, überwacht euch. Ist sie streng?»

«Ja», sagte Claes und erschauerte.

«Das freut mich», bemerkte der Grieche gleichmütig. «Ich habe von Messer Adorne gehört, daß sie auf dem Weg nach Brügge ist, um sich mit dieser Sache zu befassen. Meester Julius ist schon in deiner Angelegenheit vorstellig geworden, und du kommst vielleicht vor Einbruch der Nacht frei, wenn Einigkeit über den Preis erzielt werden kann. Glaubst du, deine Arbeitgeberin wird dich in ihrem Dienst behalten, wenn es sie so teuer zu stehen kommt?»

«Monsignore», sagte Claes. Zwei Furchen hatten sich auf seiner glatten Stirn eingegraben.

«Ja?» fragte der Grieche.

«Ich dachte, ich würde schon am Vormittag herauskommen. Nach dem Auspeitschen lassen sie einen heraus.»

«Beklagst du dich? Durch sein Geldangebot hat dein Herr, der Aktuarius, dir ein zweites Auspeitschen so kurz nach dem ersten erspart.» Acciajuoli hielt inne. «Oder hattest du ein anderes Anliegen?»

Das Gesicht hinter dem Gitter hellte sich auf. «So ist es», sagte Claes. «Und meine Freunde sind nicht mehr da. Wie ich Meester Julius kenne, wird er Felix nicht herkommen lassen, um mich zu besuchen. Und – ich nehme nicht an, Monsignore, daß ich Euch damit behelligen darf, Felix de Charetty eine Botschaft auszurichten?»

Nicolai de' Acciajuoli aus einem athenischen Fürstengeschlecht, der sich auf dem Weg von Messer Adornes Haus zu einem erfreulichen Rendezvous in einer Schenke befand und aus bloßer Neugier stehengeblieben war, mußte fast lachen. «Auf griechisch? Ich hege starke Zweifel, ob das möglich wäre. Und außerdem, wie kommst du darauf?» Der Junge lächelte so strahlend, als hätte er sich schon dazu bereit erklärt.

«Weil Ihr stehengeblieben seid», sagte Claes.

Messer de' Acciajuoli zögerte. Seine Gefühle in diesem Augenblick wären Julius bekannt vorgekommen. Schließlich fragte er: «Und was soll ich ausrichten?»

«Daß er es nicht tun soll», sagte der Lehrling lediglich.

«Daß er es nicht tun soll», wiederholte der Grieche. «Und was soll er nicht tun?»

«Das, was er gerade tut. Er wird es schon verstehen.»

«Mag sein», sagte Messer de' Acciajuoli, «aber ich gehe zum Marktplatz, um mich nach der Sitzung der Friedensrichter mit meinem guten Freund Anselm Adorne zu treffen. Ich habe keine Ahnung, wo ich die Färberei de Charetty finde.»

«Monsignore, das ist kein Problem. Nachdem das Bußgeld bezahlt ist, wird Felix mit Meester Julius in eben der Schenke sein, den *Zwei Gesetzestafeln*. Die Friedensrichter versammeln sich im ersten Stock, um diese Fälle zu erörtern. Wie ich höre, fallen die Türken der Verdammnis anheim und trinken nichts.»

Es war Zeit weiterzugehen. «Einige von ihnen trinken», sagte der Grieche. «Aber ich weiß nicht, ob man sie deswegen schon als gerettet erachten kann. Ich kann es dir nicht versprechen, mein Junge. Wenn ich deinen Freund sehe, werde ich es ihm ausrichten.»

Das strahlende Lächeln erschien wieder. «Monsignore, sagt es mir, wenn ich Euch eines Tages einen Gefallen tun kann.»

Der Grieche lachte. Später sollte er sich noch daran erinnern, daß er gelacht hatte.

Wenn der zornigste Mann an jenem Tag in Brügge der schottische Lord Simon war, dann war Julius, der Charetty-Aktuarius, der zweitzornigste.

Bis Mittag hatte sich die Nachricht von Claes' Abenteuer wie ein Lauffeuer in der Stadt verbreitet. Von dem Gerede in der Zilverstraat, wo Florens van Borselen ziemlich enttäuscht einen unzensierten Bericht darüber hörte und seine Tochter mit verächtlichem Lachen einen zensierten zur Kenntnis nahm, wußte Julius nichts.

Wie jedermann erfuhr er, daß die Stadt dem Rat der zuständigen Beamten folgen und gegen niemanden ein Verfahren einleiten würde. Man konnte davon ausgehen, daß sich die geschädigte Familie Metteneye bei der leidgewohnten Familie de Charetty über das Benehmen ihres Lehrlings beschweren und Schadenersatz geleistet werden würde. Der Eigentümer des Bootes, das die Kadaver einsammelte, war es zufrieden gewesen, den Gegenwert eines Krugs Bier zu erhalten.

Lord Simon hatte eine formelle Beschwerde über den Tod seines Hundes eingereicht, und Julius hatte gerade eine weitere unerfreuliche Besprechung mit Meester Adorne und zwei Friedensrichtern hinter sich, bei der festgelegt worden war, daß Claes' Haftpflicht durch große Geldsummen abgegolten werden sollte.

Wenn die Firma Charetty dem schottischen Kaufmann schließlich einen Betrag zahlen mußte, der geringer ausfiel als erwartet, dann hatte sie das dem schottischen Bischof zu verdanken. In seiner Unterkunft bei den Karmelitern hatte Bischof Kennedy kundgetan, daß er ungehörige nächtliche Raufereien mißbillige. Mylord Simon habe einen schönen Hund verloren, aber er habe es sich zum Teil selbst zuzuschreiben. Eine Entschädigung sei fällig, aber sie müsse angemessen sein. Er vertraue darauf, daß seine guten Freunde in Brügge dafür sorgen würden.

Schwer atmend stürmte Meester Julius nach der Besprechung hinunter in die Gaststube *Zu den Zwei Gesetzestafeln Mosis* und warf sich auf die Bank, auf der Felix saß, der eine Reihe zuverlässiger Freunde um sich versammelt hatte, darunter den jungen Bonkle, Adornes Neffen Anselm Sersanders und Lorenzo Strozzi, den stellvertretenden Leiter der Strozzi-Niederlassung, der, mißmutig dreinschauend, sehr viel Zeit fern vom Kontor seines Brotherrn zu verbringen schien.

Jemand sagte: «Aha, die Hundeliebhaber. Julius, mein Freundchen, deine Herrin hat sich schon auf den Weg gemacht, um dich zu bestrafen. Bleib bei Tinte und Pergament und Zahlen, mein Lieber. Es braucht Männer, um Männer in Schach zu halten.»

Das war die Stimme eines der unangenehmsten Franzosen in

Brügge. Der Condottiere Lionetto saß mit dem kahlköpfigen Doktor Tobias und all seinen anderen Freunden am Nebentisch. Tobias war betrunken, und Lionetto ebenfalls. In Italien und Genf hatte Julius genug betrunkene Söldnerführer gesehen, um zumindest zu wissen, wie man nicht mit ihnen umgeht. «Willst du Claes haben?» fragte er. «Nimm ihn.»

Lionetto brach in gewaltiges Gelächter aus. Er war einer der wenigen Söldner, die Julius kannte, denen man nicht nur ihre einfache Herkunft ansah, sondern die auch noch stolz darauf waren. Aber das mochte an dem roten Haar liegen, das zu borstig war, um sich zu locken und ihm bis auf die Schultern herabhing, sowie an der pockennarbigen Haut und der Säufernase. Über dem Wams trug er eine Kette mit Rubinen, die möglicherweise aus Glas waren. Aber das Gold der schweren Kettenglieder war echt.

Als die zweite Lachsalve verklungen war, sagte Lionetto: «Bezahle mich dafür, und ich nehme ihn, wenn du Angst vor der Witwe hast. He, Felix! Deine Mutter kommt, weißt du das? Mach deinen Hintern schon mal frei für die Reitpeitsche. Du auch, Julius. He!»

Dem Arzt, der grinsend neben ihm saß, war der Ellbogen vom Tisch gerutscht, wobei er Lionettos vollen Humpen umgestoßen hatte. Lionetto fluchte, verpaßte dem Doktor eine Ohrfeige und beugte sich vor, dann riß er dem Mann einen seiner schmutzigen schwarzen Ärmel ab und trocknete damit seine durchnäßte Hose. Der Arzt sah verärgert aus. Lionetto brüllte:

«Julius, mein Kleiner! Gib mir deinen frechen Hundetöter, und ich gebe dir dafür einen versoffenen Wundarzt! Eine Pinte Gascognerwein, und er treibt dir Fünflinge ab. Das heißt, wenn ihr zusammen überhaupt Fünflinge bekommen könntet. Ihr habt bei Charetty nur einen Mann, und das ist euer Hurenbock von Lehrling!» Lionetto schäumte über. «Claes würde sich auf deine Mutter legen, wenn sie nicht zu alt wäre.»

Felix hatte es, Gott sei Dank, nicht gehört. Nur ein Mann vom selben Schlag konnte mit Lionetto umgehen, also ein weiterer Condottiere. Warte nur, dachte Julius wutschnaubend. Warte nur, bis Astorre mit der Demoiselle nach Brügge kommt. Dann wird sich das mit der Reitpeitsche zeigen. Er sah, daß Lionetto den Mund aufmachte, und wappnete sich, um darauf zu reagieren, brauchte es dann aber doch nicht. Alle wurden still. Alle sahen zur Treppe. Von oben kamen, feierlich in ihren langen Roben, die Friedensrichter, um die übliche Erfrischung in der Gaststube einzunehmen. Anselm Adorne war unter ihnen.

Und als sie Platz genommen hatten und das Gespräch wiederaufgenommen wurde, bewirkte eine zweite Störung, daß das Stimmengewirr erneut verstummte. Die Schenkentür öffnete sich und herein kam der Grieche mit dem Holzbein. Derjenige, der um Gold bettelte, um seinen Bruder freizukaufen. Acciajuoli war sein Name.

Nicolai de' Acciajuoli blickte in die Runde, lächelte Meester Adorne zu, der ihm winkte, und ging, ohne sich abhalten zu lassen, zu dem Tisch, an dem Julius und die übrigen jungen Leute saßen. Er sah Felix an.

Lionettos Angriff hatte Felix erstaunlicherweise nicht aufgeregt. Felix war heute zahm. Das war aber eigentlich zu schmeichelhaft, Felix war still und verdrossen. Julius gegenüber verdrossen. Seinen Freunden zeigte er ein anderes Gesicht. Während Julius die Treppen hinabstieg, war er sicher, das Schnaufen von unterdrücktem Gelächter zu hören. Julius hatte gerade eine Stunde lang den Friedensrichtern gegenüber lahme Entschuldigungen vorgebracht. Wenn man nicht zufällig der Firmen-Aktuarius war, kamen einem die Eskapaden der letzten Nacht zweifellos zwerchfellerschütternd vor.

Das Gesicht, das Felix dem Griechen zuwandte, war daher halb feindselig und halb erwartungsvoll. Dies war ein Logiergast von Anselm Adorne. Er würde streng und Felix würde unverschämt sein. Julius sah es kommen.

«Messer Felix», sagte der Grieche, «ich soll Euch etwas ausrichten von Eurem Freund Claes, der im Steen ist.»

Er sprach ein sehr klares Griechisch. Julius, der bei Bessarion studiert hatte, verstand ihn. Er sprang auf, ehe Felix antworten konnte, und sagte: «Monsignore... ich dachte, er sei freigelassen.»

Der Grieche seufzte. «Mag sein. Es war am frühen Morgen. Ich hätte es gleich ausrichten sollen, aber ich war zu beschäftigt. Ist es zu spät?»

Endlich hatte Felix sich auch erhoben und war neben Julius getreten. «Wofür zu spät?» fragte er.

«Felix!» sagte Julius. Er wandte sich an Messer de' Acciajuoli. «Verzeiht. Bitte laßt uns wissen, was Claes gesagt hat. Es war sehr hochherzig, daß Ihr Euch die Mühe gemacht habt.»

«Es war keine Mühe», erwiderte der Grieche freundlich. «Und die Botschaft war sehr kurz. Er fordert Euch auf, Messer Felix, etwas nicht zu tun.»

«Was?» fragte Julius.

«Was?» fragte Felix etwas zu spät.

Der Grieche lächelte. «Weiter nichts. Er sagte, Ihr würdet wissen, was gemeint sei. Verzeiht.» Er lächelte noch einmal, machte vorsichtig kehrt und begab sich zu dem Tisch von Anselm Adorne und den Friedensrichtern. Felix blieb stehen.

«Felix?» fragte Julius.

Der junge Bonkle zupfte an Felix' Wams, und er setzte sich hin.

«Felix?» wiederholte Julius in wirklich scharfem Ton.

Der junge Sersander flüsterte ihm zu: «Ich hab's dir ja gesagt.»

«Ja, ja», erwiderte Felix wütend, und Sersander fuhr fort:

«Ich hab's dir ja gesagt, Claes hat schon genug Ärger.»

Julius starrte erst ihn, dann Felix und schließlich John Bonkle an, der seinem Blick auswich. «O mein Gott, was hat er jetzt getan?» sagte er.

Mittlerweile hätten ihn andere aufklären können.

In dem hübschen Gärtchen der van Borselens war der Springbrunnen, der sanft gesprudelt hatte, während die Familie in der frischen Luft plauderte, plötzlich wie vom Teufel besessen und richtete seinen Strahl gen Himmel, von wo er wieder herabfiel und Mylords Kopf und Mylady Katelinas Satinröcke benetzte.

Auf dem Vorplatz der Jerusalemkirche floß der Brunnen über und überflutete die Haufen von frisch gemischtem Mörtel, so daß ein weißer, klebriger Brei die Stapel von Bauholz und die Füße der Maurer und Zimmerleute überzog, die an Anselm Adornes prächtiger Kirche letzte Hand anlegten.

Auf dem Eiermarkt flog das Gehäuse einer Wasserpumpe weg und erschreckte eine Ziege, die sich losriß und drei Verkaufsstände voller Eier demolierte, ehe jemand sie einfing.

Die Wasserleitung, die unter der Winesackstraat verlief, brach unter dem ungewöhnlichen Druck, und das austretende Wasser ergoß sich in zwei Keller und in das Badehaus, wo es das Feuer unter den Kesseln löschte und dem Badewasser eine widerlich braune Farbe verlieh, während der Badehausbesitzer, der Pförtner und die Kunden fast an einem Übermaß an Dampf erstickten.

Das Blutauffangbecken des Barbiers lief, stark verwässert, über. Zusammen mit dem Rinnsal aus einer undichten Pumpe strömte das Wasser auf den Großen Markt und zu den Rädern des großen Krans. Dieser, der durch zwei Männer angetrieben wurde, jeder an einem Tretrad, wand gerade ein Netz hoch, in dem sich zwei Fässer mit Schlämmkreide, zwei Kästen Seife und ein Tönnchen Safran befanden.

Unglücklicherweise erreichte das Wasser den Kran von hinten und traf in dem Moment auf die Räder, als sie sich gerade heftig in die entgegengesetzte Richtung drehten. Die Folge war, daß die Drehung plötzlich aufhörte, die beiden Männer heftig nach vorn fielen und sich das Gesicht verletzten. Die fast bis zur Höhe des Krans hochgewundenen Doppelhaken rollten sich beinahe noch schneller wieder ab und verloren das Netz mit der Schlämmkreide, der Seife und dem Safran, wobei alle Behälter zerbrachen.

Goldene Bäche, weiße Bäche, scharlachrote Bäche und Schaum von kostbarer Seife bahnten sich den Weg über den Platz und strömten unaufhaltsam unter den Doppeltüren hindurch in die Wirtschaft *Zu den zwei Gesetzestafeln Mosis*, während auf der anderen Seite der Stadt, am Waterhuus, ein erschöpftes Pferd den Kopf hängen ließ, ein Rad mit schiefen Schaufelkammern ruckweise und knirschend langsamer wurde und der Wasserspiegel in der städtischen Zisterne zum Glück endlich zu sinken begann.

Sie hielten die Flut an der Gasthaustür mit Besen auf und machten draußen einen Pfad frei, damit die Friedensrichter hinausgehen und das volksfestbunte Aussehen des Marktplatzes in Augenschein nehmen konnten. Die Friedensrichter wollten den Raum gerade verlassen, als Claes eilig hereinschlüpfte und gelbe Fußspuren zurückließ.

Auf halbem Weg zu Felix zögerte er, vielleicht wurde ihm bewußt, was für eine seltsame Stille da herrschte.

Ein gut Teil der Gäste des Wirtshauses war offenbar ungemein belustigt, unter ihnen Lionetto und seine Gefährten. Ganz anders Julius, Felix und die Freunde von Felix, die Claes verstört ansahen. Auch Adorne und die Friedensrichter sahen ihn an, ebenso der Grieche, der ruhig neben ihnen stand.

Der Wirt der *Zwei Gesetzestafeln*, der nicht sicher war, was vor sich ging, eilte sich, alle zu beruhigen. «Wie Ihr verlangt habt, meine

Herren, ist ein Polizist zum Waterhuus geschickt worden. Und ein Polizeioffizier. Und der Stadtmedikus, der sich um die Kranführer kümmern soll.»

Der Doktor Tobias hob mit einiger Mühe den Kopf und sagte mit trunkener Feierlichkeit: «Das ist nicht nötig. Ich bin Arzt.»

Mit ausgestreckten Armen, den einen verbliebenen Ärmel schlenkernd, stand er auf und schlängelte sich zur Tür durch, wobei seine Füße in frische Farbfluten patschten. Regenbogenfarbene Blasen stiegen von seinen Fersen auf. Durch das Wasser behindert, stampfte er mit den Füßen auf und erzeugte noch mehr Seifenblasen. Er sah zu, wie sie aufstiegen, drehte sich um und blies sie mit großer und wohlbedachter Freigebigkeit auf den schwankenden Lionetto zu, auf dessen Brust sie wie Spiegeleier zerplatzten.

Julius überschlug rasch die Kosten des seidenen Wamses unter dem Gold und den (gläsernen?) Rubinen und war nicht überrascht, als er auf des Hauptmanns rauhem Gesicht Zornröte erblickte. Der Grieche sagte: «Ah, das ist unser Freund Claes, der hergekommen ist, um mich zu tadeln. Aber ich habe tatsächlich Felix deine Botschaft ausgerichtet. Er wird es dir bestätigen.»

«Verzeiht mir», schaltete sich Anselm Adorne auf italienisch ein. «Verzeiht mir, Messer de' Acciajuoli. Ihr habt den Jungen heute morgen gesehen?»

Keine unausgesprochene Botschaft von Felix, keine stumme Mahnung von Julius, kein flehentlicher Blick der anderen jungen Leute hielt Nicolai de' Acciajuoli davon ab zu sagen, was er sagen wollte.

«Nur durch das Gefängnisfenster natürlich. Armer Kerl. Er bat mich, diesem jungen Herrn etwas auszurichten. Was war es doch? *Es nicht zu tun.*»

«Was nicht zu tun, Monsignore?» fragte Adorne.

Der Grieche lächelte. «Das ist sein Geheimnis. Zweifellos etwas, das sie gemeinsam geplant hatten. Glaubt Ihr, es ist ungefährlich hinauszugehen?»

Anselm Adorne wandte seinen schönen Kopf und ließ den Blick von Felix de Charettys bleichem Gesicht zu dem arglosen von Claes, dem Lehrling, schweifen. «Ja. Sagt es uns. Ist es ungefährlich hinauszugehen?»

Claes und Felix sahen einander an, und Julius schloß die Augen.

Der Gesichtsausdruck des Lehrlings war nicht ungetrübt. Er

schaute drein wie jemand, der es allen recht machen will und hofft, daß man ihn deshalb gern hat. «Es müßte gefahrlos sein», sagte Claes. «Wenn alles planmäßig verlief, müßte es gefahrlos sein, Monsignore. Meester Julius, stimmt es, daß...»

«Mein Wams ist verdorben», sagte Lionetto. Der Doktor war weg.

«Meester Julius...»

«Soll das heißen, daß dieser Rüpel verantwortlich ist für die Schweinerei, die mein Wams verdorben hat?» Seine Bewunderung für Claes hatte offenbar eine Metamorphose durchgemacht.

Niemand antwortete. Anselm Adorne sah mit hochgezogenen Augenbrauen Julius an. Felix sah Claes an, die Lippen geöffnet.

Claes fragte beharrlich: «Meester Julius, stimmt es, daß die Herrin aus Löwen kommt und Hauptmann Astorre mit ihr?»

«Ja», antwortete Julius kurz angebunden.

«Oh», sagte Claes. Seine runden Kinderaugen ruhten auf Julius.

«Astorre!» zischte Lionetto. «Astorre», wiederholte er und hob die Stimme. «Dieser Kerl von geradezu krimineller Dummheit kommt hierher, nach Brügge, während ich in der Stadt bin? Ist er lebensmüde, der Astorre? Oder freit er um die Witwe, der Astorre? Kehrt er aus den verlorenen Schlachten zurück, um es sich in einer Färberwerkstatt gemütlich zu machen? Ist das der Grund, warum er herkommt?»

Anselm Adorne drehte sich um. «Die Witwe de Charetty ist seine Brotherrin, Hauptmann Lionetto. Ich fürchte, Euer Wams ist befleckt. Wäre es nicht zweckmäßig, daß sich jemand darum kümmert? Der Weg draußen ist frei, glaube ich.»

«Mijnheer», sagte Julius, «man weiß nicht, wer das verursacht hat.»

Adorne lächelte nicht mehr. «Aber man wird es ziemlich bald wissen. Ich finde, Meester Julius, Ihr solltet mit Eurem Schüler und Eurem Lehrling nach Hause gehen und sie dort festhalten, bis Eure Herrin kommt. Sie, daran zweifle ich nicht, wird Euch einiges zu sagen haben. Und wir bis dahin vielleicht auch.»

«Meester Julius», sagte Felix, «hat nichts damit zu tun. Überhaupt nichts. Und Claes war im Gefängnis.» Er war rot geworden.

«Wir haben es zur Kenntnis genommen», sagte Adorne. «Es wird wie immer unser Bestreben sein, für Gerechtigkeit zu sorgen. Schade, daß es gar so oft nötig ist.»

Aber dabei sah er Julius gar nicht an, sondern den Griechen.

Kapitel 6

Um die Sache ihres auf Abwege geratenen Sohnes Felix zu regeln, traf die Witwe de Charetty eine Woche später am Genter Tor von Brügge ein, überquerte die Brücke und passierte die klug angelegten Verteidigungsanlagen, die mächtig wie zwei Festungen aufragten. Ihre unverheirateten Töchter, elf und zwölf Jahre alt, ritten neben ihr. Hinter ihr kamen fünf von Pferden gezogene Wagen, ein Schmied, ein Schreiner, zwei Schreiber, drei Diener, ein Koch und ihre Leibwache, angeführt von einem Berufssoldaten, der Astorre genannt wurde, eine seit langem gebräuchliche Abkürzung seines eigentlichen Namens, der Syrus de Astariis lautete.

Da die Flandern-Galeeren demnächst eintreffen sollten, hätte Marian de Charetty ohnehin kommen müssen. Es war eine alljährliche Reise, aber keine, die sie genoß. Auf den Straßen von Löwen nach Brüssel, von Brüssel nach Gent und von Gent nach Brügge herrschte ein ebenso lebhafter Verkehr wie auf den Kanälen und man kam schlechter voran, teils wegen der zusammengebrochenen Ochsenkarren anderer Leute, teils wegen der von Gastwirten ausgestreuten Gerüchte, hinter der nächsten Hecke lägen Räuber auf der Lauer.

Das war gewöhnlich Unsinn und für die Firma Charetty sowieso belanglos, weil sie ihre eigene Leibwache hatte. Sogar mehr als das: ihre eigene Söldnerschar. Deshalb hatte niemand sie belästigt, und so waren sie endlich nach Brügge gekommen. Bei ihrem Einzug trug die Witwe einen Umhang in sattem Purpur und einen extravaganten Kopfputz, einen vorn mit Staubperlen bestickten Schleier über einem aufwendigen Gestell. Astorre und alle ihre Diener hinter ihr trugen Charetty-Blau, den besonderen Farbton, den sich Cornelis ausgedacht und den sie zur Erinnerung an ihn beibehalten hatte. Ihre Schabracke und die ihrer Töchter waren aus golddurchwirktem Samt, und das Zaumzeug war silbern. Brügge sollte es merken, wenn eine ihrer verwitweten Bürgerinnen in die Stadt ritt, und außerdem sollte es den Eindruck verwischen, den ihr Sohn Felix hervorgerufen hatte.

Sie hatte vergessen, wie laut es hier war. Das Knarren, Ächzen und Dröhnen der Windmühlen. Dann die langen Torgewölbe, die in die Stadt führten und in denen sich das Geklirr und Getrappel stampfender Pferde fing, das Quietschen und Klappern von Karrenrädern und die lauten Bauernstimmen.

Ebensoviel Lärm drang aus den schiefstehenden Häusern in die Gassen. Im September waren alle Werkstätten und Fensterladen geöffnet. Die Witwe de Charetty hörte das Kreischen einer Säge und einen Bäcker, der seinen Teig schlug, und das Klirren seiner Ofentür. Sie hörte das Knirschen eines Schleifsteins, das rhythmische Hämmern eines Schmieds, Stimmen, im Zorn erhoben, und Stimmen, die aus Fröhlichkeit laut wurden, und Hunde und Schweine und einen krähenden Hahn. Sie hörte die Möwen hoch oben sich zanken und das gleichförmige Knarren der Aushängeschilder, und vor allem hörte sie das Klappern von Webstühlen, das in einer Gasse nach der anderen erklang wie ein Holzschuhtanz.

In den drei Monaten, die sie in Löwen gewesen war, hatte sich auch manches verändert, was ihr nicht verborgen blieb. Sie reagierte höflich auf die Zurufe ihrer Mitbürger, aber sie legte den Weg zu ihrem Haus zurück, ohne anzuhalten. Zu ihrer Wohnung und ihrem Betrieb, es war ein und dasselbe.

Und hier war der Eingang zu der Färberei, auf die Cornelis so stolz gewesen war: gut gepflegt, kein Gras zwischen dem Kopfsteinpflaster, schön. Die Dämpfe warmer Färbeflüssigkeit und der Gestank von Urin. Gerüche, die andere Leute störten, aber sie nicht. Und da auf dem Hof (natürlich, warum sich die Gelegenheit entgehen lassen, eine Stunde nicht zu arbeiten?) standen ihre getreuen Angestellten, um sie zu begrüßen.

Die Färber in ihren Schürzen, die herabhängenden Hände wie blaue Kürbisse. Die Hausdiener mit ihren hübschen Kappen und Mützen und den Wämsen aus Sommerstoff, schwarz an den Ärmelaufschlägen vom Schneuzen, aber ohne ungestopfte Löcher. Und die Frauen in anständigen Kleidern und mit gut gebügelten Kopftüchern, die unter dem Kinn gebunden waren. Die Stallburschen stürzten unverzüglich herbei, um ihnen die Pferde abzunehmen.

In der Mitte stand Henning, ihr Betriebsleiter, mit dem aufgekrempten Hut und dem dunklen Mantel, der ihm hinten bis zu den Unterschenkeln und vorn wegen des Bauchs, der keineswegs kleiner geworden war, bis zu den Knien reichte. Ob es an ihrem guten

Essen oder an ihrem Wein lag, darüber war sie sich nicht im klaren. Aber ein ehrlicher Mann, das hatte Cornelis immer behauptet. Schwerfällig, kein Kopf für Zahlen, aber ehrlich.

Daß sie einen kaufmännisch ausgebildeten Mann brauchten, hatte dazu geführt, daß Julius eingestellt wurde. Da war er. Ein handfester Bursche, aber einer, der Herausforderungen aus dem Weg ging. Und es auch an Ehrerbietung fehlen ließ. *Bei weitem zu gut aussehend*, hatte Cornelis gemurrt, als er ihn einstellte. Nicht weil er ihr mißtraute, so dumm war er nicht. Aber dieses offene, kräftige Gesicht mit den schräg stehenden Augen und der Nase, die so gerade war, als wäre sie gebrochen worden, dieses Gesicht könnte Unruhe hervorrufen unter den Bürgersfrauen und auch unter den Mädchen im Haus und in der Stadt.

Aber Meester Julius hatte dann doch keine Unruhe gestiftet. Entweder besaß er absolute Diskretion oder das andere Geschlecht spielte bei seinen Kalkulationen überhaupt keine Rolle. Und auch nicht das eigene Geschlecht, was, wie man meinen sollte, ein noch größeres Glück war. Andererseits hatte er bei der Erziehung von Felix versagt.

Und da war ihr Sohn, kam mit einem albernen Barett in der Hand aus dem Haus gestürzt, wobei seine ondulierten Locken auf und ab tanzten. Nicht weniger mager – hatte er die Schwindsucht? Was ließ ihn so klein bleiben? Nicht weniger wild. Nicht weniger...

Sie war abgesessen und wies ihn mit ihrer Stimme zurück, ehe er sie erreichen konnte. «Felix de Charetty, geh zurück ins Haus. Wenn ich mit dir zu sprechen wünsche, werde ich nach dir schikken.»

Gekränkte Augen: trotzig schob er den Mund vor. Dann senkte er den Blick und sagte: «Ja, Frau Mutter», machte kehrt und ging würdevoll ins Haus zurück. Gut.

Jetzt waren auch ihre Töchter abgesessen und standen hinter ihr. Tilde und die kleine Catherine, sittsam, gehorsam; unter ihren Kapuzen Blicke hervorschießend. *Seht uns an. Erwachsene Frauen, für die Ehemänner gefunden werden müssen.*

«Und Henning», sagte die Witwe. «Geht es dir gut? Komm in fünf Minuten in mein Arbeitszimmer.» Sie nahm sich Zeit. Sie ließ den Blick über ihre Arbeiter, ihre Diener schweifen und dankte für deren Verbeugungen und Knickse, ehe sie ihren Aktuarius scharf ansah.

«Und der gute Meester Julius. Könnt Ihr ein bißchen später etwas Zeit für mich erübrigen?»

«Wann immer Ihr es wünscht, Herrin.» Er neigte den Kopf.

«Und Euer unbändiger Lehrling?» fragte sie.

«Claes ist im Haus, Demoiselle», sagte Henning. «Die Friedensrichter wünschten, daß er bis zu Eurer Ankunft dort bliebe.»

«Zweifellos», sagte die Witwe de Charetty. «Aber es war doch gewiß nicht nötig, dem zuzustimmen? Es sei denn, die Stadt beabsichtigt, mich für den Ausfall seiner Arbeitskraft zu entschädigen? Oder war das Eure Anordnung, Meester Julius?»

Er sah ihr direkt in die Augen. «Ich fürchte, die Friedensrichter hätten keinen Einspruch hingenommen. Wenn ich darf, werde ich es bei unserer Besprechung erklären.»

«Das sollt Ihr», sagte Marian de Charetty. «Und auch der Lehrling Claes soll das tun.» Sie nickte, löste die Schließe ihres Umhangs und ging auf die Haustür zu, gefolgt von ihren Töchtern.

Keuchend erreichte der Betriebsleiter gerade noch rechtzeitig die Tür, um sie für Marian de Charetty zu öffnen.

Felix ging hinauf ins Dachgeschoß, wo Claes auf seinem Strohsack saß und mit einem Messer und einem Haufen Holzspäne herumspielte. «Mutter ist gekommen. Henning und Julius vorweg.»

«Warm oder kalt?» Claes hielt das Kästchen schräg, an dem er arbeitete. Claes bastelte immer Spielsachen, und andere machten sie kaputt.

«Eisig», sagte Felix munter. Er war ein wenig blaß.

«Das ist ein Fest für den Betrieb», meinte Claes tröstend. Er kniff die Augen zusammen, betrachtete sein Werk, griff nach dem Messer und schnippelte an etwas herum. «Sag die Wahrheit und verlaß dich nicht auf Julius. Er kann nicht immer alles decken, und Henning wird sowieso mit allem herausrücken, um seine eigene Haut zu retten.» Er stellte sein Machwerk auf den Fußboden und stöberte herum, bis er eine kleine Holzkugel fand.

«Das ist alles schön und gut für dich», sagte Felix. «Du bist nicht ihr Sohn und Erbe. Das gute Andenken deines Vaters, das du in Ehren halten mußt. Die Zukunft seines geliebten Betriebs. Das Wohlwollen der Kunden und der Respekt derjenigen, die eines Tagesfür dich arbeiten werden. (Das bist du. Lache nicht, verdammt noch mal.) Mangelnder Respekt vor dem guten Aktuarius

Julius, der unter unglücklichen Umständen sein Bestes tut. Hennings Zeit verschwenden. Die Zeit meiner Lehrer in Löwen verschwenden. Sogar den Ruf Flanderns in den Augen der Ausländer besudeln...»

«Und einen Haufen Geld kosten», sagte Claes. Er führte die Holzkugel vorsichtig in eine Fassung ein, und in dem kruden Kästchen begann sich einiges in Gang zu setzen, offenbar selbsttätig.

Felix warf einen Blick darauf. «Es spielt ja keine Melodie», sagte er verächtlich. «Das letzte hatte da Glocken und einen Trommelstock. Sie würde Geld sparen, wenn sie mich von der Universität nähme.»

«Na, man kann nicht immer Glocken haben. Du müßtest arbeiten», bemerkte Claes.

«An der Universität habe ich gearbeitet», erwiderte Felix entrüstet. Als Claes weder aufsah noch antwortete, ergriff er das gerade fertiggestellte Kästchen, warf es auf den Fußboden und starrte Claes trotzig an. Stücke von Draht und Holzsplitter flogen überall herum.

Claes blickte auf. Er sah weder gekränkt noch verärgert aus. Nur fügsam, dachte Felix wütend. *Claes bastelte immer Spielsachen, und andere machten sie kaputt.*

Aus dem gleichen Grund, weshalb Leute ihn prügelten. Ihm machte das nichts aus.

Unten hatte Julius mit seiner Brotherrin eine Auseinandersetzung, die unangenehmer war, als er erwartet hatte. Er hatte sich in eine unhaltbare Lage gebracht, das machte ihn gereizt und ärgerlich. Andererseits war er intelligent und besaß trotz seiner Jugend viel Erfahrung. Niemand will sein Leben lang in einem Pfandleihgeschäft und einer Färberei bleiben. Aber eine Entlassung wäre seiner Karriere kaum förderlich.

Daher nahm er eine Haltung ein, die gleichermaßen Höflichkeit, Entschlossenheit und Bedauern zum Ausdruck brachte. Meester Julius stand vor dem prächtigen Stuhl, auf dem Felix' Mutter saß, und erklärte ihr die Angelegenheit mit der Badewanne des Herzogs und setzte ihr die Ungerechtigkeit des Urteils auseinander. Dann schilderte er, etwas vage, Claes' kleines Vergehen, das einige beschwipste

Herren veranlaßt hatte, ihn zu verfolgen und den Scherz zu weit zu treiben. Er hielt es für höchst unwahrscheinlich, daß Claes den Hund des edlen Herrn angerührt hatte, aber natürlich ließ sich das nicht beweisen. Und was die Sache mit dem Waterhuus und den Rohrleitungen betraf...

«Er hat sie wie alles andere mitgeplant, aber mein Sohn war für die Durchführung verantwortlich. Das habe ich mir schon zusammengereimt», sagte Marian de Charetty.

Meester Julius schätzte es nicht, unter einer Frau zu arbeiten. Als Cornelis plötzlich starb, hätte er fast auf der Stelle gekündigt, überlegte es sich dann aber doch anders. Sie mochte gut und gern eine Witwe bleiben. Sie war mindestens zehn Jahre älter als er. Wenn er mit ihr auskommen könnte, würde er mit seiner Sachkenntnis einen größeren Einfluß haben, als Cornelis ihm je zugestanden hätte. Und so hatte es sich auch ergeben, obwohl sie ihn nur seiner juristischen Fertigkeiten wegen brauchte. Auf den meisten anderen Gebieten bewies sie einen ebenso scharfen Verstand wie ihr verstorbener Mann, und weil sie nicht ebensoviel Zeit gehabt hatte, sich Autorität zu verschaffen, war sie sowohl strenger als auch unnachgiebiger. In diesem Jahr hatte sie alle Angestellten rücksichtslos angetrieben, in Löwen wie in Brügge, und mit Felix war sie zu weit gegangen.

Was bei Felix vor sich ging, war eine Rebellion, teilweise durch ihr Verhalten verursacht, teilweise durch den Verlust seines Vaters und teilweise durch die Angst vor der ihm bevorstehenden Verantwortung für die Firma. Ihm, Julius, ging es vielleicht ebenso. Felix und die anderen Kinder taten ihm leid. Manchmal hatte er die stundenlangen Verhandlungen und die Buchhaltungsarbeiten auch satt, war es leid, Felix durch die schmalen Pfade der Gelehrsamkeit zu treiben, während dieser sich allein darüber Sorgen machte, daß er noch kein Mädchen gehabt hatte. Na, das war wenigstens ein Problem, das Claes nicht hatte.

Meester Julius sah seine Brotherrin so scharf an, wie sie ihn im Hof angesehen hatte, und seine Gedanken waren im Grunde genommen auch nicht viel anders als ihre. Gegen große, herrische Frauen konnte er unbesorgt eine Abneigung haben. Gegen die Witwe de Charetty hatte er auch eine ziemliche Abneigung, aber er konnte verstehen, daß andere Leute sie nicht teilten. Marian de Charetty war klein und rundlich und aktiv, ihr starrer Blick war nichtsdestoweniger vom leuchtendsten Blau, und sie hatte zinnoberrote Farbe in den Adern, die bewirkte, daß ihre Lippen von Natur scharlachrot und ihre Wangen von Natur rosig waren. Ihr Haar hatte er nie gesehen, es war immer streng bedeckt, aber er konnte es sich vorstellen.

Er fand, es könne für ihr Geschäft nicht gut sein, daß sie so hübsch war. Natürlich würde niemand im Betrieb sich so weit vergessen, aber Händler und Makler könnten kommen und Gunstbeweise erwarten. Er selbst sorgte immer dafür, daß sein Verhalten unpersönlich blieb. Im Augenblick hatte er die Hände sogar auf dem Rücken gefaltet, was ihm half, seinen Zorn zu zügeln und unpersönlich zu bleiben. Er wünschte zu Gott, sie wäre ein Mann und sie könnten einander einfach anblaffen. Frauen brachen entweder in Tränen aus oder entließen einen.

Er beantwortete ihre Fragen nach der Entscheidung der Friedensrichter, den Bußgeldern und Schäden und sah zu, als sie die Summen aufschrieb. Schließlich blickte sie auf.

«Nun?» fragte sie. «Und wie seht Ihr Euren Anteil an alldem?»

Er betrachtete seine Füße und blickte dann freimütig auf. «Da Felix in meiner Obhut war, bin ich wohl letztlich zu tadeln», sagte ihr Aktuarius. «Ihr mögt mich für ungeeignet halten, ihn weiterhin zu unterrichten. Ihr mögt auch der Meinung sein, daß ein Teil der Verantwortung für Eure Verluste auf mich entfallen sollte.»

«Gewiß doch die gesamte», sagte Marian de Charetty. «Oder meint Ihr, mein Sohn sollte auch irgendwie bezahlen? Ich lasse Freund Claes aus, der kein Geld hat und daher bestimmt einen anderen Weg finden muß, die Schuld zu begleichen.»

«Er hat bezahlt», sagte Julius rasch.

«Im Gegenteil. Nach dem, was ich höre, habe ich bezahlt, um ihm ein zweites Auspeitschen zu ersparen. Womöglich werde ich sogar noch ein zweites Mal bezahlen müssen, um diesen blutdürstigen Schotten zu entschädigen. Vielleicht sollte ich ihm statt dessen einfach Claes anbieten?»

Claes war ein Lehrjunge. Seit er zehn war, lebte er bei der Familie Charetty, schlief mit den anderen Lehrlingen auf Stroh und aß mit ihnen am Lehrlingstisch. Claes war der Schatten ihres Sohnes.

«Ich glaube, der Schotte würde ihn töten», sagte Julius.

Seine Brotherrin riß die blauen Augen auf. «Warum?» fragte sie.

Gott im Himmel. Bedachtsam antwortete Julius. «Es heißt, er sei eifersüchtig, Demoiselle.»

«Auf *Claes*?»

Er glaubte, daß sie es genau verstanden hatte. Verdammt noch mal, sie mußte es verstanden haben. Der alte Henning würde ihr zumindest all das erzählt haben. Nicht die Kleinigkeiten über Felix, aber all die interessanten Neuigkeiten über Claes, damit sie ihn abhalftern würde. Julius nahm an, sie würde es tun. Er sagte: «Er ist ein tüchtiger Arbeiter und gut ausgebildet. Andere Betriebe würden dafür bezahlen, um ihn zu bekommen.»

«Ich mache mir keine Sorgen um Claes», sagte die Witwe. «Auch mache ich mir keine großen Sorgen um Euch. Ihr habt Rücklagen. Wenn Ihr bei mir bleiben wollt, werdet Ihr, fürchte ich, etwas davon flüssigmachen müssen. Wenn Felix wieder nach Löwen geht, werdet Ihr mit ihm dorthin zurückkehren und Felix und mir eine genaue Aufstellung Eurer persönlichen Geldmittel übergeben. Bei etwaigen Vergehen von Felix wird Euer Vermögen belastet werden, und ich werde ihn dann – zu gegebener Zeit – zwingen, Euch den Betrag zu erstatten. Mit anderen Worten, wenn Ihr Euch nicht imstande seht, seinen Charakter zu bilden, dann muß ich es eben tun. Das einzig Erfreuliche bei dieser ganzen unerfreulichen Geschichte ist die Rücksichtnahme, die ihr bis zu einem gewissen Grad aufeinander genommen habt. Auf andere Leute habt ihr natürlich nicht die geringste Rücksicht genommen.» Sie sah ihn prüfend an. «Und Ihr findet das alles ungerecht? Ihr wollt die Stellung aufgeben?»

«Es hängt davon ab, wieviel Geld Ihr verlangt», sagte er unverblümt. Woher wußte sie, was er besaß?

«So viel, daß es Euch eine Lehre ist.»

«Ich könnte Felix etwas lehren, was Ihr nicht gutheißen würdet.»

Sie sah ihn immer noch an und strich mit dem gefiederten Ende ihres Federkiels leicht über ihren Mundwinkel. Dann legte sie die Feder hin und sagte: «Im großen und ganzen verhandelt Ihr sehr beherrscht. Ihr könnt eine Behauptung oder einen Standpunkt gut vertreten. Aber dann entgleist Ihr wie eben. Warum?»

Weil ich nicht gern unter einer Frau arbeite. Er sagte es nicht. Er sagte: «Tut mir leid, aber ich habe mir ziemliche Sorgen gemacht. Ich bin kein reicher Mann, wie Ihr wißt.»

«Und daher», sagte sie, «stelle ich, wenn ich Euch für die Ausbildung meines Sohnes beschäftige, wahrscheinlich nicht so maßlose Forderungen, daß Euch nichts anderes übrig bleibt, als die Stellung aufzugeben. Das könnt Ihr Euch doch denken.»

«Ich war überrascht», erwiderte er. «Ich dachte, meine Privatangelegenheiten seien nicht allgemein bekannt.»

«In Flandern?»

Er antwortete nicht.

«Wir beenden nicht alle unsere Ausbildung mit zwanzig, Meester Julius. Was Euch zu einer kindischen Eskapade in einer Badewanne treibt, veranlaßt Euch auch, eine unkluge Bemerkung in einer Verhandlung zu machen. Das ist die Lehre, für die Ihr bezahlt. Eines Tages werdet Ihr mir dafür dankbar sein. Morgen werde ich Euch eine Zusammenstellung meiner Entscheidungen zukommen lassen. Jetzt könnt Ihr meinen Sohn zu mir schicken.»

Er zögerte, dann verbeugte er sich und ging, und nachdem er Felix gerufen hatte, schloß er sich in seinem Zimmer ein und dachte nach. Er war noch zu keiner Schlußfolgerung gelangt, als er etwas später eine Tür zuschlagen hörte und ihm klarwurde, daß Felix aus dem Zimmer seiner Mutter gekommen war.

Julius schloß seine Tür auf, eilte nach unten und kam noch rechtzeitig, um seinen mürrischen, zornigen Schüler, der rote Augen hatte, abzufangen und an einen ruhigen Ort zu verschleppen, wo sie sich unterhalten konnten. Mittendrin merkte er, daß er schließlich doch zu einer Schlußfolgerung gelangt war.

Einer der Diener wurde losgeschickt, um Claes zu holen, und alle beobachteten ihn, als er die Treppe hinunterstapfte, an der Tür seiner Herrin klopfte und vorgelassen wurde. Sie blieben alle in der Nähe, aber die Tür war dick, und die Herrin erhob sowieso niemals die Stimme. Und dann kam außerdem der alte Henning vorbei und jagte sie weg. Einer der Jungen sagte, die Witwe habe eine Peitsche mit drei drahtverstärkten Riemen, aber sie hörten auch keine Peitschenhiebe.

Als Claes hineinging, schrieb Marian de Charetty gerade. Sie schrieb weiter, bis er leise die Tür schloß, dann sah sie auf, während er durch das Zimmer zu ihrem Tisch ging. «Dreh dich um», sagte sie.

Sein offenes Gesicht lächelte sie an. «Das ist nicht nötig, Demoiselle. Es heilt gut. Meester Julius hat mich gepflegt. Und das zweite Mal...»

«Hat er bezahlt, ich weiß. Claes, du wirst sterben. Du wirst sterben, ehe du zwanzig bist, wenn du nicht maßvoller wirst. Gewiß bedeutete dir die Kanone nichts?»

«Die Kanone?» fragte er verwundert.

«Oder hat dich jemand dafür bezahlt... Nein, natürlich nicht», beantwortete sie die Frage selbst und sah ihn stirnrunzelnd an. «Du würdest es so einrichten, daß die Kanone über Bord fällt, nur um jemandem einen Streich zu spielen. Willst du nicht wissen, wie ich das erraten habe?»

Er stand mit hängenden Armen völlig gelassen da. «Ich nehme an, daß die Beamten des Herzogs die Geldstrafe für die Demoiselle bezahlt haben», sagte er. «Aber natürlich konnte man das Meester Julius nicht sagen.»

«Julius hat mir schon gesagt, ein wie tüchtiger und wertvoller Arbeiter du bist. Glaubst du, die wahre Natur deiner Begabungen ist seiner Aufmerksamkeit entgangen?»

Er hatte sie falsch verstanden. «Jonkheer Felix würde immer noch in Schwierigkeiten geraten, auch wenn ich nicht bei ihm bin. So ist das mit jungen Herren.»

«Danke für die Mitteilung», sagte seine Herrin. «Ich weiß und Meester Julius weiß, daß, wenn du da bist, der Schaden gewöhnlich harmlos ist. Was Felix aus eigenem Antrieb tut, ist nicht so gut überlegt. Der Aufseher im Waterhuus wird zumindest ausgepeitscht und entlassen werden. Ich weiß, daß du das nicht geplant hast.»

Er schwieg. Dann sagte er: «Natürlich hat die Demoiselle recht. Jonkheer Felix braucht Arbeit, und zwar fern von den wohlmeinenden älteren Leuten, die sich an seinen Vater erinnern. Die Demoiselle zieht also in Erwägung, ihn von der Universität zu nehmen?»

Sie legte die Fingerspitzen aneinander und hielt die Hände vor ihrem Mund. «Ich habe daran gedacht. Aber ich war der Meinung, Löwen sei wichtig.»

Es entstand eine Pause. Dann sagte er: «Die Demoiselle wird, glaube ich, finden, daß es seinen Zweck erfüllt hat.»

Wiederum eine Pause. Dann fragte sie: «Und wenn ich dich hinschicken würde, um mit ihm zu arbeiten?»

Sie hatte im Laufe der Jahre gelernt, nicht auf das zu hören, was Claes sagte, sondern seine Augen zu beobachten. «Jonkheer Felix», sagte er, «wird älter. Ihm mag die Gesellschaft von seinesgleichen mehr zusagen.»

Sie sah ihn immer noch prüfend an. «Aber gegen Meester Julius würde er nichts haben?» Dann deutete sie sein Lächeln. «Nein, es ist genau umgekehrt. Meester Julius könnte unter Felix' Einfluß widerspenstig werden. Also schicke ich meinen Sohn weg, und ihr, du und Julius, bleibt hier und helft mir, den Betrieb zu führen? Angefangen mit einer Errungenschaft wie der gestrigen?»

«Das Geplänkel mit den Schotten?»

«Mit *dem* Schotten», sagte sie scharf. «Eine vorsätzliche Bosheit. Eine Wahnsinnstat. Was hast du dazu zu sagen?»

«Es war ein Unglücksfall.» Er sah auf seine Füße.

«Wie die Kanone? Nur daß es diesmal persönlich war. Du hast diesen Mann in Damme gesehen. Du hast eine Abneigung gegen ihn gefaßt, ehe du überhaupt wußtest, wer er war. Du hast beschlossen, ihn zum Gespött zu machen.»

«Demoiselle.» Claes schaute jetzt auf. «Ich hatte nicht damit gerechnet, erwischt zu werden. Ich war derjenige, der lächerlich gemacht werden sollte.» Sie antwortete nicht, sondern sah ihn nur scharf an, bis er weiterredete. «Die Leute handeln ihrer Veranlagung entsprechend. Ich fragte mich damals, was für einer er war.»

«Und jetzt weißt du es natürlich nach einem stürmischen Zusammenstoß. Und die Folge ist ein Schaden, der wiedergutgemacht werden muß. Mein Kunde ist gekränkt. Felix' Erbe wird darunter leiden. Alles wegen dieses *Unglücksfalls*.»

«Mylord Simon wird, nachdem die Galeeren hier waren, in die Heimat zurückkehren. Ich werde mich von ihm fernhalten. Er wird mir nun wohl auch aus dem Weg gehen. Demoiselle, ich habe etwas über Alaun in Erfahrung gebracht.»

«Du wirst dich bestimmt von ihm fernhalten. Ich will keine Fehde haben, solange du unter meinem Dach lebst. Du bist nicht imstande, eine zu überleben, aber weiß Gott imstande, eine zu beginnen. Dein Problem ist dasselbe wie das von Felix. Du brauchst Arbeit.»

Er lächelte. Seine Handflächen, die er ihr hinhielt, waren voller Schwielen.

«Für wie töricht hältst du mich?» fragte sie. «Das weiß ich doch. In den acht Jahren, die du in dieser Familie verbracht hast, haben deine Arme und Beine zumindest deinen Lebensunterhalt verdient. Aber was den Rest angeht, scheinst du ja noch reichlich zurückgeblieben zu sein. Was soll nur aus dir werden?»

Er schüttelte den Kopf und sein überströmendes, herzliches Lächeln erhellte wie immer sein Gesicht. «Vielleicht wird mich der Herzog aufhängen?»

«Nein», bemerkte Marian de Charetty kühl. «Der König von Schottland vielleicht. Der König von Frankreich wohl gewiß. Wenn Meester Julius weggeht, wäre es nicht das Schlechteste, wenn du mitgingest.»

«Wird er weggehen?» Claes sah überrascht aus.

«Es mag sein, wenn er herausfindet, daß ich ihm nicht die Teilhaberschaft zugestehe. Aber was er jetzt besitzt, ist nicht viel, und er wird etwas Zeit brauchen, um so viel zu sparen, daß er sich selbständig machen kann. Bis dahin wird Felix erwachsen sein.»

«Und mich wird vielleicht der König von Schottland aufgehängt haben. Wo werdet Ihr dann einen ehrlichen Aktuarius herbekommen, der Euch hilft, Jonkheer Felix zu erziehen?»

Er sprach, als würde er laut denken. Sie erlaubte ihm ziemlich oft, frei von der Leber weg zu reden. Ehe ihr eine Antwort einfiel, kam er ihr zuvor. «Da ist Meester Oudenin. Seine Tochter ist im richtigen Alter.»

Sie spürte, daß sie errötete, und holte tief Luft, auf ihrer Zunge blieb der schwache Geschmack von Tinte und Pergament und Leder und Schweiß und Sägemehl zurück. Sägemehl?

«Ich glaube, das reicht», sagte sie. «Die Prügel, die du bestimmt verdienst, würden bloß dazu führen, daß ich noch mehr von deiner Arbeitskraft verliere. Ich werde dir rechtzeitig sagen, welche andere Bestrafung ich mir überlegt habe. Währenddessen nimmst du deine Arbeit wieder auf, egal, was die Stadt dazu sagt. Ich werde mich um den schottischen Herrn kümmern.»

Die Schritte, die sie gehört hatte, wurden deutlicher, und Astorres Faust schlug dröhnend gegen die Tür.

Claes lächelte, und sie bemühte sich, sein Lächeln nicht zu erwidern. Man hörte einen neuen Schlag und Astorres vertraute Stimme: «Demoiselle?»

«Ich habe es aufgeschrieben», sagte Claes. «Das über Alaun. Es stammt aus der Gegend von Phokaia, und die Venezianer hoffen, es geheimzuhalten. Die Zunft würde interessiert sein.» Er zog ein zerknittertes Stück Papier aus der Tasche und legte es auf ihren Schreibtisch; dann lächelte wieder und schob eines ihrer anderen Papiere darüber. Nachdem er wortlos die Erlaubnis erhalten hatte, öffnete er Astorre die Tür, ehe er sich unter Verbeugungen zurückzog.

Die Tür schloß sich. Sie sah nicht auf das Papier hinunter. Der Soldat trug, wie sie erwartet hatte, unter jedem Arm einen schweren Kasten. Er stapfte o-beinig durchs Zimmer und stellte die Kästen neben der Geldtruhe ab. Sie waren der Grund, warum die Witwe de Charetty alljährlich von einer starken Leibwache begleitet wurde, denn sie enthielten die englischen Silbermünzen, die sie für ihre Einkäufe brauchte, wenn die Flandern-Galeeren kamen.

Astorre richtete sich auf, er war kaum außer Atem. Zwanzig Jahre harter Kämpfe zeigten sich in der runzligen Narbe über einem Auge und der scharlachroten Hautfalte, die alles war, was die Wundärzte von einem Ohr übriggelassen hatten, aber er war drahtig wie ein Zwanzigjähriger und hatte kein einziges graues Haar in seinem Bart. «So, Ihr habt es ihm also gesagt?» fragte er.

«Nein», sagte Marian de Charetty.

«Er würde abhauen? Das hätte ich ja nicht gedacht.»

«Nein, er ist sehr erwachsen geworden in einem Jahr.»

«Zu sehr?» lachte Astorre und hustete. Er spuckte auf die Binsenmatte. Es gab Hauptleute mit höfischen Ambitionen und welche, die nicht so hochgesteckte Ziele hatten. Es lag an seiner Kleinwüchsigkeit, fand sie immer, daß er so ungeschlacht und streitsüchtig war. Er war ein kluger und erfahrener Mann. Auch schon vor Cornelis' Tod hatte sie gut mit ihm fertig werden können.

«Er ist in mancher Beziehung jetzt reifer», sagte sie. «Ich will keinen Ärger mit Claes, bis die Galeeren da sind. Dann werde ich es ihm sagen.»

«Wie Ihr wollt.» Astorre machte sich keine Gedanken darüber. Er ging hinaus, um die restlichen Kästen zu holen. Sie hielt es für sehr wahrscheinlich, daß sich Claes schon gedacht habe, was sie mit ihm vorhatte. Und wenn nicht, würde er es in all den anderen Betrieben, Küchen und Kontoren, in die ihn seine Botengänge führten und wo er immer willkommen war, bald herausbekommen.

Er würde es herausbekommen, aber nichts unternehmen, bevor sie es ihm offiziell mitteilte. Darauf konnte sie sich verlassen wie auf sonst nichts in ihrem Leben. Sie dachte daran, daß Claes Julius verteidigt hatte und Julius Claes, und sie merkte, daß sie eine Spur Eifersucht empfand.

Kapitel 7

«Ich werde mich von Mylord Simon fernhalten», hatte Claes versprochen.

Marian de Charetty sorgte dafür, daß er es tat. Sie stellte ihn unter Hausarrest und ihren flotten Sohn Felix ebenfalls. Leider dachte sie nicht daran, ihren Söldnerhauptmann Astorre einzusperren, den sie für erwachsen hielt. Als ein paar Tage später die Handelsschiffe aus Venedig eintrafen, schien es der Chefin der Firma Charetty, daß sie ihren Haushalt gut im Griff habe und nichts sie jetzt von ihren Geschäften ablenken könne. Anfangs hatte sie recht.

Claes und Felix waren nicht dabei, als die etwa fünfzigtausend Einwohner von Brügge zum Hafen Sluis strömten. Sie kamen die wenigen Meilen zu Fuß oder in Ruderbooten, um die zwei schlanken Schiffe aus Venedig einlaufen und Anker werfen zu sehen.

Es war Jahr für Jahr wirklich wundervoll, wenn man die Sonnenstrahlen durch die Seide der Fahnen schimmern sah. Der prächtige Anblick, wenn die Ruder sich nacheinander aus dem Wasser erhoben und hoch aufgerichtet zu beiden Seiten standen wie zwei Kämme. Wenn man die Musik auf dem Flaggschiff vernahm: zuerst die Trommeln und Sackpfeifen mit Gerassel und Gezwitscher, dann die Trompetenstöße vom Achterdeck. Über den blitzenden Blechinstrumenten wehte und flatterte die Umrandung des Sonnenzelts, auf dem man jedes Jahr das gestickte Wappen des Kommandanten sehen konnte.

Es war, als ob man über das Wasser hinweg alles riechen könnte: Zimt und Nelken, Weihrauch und Honig und Lakritze, Muskatnuß und Zitronat, Myrrhe und sogar das Fäßchen Rosenwasser aus Persien. Es war, als könnte man, aufgehäuft und schimmernd, Saphire und Smaragde sehen, die mit Gold durchwirkten Gazeschleier, die Straußenfedern und Elefantenzähne, Kautschuk und Ingwer und die Korallenknöpfe, die Mijnheer Goswin, der Schriftführer der Hanse, vielleicht nächste Woche auf seiner Jacke tragen würde.

Es war ein Kunststück, wie es die Schauspieler des Herzogs beim Karneval vorführten. Es war kein Zufall, daß die Galeeren immer bei Tageslicht die Segel einholten und in den Hafen einliefen, die Decks geschrubbt, die Ruderer und Matrosen in Livree und die adligen Kommandanten der Schiffe in steifen Gewändern nach der verrückten venezianischen Mode, die Bärte frisch gestutzt und vielleicht ein angekettetes Krallenäffchen auf einer Schulter.

Es war kein schwieriges Kunststück. Die Flandern-Galeeren verbrachten nie die Nächte auf See wie die dickbauchigen Schiffe, die schmutzig wurden und keine Zeit hatten, vor der Landung alles wieder in Ordnung zu bringen. Die Flandern-Galeeren liefen auf ihrer kostspieligen Seereise von Venedig jeden Abend einen Hafen an, fuhren im kräftigen Sommerwind die Adria hinunter nach Korfu, an Otranto vorbei, machten Stippvisiten nach Sizilien, fuhren entlang der kalabrischen Küste bis Neapel, glitten dann anmutig quer über das westliche Mittelmeer nach Mallorca und zur nordafrikanischen Küste und schließlich nach Norden um Spanien und Portugal herum, wo kleine lukrative Frachtgüter, die nicht für Brügge gebraucht wurden, gegen etwas Olivenöl, Orangeat, parfümiertes Leder, ein bißchen Geschirr und einen Papagei sowie einige Zuckerhüte eingetauscht wurden.

Aber niemals nahmen sie geschmacklose, sperrige oder grobe Waren an Bord. Die Flandern-Galeeren der Republik waren die feinsten Schiffe der venezianischen Flotte, kostspielig bemannt und kostspielig gebaut, um allen Seeräubern zu entkommen, und nur für Luxusgüter bestimmt.

Sie kamen jedes Jahr und trennten sich jedes Jahr, wenn sie den Ärmelkanal erreichten: zwei für Brügge und eine für London – oder Southampton, wenn die Londoner in dem Jahr gerade gegen ausländische Kaufleute kämpften. Die gesamte Fracht der drei Flandern-Galeeren, sagte man, sei eine Viertelmillion Golddukaten wert. Ja, soviel Geld gab es auf der Welt. So ging das Gerücht. Und als Beweis führte man an, daß der Doge und diese Gesellschaft in Venedig jedes Jahr 20 Pfund bewilligten, um die Zollbeamten in Brügge zu bestechen, damit sie die Fracht unterbewerteten. Das ist wahr. Ich sag's dir. Ich hab's von einer der Beamtenwitwen gehört. Und zehnmal so viel mußte an Schmiergeld für Herzog Philipp aufgewandt werden.

So redete die Volksmenge, die zusah, wie die Zollbeamten an Bord gerudert wurden, zwei auf eine Galeere, so redete das Empfangskomitee von Sluis, so redeten später die mit Goldkettchen herausgeputzten Burschen in Damme. Dann begann die große Glocke auf dem Turm von Brügge zu läuten und jemand – und zwar Jan Blaviet – kam auf einem Maulesel angeritten mit einer Kappe auf dem Kopf wie fünf Ellen Verbandstoff, die sich an einem Dornbusch verfangen haben, und ihm folgte Anselm Adorne und Jan van den Walle und ein Haufen Stallknechte und Diener und Soldaten mit dem Wappen und der Fahne von Brügge. Und mit ihnen kamen die venezianischen Handelsvertreter – der dicke Bembo und der dünne Contarini und der massige, aufgeschwemmte Geizkragen Marco Corner.

Danach – denn die Venezianer hatten Vorrang auf den Listen der Schreiber und beim Entladen, ebenso wie sie die ersten waren, die ihre Fracht an Bord nahmen, bevor sie wieder ablegten – kam der Rest der Handelsgesellschaften, die Lieferungen erwarteten. Selbst ein Tommaso Portinari, dessen Finger von Ringen nur so glitzerten, mußte zurückstehen. So auch Jacopo Strozzi, der vielleicht den jungen Lorenzo mitbrachte, wenn ihn seine Gicht quälte. Auch Jacopo Doria und Lommelin und die übrigen Genuesen. Und Pierre Bladelin, der Schatzmeister des Herzogs, der die Waren überprüfte, die der Herzog persönlich bestellt hatte, und João Vasquez, der zusammen mit Figuieres und den anderen Portugiesen dasselbe für die Herzogin erledigen sollte. Jemand von der Vereinigung der Gastwirte, der sich um diejenigen kümmerte, die noch eine Unterkunft brauchten. Die Deutschen von der Hanse, die begierig darauf waren, etwas über Preise zu erfahren. Und die Luccheser, unter ihnen Giovanni Arnolfini mit seinem länglichen, bleichen Gesicht, der die Vorliebe des Herzogs für Seidenstoffe kannte und ein paar private Aufträge im Wert von einigen Silbermünzen hatte.

Wenn die Flandern-Galeeren einliefen, passierte hinter den Kulissen eine Menge. Die bedeutenden Persönlichkeiten kamen nie in den ersten Tagen zum Hafen, sondern warteten, bis alles auf Kanalbooten zum Stapelplatz in Brügge und zur Wasserhalle gebracht worden war. Das wirkliche Feilschen, hieß es, ginge nachher bei den Sitzungen weiter. Schließlich stände noch der ganze Winter zum Geschäftemachen zur Verfügung. Sechs Monate, in denen die Galeeren im Hafen blieben und die Schenken und Bordelle in Brügge und an der Küste vierhundert Seeleute gastlich bewirteten.

Die Flandern-Galeeren waren gekommen, und Glocken und Trompeten waren nur das Vorspiel zu dem ohrenbetäubenden Klimpern von Geld.

Unklugerweise hatte Marian de Charetty am dritten Tag nach der Ankunft der Galeeren ihren Sohn von seinen Pflichten entbunden unter der Bedingung, daß er Brügge nicht verließ. Es war ihm ebenfalls verboten, Sluis zu betreten.

Sie nahm an, und dafür sprach auch einiges, daß er schnurstracks in eine Schenke gehen würde, in die Julius dann später geschickt werden müßte, um ihn herauszuholen. Julius selbst war mit Henning, ihrem Betriebsleiter, in Sluis und interessierte sich lebhaft für einige Ballen Färberwau, Färberwaid, Kermesfarbstoff und ein paar Säcke Brasilrot, besonders aber interessierte er sich für einen wertvollen Artikel, der Alaun hieß. Die Demoiselle de Charetty mußte zu einer Sitzung der Färberzunft gehen und hoffte, Julius werde mit seinem Tagesbericht auch dorthin kommen. Sie schickte nach Hennings Stellvertreter, übertrug ihm die Aufsicht und begab sich in Begleitung eines Dienstmädchens zu Fuß zu ihrer Sitzung.

Hennings Stellvertreter, einem fleißigen Tuchwalker namens Lippin, fiel ein, daß beim Schleifer noch Scherenblätter abgeholt werden mußten, und da er Claes für diesen Botengang geeignet fand, schickte er ihn los. Daß Claes eine Woche lang das Betriebsgelände nicht verlassen durfte, daran hatte er nicht gedacht, und Claes machte sich in seinen Holzschuhen und der verpißten Schürze sofort auf und davon, bevor Lippin doch noch daran denken sollte. Er fand Felix in einem verlassenen Kontor der Medici in dem hohen Konsulatsgebäude in der Nähe des Marktplatzes. Felix war nicht erfreut, ihn zu sehen. «Wer hat dir gesagt, daß ich hier bin?»

«Winrik, der Geldwechsler», sagte Claes beschwichtigend. Winrik, der mit seiner Geldbude auf den Straßen die Runde machte, war Flanderns beste Quelle für Klatsch und Tratsch.

Felix grinste höhnisch. «Und als Gegenleistung hast du Winrik eine ausführliche Überprüfung angeboten und hast in seinem Kassenbuch einen Fehler und mindestens drei Rechenfehler in seinem Hauptbuch gefunden. Dieser widerliche Handwerker», sagte Felix zu seinem einzigen Zuhörer, einem minderjährigen, kürzlich aus Florenz hergeschickten Praktikanten, «dieser flämische Trottel zählt zum Vergnügen Zahlen zusammen, wie du und ich trinken oder furzen oder uns überlegen, wie wir Geld ausgeben.»

«Na, wenn du es ausgeben willst, muß es jemand gespart haben», sagte Claes. Sein Blick schweifte ausgiebig über die Päckchen und

Briefordner der Medici. «Das spart dir auch Geld», bemerkte er dem Praktikanten gegenüber, der ihn von oben bis unten musterte und dann zu Felix zurücktrat, und dann noch weiter zurück, als die Gerüche von Claes' Schürze ihn erreichten.

«Da», sagte Claes und fuhr mit seinen großen indigoblauen Fingern über ein Auftragsbuch. «Was ist das? Und das da?»

Der Junge zögerte.

«Ach, kümmere dich nicht drum», sagte Felix gelangweilt. «Hör gar nicht hin, das ist ein Trick von ihm.» Er sah Claes wieder an. «Warum hast du Mutters Scherenblätter dabei?»

«Sie sind geschliffen worden.»

«Erwartet sie dich dann nicht zurück?» fragte Felix, und ein Anflug von der Art seines Vaters machte sich bei ihm bemerkbar.

«Nein», erwiderte Claes, ohne mit der Wimper zu zucken. «Worauf wartest du?»

«Auf Tommasos Boot. Er fährt nach Sluis. Es ist der Tag des privaten Verkaufs an Deck der Flandern-Galeeren. Ich will einen Affen kaufen.»

«Du willst wohl nach Löwen zurückgeschickt werden», sagte Claes. «Sie wird herausbekommen, daß du die Stadt verlassen hast.»

«Ich werde ihr sagen, du hast ihn für mich gekauft.»

Claes überlegte. «Du meinst, ich muß mit dir nach Sluis kommen?»

«Hm – ja.» Felix dachte zum erstenmal an die realen Probleme der unmittelbaren Zukunft. «Das heißt, wenn Tommaso seine Priester und Mönche loswerden kann. Er sucht einen Tenor für die Medici-Kapelle in Italien aus.» Sein Gesicht hellte sich auf. «Schrecklich, nicht?»

Durch mehrere Türen drangen Töne, die wohl Gesang sein sollten. Es war schrecklich. Claes feixte den Jungen an: «Wie viele hat er schon gehört?»

Der Junge wandte der Schürze den Rücken zu, und seine Antwort war deutlich an den gutgekleideten jungen Mann mit der Kappe gerichtet. «Das ist der dritte. Bruder Gilles gehört zum Chor der Augustiner. Er ist ein Freund des Soldaten Astorre von Eurer Firma. Der Astorre wartet auch, er will nach Sluis mitfahren.»

«Oh», sagte Felix. Ein Löckchen paßte um seinen Finger, und er zwirbelte es.

«Ist er streng, der Astorre?» fragte der Junge. «Ihr wünscht ihn nicht zu sehen?»

«Er ist bloß unser Hauptmann. Ich fahre nach Sluis.»

«Er könnte die Einkäufe für dich erledigen», sagte Claes. «Affen. Mäntel aus Leopardenfell. Eine neue Feder?»

«Ich fahre nach Sluis», wiederholte Felix. Das Singen hatte aufgehört.

Die Tür öffnete sich. «Ich habe das gehört», sagte Hauptmann Astorre. «Jonkheer Felix...»

«Ich fahre nach Sluis», sagte Jonkheer Felix zum drittenmal.

Claes war kein Kind von Traurigkeit. Er sagte bloß: «Ich auch», und grinste den Soldaten frech an, der ihm gedankenverloren einen Klaps gab und sagte: «Na, worauf warten wir dann noch?»

Astorre war gut gelaunt, denn man hatte seinen Freund, Bruder Gilles, für die Medici-Kapelle ausgewählt. Auch Felix sah jetzt vergnügt aus. Er lächelte Astorre an und Tommaso Portinari ebenfalls, der raschen Schritts hereinkam und ihnen allen zum Firmenboot voranging, und er lächelte sogar Claes an, der gehorsam auf Strumpfsocken folgte, denn er hatte sich die Holzschuhe um den Hals gehängt, um die Bootsplanken zu schonen; die Scherenblätter trug er unter dem Arm, in seine Schürze eingewickelt.

Ohne Skrupel schifften sie sich ein, und selbst Tommaso war fröhlich. Sie alle waren auf dem Weg nach Sluis und zu den venezianischen Galeeren.

Später pflegte der Aktuarius Julius zu sagen (aber das war gelogen), daß es der schlimmste Augenblick seines Lebens gewesen sei, als er an jenem sonnigen Septembertag vom Deck des venezianischen Flaggschiffs herunterblinzelte und das Medici-Boot sah, das durch den Kanal gestakt wurde und auf ihn zukam.

Darin saßen Felix, der Sohn seiner Brotherrin, der versprochen hatte, Brügge nicht zu verlassen, und Claes, der Lehrling, der unter Hausarrest in der Färberei stand, und Tommaso Portinari, dem seine Brotherrin keine Gefälligkeiten schulden wollte und der, nach seiner gerümpften Nase zu urteilen, von jemandem eine Entschädigung verlangen würde, weil er den ganzen Weg von Brügge nach Sluis den Gestank von Claes' Schürze hatte ertragen müssen.

Und schließlich, und das war das Schlimmste, erblickte er im Bug den Hühnchenkörper und das Hähnchengesicht des Hauptmanns seiner Brotherrin, dessen Bart in die Luft ragte, als er heraussprang. Dann stand Astorre am Kai, und seine Knopfaugen fielen auf die Berge von Kisten, die langen Reihen praller Ballen und das Gewimmel von Säcken, Körben und Fässern, zwischen denen sich unzählige Menschen zu schaffen machten. Sie luden unter den Schwenkarmen der Kräne einzelne Stücke auf Karren und Boote und in Speicher um.

Dann wies Astorre mit dem Kinn auf das Schiff, und Julius wich vorsichtig zurück. Schließlich lagen zwei Galeeren am Kai, und man konnte nur beten, daß Felix und Claes und Astorre beschließen würden, nicht an Bord des Flaggschiffs zu kommen.

Zwei Galeeren mit je hundertsiebzig Ruderern und dreißig Bogenschützen, und der Navigationsoffizier und der Schreiber und sein Gehilfe und die Kalfaterer und der Zimmermann und der Smutje und zwei Ärzte und der Sekretär, sie alle hatten ihre Kisten offen auf Deck und stellten ihre Waren aus, die sie verkaufen wollten, zusammen mit ihren Preislisten.

Das Recht der Mannschaft, Waren zum privaten Verkauf in die Häfen, die sie anliefen, mitzunehmen, war eine der Vergünstigungen der Flandern-Reise. Julius wäre nicht erstaunt, wenn der Priester da unter Deck einen Beutel mit etwas Weihrauch hätte und einige ziemlich kostbare Kirchengewänder. Und die Kajüte des Kommandanten war hinter ihren Wandbehängen bestimmt vollgestopft mit Süßwein und einigen kleineren, schwereren Gegenständen wie Goldstaub aus Guinea, woher auch dieser wollköpfige Sklave kam.

Aber all das war natürlich nur etwas für die Freunde von Ser Alvise Duodo und nicht zum vulgären öffentlichen Verhökern bestimmt. Der Grieche mit dem Holzbein, Monsignore Nicolai de' Acciajuoli, war jetzt mit Duodo da drinnen; zweifellos erkundigte er sich, ob es Neues von seinem gefangenen Bruder in Konstantinopel zu berichten gebe.

Schade, daß der Grieche nicht allein gekommen war. Schade, daß er den edlen Kaufmann mitgebracht hatte, der mit ihm aus Schottland gekommen war, den unsanften Simon. Gegenwärtig war der Vorhang vor der Kajüte unter dem Achterdeck zugezogen, aber jeden Augenblick könnte einer von ihnen herauskommen, ehe Julius mit seiner Angelegenheit fertig war. Es war auch schade, daß Julius nicht ganz nüchtern war.

Nach den Vorfällen mit der Kanone, dem Mädchen und dem Hund wünschte Julius, nicht Simons Aufmerksamkeit auf sich oder irgendeinen Angehörigen des Charetty-Haushalts zu lenken. Er war schon einmal seinem Blick erfolgreich ausgewichen: das war weiter nicht schwierig auf einem Deck, das hundertachtzehn venezianische Fuß lang und voll von Kisten war und von Menschen wimmelte. Er mochte Simon nicht, konnte aber nicht umhin, ihn mächtig zu beneiden. Er wünschte, er könnte Simon beobachten, ohne gesehen zu werden. Er war sich bewußt, daß er der Demoiselle de Charetty nach dem ihm erteilten Rüffel ein zufriedenstellendes Sieben-Tage-Werk geliefert hatte, und diese Tatsache hatte er einfach ein bißchen zu früh an diesem Morgen gefeiert. Daher wünschte er insbesondere, daß Felix und Claes nicht an Bord kamen. Was Astorre betraf, so wäre es eine Katastrophe. Julius hob vorsichtig den Kopf, schüttelte ihn leicht und schaute über die Reling.

Es war eine Katastrophe. Das Boot, in dem Tommaso saß, schien weggefahren zu sein. Aber das Barett auf Felix' Kopf, groß wie ein Dudelsack, war schon sichtbar, als er vom Kai auf das Flaggschiff kletterte. Hinter ihm kam Astorre mit einer flachen Kappe und einem schicken Lederwams, dessen Brokatärmel ballonartig gepufft waren. Als letzter kam Claes mit seiner Arbeitsmütze aus Filz und in seinem verschwitzten Hemd, das vorn offenstand und seine muskulöse männliche Brust und den oberen Rand des seidigen braunen Vlieses sehen ließ, mit dem die Natur ihn ausgestattet hatte, wie Julius neidisch festzustellen Gelegenheit gehabt hatte.

Felix sah seinen Erzieher, lächelte etwas besorgt und richtete seinen Dudelsack mehr oder weniger auf die Verkäufer, die am lautesten schrien, während seine Augen nach dem Gegenstand seines Begehrens suchten. Astorres Blick schweifte über die prächtige Ware, von Julius nahm er überhaupt keine Notiz. Claes' Augen strahlten, so daß man das Weiße sah; er freute sich einfach über die Gelegenheit, sich zu unterhalten, und sagte: «Felix will einen Affen haben. Die Demoiselle ist zu ihrer Sitzung gegangen.»

«Ich habe Henning zu ihr geschickt», sagte Julius und runzelte die Stirn. «Du hast recht gehabt. Der Ballast war Alaun aus Phokaia. Wer hat es dir gesagt? Der Grieche Nicolai?»

«O nein, Meester Julius. Nach der Liste des Schreibers stammt das Alaun von der Malakkastraße, zu kastilischen Preisen, und ich bin sicher, Monsignore de' Acciajuoli würde mir recht geben. Das ist es, was die Venezianer immer gekauft haben. Phokaisches Alaun würde viel teurer sein.»

«Ja, ja», sagte Julius, und sein Stirnrunzeln verstärkte sich. Alaun, dieses weiße, harmlose Pulver, das wie Steinsalz aus dem Erdboden gegraben wurde, war für einen Färber ungefähr die wichtigste Zutat auf der Welt, denn es verband die Farbe mit dem Stoff. Claes mußte das wissen. Dennoch fragte sich Julius ab und zu, ob Claes eigentlich verstand, was er da sagte, wenn er solche Geschichten von Ort zu Ort weitererzählte. Schließlich war es unwahrscheinlich, daß der Grieche ihm etwas verraten haben sollte. Weil Claes in einer Stadt, in der Handwerker unsichtbar waren, von einem Betrieb zum anderen ging, hörte er eben so manches.

«Du solltest übrigens vorsichtig sein», sagte Julius. «Unser schottischer Freund, der Hundeliebhaber, ist da drinnen mit Messer Nicolai und dem Kommandanten, und es wäre schon gut, wenn er dich nicht zu Gesicht bekäme. Also...»

«Gott schütze uns», sagte Claes mit nicht mehr als mäßigem Interesse. «Da sind Hauptmann Lionetto und seine Freunde. Sie haben einen Schwarzen gekauft.»

Jeder konnte sehen, daß sie den Negerjungen nicht gekauft hatten, sondern ihn bloß abschrubbten, um zu sehen, ob seine Farbe abgehen würde. Julius, gelegentlich ein Mann mit Scharfblick, sagte: «Will einen Affen haben? Das würde sie nie dulden.»

«Ich nehme an, der Preis würde sowieso zu hoch sein», meinte Claes zuversichtlich. Er starrte immer noch den Sklaven aus Guinea an, der aufgehört hatte, an seiner Kette zu zerren, und hin- und herrollte, als die kräftigen Arme von Hauptmann Lionetto ihn mit einem Deckschwabber bearbeiteten. «Sie werden ihn kaufen müssen, wenn sie ihm einen Schaden zufügen. Es sei denn, Felix hätte lieber einen Negerjungen als einen Affen. Der würde der Demoiselle vielleicht gefallen.»

«Felix' Mutter?» Julius lachte Tränen. «Sag das Oudenin, dem Pfandleiher. Das wird ihm das Freien erleichtern.» Es war allgemein bekannt, daß Oudenin seine Tochter mit Felix verkuppeln wollte, es aber in Wirklichkeit auf die Witwe abgesehen hatte.

Zu seiner Überraschung stand Claes sofort bereitwillig auf, legte seine Schürze hin und verließ ihn. Ungläubig beobachtete Julius, wie sich der Lehrling auf dem Deck durchdrängelte, bis er zu dem Pfandleiher kam, sich neben ihn setzte und irgendein schlichtes Gespräch mit ihm führte, in dessen Verlauf sich beide erhoben.

Ob Claes über Marian de Charetty gesprochen hatte oder nicht, spielte kaum eine Rolle. Als er aufgestanden war, sagte der Soldat Lionetto: «Ha!», packte auf beiden Seiten einen Freund und begann sich mit Macht durch die Menge zu dem Lehrling zu zwängen. Sein rötlichbraunes Wams hatte dieselbe Farbe wie sein Haar.

«Ha!» wiederholte Lionetto. «Und wessen Wams besudelst du heute, du alberner Rüpel? Und welcher Narr hat dir erlaubt, die Luft auf diesem Schiff mit deinen stinkenden Lumpen zu verpesten? Du mußt gewaschen werden. Los, gebt ihm ein Bad.»

Beeinträchtigt durch den Wein, den Henning und er getrunken hatten, richtete Julius seinen Blick fest auf Lionettos beiden Freunde, die den Lehrling gepackt hatten und unter einem allgemeinen zustimmenden Gemurmel begannen, ihn im richtigen Winkel hochzuheben, um ihn über Bord zu schwingen. Niemand ließ besondere Besorgnis um Claes erkennen, der auch seinerseits keinen wirklichen Unmut bekundete, sondern leicht erstaunt aussah, als er da im muskulösen Griff der Soldaten hing. Den knappsten Kommentar gab ein kahlköpfiger Mann ab: «Vielleicht kann er nicht schwimmen.»

Claes konnte schwimmen, und er hatte ein Bad nötig. Julius dachte über die Lage nach und kam zu dem ziemlich verschwommenen Schluß, daß es kein Ernstfall war. Sie hatten ihn unter den Achseln gepackt und schwangen ihn zurück, während sich die Menge zerstreute.

Sie schwangen ihn nicht über Bord, denn eine kraftvolle Gestalt – Hauptmann Astorre – machte drei Schritte vorwärts und trat einem der Männer, die Claes gepackt hatten, in die Kniekehle, woraufhin der Mann unfreiwillig in die Knie ging und schrie. Einen Augenblick lang standen Claes und Lionettos zweiter Freund Hand in Hand, dann ließ der Mann Claes los und ging auf Astorre los.

Lionetto kam ihm zuvor. Er nahm weder von seinen beiden Soldaten noch von Claes Notiz, der immer noch dastand und verwundert dreinschaute, noch schlug er auf den anderen Hauptmann ein oder brüllte ihn an. Vielmehr ließ er, schwer atmend, eine Schulter hängen, schloß die Finger um Astorres Handgelenk und hielt dessen rechte Hand, die keinen Widerstand leistete, von seiner eigenen umfaßt, in Taillenhöhe empor. In ihrem gemeinsamen Griff hatten sie einen Pokal aus emailliertem rosa Glas mit reicher Vergoldung.

«Das ist meiner», sagte Lionetto freundlich. «Ich habe ihn voriges Jahr beim Navigationsoffizier bestellt.»

Astorre, sein Bart war nur sechs Zoll weit weg, entblößte grinsend gelbe Zähne. «Ach, wirklich. Das hat er vergessen, mir zu sagen. Ich habe dafür bezahlt.»

«Wie kindisch du bist», sagte Lionetto. «Es ist kaum meine Zeit wert, ihn dir wegzunehmen. Gib ihn her, dann gebe ich dir, was du dafür bezahlt hast.»

«Ihn mir wegnehmen?» Astorre war entrüstet. «Du armer Trottel. Dieser dumme Junge und ich, wir könnten dich bis auf die Hose ausziehen. Bis auf deine dürftigen Organe, wenn uns der Sinn danach stünde. Aber der Kommandant ist Gast in unserem Land, und Herren raufen sich nicht auf seinem Deck. Ich will mein Eigentum behalten.»

«Mein Eigentum», behauptete Lionetto.

«Von mir bezahlt», erwiderte Astorre.

«Signori!» sagte eine Stimme von einigem Gewicht.

Sie drehten sich um.

Der Vorhang vor der Kajüte des Kommandanten war beiseitegezogen, und im Eingang stand Messer Alvise Duodo, der Held von Konstantinopel, persönlich. Der Grieche Nicolai de' Acciajuoli war neben ihm; er trug heute eine Samtkappe über dem hübschen Kapuzenmantel. Hinter den beiden, und das erfüllte Julius mit bösen Vorahnungen, sah er das arrogante, glattrasierte Gesicht des edlen Simon, dessen Hund die Familie Charetty fast an den Bettelstab gebracht hätte.

«Signori!» wiederholte der Kommandant und veranlaßte dadurch, wie er es beabsichtigt hatte, den einen oder anderen seiner Bogenschützen, wachsam aufzusehen. Als der *capitano* den Kopf wandte, zeigte sich, daß sein in Rollen gelegtes Haar bis zu den Ohren rasiert war und sein Rock, seine Knöpfe, die Eleganz seiner flachen Kappe und die gesprenkelte Seide seines Wamses phantastisch waren. Nur Angehörige reicher Familien wie die Contarini oder die

Zeno oder die Duodo wurden vom Senat der Republik Venedig ausgewählt, um die Flandern-Flotte zu befehligen, und einige von ihnen waren noch dazu tüchtige Seeleute, obwohl das nicht ausschlaggebend war. Ausschlaggebend war ihre Gewandtheit, die beispielsweise dem Herrn Kommandanten ermöglichte, aus ein paar gemurmelten Worten des Atheners zu entnehmen, daß die Unruhestifter Söldnerführer von einiger Bedeutung waren, möglicherweise aber auch gefährlich werden könnten. Der Herr Kommandant trat vor und sagte: «Ah, il signore di Astariis und il signore Lionetto. Ich hielt gerade nach Euch Ausschau. Bitte klärt Eure Streitigkeiten und kommt, um mit mir Wein zu trinken.»

Die beiden Hauptleute, der eine von vierschrötiger, der andere von sehr kleiner Gestalt, beruhigten und entspannten sich. Ihre Gesichter wandten sich demjenigen zu, der ihnen so geschmeichelt hatte. Einen Augenblick lang wurde der Pokal von jeweils einer Hand der beiden gewaltigen Männer festgehalten, die nach einem Ausweg aus dem Dilemma suchten.

Die Lösung des Problems wurde ihnen abgenommen. Nicht von Messer Nicolai; auch nicht vom Herrn Kommandanten.

Simon, dessen blaublütiger schottischer Gast, machte sich anmutig auf den Weg zu den beiden Hauptleuten, hielt inne und schickte dann das Glas mit einem plötzlichen und gut berechneten Schlag nach oben, in dem Moment, in dem die beiden Kampfhähne ihren Griff lockerten. Die Flugbahn war schräg und genau. Begleitet von einem Freuden- und Wehgeschrei, erhob sich das Ding in die Luft, flog über das Dollbord der Galeere, beschrieb einen glitzernden, rosafarbenen Bogen und versank schließlich teuer und endgültig in der Tiefe des Hafens.

Alle sahen Lionetto an, dessen wütendes Starren sich stumm in ein strahlendes Lächeln verwandelte, das dem Schotten galt. Dann drehten sich alle um und sahen mit größerer Erwartung auf Astorre, der den Pokal ja immerhin gekauft hatte.

Astorre griff zu seinem Dolch und zog die Hand wieder zurück. Dann griff er zu seinem Geldbeutel, öffnete ihn, nahm eine Münze heraus und hielt sie hoch. Im Umkreis von dreißig Fuß und mehr hörte das Handeln, das schon erlahmt war, ganz auf. Ohne von Lionetto Notiz zu nehmen, ohne von dem Schotten Notiz zu nehmen, ohne von irgendeinem widrigen Umstand Notiz zu nehmen, aber mit großartiger Selbstsicherheit sagte Astorre: «Einen Gulden für den Mann, der nach meinem Eigentum taucht.»

«Wartet!» sagte der Kommandant. Das Deck, das zu krängen begonnen hatte, richtete sich wieder auf, als Schwimmer und Nichtschwimmer, die drauf und dran waren, über Bord zu springen, innehielten. Der Grieche lächelte.

«Laßt mich darauf hinweisen», fuhr der Kommandant fort, «daß die Bemühungen eines einzigen Mannes mehr Erfolg haben könnten. Laßt es den Sklaven machen. Tauchen ist sein Beruf.»

Er war der Kommandant, deswegen murrten diejenigen, die murrten, leise. Statt ins Wasser zu springen, strebten sie nach einem Platz, der ihnen gute Aussicht bot. Der Kajütstreppe am nächsten standen die Hauptleute Astorre und Lionetto.

Dem afrikanischen Biest wurden die Fesseln abgenommen. Mit Gebärden wurde ihm bedeutet, was er tun solle, und dann unterwies ihn noch ein Ruderer in gebrochenem Spanisch. Als der Kerl dann immer noch zögerte, warfen sie ihn einfach über Bord und richteten ein paar Pfeile auf ihn, falls er glaubte, er könne die ganze Strecke bis zur Küste von Guinea zurückschwimmen.

Jedesmal wenn er wieder an die Oberfläche kam, warfen sie ihm was immer gerade in Reichweite war an den Kopf oder auf die Schultern, bis er wieder tauchte. Niemand wollte den ganzen Tag da verbringen.

Der Kommandant sah geduldig zu, nachdem er bereits den Augenblick vorausbestimmt hatte, an dem er zu seinem Bedauern erklären würde, daß die Suche vergeblich war. Daher sah er überrascht und nicht ohne Verärgerung den wolligen dunklen Kopf und das breite, glänzende Gesicht wieder aus dem Wasser auftauchen, und diesmal hatte der Taucher einen Arm hochgereckt und hielt in der Hand den ordinären rosa Pokal des Hauptmanns, unzerbrochen.

Er hörte, wie die beiden törichten Männer tief Luft holten, als sie den Pokal erblickten, und er sah das Lächeln auf dem Gesicht des Eigentümers und die Wut Lionettos.

Der Neger hatte die Stufen erreicht und zog sich hinauf. Oben erwarteten ihn ausgestreckte Arme, die langen von Lionetto und die kurzen von Astorre. Der Afrikaner zögerte.

Der Grieche sagte etwas zum Kommandanten, und der Kommandant wandte sich an den Spanisch Sprechenden:

«Sage dem Sklaven, er soll den Pokal nicht den beiden Hauptleuten geben. Sage ihm, er soll ihn den anderen Leuten vom – wie? – Charetty-Haushalt zuwerfen. Auf die Messer Nicolai jetzt deutet. Die drei Männer, die du da drüben siehst.»

Das erste, was Julius von dieser neuen Eingebung zu spüren bekam, war, daß sich alle Köpfe vor ihm nach hinten zurücklegten, als beobachteten sie den Flug von Feuerwerkskörpern. Ganz automatisch sah auch er nach oben. Einen hohen Bogen in der Luft beschreibend, raste etwas rosa Schimmerndes auf ihn zu, das große Ähnlichkeit hatte mit dem dummen Pokal, um den Astorre so ein Theater machte. Julius taumelte, angestoßen von Felix' Ellbogen, als Felix aufspringen wollte, um das Ding zu fangen.

Er war ärgerlich auf Felix. Es freute ihn, daß Felix seinerseits schwankte, als Claes seinen Platz einnahm, seine großen, festen Hände hob und den Pokal auffing.

Julius hätte nachher schwören können, daß er ihn aufgefangen hatte.

Daher war es schwer zu sagen, warum das Glas eine Sekunde später gar nicht in Claes' Händen war, sondern zerbarst und ein Hagel von rosafarbenen Scherben überall glitzerte, wohin man auch schaute: auf Pelzbesätzen und in Seidenfalten, in Majolika-Schüsseln und Zuckertüten und den Stiefelstulpen der Leute und in Geldbeuteln und Degenscheiden.

Oder auch in leeren Degenscheiden wie im Fall von Astorre und Lionetto, die gemeinsam auf den unglücklichen Claes zustürzten, jeder eine Klinge in der Faust. Hinter ihnen auf der Reling lächelte der edle Simon.

Lionetto, der den Pokal nicht bezahlt hatte, war es, der stehenblieb, auf seinen Dolch sah, ihn dann wieder in die Scheide steckte, den Kopf zurückwarf und zu lachen begann. «Dieser dumme Junge und du, ihr beide könntet mich bis auf die Hosen ausziehen! Das hast du gesagt! Astorre, du armer Narr! Du konntest nicht einmal deinen eigenen Pokal halten, und er konnte ihn nicht fangen! Zieh mir doch die Hosen aus!»

«Ah», sagte der Grieche leise. «Wie schade.»

«Ja?» meinte der Kommandant. «Ich hätte dem Jungen sowieso keine große Chance eingeräumt. Jetzt liegen sie sich wieder in den Haaren. Das ist nun wirklich eine Unhöflichkeit. Kapitän, seid so gut und sagt den Hauptleuten, Euer Kommandant bedaure, daß seine Zeit ihm nicht erlaube, ihnen Wein anzubieten, und daß er froh wäre, wenn sie ihre Meinungsverschiedenheiten an Land beilegen würden. Sagt mir Bescheid, wenn sie gegangen sind. Messer Nicolai?»

Als er den Vorhang beiseite hielt, damit der Grieche wieder in seine Kajüte gehen konnte, sah er, daß Monsignore de' Acciajuolis Blick auf dem gutaussehenden jungen Mann aus Schottland ruhte, der gerade an ihrem Imbiß teilgenommen hatte: dem blonden Simon. Ohne groß darüber nachzudenken, fragte sich Messer Duodo, welche Vorlieben der Athener wohl haben mochte. «Ich bezweifle», sagte er, «daß unser schottischer Freund die Absicht hat zurückzukommen. Er scheint sich für einen Freund Lionettos zu halten.»

Und als der Athener, ohne zu antworten, auf Deck zögerte, als wäre er drauf und dran, den Schotten zu rufen, damit er wieder in die Kajüte komme, fuhr der Kommandant fort: «Wirklich, Messer Nicolai, ich finde, wir haben genug Zeit mit diesem Unsinn verschwendet. Was wir zu besprechen haben, erfordert keine Zuhörer.» Und der Grieche drehte sich um, hinter ihm fiel der Vorhang herunter.

Was immer jetzt geschehen würde, er konnte nichts mehr daran ändern.

Kapitel 8

Julius war bestürzt, als sich der Kommandant zurückzog und es Astorre und Lionetto nun freistand, an Land zu gehen und endlich ungehindert ihren Streit auszufechten. Daß der Kommandant seine Einladung zurückgenommen hatte, merkten sie kaum, so kampfbegierig waren beide. Verfolgt von drei oder vier Dutzend Zuschauern bezogen sie auf dem Kai Stellung, jeder umringt von seinen Freunden. Hinter Astorre fanden sich, etwas benommen, Julius, Felix und ihr Gefolgsmann Claes ein, der sich seine Schürze wiedergeholt hatte und sie zusammengerollt unter dem Arm trug. Hinter Lionetto stand die Gruppe von Männern, die ihn, wie sich Julius entsann, in der Schenke *Zu den zwei Gesetzestafeln Mosis* unterstützt hatten. Unter ihnen war der kahlköpfige Mann, an den er sich nur dunkel erinnerte; es mußte der Doktor Tobias sein, der damals betrunken war und sich um die Kranführer gekümmert hatte, als sie wegen Claes auf die Nase gefallen waren.

Claes. O Gott, der Schwachkopf Claes. Was sollten sie nur mit ihm machen?

Dann sah Julius, daß zu der Gruppe um Lionetto auch der Schotte Simon gehörte, und wurde sich voll Schrecken klar, was man mit ihm vorhatte. Julius riß sich zusammen, packte den Charetty-Söldner Astorre am Arm und sagte: «Hauptmann, es ist Zeit. Wir sollten zurück zur Witwe fahren.»

Lionetto hatte seine Worte gehört und höhnte: «O ja. Renne zurück zur Witwe. Warum kämpfen, wenn du deinen Lebensunterhalt zwischen den einladenden Beinen der Witwe verdienen kannst? Hast du dafür den Pokal haben wollen? Ein Brautgeschenk? Ich nehme dir das nicht übel. Keine Nächte mehr im kalten und nassen Zelt; keine verkrachten Hochschüler mehr, die einem Befehle geben, keine...»

Mit puterrotem Gesicht stürzte sich Felix auf ihn. Julius sprang vor, aber Claes kam ihm zuvor, so wie Simon Lionetto zuvorkam. Der Lehrling und der Schotte stießen nur ganz kurz zusammen. Es war das dritte Mal, daß sie sich im Laufe weniger Wochen getroffen hatten. Es war das erste Mal, daß sie einander berührten. Es war eine Begegnung von größerer Tragweite als jede bisher. Denn als der Schotte zurückprallte, konnte man sehen, daß eine Seite seines schönen zitronengelben Wamses blutbefleckt war.

Simon hielt den Atem an. Dann legte er eine Hand auf die Wunde, streckte die andere aus und zog unter dem Arm des Lehrlings die zusammengerollte Schürze hervor, aus der eine rotschimmernde Spitze herausragte. Schweigend packte der Schotte die Spitze, so daß die zusammengerollte Schürze herunterfiel, und hielt eine Schere so hoch, daß alle sie sehen konnten.

«Dieser Mann hat mich angegriffen», sagte er. «Ich beanspruche das Recht, ihn zu bestrafen.»

«Das Recht habt Ihr nicht. Er ist ein Diener. Er hat mich beschützt», sagte Felix. Sein Gesicht war immer noch puterrot.

Julius griff ein: «Mylord, es war ein Unfall. Claes hat die Schere vom Schleifer geholt und trug sie der Sicherheit halber in seine Schürze eingerollt. Und, wenn Ihr mir verzeihen wollt, das hier ist nicht Euer Streit.»

«In der Tat», erwiderte Simon. Seine klaren blauen Augen, die die Sonnenstrahlen spiegelten, erinnerten Julius daran, in welchem Ruf Simon bei Frauen stand. Es hieß, diese Kratzbürste Katelina van Borselen habe ihm einen Korb gegeben, und er habe seitdem mit jeder hochgeborenen Frau in Brügge geschlafen. So kräftig, wie er aussah, konnte man es ihm zutrauen und sicher sein, daß die Auserwählten es genossen hatten. Hypnotisiert starrte Julius ihn an.

«Es mag nicht mein Streit sein», fuhr Simon fort, «aber das hier, versichere ich Euch, ist mein Blut. Hauptmann Lionetto, Ihr und Hauptmann Astorre seid große Söldnerführer, deren Leben für Könige und Republiken unschätzbar ist. Wie könnte sich Brügge rechtfertigen, wenn die Welt wegen eines läppischen Streits solche Männer verlieren würde? Ich war es, der den Pokal über Bord warf. Dieser Rüpel hier war es, der ihn zerbrach. Warum wollt Ihr mich nicht für Euch kämpfen lassen und den jungen Mann für den Charetty-Hauptmann? So wie die Dinge liegen, erfordert die Ehre, daß ich ihn bestrafe.»

Er hielt inne, blickte sich um, und ein halbes Lächeln umspielte seine Lippen.

«Und sofern Ihr es nicht wegen unseres unterschiedlichen Standes unpassend findet, versichere ich Euch, daß ich gegen den Lehrling keine ritterliche Waffe einsetzen werde. Er mag wählen, woran er gewöhnt ist. Einen Stock, einen Knüppel, eine Stange. Ich werde es mit ihm aufnehmen, was es auch sei.»

Es erhob sich ein zustimmendes Gemurmel. Astorre, der an Julius' Seite stand, sagte: «Das ist nur recht und billig, wenn man bedenkt, daß der Schotte mit einer Wunde kämpfen muß.»

«Die ist ja nicht der Rede wert», sagte Julius. «Seht doch, die blutet jetzt gar nicht mehr. Astorre, Claes kämpft nicht.»

«Jeder kämpft», erklärte der Hauptmann gereizt. «Er ist doppelt so stämmig wie dieses hübsche Bürschlein, und jünger. Außerdem hat er meinen Pokal fallen lassen.»

Von Astorre war also keine Hilfe zu erwarten. Und niemand sonst war da, um die Sache zu verhindern. Die Edelleute und höheren Offiziere der Galeeren hatten sich schon lange vorher wohlweislich absentiert; die Ruderer hatten keine Befehle und waren daher nur wie die meisten Unbeteiligten lebhaft an einem bevorstehenden Kampf interessiert. Es waren keine Beamten aus Sluis, Damme oder Brügge mehr da, um für Gerechtigkeit zu sorgen, und nur Julius, der Astorre immer wieder zusetzte, und Felix, der Lionetto beschimpfte, unternahm den vergeblichen Versuch, Lionetto und Astorre davon abzubringen.

Denn die beiden waren Berufssoldaten und hatten durchaus die Absicht, den Gegner zu töten, zu verletzen oder sich seiner auf andere Art zu entledigen, aber nicht wie Schuljungen im Zweikampf. Damit machte man sich lächerlich. Es gab hierfür andere Mittel und Wege, die erwachsenen Menschen eher entsprachen.

Deshalb paßte es ihnen außerordentlich, sich setzen zu können, Astorre mehr landeinwärts, Lionetto direkt an der Kaimauer, beide umgeben von ihrem Klüngel, während man zwischen ihnen Säcke und Kisten wegräumte, so daß ein freier Platz entstand, und man zwei zerbrochene Ruder auf gleiche Länge brachte, damit sie als Knüppel dienen konnten.

Es war kein Kampf, bei dem es sich lohnte, eine Wette abzuschließen, aber gut genug, um einen Nachmittag so zu verbringen, wie Männer in Feldlagern es gewöhnt waren. Lionetto war an dem Schotten nicht besonders interessiert, den er zu eingebildet auf sein gutes Ausssehen fand, vor allem, wenn er wie jetzt bis auf Hose, Unterwams und ein dünnes, elegantes Hemd alles ausgezogen hatte und eine bessere Figur machte.

Indes bestand kein Zweifel, daß er, Lionetto, einen besseren Kämpen hatte als dieses Schwein Astorre, dessen Streiter dieser farbenklecksende, zerlumpte Handwerker war, mit seinen aus der Strumpfhose heraussstehenden Zehen. Der Bursche bestand aus nichts als Augen. Er erinnerte an eine Eule auf einem Baum, unter dem fünf Männer mit Langbogen stehen.

Jemand schrie: «Nun los!», und sie fingen ohne besonderes Zeremoniell an. Ihre Waffen waren sechs Fuß lang und schwer. Der Schotte hatte ein amüsiertes Lächeln aufgesetzt.

Er hatte Grund dazu. Ohne Vorteile durch Größe oder Reichweite und unendlich viel schmächtiger gebaut, besaß er dennoch die Übung und Gewandtheit eines erfahrenen Kämpfers, die dem Lehrling fehlten. Es war so wie damals im Kanal. Der eine wirkte wie ein Vollblutpferd, der andere wie ein Ackergaul. Claes holte zu einem wuchtigen Schlag aus, aber ehe noch der Knüppel seinen Bogen beschrieben hatte, durchbrach der andere seine Deckung und hieb ihm auf die Schenkel oder ließ ihm das harte Holz auf Schulter oder Arm krachen.

Das waren in der Tat Simons bevorzugte Ziele: die Körperteile, mit denen Claes den Knüppel hielt und führte. Und dann die schwieligen blauen Hände, mit denen er ihn umklammerte.

Der Edelmann Simon, tadellos ernährt, tadellos in Form, kämpfte wie ein Löwe. Seine Schulter- und Rückenmuskeln hoben und senkten sich unter dem feinen Stoff. Die lose aufgerollten Ärmel ließen die kräftigen Unterarme eines Fechters sehen, und die Konturen von Ober- und Unterschenkel unter dem Whipcord seiner Strumpfhose waren fest und schwellend und klassisch. Die Ledersohlen verliehen ihm festen Halt auf dem unebenen Kopfsteinpflaster, wenn er die Waffe schwang und zur Seite sprang und mit beiden Händen ausholte, um den vibrierenden Knüppel genau auf den seines Gegners krachen zu lassen; er schlug aber nicht stark genug zu, um ihn dem anderen aus den derben Fäusten zu schlagen.

Er ließ sich Zeit. Für Julius, der selbst ein Schwert geführt hatte, war es quälend offensichtlich, daß Simon jedem Schlag des Lehrlings zuvorkam. Ohne Hast, lächelnd, sogar verletzende Reden führend, umkreiste und beobachtete Simon den jüngeren Mann mit geübtem Auge: er bemerkte auch die kleinste Veränderung in Claes' Atem, seiner Beinarbeit, seinen Schultern, seinem flackernden Blick.

Dann stieß Claes zu oder holte aus, und Simons Knüppel wehrte krachend den anderen ab, ließ aber nicht nach, sondern traf, wo er es sich vorgenommen hatte. Auf die Gelenke. Auf die Knöchel. Einmal direkt auf die Brust, so daß Claes einen Augenblick um Atem rang. Einmal streifte der Schlag den Kopf, so daß Claes stirnrunzelnd zurücktaumelte und es ihm nur dank seines Instinkts gelang, dem rasch folgenden zweiten Schlag auszuweichen, der ihn hätte niederstrecken sollen.

Er war ein zäher Bursche. Das mußte man ihm zugestehen. Als er sich aufrichtete, hatte er seinen Verstand wieder beisammen, und diesmal sah man, daß er etwas gelernt hatte. Statt sich auf eine Schuljungenprügelei zu verlassen und hin und her zu rennen wie beim *jeu de paume*, beobachtete er seinen Gegner, um dessen nächsten Schritt zu erraten.

Manchmal hatte er Erfolg. Zweimal war Simon unvorsichtig, und Claes' schwerer Knüppel traf ihn; einmal auf der Schulter und einmal auf dem Handgelenk, so daß er tief Luft holen mußte und sich rasch außer Reichweite brachte, bis er wieder die Kraft hatte, um erneut zuzuschlagen.

Ein erfahrener Mann hätte dem Lord keine Zeit gelassen, sich zu erholen, aber Claes besaß weder die Gewandtheit noch die Energie. Statt dessen stand er da und schüttelte sich, inspizierte seine Muskeln wie ein General, der seine Truppen inspiziert und sie zu den Fahnen ruft, fand Julius. Aber die ganze Zeit behielt er Simon im Auge, und als Simon zustieß, kam Claes ihm zum erstenmal zuvor, und ihre Knüppel prallten aufeinander, sanken herab und lösten sich voneinander.

Aber danach war Simon vorsichtig, und wieviel Claes auch gelernt haben mochte, es war nicht genug, um ihn vor den Schlägen zu schützen, die aus der durch den Kampf aufgewirbelten Staubwolke immer wieder auf ihn prasselten. Und Simon war noch munter. Auf seinem Gesicht, wenn man es überhaupt sah, zeigte sich ein Lächeln, und zwischen zusammengebissenen Zähnen stieß er immer noch ab und zu eine höhnische Bemerkung hervor.

Claes hingegen sagte nichts. Der übersprudelnde, gesprächige Kumpel, der Spaßmacher, der jeden nachmachen konnte, schlurfte jetzt, statt zu tanzen, und stolperte, wenn er auswich. Die eine Hand, auf deren Knöchel er Schläge bekommen hatte, war angeschwollen und dunkel, und es gab kaum ein Fleckchen Haut auf dem blauverfärbten Flaum seiner Arme, der zerrissenen Hose auf seinen Oberschenkeln oder den halbnackten Füßen, die sich an den Pflastersteinen stießen, das keine Spuren von Schlägen trug. Dann sahen sie plötzlich, daß Simon sich verächtlich vorbeugte, eine Finte machte und das abgebrochene Ende seines Knüppels über Claes' Brustkorb zog, so daß das durchnäßte Hemd bis zur Taille zerfetzt wurde und rote Schrammen aufleuchteten.

Das Benehmen eines Dummkopfs und die Veranlagung eines Mädchens. Und eine Schande für seinen Vater.

«Macht dem ein Ende, Astorre», sagte Felix. «Ich befehle es Euch. Unterbrecht den Kampf, sonst tue ich es.»

Die Zuschauer wollten den Kampf aber zu Ende sehen. Claes mochten sie ganz gern, den Schotten schätzten sie nicht besonders, aber ein Mann, der einen anderen peinigt, ist immer ein lohnendes Schauspiel, und das hier war besser als zur Karnevalszeit, wenn der Herzog auf dem Marktplatz von einer Gruppe blinder Männer Wildschweine zusammentreiben ließ. *«Tötet ihn!»* schrie eine Frau Simon zu.

Julius wandte sich an Astorre. «Ihr habt gehört, was Felix gesagt hat. Steht auf und gebt um Gottes willen die Niederlage zu. Wollt Ihr, daß dieser Simon Claes umbringt?»

Astorre sah eigensinnig drein. «Wenn kein anderer ihm eine Tracht Prügel versetzt, würde ich es tun. Außerdem ist er ein kräftiger Bursche. Und es geht um die Charetty-Ehre, nicht wahr? Wollt Ihr, daß die Witwe in den Ruf kommt, nur Feiglinge zu beschäftigen? Nach dem, was Lionetto, dieses Vieh, vorhin über sie gesagt hat?»

Felix hob die Faust. Einen entsetzlichen Augenblick lang glaubte Julius, daß sich zwischen dem Sohn seiner Brotherrin und ihrem Söldner eine parallel verlaufende Schlägerei entspinnen könnte, deshalb drängte er sich nach vorn und packte Felix, der sich wehrte. Dann wurden sie beide ruhig, als sie sahen, was sich vor ihnen am Kai abspielte.

Claes, dessen Gesicht und Glieder geschwollen waren, der keuchte und dessen Beine unter ihm nachgaben, konnte jetzt nicht einmal mehr so tun, als schätze er seinen Gegner ab oder als könne er voraussagen, woher der nächste Schlag kommen könnte. Er kämpfte nur noch defensiv, und seinen Knüppel hielt er mit beiden Händen, um Gesicht und Körper zu schützen.

So konnte Simon natürlich alles tun, was er wollte. Er machte nicht einmal den Versuch, sich den Knüppel von Claes zu schnappen oder ihn sonstwie zu entwaffnen, was den Kampf beendet hätte. Vielmehr schwang er seinen Knüppel, setzte ihn manchmal wie einen Rammbock ein und legte es methodisch, aber ohne Hast darauf an, seinen Gegner zu zermürben.

Claes machte den Eindruck, als könnte er keinen klaren Gedanken mehr fassen. Tatsächlich hatte er von Anfang an, fand Julius, von seinem Verstand kaum mehr Gebrauch gemacht als einer von Astorres Soldaten im Ruhestand, der durch zu viele Schläge auf den Helm verdummt war.

Aber ein Verdacht mußte ihm gekommen sein. Er wartete, bis Simon nach einer Reihe von Streifschlägen seinen Knüppel, wie Claes auch, horizontal hielt, ihn mit den Händen umspannte und sich anschickte, anders anzugreifen. Claes ließ kaum erkennen, was er als nächstes tun wollte. Nur die Augen wandte er einmal ab, und lächelnd machte Simon einen Satz in dieser Richtung.

Selbst jetzt konnte er offenbar noch nicht glauben, daß die Augenbewegung eine List gewesen war. Aber plötzlich stand Claes auf der falschen Seite und hielt nicht nur seinen Knüppel immer noch horizontal, sondern stürzte sich mit einer derartigen Heftigkeit auf seinen Gegner, daß er die ganze Kraft, die ihm noch geblieben war, bei diesem letzten Versuch einsetzte.

Simon hatte keine Zeit, beiseite zu springen. Claes griff an, sein Knüppel prallte auf Simons Knüppel, und die Wucht des Ansturms trieb Simon zurück, zuerst nur ein oder zwei schnelle Schritte, dann langsamer, als er sich wieder fing, aber immer noch zurück, denn der einzige Vorteil, den Claes hatte, war sein Gewicht. Und ausnahmsweise hatte Simon diesmal gar keinen Vorteil.

Atemlos sahen die Zuschauer zu. Auf der einen Seite murrte Astorre, neben ihm Julius und Felix, die einander noch nicht losgelassen hatten. Und direkt an der Kaimauer stand Lionetto auf einem freien Platz, um ihn hatten sich seine fluchenden Freunde geschart.

Hinter der sich wehrenden Gestalt von Simon verzogen sich die Leute. Zwischen Simon und der Kaimauer und dem Wasser lagen noch etwa ein Dutzend Schritte. Astorre grunzte: «Zum Teufel mit ihnen. Wer gewinnt, wenn die Dummköpfe beide runterfallen?»

«Wenigstens hört es dann auf», sagte Julius. Er biß sich auf die Lippen. Gewiß würde der Schotte, der noch viel Kampfgeist hatte, den toten Punkt überwinden und sich ducken, ehe er ins Wasser gestoßen würde? Oder würde er sich noch ein Stück zurückdrängen lassen und sich dann drehen, so daß Claes durch seinen eigenen Schwung ins Wasser flog und der Kampf damit endete?

Wenn das passiert, dachte Julius, mußte irgend jemand schnell eingreifen. Jemand würde den armen, lahmgeschlagenen Idioten herausfischen müssen, ehe er vor Erschöpfung ertrank.

Vielleicht hatte der reizbare Schotte vor, Claes ins Wasser zu werfen. Vielleicht tat er aber auch bloß so, würde sich dann im letzten Augenblick aufrappeln, Claes zurücktreiben und ihn schlimmer schlagen als zuvor. Zweifellos entspann sich jetzt so etwas wie ein Handgemenge, als ob Simon seine Stellung geändert hätte, es aber nicht so einfach fand, wie er erwartet hatte. Obwohl niemand es bestimmt wußte, schworen später diejenigen, die der Kaimauer am nächsten standen, daß Claes seinen Knüppel weggeworfen, seinen Gegner an den Armen gepackt und sich mit ihm ins Wasser gestürzt hätte.

Unbestritten ist, daß ihre Knüppel krachend auf die runden Pflastersteine geprallt waren, während sich die beiden noch auf dem Hafendamm befanden. Selbst Lionetto, der ganz nahe gestanden hatte, gab nach einigem Drängen zu, daß der Schotte keinen Knüppel mehr hatte, als er an ihm vorbeikam.

Dieser Augenblick war es, der für alle klar zu erkennen war. Der Augenblick, in dem Claes und sein Peiniger von der Kaimauer herab in die Tiefe des Hafens stürzten.

Das Geschrei steigerte sich zu einem Gebrüll und erstarb. Am Kai sah man statt der Duellanten eine Staubwolke und einen zertrampelten und leeren Kampfplatz. Im Hafenwasser sah man einen sich ausweitenden Ring, dessen Ränder an die Kaimauer klatschten.

Dann begannen Leute laut zu schreien und ziellos herumzulaufen. Nur Julius zog seine Aktuarius-Robe aus, schnallte seine Geldkatze ab, warf beides Felix zu und sprang in seinem überaus guten Wams schnurstracks ins Wasser.

Er sah ziemlich schnell den blonden Kopf des Schotten, der ganz gelassen auf die Kaistufen zusteuerte und offenbar nicht gerettet zu werden brauchte. Claes konnte er überhaupt nicht sehen, und als er nach ihm rief, drehte der andere Schwimmer nicht einmal den Kopf.

An der Stelle, an der die beiden Männer hineingefallen waren, kräuselte sich immer noch die Wasseroberfläche. Julius schwamm darauf zu. Er war schon ziemlich nahe, als er das Blut sah, das spiralförmig aufstieg, wie Purpur in einem Färberbottich.

Er holte tief Luft, tauchte und fand den leblos treibenden Körper von Claes.

Weil der Junge tot zu sein schien, was eine mißliche Angelegenheit werden konnte, begab sich der Kommandant Duodo würdevoll über sein Deck zum Kai; ihm folgten der Athener de' Acciajuoli und der

Schiffsarzt. Als sie dort ankamen, zogen sich alle anderen zurück mit Ausnahme eines kahlköpfigen Mannes, der neben dem reglosen, halbnackten und grotesk verfärbten Körper des Lehrlings kniete, mit dem er sich mißmutig beschäftigte.

Messer Duodo sagte leise: «Das ist eine unglückselige Geschichte.»

Lionetto und Astorre sahen einander an, und Lionetto trat etwas vor. «Oh, sie haben das Wasser aus ihm rausgebracht», sagte er. «Die kommen schnell wieder auf die Beine, Jungen dieser Sorte. In ein oder zwei Wochen wird er bestimmt wieder gesund und munter sein.»

«Ah, der Junge ist am Leben», sagte der Kommandant. Man hätte sich fast täuschen lassen. Die Augen des Jungen waren geschlossen und schrecklich eingesunken. Auch schien da Blut zu sein. «Was tupft Ihr denn da ab? Kann mein Arzt vielleicht helfen?»

Ohne aufzusehen, antwortete der kahlköpfige Mann: «Ich bin auch Arzt. Ich könnte richtiges Verbandzeug brauchen und etwas Salbe. Es ist eine Stichwunde.»

«Eine Stichwunde?» fragte der Grieche in scharfem Ton.

Es trat eine Pause ein. Der Schiffsarzt stellte seinen Verbandskasten ab, kniete sich hin und öffnete ihn. Der zweite Söldner, der, den sie Astorre nannten, sagte: «Der Schotte hat sich die Scherenblätter geschnappt, ehe sie ins Wasser fielen, und hat auf ihn eingestochen.»

Der erste Söldner, Lionetto, war rot geworden. «Der Junge hat die Scherenblätter genommen. Ihr habt doch gehört, wie der schottische Lord es verkündet hat. Der Junge hatte ihn ja schon einmal verletzt.»

«Da scheint einige Verwirrung zu herrschen», stellte der Kommandant nachsichtig fest. «Hat jemand genau gesehen, was vor sich ging?»

Dies wurde verneint, wie er es erwartet und womit er sogar gerechnet hatte.

Der schottische Lord, naß und müde nach dem Kampf, war mit seinen Dienern weggegangen. Der Aktuarius, der dem Jungen das Leben gerettet hatte, hatte auch nicht mehr gesehen als irgendein anderer. Es war nicht notwendig, daß der Kommandant sich noch weiter über einen unnützen Disput Gedanken machte. Der brave Pfandleiher Oudenin hatte angeboten, den Jungen in sein Haus zu tragen, bis er nach Brügge gebracht werden konnte. Der Schiffsarzt würde, wenn der Kommandant es erlaubte, die sofort benötigten Medikamente zur Verfügung stellen. Der kahlköpfige Mann, der Tobias Beventini hieß, war ebenfalls bereit zu helfen. Meester Tobias war ein sehr befähigter Wundarzt, der schon seit einem Jahr dem Söldnerheer dieses Lionetto angehört hatte.

Der Kommandant fand es etwas überraschend, daß einer von Lionettos Leuten einen Mann versorgte, der zum Stab von Lionettos Gegner gehörte. Tatsächlich erhob Lionetto auch Einspruch, aber der Wundarzt setzte seine Tätigkeit fort und schenkte seinem Hauptmann nicht die geringste Beachtung.

Offenbar erwartete der Kommandant jeden Moment einen Käufer, mit dem er über den Preis seines Candia-Weins verhandeln wollte. Er murmelte ein paar passende Bemerkungen, gab dann seinem Arzt, einem melancholischen und von der levantinischen Sonne gebräunten Mann, der sich Quilico nannte, völlig freie Hand, ging wieder an Deck und ließ den Griechen zur Beobachtung zurück, da dieser interessiert war.

«Ist die Wunde gefährlich?» fragte der Grieche.

«Ja», antwortete der kahlköpfige Mann. «Er braucht rasch Wärme und Pflege. Wenn wir erst einmal sehen, wie sich die Sache entwickelt, kann er auf dem Wasserweg nach Brügge gebracht werden.» Er blickte auf, seine Trinkeraugen waren zusammengekniffen. Er hatte einen kleinen, beweglichen Mund wie ein Fisch und ein bleiches Gesicht mit einem Flaum farblosen Haars rund um den Schädel. Er sagte: «Und falls Ihr mich danach fragen wollt, ich habe nicht gesehen, was passiert ist.»

«Ich bin», erwiderte der Grieche, «mehr an der Gesundung des jungen Mannes interessiert. Er wird vielleicht ständige ärztliche Betreuung brauchen.»

«Er wird sie bekommen», sagte der kahlköpfige Mann kurz angebunden. «Ich habe nichts zu tun. Messer Quilico wird in der Nähe sein. Der Pfandleiher ist hilfsbereit, und ich werde die Nacht über bei dem Jungen bleiben. Vielleicht kann man ihn morgen schon transportieren.»

Die Menge hatte sich zerstreut. Lionetto, der sich noch eine Weile dort aufgehalten hatte, machte plötzlich kehrt und ging mit seinen Freunden weg, aber ohne diesen Mann, den er Tobie nannte. Ein oder zwei Angehörige der Galeerenmannschaften standen noch herum, am nächsten natürlich der junge Charetty und der Aktuarius Julius, der sich über sein durchnäßtes Wams den schwarzen Talar geworfen hatte.

Der Söldner Astorre, der die ganze Schererei verursacht hatte, sagte: «Nun, mein Herr, wenn Ihr das meint, dann kann ich Euch versichern, daß die Witwe – das heißt die Demoiselle de Charetty, die seine Brotherrin ist, Euch am Ende nicht draufzahlen lassen wird. Schickt ihr die Rechnung. Oder an Meester Julius hier. Jetzt sollten wir aber gehen. Jonkheer Felix? Meester Julius?»

«Ihr geht», sagte der Aktuarius kurz angebunden. «Wir bleiben hier.»

Nicolai de' Acciajuoli sah ihn an. «Wenn Ihr mir die Bemerkung verzeihen wollt, glaube ich, daß es für die Demoiselle de Charetty vielleicht beruhigender wäre, wenn sie den Bericht aus Eurem Mund oder dem ihres Sohnes hörte als von ... jemand anderem. Gewiß würde der Arzt hier Euch dankbar sein, wenn Ihr ihm helft, den Jungen zu dem Pfandleiher zu bringen, von dem Ihr gesprochen habt. Aber Messer Quilico und Messer Tobias werden Euch bestimmt Nachricht geben, wenn sich an seinem Zustand etwas ändern sollte. Im übrigen übernachte ich selbst hier im Achterkastell und werde dafür sorgen.»

Ein selbstherrlicher Bursche! Zu diesem Schluß kam der Arzt Tobie, als er Zeit hatte, an etwas anderes zu denken als an die Aufgabe, seinen blutenden Patienten vom Kai in das Haus des Pfandleihers zu transportieren.

Oudenin, der offenbar erpicht darauf war zu helfen, brachte ihn einigermaßen bequem auf einem Strohsack in einem Raum unter, der, soweit Tobie sehen konnte, vollgestopft war mit Küchengeräten und Kleidungsstücken von Seeleuten. Nach einer unfruchtbaren Konsultation mit Quilico ließen sie ihn dann mit dem Jungen und den Vorräten an Medikamenten, mit denen der Galeerenarzt ihn versorgt hatte, allein.

Der Lehrling war immer noch bewußtlos. Einer, von dem es hieß, es sei nicht gut Kirschen essen mit ihm, der aber noch längst nicht mit einem Adligen fertig wurde, der auf seine Art mit ihm Kirschen essen wollte. Na schön. An die Arbeit, damit das Schlimmste vorbei war, wenn der Junge zu sich kam. Tobies Hände zitterten heute morgen nicht.

Der Teufel soll Lionetto holen. Tobias Beventini da Grado wußte, als er auf das reglose, mißhandelte Gesicht hinunterblickte, daß er dem Jungen nur half, um dem Hauptmann eins auszuwischen. Wenn er nicht aufpaßte, würde er wie ein Kind behandelt und müßte sich das alles gefallen lassen. Seit dem Tag, an dem die Schenke überschwemmt wurde, hatte Lionetto ihn in der Öffentlichkeit nie wieder beleidigt und würde es auch – zumindest im nüchternen Zustand – nie wieder tun. Und er, Tobias, würde es auch nicht mehr zulassen, wenn er nüchtern war. Lionetto brauchte einen guten Feldarzt, und er war in Pavia der Beste seines Jahrgangs gewesen. Es war seine Entscheidung gewesen, für Söldner zu arbeiten. Er wollte das immer noch. Die Hämorrhoiden des Dauphin und die Füße des Papstes waren etwas für Speichellecker wie seinen Onkel.

Er zog es vor, seine ärztliche Kunst gewöhnlichen Sterblichen wie diesem Jungen zukommen zu lassen. Gelbe Seifenblasen. Er erinnerte sich, daß er am Kran darüber gelacht hatte, als er die Kranführer versorgte, die auf ihre Nasen gefallen waren. Bei Gott, was war er betrunken gewesen. Aber es bestand kein Zweifel, dieser Junge bereitete den Erwachsenen eine Menge Ärger, und es war nicht verwunderlich, wenn sie dann und wann die Rechnung ausglichen.

Aber nicht so. Nicht, wie es dieser Schotte gemacht hatte.

Viel später, es war schon Nacht, rührte sich der Junge – Claes, hieß er so? – und machte die Augen auf, und der Arzt holte die Suppe, die er bereitstehen hatte, und flößte sie ihm löffelweise ein. Der Lehrling schien eine ganze Weile nicht zu begreifen, wo er sich befand oder was geschehen war, und sagte auch nichts, als Tobie sich nach seinem Befinden erkundigte. Dann schien er plötzlich seine Gedanken zu sammeln und antwortete leise und ganz vernünftig. Ohne gefragt worden zu sein, erklärte ihm der Arzt, wo er sich befand und was aus seinen Gefährten geworden war. Den Schotten Simon erwähnte er nicht, und er fragte auch nicht, woher Claes die Verletzung habe.

Als Tobie den Pfandleiher erwähnte, glaubte er, in dem geschundenen Gesicht ein seltsames Aufleuchten zu erkennen. Aber als er wieder hinsah, bemerkte er nur den Nachhall von Schock und Schmerzen und ein kreatürliches Erdulden. Nachdem sein Patient etwas zu sich genommen hatte, schlief er schließlich ein. Tobie fragte sich, ob der junge Mann jemals wissen würde, welches Glück er gehabt hatte, wie nah am Herzen ihn die Klingen durchbohrt hatten. Es war natürlich noch keineswegs sicher, ob er mit dem Leben davonkommen würde. Fieber würde eintreten. Die Fahrt nach Brügge würde beschwerlich sein. Noch dazu war Lionetto absolut imstande, für seinen Arzt eine Aufgabe zu finden, die ihm wenig Zeit ließe, sich um die Krankheit eines Widersachers zu kümmern. Ja. Er würde entscheiden müssen, was in bezug auf Lionetto geschehen sollte.

Jetzt, da sein Patient schlief, schlüpfte Tobie leise hinaus und gesellte sich zu dem Pfandleiher und dessen Tochter, denn sie hatten ihn zum Essen eingeladen. Die Tochter sprach dauernd von Felix, und er fragte sich, ob da eine Liebesaffäre im Gange sei, fand es aber zu langweilig, der Sache nachzugehen.

Er hatte ein Licht am Strohsack des jungen Mannes brennen lassen, und die Tür war angelehnt, so daß er das Zimmer geräuschlos betreten konnte. Als er zurückkam, sah er, ohne gesehen zu werden, daß sein Patient wach war und seine Lage auf dem Kissen etwas verändert hatte, so daß ihn jetzt das Licht von hinten beschien. Es war eine besonders helle Wachskerze, die Tobie hatte brennen lassen. Sie schien auf Oudenins Messingtöpfe und Kupferkessel, die das Licht abgeschwächt auf das Gesicht des Verletzten zurückwarfen.

Tobie betrachtete es eingehend. Die breite, niedrige Stirn, die verfärbten Backenknochen und die geschwollenen, auffälligen Lippen. Die dunklen Augenhöhlen, groß wie Tropfenfänger an Kandelabern. Das Haar, das getrocknet war wie gewalkte Wolle. Das Gesicht eines Hanswurst, auf das Kissen gepreßt, wo etwas glitzerte, erlosch und dann wieder glitzerte.

Bis er sicher war, blieb Tobie stehen und beobachtete ihn. Dann zog er sich vorsichtig zurück. Die Stimme, die der Junge brauchte, war nicht die eines Arztes. Die Stimme, die ihm hätte helfen können, gab es nicht. Tobie konnte nichts tun. Und der arme, alberne Narr wollte sowieso keine Hilfe. Sonst würde all das nicht so geschehen, wie es geschehen war, in schmerzlichem, vollkommenem Schweigen.

Kapitel 9

Über die gefährliche Begegnung des Charetty-Lehrlings und des Schotten wurden die Bewohner der Stadt am Abend unterrichtet, und die Angelegenheit wurde kurz besprochen. Man beschloß abzuwarten und zu sehen, ob die Natur nicht vielleicht das Problem aus der Welt schaffen würde. Andererseits wußte man, daß Meester Tobias Beventini da Grado ein vortrefflicher Wundarzt war.

Wenn man bedenkt, daß er die meiste Zeit mit seinen eigenen Schwierigkeiten kämpfte, entsprach Doktor Tobie den gehegten Befürchtungen oder Erwartungen. Er ließ seinem Patienten die nötige medizinische Pflege zuteil werden. Und als die Zeit kam, ihn nach Brügge zu bringen, fand er etwas, um den Jungen unempfindlich zu machen sowohl gegen die Strapazen der Fahrt als auch gegen etwaige Versuche, ihn auszufragen. Es war dem schlauen Doktor schon klargeworden, daß es Ärger geben könnte, je nachdem, wer angeblich wen zu töten versucht hatte. Tobie hatte schon früher einmal einen Mann zusammengeflickt, der dann am Galgen endete. Das indes war nicht seine Angelegenheit.

In Brügge lieferte er den Jungen im Haus seiner Brotherrin ab, vergewisserte sich, daß er gut untergebracht war und ging mit der erklärten Absicht weg, sich endlich zu betrinken. Tobie merkte, daß er sich die Verachtung des Charetty-Erben Felix eingehandelt hatte. Soviel zu Felix. Wenn jemand Hilfe brauchte, dann war Quilico da. Tobie fragte sich, nachdem er gesehen hatte, was sich in Quilicos Verbandskasten befand, was dieser in all den Jahren in den Kolonien eigentlich behandelt hatte. Er nahm sich vor, demnächst ein langes Gespräch mit dem levantinischen Doktor zu führen.

Felix' wütenden Blick hatte er richtig gedeutet. Erstaunlicherweise hatte die ganze Angelegenheit Felix in höchste Erregung versetzt. Sein leidenschaftliches Eingreifen am Kai war natürlich die Folge von verletzter Würde: ein unwiderstehlicher Drang, seine Mutter zu verteidigen, ihren Betrieb und Claes, der das Eigentum dieses Betriebs war. An sich waren diese Emotionen neu für ihn. Ob eines dieser beschützerischen Gefühle sich auf Claes als Person bezog, darüber dachte Felix nicht nach und wäre beleidigt gewesen, wenn man ihn danach gefragt hätte.

Felix verschlief an dem entscheidenden Morgen. Sonst hätte er sich im Morgengrauen mit Julius und seiner Mutter auf den Weg gemacht, um Claes in Sluis abzuholen. Als sie zurückkamen, trieb er sich in der Nähe herum und war allen im Weg, als die ungewöhnlich reglose Gestalt, in Decken eingehüllt, am Ende des Hofs aus dem Kanalboot ausgeladen und auf einem Karren in die Privatgemächer der Demoiselle gebracht wurde und nicht in den Gemeinschaftsschlafsaal, in dem zuviel Unruhe herrschte. Als Felix' Schwester Tilde in Tränen ausbrach, wurde er grob zu ihr.

Es ärgerte Felix, daß Claes nicht bereit oder imstande war, mit ihm zu reden, und daß, als er offenbar verrückt wurde und Fieber bekam, es Julius war, dem der eine oder der andere Arzt Anweisungen erteilte, und Julius und seine Mutter an Claes' Bett saßen und sich um ihn kümmerten, wenn sie Zeit hatten.

Drei Tage lang wurde Felix die Tür vor der Nase zugemacht. Es war ungerecht. Er brauchte einige Auskünfte von Claes. Als er sich am vierten Tag wieder zu beschweren begann, schnitt ihm seine Mutter mit ungewöhnlicher Schärfe das Wort ab. Wenn er Claes die Geschichte aus der Nase ziehen wolle, dann könne er das gern versuchen, erklärte sie ihm.

Felix war nicht zu bremsen. Ohne jede Hemmung stürzte er ins Krankenzimmer, verscheuchte ein errötendes Mädchen, das mit einem Tablett zwar schon auf dem Weg nach draußen war, aber noch zögerte, und setzte sich auf einen Hocker neben Claes' Bett.

«Nun, wer war es?» fragte er. Er beugte sich vor. «Du solltest dein Gesicht sehen! Ich werde einen Spiegel holen. Erinnerst du dich an die Küpe, bei der alles schiefgegangen war und der Stoff grau und gelb gestreift herauskam?»

Eigentlich war Claes doch ganz normal, denn man sah seine Grübchen schon wieder. Seine Stimme klang fast wie immer: «Du hättest mich gestern sehen sollen. Was ist mit Astorre los?»

«Er hat Mutter einen Heiratsantrag gemacht. Schon gut, ich kann's nicht ändern, wenn dir das Lachen weh tut. Er sagte, Lionetto habe ihre Ehrbarkeit in Zweifel gezogen, und er habe vor, das in Ordnung zu bringen.»

«Hat sie den Antrag angenommen?» fragte Claes.

«Sie hat gesagt, sie werde ihn die Antwort zur gleichen Zeit wie Oudenin wissen lassen. Und du kannst dir gar nicht vorstellen, wie erpicht Oudenin darauf ist, sie zu heiraten. Weißt du was? Er hat diesen Negerjungen gekauft. Du weißt schon, der nach dem Glas getaucht ist, das du zerbrochen hast, du alberner Idiot. Oudenin hat den schwarzen Jungen gekauft und ihn Mutter zum Geschenk gemacht. Meiner Mutter...! Hör mal, ich kann's nicht ändern. Du hast danach gefragt», sagte Felix ungehalten. «Soll ich jemanden holen?»

Er beobachtete interessiert, wie Claes' Gesicht erst gelb wurde und dann wieder blaß. Dann half er Claes, als dieser sich übergab, wie es jeder, der je in eine Schenke ging, zu tun gewohnt war, und als er Claes' Kopf wieder auf das Kissen fallen ließ, sagte er verdrossen: «Ich kann mich nicht viel mit dir unterhalten, wenn du bloß spuckst.»

Mit geschlossenen Augen feixte Claes: «Erzähle mir was Trauriges.»

«Anselm Adorne ist heute morgen gekommen», sagte Felix. Es war die langweiligste Neuigkeit, die ihm einfiel. «Ach ja, und Mabelie ist zweimal hiergewesen, jetzt wissen also alle, daß du sie immer noch siehst. Und Lorenzo. Und John. Und Colard, der etwas von Farbstoffen sagte. Wenn du diesen Malern Koschenille versprochen hast, wird Mutter dir die Ohren abreißen.»

«Sie kann sie haben», sagte Claes verschlafen. «Dann bliebe mir dein Gerede erspart.»

«Na hör mal, ich bin extra hergekommen, um dich zu sehen.» Felix stand wütend auf. Plötzlich fiel ihm ein, daß er sich von dem eigentlichen Zweck seines Besuchs hatte abbringen lassen. «Du hast ja gar nichts gesagt. Dieser Mistkerl Simon. Hat er das gemacht?»

Claes' Lippen, die wieder ihr normales Ausmaß hatten, gaben ein geruhsames Schnaufen von sich. Felix, der auch daran gewöhnt war, öffnete seinem Gefolgsmann die Augen, indem er einfach eine Handvoll Haare packte und daran zog. «Simon?» fragte er.

«Pontius Pilatus», sagte Claes ziemlich mürrisch und ließ sich nicht wieder aufwecken.

Normalerweise hätte Felix nicht lockergelassen, aber, wie er verwundert feststellte, schob Julius ihm, Felix, die ganze Schuld an einer angeblichen Verschlechterung von Claes' Zustand zu und untersagte ihm für einen Tag, das Zimmer zu betreten. Sogar Tilde und Catherine durften vor ihrem älteren Bruder hinein.

Claes gehörte zu der Sorte, die im allgemeinen schnell wieder auf die Beine kommt, und er war kräftig. Er wurde überdies, wenn auch unregelmäßig, von zwei Ärzten betreut. Wenn Quilico nicht da war, schaute Tobie oft herein und war meist nüchtern. Einmal kamen sie beide zur gleichen Zeit, gingen gemeinsam weg und betranken sich. Am Tag danach setzte sich Tobie aufs Fensterbrett in Claes' Zimmer und fragte: «Warum das Interesse für Pflanzen?»

Claes, in Verbände gewickelt und auf Kissen gebettet, sah aus wie der Gipsabdruck eines Römers mit Augen so rund wie Prägestempel. Er war wieder gut bei Stimme und hatte gerade vortrefflich Quilicos Redeweise nachgeahmt und wiederholt, was er bei seinem letzten Besuch gesagt hatte, einschließlich vieler griechischer Kraftausdrücke. Tobie begriff, daß Claes sich auch seine, Tobies, Sprachgewohnheiten und Verhaltensweisen einprägte. Es war manchmal ziemlich schwierig, seine normale Ausdrucksweise beizubehalten, wenn man mit Claes sprach.

Jetzt sagte Claes: «Ich wollte Quilicos Aufmerksamkeit erregen. Ich wollte nicht, daß er einen Einlauf machte. Ärzte und Färber können immer über Pflanzen reden. Ich möchte vielleicht ein Haarfärbemittel haben und Ihr einen Liebestrank. Oder umgekehrt.»

Sich mit Claes zu unterhalten war wie das Gehen auf Treibsand. «Wie ich höre», sagte Tobie, «habt ihr über Alaun gesprochen. Ärzte brauchen es, um Blut zu stillen, und Färber, um ihre Farbe zu fixieren. Und weißt du was, ich habe eine kleine Nachforschung angestellt. Ehe die Türken das Alaun-Monopol übernahmen, kamen allein nach Florenz jährlich dreihunderttausend Pfund davon. Für die Arte della Lana. Die Weber.»

«Na so was, Meester Tobias!» Claes schüttelte vor Verwunderung den Kopf. Er sah erfreut aus.

«Also?» fragte Tobias. «Stechpalmen zum Beispiel. Den Rest habe ich auf einem Zettel. Du bestimmt auch. Alle Pflanzen, die auf den phokaischen Alaun-Gruben wachsen.»

Claes sah immer noch erfreut aus. «Aber das ist sehr weit weg, Meester Tobias. Im Osten des Mittelmeers. Jenseits von Chios. Bei Smyrna. Und die Türken haben da die Macht übernommen. Ihr könntet kein Haarfärbemittel von da bekommen. Und auch keinen Liebestrank.»

Tobias Beventini war ein ungeduldiger Mann, aber er konnte, wenn es sein mußte, eine Provokation ignorieren. «Hat er dir gesagt, wo diese Pflanzen sonst noch wachsen?» fragte er.

Er wartete. Er versuchte, gelassen auszusehen. Ein paarmal war Quilico auf die Sache zu sprechen gekommen. Und dann hatte er noch etwas getrunken. Und dann lag er besoffen unter der Bank.

«Ja», sagte der Charetty-Lehrling. Seine Augen glänzten ein bißchen zu sehr, doch lächelte er immer noch. «Aber Ihr braucht kein Haarfärbemittel. Und außerdem habe ich den Namen des Ortes schon vergessen, und Meester Quilico ist nicht mehr in Brügge. Ich weiß nicht, ob Ihr es gehört habt? Er hat sich fürchterlich betrunken, der Kommandant war wütend und hat ihn auf eine Galeone verfrachtet, die nach Djerba fuhr.»

«Weißt du, was du tust?» fragte Tobie.

Er wußte, er müßte aufhören. Er war Arzt. Auch der Junge wußte genug, um nicht die Beherrschung zu verlieren. Er sagte: «Ihr wißt ja, wie Menschen auf dem Krankenbett phantasieren. Ihr könntet mich ja noch mal auf die Probe stellen, wenn ich gesund bin, um festzustellen, ob ich dasselbe sage.»

«Mach dir keine Sorgen. Du hast nichts gesagt. Schon gut. Leg dich hin. Ich weiß gar nicht, warum ich mit dir rede.»

«Nein?» fragte Claes. Er hatte die Augen geschlossen, aber er sah immer noch ganz heiter aus. Sogar verschmitzt.

Tobie kam nicht darauf zurück: Es war nicht nötig. Und außerdem konnte er auch keinen Entschluß fassen, was er nun unternehmen sollte.

Nach einer Woche konnte Claes aufstehen und nach einer weiteren angezogen unten sitzen, einen Haufen Bücher und Schriftstücke auf dem Schoß, während Julius die mühsamen Schreibarbeiten abschloß, die nach verschiedenen Einkäufen der Witwe zu erledigen waren. Als sie einmal so zusammensaßen, stürzte Felix ins Zimmer und schrie wutentbrannt: *«Was soll das?»*

Julius legte seine Feder nieder. Claes schaute auf.

«Nicht jetzt, Felix», sagte Julius.

«Ihr habt mir nichts erzählt», protestierte Felix. «Ich habe es eben gehört. Ihr habt mir nichts erzählt.» Seine zornigen Augen wanderten von Claes zum Aktuarius seiner Mutter und wieder zurück. «Wenn du weggehst, gehe ich mit», sagte er in einem Ton, der für jemanden, der Felix nicht kannte, wie eine bedingungslose Beteuerung von Treue und Ergebenheit klang, aber in Wirklichkeit, wie Julius sehr wohl wußte, hauptsächlich Gekränktheit verriet.

«Deine Mutter wollte zuerst mit Claes sprechen, Felix. Geh nach oben. Deine Mutter wird über all das später mit dir reden.»

Claes, der nicht zu der Schicht gehörte, die Takt kennt, sah fragend von Julius zum Sohn seiner Brotherrin, statt ruhig mit seiner Arbeit fortzufahren. Julius machte den Mund auf. Felix kam ihm zuvor.

«Sie schicken dich weg. Nach...»

«Felix!» sagte sein Lehrer mit jenem Nachdruck, dem Felix sich manchmal doch fügte. Dann stand Julius auf, bedeutete Claes sitzenzubleiben und führte Felix energisch aus dem Zimmer und machte die Tür hinter sich zu. Als er sie zehn Minuten später wieder öffnete, geleitete er seine Brotherrin zu seinem eigenen hochlehnigen Stuhl hinter dem Schreibtisch.

Claes erhob sich von seinem Hocker und blieb stehen, die strahlenden Augen auf Marian de Charetty gerichtet, als sie sich hinsetzte. Julius ging hinaus. Auf einen Wink von ihr setzte Claes sich wieder. Es herrschte kurzes Schweigen, während sie ihn prüfend ansah. Dann sagte sie: «Ja, ja, Claikine.»

Es war ein Name, an den er gewöhnt war: So wurde er als Kind genannt, als er, verwahrlost und schmutzig, zu den Charettys kam. Sie hatte ihn um ihrer Schwester willen aufgenommen. Ihre Schwester war mit dem unerwünschten Kind zwar nicht verwandt, hatte aber in die Familie eingeheiratet, die es hervorgebracht hatte: die Familie de Fleury in Dijon und Genf.

Vor einigen Wochen hatte Marian de Charetty, wenn sie an Claes' Bett saß, dann und wann diesen Kindernamen benutzt, um sein Bewußtsein wachzuhalten oder seine Gedanken zurückzuholen, wenn sie in seiner Benommenheit eine Richtung einschlugen, die kaum Genesung verhieß. Aber in den letzten beiden Wochen hatte sie seine Pflege anderen überlassen.

Er lächelte und sagte: «Ihr braucht mir nichts schonend beizubringen, Demoiselle. Natürlich nicht. Ich bin nur dankbar, daß Ihr mich behalten habt und so freundlich wart in den letzten Wochen, als ich mich nicht nützlich machen konnte.»

Sie fragte sich, was ihm von seinen ersten Fiebertagen in Erinnerung geblieben war, von den Nächten, in denen ein ängstliches Dienstmädchen sie zu Hilfe holte und sie nicht wie am Tag gekleidet war: nicht das dicke, taillierte und hochgeschlossene Kleid mit den engen Ärmeln trug, nicht die Samthaube mit den hochgeschlagenen steifen Zipfeln und dem drahtverstärkten Stirnansatz, die ihr ganzes Haar bedeckte. Sie war wirklich ein Segen, diese Haube. Wenn sie grau wurde, würde niemand es merken. Wenn sie mollig wurde, konnte ihre Schleppe hochgesteckt werden, um es zu verbergen.

Aber war das überhaupt wichtig? Weder Astorre noch Oudenin oder einer von denen, die ihr sonst noch einen Antrag gemacht hatten, wußten, wie sie wirklich aussah, ebensowenig wie Cornelis in den letzten Jahren seiner Krankheit. Sie war die Witwe de Charetty mit einer etwas spitzen Zunge, hatte ein etwas barsches Wesen und besaß einen gutgehenden mittleren Betrieb, der ausbaufähig war.

Zu dem jungen Mann, den sie kannte, seit er zehn war, damals, als sie glücklich verheiratet war mit dem tatkräftigen, fröhlichen Cornelis, sagte sie gereizt: «Du vermutest, daß du weggeschickt wirst, und du beklagst dich nicht, du stellst keine besorgten Fragen. Willst du nicht einmal wissen, wohin du geschickt wirst?»

«Ihr kennt meinen großen Fehler», erwiderte Claes. «Ich bin leicht zufriedenzustellen.» Er lächelte noch gewinnender und fuhr fort: «Ich möchte Euch nicht verärgern, aber ich bin sicher, es muß eine besonders reizvolle Gegend sein, wenn Felix mitkommen will.»

«Du bist zwischen ihn und Lionetto getreten. So habe ich es jedenfalls gehört.»

Er antwortete nicht, sondern sah sie unverändert freundlich an. Er wollte sie nicht über Felix täuschen, und sie durfte sich auch nichts vormachen. Sie hörte sich sagen: «Es ist nicht Felix' Verhalten, das mich beschäftigt, sondern deins. Du hast Felix beschützt, und das war der Anlaß für die späteren Scherereien. Jetzt entlassen zu werden muß dir wie der Gipfel der Undankbarkeit vorkommen.»

Wieder kam er allem zuvor, was sie hatte sagen wollen. «Ach wo. Ich habe mich schon lange vorher eingemischt. Ich hab mich selbst auf den Marktplatz begeben.»

Er hatte als Kind Französisch gesprochen, und sein Flämisch hatte immer noch einen leichten Akzent. Wenn er nicht gerade schauspielerte oder jemanden nachmachte, klang seine Stimme weich, ruhig und sachlich, selbst wenn er eine solch vieldeutige Bemerkung machte, die ihr einen Augenblick lang die Sprache verschlug. Bei einer Zunftsitzung oder bei einer heiklen Verhandlung in einem Hansekontor mit drei Gesprächspartnern dachte sie manchmal an Claes und daran, daß solche Momente immer häufiger auftauchten.

«Dann vermagst du vielleicht zu erraten», sagte sie schließlich, «wer bereits an mich herangetreten ist, um deine Dienste zu erbitten.»

Ein solches Lächeln, wie es ihr jetzt zuteil wurde, war ihr noch nie bei einer Zunftsitzung geschenkt worden. «Mag sein», erwiderte er. «Aber sicherlich erwartet Ihr nicht, daß ich es sage.»

Sie ordnete die Papiere, die vor ihr lagen. «Ich habe ein Ersuchen von Ser Alvise Duodo erhalten, dem Venezianer. Wenn ich bereit bin, dich freizugeben, wird er dich bis zum Frühjahr an Bord der Flandern-Galeeren beschäftigen und dir dann auf der Heimreise eine Ausbildung zukommen lassen, die dir einen bezahlten Posten in Venedig verschaffen wird. Er möchte ein Einstellungsgespräch mit dir führen.»

«Und das andere?» fragte Claes ernst.

«Das andere Angebot kommt vom Dauphin. Vom Kronprinz Louis von Frankreich, der sich augenblicklich bei Meester Bladelin aufhält. Er erinnert sich offenbar genau, daß er bei einem seiner Besuche in Löwen dich und Felix kennengelernt hat. Felix hat mit ihm ein Gespräch über die Jagd geführt. Er bietet dir einen Posten als Jäger an in Verbindung mit dem eines – wie er sagte – wendigen Laufburschen. Die Stellung fand er zu untergeordnet für meinen Sohn.»

«Aber Felix möchte sie haben.»

Diesmal zog sie es vor, nicht zu antworten, sondern ihn zu beobachten und darauf zu warten, daß er bei diesem heiklen Spiel den Schlag erwiderte... vier, fünf, sechs solcher Gespräche hatte sie vielleicht mit ihm geführt, seit er, wie sie festgestellt hatte, plötzlich der Kindheit entwachsen war. Sechs solcher Gespräche in vernünftigem, zeitlichem Abstand.

Mabelie war zweimal hiergewesen; sie konnte auf Unterhaltungen nicht verzichten.

«Ach so», fuhr Claes fort, «ich verstehe. Felix sehnt sich danach, der Jäger des Dauphin zu werden, aber er weiß nicht, daß es noch ein drittes Angebot gibt. Da muß ich mich geschlagen geben. Ich weiß nicht, was das sein könnte.»

«Es ist mein Angebot», erklärte Marian de Charetty. «Daß du dich Hauptmann Astorre und seinen Söldnern auf ihrer Fahrt nach Italien anschließt und, wenn er dich geeignet findet, bei ihm bleibst, um jeden Kontrakt, den er in meinem Namen abschließen mag, durchzuführen. Wenn der Kontrakt erfüllt ist, kannst du wählen, ob du dort bleiben oder hierher zurückkommen willst.»

Er errötete. Eine spontane Gefühlsregung war das letzte, was sie erwartet hatte. Nun war sie ganz erschüttert. Doch selbst in diesem Augenblick konnte sie nicht sagen, ob sie Freude oder Furcht empfand.

Um ihm Zeit zu geben, sagte sie: «Du und Julius, ihr habt immer behauptet, die Söldnertruppe sei die lukrativste Seite des Geschäfts. Nach dem, was Astorre mir gesagt hat, habe ich guten Grund, das zu glauben. Der Herzog von Mailand und der Papst werben Söldner an für den Krieg gegen Neapel. Wir haben gut ausgebildete Lanzenträger auf Reservesold, die bloß einberufen zu werden brauchen. Mit den besten von ihnen wird Hauptmann Astorre vor Weihnachten auf dem Landweg nach Mailand ziehen. Wenn er einen Kontrakt erhält, wird er im Frühjahr noch mehr Männer anfordern.»

«Aber auf den Flandern-Galeeren würde ich genausogut außer Reichweite von Lord Simon sein.»

Damit wollte er sie auf die Probe stellen. Aber über diese Sache hatte sie viele Nächte lang nachgedacht. «Glaubst du etwa, du wirst von Simon aus der Stadt gejagt? Davon ist nicht die Rede. Du behauptest, die Scherenblätter seien ins Wasser gefallen und hätten sich zwischen euch verklemmt. Lord Simon will offenbar nichts dazu sagen, nur daß er bedauert, seinem Rang dadurch Schande gemacht zu haben, daß er sich von seinem Zorn hat hinreißen lassen, einen Diener zu züchtigen. Suchte er jetzt nach dir oder griffe dich an, würde er sich lächerlich machen.»

«Und Ihr glaubt nicht, daß *ich* ihn angreifen würde?»

«Ich kenne dich, glaube ich. Darum habe ich Astorre gefragt, ob er dich nehmen will. Es gibt manches, was du noch lernen mußt.»

«Zum Beispiel, wie man kämpft.» Sein Ton war weder scherzhaft noch bitter, sondern beiläufig, als ob er mit den Gedanken ganz woanders wäre. «Demoiselle, ich bin zufrieden; wenn Ihr mich kennt, dann wißt Ihr das.»

«Aber du hast dich selbst auf den Marktplatz begeben.» Sie sagte es ein wenig traurig. Und als er nicht antwortete, fuhr sie fort: «Du mußt wissen, daß die Stadtväter besorgt sind. Sie werden keine Forderungen stellen in bezug auf das, was geschehen ist, und sie werden mir auch nicht befehlen, dich wegzuschicken. Aber es wäre klug, Brügge für eine Weile zu verlassen.»

Sie unterbrach sich wieder, und Claes fragte: «Genf liegt auf dem Weg nach Mailand. Wird Hauptmann Astorre dort vorsprechen? Ist es das, was ich noch lernen muß?»

Wenn Claes etwas wissen wollte, konnte man der Intensität seines Blicks nicht entgehen. Er sah nicht bekümmert aus, obwohl sein Gesicht hohlwangiger war als gewöhnlich und hier und da die zarten Regenbogenfarben aufwies, die Felix, wie er sagte, an die Glasfenster der St. Salvator-Kathedrale erinnerten.

Zu Marian de Charetty war Claes aus Genf gekommen, aus der Küche von Jaak de Fleury, dessen Nichte Claes' verstorbene Mutter gewesen war, die ihn unehelich geboren hatte. Marian de Charettys Schwester Michelle war Thibault de Fleurys zweite Frau gewesen. Sie war ebenfalls tot, und Thibault war alt und nicht mehr ganz bei Sinnen, aber Jaak de Fleury war immer noch erfolgreich tätig. Seinem Pferd, seinem Esel und seiner Frau ging es gut und sein schönes Handels- und Bankgeschäft, dessen Hauptsitz in Genf war, florierte.

Das Leben war ungerecht. Die Demoiselle de Charetty hatte Jaak seit vielen Jahren nicht gesehen, seit Cornelis' Tod nicht mehr, aber auch vorher schon lange nicht. Das einzige, was sie und die Firma de Fleury jetzt noch gemein hatten, waren ihre Handelsbeziehungen, die hartnäckig aufrechterhalten wurden, weil beide Firmen darauf angewiesen waren, trotzdem hatten sie kein herzliches Verhältnis, kein persönliches Interesse aneinander oder freundschaftliche Beziehungen. Sie mochte Jaak de Fleury nicht, und er mochte sie nicht.

Und da sie ihn nicht mochte, konnte sie sich vorstellen, welche Gefühle Claikine hegte. Allerdings hatte er über seine Genfer Zeit nie gesprochen. Jedenfalls nicht bewußt.

Jetzt schickte sie ihn dorthin, für wie lange Zeit auch immer. Sie sah ihn direkt an und sagte: «Ja, Astorre wird die Fahrt in Genf unterbrechen. Wovor hast du Angst?»

Er sah hinunter auf seine geflickte Hose und glättete ein ausgebeultes Knie mit einem Finger, an dem schon fast keine blaue Farbe mehr war. In dem kleinen Arbeitszimmer, das nur für Julius bestimmt war, schien er die ganze Luft und die ganze Fußbodenfläche in Beschlag zu nehmen, obwohl er doch vorgebeugt auf dem niedrigen Hocker saß. Er lachte plötzlich und sagte: «Ihr würdet überrascht sein, Demoiselle. Ich glaube, vor dem Spott, den ich ja nicht herausgefordert habe.»

«Dann solltest du lernen, damit fertig zu werden. Wie ich schon gesagt habe, du hast noch eine Menge zu lernen. Hauptmann Astorre hat nichts dagegen, dir was beizubringen. Du wirst auch von Julius lernen. Ich hoffe, Julius sieht ebenfalls ein, daß er manches von dir lernen kann. Wenn du nicht hier bist, sind seine Ausgaben für Felix' akademische Ausbildung oft unglaubwürdig hoch.»

Der Finger auf seinem Knie hielt inne, und er sah sie an.

Sie beantwortete den fragenden Blick mit einer Ruhe, die sie nicht zu spielen brauchte. «Ja. Julius will auch nach Italien gehen. Übrigens hoffe ich, daß du dich bei ihm bedankt hast für das, was in Sluis geschehen ist.»

«Ja, natürlich. Warum will er mit Astorre mitgehen? Was hat er vor? Wer wird Euch hier im Betrieb helfen?»

Ihre Besorgnis wich für Augenblicke einer Belustigung. «Warum er weg will? Julius ist ehrgeizig. Eine gut geführte Söldnergruppe braucht einen Aktuarius, einen Zahlmeister, einen Kassenführer. Er wird gut dabei verdienen, und er wird die Autorität haben, nach der er sich sehnt. Und was den Betrieb betrifft, so denkt Julius wohl nicht, daß der Pfandleiher Oudenin ihn ersetzen wird, ehe der Kontrakt endet. Aber Julius weiß, daß ich ihn nicht zum Teilhaber mache, weder jetzt noch in der Zukunft. Ich brauche jemanden, der klüger ist.»

Schweigen.

Sie wußte, daß alles, was sie gesagt hatte, verstanden worden war. Und fast alles, was sie gedacht hatte. «Ich glaube», fuhr sie fort, «ich kann es schaffen. Vielleicht stelle ich vorübergehend jemanden ein. Das ist meine Sache. Deine Sache ist deine unmittelbare Zukunft. Du hast drei Angebote. Welches willst du annehmen?»

Sie konnte sehen, wie sein Körper die Entscheidung traf: er streckte die Arme aus, so daß sich seine großen Hände auf den Knien versteiften, und nachdem er tief Luft geholt hatte, strafften sich die Muskeln, die ihn auf dem niedrigen Hocker eine höfliche und aufmerksame Haltung hatten einnehmen lassen.

«Habt Ihr daran gedacht, daß Ihr von dem Galeeren-Kommandanten oder dem Dauphin nach dem Gesetz eine Vergütung dafür erhalten würdet, daß Ihr mich aus dem Lehrverhältnis entlaßt?»

Sie hatte eine Antwort erhalten. Dennoch blieb ihre Stimme ruhig. «Jedesmal, wenn ich meine Debetspalte ansehe, denke ich daran. Wenn du statt dessen für mich nach Mailand gehst, werde ich als Ausgleich große Summen verlangen. Habe ich es richtig verstanden, daß du dich für Astorre und Italien entschieden hast?»

Er hatte offensichtlich resigniert. «Ich habe keine Wahl. Ich bin dazu erzogen worden, Euch aufs Wort zu gehorchen. Ihr schickt mich nach Mailand. Da gehe ich hin.»

«Welch Martyrium», sagte die Witwe. «Wir werden versuchen, deine Abreise zu überleben.»

«Ich zweifle nicht daran», sagte Claes zerstreut. Seine Gedanken kreisten offenbar um das Geschäftliche. «Was die Färberei betrifft», fuhr er fort, «so glaube ich gehört zu haben, daß Ihr und Meester Julius der Meinung seid, wenn die Walk- und Appretierarbeiten vergeben werden sollten, wäre Henning – unterstützt von Lippin – froh, seine ganze Aufmerksamkeit dem Färben widmen zu können. Und so eine Art fröhlicher Schreiber – so was gibt es, wie wir alle wissen – könnte mit Jonkheer Felix arbeiten, da es ihn ja jetzt interessiert, was im Betrieb vor sich geht. Und das Anlagegeschäft in Löwen kann eine Weile sich selbst überlassen bleiben, aber es muß wirklich noch mehr Geld anziehen, sagt Julius. Ich frage mich, ob Astorre, Julius und ich da helfen könnten.»

«Ihr könnt bestimmt helfen. Wenn ihr einen Kontrakt bekommt, Neapel zu besetzen, dann wird das dem Betrieb hier das effektiv benötigte Kapital verschaffen.»

«Ja, natürlich, aber ich habe an etwas anderes gedacht. Wenn Ihr wollt, könntet Ihr uns mit einer Handelskarawane nach Süden schicken. Ihr wißt schon. Händler und Geschäftsleute, die nach Italien reisen und Schutz brauchen. Waren, die unter Geleitschutz über die Alpen gebracht werden sollen. Und am besten würde es sich bezahlt machen, Kisten mit Wechseln und Geschäftsberichten der Banken in Flandern ihren italienischen Zentralen zuzustellen. Ein Winter-Kurierdienst. Die Banken würden Euch eine Vergütung zahlen, und ich könnte das alles auf dieser Fahrt mitnehmen. Mit einer bewaffneten Eskorte dieser Größe könnten sie sogar Silber mitschikken. Und wenn sie mit uns zufrieden sind, werden sie vielleicht erneut an Euch herantreten. Ihr müßtet dann Eure eigenen Kuriere ausbilden.»

«Das müßte ich», sagte Marian de Charetty bedächtig. Bedächtig, denn erstaunt erkannte sie die Folgerungen aus dem, was er gesagt hatte, und begann die Größenordnung der Entscheidung zu ahnen, die er gerade getroffen hatte. Er war achtzehn.

Sie hatte gewußt, daß sie ihn aus Brügge wegschickte, aus der Geborgenheit herausriß. Sie hatte gewußt, daß sie ihn zwang, nach Genf zu gehen, wo er als Kind so unglücklich gewesen sein mußte. Und trotz Astorres Behauptung, der Krieg um Neapel sei defensiv, es werde im nächsten Jahr keine Kämpfe mehr geben, hatte sie gewußt, daß sie Claes nach Italien schickte, damit er das Kriegshandwerk erlerne und am Krieg teilnehme und daß er, wenn er oder falls er zurückkehrte, ein anderer sein werde.

Jedoch er mußte lernen, sich zu verteidigen. Und er *hatte* sich ja tatsächlich eingemischt, wie er selbst zugegeben hatte.

Sie sah ihn an, und er sagte: «Es wird schon gutgehen, Demoiselle.» Dann setzte er zur Beruhigung rasch ein verschmitztes Lächeln auf.

Sie lächelte auch, heiter und gelassen. Das konnte sie gut.

Für die Handelsfürsten von Brügge war das wichtigste gesellschaftliche Ereignis dieses Herbstes das Bankett, das Pieter Bladelin, der reiche Schatzmeister des Herzogs, für den Kommandanten der Flandern-Galeeren gab. Es fand in dem rötlichen Backsteinpalast des Schatzmeisters mit dem spitz zulaufenden Achteckturm in der Naaldenstraat statt.

Wäre der Herzog in der Stadt gewesen, hätte das Bankett im Prinsenhof stattgefunden, was interessanter gewesen wäre, denn wie jedermann wußte, gab es da eine neue Badewanne und mehrere prächtige Ruheräume (hieß es), voll mit Früchten und Blumen und Leckereien und Parfum und anderen außergewöhnlichen Luxusdingen, die während und nach dem Bad für die Gäste bereitstanden.

Bei früheren Aufenthalten des Herzogs in der Stadt war bekannt geworden, daß er mindestens zweimal aus der Schar der Gäste, die er in den Prinsenhof geladen hatte, eine neue Mätresse ausgewählt hatte. Wenn die Dame sich als fruchtbar erwies, dann hatte die betreffende Familie ausgesorgt. Der Herzog war all seinen Bastarden gegenüber sehr großzügig, und auch später hatten weder seine Mätressen noch deren jeweilige Ehemänner Grund zur Klage.

Katelina van Borselen hatte über all das in ihrer Familie und der ihrer Cousinen oft genug reden hören. Die schönen Einladungen von Bladelin brachten das Thema wieder zur Sprache. Die de Veeres hatten zugesagt, und Katelinas Vater auch. Da ihre Mutter in Seeland war, schlug Katelina, im Umgang mit Fürsten geübt, vor, statt der Mutter am Bankett teilzunehmen.

Die de Veeres waren alle der Ansicht, daß das Haus des Schatzmeisters Bladelin repräsentativ sei, was auch zu erwarten war in Anbetracht der Ämter, die er innehatte, und der vielen Jahre, in denen er sich als Sohn eines Leinwandfärbers der Gunst des Herzogs erfreute.

Katelina, die dies schon vergessen hatte, dachte darüber und über vieles andere nach, als sie durch das Tor des Schatzmeisters ging, vorbei an dem schmiedeeisernen Tabernakel und dem Schild und den hübschen Skulpturen der Madonna und ihres Gastgebers, der verehrungsvoll vor dieser kniete.

Bei diesem festlichen Anlaß erwartete sie nicht, Färber oder deren Söhne oder Sekretäre zu treffen. Aber blieben Färber miteinander solidarisch, würden sie die Feinde anderer Färber vielleicht ächten?

Sie hatte von Margriet Adorne (aber nicht von ihrem Vater) erfahren, daß die Schotten die Reihen um Simon von Kilmirren geschlossen hatten, nachdem er sich in Sluis dazu hatte hinreißen lassen, diesem unverschämten Bengel eine Tracht Prügel zu verabreichen. Es sei ein fairer Kampf gewesen, sagten sie, wenngleich zum Schluß getrübt durch einen Unfall. Seitdem hatte der Sieger notgedrungen, wenn auch murrend, artig bei Jehan Metteneye oder Stephen Angus bleiben müssen oder in der Gesellschaft des Bischofs oder seines Sekretärs. Einmal hatte er Katelinas Cousin besucht, weil der Bruder des schottischen Königs dort wohnte. Sie wußte es, weil Mylord Simon offenbar Wolfaert nach ihr gefragt hatte.

Das war etwas, das ihr Vater nicht vergessen hatte zu erwähnen. Sie hatte begriffen, daß sie sich nur deshalb noch in seinem Stadthaus in Brügge aufhielt und noch nicht nach Seeland oder Brüssel geschickt worden war, weil er sich über sie geärgert hatte und hoffte, sie werde, solange Simon noch in Flandern war, in sich gehen und die Dinge zwischen ihnen in Ordnung bringen. Seltsamerweise war sie in dem Punkt unentschlossen. Für einen Mann von vornehmer Herkunft war Simons Verhalten im Garten einfach grob gewesen, fand sie. Er war von schnellen Eroberungen verwöhnt – aber bei seinem Äußeren war das kein Wunder. Sie selbst war... Sie selbst war nicht unempfindlich gegen seine Reize gewesen.

Wenn, wie gemunkelt wurde, das Mädchen in Metteneyes Keller eigentlich seins war, so hatte er die Angelegenheit wenigstens mit Stil erledigt. Und was die Sache in Sluis betraf – nach allem, was man hörte, hatte der übermütige Charetty-Arbeiter als erster eine blutige Wunde verursacht und das, was nachher geschah, verdient.

Sie hatte den leichten Vorbehalt gespürt, wenn Männer über Simon sprachen. Er war gut und gern über dreißig. Er hatte lange im Ruf eines leichtsinnigen Flaneurs gestanden und erst seit kurzem in dem eines brauchbaren Verwalters. Natürlich erinnerte sie sich, daß sie bei ihrem letzten Zusammensein auf seine unerwünschten Aufmerksamkeiten mit einer Beleidigung reagiert hatte, woraufhin er voll Zorn weggegangen war. Nachher hatte sie gewünscht, es geschickter angestellt zu haben. Aber es war die Heirat... die Heirat, die sie einfädeln mußte, nicht das, was sie an jenem Abend fast hatte schwach werden lassen.

Wenn sie ihn wollte, war dies jetzt ihre zweite Chance. Jetzt konnte er es sich nicht mehr leisten, den Kreis der ihm Wohlgesonnenen weiter zu verkleinern. Wenn sie ihn heute abend sah, würde sie liebenswürdig sein.

Sie hatte nichts zu verlieren. Sie hatte kein Verlangen danach, ins Kloster zu gehen. Sie hatte der Königin von Schottland gedient, ohne sich während dieser Zeit zu verheiraten. Die Herzogin von Burgund lebte in Nieppe, getrennt von ihrem Mann, umgeben von stattlichen Portugiesen. Simons Schwester hatte einen von diesen geheiratet. Aber es gab keine Garantie, daß in der Entourage der Herzogin auch für sie ein Ehemann sein würde: es war ebenso wahrscheinlich, wie daß der Herzog sie erwählte.

Sie fragte sich, ob ihr Vater in diesem Fall entrüstet wäre, und wurde sich darüber klar, daß er ganz im Gegenteil die Hoffnung nicht aufgab, etwas Derartiges werde geschehen. Außer Gelis und ihr hatte er keine Erben. Sie wußte, daß er hohe Darlehen aufgenommen hatte, um die eher kleine Mitgift zusammenzubringen, die dem unerwünschten – dem widerwärtigen schottischen Lord zugefallen wäre, wenn sie ihn nicht verschmäht hätte. Sie besaß kostbare Gewänder. Sie trug Familienjuwelen von einigem Wert und dazu ein paar Steine, die noch seltener waren, Geschenke von den Prinzessinnen, denen sie gedient hatte. Sie hatte sie behalten dürfen. Sie erhöhten ihren Wert.

Sie wünschte, sie wäre schon Witwe; wäre unabhängig, könnte ihr Leben selbst in die Hand nehmen und ihrem Verstand folgen.

Sie sah sich um. Dem Brauch entsprechend, würden die Trompeter des Schatzmeisters bald die Ankunft der wichtigsten Gäste ankündigen, und in einem feierlichen Umzug würden sie dann alle in den Bankettsaal geleitet werden. Der Kommandant der Flandern-Galeeren würde vermutlich den Schatzmeister begleiten. Der Dauphin Louis, hieß es, habe ebenfalls zugesagt.

Katelina hatte ihn einmal in Brüssel getroffen, einen Mann in den Dreißigern mit scharfen Zügen. Sie war damals gerade auf dem Weg in ihr dreijähriges Exil nach Schottland. Er war gerade nach Burgund geflohen, um dem Hof seines Vaters in Frankreich zu entkommen. Eines Tages würde er König dieses Landes sein. Von ihr aus herzlich gern. Einstweilen...

Ah. Färber achteten also die Feinde von anderen Färbern doch nicht. Dort, auf der anderen Seite des Saals, stand Simon von Kilmirren.

Sie steuerte ihren Vater diskret von einer Gruppe zur anderen und gelangte so durch die Menschenmenge auf die andere Seite von Schatzmeister Bladelins großer Halle, wo das auffallende Haar von Simon von Kilmirren unter einem blätterverzierten Gebilde aus Taft schimmerte. Hängende Blätter verzierten seine Überärmel, und die Knöpfe an seiner Jacke waren Eicheln. Er stand mit dem Rücken zu ihr.

Seine Haltung war ungewöhnlich steif, als befände er sich zwischen königlichen Hoheiten. Dabei stand er in einem zwanglosen Kreis, zu dem der Seidenhändler Giovanni Arnolfini gehörte. Der untersetzte, dunkelhaarige Mann war ein Freund ihres Vaters, João Vasquez, der Sekretär der Herzogin und ein angeheirateter Verwandter von Simons Schwester. Die beiden in Damast gekleideten Männer mit taubeneigroßen Juwelen an ihren Hüten waren zweifellos Venezianer. Sie sprachen stockend Französisch und wandten sich dann und wann hilfesuchend an Arnolfini oder an den siebten in der Gruppe, den Katelina nicht sehen konnte, dessen Italienisch aber ebenso klang wie Tommaso Portinaris gebrochenes Französisch. Ihre Lippen zuckten.

Dann trat ihr Vater in den Kreis, Simon drehte sich um und sah sie. Er runzelte die Stirn. *Er runzelte die Stirn!*

«Mylord Simon! Wie erfreulich», sagte Katelina, «daß Ihr freigelassen worden seid. Wart Ihr lange im Gefängnis?»

Sie hatte Französisch gesprochen. Sogar die Venezianer, hoffte sie, würden fast alles übersetzen können. Zu ihrer Genugtuung wurde das ätherische Gesicht ihres Freiers blaß vor Wut. Ihr Vater nahm sie am Arm und sagte: «Katelina, wie kommst du denn darauf? Monsieur de Kilmirren ist doch nicht im Gefängnis gewesen!»

Sie sah verwundert aus. «Nicht wegen der Ermordung eines jungen Mannes? Oh, verzeiht mir. Als Ausländer fallt Ihr natürlich nicht unter unsere Gesetze. Wie komme ich bloß darauf?»

Eine sonore Stimme ertönte neben ihr: «Madame, was immer Ihr gedacht haben mögt, Eure Gedanken sind unweigerlich bezaubernd. Vielleicht darf ich bitten, vorgestellt zu werden?»

Diese Worte konnte nur der siebte Mann gesprochen haben, dessen Italienisch so französisch geklungen hatte. Sie drehte sich amüsiert um, und ihre Selbstsicherheit schwand.

Die blumige Rede war nicht die eines lächelnden Verehrers, sondern eines Mannes von Anfang oder Mitte Fünfzig, dessen stattlicher Größe nur seine Korpulenz entsprach. Der pelzbesetzte Samt, der bis auf den Boden fiel, hätte für die Segel eines ansehnlichen Frachtschiffs ausgereicht, nur daß wenige Reeder das hätten bezahlen können, und die juwelenbestückte Kette um seinen Hals war ein Schloß wert. Das glattrasierte Gesicht hatte ein Doppel- und Dreifachkinn wie das eines fetten Klosterbruders, ließ aber im Gegensatz zu dem eines typischen Mönchs keine Freundlichkeit erkennen. Der Mund, der ihr das Kompliment gemacht hatte, lächelte höflich, aber die Augen waren eiskalt.

«Bitte verzeiht mir», entschuldigte sich der Sekretär der Herzogin. «Madame Katelina, darf ich Herrn Jordan, Vicomte de Ribérac, vorstellen? Monseigneur lebt in Frankreich und macht hier Geschäfte, die mit den Galeeren zu tun haben. Monseigneur, Ser Florens van Borselen und seine ältere Tochter Katelina. Und, Madame, darf ich Euch mit Messer Orlando und Messer Piero von den Flandern-Galeeren bekannt machen?»

Mit einer leichten Bewegung seiner breiten Schultern schien der dicke Mann eine Verbeugung anzudeuten. «Dann fahrt fort, Madame Katelina», sagte der Vicomte, «mit Eurer lebendigen Geschichte. Ist hier in Brügge ein schottischer Krieg ausgebrochen?»

Jemand lachte – der Luccheser Arnolfini. «Nicht ganz, Monseigneur. Ein Vorfall mit einem Lehrling, beiden Seiten ist kein Leid geschehen. Madame Katelina hat offensichtlich ein falsches Gerücht gehört.»

«Davon bin ich überzeugt», sagte Simon vernehmlich. Sein Gesicht war noch ziemlich bleich und das Stirnrunzeln fest eingegraben. «Ach, ich sehe da Freunde, zu denen ich mich wieder gesellen muß. Würdet Ihr mich entschuldigen?»

Er wandte sich ab, ohne die Antwort abzuwarten. «Freunde?» sagte Katelina, als er an ihr vorbeiging. Sie sprach so leise, daß niemand sonst es hören konnte. «Freundinnen vielleicht? Die männlichen Freunde scheinen zu fehlen.»

Er blieb stehen, den Rücken den anderen zugewandt, und sagte ebenso leise wie sie: «Euer Lehrlingsfreund hat auch Freundinnen. Tatsächlich könnt Ihr Euch die Schuld an dem, was ihm widerfahren ist, zuschreiben. Schließlich wart Ihr es, die mir zuerst mitteilte, welch gute Meinung er von mir hat.» Dann verließ er sie, und sie runzelte ihrerseits die Stirn, als sie ihm nachschaute.

«Madame kann uns berichten», erklang wieder die angenehme Stimme des Vicomte de Ribérac neben ihr. Sie drehte sich gereizt um. Sie glaubte jetzt zu verstehen, warum Simon so verstimmt ausgesehen hatte, als sie kam. Sein Ärger war nicht gegen sie gerichtet. Und dennoch – er war wütend gewesen. Wie hatte er herausgefunden, daß jene verächtlichen Worte, die sie mitgehört hatte, von dem Lehrling stammten? Es beunruhigte sie. Denn es machte auch sie für das, was geschehen war, verantwortlich.

«Madame Katelina», beharrte der dicke Mann, «Ihr könnt uns doch nicht im ungewissen lassen. Messer Giovanni berichtet eine wunderbare Geschichte von einem Lehrling, der von niemand anderem als unserem abwesenden Freund Simon mit einer spitzen Schere angegriffen wurde. Kann das wirklich wahr sein?»

Der Ton war scherzhaft. Die Augen waren es nicht. «Messer Arnolfini hat recht», sagte Katelina. «Ich weiß es nur vom Hörensagen. Mylord Simon hegte eine Abneigung gegen den Lehrling, und ihre Wege kreuzten sich. Es gab einen Kampf, den der Lehrling verlor. Die Stichverletzung war ein Unfall, da bin ich sicher.»

Die Lippen des Vicomte de Ribérac verzogen sich zu einem Lächeln. «Eine Fehde zwischen einem Edelmann und einem Lehrling!

In Frankreich würde es das kaum geben. Ist ein junger Mann unverschämt, dann wird er ausgepeitscht, aber man kämpft nicht gegen ihn.»

«Oh, Claes wurde ausgepeitscht», warf Katelina ein. «Er vertrat Mylord Simon im Bett einer Magd und war verantwortlich für den Tod seines Hundes. Für beides wurde er gründlich ausgepeitscht. Und ins Gefängnis geworfen.»

«Was doch gewiß ganz selbstverständlich ist», fand der dicke Mann. «Dann hat der Lehrling, folgere ich, seinerseits versucht, Monsieur Simon zu töten? Messer Orlando?»

Der Venezianer in schwarzem Damast legte einen Finger auf seinen Bart und bemühte sich mitzukommen. «Der Kampf? Aber es war doch der Arbeiter, wie mir gesagt wurde, der den Herrn Schotten mit seinen Scherenblättern verwundete. Der Herr Schotte beschloß, statt ihn zu töten, gegen ihn mit Knüppeln, der Waffe des Volkes, zu kämpfen. Ich halte das für einen Fehler. Ein Edelmann läßt sich nicht mit Bauern ein. Jedenfalls erhielt der junge Mann, was er verdiente.»

«Wurde er getötet?» fragte der dicke Mann.

«Fast», sagte Katelina. «Denn Euer edler Schotte stach mit eben den Scherenblättern zu, nachdem er ihn fast zu Tode geprügelt hatte.»

Der dicke Mann lächelte und wandte sich dann an Vasquez, Arnolfini und Florens van Borselen. «Die Sitten von Burgund! Na ja, ist das Gerücht oder Tatsache? Monsieur Simon, der es uns sagen könnte, ist leider weggegangen. Aber vielleicht ist er nur bescheiden. Ein rohes Kind des Volkes mit den von ihm gewählten Waffen zu schlagen ist doch wohl etwas?»

«Und es zu erstechen ist etwas anderes», bemerkte Katelina kühl.

«Katelina», sagte ihr Vater, «du weißt, daß das nicht wahr ist. Die Scherenblätter hatten sich zwischen ihnen verklemmt. Und der Lehrling hatte Simon zuerst verletzt.»

«Ja? Nach dem *Gerücht*, das ich gehört habe, war es ein Unfall.»

Die kalten Augen ruhten auf ihrem Gesicht. «Ihr klingt, Madame, als wärt Ihr keine Freundin unseres edlen jungen Schotten.»

Katelina erwiderte seinen Blick. «Ihr habt recht. Ich halte ihn für einen zügellosen, rachsüchtigen Wüstling – und kenne ihn auch als solchen.»

«Das habe ich mir gedacht. Wie jammerschade ist das alles.» Der französische Edelmann stieß einen tiefen Seufzer aus. «Dabei verkörpert Ihr, meine liebe Madame, genau mein Ideal einer Schwiegertochter.»

Irgendwo erschallten Trompeten. Die Unterhaltung in der großen Halle verstummte nach und nach. Leute traten beiseite, um Platz zu machen für den Schatzmeister, den Dauphin, für den Bruder des schottischen Königs. Leute ordneten sich ein, um paarweise zum Bankett zu schreiten. Nur um eine kleine Gruppe herum herrschte völliges Schweigen; keiner rührte sich.

Als ob sie allein wären, starrten Katelina van Borselen und der dicke Mann mit Namen Jordan de Ribérac einander an.

«Wie schade», wiederholte er ohne besonderen Nachdruck. «Denn – vielleicht hätte ich es Euch sagen sollen? Verzeiht, daß ich nicht daran gedacht habe – Euer zügelloser, rachsüchtiger Wüstling ... wirklich? Wie überaus traurig! – ist mein Sohn.»

Es war Katelinas Vater, wie sie später bemerkte, der sie, mit kühler Höflichkeit sich entschuldigend, fortzog und wegführte, damit sie ihren Platz in der Prozession zur Tafel einnahm. Es war ihr Vater, der, nachdem er, der Etikette folgend, mit seinen Tischgenossen geplaudert hatte, sich während des opulenten Mahls an sie wandte: «Du warst im Unrecht, wie du sehr wohl weißt, als du in einer solchen Gesellschaft extreme Ansichten über abwesende Personen geäußert hast. Aber das größere Unrecht beging der Franzose, indem er zuließ, daß ein solches Gespräch stattfand, ohne vorher sein eigenes Interesse daran zuzugeben.»

Dann fragte Katelina, die an nichts anderes gedacht hatte: «Wie kann er sein Vater sein?»

«Ich habe mich erkundigt», erwiderte Florens van Borselen. «Auch ich hatte das Gefühl, getäuscht worden zu sein. Mir wurde ganz klar mitgeteilt, Simon sei der Neffe und Erbe von Alan, Lord of Kilmirren, und sein Vater, Alans jüngerer Bruder, der schon lange in Frankreich lebe, sei entweder tot oder aus dem Geschäft.»

Katelina erschauerte. «Geschäftsunfähig ist nicht der Ausdruck, den ich gewählt hätte.»

Ihr Vater rückte ärgerlich auf seinem Stuhl. «Ich kann mir bestimmt einen besseren vorstellen. Da drüben sitzt ein Mann, Andro Wodman, ein in Frankreich lebender Schotte, der mit Jordan de

Ribéracs Gefolge hergekommen ist. Der Vicomte, hat er mir erzählt, besaß als junger Mann keinen Grundbesitz und nur ein kleines Vermögen. Er begab sich dann nach Frankreich, kämpfte für den König, erhielt einen bevorzugten Posten in der schottischen Garde, und in vorgerückten Jahren schenkte ihm sein dankbarer Monarch den Besitz Ribérac. Dort hat er sein unlängst mit Handel, Schiffahrt und anderen Geschäften erworbenes Vermögen angelegt.

Er ist jetzt ein wohlhabender Mann. König Charles verläßt sich auf ihn als seinen Berater. Wenn die Flandern-Galeeren aus Venedig kommen oder die Florentiner oder die Galeonen aus Zypern, schickte Monsieur le Vicomte seinen Verwalter nach Flandern, kommt aber selten selbst. Er und sein Sohn, sagt Wodman, haben sich seit vielen Jahren nicht gesehen, aber de Ribérac hält sich auf dem laufenden über alles, was Simon tut. Wie du siehst, ist sein guter Ruf ihm wichtig.»

«Und Simon verabscheut ihn.»

«Er täte gut daran, es zu verbergen», erklärte ihr Vater trocken. «Soweit ich sehen kann, hat er in seinem Vater einen mächtigen und bedingungslosen Verbündeten, den er vielleicht eines Tages brauchen wird. Du schienst zum Beispiel auch sein Wohlwollen zu genießen.»

«Und habe es offenbar verscherzt. Seid Ihr dafür so dankbar wie ich? Oder hättet Ihr Jordan de Ribérac gern in den Familienkreis aufgenommen?»

Wie es bei ihm manchmal vorkam, setzte sich jetzt bei Florens van Borselen Ehrlichkeit gegen Berechnung durch.

«Nein», sagte er schließlich. «Nein. Ich kann mir nicht vorstellen, daß ich oder deine Mutter tatsächlich jetzt oder irgendwann in der Zukunft diesen Mann unter meinem Dach bewirten. Irgend etwas ist da faul.»

«Dann...» Katelina brauchte den Satz aber nicht zu beenden, denn ihr Vater legte seine Hand auf die ihre.

«Dann, wenn dir Simon so sehr mißfällt, werde ich dich nicht zwingen. Wir haben Zeit. Wir werden noch einen besseren Ehemann für dich finden, einen, der geeigneter ist.»

Später kam dann der Ausflug nach Sluis auf geschmückten Galabooten, die im Schein lodernder Fackeln den Fluß entlangfuhren, Brügge durch das Dammer Tor verließen und dann dem Kanal bis zum Ankerplatz der beiden Flandern-Schiffe folgten, die in Licht getaucht dalagen.

Auf dem von einem Baldachin überdachten Deck des Flaggschiffs flanierten die ausgewählten Gäste, das Weinglas in der Hand, und sahen von der Reling aus zu, wie Matrosen hoch oben im Takelwerk des Schwesterschiffs turnten, Akrobaten Purzelbäume schlugen und Seiltänzer von Mast zu Mast und vom Mast zum Kai balancierten. Und auf den Mauern und Hafenanlagen von Sluis drängten sich jene Menschen, die nicht eingeladen worden waren, sich aber stets einfanden zu dem phantastischen Schauspiel, das ihnen die großzügige, gastfreundliche, die unvergleichliche Republik Venedig Jahr für Jahr bot.

Nur Katelina war nicht mitgefahren. Sie hatte eine Unpäßlichkeit vorgeschützt und war dafür nicht von ihrem Vater getadelt worden, der es durchaus verstand und daher bereit war, sie von zwei Bewaffneten und ihrer sehr vernünftigen Gouvernante nach Hause bringen zu lassen. Er wußte natürlich nicht, daß sie es sich anders überlegen und sich nicht direkt nach Hause, sondern zur Färberei von Marian de Charetty bringen lassen würde.

Die eiserne Laterne über dem Hoftor brannte, aber niemand reagierte auf das Klopfen. Sie wollte schon weggehen, als sich auf der anderen Seite des Tors leichte Schritte näherten und eine Frauenstimme höfliche Entschuldigungen murmelte, die dann vom Geräusch der zurückgezogenen Riegel übertönt wurden.

Als sich das Tor öffnete, sah sie die kleine, adrette Gestalt von Marian de Charetty mit einer Lampe in der Hand dastehen. Nach dem ersten Moment der Überraschung war diese erfreulich ruhig. «Madame Katelina! Verzeiht mir, mein ganzes Hauspersonal hat sich davongemacht, um die Galeeren in Sluis zu sehen. Bitte kommt herein. Was kann ich für Euch tun?»

Katelina hielt auf dem Hof inne, ihre Gouvernante stand neben ihr. «Es ist spät. Es tut mir leid. Ich frage mich, ob Euer Lehrling da ist?» sagte sie direkt.

«Hier lang, bitte.» Die Witwe Charetty hielt ihre Haustür auf und geleitete ihre Besucherin durch einen Korridor und einige Stufen hinauf in ein Zimmer mit niedriger Decke, in dem ein Feuer brannte und ein einzelner hochlehniger und mit Papieren übersäter Stuhl verriet, wo sie gesessen hatte. Mit einer Hand räumte sie die Papiere weg und bedeutete Katelina, Platz zu nehmen, während sie der Gouvernante einen Hocker im Hintergrund anwies. Sie selbst stand noch, als sie sagte: «Ich habe mehrere Lehrlinge, Madame, und alle außer Claes sind in Sluis. Welchen wünscht Ihr zu sehen?»

Was man aus einer plötzlichen Regung heraus begonnen hat, ist nicht immer leicht durchzuhalten. Katelina hielt den Kopf mit der kunstvoll verschleierten Haube hoch: «Ich habe gerade Genaueres darüber gehört, was Eurem Lehrling Claes in Sluis widerfahren ist. Ich fühle mich ein wenig verantwortlich... Die Streitigkeit, die zu seiner Verletzung führte, hat mit einem anderen Vorfall begonnen, an dem ich beteiligt war. Ich wollte fragen, wie es ihm geht.»

Ein Lächeln ging über das rundliche, leicht gerötete Gesicht der Witwe Charetty. «Macht Euch keine Vorwürfe. Es gibt wenige Menschen, die einen bei einer Ulkerei so reizen können wie Claes. Er brockt es sich meistens selbst ein. Aber es geht ihm viel besser. Sogar so gut, daß er nach Sluis hätte gehen können, aber der Arzt fand, er solle in Anbetracht der Reise seine Kräfte schonen. Wartet. Ich werde ihn rufen. Dann werdet Ihr es selbst sehen.»

«Reise?» fragte Katelina. Aber die Witwe war schon weggegangen, und als sie wiederkam, brachte sie den großen Claes mit, der jetzt vor Katelina stand.

Weil er, wie sie annahm, zur Zeit nicht auf dem Hof arbeitete, roch er besser als sonst, sein abgetragenes Wams und die Hose waren sauber und man konnte keine körperlichen Gebrechen erkennen – er war noch immer von kräftiger Gestalt. Als sie den Blick zu seinem Gesicht hob, glaubte sie zuerst, da sie es ja nicht so genau kannte, daß es unverändert sei. Dann, als ein Holzscheit rutschte und das Feuer aufloderte, sah sie, daß seine Augen tieferliegend waren, als sie sie in Erinnerung hatte. Dann erschienen die Grübchen, und er sagte: «Wie freundlich von der Dame, sich die Mühe zu machen! Oder war es auf Wunsch von Mylord Simon? Ich höre, daß Schatzmeister Bladelin ihn eingeladen hat.»

Neben Katelina preßte Marian de Charetty die Lippen zusammen. Es genügte, um die Dinge wieder zurechtzurücken. Katelina war belustigt: «Es ist das zweite Mal heute abend, daß ich in meine Schranken verwiesen werde. Das erste Mal war es durch Mylord Simon, wie du ihn nennst.»

«Irgendeine Bezeichnung muß man ihm ja geben», fand Claes.

Marian de Charetty setzte sich hin. «Wir hofften, die Sache sei vorbei. Sie hat mehr Klatsch hervorgerufen, als sie wert war.»

«Das Gerede wird verstummen, wenn Simon weg ist. Und Claes geht auch weg?»

«Sehr bald sogar», erklärte die Witwe de Charetty. «Er gibt die Arbeit an den Färberbottichen auf und geht statt dessen nach Italien.» Sie lächelte ihrem Lehrling zu. «Er schließt sich auf einer Reise nach Mailand meinem Hauptmann Astorre an. Wenn es so ausgeht, wie wir hoffen, wird er vielleicht eine Zeitlang auf dem Schlachtfeld Karriere machen. Findet Ihr nicht auch, daß er die richtige Figur dazu hat?»

Das zumindest stimmte. Als Katelina das freundliche, vom Feuer beleuchtete Gesicht des Lehrlings betrachtete, fragte sie sich, was an dem Vorhaben trotzdem so merkwürdig erschien. Claes hatte nie gekämpft, hieß es. Er hatte kaum gewußt, wie er sich gegen Simon wehren sollte. Ein Lehrling wie dieser hatte keine ritterliche Ausbildung. «Du wirst viel zu lernen haben», sagte sie. «Kannst du reiten?»

Die Grübchen vertieften sich. Er schüttelte den Kopf. «Sie wollen mir das Pferd auf dem Rücken festbinden.»

Katelina wandte mühsam den Blick von ihm ab. Sie richtete sich an die Witwe: «Ihr haltet es für besser, wenn er Brügge verläßt. Ich glaube, Ihr habt wahrscheinlich recht. Er hat einen Feind, fürchte ich, in Mylord Simon, und einen zweiten in seinem Vater, dem Vicomte.»

Sie hatte sich erst vorhin über ihre eigene Unwissenheit geärgert und fand es tröstlich, daß auch hier ein verblüfftes Schweigen eintrat. Schließlich fragte die Witwe: «Mylord Simons Vater?»

«Jordan de Ribérac. Er war heute abend bei dem Bankett. Wie ich hörte, lebt er in Frankreich.»

«Und er teilt seines Sohnes... Einstellung zu Claes?»

«Ja. Wie ich aus gutem Grunde weiß.» Katelina wandte sich an den Lehrling, der am Gespräch nicht mehr teilzunehmen schien. «Es gibt etwas, für das ich mich bei dir entschuldigen muß. Ich zitierte Mylord Simon gegenüber eine Äußerung von dir, eine wenig schmeichelhafte Äußerung. Ich sagte ihm deren Quelle nicht, aber er hat es offenbar herausbekommen. Zum Teil ist seine Wut auf dich darauf zurückzuführen. Es tut mir leid.»

Er machte eine Bewegung und lächelte sie dann flüchtig an. «Das ist aber nicht nötig. Wenn es die Äußerung ist, an die ich denke, dann habe ich sie bei einer anderen Gelegenheit ihm selbst gegenüber getan. Eine Situation, die ihn, glaube ich, sehr viel mehr verärgerte, als die Ausdrücke, die er hörte. Macht Euch keine Gedanken darüber. Und vor allem zankt Euch nicht meinetwegen mit Mylord Simon oder seinem Vater.»

Katelina starrte ihn an: «Ich brauche dich nicht, um mich einem Zank mit diesem hochgeschätzten Paar auszusetzen. Wäre ich ein Beamter von Brügge, würde ich sie ausweisen.»

Er antwortete nicht und lächelte auch nicht. Die Witwe sagte freundlich: «Ich glaube, Claes, du solltest dich bei der Dame bedanken und wieder in dein Zimmer gehen, es sei denn, sie möchte dir noch etwas sagen. Madame Katelina, würdet Ihr es ihm erlauben?»

Er hatte während der ganzen Zeit gestanden. Sie hätte daran denken sollen, daß er krank gewesen war. Aber man fordert einen Handwerker nicht zum Sitzen auf, außer unter Kindern. «Aber natürlich», sagte sie. «Ich hoffe, du bist bald wieder gesund und wünsche dir in deinem neuen Beruf viel Erfolg.»

Er dankte ihr kurz und ging. Als sich die Tür hinter ihm geschlossen hatte, sah Katelina abwesend in den Wein, den ihre Gastgeberin ihr eingeschenkt hatte, und sagte: «Er wird Euch fehlen, nehme ich an. Trotz all der Scherereien, er ist ein amüsanter Bursche.»

Es trat ein kurzes Schweigen ein. Dann erwiderte die Witwe. «Ja. Er ist ein ungewöhnlicher Mensch. Der Haken ist... Der Haken ist, daß er sich wirklich nicht schützen kann.»

Katelina lächelte. «Nun, dazu wird er sehr bald imstande sein. Er wird einen guten Soldaten abgeben.»

«Nein.» Die kastanienbraunen Augenbrauen der Witwe zogen sich zusammen, als sie klarzumachen versuchte, was sie meinte. «Nicht daß er sich nicht verteidigen könnte. Er tut es einfach nicht. Er ist wie ein Hund. Er hält jeden Mann für seinen Freund.»

Derartige Überlegungen stellte man nicht über einen Lehrling an. Oder wenn man es tat, dann sprach man darüber nicht mit einer Fremden. «Und sicherlich alle Frauen», sagte Katelina lächelnd. «Es ist tatsächlich Zeit, daß der Junge Brügge verläßt und etwas gesunden Menschenverstand erwirbt. Nun erzählt mir, was für Pläne Ihr für Euren Sohn habt. Was ist mit Felix?»

Nachdem Katelina gegangen war, ahnte sie nicht, wie lange Marian de Charetty noch an ihrer Haustür stehenblieb und auf den menschenleeren Hof hinausschaute, bis sie schließlich hineinging, die Tür schloß und sich auf den Weg zu ihrem Zimmer machte.

Am Fuß der Treppe zu den Räumen der Lehrlinge hielt sie einen Augenblick inne, als wollte sie die Art der Stille erraten, die oben und unten in allen Räumen ihres Hauses herrschte.

Dann ging sie allein zurück in ihr Zimmer, setzte sich auf den Stuhl, hob ihre Papiere auf und breitete sie aus.

Kapitel 10

Eine kühne kleine Geschäftsfrau, diese Marian de Charetty, sagten die Brügger Bürger zueinander. Schickte ihren Hauptmann und die besten aus ihrer Firma vor Weihnachten über die Alpen. Und sogar ihren Aktuarius, der sich wahrscheinlich mit ihrem Geschäft besser auskannte als sie. Und überredet die Medici und die Doria und die Strozzi, eben diesem Hauptmann Astorre ihre Waren und ihre Briefe anzuvertrauen, sowie auch diejenigen ihrer Kaufleute, die nach Süden reisen mußten und kein Risiko eingehen wollten. Ein gewagtes Unternehmen, auf das sich ihr Mann nie eingelassen hätte, sagten die Freunde der Witwe, das glattrasierte Kinn in den Pelzkragen gedrückt. Aber ein gewagtes Unternehmen, das ihr ein hübsches Vermögen einbringen könnte, wenn ihre Leute zurückkamen.

Julius, der Aktuarius, von dem die Rede ist, machte sich weniger Sorgen als die Brügger Bürger. Es war unangenehm, aber nicht furchtbar, das Gebirge im Winter zu überqueren, und in dem untersetzten, O-beinigen und hitzigen Astorre hatten sie den erfahrensten aller Karawanenführer. Wie immer es aussehen mochte, wenn sich alle auf dem Hof sammelten in einem Durcheinander von Wagen und Mauleseln und Packpferden und Fässern und Ballen, die Kavalkade würde schon längst auf Zack gebracht sein, bevor sie die drei Wochen dauernde holprige Reise nach Süden durch die burgundischen Lande in der kalten, windigen und gewinnträchtigen Stadt Genf beendet hätten, wo all die Kaufleute und die Hälfte der in den Wagen mitgeführten Waren abgeliefert werden sollten.

Danach mußten sie natürlich den langen See umgehen, und dann kam der Aufstieg durch den Schnee zu dem Paß, über den sie nach Italien gelangen würden. Aber zu dem Zeitpunkt würde es eine Charetty-Truppe sein: Astorre mit seinen zwölf Mann Kavallerie, seinen sechs berittenen Bogenschützen und seinen achtzehn Kriegsknechten mit ihren Pferden und Mauleseln. Und außerdem (weil Astorre ein Mann mit einer Leidenschaft für gutes Essen war) ein tatkräftiger Schweizer Koch namens Lukin. Und Astorres Schmied, ein Deutscher, der Manfred hieß. Und Astorres Stellvertreter, ein englischer Berufssoldat mit einem grimmigen Gesicht, der auf den Namen Thomas hörte und dem der arme Claes als Gehilfe und Schüler zugeteilt worden war. Felix hatte das übelgenommen. Er machte ein traurig-wütendes Gesicht, als er Julius und Claes aus dem Hof hinausreiten sah.

All die Männer waren Julius bekannt. Zwischen den einzelnen Kontrakten kamen sie nach Brügge oder Löwen, und er sprach mit ihnen und bezahlte sie. Er hatte angenommen, daß das die ganze Truppe war, ehe er von den neuen Plänen der Witwe hörte. Aber keine Spur. Sie hatten jetzt auch noch einen schwarzen Diener. Es war jener, der nach dem Pokal getaucht hatte. Der, den der Pfandleiher Oudenin der Witwe geschenkt hatte. Und den die Witwe, die Mijnheer Oudenin weder beleidigen noch ihm allzu sehr verpflichtet sein wollte, mit auf die Reise geschickt hatte. Ein Anflug von Luxus.

Aber das war noch nicht alles. Sie genossen auch die Dienste eines Mönchs. Eines musikalischen Mönchs mit Namen Bruder Gilles, der mißlicherweise zu der Medici-Sendung nach Florenz gehörte, zusätzlich zu drei Garnituren Wandteppiche, einer beträchtlichen Menge Pariser Goldschmiedearbeiten, in Vlies gebettet, einer Mappe mit Briefen und vier teuren Hackney-Pferden mit empfindlichen Beinen, einem Geschenk für Cosimos Neffen Pierfrancesco.

Und schließlich, das war fast ebenso beunruhigend, gehörte der kahlköpfige Arzt Tobias dazu, der sich offenbar mit Hauptmann Lionetto gezankt und sich mit Erfolg bei seinem Rivalen Astorre beworben hatte. Tatsächlich war es Meester Tobie, der auf dem Reiseabschnitt nach Genf am meisten zu tun hatte mit dem Herausschneiden von Hühneraugen und dem Verabreichen von Abführmitteln oder Pulvern, von denen man hoffte, daß sie wirkten. Julius beobachtete die tägliche Schulung von Claes und war beruhigt, als der Arzt keine Besorgnis erkennen ließ, nicht einmal in den allerersten Tagen, als der grimme Thomas wenig Mitleid zeigte.

Man konnte ihn entweder umbringen oder wieder gesund pflegen, war er doch gerade auf dem besten Weg zur Genesung. Allemal erstaunlich, wie das Hantieren mit Waffen ihn stärkte. Je mehr Hiebe er einstecken mußte, um so fixer wurde er darin, sie zu vermeiden. Und bald konnte er sich sogar beim Galopp auf seinem Pferd halten, selbst wenn seine Lehrer es so arrangierten, daß sein Sattel dabei herunterfiel. Man sah ihn gerüttelt und geschüttelt dahinbrausen, und der Rand seines runden Eisenhuts tanzte auf seiner Nase wie ein Kochtopfdeckel. Davon bekamen alle gute Laune.

Später fand Thomas ein altes zweihändiges Schwert für den Jungen und zeigte ihm mit seiner eigenen Klinge ein paar Tricks, ehe er ihn mit der flachen Seite bewußtlos schlug. Und die berittenen Soldaten, die feststellten, daß Claes nichts gegen sie hatte und noch dazu ein geborener Erzähler von Witzen war, nahmen ihn immer in ihre Mitte, in welcher Scheune auch immer sie des Nachts unterkamen (während Astorre und Thomas und die übrigen natürlich zu fünft in einem Bett in einem behaglichen Gasthaus schliefen) und waren ihm gegenüber am nächsten Tag auch nachsichtiger. Selbst der Afrikaner mochte ihn offenbar gern und mußte ein- oder zweimal verprügelt werden, weil er in die Scheune geschlichen war, statt auf dem Fußboden neben Julius' Bett zu bleiben.

Er und Claes schienen sich hauptsächlich mit Zeichensprache und Katalanisch, das sie alle ein wenig von Lorenzo gelernt hatten, zu verständigen. Er war ein sehr großer Neger mit Schultern wie Matratzen, und Bruder Gilles hatte Angst vor ihm und betete, wenn er ihm zu nahe kam, was den Neger zu amüsieren schien. So ritten sie auf prächtigen Pferden unter dem Banner von Astorre gelassen nach Süden mit schimmerndem Helm, Harnisch und Beinschiene; der Nasenteil seines Helms verlieh Astorre ein erstaunlich würdiges Profil, vor allem wenn man das verkrampfte und wütende Gesicht bedachte, das daruntersteckte.

Auf dem Weg nach Genf war Claes den Bogenschützen zugeteilt. Es erwies sich, daß er ein gutes Auge hatte, so konnten einige seiner Prellungen ein wenig abheilen. Einen Tag lang ging das gut, doch am Ende dieses Tages, nach einem Anfall von Erfindungswut, bekam Claes von Astorre persönlich Prügel. Die Wirkung war minimal. Seine überschäumende Energie war offensichtlich wieder da. Er war geheilt. Das war der Abend, ehe sie nach Genf kamen. Kaum hatten sie sich in ihrem Gasthaus eingerichtet, da warf der Arzt dem Afrikaner ein Salbendöschen zu und sagte ihm, er solle etwas davon auf Claes' Verletzungen schmieren. Der Schwarze, der eher auf den Namen Loppe als auf Lopez hörte, schien es richtig verstanden zu haben und ging damit los. Der Arzt sagte zu Julius: «Du kennst Genf gut und ich auch, aber was sollen Loppe und Claes von alldem halten? Oder beschäftigen wir sie so, daß sie gar nicht erst zum Nachdenken kommen?»

Julius war am Anfang Tobie gegenüber sehr mißtrauisch gewesen. Astorre hielt ihn immer noch für einen Spion und zupfte jedesmal nervös an seinem halbierten Ohr, wenn Tobie ihm widersprach. Tobie hatte eine verdammt spitze Zunge, bisher war die Familie Charetty aber noch verschont geblieben. Und sogar jetzt, seinen Verbandskasten auf einer Bank, plauderte der Doktor nur, während er arbeitete.

Auch Julius arbeitete, er hielt ein Hauptbuch auf den Knien und hatte sein empfindliches Hinterteil auf ein Kissen gebettet. «Ach, Claes kennt Genf. Der arme Bastard. In den Küchenräumen der Familie de Fleury ist er groß geworden, bis sie ihn rausschmissen und Corneille de Charetty ihn als Lehrling zu sich nahm. Die Schwester der Witwe hatte in die Familie Fleury eingeheiratet.»

«Warum haben sie ihn rausgeschmissen?» fragte der Arzt zerstreut. Er hatte auf dem Hocker in der Gaststube Platz gemacht für seinen Mörser und bereitete Pulver, indem er mit dem Stößel Ingredienzen zermahlte und zerrieb, wobei das Kerzenlicht auf seinem kantigen Kahlkopf schimmerte.

«Warum hat er heute Prügel bezogen?» erwiderte Julius. «Zuviel Energie und keinen Orientierungssinn. Und außerdem ist das ein seltsamer Haushalt. Warte nur, bis du Esota kennenlernst.»

«Esota?» Tobie mahlte weiter.

«Die Ehefrau von Jaak de Fleury, dem Firmenchef. Der alte Thibault ist krank; wohnt in der Nähe von Dijon und tut jetzt nichts mehr. Jaak führt den Betrieb. Führte ihn jedenfalls, während ich noch hier war, als sein Aktuarius. Claes war damals schon weg. Ich hielt es gerade ein Jahr aus, bis ich hörte, daß es bei den Charetty Arbeit gab.»

Die Mischung war jetzt fertig. Tobie ließ den Spatel los, bewegte seine Finger und sah auf. Er hatte das langweiligste Gesicht, das Julius je gesehen hatte. Der kahle Schädel war umrahmt von schütterem Haar, unter der nur schwach gefurchten Stirn zwei farblose Augenbrauen, runde, helle Augen und ein kleiner, schmaler rosa Mund. Das einzig interessante Merkmal waren die wulstigen Nasenlöcher, die rund und fleischig waren und geringelt wie Notenschlüssel. «Wir müssen da hingehen, nicht wahr?» fragte Tobie. «Wie ist dir zumute, wenn du sie wiedersiehst?»

«Oh, wir hatten keinen Streit. Ich bin weggegangen, um Felix' Lehrer zu werden. Jaak ärgerte sich, daß er mich verlor, und er mag die Familie Charetty nicht – die Schwester der Demoiselle war nur eine zweite Frau, und die Fleurys erkennen die Verwandtschaft eigentlich nicht an. Aber Corneille de Charetty war nützlich als Handelsvertreter in Brügge, um für die Fleury-Kunden Dinge wie englischen Zinn zu kaufen oder Heringe oder Bilder oder Ölgemälde. Und Jaak wiederum verkauft in Kommission Charetty-Tuch auf den Genfer Messen. Deshalb beklagte er sich – und wie! –, als ich wegging, aber er wollte keinen Streit mit Corneille.»

«Dann macht es dir natürlich nichts aus, dich wieder bei ihnen sehen zu lassen. Gut versorgt, angesehen, der Aktuarius einer vielversprechenden Söldnerschar mit besten Aussichten. Es wird ihm um so mehr leid tun, daß er dich verloren hat.» Der Arzt beugte sich vor, hob seinen Mörser hoch und füllte das zerriebene Gemisch sorgfältig in ein Gefäß.

Julius setzte ein gequältes Lächeln auf. «Es wird amüsant werden. Claes ist es wohl, der einem leid tun sollte. Armer Bastard. Acht Jahre später, sieh ihn dir an. Sie werden froh sein, daß sie ihn damals loswurden.»

«Du hast dem Jungen in Sluis das Leben gerettet. Er scheint dir sehr zugetan zu sein. Hat er jetzt Angst? Was wird er tun, wenn er dieser Familie von Angesicht zu Angesicht gegenübersteht?»

«Lächeln», sagte Julius.

Der Doktor zog die Augenbrauen hoch. «Du läßt ihn recht simpel erscheinen. Nach allem, was ich von ihm höre, kann er überaus schlau sein, wenn er will.»

«Natürlich ist er das.» Julius klang gereizt. «Als Felix' Diener hat er Lesen und Schreiben gelernt und dies und jenes in den Vorlesungen in Löwen aufgeschnappt. Die Witwe ist streng, aber sie hat ihn nie am Lernen gehindert. Ich selbst habe ihn unterrichtet. Er ist gut im Rechnen. Das kann er tatsächlich am besten.»

«Und ist immer noch ein Färberlehrling?»

Julius' Gereiztheit verwandelte sich in Belustigung. «Na hör mal, kannst du dir Claes in Gesellschaft von Schreibern vorstellen? Er würde im Nu das Kontor von irgend jemandem ausräumen. Ihm gefällt sein Leben. Er ist glücklich. Manchmal wünschte ich, er wäre es nicht. Er läßt zu, daß andere Leute mit ihm machen, was sie wollen. Wenn er ruhiger würde und sich Mühe gäbe, könnte er sich wenigstens manchmal gegen sie wehren.»

Der Doktor war nicht übermäßig interessiert. «Ach so. Darum plötzlich das Soldatenleben. Ist das seine Idee gewesen? Oder war es die einzige Möglichkeit für die Demoiselle, ihn loszuwerden?»

«Oh, die Demoiselle. Die Stadt hat sich beschwert. Irgend jemand mußte ihm den Weg weisen. Und wenigstens lernt er jetzt, sich zu verteidigen.»

«Das merke ich. Ich hoffe, meine Salbe wird reichen. Und was ist, wenn er demnächst aggressiv wird?»

«Ich wünschte, er würde es. Wir alle wünschen es. Ich würde ihn unterstützen. Das eine kann ich dir sagen, wenn er sich wirklich anstrengt, wäre ich nicht gern sein Opfer.»

«Ja, das glaube ich», sagte Tobie nachdenklich. «Er ist ein kräftiger Bursche, der Claes. Ich frage mich, ob es von der Demoiselle tatsächlich klug war, ihm ein Schwert in die Hand zu geben statt eines Färberstocks?»

Julius machte sich nicht die Mühe zu antworten. Claes war Claes. Julius kannte ihn, Tobie nicht. Man konnte nichts tun, als ihn ständig anzutreiben und zu hoffen, daß er eines Tages die Initiative ergreifen würde.

Am nächsten Tag ritten sie durch die Stadttore von Genf; der Wind von den Bergen blies ihnen ins Gesicht, und blendender Schnee lag auf den Alpengipfeln. Keine große Stadt, an den steilen

Berg am Ende des Sees geschmiegt, aber dort erbaut, wo es geographisch günstig war: wo Straßen und Flüsse nordwärts führten nach Frankreich und südostwärts nach Italien und südwärts nach Marseille und zum Mittelmeer, und wo Kaufleute aus all diesen Regionen sich trafen, Waren austauschten und Geld ausgeben konnten. Die großen befestigten Steinhäuser mit ihren Treppenhaustürmen und ihren riesigen Kellern gehörten den Kaufleuten, und unten am See gab es gepflegte Hafenanlagen und Gasthäuser und Speicher und gut gebaute Marktbuden am Molard in der Nähe der Madeleine, und oben am Place Saint Pierre ganze Reihen von Kanzleien. Aber die Bürgerhäuser waren schmal und nur aus Holz. Nicht alle in der Stadt teilten den Reichtum der Kaufleute.

Genf war nicht nur von Händlern, sondern auch von habgierigen Menschen umringt. Die Herzöge von Savoyen mochten zwar gegenwärtig über die Stadt gebieten, die Bischöfe von Genf ernennen und ihre Söhne zu dessen Grafen machen, aber auch Frankreichs wankelmütiger Monarch hatte sein gieriges Auge auf diesen Ort geworfen, der so viel Handel vom französischen Lyon abzog. Und der Herzog von Savoyen war auch nicht immer sehr klug. Er hatte dem Dauphin, der seinem königlichen Vater entfremdet war und in Burgund Zuflucht gefunden hatte, geholfen. Er hatte zugelassen, daß der Dauphin seine wenig reizvolle jüngere Tochter Charlotte heiratete. Dann und wann war der französische König auf den Herzog von Savoyen angewiesen, und dann und wann hörten Savoyen und Genf auf zu intrigieren und duckten sich. Sie waren zu schwach, um Frankreich herauszufordern.

Gewiß war das auch der Grund, warum Kaufleute, die nebenher ein paar Bankgeschäfte machten, und Bankiers, die nebenher etwas Handel trieben, meist noch anderswo solide Niederlassungen hatten. Beim ersten Anzeichen einer Bedrohung brachten sich die Guthaben der Medici auf geheimnisvolle Weise in Form von Hauptbüchern und namenlosen Wechseln über die Alpen in die Sicherheit von Florenz, Venedig und Rom. Das Handelshaus Thibault und Jaak de Fleury sicherte sich ab durch seine Verbindung mit Brügge und Burgund über die Firma Charetty. Aber es achtete dabei sorgfältig darauf, sich die Wertschätzung des Charles von Frankreich zu bewahren.

Darüber dachte Julius nach, als sich die Kavalkade mitsamt

Mauleseln, Wagen und Soldaten die steilen Straßen zum *Hôtel de Fleury* hinaufschlängelte, wo sie sich, nachdem abgeladen worden war, auflösen sollte. Er sah Claes ganz in der Nähe, der, den Helm auf der Nase, sich auf seinem Pferd mächtig anstrengte. Einer plötzlichen Regung folgend, sagte Julius: «Es ist kein Vergnügen für dich, Monsieur und Madame de Fleury wiederzusehen. Ich freue mich auch nicht darauf. Sie waren unbarmherzig zu dir.»

Claes' aufgeworfene Lippen zogen sich in die Breite und waren genau parallel zum Rand seines Helms. «Oh, das habe ich vergessen. Ich hatte mich an die Fußfesseln gewöhnt. Und morgens brachten sie meinen Kopf immer zurück in die richtige Lage, bis der Strick riß.»

«Sie haben dich wie einen Sklaven behandelt. Selbst nachdem du weg warst, haben die Leute noch darüber geredet. Hegst du ihnen gegenüber keinen Groll?»

«Ich werd's versuchen, wenn Ihr es möchtet.»

«Sei nicht albern», sagte Julius kurz angebunden.

Er gab seinem Pferd die Sporen. Es fiel ihm wieder ein. Mit Claes zu reden war ein Fehler.

Da der Charetty-Aktuarius die Familie Fleury nur scherzend und ganz kurz erwähnt hatte, war der Wundarzt Tobie schon neugierig. In erster Linie interessiert ihn Julius selbst, der eine ungewöhnliche Mischung aus Naivität und Ehrgeiz zu sein schien. Die Witwe Charetty, vermutete Tobie, hatte Julius irgendwie enttäuscht. Jetzt hoffte er offenbar, im Troß einer großen Söldnertruppe sein Glück zu machen. Er war ein guter Buchhalter und würde möglicherweise Erfolg haben. Tobie, der ein Jahr lang Lionettos unangenehmes Verhalten miterlebt hatte, sah in Hauptmann Astorre einen Mann von gleich großem Ehrgeiz und vielleicht gleich großer Prinzipienlosigkeit, der jedoch auf die Rechte seiner Leute etwas Rücksicht nahm, was Lionetto nie getan hatte. Ehe er zu alt war, wollte Astorre noch, so vermutete Tobie, die großen Auszeichnungen bekommen, die ihm bisher entgangen waren – Ruhm und eine Statue auf dem Marktplatz mit einem Lorbeerkranz. Einen halben Tag in Astorres Gesellschaft, und Tobie war seiner Sache sicher.

Tobie wußte, daß Astorre ihn beobachtete, mäßigte jedoch deshalb seinen rauhen Ton nicht im mindesten. Wenn Astorre ihn nicht haben wollte, dann konnte er es sagen. Aber er würde ihn haben wollen. Tobie wußte Bescheid über Lionetto, der es auch auf die großen Auszeichnungen abgesehen und geschworen hatte, Astorre zu bekämpfen, falls dieser ihm dabei hinderlich sein sollte. Irgendwann einmal, wenn er ihm traute, würde Astorre ihn über Lionetto ausfragen. Einstweilen lief Tobie bei dem Gedanken an Lionetto gelegentlich ein Schauer über den Rücken.

Aber Astorre würde ihn natürlich aus noch wichtigeren Gründen behalten. Tobie war der beste Wundarzt diesseits der Alpen und vielleicht auch jenseits. Vielleicht. Das war es, was er sozusagen zu beweisen versuchte. Es gab kein dem Menschen bekanntes medizinisches Problem, auf das man nicht stieß, wenn man eine Armee behandelte, abgesehen vielleicht von Entbindungen. Er hatte das ganze letzte Jahr über in einer Art rasender Verzückung gearbeitet und manches herausgefunden und manches getan, was er nicht für möglich gehalten hätte. Dazu gehörte auch die Heilung des Jungen, die dazu geführt hatte, daß er jetzt hier war. Der Knabe Claes, der im Haus der Fleury nicht zu Schaden kommen durfte. Oder zumindest nicht, ehe er und Tobie ein Gespräch über Haarfärbemittel und Liebestränke und Stechpalmen geführt hatten.

Das *Hôtel de Fleury* war gewaltig. Auf dem Hof hatte die ganze Kavalkade Platz, in den verschiedenen Abteilungen im Keller wurden die Pelze von den Doria und die Fässer mit Lachs von den Strozzi gelagert sowie die Waren von den Charetty, die Jaak verkaufen sollte, und die der fünf Kaufleute, die mit aus Brügge gekommen waren und für das Privileg, sie bis zur nächsten Messe hier zu lagern, teuer bezahlen würden.

Die Waren für Italien wurden in einem weiteren Bereich verwahrt, von wo aus sie für die Alpenüberquerung auf Packesel geladen werden konnten, und die Lothringer Fuhrleute mit ihren Wagen und Tieren wurden entlohnt. Die Pferde für Pierfrancesco wurden fürsorglich in die Ställe geführt und zusammen mit Jaak de Fleurys eigenen untergebracht.

Die Fracht namens Bruder Gilles wurde weniger liebevoll behandelt, er mußte im scharfen Wind auf dem Hof warten, der sich langsam leerte, sich die rauhe Stimme des Fleury-Verwalters und seiner Gehilfen anhören sowie den verhallenden Lärm der in ihre Quartiere abziehenden Bewaffneten. Zuletzt standen auf dem Hof nur noch Hauptmann Astorre, sein Stellvertreter Thomas mit Claes, Julius mit seinem afrikanischen Diener, der schweigende, fröstelnde Sänger, und Tobie. Nun erst öffneten sich knarrend die schweren Doppeltüren des *Hôtel de Fleury*, ein Diener trat, sich verbeugend, zur Seite, und auf der Schwelle erschien die prächtige Gestalt von Jaak de Fleury.

Prächtig, dachte Tobias Beventini, war das treffende Wort. Nicht die Pracht von Päpsten oder Dogen, die von Rang oder eleganter Aufmachung bestimmt ist, obwohl dieser Mann beides besaß. Prächtig war die körperliche Erscheinung, und prächtig war das Auftreten: ein geborener Befehlshaber. Jaak de Fleury war größer als die meisten Menschen und gebaut wie ein erfolgreicher Athlet. Seine Schultern waren so breit, daß er ein Gewand aus façonniertem Seidensamt, mit feinstem Zobel gefüttert, wie Distelwolle trug. Sein Gesicht unter dem breiten, juwelenbesetzten Barett war glatt, gebräunt und ausgesprochen gut aussehend: die Nase kräftig und gerade nach französischer Art; die Augen dunkel und intelligent; lächelnde gutgeschnittene Lippen; ein strahlendes Lächeln und hohe, kräftige Backenknochen, die die großen Augen mit den langen schwarzen Wimpern noch betonten.

«Na, Astorre, mein armer Mann», sagte Jaak de Fleury, «wie spät Ihr kommt. War natürlich nicht anders zu erwarten. Ich nehme an, Ihr habt Euch von Eurer Arbeitgeberin losgerissen, so gut Ihr konntet. Die Damen, Gott schütze sie, Närrinnen, die sie sind. Ihr kommt besser in mein Arbeitszimnmer und – ah, ich sehe meinen kleinen Aktuarius bei Euch. Ihr beide. Meine Frau ist irgendwo und wird sich um die übrigen kümmern. Ist das ein Heide, den ich da sehe? Der kommt mir bestimmt nicht ins Haus. Auch der Knappe nicht.»

«Sie kommen beide nach drinnen», sagte Julius. Die Härte seiner Stimme verwunderte Tobie. Julius fuhr fort: «Der Diener ist meiner und christlich. Und der junge Mann, das ist Claes.»

«Claes?» Jaak de Fleury klang nicht interessiert. Sein Verwalter wartete schon auf Befehle, hatte Loppes Arm mit eisernem Griff gepackt, die andere Hand umklammerte Claes' Schulter.

«Er hat bei Euch gelebt», sagte Julius.

Die intelligenten Augen musterten Claes von der eingebeulten Sturmhaube auf seinem Kopf über die verfärbten und abgenutzten Glieder seines Kettenpanzers, den ausgefransten Saum seines Wamses, die Flicken auf seiner Hose bis zu den ausgetretenen, geborgten Stiefeln an seinen Füßen.

«Das haben so viele getan», erwiderte Jaak de Fleury. «Welcher war dieser hier? Derjenige, der gestohlen hat? Aber das haben sie ja alle gemacht. Derjenige, der behauptete, meine Frau hätte ihn vergewaltigt? Nein, das wart Ihr, Meester Julius, nicht wahr? Derjenige mit der ungewöhnlichen Beziehung zum Wirtschaftshof? Ja, das war Claes. Ich schickte ihn, wie ich mich erinnere, dorthin, wo Pissen einem Zweck dienen könnte. In die Charetty-Färberei. Wie gut hat er sich herausgemacht.»

Der Aktuarius hatte gesagt, Claes werde lächeln, und Tobie sah jetzt, daß er recht gehabt hatte. Sein Lächeln war völlig offen und ohne jegliches Schuldgefühl oder irgendeine Befangenheit. «Alles Eure Erziehung, Großonkel. Ich habe es ihnen gesagt», erklärte Claes.

«Großonkel?» Der Kaufmann wich zurück, allmählich begann er zu lachen. «Eine absichtliche Beleidigung, nehme ich an. Eine Anweisung von der Witwe, um mich in Verlegenheit zu bringen. Es hätte ja sein können, wenn du mein Bastard wärst und nicht der meiner verstorbenen Nichte. Aber so, wie die Dinge liegen, verzeihe ich dir. Ein leichtes Auspeitschen, Agostino; und sperre den Jungen in der Scheune ein. Kommt. Ich friere.»

«Monseigneur, das tun wir alle.» Astorres Stimme war leise und höflich. Er hob seine kurzen Arme. Es kostete ihn offenbar keine Mühe, mit einer Hand den Sklaven Loppe dem Zugriff des Verwalters zu entziehen und mit der anderen Claes' aus dessen Griff zu befreien. «Befaßt Euch nicht mit diesem Gesindel. Es gehört zu uns und wird uns drinnen aufwarten. Da ist ein Sänger für Cosimo de' Medici, der bald erfriert. Sollen wir den ganzen Tag hier stehen?»

Jaak de Fleury starrte den Hauptmann an. «Ihr wollt diese Scheusale in meinem Haus frei herumlaufen lassen? Für den Schaden, den sie anrichten, erwarte ich Entschädigung.»

«Die werdet Ihr erhalten», sagte Astorre. «Können wir jetzt eintreten? Es gibt Geschäftliches zu erledigen.»

«Ah, ja, Geschäftliches. Weibergeschäfte noch dazu. Wie reizend sie sind in ihrer Unschuld. Gott möchte, daß wir sie beschützen, und das werden wir auch tun. Aber wer wird uns die Kosten dafür erstatten? Nicht der Erbe. Nicht der wunderbare junge Herr Felix mit seinen kindischen Streichen. Und auch Euer Gehalt, lieber Julius, können die Charettys nicht mehr bezahlen? Ihr müßt für Euren Lebensunterhalt kämpfen wie die Rohlinge, die Ihr doch so verachtet. Wie traurig. Und wer ist dieser Mann?»

«Ein Arzt», sagte Tobie. «Tobias Beventini, Monsieur de Fleury.»

Die schönen Augen richteten sich direkt auf ihn. «Ein Verwandter?» fragte Jaak de Fleury. «Ein Verwandter von Jean-Mathieu Ferrari?»

Niemand sonst hatte ihn danach gefragt. «Ein Neffe.» Tobie spürte, daß Julius ihn ansah.

«In Pavia studiert?»

«Ja, Monsieur. Und ich stehe bei Hauptmann Astorre unter Vertrag. Ich möchte auf dem Schlachtfeld Erfahrungen sammeln.»

«Euer Onkel würde das nicht gutheißen.»

«Zum Glück ist es meine Angelegenheit und nicht seine. Im Augenblick geht es mir um diesen Mönch hier. Die kalte Luft könnte seiner Kehle schaden. Messer Cosimo würde enttäuscht sein.»

«Das kümmert mich nicht. Die Medici sind meine Schuldner. Signor Nori ist der Leiter der Genfer Medici-Niederlassung. Signor Sassetti, der frühere Leiter, besucht ihn manchmal. Der eine oder andere wird sich bald melden wegen der Dokumente. Nori hat Geld wie Heu und ist immer leidend. Das wäre eine Goldgrube für Euch. Verkauft ihm ein Heilmittel. Er wird bezahlen. Verkauft ihm eine Arznei für irgendwas: Er ist überzeugt, daß er jede Krankheit hat, für die es einen Namen gibt. Geht hier entlang. Meine Frau wird sich um Euch kümmern.»

Er ging ins Haus, und Astorre und der Aktuarius folgten ihm. Keine Madame de Fleury erschien. Tobie fing den Blick des Engländers Thomas auf und betrat nach kurzem Zögern seinerseits das Haus, die Hand auf Bruder Gilles' Ellbogen. Thomas folgte ihm, und der große Afrikaner und Claes gingen langsam hinterher und sahen sich um. Eine Treppe lag vor ihnen, und Tobie ging gerade darauf zu, als eine rasche Bewegung ihn anhalten ließ. Der junge Claes hatte eine Tür aufgemacht, hinter der eine Frau mittleren Alters hervorkam, die vor Schreck mit einer geröteten Hand ihre Schürze gepackt hatte.

«Sie erkennt mich nicht.» Claes lächelte zu ihr hinunter. «Claikine, Tasse. Erinnerst du dich an Claikine, zehn Jahre alt? Die gekochten Eier unter der brütenden Henne?»

«Claikine!» Über das ungestalte, teigige Gesicht huschte erst Verwunderung, dann Erkennen und schließlich Freude. «Claikine, gewachsen!»

«Wie ein Baum. Damit sind alle meine Erfolge aufgezählt. Und wie geht es Tasse?» Sie ließ ihre Schürze los, und Claes schob seine beiden großen Hände unter ihre Achseln und hob sie hoch in die Luft. Sie keuchte und strahlte und keuchte, und ihr Haar löste sich in grauen Strähnen unter ihrer Haube.

Von der Tür her hörte man noch ein Keuchen. Gleich nach dem Keuchen einen Schrei. «Mord! Raub! Plünderung!» kreischte Madame de Fleury.

Kapitel 11

Es konnte niemand anderes sein, dachte Tobie sogar schon, bevor Esota de Fleury durch die Türöffnung ins Licht trat. Das Vorbeistreifen eines Gewands aus schwerem Stoff, der Schimmer eines juwelenbesetzten Kragens, der Duft von importiertem Parfum – das war entweder Madame oder eine Mätresse. Aber von einer Mätresse hatte niemand gesprochen. Dann die nicht unmelodische Stimme, bebend vor Furcht: «Verwalter! Männer im Haus! Oh, Tasse, Tasse, du bist zugrunde gerichtet!»

Ihre Stimme wurde auf eine Weise lauter, die Tobie vertraut war. «Setze die Frau ab», sagte er zu Claes. Er empfand ein klein wenig beruflichen Stolz, als er sah, daß Claes so bald nach seiner Genesung schon eine erwachsene Frau hochheben und halten konnte. Dann ging er auf die erregte Madame de Fleury zu, die auf der Stelle ohnmächtig wurde. Tobie fing sie auf, wankte ein wenig und ließ sie auf den Fliesenboden gleiten. Claes, dem das Lächeln vergangen war, drückte die Magd Tasse nicht mehr an sich, sondern stellte sie wieder auf die Beine. Der Neger Loppe nahm, ohne daß es ihm gesagt worden war, eine Lampe vom Wandbrett und brachte sie herüber. Tobie beugte sich über Jaak de Fleurys Ehegespons.

Zweifellos erwartete er, eine große Frau zu sehen. Was er dann sah, war eigenartig. Wenn ihr Mann etwa fünfzig Jahre alt zu sein schien, dann war Madame de Fleury dreißig oder noch jünger, ihre Haut war faltenlos, ihr Haar, von keiner Haube bedeckt und wie für eine Gesellschaft mit Bändern geschmückt, von glänzendem Braun. Wenn man von einem gewissen Mangel an Proportionen absah, hätte sie zumindest mit einer Maske das Interesse eines Mannes erwecken können. Ohne Maske ließ sich nicht leugnen, daß sie häßlich war. Als er auf die Knollennase hinunterblickte, die mächtige Kinnlade, die niedrige, fliehende Stirn und die fest geschlossenen Schweinsäuglein, überlegte Tobie beiläufig, wie groß ihre Mitgift gewesen sein mußte, um Jaak de Fleury dazu zu bringen, sie zu heiraten. Der kräftige Körper unterhalb des Gesichts war in Samt verpackt. Kinderlos, hatte der Aktuarius gesagt. Und mit Smaragden geschmückt. Eine ihrer Hände, blind erhoben, tastete nach ihm. Er legte seine Hand darüber. «Fürchtet Euch nicht. Wir sind Gäste, Madame de Fleury. Aus Brügge. Wir kommen von Eurer Verwandten Marian de Charetty.»

Sie öffnete die Augen und dann den Mund, wobei ein gewaltiges Gebiß zum Vorschein kam. «Tasse», sagte sie. «Er ist über sie hergefallen.»

Tobie legte ihr den Arm um die Schultern und half ihr mit einiger Mühe, sich aufzusetzen. «Er hat sie begrüßt», sagte er. «Seht Ihr nicht, wer es ist?» Er war sich bewußt, daß der Engländer Thomas ungeduldig hinter ihm stand und finster dreinschaute, während der Neger Loppe sich vorsichtig ins Dunkle zurückgezogen hatte.

Claes und die Magd standen nebeineinader. Die Magd, die verängstigt aussah, blickte den jungen Mann an. Claes starrte die auf dem Boden sitzende Frau an. Sein Gesicht war ausdruckslos und ohne Grübchen, der Mund nicht so breit wie sonst. Dann weitete er sich plötzlich auf die vertraute Weise, und Claes sagte: «Mich werdet Ihr nicht dabei erwischen, daß ich jemanden vergewaltige, wenn Julius da ist. Dafür ist er Fachmann. Möchtet Ihr, daß ich ihn hole?»

Die Frau runzelte die Stirn, machte eine schwache Bewegung, ohne sich Tobies Zugriff zu entziehen, und fragte: «Der kleine Claikine?»

«Nein, der große Claes», antwortete der Lehrling. Er kam nicht näher heran.

Die Frau keuchte. «Mir ist...»

«Laßt mich Euch in Euer Schlafzimmer bringen», sagte Tobie. «Ich bin Arzt. Euer Mann hätte Euch von unserer Ankunft verständigen sollen.»

Das riesige Gesicht sah ängstlich zu ihm auf. «Ich hab's vergessen. Er ist beschäftigt. Wein für seine Gäste. Meine Diener...»

«Sie werden sich um uns kümmern. Das hat noch Zeit. Jetzt solltet Ihr in Eurem Schlafzimmer sein. Ich werde Euch helfen. Thomas, Claes und Loppe – bleibt hier, bis ich zurückkomme.»

Als er sie hinausgeleitete, bemerkte er den Blick, den sie Claes über die Schulter zuwarf. Aber Claes hatte sich schon diskret zurückgezogen, stand neben Loppe an der Wand, murmelte etwas und feixte. Tobie glaubte, ein Echo seiner eigenen Stimme aufgefangen zu haben. Während er sich abmühte, die leidende Madame de Fleury in ihr Zimmer zu geleiten, wurde sich Tobie bewußt, daß er diesmal vielleicht Verwandtschaftsverhältnisse aufgedeckt hatte, die man besser auf sich hätte beruhen lassen. Er konnte damit fertig werden. Er kannte seine eigenen Fähigkeiten. Aber das hier – das verhieß nichts Erfreuliches.

Die Verheißung erfüllte sich. Die Herrin des Hauses hatte sich entschuldigt und kam nicht zum Abendessen. Als der Hausherr schließlich mit Astorre und dem Aktuarius erschien, sah er sehr verärgert aus und beschränkte sich bei Tisch auf bissige Höflichkeiten. Die Untergebenen Loppe und Claes waren nicht zu sehen, wenn sie überhaupt etwas zu essen bekamen, und Thomas, der etwas bekam, lernte bald, den Mund zu halten. Monsieur de Fleury hatte keine Zeit, an die Sendlinge seiner Nicht-Verwandten Marian de Charetty zu verschwenden, und jetzt, nachdem das Geschäftliche erledigt war, wollte er sie loswerden. Doch das war vorläufig nicht möglich, da Francesco Nori von den Medici sie erst morgen aufsuchen würde.

Sie hatten, wie üblich, zwei Schlafzimmer; Astorre und der Engländer in einem und Claes auf dem Fußboden, im anderen Tobie und Julius, bedient von Loppe. Aufgescheucht von seiner Verdauung machte sich Tobie in der Nacht zu dem gewissen Ort im Hof auf und wurde auf dem Rückweg von einer verhüllten Gestalt angesprochen, die er, erschreckt, als seine Gastgeberin erkannte. Sie, nicht weniger erschreckt, murmelte Entschuldigungen und eilte mit wallenden Gewändern davon. Ehe er sich wieder hinlegte, machte er sich die Mühe nachzusehen, wo sich seine Gefährten aufhielten. Julius in seinem Zimmer schnarchte, Loppe ebenfalls. Im Nebenzimmer hatte der Schlaf Astorre und seinen Stellvertreter übermannt, aber offenbar war ihm der ehemalige Lehrling Claes entwischt, der nirgends zu sehen war.

Tobie schlief wieder ein und wachte durch einen Höllenlärm in einem leeren Zimmer auf. Er blieb liegen und wartete ab. Schließlich war es Julius, der die Tür aufmachte und, mit einem ironischen Ausdruck auf seinem hübschen Gesicht, sich neben ihn auf die Matratze setzte. «Hörst du was?»

«Ich wage mir nicht auszumalen, was geschehen ist. Aber ich kann es mir denken. Ist Madame vergewaltigt worden?»

Die klassischen Gesichtszüge entspannten sich. «Ich nehme an, du hast so etwas schon mal erlebt.»

«Es ist alltäglich», sagte Tobie. «Diesmal vielleicht von dem Neger?»

Julius' Gesicht wurde hart. «Wo wäre dann der Spaß dabei?»

Tobie setzte sich auf. «Doch nicht etwa...»

«Natürlich. Claes.»

«Was wird geschehen?»

«Das hängt von Monsieur Jaak ab», sagte Julius. «Wenn er darauf besteht, wird es eine lange Gefängnisstrafe sein. Oder sie verstümmeln ihn.» Er hielt inne. «Astorre will versuchen, es zu verhindern. Ich will mehr tun. Ich werde dafür sorgen, daß sie es nicht machen.»

Auch diese Art von Gelassenheit hatte Tobie schon erlebt. «Du wirst ihm nicht helfen», sagte er, «indem du dich selbst einer Bestrafung aussetzt. Astorre braucht bloß zu beschwören, daß der Junge das Schlafzimmer überhaupt nicht verlassen hat. Kann er das?»

«Astorre und Thomas waren betrunken, als sie schlafen gingen. Das haben alle gesehen. Sie hätten es nicht mal bemerkt, wenn Claes Esota ins selbe Bett geschleppt und ihr dort Gewalt angetan hätte.»

Der Doktor sah Julius prüfend an. «Als Monsieur Jaak uns empfing, erwähnte er einen anderen Vorfall. Offenbar macht Madame de Fleury so was öfter. Ihr Mann ist sehr wohl darüber im Bilde, und andere wahrscheinlich auch. Würde eine Beschuldigung des Jungen Erfolg haben?»

«O ja. Die Dame ist zwar dafür bekannt. Das wird Claes die Höchststrafe ersparen, aber nicht den Rest. Monsieur Jaak ist reich und erfreut sich der Gunst des französischen Königs. Und Claes war nicht in seinem Zimmer. Du auch nicht.»

«Ich bin Claes gefolgt», sagte der Doktor. «Wie kann man einen solchen Zufall erklären? Ich konnte nicht schlafen, bin auf den Hof gegangen, habe ihn da gefunden und ins Gespräch gezogen. Der Morgen dämmerte schon, glaube ich, als wir wieder ins Haus gingen, und weil ich fürchtete, er könnte seine Gefährten wecken, lud ich ihn in mein Zimmer ein. Du mußt ihn selbst gesehen haben, als du aufwachtest.»

Eine schickliche Röte war Julius unter der gebräunten Haut ins Gesicht gestiegen. «Und wer», fragte er, «hat dann Madame de Fleury heimgesucht?»

«Ein Traum», sagte der Doktor. «Sie ist ein unglückliches Geschöpf und leidet offenbar unter derlei Dingen. Ich werde ihr eine beruhigende Arznei verordnen. Wenn ich unseren Freund Claes über seine nächtlichen Schritte unterrichtet habe. Wo, glaubst du, könnte ich ihn finden?»

Da Beharrlichkeit eine seiner Eigenschaften war, entdeckte Tobie den abgeschlossenen Keller, in den der Lehrling eingesperrt war, und fand unbemerkt den Weg zu einem nützlichen, wenn auch vergitterten Fenster. Es war dicht am Erdboden. Als er sich daneben hinsetzte und rief, wurde ihm ebenso leise geantwortet. Er war wenigstens noch rechtzeitig gekommen, um Claes in seine Geschichte einzuweihen, allerdings nicht, wie er sah, um das erste Auspeitschen durch de Fleurys Reitknechte zu verhindern. Es sei nicht schlimmer gewesen, sagte Claes ein wenig zitternd, als das, woran er sich schon von Thomas gewöhnt habe. Und wo, fragte Tobie freundlich, sei er denn in der letzten Nacht tatsächlich gewesen? Er starrte hinunter in den Keller, Claes starrte hinauf, und Tobies Schatten fiel auf sein einnehmendes Gesicht.

Ein Arzt ist niemals überrascht. Tobias Benventini war darauf gefaßt zu erfahren, daß zwischen seinem ehemaligen Patienten und Madame de Fleury etwas stattgefunden hatte. Sie war durchaus imstande, sich an den Jungen heranzumachen. Der Junge war aus persönlichen Gründen durchaus imstande, dachte Tobie, es sich zunutze zu machen. Manchmal nahm Rache seltsame Formen an. Er beurteilte Claes ganz anders, als Julius es tat.

«Sie ist abnorm veranlagt», sagte Claes. «Er hat sie ihres Vermögens wegen geheiratet.»

«Das heißt?» fragte Tobie.

«Das heißt, dies erleichtert ihr zu glauben, sie sei begehrenswert. Meester Julius weiß es. Das ist der Grund, warum er weggegangen ist. Es ist traurig. Aber ihr Mann nutzt das aus.»

«Aber warum beschuldigt er dich? Und wo warst du überhaupt letzte Nacht?»

«Beim Gesinde. Aber ich wollte es nicht sagen. Ich bin vor acht Jahren weggekommen, aber viele haben es nicht geschafft. Da ist noch eine Nichte... Es ist nicht wichtig. Und warum ich beschuldigt werde – einfach weil es mir gelungen ist wegzukommen. Ich habe nichts zu verlieren, also könnte ich über Madame Esotas Krankheit reden.»

«Krankheit?»

Claes sah schräg zu ihm auf. «Ihr seid nicht häßlich. Und auch nicht mit Jaak de Fleury verheiratet.»

Tobie musterte den Jungen. «Ohne mich würde de Fleury dich zugrunde richten. Deinen Aktuarius-Freund höchstwahrscheinlich auch. Du verzeihst zuviel, mein lieber Claes. Aber wenn du nicht deine eigenen Schlachten schlägst, überläßt du deinen Vorgesetzten eine schwierige Aufgabe. Oder ist es das vielleicht, was du willst?»

Unten rührte Claes sich, und Stroh raschelte. «Glaubt Ihr das? Hoffentlich nicht. Ich kann Euch nicht genug danken für Eure Mühe. Aber es war gar nicht nötig, etwas zu tun.»

«Deine Nase oder deine Hände zu verlieren würde dir nichts ausmachen?»

«Es geschieht, oder es geschieht nicht», meinte Claes gleichmütig. «Ich muß das in Ordnung bringen, so oder so. Wirklich. Ich weiß es zu schätzen, was Ihr getan habt. Eine zweite Rettung. Aber diesmal möchte ich keine anderen hineinziehen.»

«Du hast keine Wahl. Die hat niemand.»

Claes schwieg. Er schwieg absichtlich. Tobie trieb ihn in die Enge: «Hast du nie daran gedacht?»

«Ich denke an die Menschen, die auf mich angewiesen sind.» Der Keller war kalt, aber Claes saß ganz still, er hatte die Arme gekreuzt und um den Körper gelegt. «Aber niemand braucht sich meine Sorgen aufzuladen.»

«Nicht einmal die Menschen, die auf dich angewiesen sind?»

Das verwirrte den Jungen ein wenig. Dann sagte er: «Ihr und Meester Julius seid es nicht.»

«Vielleicht nicht. Aber du bist unser Gewissen. Wenn wir zulassen, daß dir Unrecht widerfährt, erniedrigen wir uns selbst. Ob du es willst oder nicht, wir müssen eingreifen. Wie auch diejenigen es tun werden, die dir etwas verdanken. Du bist nicht frei. Hat dir das deine Brotherrin nicht einmal nach einer deiner Eskapaden gesagt? Aber vielleicht ist es ungerecht, dich jetzt daran zu erinnern. Diesmal hast du keine Schuld. Also nimm die Hilfe an, die dir bereitwillig angeboten wird.»

«Hilfe, die erbeten wird», gab Claes zu. «Meester Tobie...»

Er konnte sich nicht erklären, was der Junge wollte. Er wartete.

«Meester Tobie, das hier sind unangenehme Leute, aber sie zu bestrafen ist nicht nötig. Und schon gar nicht, sie tödlich zu bestrafen.»

Tobie starrte hinunter auf Monsieur Jaaks eingekerkerten Großneffen. «Wer könnte sie tödlich bestrafen?» fragte er.

Das Gesicht unten sah ein wenig erleichtert aus. «Der Herrgott», sagte Claes. «Davor könntet Ihr sie allerdings nicht schützen. – Aber vielleicht jemand mit einem Giftgebräu.»

«Ich verstehe.» Tobie dachte nach. Schließlich sagte er: «Da sehe ich keine Gefahr. Mach dir keine Gedanken darüber.»

«Dann werde ich mir keine Sorgen machen.» Claes lächelte.

Als Tobie ihn verließ und sich zu seinem Zimmer und seinem Arzneischränkchen begab, spürte er, wie sein eigenes Lächeln sich verhärtete. Noch fehlte nichts. Er verschloß den Kasten... vor wem? Astorre und seinen Gefolgsleuten, die von Jaak de Fleury verhöhnt worden waren? Meester Julius, Claes beschützend und rachsüchtig um seiner selbst willen? Ein Komplott eines von de Fleurys schlecht behandelten Dienern, wovon Claes in der Küche gehört hatte? Oder Claes selbst, der Angst hatte, zu eben dieser Art von Selbstschutz getrieben zu werden, zu dem Tobie und Julius ihn in ihrem Ärger gedrängt hatten?

Aber nein. Das glaubte er nicht. Er glaubte nicht, daß Claes dazu gebracht werden könnte, gegen seine eigene Überzeugung zu handeln. Er hatte ihn nur einmal wirklich hilflos gesehen, und das war am Kai von Damme gewesen. Sein Motiv jetzt war vermutlich einfacher als alles, was Tobie sich ausmalte. Und trauriger. Denn wer immer Jaak de Fleury oder seiner Frau Leid zufügte, würde es Claes in die Schuhe schieben.

Nachdenklich steckte der Arzt den Schlüssel in die Tasche und machte sich auf, seinen Gastgeber Jaak de Fleury zu suchen und ihm die gute Nachricht von Claes' Entlastung zu übermitteln. Zuerst wollte Monsieur Jaak kaum glauben, daß seine Frau nicht vergewaltigt worden sei. Wenn man es nicht besser wußte, hätte man fast glauben können, daß er enttäuscht sei. Aber als Tobie ihn beiseite nahm und ihm (auf lateinisch) die wahre Natur von Madames unglückseliger Krankheit erklärte, begann er wieder Farbe zu bekommen und freier zu atmen; schließlich dankte er Tobie sogar für seine Diagnose.

Nach einer Weile fiel ihm ein, daß der junge Claes im Keller eingesperrt war, und schickte jemanden los, ihn zu befreien. Nach einer Entschädigung wegen des Auspeitschens von Claes gefragt, versprach Monsieur de Fleury, er werde darüber nachdenken. Nichts ließ darauf schließen, daß er es auch wirklich tat. Offensichtlich die einzige Entschädigung, die Claes erhielt, war eine sozusagen negative, er würde seine Hände und seine Gesichtszüge behalten. Nach einiger Zeit kam er aus dem Keller mit etwas gedämpfter Überschwenglichkeit, aber sonst bemerkenswert ruhig, und Tobie gab Loppe noch etwas Salbe. Dann verschwand Claes in den Ställen, und die morgendliche Tätigkeit begann, fast als ob nichts gewesen wäre.

Niemand bat den Arzt darum, seine Gastgeberin in ihrem Schlafzimmer aufzusuchen. Das tat Tobie fast leid. Er hatte sich schon darauf gefreut, ihr, um seinen Ruf zu schützen, in Gegenwart von Julius und ihrem Ehemann Fragen stellen zu können. Tobie fand statt dessen den Weg zu den Küchenräumen, bekam Bier und Gebäck vorgesetzt und unterhielt sich lange mit der Frau, die Tasse hieß, während Julius mit den Vertretern der Medici verhandelte, denen Jaak de Fleury, wie er behauptet hatte, so wenig verpflichtet war.

Viele Leute mochten behaupten, daß sie die Medici verachteten, aber wenige konnten es sich leisten, sie zu ignorieren. Ihre umsichtig geführten Banken in London, Brügge, Venedig, Rom, Mailand, Genf und Avignon kontrollierten das Geschäftsleben ganzer Völker. Und die Banken wiederum wurden von dem Oberhaupt der Familie, dem brillanten, gichtgeplagten alten Cosimo de' Medici von seinem Palast in Florenz aus regiert.

Er hatte Söhne, die sein Erbe antreten sollten, vor allem aber standen ihm Generationen von geschulten Geschäftsleuten zur Verfügung, die einander von einer Niederlassung zur anderen folgten. Julius kannte einige von ihnen. Die Familie Portinari, zu der als jüngstes Mitglied Tommaso mit dem Faible für Ringe gehörte, während seine Brüder sich um Mailand kümmerten. Die Familie Nori mit dem alten Simone in London und dem jungen Francesco seit vielen Jahren hier in Genf. Und mit Francesco Nori kam in diesem Augenblick der etwas ältere Sassetti herein, knapp unter vierzig, mit seiner römischen Nase und dem kurzgeschnittenen lockigen Haar, der Monsieur de Fleury mit überaus sonorer Stimme sehr formell begrüßte, ehe er sich umwandte, um die Bekanntschaft mit Julius herzlich zu erneuern und Astorre, dem Charetty-Hauptmann, auf die Schulter zu klopfen.

Astorre hatte schon früher den Schutz von Warensendungen übernommen. Astorre war an solche Besprechungen gewöhnt. Er trug, wie Julius bemerkte, eine gewisse Spannung im Gesicht, die ihn daran erinnerte, daß auch der Hauptmann hier in Genf Geld angelegt hatte, wie er einmal geprahlt hatte. Offenbar hatte Monsieur de Fleury ihm Vorzugszinsen angeboten und ihm eine Garantie gegeben, daß sein Geld sicher wäre, auch wenn der Firma Charetty etwas widerfahren sollte.

Julius fand es interessant, daß Jaak de Fleury Astorre zwar verachtete, aber dennoch Geschäfte mit ihm machen wollte. Er war bestimmt nicht der Mann, der sich den Profit durch persönliche Zu- oder Abneigungen schmälern ließ. Gute Söldner konnten eine Menge Geld verdienen – einige Erfolge, eine einzige brillante Eroberung, eine Saison der Plünderungen konnten einer Bank, die das Glück hatte, die Investitionen der Söldner an sich zu ziehen, viel Gold einbringen. Wenn Astorre einen erstklassigen Kontrakt in Italien erhielt und dann Erfolg hatte, würde de Fleury großen Gewinn daraus ziehen. Julius hatte sein Geld bei den Strozzi. Wie Marian de Charetty wußte, der Teufel soll sie holen. Heutzutage ließ sich nichts mehr geheimhalten.

So blieb Astorre an diesem Vormittag die ganze Zeit bei den Verhandlungen dabei. In der Hauptsache handelte es sich um das Ausstellen und Überprüfen von Empfangsbescheinigungen für die von Brügge nach Genf gebrachten Waren. Und dann folgte die ordnungsgemäße Inspektion der Waren, die von Brügge an die Medici in Italien gingen. Die Wandteppiche wurden aufgeschnürt und in Augenschein genommen, ebenso die Goldwaren. Bruder Gilles wurde gerufen und vorgestellt, brauchte aber seine Gesangskunst nicht unter Beweis zu stellen. Dann wurden die vier Hackney-Pferde, die Messer Pierfrancesco erfreuen sollten, aus den Ställen auf den Hof geführt.

Jaak de Fleury behielt sein Gehabe von unsäglicher Überlegenheit bei und war zu den Medici-Geschäftsführern nicht freundlicher als zu den Angestellten seiner entfernten Verwandten, der Charetty.

Julius, die Papiere in der Hand, ging mit Astorre und den anderen hinaus, um die zur Inspektion herausgebrachten Pferde zu betrachten, und sah, daß Claes aus den Ställen kam und den Reitknechten half. Julius war nicht nur erleichtert, daß Claes frei war, sondern auch verblüfft. Im Gegensatz zu Felix, der ein wandelndes Wörterbuch der hippologischen Genealogie war, hatte Claes bisher keine nähere Bekanntschaft mit Tieren gemacht. Trotz der höhnischen Bemerkung seines Großonkels reichte seine Erfahrung nicht weiter als bis zu Zugochsen, dem Hund, den er vielleicht oder vielleicht auch nicht mit einem Knüppel erschlagen hatte, und den hartmauligen Pferden, von denen er auf dem Weg nach Genf immer wieder heruntergefallen war. Daher war es bemerkenswert, daß er die Vollblutpferde mochte und sie ihn. Die auf ihrem Stroh gemeinsam verbrachten Nächte hatten zu einer Art Kameradschaft geführt. Er gab ihnen mehr Futter, als erlaubt war. Wenn er in ihre Nähe kam, liebkosten sie ihn mit dem Maul, so daß seine Ohren trieften.

Die Pferde und ihre Betreuer blieben jetzt vor den beiden Medici-Vertretern stehen, und Claes wollte sich gerade abwenden, als Sassetti sagte: «Na so was. Irre ich mich, oder ist das ein junger Mann, den ich von früher kenne? Claikine?»

Claes drehte sich um und sah ihn an. Das krause Haar, plattgedrückt nach drei Wochen unter dem Helm, hatte dieselbe Farbe wie der Rost auf seinem Kettenhemd, sein Gesicht war wie gewöhnlich fleckig, und er hatte etwas, das einem blauen Auge sehr nahe kam. Er feixte: «Messer Sassetti.»

«Und Messer Nori», sagte Sassetti. Wellen kalter Entrüstung durchströmten Monsieur de Fleury. Der Medici-Mann nahm keine Notiz davon. «Und hier bist du nun, jetzt als Soldat? Bei *capitano* Astorre? Im Begriff, dein Glück zu machen?» Sassetti wandte sich an Julius und den Doktor. «Das lebhafteste Kind, das ich je in diesem Haushalt sah. Eine Landplage warst du, nicht wahr? Aber ein guter Kurier, der Botengänge schnell erledigte, *volando*. Ich wünschte, meine Laufburschen hätten deine Schnelligkeit. So –» er entließ ihn mit einem Lächeln – «und das sind also die Pferde.»

Er war angetan von den Pferden. Jetzt mußten sie nur noch, ehe sie alle erfroren, ins Haus zurückkehren und formell die Medici-Depeschen übergeben. Julius schickte Loppe los, die Tasche zu holen, dann öffnete er sie, wickelte das schwere Ölpapier ab und breitete den Inhalt auf Monsieur Jaaks Tisch aus, so daß die Wachssiegel in Hülle und Fülle, hart und leuchtend, dalagen wie Blumen.

Als erstes nahm er die Medici-Bündel heraus: das mit dem Siegel von Simone Nori aus London: das Päckchen von Angelo Tani aus Brügge und ein weiteres von Abel Kalthoff, dem Kölner Vertreter, alle mit *il segno* versehen, der birnenförmigen Silhouette, gekrönt von einem Kruzifix und jene drei Kugeln tragend, die Münzen darstellten und das Bankgeschäft der Medici symbolisierten. Alle Verpakkungen waren unversehrt, verschnürt und versiegelt, unerforschlich und geheimnisvoll. Denn kein Bankier in Europa hätte einem anderen unverschlüsselt heikle Informationen zukommen lassen. Und der Medici-Code war der beste auf der Welt.

Dennoch drehten Sassetti und sein Gefährte sie gut gelaunt um, ehe sie sie ihrerseits in ihre Taschen steckten und die Gelegenheit ausnutzten, wie es Bankiers in so einem Fall immer tun, um einen Blick auf die anderen Päckchen zu werfen, die darauf warteten, an die Empfänger verteilt zu werden. Eine Botschaft von Marco Corner, dem venezianischen Kaufmann in Brügge, an seinen Verwandten Giorgio hier in Genf. Eine von Jacopo Strozzi an Marco Parenti, den Seidenhändler und Ehemann von Lorenzos Schwester Caterina, der in Florenz lebte. Eine von Jacopo und Aaron Doria an Paolo Doria in Genua, abzuliefern bei dem Mailänder Vertreter der San Giorgio-Bank. Und mindestens ein Dutzend Sendungen für die Medici-Bank in Mailand, auf deren verschiedenen Siegeln sich Gestalten mit Heiligenschein in dem kostbaren Wachs abzeichneten.

Sassetti streckte einen pummeligen Finger aus und legte ein Siegel frei. «Der Bischof von St Andrews, Schottland», sagte er. «Annaten natürlich. Oder vielleicht eine päpstliche Kollekte? Jetzt verstehe ich, warum unsere kleine Sendung so sehr geschützt wird. Was würde aus dem Angriff des Papstes auf die Türken werden, wenn ihn das Gold nicht erreichte?»

«Mein lieber Sassetti», warf Jaak de Fleury ein. Die dunklen Augen in dem hübschen Gesicht leuchteten vor Ironie. «Wer glaubt denn, daß dieser ehemalige Weiberheld im Vatikan je genug Geld zusammenbekommt, um auch nur ein Ruderboot loszuschicken. Wird Burgund ihm helfen? Nein. Wird Mailand einen Finger rühren? Und all diese wohlriechenden Betbrüder, die er aus dem Osten herbeizitiert hat, damit sie sich bei einem Kreuzzug mit der Kirche zusammentun – was wollen sie schon außer einem Haus und Kostgeld und einigermaßen gebildeten Schülern, die sie für die Nachwelt auf griechisch preisen?»

Der Kaufmann zog die prachtvollen Schultern hoch und gab ein zivilisiertes Stöhnen von sich. «Der König von Schottland muß verrückt sein, wenn er Geld schickt. Seine Schwester zumindest ist eine Närrin. Jahrelang war sie hier, verlobt mit dem Grafen von Genf, bis der König von Frankreich darauf hinwies, wie unpassend eine solche Heirat sein könnte und man sie nach Schottland zurückschickte.»

«Sie war Bischof Kennedys Cousine», sagte Julius. «Vielleicht ist da eine Mitgift herauszuholen.»

Die Medici-Leute, die es wissen mußten, gaben sich den Anschein gelassener Aufmerksamkeit. Julius verstand den Wink und ließ das Thema fallen. Das Geld vom Bischof von St Andrews war, wie er sehr wohl wußte, Lösegeld für Nicolai de' Acciajuolis Bruder. Sofern der Grieche vorhatte, auch hier um Spenden zu bitten, täte man ihm keinen Gefallen, wenn man die Größe seiner Beute betonte.

Das Gespräch versiegte. Monsieur Jaak de Fleury tat nichts, um es wieder zu beleben. Julius war sich darüber im klaren, daß Monsieur de Fleury es kaum erwarten konnte, die Medici-Leute loszuwerden und dafür zu sorgen, daß sie alle bei Einbruch der Nacht sein Haus schon lange verlassen hatten. Monsieur de Fleury freute sich nicht über ihre Gesellschaft.

Eine Schwierigkeit tauchte auf. In der Medici-Bank wurde jetzt ein neuer Stoß Berichte für Mailand zusammengestellt. Messer Nori würde sie am nächsten Morgen bringen. Und der Charetty-Hauptmann, hoffte er, werde die Aufgabe übernehmen, sie zu überbringen. Die angebotene Bezahlung war vortrefflich. Aber Monsieur de Fleury weigerte sich rundheraus, die Charetty-Leute noch länger zu beherbergen. Julius verhandelte schnell und entschlossen und traf eine Übereinkunft mit Nori, der jetzt gleich zur Bank zurückgehen und die Briefe bereit machen sollte, und Julius würde jemanden schicken, um sie abzuholen. Er war froh, auf diesen Gedanken gekommen zu sein. Als später entschieden werden mußte, wen er schicken könnte, dachte er an Claes, der Sassetti und Genf kannte und einen kleinen Ausflug verdient hatte.

Daß Monsieur de Fleury damit nicht einverstanden sein könnte, kam dem Aktuarius gar nicht in den Sinn. Er packte seine Papiere zusammen und ging hinaus, um Astorre zu helfen, die Kavalkade von neuem zu beladen. Dann erhielt er die Aufforderung, sich in Monsieur Jaaks Arbeitszimmer einzufinden. Das Gespräch war sehr unangenehm. Julius kam blaß vor unterdrücktem Zorn heraus und machte sich zu seinem Zimmer auf. Der erste, den er traf, war Claes, der Thomas' Gepäck trug. «Du bist also zurück», sagte Julius.

Claes sah erstaunt aus. «Ich mußte warten. Die Briefe waren nicht alle fertig.»

Julius warf sich auf eine Matratze. «Das alte Scheusal war überzeugt, du würdest ausreißen oder alle seine Geheimnisse verraten.»

Claes schaute mitfühlend drein. «Hat er gedroht, Euch die Hände abzuhacken? Nein, sie haben mir ein Bier angeboten und sich nach Meester Tobie erkundigt. Ich erzählte ihnen von Lionetto und seinen gläsernen Rubinen.»

«Und von de' Acciajuoli?»

Claes runzelte die Stirn. «Nein. Sie haben ihre eigene Seidenfaktorei, die Medici. Wußtet Ihr das? Ich habe ihnen von Messer Arnolfini erzählt. Macht das was?»

«Nein. Das sind nur Geschäfte zwischen Arnolfini und der Firma de Fleury; es macht nichts. Die Charetty handeln nicht mit Seide.»

«Das ist auch gut so. Was sie über die Witwe gesagt haben!»

Julius setzte sich auf. «Über die Demoiselle?» fragte er scharf.

Claes sah verlegen aus. «Na ja, über Geschäftsfrauen. Ihr habt ja gehört, was Monsieur de Fleury gesagt hat. Ihnen gefällt das Tuch nicht, das sie schickt. Und sie sagen, sie verlange einen zu hohen Preis.»

Julius starrte ihn an. «Das ist Unsinn. Wir verlangen weniger als den Marktpreis.»

«Na ja, es läßt sich zu dem Preis nicht verkaufen. Es ist muffig.»

«Was?»

«Vielleicht lagert Monsieur Jaak es in einem ungeeigneten Keller. Der, in dem ich eingesperrt war, war verdammt feucht. Vielleicht sollte man es ihm mal sagen.»

«Vielleicht», erwiderte Julius nachdenklich.

«Ihr habt ja mit ihm gesprochen. Hat er es erwähnt?»

«Nein. Vielleicht hätte ich sein Angebot annehmen sollen. Jemand scheint aus der Firma Charetty Gewinn zu schlagen.»

«Angebot?»

«Er wollte, daß ich zu seiner Firma zurückkomme. Nachdem er sich erkundigte, ob die Witwe wieder zu heiraten gedenke und ob Astorre oder ich vorhätten, ihr nächster Ehemann zu werden.»

«Der Hauptmann!»

«Ja. Allerdings, um Monsieur Jaak Gerechtigkeit widerfahren zu lassen, er schien Astorre als Charetty-Chef nicht zu favorisieren. Er war so freundlich zu erklären, daß ich für eine Frau dieser Art einen sehr guten Herrn und Gebieter abgeben würde. Dann, als er merkte, daß ich danach nicht trachtete, bot er mir meinen alten Posten wieder an, nachdem ich ja nun gesehen hätte, wie jämmerlich es sei, sich an die Röcke einer Frau zu klammern.»

Julius hielt inne. Normalerweise hätte er dergleichen einem Grünschnabel wie Claes gegenüber nicht erwähnt, aber er mußte es jemandem erzählen, und Claes war nun mal gerade da. Immer häufiger war Claes zur Hand. Nicht zum erstenmal wünschte Julius, Claes würde zu Verstand kommen, einen Teil Verantwortung übernehmen und gewissermaßen Ansehen erlangen, so daß man etwas mit ihm besprechen konnte.

«Nun, es kommt darauf an», erwiderte Claes. «Aber ich nehme an, daß Ihr abgelehnt habt.»

«Dann wollte er Loppe kaufen. Loppe!»

«Weil seine Stimme so gut ist», meinte Claes.

«Loppe», wiederholte Julius etwas matt. «Nicht den Mönch. Wieso hat sich Astorre überhaupt mit einem Mönch angefreundet?»

«Ihr denkt an Bruder Gilles. Dessen Stimme ist nicht so gut, aber er war der Beste, den Tommaso finden konnte, als die Medici einen Tenor haben wollten. Derjenige, der gregorianische Gesänge mit der guten Tenorstimme singt, ist der Sklave Loppe aus Guinea. Er lernt alles. Er war bei einem Juden, dann bei einem Portugiesen, dann bei einem Katalanen und schließlich bei Oudenin und der Demoiselle de Charetty und nun bei Euch. Fünf Sprachen und der gregorianische Gesang.»

Julius sah ihn lange an. «Hat Bruder Gilles ihm Unterricht gegeben?»

«Nein. Er hat es sich selbst beigebracht. Bruder Gilles war beeindruckt. Sie singen kontrapunktisch.»

«Und Monsieur Jaak hat ihn gehört?»

«Und will ihn natürlich kaufen. Er ist ein Vermögen wert. Habt Ihr ihn verkauft?»

«Nein. Keinen Hund würde ich diesem Mann verkaufen. Aber wenn Loppe wertvoll ist, was machen wir dann mit ihm? Oudenin hat ihn der Witwe geschenkt.»

«Ich habe Messer Sassetti von ihm erzählt», sagte Claes. «Er meinte, der Herzog von Mailand würde interessiert sein. Oudenin würde nichts dagegen haben, wenn Loppe zum Herzog von Mailand käme. Loppe selbst glaubt, es würde ihm gefallen; ich habe ihn gefragt. Und Astorre und Bruder Gilles wären zufrieden. Wir könnten bessere Bedingungen für den Kontrakt bekommen.»

Manchmal konnte Claes einen überraschen. Julius starrte ihn an.

«Das heißt, wenn wir ihn heil über die Alpen bringen», fügte Claes nachdenklich hinzu.

Kapitel 12

Wenn man die Alpen im November überquert, dann hat man bei der Heimkehr natürlich etwas zu erzählen, und warum auch nicht. Es war kein Vergnügen für Afrikaner (oder Elefanten), die noch nie Schnee gesehen hatten. Gebildete junge Männer hatten beschrieben, wie tapfer sie sich mit verbundenen Augen auf einem Schlitten über die Berge hatten ziehen lassen. Jemand sprach davon, die Überquerung auf einer mit Rädern versehenen und von einem Ochsen gezogenen Sänfte zu meistern, der Ochse vorsichtshalber an einer langen Leine und die Zügel des Pferdes in der Hand.

Astorres einziges Zugeständnis an derlei Phantasien war, alle Waren auf Packpferden und Maulesel umzuladen und die vier als Geschenk vorgesehenen Pferde in Decken zu hüllen. Nachträglich bekam auch Loppe eine Decke, aus der sein breites schwarzes Gesicht glatt poliert hervorragte. Er war unglücklich.

Das Festbinden und Packen wurde Claes übertragen, der sich auf der Fahrt von Brügge als ein geborener Fachmann für Gewichtsverteilung erwiesen hatte und Knoten knüpfen konnte wie ein Seemann. Obwohl auf den Jurabergen zu ihrer Linken und den Alpengipfeln zu ihrer Rechten der Schnee glitzerte, war das Seeufer noch grün, und ohne die Wagen kamen sie rasch voran; der rauhe, bitterkalte Wind zerrte an ihren Fahnen und den frisch gefärbten Federn auf Astorres schimmerndem Helm.

Vier Tage, rechneten sie, würden sie von Genf bis zum Hospiz Sankt Bernhard auf dem Paß brauchen, auf dem einst ein Jupitertempel gestanden hatte, und wenn ihnen das Glück hold war, würde es keinen Schnee geben, bis sie den See verlassen hatten und nach St. Pierre gelangten. Tatsächlich schafften sie es in drei Tagen, denn durch den starken Verkehr zum und vom Kreuzzugskongreß des Papstes waren durch den Schnee schon Wege gebahnt worden, und die Gasthäuser und Klöster waren gut geheizt und gut versorgt und wollten ein gutes Geschäft machen.

Es gab natürlich noch andere Möglichkeiten, nach Italien zu gelangen. Heere zogen über den Brenner, der weniger steil und günstiger für Nachschub war. Deutsche, zum Beispiel Sigismund von Tirol, gingen über den Sankt Gotthard. Franzosen, Flamen und Engländer, die nicht am Genfer See entlangziehen wollten, konnten ihre Waren auf der Rhône nach Marseille verschiffen und dann in der geeigneten Jahreszeit weiter nach Genua.

Aber es war nicht die geeignete Jahreszeit für die Segelschiffahrt, und außerdem wurde Genua von den Franzosen beherrscht. Deshalb führte der Hauptmann, sein halbes Ohr blau gefroren und der Bart mit Rauhreif überzuckert, seine kleine Schar durch Savoyen, das insofern auch von den Franzosen beherrscht wurde, als König Charles dem Herzog von Savoyen sagte, was er zu tun habe. Aber wie jedermann wußte, sagte die Gemahlin des Herzogs und alle ihre Verwandten aus Zypern dem Herzog ebenfalls, was er zu tun habe.

In alle Richtungen sich absichernd, so war der Herzog von Savoyen. Sein Vater, der Papst, der vor acht Jahren gestorben war, hatte wenigstens gewußt, was er wollte und wie er es erreichen konnte, und falls nicht, wie man der Sache dann ins Auge zu sehen hatte. *Einen schielenden Affen* hatte man den jetzigen Pontifex den verstorbenen Papst Felix nennen hören, auf lateinisch natürlich. Klatschgeschichten über den jetzigen Papst Pius waren, diskret und prickelnd zugleich, in allen Gasthäusern und Klöstern zu vernehmen, in denen Astorres Schar abstieg.

Es schien ein heikles Thema zu sein, aber andere waren noch gefährlicher. In St. Maurice trafen sie eine englische Gruppe, vor Wappenschilden strotzend, mit der man nicht gern über ihren idiotischen Lancaster-König und die Anhänger des Hauses York sprechen würde. Oder über ihre französische Königin, gegen deren Bruder man in Neapel kämpfen wollte. Es war ungefährlicher, über den fürchterlichen Besuch des Papstes in Schottland vor fast fünfundzwanzig Jahren und dessen wohlbekannte Folgen zu reden. Zum einen ein halbschottischer Bastard, der bald starb. Und eine barfüßige Pilgerfahrt zum anderen, von der sich Pius Äneas' Füße seitdem nicht wieder erholt hatten. Man sollte meinen, daß der große Doktor Tobias sich für päpstliche Füße interessieren würde. Aber er saß bloß da und trank und beobachtete Claes sehr genau. Astorre fiel es auf.

Bei der nächsten Mahlzeit redete ein Mailänder, der auf dem Weg nach Norden war, über dasselbe Thema unaufhörlich, bis Meester Julius sich veranlaßt sah, ein Wort für den Pontifex einzulegen. «Na schön, er hat ein paar Bastarde gezeugt. Warum hat dieser poetische

Ehezerstörer dann die heiligen Weihen empfangen, ist Papst geworden und widmet nun seine ganze Energie einem Feldzug, um Konstantinopel zurückzuerobern?»

«Habt Ihr ihn kennengelernt?» fragte der Mailänder. «Na ja, manche sagen, es sei ein Sinneswandel gewesen. Vielleicht würde ich ja dasselbe tun, wenn ich sein Gewissen hätte. Jedenfalls beklagt sich mein Herzog nicht. Niemand wird zum Kreuzzug aufbrechen, solange in Süditalien ein Krieg tobt. Wenn der Papst will, daß Mailand gegen die Türken kämpft, dann muß er zuerst etwas tun. Er muß Mailand helfen, diese gierigen französischen Hunde zu schlagen, die Neapel haben wollen.»

«Das haben wir schon gehört», erwiderte Meester Julius.

«Sie haben's mir erzählt. Oh, sie werden Euch haben wollen in Mailand. Die päpstliche Armee wird Euch nehmen, oder die Mailänder. Oder sie schicken Euch gleich direkt nach Neapel, um König Ferrante zu helfen, damit er durchhält, wenn es das ist, was Ihr wollt. Aber denkt daran, Ihr müßt aufpassen, wie Ihr da hinkommt. Eine Menge Franzosenfreunde sind auf dem Weg zu dem Kongreß in Mantua. *Die* solltet Ihr nicht überholen, wenn Ihr es einrichten könnt.»

Es war ein guter Rat, wenn auch schwer zu befolgen in den Bergen, wo der Schnee in dicken Schichten lag wie Wolle bei der Schafschur und das Vorwärtskommen erschwerte. Die Pferde ließen die Köpfe hängen, und die Wangen der Männer wurden wund und fleckig zwischen den Bärten und den Augenbrauen, und wenn sie sich schneuzten, blieb die Haut ihrer Finger an der Schutzmaske kleben. Wurde unter diesen Umständen irgendeine Menschengruppe in der weißen Landschaft sichtbar, dann blieb man dankbar in ihrer Nähe, denn zu mehreren war man sicherer.

Als die vielsprachige Kavalkade schließlich das von Sankt Bernhard erbaute Kloster erreichte, hatten sogar die Engländer alle Förmlichkeit abgelegt, aßen und tranken mit den übrigen in der dampfigen Wärme des Refektoriums und sagten ihren Dienern, sie sollten Claes antworten, wenn er John Bonkles Englisch an ihnen ausprobierte. Aber am nächsten Morgen war es Astorre, der als erster auf den Beinen war, um seinen Konvoi für den zweiten und schwierigeren Teil der Reise zusammenzustellen. Das Festbinden der Lasten überließ er Claes, der erst von einem anderen Hof geholt werden mußte, wo er eine Pumpe repariert hatte.

Der Segen, den der Prior Claes erteilte, war nach Astorres Ansicht übertrieben, könnte aber möglicherweise dazu dienen, den jungen Mann auf seinem Pferd zu halten, bis sie das Gebirge hinter sich hatten. Obwohl der Narr Fortschritte machte. Nach dem Klang der Gespräche zu urteilen, die er mitanhörte, schien es Astorre, daß Claes nicht mehr so sehr eine Zielscheibe des Spotts für die Soldaten war, obwohl einige der rauhbeinigeren sich immer noch dann und wann die Gelegenheit nicht entgehen ließen, ihm einen Streich zu spielen.

Ein weniger erfahrener Hauptmann als Astorre hätte vielleicht eingegriffen, ehe es zu einem Arm- oder Beinbruch kam. Aber so etwas führte nie zu etwas Gutem. Was nach Protektion aussah, nahmen die Menschen einem schlicht und einfach übel und schlugen heimlich nur um so heftiger auf ihr Opfer ein. Es war Claes Sache, schnell genug zu lernen, sich zu schützen. Was er auch tat. Und der Teufel hatte sich diese Reise ausgedacht, um sogar erfahrene Männer zu erschöpfen, ganz zu schweigen von jungen Leuten, die gern Streiche spielten.

Astorre sagte sogar etwas in diesem Sinn zu Tobias, der als ehemaliger Gefährte von Lionetto bisher von Astorre nicht ins Vertrauen gezogen worden war. Die Zeit hatte jedoch erstaunlicherweise gezeigt, daß der Doktor ein harter Mann war, ganz nach Astorres Geschmack, und seine scharfe Zunge, genau wie die von Thomas, einen trägen Kavalleristen zusammenfahren lassen konnte. Astorre hatte sogar einige Zeit aufgewandt, um Thomas an den Gedanken zu gewöhnen, daß die Truppe jetzt vier Offiziere hatte und daß keine Truppe, die Ambitionen besaß, mit weniger auskommen könnte.

Kontrakte, Korrespondenz, Buchhaltung, all das mußte erledigt werden, und die Zeit war zu knapp, um den halben Tag damit zu verbringen, eine Stadt nach einem Schreiber abzuklappern oder die Dienste eines dem eigenen Brotherrn unterstellten Mannes in Anspruch zu nehmen, der einen im Handumdrehen betrügen würde. Und gute Kämpfer blieben da, wo ein guter Wundarzt war. Gutes Essen, guter Sold und gute ärztliche Betreuung, das war es, was die Leute zusammenhielt. Und ein Befehlshaber, der seine Sache verstand, ging keine törichten Risiken ein; er wußte, daß man die größte Mühe erst auf das verwandte, was am meisten Beute versprach, und er wußte sie auch gerecht aufzuteilen.

Bisher, das gab er bereitwillig zu, hatte es der Truppe an Organisation gemangelt. Zum Beispiel wechselten die Söldner ständig. Die meisten Männer, die unter Kontrakt standen, kamen auch, wenn sie einberufen wurden, aber leider nicht alle. Einige waren ums Leben gekommen. Einige hatten im Winter Banden gegründet und sich auf Plünderei und Wegelagerei verlegt, um für den Winter mit Essen, Trinken und Mädchen versorgt zu sein. Er war mehr als einmal fast überfallen worden von Männern, die er wiedererkannte und die sich zurückzogen, wenn sie merkten, wer er war und die Zahl seiner Lanzenreiter sahen. Viele dieser Leute wurden gefangengenommen und aufgehängt oder erschlagen, ehe der Frühling kam. Andere fanden dann einen Hauptmann, der besser zahlte oder in dem Ruf stand, mehr zu plündern; einige wurden vielleicht auch von der anderen Seite bestochen, damit sie gar nicht erst kamen.

Die Söldnertrupps, die Erfolg hatten – die wirklich großen, die sich einen pompösen Namen zulegten und in einem großen Krieg ihren Preis selbst bestimmen konnten –, das waren Truppenverbände mit einer eigenen Kanzlei, wie ein Fürst sie haben würde, und einem Rat und einem Schatzmeister und Pensionskassen und allem, genau wie ein Stadtstaat. Diese Kompanien waren gut, weil sie zusammenblieben und die Leute einander kannten und oft überhaupt nicht in die Heimat zurückkehrten, sondern in (bezahlten) Winterquartieren blieben, wenn die Kämpfe aufhörten, und dann waren sie da und bereit, um im nächsten Jahr wieder anzufangen.

Das war es, was Astorre anstrebte. Er war nicht zum ruhmreichen Soldaten geboren. Er hatte nicht die Chancen gehabt, die einem Hawkwood oder einem Carmagnola zum Erfolg verhalfen. Er erwartete nicht, von Monarchen umworben zu werden. Aber mit Marian de Charettys Unterstützung konnte er Beachtung erlangen. Die herzöglichen Führer würden ihn um Rat fragen. Er würde bekannt werden, nicht nur als das, was er war, ein tüchtiger Mann mit einer kleinen Truppe, auf die man sich verlassen konnte. Er würde der Mann sein, an den sie dachten, wenn sie einen Anführer bei einer Belagerung, bei einer bestimmten Schlacht brauchten. Männer würden zu seiner Fahne eilen, und es würde Geld da sein für ihren Sold. Und zu guter Letzt würde vielleicht irgendein Fürst der Witwe die Truppe abkaufen und ihnen ein ständiges Zuhause bieten. Derlei Leute konnten großzügig sein. Er kannte Hauptleute, die Städte an Stelle von Sold bekommen hatten und sie dann behalten durften.

Das war es, was Astorre wollte. Das war es auch, was Lionetto wollte. Aber Astorre würde als erster die Männer und das Geld und die Unterstützung und die eroberten Gebiete bekommen. In diesem Jahr schien das auf einmal möglich. Und Lionetto tat gut daran, ihn nicht zu behindern, sonst würde er ihn fertigmachen.

Natürlich war das Leben nicht gerade angenehm auf den großen Feldzügen. Keine Ehefrauen und kein Zuhause – oder aber mehrere, wie ein Matrose. Aber Marketenderinnen – ja, die mußte man haben. Sogar für die wenigen Männer, die, wie er annahm, aus Flandern, der Schweiz und Burgund noch zu ihm stoßen würden, mußte er Marketenderinnem anheuern. Frauen zum Kochen und Waschen, um die Zelte und Hütten wohnlich zu machen und die Männer bei Laune zu halten. Es gab Zeiten, da wünschte er sich die Tage zurück, in denen er noch Lanzenträger war, von seinen Kameraden umgeben, und keine anderen Sorgen hatte, als sich einen immer noch schlimmeren Schimpfnamen für den alten Schweinehund auszudenken, der ihr Anführer war.

Dann fiel ihm ein, wie schön es war, der erste zu sein und von niemandem aufgehalten zu werden. Schön jedenfalls, wenn man nicht gerade in einem Schneesturm die Alpen überquerte und einem die zusammengekniffenen Augen tränten. Sie befanden sich jetzt auf einem schmalen Saumpfad zwischen hochaufragenden Felswänden, die nur die Ausläufer der noch höheren und steileren Schneeberge dahinter waren. Seinem Pferd gefiel es nicht. Astorre trieb es an, doch dann merkte er, daß der Doktor Tobias versuchte, ihn auf etwas aufmerksam zu machen. Astorre ritt langsamer und wandte den Kopf, um zu sehen, worauf der Arzt deutete.

Hinter den wippenden, schneebedeckten Helmen seiner Leute und den mit den Köpfen nickenden Packpferden kam eine lange Strecke unberührten Schnees. Dahinter stand ein reiterloses Pferd. Und hinter ihm war eine Mulde im Schnee, teilweise von einem flachen, bunten Häufchen ausgefüllt, das sich schwach bewegte.

«Wer?» fragte Astorre wütend. Er würde anhalten müssen. Jeder, der in diesem Schnee zurückblieb, würde sterben. Er blieb stehen, die Karawane rückte auf und hielt hinter ihm an. Er ließ seinen Blick scharf über die Gesichter gleiten und stellte fest, daß alle seiner Offiziere, der Knabe Claes und der Neger Loppe da waren. Einer der Soldaten also, der Teufel sollte ihn holen.

«Er muß verletzt sein», sagte der Arzt. «Ich werde zurückreiten, wenn Ihr mich vorbeilassen könnt. Nein, seht mal. Da kommt eine andere Gruppe von Reitern heran. Sie werden ihn für uns aufheben.»

Der Aktuarius Julius hatte sich nach vorn gedrängt. «Wenn sie ihm nicht die Kehle durchschneiden und ihm die Rüstung abnehmen.»

«Er hat keine. Es ist Bruder Gilles. Es ist Hauptmann Astorres Mönch, der heruntergefallen ist», sagte der Lehrling Claes. Sein Gesicht war von der Kälte wund, aber fröhlich, und der weiße Schnee auf seinem Helm erinnerte an die Federn auf dem eines Janitscharen. «Ich glaube, es sind die Lancaster-Anhänger», fügte er hinzu. «die Engländer. Sie würden ihm nichts tun. Aber ich werde mich vergewissern, ob sie es sind, soll ich?» Er gab dem Pferd die Sporen und wendete es.

Astorre tat nichts, um ihn zurückzuhalten. Er hatte allmählich genug von Bruder Gilles, der einer von Astorres vielen Schwestern einen nicht näher bezeichneten Gefallen getan hatte und jetzt den Lohn einheimste. Der Anstand erforderte indes, den Mönch zu retten – es sei denn natürlich, es wäre völlig unmöglich. Astorre sah forschend zu dem bedeckten grauen Himmel auf und fluchte leise. Die beiden Akademiker tauschten vielsagende Blicke. Claes war an einem Felsgesims angelangt, erhob sich kühn in den Steigbügeln und richtete seine tränenden Augen auf die Fahnen der herankommenden Reiter. Dann erhellte sich sein Gesicht. «Es ist in Ordnung. Worcesters Banner. Es sind die Engländer.»

Alle sahen erleichtert aus. Tobie straffte seine Zügel und wollte gerade zu dem Mönch zurückreiten, da grunzte Astorre. Nur der in den Schnee gefallene Mann, der sah, daß keiner Anstalten machte, ihm zu helfen, und glaubte, er sei Fremden auf Gnade und Ungnade ausgeliefert, hob verzweifelt einen Arm. Dann machte er den Mund auf. Man sah deutlich einen dunklen Punkt in seinem weißen Gesicht.

Tobie und Julius sahen es. Astorre erstarrte. Später wurde Tobie klar, daß Claes, hoch oben, auch einen Augenblick innegehalten hatte. Aber da mußten die Wappenschilde und die Federn und die Schabracken schon absolut klar zu erkennen gewesen sein. Claes schenkte den Engländern keine Beachtung. Vielmehr richtete er seine Augen auf den Mönch, hob die Arme und legte die Hände hohl hinter beide Ohren, eine allgemein übliche Geste von jemandem, der etwas hören möchte. Und so direkt dazu aufgefordert, rief Bruder Gilles ihm etwas zu.

Seine Stimme ließ sich nicht mit der von Loppe vergleichen, aber er hatte Angst. Vielleicht war es das erste Mal in seinem Leben, daß er in voller Lautstärke den richtigen Ton traf. «Helft mir!» schrie Bruder Gilles gellend, und in Panik versetzt, wiederholte er das immer wieder.

Astorre hatte den Kopf gesenkt wie ein Stier, und seine zu Claes hinaufblickenden Augen waren rotgeädert. Er sagte: «Sorge dafür, daß er aufhört. Schnell.»

Claes nahm die Hände von den Ohren und sah fragend nach unten. Astorres Stimme klang jetzt grollend. «Sorge dafür, daß er aufhört. Gib ihm ein Zeichen, damit er aufhört zu schreien. Sonst bringt er noch eine verdammte...»

«Das hat er schon», sagte Julius bebend.

Tobie schaute hin.

Der Mönch hatte aufgehört zu schreien. Er sah nach oben. Die englische Gruppe, die ihn fast erreicht hatte, sah auch nach oben. Auf beiden Seiten des liegenden Mannes ringelten sich um die steilen, verschneiten Felswände Schneewölkchen wie Distelwolle, und zwischen ihnen konnte man graue Stellen und Spalten sehen, als Schneemassen auf den Pfad hinunterzurutschen begannen, auf dem der Mönch lag. Aufgewirbelter Schnee ließ erkennen, wo die ersten Brocken heruntergekommen waren.

Der Hang war nur kurz und die Wucht so groß, daß ein paar Männer von ihren Pferden heruntergefegt wurden und die übrigen ein paar bange Minuten durchmachten, aber das war alles. Für einen Moment ließ das Stäuben nach. Tobie sah, daß einige englische Reiter, die abgeworfen worden oder abgestiegen waren, den fast erstickten Bruder Gilles aus seinem Loch zogen. Die anderen hatten sich aus der Fallinie zurückgezogen und warteten auf das Ende der Kaskade. Es wurde wieder still. Es wurde so still, daß man etwas leise dröhnen hörte, sehr ähnlich einem Reiterangriff.

Es war kein Reiterangriff.

Julius lachte noch, als er Astorres Gesicht sah, dann folgte er seinem Blick zu den hohen Gipfeln. Auch dort brodelte der Schnee und löste sich los und schickte in die winzige Schlucht sachte ein donnerndes Geräusch herunter, das nicht von ein paar Zentnern Schnee hervorgerufen sein konnte, die sich von einer Felswand gelöst hatten, aber sehr wohl von einer Lawine, die Wälder entwurzelte und Täler überrollte und Menschen und Pferde von den Bergen herabfegte. *«Reitet!»* sagte Astorre und drückte seinem zitternden Pferd die Sporen in die Weichen, das torkelnd und taumelnd auf dem Pfad weiterlief, auf dem sie angehalten hatten. Julius, dessen Pferd von hinten bedrängt wurde, sträubte sich und sah Tobie an.

«Reite los», sagte Tobie. «Ich komme nach.»

Julius zögerte und gehorchte dann. Tobie trieb sein Pferd auf die Seite und ritt an dem Strom seiner sich vorankämpfenden und verängstigten Gefährten vorbei. Über ihm verließ Claes seinen Felsvorsprung. Als sein Pferd stolpernd herunterkam, wollte Tobie zu Claes sagen: *Du und ich reiten zurück*. Aber er brauchte die Worte gar nicht auszusprechen. Claes hatte sein Pferd schon herumgezerrt und ritt zurück zu der Stelle, wo der erste Schnee auf den Pfad gefallen war. Über ihnen wurde das Dröhnen lauter. Das Schneewölkchen war eine Wolke geworden und raste den Berghang herab auf sie zu. In dem Gestöber vor ihnen wurde eine Gruppe Reiter sichtbar und kam ihnen entgegen. Einige waren barhäuptig, ihre Lanzenfähnchen knatterten, und sie hatten keine Schilde mehr. Ihre bleichen Gesichter sahen verstört aus. Der Anführer hatte das Pferd des Mönchs am Zügel gepackt. Schneebedeckt saß Bruder Gilles stöhnend und zitternd im Sattel. Ein gebrochenes Bein hing baumelnd herab.

«Wer braucht noch Hilfe?» fragte Tobie. «Ich bin Arzt.»

Die Engländer waren alle da, unverletzt und fähig zu reiten, obwohl ein Pferd getötet worden war. Der Mönch wurde Tobie nicht gerade sanft in die ausgebreiteten Arme gestoßen, und der pferdlose Mann schwang sich in Gilles' Sattel. Der Mönch stöhnte, und Tobie packte ihn mit einer Hand. Allein auf Geschwindigkeit kam es jetzt an. Sie mußten schneller sein als eine Lawine und ritten auf erschöpften Pferden – das seine mußte zwei Männer tragen. Claes war wieder aufgesessen und ritt neben ihm. Mühsam und schlitternd machten sie sich auf den Weg, das rollende Dröhnen der Schneemassen, das von den hohen Felswänden widerhallte, begleitete sie. Sie würden nicht entkommen. Sie konnten es nicht schaffen. Er sah, daß Claes tief Luft holte, empfand aber kein Mitleid mit ihm.

«Wir müssen die Wegbiegung da vorn erreichen», sagte Claes. «Das ist hinter der Fallinie. Und da ist ein Felsvorsprung.» Er hatte englisch gesprochen. Ein ärgerlich-ungeduldiger Blick ließ erkennen, was der englische Führer von dieser Theorie hielt. «Er mag recht haben», sagte Tobie. «Wenn ja, dann können wir langsamer werden. Sonst werden die Pferde zusammenbrechen.»

Er fing noch einen Blick von Claes auf und wußte selbst nicht genau, warum er bekundet hatte, ihm Glauben zu schenken. Schnee schlug ihm ins Gesicht: fallender Schnee und aufgewirbelter Schnee und von den Pferdehufen ringsum zusammengedrückter und hochgeschleuderter Schnee. Zwischen den Flocken und dem Gestöber sah er die Wegbiegung und dahinter einen aufragenden Schatten, den Felsvorsprung. Claes, der sich neben ihm abmühte, legte plötzlich den Kopf in den Nacken, atmete durch die Nase ein, und die ungewohnten Runzeln glätteten sich. «Was nicht heißen soll», murmelte Tobie zwischen den Zähnen, «daß du nicht die saftigste Tracht Prügel deines jungen Lebens verdienst. Und du wirst sie auch bekommen.»

«Ich weiß. Wir sind gleich in Sicherheit.» Schritt für Schritt kämpften sie sich durch die Wegbiegung vor. Unter dem Felsvorsprung war eine Höhle, die groß genug war, um sie alle zu beherbergen. Inzwischen donnerte es über und hinter ihnen ohrenbetäubend. Tobie dachte über das Gewicht des Schnees nach, der einen solchen Lärm machte, und über die Geschwindigkeit, mit der er herabraste. Der Felsvorsprung würde sie nicht retten. Traf die Lawine darauf, würde sie ihn vom Felsen wegreißen. Aber sie mußten es riskieren.

Sie verfehlte. Sekunden später hörten sie alle, daß die Schneemassen auf den Pfad aufschlugen, auf dem sie gekommen waren, und sie hörten das Krachen von Gestein und brechendem Holz, als die Felsplatte zersprang und abrutschte und zersplitterte Bäume mitriß.

An ihrem geschützten Platz saßen sie schweigend auf ihren Pferden und beobachteten die Lawine. Sie war ganz kurz vor dem Felsvorsprung niedergegangen, wie Claes es vorausgesagt hatte. Entweder war es Astrologie gewesen oder einfach eine Sache der Berechnung – oder der Ortskenntnis. Schließlich war Claes in Genf aufgewachsen. In eben diesem Augenblick hörte Tobie, wie Claes das einem Angehörigen der englischen Gruppe gegenüber erwähnte, einem dunkelhäutigen jungen Mann, der wohl herübergekommen war, um ihm zu danken. Tobie, dessen Aufmerksamkeit mehr oder weniger dem Mönch galt, fragte sich, worüber die beiden sonst noch sprachen. Dann verlor er das Interesse, denn einen Augenblick später gab es etwas Unruhe hinter ihnen, und Astorre erschien mit Julius und allen anderen, die zurückgekommen waren, um sich zu überzeugen, daß Tobie, Claes, Bruder Gilles und die Engländer in Sicherheit waren. Sie hielten sich nicht lange auf. Jetzt, da die Gefahr überstanden war, wollte niemand länger hierbleiben. Sie halfen Tobie, seinen Patienten für den Transport zu schienen, und dann setzten sie zusammen mit der englischen Gruppe ihren Weg fort.

Tobie merkte, daß sich Astorre nach Claes umschaute, aber Claes ließ sich klugerweise nicht blicken. Der englische Anführer erklärte Hauptmann Astorre, was er von Schwachsinnigen hielt, die in den Bergen schrien, und zu Tobies Verwunderung antwortete Astorre freundlich. Es blieb ihm gar nichts anderes übrig. Für die Öffentlichkeit war die Sache vorbei. Und Bruder Gilles war der einzig wirklich Leidtragende.

«Er hätte fragen sollen», sagte Julius zu Tobie, «was er von Schwachsinnigen hält, die Schwachsinnige dazu ermuntern, in den Bergen zu schreien. Hast du Claes gesehen?»

«Natürlich habe ich Claes gesehen. Ich hatte ihn direkt vor der Nase. Und wenn du meine Auslegung hören willst: er hoffte auf eine hübsche kleine Lawine, und er bekam eine große. Und einen gewaltigen Schreck dazu. Ein Weilchen war er so weiß wie der Schnee, unser kleiner Freund Claes.»

Julius sah Tobie an. «Ich habe es schon erlebt, daß er mehr als das bekam, womit er gerechnet hatte. Ich habe es schon erlebt, daß er erschrocken war. Aber ich will dir etwas sagen. Bei all dem Schrecken genießt der Kerl es insgeheim. Würde er es sonst nicht bleiben lassen?»

Julius' Ton war gereizt, doch schwang darin etwas mit, das fast sehnsüchtig klang. Tobie ritt weiter und ließ die Frage unbeantwortet.

Kapitel 13

Elf Tage nach dem Aufbruch von Genf ritt der Stoßtrupp der Firma Charetty, angeführt von seinem Hauptmann Syrus de Astariis, in der Branche als Astorre bekannt, in Mailand ein. Schon von weitem hatten die Reisenden über die lombardische Ebene hinweg die mächtigen roten Mauern der Hauptstadt gesehen, ihre Kirchtürme und hohen Gebäude. Das Herzogtum Mailand war einer der fünf Staaten Italiens, ein Konkurrent von Venedig, heimlicher Verbündeter von Neapel und unverhohlener Freund des Papstes. Das Herzogtum erstreckte sich von der Toskana bis zu den Alpen und war derzeit lieb Kind bei den Florentinern, die ihre nördlichen Märkte nur über Mailand erreichen konnten. Florenz, das waren die Medici.

Mailand war nicht von Wasserwegen durchzogen wie Brügge oder auf dem Wasser erbaut wie Venedig. Mailand wurde geschützt durch zwei konzentrische Kreise von Kanälen und durch Stadtmauern aus hübschem rotem Backstein, die fünf Tore hatten. Astorre beschloß, durch die Porta Vercellina einzuziehen. Es war ein provozierender Einzug, geplant auf dem ganzen Weg von Aosta über Ivrea und Vercelli nach Novara, wo sie eine ganze Nacht verbracht hatten und, wie Julius bemerkte, ihre Siebensachen wienerten wie eine Hausfrau, die am Vorabend einer Zwangsversteigerung alles auf Hochglanz putzte.

Julius tat indes auch sein Teil: im Morgengrauen fand er sich mit all seinen Papieren an der Zugbrücke ein und sprach das pure, überzeugende Italienisch, das er seinen Studienjahren in Bologna verdankte. Mittags war er zurück mit einem Passierschein und einem vom Sekretär des Herzogs ausgestellten Ausweis, der ihnen Essen, Wein und Unterkunft im Gasthaus *Zum Hut* und seinen Nebengebäuden bewilligte. Eine Stunde später ritten sie durch die Visconti-Tore und an dem Jagdrevier des Castello Visconteo vorbei, das jetzt in einem Durcheinander von Kränen und schaufelnden Männern und schwalbenschwänzigen roten Zinnen in das Castello Sforzesco verwandelt wurde.

Denn die Erbin der Visconti hatte Francesco Sforza geheiratet, den Sohn eines der größten Condottieri, Gott schütze uns, den Italien je erlebt hatte. Und Francesco Sforza, seit neun Jahren Herzog von Mailand, war der Mann, der eine professionelle Aufmachung erkannte, wenn er sie sah. So ritt die Charetty-Truppe im Schritt durch die überfüllten Mailänder Straßen, in denen Helme, Schilde und Kniebuckel funkelten und die Lanzen aufgerichtet waren wie die Masten einer Kriegsflotte. Und andere Hauptleute, die der Duft des Kriegs ebenfalls von ihrem häuslichen Herd fortgelockt hatte, sahen abschätzend durch Tavernenfenster, als Astorres Schlachtroß sich auf dem Straßenpflaster mühsam einen Weg suchte; die Schabracke war mit kostbarer, schwerer Stickerei geschmückt, das Geschirr glänzte auf der Brust des Pferdes und ein ausgeklügeltes Netz von Lederriemen spannte sich über seiner Kruppe.

Heute hatte Hauptmann Astorre Straußenfedern am Helm und trug einen Pelzkragen, der sein Viertelohr bedeckte, und Ringe über seinen Handschuhen. Heute wünschte er nicht, er würde noch zu einem Fähnlein gehören, mit seinen Kameraden am Feuer sitzen und sich über Frauen und Wucherer beklagen. Vielleicht war er sich dessen am nächsten Tag weniger sicher, als er dem Vorsteher der herzoglichen Kanzlei gegenüberstand, der ihn in das Schloß Arengo bestellt hatte, den alten Visconti-Palast neben dem Dom, damit er ihn wissen lasse, welche Dienste er und seine Truppe anzubieten hatten.

Ein Krieger war schließlich auf dem Schlachtfeld in seinem Element und nicht, wenn er in Gegenwart von Edelleuten über sein Schwert stolperte. Astorre nahm an, er könne sich auf den Verstand des Aktuarius verlassen, den er mitnahm. Und ein schönes Geschenk für den Herzog war der Afrikaner Loppe, der mit rotem, über der Brust gestepptem Stoff herausgeputzt war, so daß man (sagte dieser Schwätzer Claes) nur noch ein Kissen brauchte, dann könnte man ihn als Bett benutzen. Sie hatten ihn noch dazu in verschiedenfarbige Beinlinge gesteckt und ihm für sein Barett ein Sforza-Abzeichen mit Schlange und Adler in Gold gestickt in einer Bude in Vercelli gekauft.

Im Interesse der Witwe erwartete Astorre, in dieser oder jener Form sein Geld wiederzubekommen, wie es üblich war. Loppe, der schon ein bißchen Italienisch aufgeschnappt hatte, hatte in Astorres Hörweite keine Ansichten über seine endgültige Bestimmung geäußert. Natürlich nicht. Dennoch war der Hauptmann gereizt, als sie sich auf den Weg zum Palast machten, und fuhr Thomas an, der ihn mit der Nachricht aufhalten wollte, daß irgendein bedeutender Signor ihn zu sehen wünsche.

Thomas, nach dem englischen Krieg in Frankreich zurückgeblieben, beherrschte bäuerliches Englisch, bäuerliches Französisch, ein scheußliches Flämisch und fast gar kein Italienisch. Der «bedeutende Signor» war, wie sich herausstellte, Pigello Portinari von der Medici-Bank, der gekommen war, um seine Briefe, seine Pferde und seinen Tenor abzuholen. Julius, der schon aufgesessen war, beschied Thomas: «Sage ihm, der Hauptmann und ich sind zum Palast geritten. Wir werden ihn morgen aufsuchen. Wenn er die Briefe haben will, kann er sie jetzt mitnehmen, wenn er eine Empfangsbestätigung unterschreibt. Claes weiß, wo sie sind.»

«Ich werde Meester Tobie holen», erwiderte Thomas.

«Nein, das wirst du nicht», sagte Astorre. Meester Tobie war im Augenblick in einem Hinterzimmer, versehen mit einem Messer, einer Nadel und einer Salbendose, und versuchte, Cosimo de' Medicis beschädigten Tenor wieder zusammenzuflicken.

«Claes holt die Briefe, Claes gibt ihm die Quittung zum Unterschreiben und Claes bringt die Briefe zur Bank, wenn Messer Pigello es wünscht.»

Claes war, das zu sagen unterließ Hauptmann Astorre, ein flämischer Färberlehrling und daher durch Rang und Sprache daran gehindert, die Art von Indiskretion zu begehen, die Thomas zweifellos verübt hätte.

Astorre bestieg sein Pferd und schloß sich Julius und der adretten Eskorte an, die er für den kurzen Weg zum Palast vorgesehen hatte. Auf seiner Rüstung waren Schmutzflecke, hochgespritzt von dem Dreck auf der Straße. Es wurden noch mehr, als sie den Platz überquerten, auf dem der halbfertige Dom stand. Astorre fand, sie hätten die alte Kirche bleiben lassen sollen, wie sie war. Nichts war von ihr übriggeblieben als die Fassade. Sie wollten auch bald Teile des Arengo niederreißen, damit die Kirche sich ausbreiten konnte. Dann würde der Herzog in das Castello ziehen müssen. Es war wirklich Unsinn, Geld wie Wasser zu verschwenden, statt es da auszugeben, wo es gebraucht wurde. Staaten gingen bankrott, wenn sie Kathedralen bauten.

Da war der überwölbte Torweg zum Palast. Er erinnerte sich

daran und an die Größe des Hofs. Galerien und eine Loggia und eine Menge Leute, die barsche Fragen stellten. Astorre begann im Kopf wieder Zahlen durchzugehen. Das Schlimmste, was geschehen konnte, war, daß der Herzog ihn nicht nehmen oder ihnen eine Summe anbieten würde, die keinen Gewinn einbrachte.

Nein, das Schlimmste, was geschehen konnte, war, daß der Herzog Lionetto und nicht Astorre nahm. Und wenn das geschah, dann konnte dem abgeholfen werden. Bei Gott, dem konnte abgeholfen werden. Er würde dafür sorgen.

In dem Gasthaus, das Astorre gerade verlassen hatte, passierte nichts so, wie es geplant gewesen war. Pigello Portinari, den Thomas sofort verärgerte, wünschte nicht von einem Knaben oder einem Engländer, der wie ein Bauerntrampel sprach, bedient zu werden. Medici-Berichte waren keine Briefe von einem Vetter auf dem Lande. Was der Geschäftsführer aus Genf geschrieben hatte, was sein Bruder Tommaso in Brügge ihm zu sagen hatte, das waren Angelegenheiten, von denen viel abhängen könnte. Gab es denn keine italienischsprechenden Herren in der Charetty-Truppe? Claes, stumm und errötet, wurde losgeschickt, um Tobie zu holen, der mit wütendem Blick Bruder Gilles' Krankenlager verließ und sich in das Zimmer begab, das für Astorre und sein Gefolge reserviert war. Claes folgte ihm bereitwillig.

Tobie, der mit dem Personal der Medici nicht näher bekannt war, sah einen Mann vor sich, der Tommaso Portinari in Brügge kaum ähnelte und bedeutend älter war. Dieser Portinari, der nicht bloß stellvertretender Geschäftsführer war und überdies (wie es hieß) die Gunst der herzöglichen Familie besaß, trug prunkvolle Gewänder, und die Schmuckstücke auf seinem turbanähnlich gewickelten Barett erregten sogar die Aufmerksamkeit des Doktors. Tobie, der wie üblich barhäuptig war und dessen kahler Schädel wie ein Glorienschein schimmerte, wischte sich die blutigen Hände an seiner befleckten Schürze ab und fragte: «Was gibt's?»

Der Besucher blieb ruhig. «Ich», sagte er, «bin Pigello Portinari, der Mailänder Geschäftsführer von Piero und Giovanni de' Medici. Ihr habt einige Papiere für mich. Wenn Ihr in mein Kontor kommen wollt, dann können sie ordnungsgemäß geprüft und bezahlt werden.»

«Gut.» Tobie streckte einen Daumen aus. «Dieser Bursche da hört auf den Namen Claes. Er wird jetzt mit Euch gehen. Wenn Ihr jemand anderen wollt, dann wartet Ihr eben bis nachher.»

Die Portinari-Augenbrauen gingen in die Höhe. «Seid Ihr beim Schlachten?»

Thomas, der sich bemühte, dem korrekten Italienisch zu folgen, blickte finster drein. Claes errötete noch mehr.

«Wenn ich nur etwas Verstand hätte», antwortete Tobie, «würde ich es versuchen. Seid Ihr ein Musikkenner?»

Pigello Portinari sah ihn nachdenklich an. «Es ist üblich...» begann er.

«Euer Bruder ist es nämlich nicht. Ich versuche, das Bein eines krächzenden, albernen Mönchs zu retten, den Euer Bruder Tommaso herschickt für die Schloßkapelle Eures Chefs in Florenz. Wir haben ihn lebend über die Alpen gebracht. Er ist hier in Mailand lebend eingetroffen. Ihr laßt ihn sterben, weil Ihr meine Dienste in Anspruch nehmen wollt, und Ihr müßt Euch Messer Cosimo de' Medici gegenüber rechtfertigen. Und dem Herzog gegenüber.»

«Dem Herzog?» fragte Messer Pigello gefaßt.

«Dem Herzog von Mailand. Mein Onkel ist sein Arzt.»

«Euer Onkel? Giammatteo Ferrari da Grado?»

«Mein Onkel. Mein Vater war der herzögliche Sekretär, der vor neun Jahren offiziell die Herzogswürde von den Visconti auf die Sforza übertrug. Mein Name ist Tobias Beventini da Grado. Der Name dieses Burschen da ist, wie ich Euch sagte, Claes. Er spricht italienisch. Nehmt ihn.»

«Mit Vergnügen», erwiderte Pigello Portinari. «Welch ein Glück, daß wir uns kennengelernt und eine Unklarheit beseitigt haben. Weist Euren vortrefflichen jungen Mann an, die Papiere einzupakken und mit mir zu kommen. Und vielleicht können wir Euch später zu einem Besuch im Palazzo Medici überreden?

«Ja, jemand wird kommen», sagte Tobie kurz angebunden. «Ihr habt vier Pferde zu übernehmen und nach Florenz zu befördern. Und Bruder Gilles natürlich. Aber das wird erst nach einiger Zeit möglich sein. Entschuldigt mich bitte.»

Er ging. Und zu gegebener Zeit ging auch Messer Pigello, gefolgt von Claes mit seiner Mappe. Da kein guter Astrologe zur Stelle war, fand niemand etwas dabei.

Claes war noch nicht wieder da, als Julius und der Hauptmann triumphierend vom Arengo zurückkamen. Tobie hörte sie kommen. Nach einem wohlverdienten guten Abendessen und reichlicher Flüssigkeitsaufnahme lag der Doktor, die Hände unter dem Kopf, auf seinem Strohsack. Das beschwingte Hufgeklapper und die Tonhöhe von Astorres Stimme, der Julius anbrüllte, verrieten alles. Sie hatten Erfolg gehabt. Der Kontrakt, die *condotta*, war errungen.

Ein Hochruf aus einem nahe gelegenen Quartier verriet, daß die gute Nachricht der Kampftruppe verkündet worden war. Dann versetzte Astorres gepolsterter Handschuh Tobies Tür einen Faustschlag, so daß sie aufsprang, und herein stolzierte der Hauptmann, riß mit einem Ruck den unförmigen Helm vom Kopf und reichte ihn, ohne hinzusehen, Julius, der ihn an den nach ihnen hereinkommenden Thomas weitergab. Tobie setzte sich auf. Astorre warf ihm einen selbstzufriedenen Blick zu und begann auf und ab zu gehen, seine O-Beine hingen an seinem Körper wie die eines Hummers, und er rasselte Daten und Zahlen und Ziffern herunter, die sich auf die Anwerbung der Charetty-Truppe durch den Herzog von Mailand bezogen.

Seine Stimme im Kommandoton dröhnte in den Ohren. Hundert Lanzenreiter und hundert Fußsoldaten mußten bis zum Frühjahr nach Neapel heruntergebracht werden. Diese zur Verfügung zu stellen, hatte er sich verpflichtet. Und sie würden auch mehr nehmen, wenn er sie bekam. Er hatte einen Kontrakt auf sechs Monate zu 900 Gulden monatlich, ihren Anteil an den Plünderungen nicht gerechnet, und überdies pro rata-Bedingungen von jetzt bis April, je nachdem, wie viele Soldaten er in diesem Winter nach Süden brachte.

In den nächsten vierundzwanzig Stunden würde Cicco Simonetta, der Vorsteher der Kanzlei, das Geld auszahlen. Und in sechs Tagen, wenn die Pferde und Lanzenträger ausgeruht seien, werde er, Astorre, sie alle nach Neapel bringen. Wie? War er der Fachmann? Es würde ihnen gesagt werden. Zu Lande, wahrscheinlich. Oder vielleicht zu Lande bis Pisa, dann auf dem Seeweg nach Süden. Es würde natürlich vom Wetter abhängen und von der Stellung des Feindes und dessen Aktivitäten. Und er, Astorre, werde Boten in alle Städte und Dörfer in den Niederlanden und sonstwo schicken, wo Männer von der Firma Charetty dafür bezahlt werden, daß sie zum Kämpfen bereitstehen. *Kommt!* wird der Befehl lauten. *Kommt nach Neapel und erwerbt ein Vermögen!*

Julius' Gesicht war auch gerötet, als hätte er den ganzen Tag mit Trinken verbracht, was bestimmt nicht der Fall war. Es gab manches, was Tobie erfahren wollte. Sie würden sich also dem König Ferrante anschließen. Die Bedingungen waren also mehr als großzügig. Und was sonst hatten Astorre und Julius noch erfahren? Was war mit den Truppen des Papstes und der eigenen Armee des Herzogs, und wo befanden sich die anderen freien Truppen? Die Konkurrenten waren schließlich wichtig. Es könnte sein, daß sie sich einer solchen Truppe anschließen müßten. Da gab es (sagte Julius) die von Graf Jacopo Piccinino angeführte Armee, die jetzt noch gar nicht in der Nähe von Neapel war, sondern an der gegenüberliegenden Küste. Und der Graf von Urbino befehligte eine weitere. Der Graf von Urbino, siebenunddreißig Jahre alt, einäugig und überaus gescheit, war im Begriff, die Nichte des Herzogs von Mailand zu heiraten. Vor Jahren hatte der Herzog von Mailand dem Grafen Piccinino persönlich eine Tochter versprochen. Söldner waren beliebte Schwiegersöhne.

Tobie wußte das alles schon. Gelinde ausgedrückt, waren Julius' Antworten ziemlich läppisch. Es ärgerte Tobie, daß er, trotz Wein, weniger gut gelaunt war als Julius, der vor Erleichterung und Selbstzufriedenheit strahlte. Er ließ sich trotzdem nicht von weiteren Fragen abhalten. «Und der Palast? Wie fandet Ihr den?»

Astorre, der immer noch auf und ab ging, versuchte mit den Fingern zu schnalzen und begann dann, sich die Handschuhe herunterzuzerren. «Nichts als Kontore. Beamte, Botschafter, natürlich Gemächer für die Familie, aber die Herzogin hat nur vier Kammerjungfern, und der Herzog hat keinen Stil. Überhaupt keinen. Gott weiß, welche Verwendung er für den Afrikaner finden wird, aber das werden wir ja noch hören. Der Sektetär deutete an, man werde etwas Geeignetes finden. Das will ich auch hoffen. Sie geben Geld für alles mögliche aus. Lehrer für die Kinder. So etwas Dummes. Aus denen wird eh nichts, Ihr werdet es erleben. Lateinische Reden halten mit acht Jahren. Dieser ganze Unsinn. Wir haben ihren Arzt kennengelernt...» Er drehte sich um.

Aha, dachte Tobie.

Astorre beugte sich hinunter und kam Tobie mit seinem zusammengeflickten Auge ganz nahe, was er manchmal tat. Von unten sah es wie ein glitzernder Vogelfuß aus. «Ihr habt uns nicht gesagt, daß Ihr der Neffe von Giammatteo Soundso seid, dem Arzt des Herzogs.»

«Oder der Sohn von Beventinus Soundso, dem berühmten Sekretär des Herzogs», fügte Julius mit schweißglänzendem Gesicht hinzu.

Tobie schenkte sich einen fünften Becher Wein ein. «Ich habe Euch auch nicht nach Eurem Stammbaum gefragt. Außerdem hatte ich noch nicht entschieden, ob ich bei Euch bleibe oder nicht.»

«Vorsicht», sagte Julius. Er riß Tobie den Becher aus der Hand und hatte ihn im Nu geleert. «Ich glaube», fuhr er fort, «du willst damit andeuten, daß es nur deine Beziehungen waren, die uns die *condotta* einbrachten?»

Astorre, der zurückgewichen war, kam wieder näher.

«Nein», antwortete Tobie. «Schon vor Jahren habe ich mich mit all denen gezankt. Darum wäre ich auch fast bei Lionetto geblieben. Ich wußte, daß er abgelehnt werden würde, wenn er versuchte, in Mailand einen Vertrag zu bekommen. Also seht Ihr, es ist ein Kompliment. Sie haben Euch trotz meiner genommen. Bedient Euch mit meinem Wein.»

«Ich werde noch welchen kommen lassen. Wo ist Claes?» fragte Julius geistesabwesend.

«Hat die Schriftstücke in den Palazzo Medici gebracht. Dann haben sie ihn zurückgeschickt, damit er die vier Pferde holt.»

«Ihr habt ihn doch nicht die Pferde hinbringen lassen?» schnauzte Astorre.

«Drei erfahrene Reitknechte, die sie führten, und Claes. Er war der einzige, der eine Quittung lesen konnte. Es ist in Ordnung, sie haben hingefunden. Die Reitknechte sind zurückgekommen und haben das berichtet. Claes kommt auch zurück, sobald der Papierkram erledigt ist.»

«Ich glaube, ich sollte hingehen und ihn holen. Der Palazzo Medici?» fragte Julius.

«Eines von diesen Elendsquartieren. Ach nein, da ist er mit den Papieren hingegangen. Die Pferde waren für Cosimos Neffen. Du lieber Himmel, Tommaso hat genug Wirbel darum gemacht. Die Pferde kamen zu Pierfrancesco de' Medici.»

Erfreulicherweise war Julius jetzt nüchterner als Tobie. Er setzte sich sogar hin. «Tobie, Pierfrancesco de' Medici ist in Florenz.»

«Das weiß ich, aber seine Frau ist hier. Wohnt bei ihrem Bruder. Ihrem Florentiner Bruder, der ein großes Haus in Mailand hat, in dem er sich manchmal monatelang aufhält. Wie zum Beispiel jetzt. Da sind große Ställe. Denn die Familie will Pferde züchten.»

«Wer?»

«Die Familie von Pierfrancescos Frau. Die Acciajuoli», erklärte Tobie geduldig. «Pierfrancesco de' Medici ist mit Laudomia Acciajuoli verheiratet, der Cousine des Griechen mit dem Holzbein. Erinnert Ihr Euch? Der bärtige Mann, der in Schottland und Brügge Geld gesammelt hat, um seinen Bruder vom Sultan freizukaufen?»

Tobie hielt inne. «Und da wir gerade von Holzbeinen reden, mein Herr Hauptmann, freut es Euch vielleicht zu hören, daß Bruder Gilles überleben wird. In etwa einem Monat wird er nicht nur laufen können, er wird sogar gesund genug sein, daß er uns verlassen kann. Wenn wir nur etwas Wein hätten, dann könnten wir feiern.»

Am nächsten Morgen ignorierte Julius das ungemütliche, regnerische Wetter und begleitete seinen Hauptmann und vier schwer bewaffnete Männer zur Kanzlei, um die erste Abschlagszahlung auf den Kontrakt in Empfang zu nehmen. Er erwartete eine Kiste voller Gulden. Statt dessen wurde ihm nur ein dickes Blatt Papier überreicht, adressiert an Pigello Portinari, den Leiter der Medici-Bank in Mailand.

«Geld?» sagte der Sekretär des Sekretärs. «Wir rühren kein Geld an. Äußert Messer Pigello gegenüber Eure Wünsche. Im alten Kontor neben S. Ambrogio. Oder im neuen Palast neben dem Castello. Biegt rechts ein, ehe Ihr zur Mauer kommt, und haltet Ausschau nach St. Thomas.»

Mit einem Ruck hob Astorre den Kopf. «Letztes Mal...»

«Es ist in Ordnung», sagte Julius. «Nehmt das Papier. Die Medici werden zahlen. Das ist ihre Art und Weise, Geld auszuleihen. Der Herzog sorgt dann dafür, daß sie es mit Gewinn zurückbekommen.»

«Das ist Wucher», erklärte Astorre und funkelte den Sekretär des Sekretärs an.

«Nein, ist es nicht. Auf diese Weise belohnt Gott einen redlichen, schwer arbeitenden Bankier, der ein wachsames Auge auf den Geldmarkt hat. Gehen wir. Aber nicht zum alten Medici-Kontor. Ich möchte den neuen Palazzo sehen.»

Im Regen, auf dem Weg dorthin, zusammen mit dem launischen Astorre, empfand Julius klammheimliche Freude. Der Knabe Claes war kaum der geeignete Repräsentant der Firma Charetty. Es war an der Zeit, daß er und Astorre wieder derlei Pflichten übernahmen.

Man hatte sich am Vorabend Sorgen gemacht, als man feststellte, daß Claes mit der Quittung für die Pferde noch nicht da war. Aber als sie am Morgen aufwachten, lagen die von Julius aufgesetzten Papiere da, und jemand sagte, Claes schlafe mit lächelndem Gesicht, er sei später als alle anderen zurückgekommen mit durchlöcherten Strümpfen und einer Adressenliste. Etwas würde in bezug auf Claes geschehen müssen.

Rings um den Palazzo Medici fanden sie viel nassen Sand und Mörtel vor. Ein langgestrecktes Gebäude aus Quadersteinen nahm Gestalt an. Es hatte ein Dutzend Spitzbogenfenster im Hauptgeschoß, alle mit Säulen und Kranzgesimsen, und das mittlere Portal war von Monsignore Cosimos eigenem Architekten, Michelozzi, entworfen. Die schwindelnd hohe Spitze des Torbogens trug den Wappenschild der Sforza und Medaillons. Paarweise waren auf beiden Seiten lebensgroße Skulpturen angeordnet, zwei jugendlich-männliche römische Krieger und zwei ungewöhnlich schöne Damen in Florentiner Gewändern.

Keiner der beiden Männer sah wie ein Verwandter von Tommaso Portinari aus. Auch über die Herkunft der Damen wußte Julius nichts, aber er betrat den Hof mit hochtrabenden Erwartungen. *Semper droit* war über die ganze Länge des Torwegs eingemeißelt. Er nahm an, man könnte es als eine Zusammenfassung der Lebensphilosophie der Sforza, der Medici und der Portinari verstehen, wenn man so wollte. Ob er sich dem anschließen könnte, wußte er nicht so genau.

Auch auf dem Hof wurde noch gebaut. Er war riesig. Wenn der Palast fertig war, würden seine Empfangs- und Wohnräume groß genug sein, um den Firmeninhaber und seinen gesamten Haushalt aufzunehmen, sollte er je nach Mailand kommen. In den übrigen Gebäudeteilen würden vermutlich das ständige Personal der Bank, die Lagerräume und die Kontore untergebracht werden.

Drinnen in einem geheizten Raum im ersten Stock, der dunkel wirkte durch viele Wandteppiche, kamen ihnen Pigello Portinari und sein Bruder Accerito entgegen, um sie mit würdevoller Herzlichkeit zu begrüßen. In die römischen Legionen wäre keiner von beiden aufgenommen worden. Vor allem nicht der ältere, Pigello. Hager, mit schütterem Haar und einem fliehenden Kinn, hatte er nichts von seinem jüngeren Bruder Tommaso an sich, abgesehen vielleicht von der langen, spitzen Nase. Und der Vorliebe für Ringe: an manchen Fingern hatte er zwei. Nur waren seine Ringe mit großen, echten Rubinen und Brillanten und Smaragden besetzt, und seine Ärmel waren nicht mit Schaffell gefüttert. Pigello war reich.

Astorre und Julius wurden geschnitzte Stühle angeboten. Erfrischungen wurden ihnen gereicht. Der Name Tommaso tauchte im Gespräch auf und verschwand fast sofort wieder. Als die Zeit gekommen war (und man ließ sie nicht lange warten), begab sich Pigello über die schimmernden Fliesen zu einem Tisch, der groß wie ein Sarkophag und mit ausladenden Schnitzereien bedeckt war. Er nahm verschiedene Papiere auf, von denen er einige vorlas und andere unterschreiben ließ. Dann nahm er ein Schlüsselbund und schloß sieben Schlösser einer großen Truhe in einer Ecke des Raums auf. Ihr Deckel, der so schwer war, daß man zwei Männer brauchte, um ihn hochzuheben, war innen mit einem aufwendigen Uhrwerk versehen, das Julius an eine von Claes' kunstvollen Spieldosen erinnerte. Pigello holte einen Beutel heraus. «Gold, denke ich», sagte er. «Ich würde Gold vorschlagen. Ich weiß, daß Messer Cicco von Gulden gesprochen hat, aber der Zeitpunkt ist nicht günstig für Valuta. Heute nicht. Der Kurs mag sich natürlich wieder bessern. So, Messer Julius, Ihr werdet einen Vermerk darüber anfertigen. Und Ihr könnt Euch meiner Leibwache bedienen – ich werde das veranlassen –, damit sie Euch zurück zum Gasthaus begleitet.»

Als er das später Tobie erzählte, glaubte der ihm nicht. «Gold? Er hat *vorgeschlagen,* daß ihr Gold nehmt, wenn gewöhnliche Zahlungsmittel für ihn billiger gewesen wären?»

«So ist es», sagte Julius, der gerade stundenlang Sold ausgezahlt hatte und der Auseinandersetzungen überdrüssig war. «Beklage dich nicht bei mir, wenn er großzügig war. Es trug ihm ja auch Astorres Anlagen ein.»

«Was?»

«Pigello bot Astorre das Doppelte der Zinsen an, die Fleury ihm zahlte, und Astorre übertrug seine geschäftlichen Angelegenheiten den Medici. Ist das nicht ein Vertrauensvotum? Die Medici glauben, Ferrante werde König von Neapel bleiben. Es sei denn, du glaubst, sie kämen uns wegen deines Onkels so freundlich entgegen.»

«Mein Onkel, der Arzt des Herzogs? Nein. Er hat mich besucht, während du weg warst, und mir unmißverständlich erklärt, daß ich seiner Ansicht nach auf der Verliererseite stünde. Du mußt es dir also andersherum vorstellen. Ferrante scheitert, Astorre stirbt den Heldentod und die Medici brauchen überhaupt nichts zu bezahlen. Es interessiert mich eigentlich nicht, aber ist Lionetto schon nach Italien gekommen, und wenn ja, welcher Seite wird er sich anschließen?»

«Warum willst du das wissen? Wenn es Anjou und die Franzosen sind und nicht Ferrante, willst du dann wieder zu ihm überwechseln?»

«Mit meinem Gold? Es ist verlockend», sagte Tobie. Er hatte sein Barett auf den Hinterkopf geschoben, und sein Gesicht mit den hübschen, geringelten Nasenlöchern war ausdruckslos. «Du hättest unser Rechengenie mitnehmen sollen, um das Gold zu zählen. Wo war Claes letzte Nacht?»

«Zweite Spalte von links, dritter Name von unten», sagte Julius. «Ich habe noch keine Kopie der Liste, aber sie wird im Hof gegen Biergeld verkauft.»

«Na schön, holen wir sie. Ich werde Claes suchen. Macht er so etwas immer?»

«Ich weiß es nicht. Ich bin noch nie mit ihm in einer fremden Stadt gewesen. Ich vermute, er hofft auf etwas.»

Als Julius weggegangen war, machte er sich nicht die Mühe, nach Claes zu schicken, da er schon von seinem Onkel gehört hatte, was Claes tat und wo er sich befand. Er schob das Barett wieder nach vorn, bürstete den kurzen schwarzen Talar seiner Berufstracht ab, hüllte sich in seinen Umhang und machte sich auf den Weg zu dem wunderschönen Herrenhaus der Acciajuoli.

Kapitel 14

Das Mailänder Haus der Acciajuoli lag zwischen dem Staub und Schmutz des Doms und dem Staub und Schmutz des Castello, nicht weit von der Piazza Mercanti. Da gab es lange Reihen von mit Arkaden versehenen Häusern aus Quadern und roten Backsteinen und Marmorfliesen. Da gab es eindrucksvolle Gebäude mit vorspringendem Dachgesims und Bogenfenstern und Wappen über den Toren. Da gab es auch Kirchen, manche von Mauern umgeben. Da gab es Türme und Stiegen und Balkone und vorspringende obere Stockwerke aus Holz, die die Straßen überdachten und manche sogar ganz überwölbten.

Die große Glocke des Broletto erklang, als Tobie die wimmelnden Marktstraßen verließ und in jene einbog, wo sich weniger Frauen aufhielten und die Männer sich kurz begrüßten oder sich eilten, um aus der Kälte ins Warme zu kommen, sie trugen breite oder hohe oder drapierte Hüte oder die schwarzen Barette ihrer Berufe und wurden von schweren Talaren über wattiertem Damast warm gehalten. Tobie sah den Leuten ins Gesicht, wie es seine Gewohnheit war, und zog daraus Schlüsse, was den Gesundheitszustand der Stadtbewohner anging. Jetzt, da der Herzog die Stadt regierte, war sie in guter Hand. Die Unterernährten, die Krüppel, die zur Strafe Verstümmelten sah man in diesem Stadtteil sowieso nicht. Man würde sie dort finden, wo die einfachen Häuser waren und die Werkstätten. Dort fand man auch andere Gebrechliche, die der Mediziner kannte, wie etwa die Waffenschmiede mit ihren Brandwunden und Gehörschäden.

Tobies Erinnerungen aus der Zeit seines Studiums, wenn er zu Besuch hierherkam, waren nicht von Elend und Armut bestimmt. Er erinnerte sich an die Hitze und den Lärm und die Fröhlichkeit. Im Winter konnte man überall in Mailand heiße Maroni kaufen. Er pflegte sie mit seinen Freunden zu essen, wenn sie alle auf einer Bank neben dem Amboß saßen, mit den Beinen schlenkerten und einander und den Schmieden etwas zubrüllten. Die Gespräche mit den Schmieden, dachte er manchmal, hatten ihn zu dem Arzt werden lassen, der er war.

Das Haus der Acciajuoli war so, wie Bankiersfamilien es sich gern bauten. Es war eher breit als hoch und hatte eine schöne große Doppeltür, die aber nicht direkt ins Haus führte, sondern zu einem kurzen, überwölbten Gang, der auf einem quadratischen Hof endete. Der Hof mit den immergrünen Pflanzen, die in Kübeln auf dem Kopfsteinpflaster standen, sah selbst im Regen schön aus und wurde am anderen Ende von einer Reihe massiver Gebäude begrenzt, in denen sich vermutlich die Ställe befanden und auch die Pferde, die mit solchen Mühen für Pierfrancesco de' Medici von Florenz, der mit einer Acciajuoli verheiratet war, hergebracht worden waren. Von irgendwoher hörte er Hühnerhabichte krächzen. Auf einer Seite gewährte eine mit Balustersäulen versehene Treppe Zugang zum Hauptgeschoß. Der Pförtner, der bei seiner Ankunft keine Überraschung hatte erkennen lassen, geleitete Messer Tobias Beventini die Stufen hinauf zu einem schmalen Balkon, der an der Fassade des Hauses entlanglief. Auf halbem Weg befand sich eine zweite Tür, die aufging, als er sich näherte. Direkt dahinter stand sein Onkel.

«Na, du Widerling», sagte Giammatteo da Grado. «Du hast dich ja nicht gerade beeilt. Hier kannst du deinen Mantel aufhängen. Bist du vorbereitet auf das, was geschehen wird?»

«Ich hab keine Ahnung, was geschehen wird», sagte Tobie kühl. «Ich kann nur wiederholen: Es gibt nicht die geringste Verbindung zwischen diesem Jungen und mir. Was immer er getan hat, er ist selbst dafür verantwortlich.»

Als sein Onkel nicht viel älter war als er jetzt, war er bereits Professor der Medizin an der Universität Pavia, die ein Herzog von Mailand gegründet hatte. In den dreißig Jahren seiner Berufstätigkeit hatte sich Giammatteo nur selten von der Fakultät entfernt, nur um den jetzigen Herzog zu behandeln, den Gönner der Universität, oder um seine Dienste, natürlich gegen ein gutes Honorar, den Hochgeborenen und Berühmten zukommen zu lassen, die sich mit Bitten oder politischen Manövern beim Herzog einschmeichelten.

Als Tobie nach glanzvoll bestandenem Examen die sichere Universitätslaufbahn ablehnte und es vorzog, mit Kaufleuten und Söldnern herumzuziehen, hatte Maestro Giammatteo öffentlich erklärt, daß er mit ihm nichts mehr zu tun haben wolle, womit er geschickt verhinderte, daß sein Neffe seinen Namen ausnutzte. Das und was er damals sonst noch so gesagt hatte, hatte Tobie nicht gerade für ihn eingenommen, ebensowenig die Tatsache, daß sich der Professor, obwohl weit über sechzig, blühender Gesundheit erfreute, was man ihm auch ansah: er hatte noch dichtes braunes Haar, grau gesprenkelt, und ein gutaussehendes, fröhliches Gesicht – Merkmale, um die ihn Tobie beneidete.

«Ist er hier?» fragte Tobie.

«O ja. Wie du weißt, hat er die Pferde für Pierfrancesco hergebracht. Messer Agnolo und seine Schwester ließen es sich nicht nehmen, ihn nochmals einzuladen, schon ehe sie nach mir schickten. Ein überaus willfähriger junger Mann. Wir alle haben es als unsere Aufgabe angesehen, mit ihm zu reden. Er bekundet eine charmante Dankbarkeit für alles, was du für ihn getan hast. Deine fachkundige Pflege in Damme und deine barmherzige Tat in Genf. Wir wissen, wie nahe ihr euch steht. Du mußt doch einsehen, daß, als du Hauptmann Lionetto so plötzlich verlassen hast, es den Anschein hatte, als hätten die Affären des Jungen dich interessiert?»

«Nein. Das habe ich dir schon mal gesagt. Es waren Hauptmann Lionettos Affären, die mich angewidert haben.» *Affären* hatte sein Onkel mit einer gewissen Verschmitztheit gesagt. Das Abweichen von gesellschaftlichen Verhaltensweisen hatte Giammatteo schon immer amüsiert. Tobie fand es beruhigend. Das also war der Grund, warum er hier war. Es bedeutete zumindest, daß sein Onkel nichts von Haarfärbemitteln, Liebestränken oder Stechpalmen wußte. Oder von einem möglichen Vermögen in den Händen einer rätselhaften Person, die er vielleicht dazu bringen könnte, ihm Vertrauen zu schenken.

«Und jetzt widerst du Lionetto an, wie ich gehört habe», fuhr sein Onkel vergnügt fort. «Dein ehemaliger Hauptmann ist in Mailand auf dem Weg zu Piccinino. Du tätest gut daran, vorsichtig zu sein. So, dein junger Mann ist im Familienzimmer mit Messer Agnolo und dessen Schwester und Freunden. Am besten kommst du mit mir mit, um ihn abzuholen.»

«Im Familienzimmer?»

Der Professor lächelte. «Beim Kartenspiel, glaube ich», sagte er gütig.

Das Wohngemach der Acciajuoli war kaum mehr als ein Zimmerchen, aber der Kamin war hübsch und hell durch ein flackerndes Feuer. Ansonsten war der Raum hauptsächlich um den Kartentisch hell beleuchtet, an dem vier Personen saßen, während drei weitere hinter ihnen standen und sich vorbeugten. Als Tobie mit seinem Onkel hereinkam, drehte sich einer der Spieler um, lächelte gedankenverloren und hob einen Finger. «Einen Moment! Wir bitten um Eure Nachsicht. Marco, Giovanni – vielleicht trinken unsere Gäste einen Schluck Wein, während wir das Spiel beenden.»

Der Diener, der sie hereingeführt hatte, war weggegangen. Die um Hilfe gebetenen Männer waren demnach zwei der drei stehenden Personen; die dritte war eine hübsche junge Frau. Tobie kannte sie alle drei nicht. Er hatte sein freundliches Doktorlächeln aufgesetzt und sah sich alles genauestens an.

Von den vier Kartenspielern war derjenige, der gesprochen hatte, zweifellos der Gastgeber. Dieser Mann, untersetzt, blaß und eindrucksvoll, mußte der Bankier sein – Agnolo de' Acciajuoli, der Enkel des Fürsten Donato von Athen und ein Verwandter von Messer Nicolai, dem einbeinigen Griechen, der von Schottland nach Brügge gereist war. Und die Frau neben ihm mußte seine Schwester Laudomia sein, die Gattin des abwesenden Pierfrancesco. Oder vielleicht seine Halbschwester, eine hübsche Frau, viel jünger als Agnolo und nach Florentiner Mode gekleidet, deren Juwelenschnüre im Haar und auf den Ärmeln eine elegante Ergänzung bildeten zu ihrem bloßen Hals und dem unverhüllten Ausschnitt.

Neben ihr saß jemand, der kein Grieche und kein Florentiner war, aber Tobie bekannt vorkam. Diesen schlanken, dunkelhäutigen Mann, der jung war, aber trotzdem unauffällig gekleidet, hatte er irgendwo anders schon gesehen. In der Gruppe der Lancaster-Anhänger. In der englischen Gruppe, die angehalten hatte, um Bruder Gilles zu retten, und die von Claes' erster Lawine erwischt worden war.

Ein Engländer, hier?

Dann sagte der vermeintliche Engländer lächelnd etwas zu Claes in einem tadellosen Französisch, das offenkundig seine Muttersprache war, und Claes, der ihm höflich in derselben Sprache antwortete, redete ihn mit «Monsieur Gaston» an. Die Frau lachte leise, legte eine Karte ab und sprach ihrerseits mit dem Lehrling, und zwar italienisch. Er antwortete sofort, nicht völlig korrekt, aber unverkennbar mit Bologneser Akzent, den er sich durch Julius angewöhnt haben mußte, statt seines ursprünglich savoyardischen. Die Frage hatte er jedenfalls genau verstanden.

Es war natürlich ein Spiel, das sie mit ihm trieben. Tobies Onkel, den Weinbecher in der Hand, murmelte auf lateinisch: «Warum ihn nicht in dieser Sprache auf die Probe stellen? Oder auf griechisch?»

Claes lächelte, ohne seine Karten aus den Augen zu lassen. «Maestro, verschont mich», sagte er. «Ich kann nicht gleichzeitig einen Kopfstand machen und auch noch das Spiel gewinnen...» Er legte eine Karte ab und warf Tobie einen Blick zu, der voller Freude über ihre heimliche Komplicenschaft war. Wenn es möglich gewesen wäre, hätte Tobie auf der Stelle seine unüberlegten Kavaliersdienste von Damme und Genf, die ihn mit diesem gefährlichen Irren in Verbindung gebracht hatten, rückgängig gemacht. Er starrte Claes wütend und mißtrauisch an.

Das Benehmen des Jungen, der Teufel sollte ihn holen, war tadellos. Ehrerbietig, dann und wann ein Anflug von Witz und schlichtem Humor, der die Älteren zum Lachen brachte. Er war sauber. Neben der Kleidung der anderen war seine die eines Dieners; aber die Charetty-Livree war die beste, die sich die Witwe leisten konnte, und trotz der langen Reise hatte das blaue Tuch von Claes' Wams noch genug Festigkeit, um seine kräftigen Färberschultern zur Geltung zu bringen. Das Soldatenkoppel umgürtete die Taille, wo einst die fleckige Schürze gehangen hatte, und der hohe Kragen ließ einen gut proportionierten Hals erkennen. Gegen sein scheußliches Starren und das breite Grinsen konnte man nichts machen, aber auch dies war nicht wirkungslos. Diese Entdeckung hatte Tobie in Brügge gemacht.

Claes war wieder an der Reihe auszuspielen. Die Hände, die die Karten hielten, waren so schwielig wie eh und je, aber wenigstens waren die Fingerspitzen nicht mehr blau. Während Tobie sie betrachtete, glitten sie über die gefächerten Karten; Claes zog eine heraus und legte sie auf den Tisch.

Es trat ein kurzes Schweigen ein, das Tobie, der das Spiel nicht kannte, sich nicht erklären konnte. Dann sah die Dame Laudomia mit ihren klaren grauen Augen Claes kühl an und sagte lächelnd: «Schon wieder!»

«Arabisch», erwiderte er. «Ihr hättet mich auffordern sollen, arabisch zu sprechen, dann hättet Ihr alles zurückbekommen.» Das Spiel Karten war handgemalt in Rot und Blau und Gold und so viel wert, vermutete Tobie, wie alles, was Claes am Leibe trug, von Kopf bis Fuß.

«Wartet», sagte der Franzose, der Gaston hieß, «mit dem Ablegen der Karten. Niccolo, mein Freund, was haben wir in der Hand?»

Niccolo?

Tobie sah Claes an, der rot geworden war und sagte: «Ihr wißt es nicht? Monsieur, Ihr müßt eine Menge verlieren.»

Messer Agnolo machte eine Bewegung. Er lächelte und zog die Aufmerksamkeit des Mannes, der Giovanni hieß, auf sich, der zu ihm kam und neben ihm stehenblieb. «Sag mir, mein junger Freund, welche Karten ich in der Hand habe.»

«Schlechte, Monsieur. Ihr habt mit einer Neun begonnen und sie nie abgelegt. Dann habt Ihr eine Drei und eine Königin genommen und behalten. Das waren lauter *bastoni*. Später...»

Er nannte eine nach der anderen alle Karten, die Agnolo in der Hand hatte, und dann, als er darum gebeten wurde, auch die Karten der anderen. Während er das tat, beugte sich Giovanni vor und überprüfte Claes' Aussagen. Sie waren richtig.

Claes sah erleichtert und zugleich verlegen aus. «Das kommt von der Färberei», sagte er. «Lange Listen von Rezepturen, sehr gut für das Gedächtnis. Und Verse. Wir haben sie uns ausgedacht und dann gesungen, während wir rührten. Bis wir alle Leute, die wir mögen, darin erwähnt haben, werden die Verse manchmal sehr lang.»

Er blickte auf eine entgegenkommende Weise in die Runde, als wäre er auch bereit zu singen, wenn er dazu aufgefordert würde. Messer Agnolo sagte: «Hast du das gehört, Giovanni? Du bist Färber gewesen. Wir werden nächstes Mal, wenn du mit uns Karten spielst, nicht weniger von dir verlangen.»

Tobie merkte, daß sein Onkel, der neben ihm stand, lächelte. Er sagte: «Darf ich meinen Neffen Tobias vorstellen oder wünscht Ihr, daß wir weggehen, während Ihr mit diesem angehenden Rechenkünstler ein neues Spiel beginnt?»

Das Spiel war offenbar vorbei. Der Gastgeber und seine Schwester standen auf und kamen zu ihnen herüber. Den Gästen wurden Stühle angeboten. Alle wurden einander vorgestellt. Die hübsche junge Frau hieß Caterina und war mit Marco Parenti verheiratet, einem Kaufmann aus Florenz, der früher Seide nach Athen und Konstantinopel exportierte. Überdies war er Schriftsteller. Und überdies hatte er offensichtlich nichts dagegen, daß Caterina neben Claes hatte sitzen wollen.

Giovanni da Castro war der Patensohn des Papstes und hatte einen Posten im apostolischen Schatzamt. Der Heilige Vater machte sich seine geschäftlichen Erfahrungen zunutze. Vorher war Messer da Castro Färber gewesen. Das war ein Zufall. Färber von importiertem Stoff in Konstantinopel, ehe es vor sechs Jahren vom Sultan erobert wurde. Er war mit dem Leben davongekommen. Er hatte Glück gehabt.

Tobie hoffte, daß sein Gesicht ausdruckslos blieb. Der Hausherr war ein Acciajuoli. Warum soll man sich dann darüber wundern, daß alle Gäste einst in Konstantinopel oder Athen oder auf dem Peloponnes zu tun gehabt hatten. Ihm fiel ein Familienmitglied ein, das nicht erwähnt worden war. «Ihr habt mehr Glück gehabt», sagte er zu da Castro, «als Messer Bartolomeo, der Bruder des Griechen mit dem... des Verwandten von Messer Agnolo, der durch Europa reiste, um Lösegeld für ihn aufzutreiben. Gibt es Nachricht von ihm? Erwartet man, daß er freigelassen wird, wenn genug Gold gesammelt ist?»

Schon seit Brügge hatte sich Tobie für das Schicksal des Griechen und seines gefangenen Bruders interessiert. Es verwunderte ihn, daß da Castro ihm nicht sofort antwortete. Laudomia war es, die Verwandte des Häftlings, die sagte: «Mein lieber Messer Tobias! Er ist schon seit Monaten frei. Das Bankhaus Medici hat das Lösegeld bezahlt und sich großzügig bereit erklärt, den Betrag zu stunden, bis er zurückgezahlt werden kann.»

«Bis dahin werden sich natürlich die Kurse geändert haben», sagte Tobie.

Monna Laudomia lächelte. Des Papstes Patensohn griff in das Gespräch ein und sagte lachend: «Das ist das einzige, das nie stagniert. Aber die Sache mußte natürlich geregelt werden, damit Messer Bartolomeo weiter im Geschäft bleiben konnte. Für einen hohen Preis allerdings. Christen müssen unglaubliche Steuern bezahlen. Aber im großen und ganzen wird Bartolomeo Giorgio immer sein Auskommen haben.»

«Ihr wollt damit sagen, daß er unter den Türken weiterhin Handel treibt, während Ihr die Stadt verlassen mußtet?»

Es trat wieder eine kurze Pause ein, und dann zuckte da Castro die Achseln. «Religion und Geschäft sind zweierlei. Manchmal muß man sich entscheiden. Nein, ich mißgönne Bartolomeo sein Glück nicht. Ich werde auch hier Erfolg haben.»

«Und was geschieht, wenn Euer Patenonkel seinen Kreuzzug beginnt und Konstantinopel von den Türken zurückerobert wird?»

Messer da Castro sah überrascht aus. «Dann nehme ich vielleicht mein Geschäft wieder auf, wenn mir der Sinn danach steht, und Messer Bartolomeo kann dann ohne türkische Steuern weiterarbeiten.»

«Wenn er noch am Leben ist», gab Tobie zu bedenken. «Was ist er von Beruf? Ist er auch Färber?»

Wieder eine Pause. Wieder kam die Antwort von Laudomia Acciajuoli. «Bartolomeo ist Venzianer. Euch fällt es vielleicht schwer, einen Verwandten zu rechtfertigen, der es mit den Heiden hält. Aber der Sultan bevorzugt venezianische Kaufleute. Er gesteht ihnen ihre eigenen Bräuche und Religion zu, und dafür zahlen sie hohe Steuern. Bartolomeo kauft Rohseide aus dem Orient und verkauft sie in Konstantinopel oder tauscht sie gegen Seidenstoffe von Händlern wie Messer Marco hier. Er hat auch viel mit Alaun zu tun.»

«Alaun?» fragte Tobie. Er räusperte sich.

Laudomia Acciajuoli sah ihn an. «Ich dachte, sein Bruder hätte es Euch vielleicht erzählt. Bartolomeo leitet für den Sultan die Alaun-Gruben von Phokaia.»

Claes, du Mistkerl, dachte Tobie. Und der liebe Onkel Giammatteo da drüben, der die Deckenbalken musterte. In was bin ich da hineingeraten? Worauf habe ich mich ihrer Ansicht nach eingelassen? Was mache ich bloß? Weiterhin so tun, als sei nichts geschehen. «Ich kann verstehen», sagte er, «warum Ihr auf einen Kreuzzug hofft.»

«Oder auf eine andere Quelle für Alaun», sagte Monna Laudomia. «Das ist Euer großer Traum, nicht wahr, Messer Giovanni? Daß der Papst, Euer Patenonkel, Euch die Geldmittel zur Verfügung stellt, damit Ihr auf seinem Gebiet nach Mineralien schürfen könnt? Bedenkt nur, was es bedeuten würde, wenn Alaun gefunden würde!»

Des Papstes Patensohn erhob sich. «Dafür», sagte er, «besteht im Augenblick nur eine geringe Chance. Monna Laudomia, Messer Agnolo, ich muß mich verabschieden.»

Tobie war nicht überrascht. Er spielte seine Rolle bei der Verabschiedung, war aufgestanden und beobachtete geistesabwesend seinen Gastgeber, der des Papstes Patensohn hinausgeleitete. Sein Onkel, der auf eine Weise lächelte, die ihm nicht gefiel, setzte sich mit viel Getue wieder hin, und nach einem Augenblick nahm auch Tobie wieder Platz. Claes, dem er einen vernichtenden Blick zuwarf, saß zwischen Marco Parenti und seiner Frau, und sie alle sprachen italienisch.

Der Franzose, der am Kartenspiel beteiligt gewesen war, hatte sich neben Tobies Onkel auf einen Hocker gesetzt. Tobies Onkel beugte sich vor und sagte: «Tobias, du hast die Bekanntschaft von Monsieur Gaston du Lyon noch nicht gemacht.»

«Ganz im Gegenteil», erwiderte Monsieur Gaston du Lyon. «Monsieur Tobias und ich hatten vor ein paar Tagen eine Begegnung im Schnee, und er fragt sich nun, warum ich mit Engländern reiste.»

In diesem Augenblick wollte Tobie nicht über die mögliche Antwort nachdenken, deshalb sagte er: «Ich hoffe, Ihr seid nicht völlig durchnäßt worden.»

«Mir ist nichts passiert. Nein, ich ritt bloß der Sicherheit wegen mit Mylord Worcester. Er hatte offenbar den Eindruck, ich sei ein loyaler Untertan von König Charles von Frankreich und befände mich gottesfürchtig auf dem Weg nach Rom.»

«Aber Claes wußte, wer Ihr seid?»

«Das hätte mich geärgert, wenn er es gewußt hätte. Nein, er wußte es nicht. Er war, wenn auch nicht zerknirscht, so doch wenigstens höflich, als er es erfuhr.»

«Und wer seid Ihr?» fragte Tobie.

«Oh, ich bin Franzose, aber ich diene nicht dem französischen König, sondern seinem im Exil lebenden Sohn, dem Dauphin. Ich bin Kammerherr von Dauphin Louis und habe eine Urlaubsreise nach Mailand unternommen, um im Februar am Tjost teilzunehmen. Ich lebe für die Kampfspiele. Sie sind meine große Freude.»

«Meine nicht», sagte Tobie. «Ich verbringe zuviel Zeit damit, die Opfer wieder zusammenzuflicken.» Er dachte an die Lawine. Er dachte an Claes, der so entgegenkommend Pumpen repariert und den ganzen savoyardischen Klatsch aufgeschnappt hatte. Was immer der naive Monsieur Gaston glauben mochte, Tobie jedenfalls war überzeugt, daß Claes genau gewußt hatte, wer Monsieur Gaston war. Und zwar schon vor der Lawine.

Tobie war erregt und hatte sogar das Gefühl, in eine Falle geraten zu sein. Das Gespräch zwischen Claes und der hübschen Caterina und ihrem Mann war beendet. Plötzlich stand Claes zwischen den beiden auf und rief ihm zu: «Maestro Tobias! Ihr habt die Bekanntschaft von Messer Marco und seiner Frau gemacht. Wißt Ihr, wer sie ist? Sie ist Lorenzos Schwester.»

«Lorenzo?»

«Lorenzo Strozzi! Von der Firma Strozzi in Brügge! Sie haben einen Todesfall in der Familie gehabt – ein Bruder –, in meiner Mappe im Gasthaus befinden sich Briefe von Lorenzo an Monna Caterina und ihre Mutter. Sie wird sie morgen haben.» Mit Rücksicht auf den Todesfall setzte Claes ein teilnahmevolles Gesicht auf. Er wandte sich an die junge Frau: «Lorenzo vermißt Euch so sehr. Wir heitern ihn auf, aber er muß unbedingt nach Italien zurückkommen.»

«Das ist es, was ich immer gesagt habe», erwiderte Caterina. «Mein Bruder grämt sich, Marco. Er sehnt sich danach, sein eigenes Geschäft zu haben.»

Claes sah interessiert aus. Messer Marco Parenti wirkte verärgert. Tobie, den es drängte zu gehen, hörte, daß Caterina wieder etwas sagte und Messer Marco auf vertraute Weise murmelte: «Nicht hier, nicht jetzt.»

Eine Hand ergriff Tobies Arm und zog ihn beiseite. Es war sein berühmter Onkel, der ihm freundschaftlich ins Ohr flüsterte: «Erkennst du nicht jetzt den Wert wohlsituierter Bekanntschaften? Sie haben auf ihre Weise den jungen Mann beurteilt. Ich finde ihn interessant. Ich gratuliere dir, daß du die Bürgschaft übernommen hast. Ich konnte Monna Laudomia sagen, daß du als mein Neffe der verläßlichste Mann bist, den sie finden konnten.»

«Wofür finden konnten? Und *Bürgschaft*? Ich habe mit Claes nichts zu schaffen. Wofür wollen sie ihn haben?»

Sein Onkel sah überrascht aus. «Wegen seiner Begabung. Du mußt doch wissen, wie sehr er gefragt war, als er Brügge verließ.» Er hielt inne. «Und er weiß wirklich viel mehr, als er wissen sollte.»

Tobie dachte an Quilico, kam aber zu dem Schluß, daß sein Onkel unmöglich etwas von Quilico, der so vertraut war mit dem, was auf den phokaischen Alaun-Gruben wuchs, wissen konnte. Und der, wenn er betrunken war, kranken, neunmalklugen Jünglingen und ihren Ärzten über andere, noch unentdeckte Alaun-Gruben erzählte. Dann wurde Tobie klar, daß der Professor vielleicht schon alles über Quilico wußte, wenn Claes es ihm erzählt hatte. Aber warum sollte

Claes es ihm erzählen? «Du wirst mir das erklären müssen», sagte Tobie zurückhaltend.

«Ist das der Arzt in dir, der spricht? Eine Diagnose, mein Junge! Du hast das Kartenspiel gesehen. Der junge Mann kann Sprachen schnell aufgreifen und Zahlen manipulieren. Was wird ein solcher Mann aus einem privaten Kurierdienst machen?»

Tobie spürte, wie er aus purer Erleichterung lächelte. Das war es also. Der Kurierdienst. Das hätte er erraten können. Tobie dachte an die Mappe, die Loppe auf der ganzen Reise getragen hatte, und an die hübschen Briefe mit ihren Verschnürungen und ihren Siegeln. Jemand, der komplizierte Spiele schnitzte, besaß auch die Geschicklichkeit eines Diebes oder eines Fälschers. Und die Gerissenheit, anderer Leute Schriftstücke zu entziffern. Die Männer, die in der herzöglichen Kanzlei oder in den Medici-Kontoren die Geheimschriften erfanden, waren von derselben Art.

Immer noch lächelnd, fragte Tobie: «Bestechen sie ihn oder heuern sie ihn an? Oder tun sie so, als täten sie beides, während sie etwas Tödliches in seinen Weinbecher gleiten lassen?»

«Ich nehme an, daß sie daran gedacht haben. Aber nicht mehr, nachdem sie herausfanden, daß er ein Freund meines Neffen ist. Das war der Augenblick, als sie mich holten, um sie zu beraten. Ich war gern behilflich und bin es noch.»

«Ein Freund von mir? Danke vielmals, aber der ungehobelte Kerl ist ein Färberlehrling.»

«Immerhin hast du ihm das Leben gerettet. Das wurde mir jedenfalls berichtet. Und bist mit ihm nach Mailand gekommen. Außerdem hast du großes Interesse an einer Information gezeigt, die du in Brügge aufgeschnappt hast. Oder hast du nicht einmal soviel Verstand, du Widerling, um zu begreifen, worum es bei dem Ganzen hier geht?»

Das Lächeln auf Tobies Lippen erstarrte. Er würde nie wieder Vermutungen anstellen. Sie sprachen also nicht nur von einem Kurierdienst. Sie sprachen von Alaun, und sie wußten – und sogar sein Onkel wußte – erheblich mehr als er. Und sie versuchten, ihn mit hineinzuziehen. Ein lukratives Geschäft mit Claes zu machen war eine Sache, von der ganzen Acciajuoli-Sippe manipuliert zu werden war eine andere. «Ich verstehe», sagte Tobie. «Na, wenn sie mich fragen, ich habe nichts damit zu tun.»

«Hast du Angst?» fragte sein Onkel. «Dein junger Niccolo hat keine Angst.»

«Er hat nichts zu verlieren.»

«Das leuchtet mir ein. Aber es spielt kaum eine Rolle. Du bist beteiligt. Aussteigen kannst du jedenfalls nicht.»

«Ich erlaube mir, anderer Meinung zu sein», sagte Tobie.

Danach versuchte Tobie zweimal aufzubrechen und wurde zweimal von seinem Onkel daran gehindert. Niemand fragte ihn etwas, niemand bot ihm etwas an, nur Essen und Trinken und Plaudereien, die ihn noch wütender machten. Da er keine Gelegenheit hatte, etwas zu klären, zu widerlegen oder abzulehnen, begnügte er sich damit, Claes soweit es ging zu ignorieren. Es war eine Gemeinheit, daß sein Onkel, als es ihm schließlich gelang zu gehen, ihm auch noch Claes aufhalste. Sie gingen doch ins selbe Gasthaus, gab Giammatteo zu bedenken. Da sei es nach Einbruch der Dunkelheit für seinen Neffen und den jungen Mann sicherer, zusammen dort hinzugehen. Messer Aguolo werde ihnen sicherlich eine Laterne leihen.

Claes trug die Laterne. Wutschnaubend ging Tobie vor ihm die Treppe hinunter und über den Hof. Claes hielt die Laterne mit zitternder Hand. Tobies Schatten hüpfte von Säule zu Säule und stolzierte grotesk über Wände, das Kinn hocherhoben. Als sie auf die Straße kamen, fluchte Tobie laut, drehte sich um und packte Claes am Handgelenk. Dann zog er die Laterne zu sich herüber und löschte sie aus.

Das trübe Licht vom Portal des Acciajuoli-Hauses ließ Claes' vorwurfsvolles Gesicht erkennen. «Jetzt kann ich die Liste nicht lesen», beklagte er sich.

«Welche Liste?» fragte der Doktor barsch. Dann fiel es ihm natürlich ein.

Claes war schon dabei, seine Geldtasche aufzumachen. Immer noch barsch, fragte Tobie: «Hast du um *Geld* gespielt?»

«Das macht es interessanter. Sie hätten mich sowieso gewinnen lassen.» Er hatte eine Liste in der Hand. «Zweite Spalte...»

«Zweite Spalte von links, dritter Name von unten», sagte Tobie. «So war es jedenfalls gestern, nicht wahr? Laß dich nicht von mir aufhalten. Ich gehe zurück ins Gasthaus.»

«Ich auch, aber nicht gleich. Da kann man nicht reden. Dritter Name von unten. Es ist eine Apotheke in der Nähe von S. Maria della Scala. Um die Ecke.»

«Ich brauche nicht zu reden. Ich kann dir, sofort und auf der Stelle, sagen, daß ich damit nichts zu tun habe.»

Erleichterung malte sich auf Claes' Zügen. «Das hatte ich gehofft. Ich habe nichts gegen Euren Onkel, aber ich habe ihm erklärt, daß ich keinen Partner brauche. Wir müssen uns jetzt nur überlegen, wie Ihr aus der Sache herauskommt.»

«Ich habe damit nichts zu tun», sagte Tobie zum zweitenmal.

«Natürlich nicht. Wir müssen uns nur darüber klarwerden, wie wir die Leute davon überzeugen. Es wird keine fünf Minuten dauern, und dann braucht Ihr nie wieder an Alaun zu denken.»

Alaun. Na ja, es lohnte sich, fünf Minuten zu opfern, um diesen Unsinn aus der Welt zu schaffen.

Die Apotheke war natürlich geschlossen und dunkel. Tobie stand stocksteif dabei, als Claes ein paarmal leise klopfte und sich die Tür schließlich unter großem Gerassel und Scharren von Riegeln einen Spaltbreit öffnete. Der Mann, der sie einließ, trug eine Kerze. Er schien allein zu sein. Hinten im Raum standen ein Rollbett mit einer Delle in der Mitte, wo er gesessen hatte, und ein Tisch, auf dem ein großes Stück Brot und Oliven lagen. Nachts setzten viele Geschäfte einen Lehrling als Wachhund ein.

Das Geschäftslokal war größer, als es den Anschein hatte. Neben der Tür stand der Verkaufstisch des Apothekers, darauf die Waage, ein Zählbrett und jede Menge Zählperlen und Schalen. Auf Regalen dahinter wurden die am häufigsten gebrauchten Medikamente und Gewürze in Gefäßen aus Glas, Zinn und Steingut aufbewahrt. Ein schmutziger Mörser stand auf einem Hocker.

Es roch nach einer atemberaubenden Mischung von Hustensaft, Schwefel und Salmiak, Salben und Terpentin, dazu noch nach Pfeffer und Ingwer, Zimt, Anis und Muskat, Nelken, Kreuzkümmel und Safran. Tobie roch kandierte Früchte und Farbe, Wachs und Parfum, Essig und Rosinen. Irgendwo war auch Senf und Wermutöl und Seife. Tobie nieste.

«Gesundheit», sagte Claes. Der Mann mit der Kerze führte sie in den hinteren Teil der Apotheke. Sie kamen an weiteren Regalen, einem kleinen Raum und einigen Ballen vorbei. Tobie nieste wieder.

«Gesundheit», sagte Claes. «Ist das Asthma? Euer Onkel hat die Herzogin wegen Asthma behandelt, hat er mir erzählt. Und den Papst wegen Gicht. Er sagt, der Papst nehme gerade ein warmes Bad. Vielleicht solltet Ihr das auch probieren. Er sagt, der Papst habe sich nicht wieder erholt, seit er in Schottland Schlimmes durchmachen mußte, seine Füße erfroren und seine Zähne auszufallen begannen. Gesundheit! Aber nicht sein Haar. Das lange, blonde, lockige Haar. Der Papst hat sein Haar lange behalten. Gesundheit! Ihr seid doch nicht in Schottland gewesen, Meester Tobie?»

Sie kamen zu einer niedrigen Tür. Der Geruch wurde stärker. An der Decke hingen alle möglichen Gegenstände. Ein Bündel Kräuter streifte Tobies Glatze, er bückte sich und erhielt einen leichten Schlag von einem Stößel. Durch die Tür erblickte er ein Bett, einen Vorhang und noch ein Bett. Er machte auf dem Absatz kehrt.

Claes schob eine Hand unter Tobies Arm und zog ihn zurück. Er sagte: «Es ist niemand hier. Wir haben eine halbe Stunde, ehe jemand kommt. Sie verstehen kein Flämisch.»

Er zog Tobie in den Raum und machte dem Mann des Apothekers die Tür vor der Nase zu. Das Bett und eine niedrige, gepolsterte Truhe mit einer Kerze daneben waren die einzigen Gegenstände diesseits des Vorhangs. Claes setzte sich auf die Truhe, die Knie beieinander. Tobie blieb stehen. Er sagte:

«Ehe wir darüber reden, wie ich aus der Sache herauskomme, möchte ich darüber reden, wie ich hineingekommen bin. Wer hat meinen Onkel da hineingezogen?»

Claes blickte ganz friedlich drein. «Ich nehme an, es war der Grieche mit dem Holzbein. Als ich den Posten bei dem venezianischen Kommandanten nicht annahm. Da hat er wohl an seine Vettern Acciajuoli geschrieben und ihnen alles über Euch erzählt.»

«Warum?» Tobie nieste herzhaft.

«Weil Ihr Quilico ausgefragt habt. Ihr erinnert Euch. Der Galeerenarzt. Er glaubte, Quilico würde mein Interesse an den Kolonien wecken. Er hatte dabei nicht bedacht, daß er einen Färber und einen Arzt und einen Mann von einer Alaun-Firma zusammengebracht hatte und daß wir vielleicht Schlüsse ziehen würden. Ich nehme an, er hat sich ziemliche Sorgen gemacht. Vermutlich hätte ich einen kleinen Unfall gehabt, wenn er nicht herausgefunden hätte, wer Ihr seid. Euer Onkel ist ein berühmter Mann, nicht wahr?»

«Kümmere dich nicht um meinen Onkel.» Ohne nachzudenken, setzte sich Tobie auf das Bett. «Der Grieche mit dem Holzbein. Wußtest du, daß sein Bruder die Konzession für das Phokaia-Alaun hatte?»

«Damals nicht. Ich glaube, Anselm Adorne wußte es.»

«Adorne?» Tobie erinnerte sich wieder an Adorne. Der gutaussehende Bürger in Brügge mit der Jerusalemkirche, dessen Verwandte Dogen von Genua waren.

«Ja, ja», sagte Claes. «Die Genuesen betreiben ihre levantinische Handelsniederlassung seit zweihundert Jahren. Die Zaccharia, die Doria, die da Castro, die Camulio. Adorne ist fast ebenso lange einer der großen Namen auf Chios gewesen. Wäret Ihr interessiert gewesen, hättet Ihr Prosper de Camulio hier in Mailand treffen sollen. Er weiß mehr über Alaun als jeder andere.»

«Da Castro. Das ist interessant. Warum war Giovanni da Castro heute abend da? Weltweit herrscht Mangel an Alaun. Die Lagerstätte von Phokaia ist die beste, und Venedig und der Bruder des Griechen, Bartolomeo, haben das türkische Schürfrecht. Es kann nicht in ihrem Interesse liegen, wenn eine Konkurrenzmine erschlossen wird. Warum wird dann des Papstes Patensohn bewirtet, der hofft, das Geld aufzutreiben, um eine zu finden? Warum werden du und ich bewirtet, wenn sie von dir wissen, daß Quilico dir von einer anderen Grube erzählt hat, und glauben, daß auch ich davon weiß?»

Die großen Augen glänzten. Claes sah so gespannt aus, als warte er auf das Ende eines Märchens.

Tobie machte den Mund auf, aber es kam nur ein Niesen. Er zog ein Taschentuch heraus. Er hielt es sich vor die Nase und sagte so schneidend, wie er nur konnte: «Ich vermute, die Acciajuoli unterstützen euch beide, dich und Giovanni da Castro. Als Entgelt für die Gewinne aus der neuen Grube bezahlen sie dich, damit du da Castro hilfst, sie auszubeuten.»

Er schneuzte sich. «Gesundheit!» sagte Claes und sah ihn weiterhin interessiert an. «Habe ich nicht recht?» fragte Tobie.

«O nein. Tut mir leid. Nein. Giovanni da Castro hat noch gar nicht begonnen, nach Alaun zu suchen. Er hat es nicht besonders eilig. Ich glaube, er war da, weil die Acciajuoli froh wären, wenn ich ihn tötete. Die an Phokaia-Alaun interessierten Kreise wollen natürlich nicht, daß eine weitere Alaun-Grube gefunden wird.

«Sie erkaufen dein *Schweigen?*» Tobie empfand eine ehrfürchtige Scheu und wischte sich schnell mit dem Taschentuch die Stirn ab.

«Und Eures natürlich. Sie glauben, daß Ihr soviel wißt wie ich.»

Tobie starrte den ehemaligen Lehrling an. «Es würde mir schwerfallen, diesen Eindruck zu erhärten.»

«Über die Informationen, die sie auch kaufen», fuhr Claes vergnügt fort. «Es ist ein neuer Kontrakt. Ich habe ihnen einen Kurierdienst verkauft. Darum war Monsieur Gaston da und Marco Parenti mit seiner Frau, geborene Strozzi. Das hat nichts mit Alaun zu tun. Es ist ein ganz gewöhnliches Geschäft. Die Firma Charetty stellt die Kuriere, und ich beschaffe die besonderen Informationen. Sie hofften, haben sie gesagt, Ihr würdet vielleicht in Mailand bleiben und die Aufsicht übernehmen. Ihr braucht nichts zur Verfügung zu stellen. Ihr nehmt einfach Geld ein und tut so, als ob Ihr etwas zur Verfügung stellt. Und nehmt das Wort Alaun nicht in den Mund.»

Er hielt inne und runzelte die Stirn. «Mißlich ist es, wenn Ihr das Geld nicht einnehmt, dann werden sie glauben, Ihr würdet den Mund nicht halten.»

«Vielen Dank», sagte Tobie. «Du hast mich in ein Komplott verwickelt, um ein Alaun-Monopol zu schützen. Jetzt bringst du mich mit Spionage in Verbindung.»

«Spionage? Davon verstehe ich gar nichts, Meester Tobie. Botschafter spionieren und Gesandte und Geheimagenten. In diesen Kreisen bewege ich mich nicht. Ich kriege nur das mit, worüber die Angestellten von Börsenmaklern reden und die Verwalter der Kaufleute und Schmiede und Fuhrleute, die wissen, wohin die Pferde gehen, wo es Verpflegung gibt und Geld bezahlt wird. Klatsch. Niemand bemerkt jemanden wie mich.»

«Claes, erzählt mir von der Kanone, die auf dem Weg zum König von Schottland einen Unfall hatte. Und von der Lawine, die auf die Lancaster-Engländer niederging. Und von deinem außerordentlichen Geschick, mit kniffligen Problemen und Zahlen umzugehen. Und dann versuche mir weiszumachen, daß du mit Stroh in den Ohren dasitzt und Stallgeschwätz aufschnappst.»

Claes saß mit gekreuzten Beinen da und starrte Tobie an. Bitterkeit erfüllte Tobie. Er sah keinen Grund, Claes nicht zu sagen, was er von ihm hielt.

«Du willst natürlich reich werden. Du willst die Leute in Brügge zwingen, sich vor dir zu verbeugen, statt dich auszupeitschen. Du willst schöne Kleider und Juwelen und eine Geliebte, die nicht zum Gesinde gehört, und du willst damit vor Jaak de Fleury und seiner Frau prunken, vor Katelina van Borselen und Hauptmann Lionetto und dem Schotten Simon. Du hast Julius ausgefragt und ihn und Astorre in den Krieg abgeschoben und hast jetzt einen Vorwand, gleich nach Brügge zurückzukehren, um Geheimbotschaften zu übermitteln und niemandem verantwortlich zu sein als einem törichten jungen Mann und einer Witwe, die einen intelligenten, lebhaften jungen Menschen braucht, der ihr hilft. Willst du sie heiraten, Claes? Ich bin überzeugt, sie würde dich nehmen. Du verstehst es so gut mit Mädchen.»

«Ich habe Euch gesagt, daß ich keinen Partner will. Ihr seid irrtümlich hineinverwickelt worden. Ihr werdet von dem Ganzen nichts mehr hören.»

Seine Stimme klang anders. Er sah auch nicht mehr aus wie jemand mit Stroh in den Ohren.

Tobie erwiderte höhnisch: «Obwohl jemand weiß, daß ich ebensoviel weiß wie du?»

«Sie wollen nur verhindern, daß eine neue Alaun-Grube auftaucht. Wenn Ihr Euch zurückzieht, haben sie keinen Grund, sich Sorgen zu machen. Ihr seid der einzige, der sie hätte finden können.»

Tobie riß die tränenden Augen auf. Er nieste, und diesmal wurde ihm nicht Gesundheit gewünscht. Hinter seinem Taschentuch dachte er rasch und intensiv nach. Er schaute wieder auf. «Ich verstehe. Soviel zu Haarfärbemitteln und Liebestränken und dem ganzen Gerede über Pflanzenvorkommen. Quilico hat dir also *nicht* gesagt, wo seiner Ansicht nach das Alaun sein könnte?»

«Nur daß es in Latium sei, und das ist ein sehr großes Gebiet um Rom herum, innerhalb des Kirchenstaats. Darum hat es keinen Zweck, da Castro zu unterstützen. Sobald die Mine gefunden ist, wird der Papst und niemand anderes sie ausbeuten.»

«Wie klug von dir, daß du mir das nicht gesagt hast. Ich hätte mich ja selbst auf das Projekt einlassen können, protegiert von meinem Onkel. Das könnte ich doch immer noch, nicht wahr? Die Mine finden, wenn es sie gibt, und Beweise dafür vorlegen. Denn die Phokaia-Gesellschaft würde ja sonst nicht zahlen, um den Fund zu vertuschen.»

Claes' Gesicht trug wieder den freundlichen Ausdruck. «Ich sehe nicht ein, warum Ihr das nicht tun solltet, Meester Tobie. Jemand könnte sich doch die Information zunutze machen.»

«Warum du nicht? Du sagtest, du brauchst keinen Partner.»

«Oh, das bezog sich auf den Kurierdienst. Nein. Es würde Gerede geben, nicht wahr, wenn ich wochenlang das Hügelland durchwanderte und mit levantinischen Kaufleuten und Arbeitern von Alaun-Gruben redete. Früher oder später werden andere die Lagerstätte sowieso finden. Sie böte nur jemandem, der jetzt dafür Zeit aufwenden könnte, einen schnell verdienten Gewinn.»

«Ich verstehe. Und was hast du den Phokaia-Unternehmern gesagt?»

Claes streckte die Beine aus und hielt die Hände zwischen den Knien. «Daß sie im Frühjahr den Beweis haben werden, daß es wirklich eine zweite Grube gibt. Wenn Ihr wollt, werde ich ihnen sagen, daß Ihr den Beweis erbringen werdet. Wenn Ihr das nicht wollt, werde ich ihnen sagen, daß es keine Grube gibt.»

«Das werden sie dir nicht glauben.»

Claes lächelte. «Ihr werdet nicht gefährdet sein.»

Natürlich würde er nicht in Gefahr sein. Wegen Giammatteo.

Die Kerze flackerte. Eine halbe Stunde. Die mußte fast vergangen sein. «Du verdienst», sagte Tobie, «was geschehen ist. Du hast das alles in Gang gebracht. Wenn sie dir nicht glauben, werden sie mit dir so verfahren, wie sie hofften, daß du mit Giovanni da Castro verfahren würdest.»

«Dann muß ich mich wohl beeilen und ein paar Geheimnisse aufdecken, um mich zu schützen?» fragte Claes. Sein Ausdruck war durchaus liebenswürdig. «Wenn Ihr die Entscheidung nicht sofort treffen wollt, ich muß mich nicht sofort festlegen. Die Freunde von Phokaia erwarten meinen Bericht erst im Frühjahr.»

Das war gescheit. Es war ein Angebot, das Tobie gefiel. Es war auch jetzt nicht nötig, eine definitive Antwort zu erteilen. Er ging über die Alaun-Frage hinweg, als ob es sie gar nicht gäbe, und sagte: «Ich möchte, daß ihnen *jetzt* mitgeteilt wird, daß ich mit deinem Kurierdienst nichts zu tun habe.»

«Ich verstehe. Das läßt sich leicht machen.»

«Nun kannst du die ganzen Gewinne behalten. Was willst du mit dem Geld anfangen?»

«Die Leute in Brügge zwingen, sich vor mir zu verbeugen, statt mich auszupeitschen. Und etwas Geld anlegen.»

«Ach?» Tobie erhob sich von dem Bett und glättete seinen zerknautschten Talar. «Einen kleinen Grundbesitz irgendwo? Einen Anteil an einer Weinschenke?»

«Beides. Was haltet Ihr von Handfeuerwaffen?»

Tobie hörte auf, die Federn von seinem Saum abzubürsten. «Willst du Kaufmann werden?»

«Ach, das bin ich schon. Das Geld gehört der Firma Charetty. Hauptmann Astorre sollte Handfeuerwaffen haben. Und für noch ein paar Dinge wäre ein Kredit nützlich, abgesehen vom Grundbesitzerwerb. Löwen brauchen mehr Kapital.»

«Die Witwe? Tust du das alles für... Ist sie bereit, Geld aus einer Quelle dieser Art anzunehmen?»

«Ein Kontrakt für einen Kurierdienst ist doch nichts Unrechtes», sagte Claes freundlich.

«Und sie weiß nichts von dem Alaun-Projekt? Nur der Grieche und Anselm Adorne sind im Bild? Weißt du, ich wundere mich über Adorne. Ein Mann mit einer privaten Kirche, der ein türkisches Monopol schützt. Du kannst doch nicht bestreiten, daß es das ist, selbst wenn die Venezianer die Grube betreiben?»

Noch ein Gedanke kam ihm. «Herrgott noch mal. Wenn das wahr ist, dann wird das Monopol auf Kosten des *Papstes* geschützt?»

Er hoffte, er sehe entsetzt aus. Fürchtete aber, eher wie Claes auszusehen, der ihm erwiderte: «Ich habe nicht behauptet, daß Adorne Einzelheiten weiß. Außerdem gelingt es meist, Geschäft und edle Gesinnung zu verbinden. Da hat es geklopft.»

Tobie hatte es gehört. «Du hast es doch nicht so eingerichtet...»

Claes stand auf. Groß, braun gebrannt, heiter – jede athletische Heldentat, von der Tobie je gehört hatte, war ihm zuzutrauen. Er konnte sich vorstellen, daß sich Claes stundenlang frischfröhlich mit einem oder mehreren Mädchen abgab. Da standen zwei Betten. Perspektiven von unendlicher Peinlichkeit taten sich vor ihm auf.

«Macht Euch keine Sorgen», sagte Claes. «Niemand wird Euch gegenüber je wieder Alaun erwähnen, sofern Ihr das Thema nicht selbst anschneidet. Und soweit Ihr wißt, betreibe ich einen durchaus respektablen Kurierdienst. Ich gehe jetzt ins Gasthaus. Bleibt hier, wenn Ihr wollt.»

Der gesellschaftliche Status mußte irgendwie gewahrt werden. «Das kommt darauf an», sagte Tobie. Er schlenderte gemächlich zur Tür und öffnete sie. Vor ihm stand eine reizende kleine Person mit einer Korallenkette und einer entblößten Brust. *«Cateruzza!»* rief Tobie aus.

«Zweite Spalte von links, dritter Name von unten», sagte Claes. «Es heißt, Ihr pflegtet von Pavia herüberzukommen, um sie zu sehen. Ich dachte, Ihr würdet gern erfahren, daß sie immer noch Geschäft und edle Gesinnung verbindet. Ich lasse Euch die Laterne hier.»

Tobie blieb an der Tür zur Apotheke stehen und sah zu, wie Claes seinen Weg an den Kräutern und dem Stößel vorbei fand und dann hinausging.

Tobie nieste.

«Gesundheit!» sagte Cateruzza melodisch neben ihm. Das Niesen schien ihre zweite Brust entblößt zu haben.

Er schloß die Tür. Er fühlte sich überrumpelt. Er fühlte sich überlistet. Ihm war, als wollte er die ganze Gesundheit, die ihm in der letzten halben Stunde gewünscht worden war, sofort – schneller als sofort – in den enthüllten, schmucken Schoß von Cateruzza investieren.

Von nun an begann Tobie Mailand zu genießen. Danach sah er Claes ein paarmal und besprach praktische Fragen mit ihm. Mädchen, Alaun und Spionage wurden nie erwähnt.

Julius ärgerte sich über den Kurierdienst. Selbst als ihm erklärt wurde, wieviel Geld dadurch in die Firmenkasse fließen werde, war er noch ärgerlich. Er hatte erwartet, daß Claes mit ihnen nach Neapel gehen würde. Er begriff nicht, daß Claes, der Astorres Heerschar zugeteilt worden war, sich plötzlich entschließen konnte, etwas ganz anderes zu machen. Es ärgerte ihn um so mehr, als Astorre offenbar nichts dagegen hatte.

Der einzige, der offenbar etwas dagegen hatte, war Thomas, den Claes jetzt begleiten würde, wenn er sich wieder nach Norden aufmachte, um den Rest der Heerschar abzuholen. Und vielleicht einige der Bewaffneten, die sich daran gewöhnt hatten, daß Claes in regelmäßigen Folgen Astorre nachmachte, wie er seinen Weg durch die europäischen Herzogtümer nahm, kreischende Köche einfing, die Kalbssülze bereiten mußten und Räucherschinken und gehacktes Schweinefleisch so brieten, wie er es gern hatte, bis es kein Zelt mehr gab, das groß genug war für seine Köche, seine Latrinen oder seinen Bauch. Claes konnte auch Lionetto hervorragend imitieren, was Tobie nicht uneingeschränkt zu schätzen wußte.

Hauptmann Lionetto war in Mailand eingetroffen, und er und sein ehemaliger Stabsarzt waren schon einmal in aller Öffentlichkeit aneinander geraten. Lionetto hatte einen neuen, mit Haselmausfell gefütterten Umhang und war mit bunten Steinen behängt, die diesmal eindeutig nicht aus Glas waren. Jemand war sehr freundlich zu Lionetto, und Tobie vermutete, daß es nicht Piccinino war, der ihn in Dienst genommen hatte. Auch nicht die Medici, über die Lionetto zwei haarsträubende Geschichten erzählt hatte und von denen er nur mit großer Verachtung sprach. Vor allem, nachdem ihm zu Ohren gekommen war, wo Astorre sein Geld angelegt hatte.

Tobie hatte Astorre von dem Zusammenstoß erzählt, weniger um Astorres Vertrauen in die Medici zu erschüttern, als um seinen Schutz zu bitten, falls Lionetto drei Männer mit Beilen hinter ihm, Tobie, herschicken sollte. Dieser Gedanke verdarb ihm nämlich die Freude daran, über Weihnachten in Mailand zu bleiben, und er hatte sich so bemüht, dies zu arrangieren. Auch darüber hatte sich Julius beklagt.

Es war Tobies Aufgabe, daran zu erinnern, daß Bruder Gilles' Verfassung ihm gegenwärtig das Reisen untersagte. Obwohl Hauptmann Astorres Interesse nachließ, mußte jemand das Bein des armen Kerls versorgen. Tobie übernahm es, das zu tun und den Mönch dann bei den Medici in Florenz abzuliefern. Dann wollte er zu Astorre und Julius und den anderen in Neapel stoßen, die dort den Winter verbracht hatten, inzwischen fett und umgeben von Blutsaugern der einen oder anderen Art. Bis dahin wären auch die Frühlingskämpfe nahe. Astorre würde kämpfen, Julius würde die Verwundeten zählen. Er, Tobie, würde sie wieder gesund machen. Was war dagegen einzuwenden?

«Es ist dieses Mädchen», hatte Julius gesagt. «Stimmt's nicht? Bei Gott, du bist so lasterhaft wie Claes. Ihn sehe ich auch nie.»

«Das Ärgerliche an dir», hatte Tobie gesagt, «ist, daß du glaubst, keiner außer dir arbeitet. Mädchen? Claes ist im Castello und lernt, ein kleiner Soldat namens Niccolo zu sein. Darauf besteht der Vorsteher der herzöglichen Kanzlei, wenn er die herzöglichen Sendungen beschützen sollte. Ich? Ich gehe morgen mit Thomas und Manfred nach Piacenza. Wir müssen die Waffen für Fleury bestellen, und ich kaufe Faustfeuerwaffen für Astorre.»

«Das hatte er mir gar nicht gesagt», wunderte sich Julius. «Aus der *condotta*-Kasse?»

«Nehme ich an. Entweder das oder Claes spielt wieder um Geld Karten.» Tobie schlug dem Aktuarius auf die Schulter, die so kräftig war, daß ihm die Hand weh tat. Auf dem ganzen Weg bis zur Tür schüttelte er sie gedankenverloren und sah zufrieden aus, während Julius dasaß und ihm nachstarrte.

Kapitel 15

Gerüchte, die mit reisenden päpstlichen Delegierten über die Alpen geeilt waren, trafen vor Thomas und Claes in Brügge ein. Angeblich habe Hauptmann Astorre einen vorteilhaften Kontrakt für die Firma Charetty ergattert und schicke Bescheid, um seine Krieger in den Süden kommen zu lassen. Ein weniger glaubwürdiges Gerücht wollte von einem weiteren Kontrakt für die Firma Charetty wissen, die einen akkreditierten Kurierdienst zwischen Flandern und Italien aufziehen sollte, geleitet von ... Aber nein. Die mächtigsten Persönlichkeiten in Norditalien, die größten Handelsherren wollten ihre Eilbotschaften Claes anvertrauen, diesem schusseligen Trampel von Lehrling, der erst vor drei Monaten mit der Gruppe von Brügge aus losmarschiert war? Sollte man das glauben?

Felix de Charetty, der mit seinen Schwestern in Brügge festsaß, während seine Mutter herumwirbelte, um den Betrieb in Löwen in Gang zu halten, war einer der ersten, der diese Neuigkeit hörte und ihr Glauben schenkte. Das sah Claes ähnlich. Der größte Unfug, die schönsten Streiche, die sie je zusammen angestellt hatten – immer hatte es mit einer Idee von Claes angefangen. Er beneidete die Kuriere um den Spaß, den sie haben würden, ehe ihnen alles um die Ohren geschlagen würde, wie damals bei dem Waterhuus-Ulk. Er versuchte sich die Prügel vorzustellen, die Claes diesmal beziehen würde.

Als die ersten Bauern durch das St. Katharinentor in die Stadt kamen, berichteten sie, daß die Kavalkade eines hochmögenden päpstlichen Nuntius auf dem Weg nach Brügge sei (dieser kleine Bischof Coppini), und nun ratet mal, begleitet von wem – von einer Gruppe mit der Charetty-Fahne. Dies schrie Felix seinen Schwestern zu, suchte seinen hohen Biberhut und setzte ihn auf.

Tilde, die ihn umsorgte, wie ihre Mutter ihren Vater einst umsorgt hatte, stürzte mit seinem Umhang herbei und sah ihm dann sehnsüchtig nach. In Catherines Alter hätte sie geschrien, sie wolle mitkommen, aber mit dreizehn mußte man seine Würde wahren. Catherine andererseits machte Luftsprünge, ging mit dem Arm ihrer Schwester wie mit einem Pumpenschwengel um und sang. In den drei Monaten von Claes' Abwesenheit war Catherine eine Frau geworden. Sie glaubte, daß sie Claes gern heiraten würde, vor allem, wenn er oft weg wäre und ihr Geschenke aus Italien mitbrächte.

Natürlich war die Ankunft des päpstlichen Nuntius angekündigt worden, und als Felix und einige seiner Freunde zum St. Katharinentor kamen, standen die Vertreter des Herzogs und die Herren von Ghistelle und Gruuthuse, die beiden Bürgermeister und der Kanzler von Flandern, der Dekan von St. Donatian und der Propst der Liebfrauenkirche, der Klerus der St. Salvator-Kathedrale und die Mönche des Franziskaner- und des Augustiner-Ordens, der Dominikaner und Karmeliter schon alle in der Februarkälte, und die Stadttrompeter und -trommler spielten, um den Bischof zu begrüßen, als er mit seiner Begleitung heranritt.

Im Hintergrund wartete Astorres Stellvertreter Thomas, um einen weniger auffälligen Einzug zu halten. Bei ihm waren ein halbes Dutzend Bewaffneter und eine Gestalt mit einem spitz zulaufenden Helm, gewaltigen Ellbogenkacheln und glänzenden Beinschienen auf einem kräftigen Pferd, das genausogut war wie das von Thomas. Claes war es. Seine neue Rüstung war mit Vogelkot bespritzt von den Tauben, die von den Trompeten aufgescheucht worden waren. Sein braungebranntes Gesicht strahlte seine Gefährten an mit dem betörenden, unbekümmerten Lächeln, an das sie sich noch erinnerten. Und sogar Thomas lächelte. Thomas!

Gefolgt von seinen Freunden, drängelte sich der Charetty-Erbe durch die ehrfürchtig wartende Menge, bis er die Nachhut erreichte, zog seinen Biberhut und winkte damit den Dienern seiner Mutter zu. «Was bildet ihr euch denn ein!» schrie Felix und bog sich vor Lachen. «Zurück an die Küpen!» John Bonkle stand grinsend hinter ihm, ebenso Anselm Sersanders und Lorenzo Strozzi und zwei der Cant-Jungen.

Der Lehrling Claes hob eine mit einem Panzerhandschuh bekleidete Hand und machte, ebenfalls grinsend, eine weitausholende und deutliche Geste. Mit der Stimme des Bürgermeisters sagte er: «Kinder! Kinder! Denkt an die große Stadt, die ihr vertretet!»

Man konnte jetzt sehen, daß zwischen den Söldnern und den Reservepferden auch eine Gruppe Lastmaulesel mit prall gefüllten Packtaschen wartete. Lorenzo Strozzi erblickte sie und bemerkte: «Ich dachte, Kuriere halten nicht an, um Handel zu treiben?»

«Das habe ich ihm auch gesagt», erklärte Thomas.

«Handel treiben?» sagte Claes. «Das war kein Handel, das war mehr oder weniger geschenkt, wie du als erster zugeben wirst. Da war diese Bande von Freibeutern...»

«Von Räubern.»

«Von Straßenräubern.»

«Und ihr habt sie geschlagen?» fragte Felix.

«Nein, nein, das hatte schon jemand anderes besorgt und ihre ganze alte Rüstung und ihre Waffen wurden in Dijon billig verkauft. Zum halben Preis oder noch weniger. Es war ein Gelegenheitskauf.»

«Womit hast du das bezahlt?» Felix' spitzes Gesicht war irgendwie noch spitzer geworden.

«Mit meinem Sold», sagte Claes. «Und dem von Thomas. Wenn deine Mutter sie nicht haben will, wollen wir sie mit Gewinn verkaufen. Aber natürlich...»

«Was soll das heißen? Du bist ihr Angestellter. Die Sachen gehören ihr. Du kommst jetzt besser mit zur Färberei», sagte Felix. Das Lächeln breitete sich wieder auf Claes' Gesicht aus. «Und wisch den Dreck von all dem Blech ab. Keine Ledergamaschen mehr, wie? Und Prinzessinnen in deinem Bett, die italienisch sprechen.»

«Sprechen? Laß sie was anderes tun als keuchen, und du bist erledigt. Thomas wird es dir bestätigen. Wenn du innehältst, um dich auszuruhen, schreien sie nach ihren Vätern, und schon bist du zum Herzog gemacht.»

Thomas grinste immer noch. «Das ist gelogen. Aber es sind sehr ordentliche Weiber. Claes hat recht.»

«Und wir haben dir was mitgebracht», sagte Claes zu Felix.

«Ein Mädchen?» Der Ton von Felix' Stimme besagte alles. Er merkte an der bedeutungsvollen Pause, daß Claes es gehört hatte und beeindruckt war.

«Nein», erwiderte Claes. «Ich sehe, es ist nicht erwünscht. Ich nehme es zurück. Es war ein Stachelschwein in einem Käfig.»

«Das ist ein Mädchen», sagte Lorenzo Strozzi und wurde wieder trübsinnig. «Und was macht Meester Julius? Und die übrigen?» Das Gefolge des Bischofs war inzwischen weitergezogen, so daß sie jetzt ihrerseits Einzug halten und geräuschvoll ihren Weg durch die schmalen Gassen bahnen konnten, wo jeder zweite Mann ihnen einen Gruß zurief und auch eine ganze Menge Mädchen.

«Meester Julius», sagte Claes, «geht es gut, sofern meine unmaßgebliche Meinung zählt – er verbringt seine Tage in diesem oder jenem Palast, setzt Verträge auf, verhandelt über Gebühren und Kleidung und Verpflegung und tanzt beschwingt mit vornehmen Damen.»

«Astorre auch?» fragte Anselm.

«Der beste Tänzer auf den italienischen Hofbällen. Würdest du Astorre sehen, Hand in Hand mit der Herzogin, sein Barett voller Blumen und mit so langen Rüschen und Bändern, daß ein Page an jeder Seite gebraucht wird, um sie zu tragen, du würdest weinen vor Bewunderung. Was den Doktor betrifft, Messer Lorenzo, so sollte Euer Schwager auf der Hut sein. Eure Schwester ist die hübscheste junge Frau in Mailand, und Meester Tobias war nicht der einzige, dem es auffiel.»

«Du hast Caterina gesehen?» fragte Lorenzo mit leuchtenden Augen. «Und meine Mutter? Ist Nachricht von Filippo gekommen?»

«Und Loppe? Und Bruder Gilles...?»

«Die Pferde? Hast du Lionetto gesehen?»

«Und Mädchen? Nun sag's schon, wie waren die Mädchen wirklich?

Es war eine fröhliche Heimkehr.

Spät am Abend, als die anderen schon gegangen waren und seine beiden Schwestern, die seit der Ankunft der Entourage ganz zappelig waren, rot vor Aufregung, mit weitaufgerissenen Augen, endlich überredet werden konnten, sich in ihre Schlafzimmer zu begeben, saß Felix immer noch vor dem Kamin in dem kleinen Arbeitszimmer seiner Mutter und redete und redete, während Claes zuhörte. Manch einer, der Claes sah und daran dachte, wie weit er gereist war, hätte sich vielleicht gefragt, warum er überhaupt da sitzen blieb.

Einige seiner Aufträge waren erledigt. Da die Witwe weg war, brauchte er sich bei niemandem zu melden. Nach dem Abladen waren die Bewaffneten weggeschickt worden, um sich auszuruhen, Thomas war bei ihnen. Dann hatte Claes den obligaten Abstecher zur Färberei gemacht, um sich von seinen Freunden auf die Schulter schlagen zu lassen und die wenig detaillierten Fragen von Betriebsleiter Henning zu beantworten. Danach hatte er, wie es sich für einen Kurier gehört, die Stadt durchstreift, um seine Briefe abzuliefern. Einige Türen waren verschlossen und einige Kaufleute abwesend. Schriftstücke, die er nicht hatte abliefern können, hatte er behalten, da würde er noch etwas arrangieren müssen. Er hatte auch noch einige mündliche Berichte zu erstatten. Einige neugierige Kunden wünschten, er solle wiederkommen und ein Gläschen mit ihnen trinken. Morgen mußte er Angelo Tani besuchen. Heute. Es war schon sehr spät.

«... Das war nach der Explosion», sagte Felix.

«Explosion?» Als erstes war Claes natürlich von dem Mädchen erzählt worden. Das Mädchen, das Felix – endlich – um seine Unschuld gebracht hatte. Es war nicht Mabelie gewesen, wie Claes fast vermutet hatte, sondern ein neues Mädchen aus Varsenare, als Küchenhilfe engagiert, die die Matrosen noch nicht einmal gesehen hatten. (O ja, die Flandern-Galeeren waren noch da. Die Hälfte der Matrosen wurde natürlich auf den Werften beschäftigt mit Kalfatern und Ausbesserungen und Instandsetzungen, und die Stadt gab sich große Mühe, sich Arbeit für die übrigen auszudenken, aber dennoch war jeden Abend Karneval für diese ausländischen Schweine. Wobei Felix einfiel ...)

«Es ist nicht mehr lange hin bis Karneval. Ja, ich weiß. Ich werde dann hier sein.»

«Was gibt es sonst noch?» hatte Claes gefragt. Da wurde ihm en detail alles erzählt. Er erfuhr, daß die Stadtväter nach seiner Abreise überhaupt keinen Sinn für Humor mehr zeigten und sich über die geringste Kleinigkeit idiotisch aufgeregt hatten, was wiederum Felix' Mutter erzürnte, wie Frauen nun mal so sind. All das, was Julius erzählt hatte? Na ja, einiges schon. Er hatte jemanden gefunden, der Schnallen herstellen konnte, und sie hatten einige Kupferbleche gekauft von einem Schiff, das Calais nicht anlaufen wollte. Eine Frau war dazu bereit gewesen, Fechtmasken zu nähen. Aber dann hatte es diesen Ärger beim Verhökern gegeben, und als alles vorbei war, wußte er gar nicht, was seine Mutter eigentlich gemacht hatte.

Ausführlicher Bericht über den Ärger beim Verhökern. Ganz besonders ausführlicher Bericht über das herrliche Mädchen, das Grielkine heiße. Mabelie, das müsse er Claes erzählen, sei jetzt die Freundin von John Bonkle. Jetzt fiel es Felix ein, er hatte vergessen, daß die Bonkles eine halb schottische Familie waren, aber es spielte keine Rolle. Dieser Mistkerl Simon war sowieso nach Schottland zurückgekehrt und ebenso Bischof Kennedy und auch die Kanone. Katelina van Borselen sei noch da und immer noch unverheiratet. Der Grieche mit dem Holzbein und seiner Bettelschale war abgereist. Felix konnte sich an seinen Namen nicht erinnern. Claes klärte ihn auch nicht auf.

Löwen? Ach ja, richtig. Was Claes wissen wolle? O ja, seine Mutter sei gerade dort. Nun ja, ihre halbe Zeit verbringe sie da. Mein Gott, der neue Betriebsleiter sei eine wahre Plage. Es sei, als höre man David und Goliath zu, die es miteinander aufnehmen. Da wird gebellt und gekläfft. Nein. Das stimmt gar nicht. Goliath und noch ein gottverdammter Goliath. Felix konnte sie nicht so gut nachmachen wie Claes. Sie gingen jetzt in eine andere Schenke. Mit dem alten Trottel in der anderen hatten sie sich gezankt. Das war nach der Explosion.

«Was für eine Explosion?» fragte Claes besorgt.

Aber Felix war wieder vom Thema abgekommen. Felix blieb nie bei einer Sache. Inzwischen hatte er eine ganze Menge getrunken, und nach nicht allzu langer Zeit wurde er, leicht verärgert, wieder daran erinnert. Die Explosion. Was das gewesen war? Reine Dämlichkeit, wie üblich. Eine Küpe ging in die Luft wie eine Kanonenkugel, zertrümmerte die Saugpumpe, sprengte die Abwasserleitung, und eine ganze Partie Stoff und eine Partie roter Farbe gingen verloren. Es dauerte eine Woche, bis alles ersetzt war, und seine Mutter hatte zwei Wochen lang vor Wut getobt. Unnütze Faulenzer! Sie hatten verdient, was sie bekamen.

«Und was haben sie bekommen?»

«Rote Gesichter», sagte Felix schlagfertig. Er machte eine Pause, damit auch gelacht werden konnte. «Ernout war der schlimmste – erinnerst du dich an diesen Idioten? Die anderen verloren hier und dort ein paar Ellen Haut, aber das ist nicht der Rede wert.»

«Ich glaubte ein paar neue Gesichter zu sehen.»

«Ich persönlich glaube, es sind lauter Neffen von Henning, aber wenn ich das sage, wird er bloß wütend. Ich habe einen Mann gefunden, der kann Taft auf die französische Art zuschneiden. Du weißt schon. Es ist allerdings teuer. Was hast du für die Waffen bezahlt, die du zum halben Preis gekauft hast?»

Aber Claes war erstaunlicherweise eingeschlafen und hörte ihn nicht. Als Felix ihn ein paarmal mit dem Fuß anstieß, brummte er nur und drehte sich auf der Ruhebank um, die er in Beschlag genommen hatte, was ziemlich anmaßend war für einen Angestellten. Mit einiger Anstrengung kippte Felix die Ruhebank um, so daß Claes auf den Fußboden rutschte, wo er weiterschlief. Aus Erfahrung wußte Felix, daß man ihn jetzt nicht wecken konnte. Er nahm den Wasserkrug und leerte ihn gezielt über dem Feuer aus. Dann machte er sich mit einiger Mühe auf den Weg zur Tür, zur Treppe und zu seinem Bett.

Er war immer noch im Bett, als Claes früh am nächsten Morgen wegging, um der Medici-Bank, die ihn eingeladen hatte, einen Besuch abzustatten. Auf den ersten Blick war es ein unbedeutendes Ereignis. Tobias Beventini hätte die Medici-Leute jedoch warnen können.

Angelo Tani, der Geschäftsführer, hatte, indem er die Besprechung vereinbarte, die Talente gezeigt, die seine Medici-Chefs gewürdigt hatten, als sie ihn zum geschäftsführenden Gesellschafter ihrer Niederlassung in Brügge machten mit fünfhundert Geschäftsanteilen und einem Anspruch auf ein Fünftel der Gewinne. Der zweite Geschäftsführer war Tommaso Portinari, dessen zwei ältere

Brüder die Medici-Bank in Mailand leiteten. Pigello Portinari war es gewesen, der in einem seltenen Anfall von Wahnsinn diesen Jüngling mit einem Kurierdienst betraut hatte. Daher sollte Tommaso Claes ebenfalls empfangen.

Angelo wußte sehr wohl, daß Tommaso ein eifersüchtiger junger Mann war; sogar auf seine eigenen Brüder eifersüchtig. Angelo begeisterte es auch wenig, daß ab und zu geheimnisvolle Berichte über seine Schwächen nach Florenz gelangten, aber er fand sich damit ab. Ehrgeiz war ein Wetzstein für Leistung, und sein Ruf, den er als ziemlich junger Mann erworben hatte, war unanfechtbar.

Tommaso war nicht untüchtig. Wenn er allein war und die Verantwortung hatte, vermochte er sich aus einem Rechtsstreit herauszuwinden oder einen Kunden zu beschwichtigen. Aber er spielte sich auch gern als Gönner auf. Wenn Tani zurückkam, fand er ein paar Abmachungen, ein paar Darlehen in den Büchern, bei denen er und seine Chefs Bedenken hatten. Wenn er dann kritisiert wurde, zog Tommaso los und beriet sich in einem stillen Winkel mit seinem Strozzi-Kollegen, diesem Narren Lorenzo. Bei solchen Gelegenheiten rieb sich Angelo den kugelrunden Kopf mit den krausen Locken und traf dann Vorkehrungen für ihn, er schickte Tommaso mit seinem feinen asketischen Gesicht und seinem Interesse an Kultur auf Reisen nach Brüssel und Nieppe, wo er sich bei Herzog Philipp, seiner Herzogin und deren gutgekleideten Höflingen beliebt machte.

Das war gut fürs Geschäft, und der gesellschaftliche Erfolg machte Tommaso zufrieden. Manchmal wünschte Angelo, Tommaso würde heiraten, statt sich auf ewig währende Verlöbnisse mit umfangreichen, dummen Frauen einzulassen. Er nahm an, daß Caterina di Tommaso Piaciti wie alle guten Florentiner Mütter ihrem Sohn nur erlaubte, eine Florentinerin zu heiraten. Pigello war schon verheiratet und hatte zwei vielversprechende Söhne. Man wußte nie. Wenn eine seiner wenig reizvollen Geliebten ihm einen wenig reizvollen Sohn schenkte, würde es Tommaso vielleicht endlich ermutigen, sich eine Braut aus Italien schicken zu lassen. Oder vielleicht war die Gründung eines weiteren Zweigs der Portinari-Dynastie, die schon seit mehr als zweihundert Jahren bestand, nicht das, was er wollte. Angelo fragte sich oft, was die Portinari dabei empfanden, daß sie im Dienst der Medici standen. Aber schließlich hatten die Portinari weder Vermögen noch Städte, während Cosimo beides hatte.

So zog Angelo Tani seinen zweiten Geschäftsführer in sein Kontor, ehe der neue Kurier kam, und sagte: «Ich glaube, Tommaso, es wäre ratsam zu vergessen, daß dieser Knabe Claes ein Lehrling gewesen ist. Es gibt offenbar Leute in Mailand, die ihn nützlich finden. Wir sollten ihn freundlich aufnehmen.»

Tommaso hatte einen neuen Ring, dessen Stein aus dem Orient stammte. Der Ring war zweifellos eine Art Rabatt auf die Waren, die er von den Flandern-Galeeren gekauft hatte. Er zog die Augenbrauen hoch und sagte: «Da wird er baff erstaunt sein. Als ich ihn das letzte Mal unten sah, trug er Scherenblätter unter dem Arm und eine Schürze, die man vom Glockenturm aus riechen konnte.»

«Ich schlage natürlich nicht vor, daß du ihn die Treppe hinauftragen und ihm dann die Füße waschen sollst. Aber eine höfliche Anerkennung der Tatsache, daß ihm eine verdiente Beförderung zuteil wurde – das erscheint doch nicht unangebracht. Es sei denn, du ziehst es vor, ihn gar nicht zu sehen?»

Vergebliche Hoffnung. Beringt und aufwendig gekleidet stand Tommaso neben Angelo Tani, als sich die Tür öffnete und Claes hereinkam. Heute trug der Charetty-Bedienstete keine Schürze, und statt in Holzschuhen steckten seine Füße in Halbstiefeln. Seine sonstige Kleidung hatte bestimmt kein Vermögen gekostet. Die Witwe hatte sie alle in blauen Stoff gekleidet, ehe sie nach Mailand aufbrachen, und das war es, was Claes trug: ein Wams mit steifem Kragen, darüber eine kurze, einfache Jacke und eine doppelkrempige Kappe. Er war rasiert, wie sich das bei seinem Beruf gehörte, und seine alte, ausgefranste Tasche war durch eine neuere mit einem guten Schloß ersetzt worden, aber sonst war kein offensichtlicher Unterschied zu erkennen. Er strahlte und hatte die üblichen Grübchen. «Ihr habt einen neuen Ring, Messer Tommaso. Herzog Francesco hat genauso einen. Und eine passende Brosche. Hergestellt von einem seiner Goldschmiede. Was habt Ihr dafür bezahlt?»

Tommaso überlegte, dann nannte er eine Zahl.

Claes stieß einen leisen Pfiff aus und setzte sich auf die angebotene Bank. «Nein, ich hätte keinen besseren für Euch finden können. Das war ein gutes Geschäft. Bleibt bei Eurem Lieferanten. Messer Angelo, danke vielmals. Ihr habt also die Briefe gelesen? Waren sie in Ordnung?»

«Mein Freund, in ganz ausgezeichnetem Zustand», sagte Angelo herzlich. Er schenkte Wein in drei der guten Becher ein, verteilte sie und setzte sich neben Claes. «In Anbetracht der Straße und des Wetters. Und gewiß hattest du noch andere mitzubringen.»

«Man sollte meinen, die ganze Welt schreibt an ihren Herrn und Gebieter», sagte sein Kurier fröhlich. «Allein die Briefe für Messer Nori in Genf! Es waren mehr, glaube ich, als jene, die Messer Pierfrancesco an Euch geschrieben hat. Und dann natürlich die Briefe, die nach Lyon weitergeleitet werden mußten. Alle Leute scheinen heutzutage ihre Helme in Lyon zu kaufen. Sie seien nicht so schön wie die Mailänder, heißt es, aber viel billiger.»

«Billiger als in Brügge?» fragte Tommaso.

Claes blickte von seinem Becher auf. «Ihr werdet die Justiniani fragen müssen. Die Venezianer. Sie haben einige gekauft, wie ich hörte. Oder Messer Corner könnte es Euch sagen, ich habe einen Brief für ihn mitgebracht. Es heißt, die Venezianer bezahlen bar. Natürlich können sie sich das leisten. Man kann bar bezahlen und einen Kredit einräumen, wenn man so reich ist wie sie und die Luccheser.»

«Die Luccheser?» sagte Angelo Tani. «Wir wissen, daß unsere Lucca-Kaufleute in Brügge tüchtige Männer sind, aber ihre Stadt ist doch kaum so reich wie Venedig.»

Claes sah leicht überrascht aus. «Ich bin überzeugt, daß Ihr recht habt, aber sie gewähren solche Kredite auf ihre Seidenstoffe – man sollte es kaum glauben. Es wird jedenfalls unserem Herzog und der Herzogin gefallen. Es würde mich nicht wundern, wenn der ganze Hof bei der Blutprozession in diesem Jahr in passendem Chiffon gekleidet wäre. Ich gab Messer Arnolfini einen dicken Brief (von seinen Geldgebern, nehme ich an), und er sah sehr erfreut aus, als er ihn öffnete.»

«Nimm doch noch etwas Wein», sagte Angelo Tani großzügig und ohne seinen Stellvertreter anzusehen. Das Seidengeschäft der Medici in Florenz wurde von Angelo Tanis Schwiegervater geleitet. Erst vor zwei Jahren hatte er brieflich Florenz um Erlaubnis gebeten, in Burgund Seide auf Kredit zu verkaufen. Um Erlaubnis gebeten, einen gewaltigen Gewinn zu machen. Aber als das Einverständnis schließlich kam, war es so limitiert, daß man damit kaum etwas anfangen konnte. Tani stimmte natürlich der Kreditpolitik der Firma zu. Sein Kontrakt machte seine Pflichten ganz klar. Geld sollte er nur Kaufleuten und Handwerksmeistern leihen. Verkäufe von Auslandswechseln auf Kredit an Adlige und Geistliche waren ausdrücklich verboten, außer wenn eine schriftliche Genehmigung von Cosimos beiden Söhnen oder von Pierfrancesco, seinem Neffen, vorlag. Angelo befolgte die Vorschriften. Er sorgte dafür, daß Tommaso sie befolgte. Aber bei allen Geschäften gab es Ausnahmen.

Er war froh, daß er daran gedacht hatte, den Jungen zu einem Besuch aufzufordern. Er mußte Pigellos Scharfsinn bewundern. Er begrüßte den neuen Kurierdienst und würde Pigello sagen, daß er hoffentlich weiterbestehen werde. Angelo Tani lehnte sich behaglich zurück und brachte das Gespräch auf die gegenwärtige Lage des Seidenmarktes und dann behutsam auf die anderen Sendschreiben, die Claes überbracht hatte. Die Spinola wurden erwähnt und die Doria. Savoyen und Zypern und Zucker. Der Handel mit Fellen und die Auswirkung des englisch-schottischen Waffenstillstands.

Der Junge hatte danach gefragt. Ehe Angelo antworten konnte, setzte sein Stellvertreter ein gewinnendes Lächeln auf und ließ, vergeßlich, seine Ringe aufblitzen. «Verlaß dich nicht darauf, daß dein edler Freund Simon lange von uns ferngehalten werden kann. Schottland kann sich nicht entscheiden, ob es den englischen König Henry oder die Rebellen des Hauses York begünstigt. Jeden zweiten Tag scheinen Abgesandte in Veere zu sein und mit den van Borselen zu verhandeln. Die übrige Zeit sind sie in Calais. Hat dich schon jemand aufgefordert, Botschaften nach London zu überbringen? Das könnte dir ein paar Feinde eintragen.»

Angelo scharrte mit den Füßen. Er wollte nicht, daß der Junge beunruhigt und so erschreckt wurde, daß er Brügge verließ. Zwar war der elegante Simon vielleicht in seine Heimat zurückgekehrt, aber sein absonderlicher Vater, der fette französische Kaufmann de Ribérac, war ab und zu hier – und kaufte Schießpulver, wie es gerüchteweise hieß, und Handfeuerwaffen. Bei wem er kaufte, wußte Tani nicht, und auch nicht, ob er dafür so etwas wie einen Waffenschein hatte. Der schottische Onkel des edlen Simon hatte, wie es hieß, eine Vorliebe für Schießeisen.

Angelo beobachtete das Gesicht des Jungen, aber es ließ, wie er sah, keinerlei Angst erkennen. «Und die van Borselen», sagte Claes, «wollen, daß König Henry von England seinen Thron behält, nicht wahr? Was Bischof Kennedy auch wollte?»

«Es ist besser», antwortete Angelo Tani, «sie für neutral zu halten. Wie Euren erlauchten Herzog.»

«Herzog Philipp?» sagte Claes, obwohl kürzlich zum Kurier befördert, leider mit seiner alten Offenheit. «Aber er zieht doch die York-Anhänger vor, heißt es. Sonst würde er doch dem Dauphin keine Zuflucht gewähren. Dabei fällt mir ein, es gibt eine schöne Menagerie in Mailand. Ich habe Messer Felix ein Stachelschwein mitgebracht, aber er will es nicht haben, und es ist jetzt als Lotteriegewinn vorgesehen. Es sei denn, Ihr wollt es haben, Messer Angelo?»

«Mein Gott», sagte Angelo Tani.

Tommaso lächelte, dann wurde er ernst, als er begriff, daß Angelo damit weniger Abscheu, als vielmehr Bestürzung zum Ausdruck gebracht hatte. Tani wiederholte: «Mein Gott. Der Strauß.»

«Der Strauß?» fragte Claes beflissen.

Der Chef machte eine wegwerfende Handbewegung. «Spielt keine Rolle. Eine Bitte in den Berichten aus Mailand. Es war ein wenig unklug von uns, vier schöne Pferde für Messer Pierfrancesco zu schicken und nicht an ein Geschenk für den Herzog zu denken.»

«Aber Messer Pierfrancesco hat die Pferde gekauft», gab Tommaso zu bedenken, «und der Herzog züchtet selbst welche.»

«Natürlich. Aber Messer Pigello, dein Bruder, hat mit Recht darauf hingewiesen, daß es sich für die Familie Medici nicht schickt, mehr Prunk zu entfalten als der Herzog. Wir hätten ihm zur gleichen Zeit eine Gabe schicken sollen. Etwas Originelles. Messer Pigello hat einen Vogel Strauß aus der Menagerie des Herzogs von Burgund vorgeschlagen. Ein freiwilliges Geschenk von einem Herzogtum ans andere, das Mailand zu würdigen weiß und das Burgund wenig kostet. Das Tier...»

«Der Vogel», sagte Tommaso.

«Die Kreatur», fuhr Angelo Tani fort, «würde auf unsere Kosten geschickt werden. Tommaso soll morgen mit Messer Pietro Bladelin darüber sprechen.»

Er sah zu seiner Freude, daß Tommaso sich plötzlich aufsetzte.

Der Kurier erhob sich. «Ich merke», sagte er, «daß Ihr viel zu besprechen habt und ich nicht Eure ganze Zeit in Anspruch nehmen darf. Ich danke Euch für den Wein, Messer Angelo, und werde mich auf den Weg machen. Es war mir ein Vergnügen, Euch zuzuhören.

So lernt man, nicht wahr? Man lernt die Angelegenheiten von Völkern zu verstehen, wenn man bedeutenden Männern zuhört.»

Unter respektvollen Verbeugungen zog er sich zurück und unterdrückte sein Lachen, bis er auf der Straße und um die erste Ecke war. Dann eilte er sich, eine Verabredung ganz anderer Art in einer verruchten Schenke wahrzunehmen, die, wie er gehört hatte, neuerdings das Stammlokal der zwielichtigen jungen Leute von Brügge war.

Sie bombardierten ihn mit Fragen, wieso er so spät kam, machten sich über ihn lustig, weil er so sauber gekleidet war, und bearbeiteten ihn gut gelaunt mit den Fäusten, bis sein Stuhl zusammenbrach, weil er mit jedem Atemzug von Herzögen redete. Als er dann schließlich zu Wort kommen konnte, erzählte er stotternd die Geschichte von dem Vogel Strauß.

Anselm Sersanders, der alles wußte, sagte: «Der Herzog hat keinen Vogel Strauß in Brügge.»

Mißmutig, weil das Schuldgefühl ihn belastete, sagte der junge Bonkle: «Woher willst du das wissen? Er muß einen haben, wenn Sforza ein Auge darauf geworfen hat.»

«Nein, früher hatte er einen, aber der ist voriges Jahr gestorben. Der arme Angelo. Er wird etwas anderes schicken müssen.»

«Mabelie?» fragte Claes.

John Bonkle wurde knallrot.

Claes grinste ihn an. «Sie würde nicht weggehen wollen, nicht wahr? Es ist ganz in Ordnung. Ich hatte meinen Besitztitel schon gelöscht, ehe ich wegging. In Ordnung, was? Felix' Stachelschwein? Nein, der Herzog hat schon eins.»

«Wartet mal!» sagte Lorenzo Strozzi.

Da sich das Gespräch nicht um Geld drehte, schauten ihn alle überrascht an. Strozzi wiederholte: «Wartet mal. Erinnert ihr euch noch daran, was ich erzählt habe? Wir haben einen Vogel Strauß in Spanien. Sofern er nicht gestorben ist. In Barcelona.»

«Das war Loppe», sagte Claes.

«Nein! Ein Vogel Strauß. Messer Angelo kann Pierre Bladelin Bescheid sagen, und der Herzog kann ihn kaufen und als Geschenk nach Mailand schicken. Er stammt dann nicht aus seiner Menagerie, aber das macht ja nichts.»

Sie sahen einander an. Claes versetzte Lorenzo einen Schlag auf die Schulter. «Was für gute Ideen du hast! Natürlich! Warum habe ich nicht daran gedacht? Ich werd's Messer Angelo sagen, sobald ich etwas getrunken habe.»

«Ach», sagte Felix plötzlich. «Nein, das mußt du ihm morgen sagen. Ich hab's ganz vergessen. Mutter ist aus Löwen zurück. Ich sollte dir sagen, daß du dich sofort bei ihr melden sollst.»

Die Kellnerin hatte ihre Hand auf Claes' Schulter gelegt und ihn schon gefragt, was er haben wollte, und er hatte es ihr wahrscheinlich schon gesagt. Sie und Claes lächelten einander an. Ohne sich umzusehen, sagte Claes: «Du hast vergessen, es mir zu sagen.»

«Nein, ich hab's dir gerade gesagt. Und du solltest dich lieber beeilen. Sie ist ganz schön wütend.»

«Wenn ich mein erstes Bier getrunken habe! Oder wenigstens die Hälfte meines ersten Biers?»

«Jetzt sofort», verlangte Felix in scharfem Ton. «Sie ist deine Brotherrin.»

Einstimmig, aber nicht ungebührlich laut, verwandten sich alle für Claes, doch Felix blieb hart. Stirnrunzelnd blickte er in die Runde. «Er ist mein Diener», erklärte er. Das war unbestreitbar. Claes stand auf, zog ein Gesicht und schlich in einer niedergeschlagenen Haltung davon, die so genau die von Henning war, wenn er Pech beim Würfeln gehabt hatte, daß alle ihm Buhrufe hinterherschickten.

Draußen richtete er sich auf. Das Lächeln war noch da, wurde schwächer und verging. Dann machte er sich gleichmäßigen Schritts auf den Weg zur Färberei und zur Witwe.

Kapitel 16

Als Claes die Schenke verliess, bereute er, daß er am Morgen ohne seinen warmen Umhang weggegangen war. Es war kalt. Kälter als in den Alpen, da es viel feuchter war. Jetzt, auf dem Weg zur Färberei, bemerkte er die Kälte, gestern, während er seine Botschaften ablieferte, war es ihm vor lauter Eile gar nicht aufgefallen.

Er war auch früher schon oft weggewesen. Alle paar Monate war die Charetty-Kavalkade von Brügge nach Löwen aufgebrochen. Dann waren lange Wochen gefolgt, in denen er versuchte, Felix vom Jagdgelände, den Hundezwingern, den Schenken und Bordellen wegzulocken, damit er seine Vorlesungen besuchte. Julius war dabei natürlich auch behilflich. Manchmal hatten sie beide damit Erfolg. Manchmal bekamen sie alle gleichzeitig die vernünftige Welt der Erwachsenen satt und ließen sich auf irgendeine Eskapade ein, die sie alle in Schwierigkeiten brachte. Jetzt war Julius bei Astorre, und da hätte er wohl schon immer sein sollen. Und er selbst war nach drei Monaten wieder in Brügge. Nach einer Abwesenheit, die, jedenfalls was die Länge der Zeit betraf, sich nicht von anderen Abwesenheiten zu unterscheiden schien. Eigentlich müßte alles genauso sein wie sonst.

Es war noch nicht lange her, da hatte es stark geschneit. Schmutzig gewordener Schnee lag noch auf Kellertreppen und am Rand von Treidelpfaden wie fleckige Hohlsaumstickerei. Wo das Flußwasser noch strömte, saß ein Spitzenkragen aus Eis an den gefrorenen Ufern. Wo das Wasser ruhig war, schwammen in der Mitte zusammengeschmolzene Eisschollen, die immer wieder aufgebrochen wurden, um den Weg für Kanalboote freizumachen. Die dumpfen Beschläge der Eisbrecher waren den ganzen Tag zu hören. Dort war der Rand des Wassers dunkel und wegen der Wärme der Häuser nicht zugefroren, und Katzen schlichen herum und belauerten apathische Fische, die auftauchten, um nach Luft zu schnappen. Und da sah man auch wie in jedem Winter ein Kinderkleid steifgefroren an einer am Kanalufer aufgestellten Stange hängen. Kinderkleider waren für manche Leute ziemlich unerschwinglich, aber niemand nahm es weg – nicht ehe die Eltern des ertrunkenen Kindes gefunden waren und das Kind benannt hatten. Manchmal war es natürlich ein Säugling, und dann hingen keine Kleider auf der Stange.

Claes kam am Kran vorbei, der an diesem Morgen nicht in Betrieb war, und obwohl die Männer ihn trotz seiner blauen Jacke erkannten, ging er weiter und winkte ihnen nur entschuldigend zu. Es schickte sich nicht, die Demoiselle warten zu lassen. Die Tore des Charetty-Betriebs standen offen, aber welche Leute die Witwe auch immer aus Löwen mitgebracht hatte, sie hatten sich in alle Winde zerstreut und waren nicht mehr zu sehen. Claes sah Männer auf dem Hof, mit denen er gestern gesprochen hatte, aber sie blickten nicht auf. Es war wirklich merkwürdig, wie wenig Aufmerksamkeit sie ihm schenkten.

Im Haus war es genauso. Er sah die Köchin der Witwe in der Ferne vorbeigehen. Ihr Gesicht tauchte kurz auf, dann eilte sie weiter. Ein schlechtes Zeichen. Nicht einmal Henning war da, um ihm zu sagen, wo er sich melden sollte.

Der gesunde Menschenverstand sagte ihm, daß sie ihn nicht in ihrem Wohnraum empfangen würde, obwohl ihr Sohn es getan hatte. Das Donnerwetter, was immer es war, erwartete ihn zweifellos in ihrem Arbeitszimmer. Er stand vor der Tür, hörte nichts und klopfte vorsichtig. «Demoiselle!» Hier genügte ein Wort, um sich zu erkennen zu geben.

«Herein!» Auch bei Felix' Mutter war ein Wort genug.

Er blickte auf die Klinke in seiner Hand. Dann drückte er sie sacht hinunter wie die Feder einer Steinschleuder und ging hinein. Sie saß am Schreibtisch. Ihr Gesichtsausdruck entsprach ihrer Stimme und war kühl und starr. Neben ihr saß ein Mann, der lächelnd sagte: «Vielleicht wirst du ja behaupten, daß du nicht weißt, wer ich bin.»

Der Gedanke war ihm durch den Kopf geschossen, aber er hatte ihn verworfen. Es bestand kein Zweifel daran, wer das war, obwohl er ihn noch nie gesehen hatte. Ein Mann von kaum mehr als fünfzig Jahren, aber von so gewaltigem Körperbau und so gut gepolstert, daß er über seinen Korbstuhl hinausquoll. Sein mit Marderfell gefüttertes Gewand fiel bis auf den Boden. Seine Hängebacken versanken in den Schichten von Musselin, Wattierung und Pelz, die auf seinen massigen Schultern lagen. Sein Barett, ein mit Stoff ausgefülltes doppeltes Wagenrad, wurde gekrönt von einem emaillierten Wappen, das am unteren Rand mit Edelsteinen besetzt war. Dasselbe Wappen hing an einer juwelenverzierten Halskette. Das Gesicht unter dem Barett hatte eine gesunde Farbe und wirkte riesig; der Mund war klein, die Augen funkelten.

Jordan, Vicomte de Ribérac, der wohlhabende und mächtige Kaufmann aus Frankreich, der, wie Claes gehört hatte, am Herbst-Bankett für den Kommandanten der Flandern-Galeeren teilgenommen hatte. Ja, es konnte kaum ein Zweifel bestehen: Monseigneur de

Ribérac, der französische Vater des schottischen Edelmanns Simon.

Niemand sprach. Die Augen des dicken Mannes, die auf ihm ruhten, funkelten immer noch. «Ihr seid wohlbekannt, Monseigneur», sagte Claes schließlich.

Der fette Mann wandte sich an die Witwe. «Und er verzieht keine Miene! Seht Ihr? Ich lobe Eure Erziehung, Demoiselle. Der junge Mann ist ein Muster an Gelassenheit. Er hört, wie man sagt, auf den guten alten Bauernnamen Claes.»

Die funkelnden Augen sahen Marian de Charetty fragend an, und sie erwiderte den Blick voll Feindseligkeit. Sie trug ein Kleid, das steif wie Leder war, und ihr Haar war in eine Art Behälter eingeschlossen. Ihre Gesichtsfarbe, die zu lebhaft war, um ganz zu verblassen, hatte sich auf die rosige Frische ihrer Wangen beschränkt, über denen ihre blauen Augen wie Lapislazuli glitzerten. «Bauernname?» sagte sie. «Claes ist bloß eine Kurzform von Nicolaas.»

«Ihm drei Silben zuzuteilen, würde, glaube ich, zu weit gehen. Die flämische Form ist für Handwerker doch gut genug.»

«Es ist richtig, daß unsere Handwerker mehr wert sind als die Aristokraten anderer Länder, aber Claes ist keiner mehr.»

Sie saß reglos da und hielt ihren Ärger in Schach, ohne ihn zu verbergen. Claes starrte sie an, dann wandte er seinen Blick dem Mann zu, dem älteren, gefährlichen Mann.

Der fragte: «Ist er denn seit seiner letzten Heldentat zum Bürger gemacht worden? Einige sehr seltsame Leute haben ihn beauftragt, Botengänge für sie zu erledigen. Kannst du schnell laufen, Junge?»

«Wenn ich muß.»

«Und überbringst Briefe für die Medici. Und für andere. Du machst sie auf, nicht wahr?»

«Das kann ich nicht, wenn sie vernäht sind und die Fäden versiegelt.»

Die kalten Augen starrten ihn an und glitten dann abschätzend über seine herabhängenden Hände. «Ich will's dir glauben. Und würdest du sie öffnen, könntest du sie natürlich nicht lesen, oder?»

Die Demoiselle warf Claes einen Blick zu, aber er brauchte die Warnung nicht. «Ich kann lesen.» Und er fügte bereitwillig hinzu: «Ich lese diejenigen, die ich öffnen kann, es sei denn, sie sind chiffriert.»

Der Vicomte lächelte. «Jetzt gefällst du mir. Wir haben ein interessantes Gespräch, nicht wahr? Du liest diejenigen, die du öffnen kannst, und die Nachrichten, die nicht verschlüsselt sind. Und du gibst die Nachrichten weiter. An wen?»

«An die Leute, die mich bezahlen.» Claes ließ Verwunderung erkennen. «Ich verdiene Geld.»

«Das ist mir klar. Und verdienst du es für dich selbst, Claes, oder für deine Brotherrin? Denn du bist doch wohl noch ihr Angestellter?»

«Ja, natürlich. Die Demoiselle de Charetty ist meine Brotherrin.»

«Du bekommst also deinen Lohn und bringst ihr alle Gewinne. Wie freundlich von dir. Hältst du sie und mich für schwachsinnig?»

Nach einer Pause: «Nein, Monseigneur.»

«Warum lächelst du dann?»

«Weil ich dieses Gespräch schon einmal geführt habe. Mit Meester Tobias, dem Arzt. Er fragte sich, ob ich reich oder mächtig werden oder mich bloß an anderen rächen wollte.»

«Und was hast du ihm erwidert?»

«Was er hören wollte. Aber wir haben uns dennoch entzweit.»

Wieder trat Schweigen ein. Dann fragte der dicke Mann: «Du spionierst, nicht wahr?»

«Ich habe es ja gesagt.»

«Ach ja. Aber für dich selbst, nicht für die Demoiselle. Du bist oft mit Agnolo Acciajuoli zusammen gewesen. Hast du das jemandem gesagt? Welchen Sinn können diese Zusammenkünfte für die Firma Charetty haben? Du hast – war es zufällig? – Monsieur Gaston du Lyon, den Kammerherrn des Dauphin, getroffen, als er auf dem Weg nach Mailand war wegen – was war es doch? Der Tjost? Und wenn er plötzlich das Tjostieren abbricht und sich nach Savoyen begibt, dann wirst du auch von dem Plan wissen? Und verkaufst die Nachricht an denjenigen, der am meisten bezahlt?»

«Na, ich wäre ein Dummkopf, wenn ich es täte. Denn wenn ich den Herzog von Mailand kränkte oder die Medici oder den Dauphin, dann würden sie mich nicht mehr bezahlen. An derlei Dinge muß man denken bei diesem Geschäft.»

Ein Lächeln ging über das Gesicht der Demoiselle und verschwand wieder. Gut.

«Ich merke, daß du jemand bist, der gründlich nachdenkt. Wenn du also nach so gründlichem Nachdenken für deine Arbeitgeberin Geld verdienst, warum legst du es dann in deinem eigenen Namen an? Und warum nicht in Mailand, sondern in Venedig?»

Claes sah die Demoiselle an. Dann senkte er den Kopf.

«Ich finde, du solltest die Frage beantworten», sagte sie.

«Die Medici haben die Überweisung gemacht», erklärte Claes.

«Von Mailand nach Venedig. Das sagte mir mein Gewährsmann. Sie haben es sicher lohnend gefunden, einen gewissen Preis für deine Dienste zu bezahlen?»

Claes blickte hinunter auf seine Stiefel. «Sie fanden es lohnend, weil ich ihnen falsche Kurse für Venedig angegeben hatte. In einem der Briefe, die ich aufmachte. Er war nicht chiffriert.»

«Du hast einen Bericht gefälscht?» fragte der Vicomte.

Marian de Charetty war blaß geworden. «Du Idiot, Claes. Du bist erledigt.»

«Aber Ihr werdet es nicht verraten.» Claes hatte sich wieder gefaßt. «Und es wird ein schöner Gewinn dabei herausspringen.»

«Ich werde es nicht verraten. Aber hast du vergessen, wer er ist?»

«Nein.»

«Es freut mich, daß du es nicht vergessen hast», sagte Jordan de Ribérac. Er hob eine Hand. «Komm her, Dummkopf.»

Nach einem Augenblick des Zögerns ging Claes gehorsam an der Schmalseite des Schreibtischs vorbei und blieb vor dem Vicomte stehen. Der sah ihn an und sagte: «Du hast einen kindischen Anschlag auf das Leben meines Sohnes verübt. Es ist dir nicht gelungen, ihn zu töten. Aber du wirst es wieder versuchen, nicht wahr? Sobald du Geld hast und ein wenig Ansehen und die Leute nicht länger über dich lachen und dich in den Steen sperren. Bist du deswegen mit einemmal so ehrgeizig?»

«Euer Sohn? Wieso könnte ich ihn leichter umbringen, wenn ich Geld habe?»

Der fette Mann ließ ihn nicht aus den Augen. «Du hast ihn angegriffen.»

«Er hat mich angegriffen. Ihr habt ihm früher keine Aufmerksamkeit geschenkt, soviel ich gehört habe. Warum tretet Ihr jetzt plötzlich für ihn ein? Ihr werdet nicht mehr ändern können, was mit ihm nicht stimmt; es ist zu spät. Ihr werdet auch nicht ändern können, was mit mir nicht stimmt. Ihr wißt ja nicht einmal, was es ist.»

«Du unterschätzt mich», sagte Jordan de Ribérac. «Ich könnte mit deinem Namen anfangen.»

Marian de Charetty schaltete sich ein. «Er hat nichts getan, was die Medici schädigte.»

Der Vicomte sah sie an. «Falsche Berichte über die Marktpreise zu seinen Gunsten? Demoiselle, das ist Diebstahl, und wir alle wissen, wie Diebstahl bestraft wird. Weiß er, wessen Bastard er ist?»

Sie errötete.

Claes sagte: «Ich weiß es.»

«Ja, was immer ich von meinem Sohn halte: Wenn jemand ein Mitglied meiner Familie anrührt, dann möchte ich gern alles über ihn herausfinden, was ich nur kann. Wie ich dir, glaube ich, bewiesen habe. Also laß uns über Unehelichkeit reden. Du weißt es, sagst du. So weißt du also Bescheid über deine arme, leichtfertige Mutter, die mit Dienstboten hurte?»

Der dumpfe Schlag auf den Tisch rührte von der Faust der Demoiselle her. Sie war puterrot und sagte: «Monsieur le Vicomte, Ihr dürft Euch verabschieden.»

Die gescheiten Augen des fetten Mannes musterten sie. «Warum? Die Geschichte ist doch nicht neu. Niemand bestreitet sie. *Ihr* braucht deswegen doch nicht beunruhigt zu sein, Demoiselle. Der Junge ist kein Blutsverwandter von Euch. Sein Großvater hat Eure Schwester in zweiter Ehe geheiratet. Ihr seid seine angeheiratete Großtante, so wie der Genfer Kaufmann Jaak de Fleury sein Großonkel ist. Hat es dir Freude gemacht, ihn zu besuchen, Claes? Du bist doch durch Genf gekommen?»

«Ihn habe ich auch nicht umgebracht», erwiderte Claes. «Ich habe seine Frau enttäuscht, aber das ist eine andere Geschichte. Ich glaube, Ihr regt die Demoiselle auf.»

Sie sah nicht aus, als wäre sie ihm für die Bemerkung dankbar. Sie sagte: «Die Demoiselle ist durchaus imstande, einen Herrn hinausbegleiten zu lassen, wenn seine Redeweise das rechtfertigt. Ist das alles, was Ihr im Auge hattet, Monsieur de Ribérac? Claes davor zu warnen, Eurem Sohn etwas zuleide zu tun? Ich habe Euch schon vorhin gesagt, Euer Sohn ist ein rachsüchtiger Mann.»

«Ihr mögt ihn nicht», sagte der Vicomte und sah sie prüfend an.

«Er sieht gut aus und hat viele Freunde, davon bin ich überzeugt. Nein, ich mag ihn nicht.»

«Das Fräulein Katelina van Borselen auch nicht. Ihr habt recht, er ist falsch erzogen worden. Und wer soll die Dinge in Ordnung bringen, wenn nicht sein Vater?» Er lächelte, dann zog sich sein Doppelkinn zusammen und der Mund wurde zu einem senkrechten Strich. Es war die Parodie eines Schmollmundes. «Aber ich lebe in Frankreich, und wem kann ich vertrauen, daß er mir hier hilft? Wer wird Simons Schritte überwachen, mir berichten, was er tut, mich warnen, wenn er sich auf unschickliche Vorhaben einläßt oder unpassende Bindungen eingeht oder drauf und dran zu sein scheint, die Familienehre zu vergessen?»

Er hielt inne. Mit einer schwungvollen Handbewegung fuhr er dann fort: «Wer, wenn nicht ein junger Spitzel, der sowieso bald entlarvt wird? Du, mein lieber Claes, wirst, ohne daß er es weiß, meines Sohnes Schatten werden. Aus gutem Grund wirst du mein persönlicher Spitzel sein. Darum bin ich hergekommen. Um dir eine feste Stellung anzubieten.»

Claes ließ sich Zeit mit der Antwort. Niemand unterbrach sein Nachdenken. Er zerlegte den Vorschlag wie ein Puzzle. Die Hälfte der einzelnen Teile fehlte. Schließlich fragte er: «Bietet Ihr sie mir an, Monseigneur, weil Ihr wollt, daß ich ihn töte?»

Der dicke Mann lächelte, antwortete aber nicht. Etwas zögernder fuhr Claes fort: «Oder weil nach diesem Gespräch gewährleistet ist, daß ich ihn nicht töten werde?»

Das Lächeln des Vicomte vertiefte sich. «So scharfsinnig! Du wirst mich noch dazu bringen, dich als Nicolaas zu betrachten. Du wirst es also tun?»

Hinter dem Schreibtisch machte die Demoiselle eine leichte Bewegung und hielt dann abrupt inne. Claes nahm keine Notiz davon. Er stand vor dem dicken Mann, und sein Herz schlug ihm bis zum Hals. Er sagte mit Bedacht: «Ihr vergeßt Eure menschliche Natur. Selbst ein Handwerker ist des Verkehrs mit Tieren enthoben.»

Sich mit den Händen auf den Armlehnen des Sessels abstützend, stand der Vicomte auf. Er war ebenso groß wie Claes und doppelt so breit und wuchtete seine Körpermasse hoch, bis er dem jungen Mann gegenüberstand. Mit einem Rest von Anmut hob er dann einen dicken Arm und hielt ihn wie ein Tänzer hoch ausgestreckt über seinem Kopf. Die schwerberingte Hand schwebte sacht gekrümmt in der Luft, als sollte sie zum Gruß eines Kurbette ausführen. Dann riß Monsieur de Ribérac sie nach unten. Die Handfläche blieb gewölbt und ihm zugewandt. Die Außenseite der Hand mit dem großen Bergkristallring klatschte auf Claes' Wange, und vom Auge bis zum Kinn zog sich eine blutige Spur. Dann zog der Vicomte das Handgelenk zurück und ließ die Hand herabhängen. Auf dem Fußboden bildete sich eine Blutlache.

Marian de Charetty war aufgesprungen, hatte ihre Handglocke ergriffen und wollte gerade läuten, da legte Claes ihr die Hand auf den Arm, um es zu verhindern. Monsieur de Ribérac sprach lächelnd mit Claes, als ob gar nichts gewesen wäre.

«Wenn wir Beleidigungen austauschen, sieh das als eine weitere an. Ich habe dir ein Angebot gemacht. Es mit groben Worten abzulehnen war ein Fehler. Du wirst in den kommenden Wochen noch weitere Zeichen meines Interesses an deinen Angelegenheiten sehen. Du wirst es auch merken, wenn ich meinen Sohn nach meinem Geschmack zurechtgestutzt habe.»

«Wenn er es überlebt», sagte Claes. Er ließ den Arm der Demoiselle los. Blut tropfte ihm vom Unterkiefer und rötete sein Hemd, und er hob die Hand in dem vergeblichen Versuch, es zu stillen.

Monsieur de Ribérac sah erst ihn an und dann die Witwe. Er seufzte. «Wer weiß, was ihm bevorsteht oder dir? Du wirst den heutigen Tag in Erinnerung behalten. Insbesondere natürlich, wenn du in den Spiegel siehst. Es ist, mein lieber Schurke, nicht das Gesicht eines Nicolaas, nicht wahr?»

Marian de Charetty hatte die Hand immer noch auf der Glocke.

Der Vicomte lächelte. «Demoiselle, Ihr habt nicht klug gehandelt. Gott zum Gruß und einen guten Tag.»

Die Tür schloß sich hinter ihm. Man hörte nur noch seine schweren Schritte, die sich entfernten. Ohne um Erlaubnis zu bitten, setzte sich Claes plötzlich hin und senkte den Kopf. Er hielt die Hände zwischen den Knien, und Blut tropfte auf sie herab.

Er verlor nicht oft die Selbstbeherrschung. Sein Körper und sein Verstand harmonierten sonst gut und problematische Momente, wenn es die überhaupt gab, löste er immer, wenn er allein war. Das war er jetzt nicht. Seine Haut juckte und kribbelte; ihm war, als hätte er ein Wespennest im Leib. Er merkte, daß Marian de Charetty neben ihm stand und sprach, und ihre Stimme hatte einen schroffen Klang.

«Das war ein tätlicher Angriff. Warum hast du mich zurückgehalten? Ich will die Friedensrichter herkommen lassen.»

Als er nicht reagierte, erstarb ihre Stimme, aber die Demoiselle war immer noch da. Etwas berührte seine aufgerissene Wange. Er hob eine abwehrende Hand und fand dort ein Tuch. Sie überließ es ihm und legte ihm leicht die Hand auf die Schulter. Die andere Hand legte sie ihm dann auf den Nacken, den sie mit ihren gespreizten Fingern bedeckte.

Sie ließ ihre warme, feste Hand da liegen, wie sie es manchmal bei ihren Kindern getan hatte. Erst als er sich rührte, zog sie die Hand weg. Er sah ihr Gesicht, als sie sich über ihn beugte. Sie lächelte, sah aber auch gequält aus. «Mein Lieber, was für eine Heimkehr.» Unter der mit Draht verstärkten Haube hatte sich ihre Stirn stark gekräuselt.

Mein Lieber. Er versuchte darüber nachzudenken, aber es entfiel ihm. Das Tuch war durchweicht, aber er drückte es immer noch auf sein Gesicht. Mit der anderen Hand umfaßte er sein Knie und wollte es massieren. Er fing an zu reden. «Wie kommt er nur dazu, so etwas zu tun?»

Vor ihm stand noch ein Stuhl. Die Demoiselle de Charetty ließ seine Schulter los, setzte sich und sah ihn an. «Weil er ein schlechter Mensch ist. Wir konnten dich nicht warnen. Er drohte uns mit dem, was er dir antun könnte.» Sie hielt inne und wiederholte dann: «Wenn wir dich nur hätten warnen können.»

«Ich habe es, glaube ich, erraten. Er wollte mir auflauern. Er hoffte, etwas zu erfahren.» Sein Verstand begann langsam wieder zu funktionieren. «Die Drohungen waren bedeutungslos. Aber ich wünschte, Ihr hättet sie nicht gehört, und auch nicht die Beleidigungen. Es tut mir leid. Und ihr habt mich verteidigt.»

Ehe er geendet hatte, begannen seine Gedanken abzuschweifen. Sie mußte sich also darüber klargeworden sein, daß ihre erste Erwiderung die falsche Frage beantwortet hatte. «Es war eine Prüfung», sagte sie. «Er hat erwartet, daß du ablehnst. Claes?»

Sie war schon von ihrem Stuhl aufgestanden. Sie hielt inne, änderte die Richtung und nahm sich die Zeit, ein frisches Tuch zu suchen. Sie reichte es ihm. «Einen Augenblick, ich hole dir etwas Wasser.»

Seine ganzen Kleider waren voll Blut. Er hielt sich das frische

Tuch vor das Gesicht und betupfte es hier und dort mit dem alten. «Wenn es eine Prüfung war, dann besteht wohl kaum ein Zweifel an dem Urteil.» Die leichteste Berührung der Wunde tat weh. Es war nicht derselbe Schmerz wie vom Auspeitschen, an das er gewöhnt war. Fürs ganze Leben verunstaltet durch einen Ring. Den Ring eines Mannes noch dazu. Niemand würde es glauben. Julius jedenfalls nicht. Tobie vielleicht.

Er begann endlich, die Angelegenheit in den Griff zu bekommen. Er drehte sich zur Demoiselle um. «Nein, keine Friedensrichter. Es gibt nicht sehr viel, was Sie tun könnten. Nichts, worüber es sich überhaupt zu reden lohnt. Er hat sich gewaltsam Zugang verschafft. Ihr konntet ihn nicht aufhalten. Es wäre Unfug gewesen, den halben Betrieb deswegen hereinzurufen. Mir tut nur leid, daß Ihr das über Euch ergehen lassen mußtet.»

«Es geht doch um dein Gesicht.»

«Nein. Welche Schritte könnte ich unternehmen, die einen Zweck hätten? Und es ist nicht Eure Sache, etwas zu unternehmen. Ich würde es nicht zulassen. Er wird nicht wiederkommen. Er hat Streit mit seinem Sohn und versucht nun, uns hineinzuziehen. Jetzt weiß er, wo wir alle stehen.» Er hielt inne. Er wollte lächeln, gab den Versuch aber sehr schnell auf. «Denkt nicht mehr daran. Ich werde es auch nicht tun. Er ist ein unangenehmer Mann, der einen unangenehmen Sohn hat und zuviel Macht besitzt. Ich weiß, wo es schiefgegangen ist. Ihr habt ihn nicht gefragt, ob er etwas zu trinken haben wollte.»

Aber sie war nicht bereit, so rasch darüber hinwegzugehen. «Und die Drohungen? Die klangen mir nicht harmlos. Was hast du denn getan?»

«Ihr könnt Euch selbst ein Urteil bilden. Erlaubt mir, mich erst zu säubern und dann wiederzukommen, um Euch alles zu berichten.»

«Alles?» Sie war aufgestanden und zu ihrem Schrank gegangen. Mit der Flasche in der Hand kam sie zurück. «Zuerst brauchst du etwas davon. Was war es in Felix' Schenke? Bier?»

«Das wäre es gewesen, nur hat mich meine Brotherrin zu sich bestellt, als der Becherrand gerade meine Lippen berührte.» Er wollte hinzufügen: Euer Sohn wählt nicht immer den günstigen Zeitpunkt, unterließ es aber.

«Das ist der schwerste Wein, den ich habe. Erzähle es Henning nicht. Ich habe mir angewöhnt, ihn zu trinken. Es war kein einfacher Winter.» Sie hielt inne und sagte dann: «Für alle, glaube ich. Und Felix ist gut vorangekommen.»

Er leerte den vollen Becher, den sie ihm reichte, in einem einzigen, langen Zug und ließ sie noch einmal nachschenken. Dann nahm er den Becher mit in den Schlafraum, den er mit anderen teilte, der jetzt aber leer war, und blieb einen Augenblick schweigend vor dem Spiegel stehen, ehe er Wasser holen ging. Die Demoiselle hatte ihre Hilfe angeboten, aber er war an all das gewöhnt. Mehr oder weniger.

Er beeilte sich. Er reinigte den tiefen, schartigen Schnitt, zog ein sauberes Hemd an, rieb die Flecke von Wams und Hose ab und hielt ein frisches Tuch an sein Gesicht, nachdem das Bluten aufgehört und dann wieder begonnen hatte. Er hatte Salbe auf die Wunde gestrichen und Alaun. Es war natürlich das richtige blutstillende Mittel. Es war auch eine kleine, persönliche Trotzgeste.

Danach ging er wieder in das Arbeitszimmer der Demoiselle, wo jetzt ein Tablett mit verschiedenen Fleischspeisen und mehr Wein auf dem Tisch stand. Marian de Charetty hatte sich umgezogen und trug jetzt ein hochgeschlossenes und bis zum Boden reichendes Gewand aus weicherem Stoff. Sie war ziemlich blaß und außerordentlich sachlich. Er war nicht sehr hungrig, aber froh, wieder etwas zu trinken zu haben. «Du hast es verdient, nicht reden zu müssen, aber vielleicht nach deinem Bericht, nicht vorher. Ist das Reden schmerzhaft?»

«Darüber nicht», sagte er zuversichtlich.

Es stimmte nicht. Sein Gesicht tat weh und blutete, und er tupfte es dauernd ab. Aber die Notwendigkeit zu sprechen lenkte ihn von den Schmerzen ab. Er hatte die Berichte von Astorre schon auf ihren Schreibtisch gelegt; die Einzelheiten des Mailänders Kontrakts und der Abkommandierung nach Neapel, die Liste von Soldaten und Pferden, die Julius aufgestellt hatte. Jetzt saß er auf der Bank mit der hohen Rückenlehne und bestätigte noch einmal alles.

Die Demoiselle ging mit ihrem Teller zum Schreibtisch. Während sie aß, hatte sie in der anderen Hand ihre Schreibfeder und hakte seine Zahlen ab.

Ab und zu trank er noch, aber nicht so viel, daß er seine Gedanken nicht zusammenhalten konnte. Ein Punkt nach dem anderen kam dran. Der Neger Loppe war unversehrt beim Herzog abgeliefert worden, und es war ein Brief über ihn da. Die Waren der Medici einschließlich der Pferde waren in gutem Zustand angekommen. Julius war bei Astorre. Der Doktor war in Mailand geblieben, weil Bruder Gilles einen Unfall gehabt hatte. Einen sehr leichten Unfall.

Sie wollte Näheres darüber wissen und erhielt einen kurzen Bericht, der nichts über Lawinen oder Gaston du Lyon enthielt. Sie stellte keine Fragen bei dem ebenso kurzen Bericht über die geschäftlichen Transaktionen, die im Haus von Jaak de Fleury durchgeführt worden waren. Er erwähnte, daß er auf dem Weg nach Norden einige billige Rüstungen gekauft hatte für den Fall, daß Astorre Soldaten neu ausstatten oder seine Truppe verstärken müßte. Sie stellte Fragen, und er beantwortete sie, aber mehr auch nicht. Noch nicht.

Dann kam er auf seine Arbeit zu sprechen, und tat es vorsichtig. Die Wechsel und die Briefe hatte er alle abgeliefert und einen großen Bedarf an einem guten Kurierdienst vorgefunden. Sie würden Ersatzleute und zusätzliche Pferde brauchen, aber die Aufträge, die er schon hatte, deckten die Auslagen. Er nannte Kunden in Mailand, darunter Pigello Portinari und die Florentiner Freunde von Pierfrancesco Medici. Er hatte Zusagen von den Strozzi und den Genuesen und den Venezianern und sogar von der Kurie. Und sogar der Sekretär des Herzogs war beeindruckt gewesen und hatte gesagt, er würde ihm von Zeit zu Zeit Sendungen mitgeben. In Brügge würde jemand gebraucht werden, um die Kuriere auszubilden und die Relais zu überwachen. Vielleicht auch jemand in Mailand. Die Demoiselle müsse bestimmen, wer das sein sollte. Das hier seien die bisher erhaltenen Empfangsbestätigungen und das die Vertragsentwürfe.

Sie legte ihre Schreibfeder hin und begann sich die Empfangsbestätigungen anzusehen, wobei sie immer langsamer vorging. Sie legte die letzte auf den Tisch und sah Claes an. «Das sind sehr große Summen.»

«Ja, Demoiselle.» Er hielt ihrem starren Blick stand.

«Du weißt ganz genau, daß das ungewöhnliche Zahlungen für einen Kurierdienst sind. Und sie sind auch gar nicht für den Kurierdienst, nicht wahr? Das war es, wovon Jordan de Ribérac gesprochen hat. Dies sind Vergütungen für bereits erhaltene oder im voraus gekaufte Informationen. Stimmt das?»

Nicht ohne Unbehagen war ihm klargewesen, daß er das würde

erklären müssen. «Jeder Staat bezahlt Informationen, und jeder Kurier öffnet Briefsendungen. Ebensogut wie jeder andere können wir den Gewinn einstreichen.»

«Ich würde dir das glauben, wenn Monsieur de Ribérac es nicht extra betont hätte. Er erwähnte die Acciajuoli und Gaston du Lyon. Keiner dieser Namen steht hier.»

«Weil sie nur indirekt Kunden sind. Ich lernte Gaston du Lyon kennen, und es mag sein, daß er uns dem Dauphin empfiehlt. Die Acciajuoli sind die Florentiner Freunde von Pierfrancesco Medici. Die Medici sind Kunden, und ich hoffe, sie werden die Brügger Niederlassung anweisen, sich unserer zu bedienen. Ich habe Angelo Tani heute morgen besucht.»

Die Ablenkung klappte nicht. «Ich warte darauf, daß du mir sagst, warum de Ribérac Wert darauf legte, sie zu erwähnen. Ich nehme an, die Acciajuoli sind Verwandte des Mannes, den du in Damme verletzt hast?»

Seine Wange begann anzuschwellen. «Diejenigen, die ich sah, stammen aus Florenz. Der andere Zweig der Familie blieb in Griechenland, sie wurden Herzöge von Athen und Fürsten von Korinth, bis die Türken kamen. Seitdem waren sie natürlich alle entweder in Gefangenschaft oder im Exil.» Er sah die Demoiselle an. Sie zog die Augenbrauen hoch, die hochgezogen blieben. Widerstrebend fuhr er fort: «Beziehungsweise treiben sie auf Grund einer Konzession Handel mit den Türken. Darauf spielte der Vicomte an.»

«Womit treiben sie Handel?»

«Mit allem möglichen. Seide natürlich. Sie importieren bereits aus Lucca, und die Medici sind drauf und dran, ebenfalls darüber zu verhandeln. Natürlich dürften sie es als Christen eigentlich nicht.»

Er merkte, daß sie versuchte, seine Gedanken zu lesen und dann wegsah. «Nun? Warum bist du an den Griechen interessiert und die Griechen an dir? Wir verkaufen keine Seide. Sie färben ihre Stoffe in Konstantinopel selbst.»

«Es wäre nützlich, wenn der Papst seinen Kreuzzug unternehmen würde. Um eine Verbindung zu haben, meine ich.»

Sie starrte ihn an. «Du willst nicht, daß ich es weiß. Aber wenn etwas schiefgeht, werde ich ebenso ruiniert sein wie du. Du hast de Ribérac gehört.»

«Es gibt nichts zu wissen.»

«Und das, worüber er noch gesprochen hat? Die Briefe, die du überbringst? Ich kenne niemanden, der fähiger wäre als du, vernähte Briefe aufzutrennen, ein Siegel zu kopieren oder einen Code zu entschlüsseln. Gott sei Dank sind wenigstens die Medici sicher. Sie ändern ihren Code jeden Monat und bedienen sich überdies des Hebräischen.»

Schweigen trat ein, währenddessen er mit der Messerspitze Fleischstücke umdrehte. Es fiel ihm nichts ein, was er sagen könnte, und er mußte dafür büßen.

«Loppe!» rief Marian de Charetty aus. «Loppe gehörte einem Juden? Und du spionierst natürlich. Wahrscheinlich für und gegen alle. Und die Medici werden es herausfinden. Und du wirst einen reichen Mann an den Galgen bringen. Oder würdest es tun, wenn ich das so weitergehen ließe. Es wird nicht so weitergehen. Du wirst wieder nach Mailand reiten, diesen Vertrag annullieren und dich nach Neapel zu Astorre begeben. Hast du gehört?»

«Wie wollt Ihr erreichen, daß ich aufgebe?»

«Ich kann dich verleugnen.»

«Dann werdet Ihr Eure Gewinne als Geschenk von mir erhalten. Ihr könnt mich natürlich verleugnen, wenn Ihr wirklich Angst habt. Aber es ist noch nicht notwendig. Und, Demoiselle, Ihr könnt doch nicht wirklich glauben, daß ich Euch in Gefahr bringen würde?»

Sie saß kerzengerade da und starrte ihn an. «Claes, bewußte Irreführung ist wahnsinnig gefährlich. Wenn man einen Feind wie de Ribérac hat, ist bewußte Irreführung einfach dumm. Diese Leute, deine Kunden, sind eifersüchtig und mächtig. Er erwähnte den Dauphin. Wenn der Dauphin dich beschäftigt und Grund hat, an deiner Loyalität zu zweifeln, dann können wir unseren Betrieb schließen und auswandern.»

«Ich weiß das alles. Risiken dieser Art können vermieden werden. Was den Dauphin betrifft, so hatte ich nie vor, ihn zu täuschen. Für einen Fürsten ist er viel zu scharfsinnig.»

Es trat eine Pause ein, die er nicht verstand. Die Demoiselle spießte ein Stück Fleisch auf und spielte damit herum. «Felix würde dir zustimmen. Einen Monat lang hallte das Haus wider von den Lobliedern auf den Dauphin. Oder von den Lobliedern auf seine Jagdhunde. Es läuft auf dasselbe hinaus.»

Er wartete ab. Als sie nichts hinzufügte, sagte er: «Ihr seid also lange in Löwen gewesen. Es muß wunderbar für Felix gewesen sein.»

«Ja, er und der Dauphin lernten sich natürlich in Löwen kennen. Aber nichts, das kann ich dir versichern, übertraf die Pracht jener ersten Audienz, am Hof von Genappe. Ich dachte, Felix würde ohnmächtig werden. Du bist wahrscheinlich beim Zuhören ohnmächtig geworden. Ich nehme an, er hat die ganze Nacht davon geredet.»

«Er hat die ganze Nacht geredet, aber ich muß gestehen, daß ich die Hälfte davon verschlafen habe. Vielleicht wird mich Felix eines Tages dahin mitnehmen. Es hängt davon ab, was Ihr in bezug auf den Kurierdienst beschließt. Wenn ich ihn für Euch betreiben darf, könnte ich nicht mit Thomas zu Astorre zurückkehren.»

«Mir ist schon klargeworden, daß du deinen Posten bei Hauptmann Astorre bereits aufgegeben hast und mir ein Ultimatum stellst. Entweder du betreibst den Kurierdienst für mich oder ohne mich. Es würde mich interessieren, wie du allein das Geld dafür aufbringen willst.»

Immer wieder begann er zu lächeln und ließ es dann bleiben. «Von den Medici», sagte er. «Aber natürlich würdet Ihr stets Euren Anteil an den Gewinnen in Anspruch nehmen können. Der Plan und die ersten Unkosten waren die Euren.»

Sie dachte nach. «Du würdest einige der Fahrten selbst unternehmen?»

«Vielleicht. Ich müßte einige Wochen in Brügge bleiben, um die Vorkehrungen zu treffen. Ich müßte nach Mailand reiten, um die Verträge zu bestätigen. Danach würde ich höchstwahrscheinlich meine Zeit zwischen den beiden Orten aufteilen. Wenn Brügge mich von Zeit zu Zeit wieder aufnehmen will. Das würden sie vermutlich tun. Es wäre in ihrem Interesse.»

Er wußte, wie dickköpfig sie war. Sie fuhr sich mit dem weichen Ende ihrer Gänsefeder über die Lippen. Dann legte sie die Feder hin. «Der Betrieb braucht Geld», sagte sie. «Astorre und Julius haben sich um eine schöne *condotta* bemüht. Nach allem, was du gesagt hast, kann ich mir vorstellen, wieviel Arbeit deine Liste gemacht hat. Du hast es für die Firma getan, und es wäre eine schofelige Firma, die dir nicht dankte und dich belohnte. Ja, ich werde dich unterstützen. Du darfst den Kurierdienst für die Firma Charetty betreiben, vorausgesetzt, du hältst mich auf dem laufenden und unterrichtest mich Tag für Tag und Minute für Minute genau über das, was du tust, mein Freund Claes.»

Nach einer Pause fragte sie: «Hast du keine Angst? Nicht einmal nach dem heutigen Tag?»

Er versuchte nicht, seine Erleichterung zu verbergen. Es war nicht nur Erleichterung, er war einfach glücklich. Seine Wunde platzte wieder auf, als er sie anstrahlte, er schob ein Tuch darüber, durch das er sie dann immer noch anstrahlte. «Ihr werdet es nicht bereuen. Bestimmt nicht. Denkt gar nicht mehr an den heutigen Tag. Das wird nicht wieder vorkommen. Ich muß Euch etwas Lustiges erzählen.»

Statt ihn auch anzulächeln, sah sie wütend aus. «Etwas Lustiges? Etwas, das ich gern hören würde? Worum dreht es sich? Um die Türken? Den Krieg in Italien? Felix? Simon? Monseigneur de Ribérac? Die Explosion? Nein, die Explosion müssen wir für einen anderen Tag aufheben und auch noch ein paar andere Probleme. Um was geht es bei deiner amüsanten Geschichte?»

Ihre Stimme klang brüchig. Er merkte plötzlich, wie müde sie war und daß sie sich über sich selbst ärgerte, nicht über ihn. Er drückte das Tuch auf die Wunde und schenkte ihr das herzlichste, strahlendste, betörendste Lächeln, dessen er fähig war.

«Na ja», sagte er, «na ja, es geht dabei nämlich um einen Vogel Strauß.»

Kapitel 17

Das aufgeschlitzte Gesicht des Charetty-Lehrlings, der weggegangen war, um Soldat zu werden, war an jenem Nachmittag das Stadtgespräch von Brügge. Die Hausbewohner waren die ersten, die es sahen, als der große Junge herumlief, die Treppen hinauf- und hinuntersprang und Papiere und andere Dinge zusammentrug, die er für all die Botengänge brauchte, welche er, wie er sagte, noch vor dem Festtag erledigen mußte. Diejenigen, die ihn am Vortag hatten kommen sehen oder auf dem Hof mit ihm gesprochen hatten, konnten beschwören, daß sein Gesicht in Ordnung gewesen war. Es konnte auch nicht die Tat eines kleinlichen Ehemanns sein, denn er hatte die ganze Nacht im Haus geschlafen. Ein oder zwei Kaufleute waren gekommen, um ihre Briefe abzuholen, und dieser fette französische Edelmann hatte einen Besuch gemacht, aber die Witwe hätte sicher die Friedensrichter gerufen, wenn jener das getan hätte, oder sie würde Claes anschreien, was sie auch nicht tat, wenn dieser selbst sie geärgert hätte.

Wenn er gefragt wurde, wie das geschehen sei, erzählte Claes jedesmal eine andere Geschichte. Einige waren wirklich großartig. Keine war auch nur im mindesten glaubwürdig. Er war wahrhaftig ein Spaßmacher, der Claes.

Er selbst hatte daran gedacht, zu Hause zu bleiben, aber es gab zuviel zu tun, und Felix war nicht nach Hause gekommen, er mußte also noch in der Schenke sein. Nach einer weiteren Stunde war sein Gesicht angeschwollen und ein Auge halb zu. Er schloß seine Mappe, nahm seinen Umhang und ging los, um seine Besuche zu machen. Jeder, den er traf, bot er eine andere witzige Erklärung für den auffälligen Striemen an, wobei eine Tracht Prügel von der Witwe die bei weitem beliebteste war.

Er schien an diesem Tag alle seine Bekannten in Brügge auf einmal zu treffen, aber das lag daran, daß er keinen festen Arbeitsplan einzuhalten hatte. Es war fast unheimlich, an diesem so vertrauten Ort den Ruf der Glocken zu hören und ihm nicht zu folgen. Nicht die Stoffbahnen aus der Küpe zu hieven und mit der Gruppe loszurennen, um sie aufzuhängen, ehe die Mittagsglocke sie zum Essen rief. Sich nicht mit den anderen zu den Mahlzeiten und zum Gottesdienst einzufinden; sich nicht beim Vorarbeiter oder der Brotherrin zu melden; sich nicht als Mitglied einer Gruppe geborgen zu fühlen. Die Gruppe, der er jetzt angehörte, gab niemandem Geborgenheit.

Wie er vermutet hatte, war Felix immer noch da, wo er ihn verlassen hatte. Er schloß sich ihm an, weil es sein mußte. Es war kein guter Aufenthaltsort: Eine Schenke, wo es keinen Wein gab, sondern nur Bier für Handwerker, die sich ärgerten, wenn reiche junge Leute wie Felix den ganzen Tag die Bänke in Beschlag nahmen und die Aufmerksamkeit des Wirts beanspruchten. Als Claes dort hinkam, hatten Felix und seine Freunde schon gegessen und gaben sich nun einem herausfordernden Trinkgelage hin. Als Claes eintrat, bemerkten einige seiner Freunde sofort sein verunstaltetes Gesicht, schütteten sich aus vor Lachen und wetteiferten natürlich miteinander im Herausfinden der Ursache. Felix, wachgerüttelt, hörte den Namen seiner Mutter in Verbindung mit irgendeiner unhöflichen Spekulation, sprang auf und stürzte sich mit gesenktem Kopf auf den Sprecher.

Drei von ihnen brachten ihn zu guter Letzt so weit, daß er sich beruhigte und bereit war, seine Kampflust auf der Kegelbahn auszutoben, die sie gegenwärtig bevorzugten. Auf dem Weg dorthin besann er sich anders und führte sie, auf bereiften, runden Pflastersteinen und überfrorenen, unbefestigten Straßen schlitternd, durch einen leichten Schneesturm unerbittlich zur Burg, wo sich die Lotterieschlange frierend und murrend am Amt des Schatzmeisters vorbei und halb um die St. Donatianskathedrale herumzog. Einige kräftig gebaute Männer in der Tracht städtischer Bediensteter machten paarweise ihre Runden und sorgten dafür, daß die Menge, wie sehr sie auch fror und wie ungeduldig sie auch war, eine wohlgeordnete Schlange bildete.

Stocksteif stand der Erbe der Firma Charetty da, sah die Leute prüfend und grimmig an und grinste dann plötzlich. Felix war, wie sich herumgesprochen hatte, bei den letzten schweren Schneefällen von einer Gruppe Handwerksgesellen, mit denen er gezecht hatte, vor der Schenke angegriffen und mit Schneebällen bombardiert worden. Da waren sie jetzt. Standen während ihrer Arbeitszeit nach Lotterielosen an und waren obendrein wehrlos, sofern sie ihren Platz in der Schlange nicht einbüßen wollten.

«Felix», sagte Anselm Sersanders.

«Felix», sagte Bonkle.

Felix bückte sich, schenkte ihnen keine Beachtung, obwohl er, wie es schien, wartete, bis sich der nächste Ordnungshüter umgedreht hatte, ehe er anfing zu werfen. Er zielte nicht sehr gut, und Claes sah zu seiner Erleichterung eine Ablenkung. «Es ist nicht genug Schnee. Komm weiter. Da ist Colard, der uns winkt.»

Die Hersteller und Verkäufer von Büchern hielten sich gewöhnlich im Hof von St. Donatian auf, aber bei schlechtem Wetter machten sie ihre Buden zu und begaben sich nach drinnen. Colards kleiner Raum lag über dem Kreuzgang und stellte die Mägen seiner Besucher auf eine harte Probe, denn die Flammen und Schwaden der Kerzen und Kohlepfannen erzeugten nicht nur Hitze, sondern riefen auch Brechreiz hervor, der durch den üblen Gestank von Colards verschiedenen Tinten verstärkt wurde.

Heute war ein Arbeitstag, und die Schwaden und Flammen waren nicht durch das Fenster abgezogen, von dem aus Colard ihnen zugewinkt hatte, sondern von der Schneeluft zurück nach innen getrieben worden. In den wenigen Minuten, die sie brauchten, um die Treppe hinaufzusteigen, hatte er sich schon wieder an seinen Schreibtisch gesetzt. Er hatte die Ärmel bis zum Ellbogen aufgekrempelt, und sein zerzaustes Haar war auf einer Seite, wo er beim Schreiben der Kerze zu nahe gekommen war, zu Plüsch geworden.

Ein Mann mit gesunder Gesichtsfarbe, der die Zungenspitze vorstreckte, während er eine Zeile eines sorgfältig überlegten französischen Textes beendete, wobei seine behaarte Hand sich über das Pergament bewegte und er immer wieder zu der lateinischen Vorlage auf seinem Lesepult hinaufschaute.

«Die Buße Adams», las Felix. «Seht mal! Irgendwelche Bilder?»

Der Mund des Übersetzers öffnete sich leicht, so daß man die Zungenspitze einige Augenblicke lang sah. «Noch zwei Worte, dann bin ich fertig. Wartet. Nein, keine Bilder.»

«Lügner! Ich hab eines gefunden», rief Felix.

«Leg das hin.»

Felix kümmerte sich nicht darum, hielt eine Miniatur in der Hand und betrachtete sie mit Kennermiene. Und zwar von allen Seiten.

«Na ja, den Adam hast du richtig gezeichnet. Aber die Eva! Ihre Hand mußt du woanders hintun. Ist vielleicht gar keine Eva. Ist vielleicht ein zweiter Adam.»

«Er braucht ein Modell», bemerkte Claes. «Ihr erinnert euch, er hat ein kurzes Gedächtnis, der Colard.»

Colard fuhr herum, immer noch in Schreibhaltung, die Augen vor Zorn blitzend. «Leg das hin. Ich habe das nicht gemalt.»

«Ich könnte ihm ein Modell besorgen», bemerkte John Bonkle.

«Aber er hat das nicht gemalt», widersprach Claes.

«Wer dann?» fragte Anselm Sersanders.

«Niemand, den du kennst. Und der hat sowieso ein Modell.» Colard gab es auf. «Sie rennt immer mit der Hand an der Stelle herum.

Wenn er jemals einen entsprechenden Adam braucht, werde ich ihm einen von euch Rohlingen empfehlen. Ich habe etwas Bier, aber wenn ihr es nicht wollt, tut einfach nicht, was ich euch sage.»

Es war ein gut einstudiertes Ritual. Sie halfen ihm, das Bier und die Becher zu suchen, kletterten über Kisten und Körbe und Papierballen und stöberten zwischen schwankenden Stößen von Manuskripten auf seinen Regalen. Anselm, der gerade Geburtstag gehabt hatte, ließ aus einem Fleischerladen zwei Paar gebratene Tauben mit Senf holen; auch das gehörte zum Ritual. Dann saßen sie da und fütterten Colard, der erheblich mehr vertilgte als seinen Anteil.

«Nutzt es nach Kräften aus», sagte Felix trübsinnig. «Von Mittwoch an gibt's nur noch Aal.»

«Aber zuerst kommt der Karneval», bemerkte John Bonkle fröhlich. Es war ein fröhlicher Junge. «Nun sag's schon, Collinet, wen nimmst du mit?» Dann wurde er, reichlich spät, knallrot.

«Na hör mal, Jannekin», hakte Felix boshaft ein, «viel interessanter ist doch, wer mit dir geht? Wenn's Mabelie ist, solltest du lieber aufpassen. Der Claes hier hat es sehr vergnüglich für sie gemacht. Geradezu vortrefflich. Du könntest sie wieder verlieren.»

«Halt die Klappe», sagte John erbost. Er warf rasch einen Blick auf Claes, der nur grinste, offenbar ohne sich zu ärgern; allerdings traten überall auf seiner Wange Bluttröpfchen hervor, und fluchend mußte er nach einem Taschentuch angeln. «Es ist Mabelies Sache, was sie unternimmt», fuhr John fort. «Bei mir wird sie nicht sein. Du weißt ja, das ist nicht der Zweck des Karnevals.»

«Vater bietet dich wohl auf dem Heiratsmarkt an?» fragte Felix. Wie jedermann wußte, war das nämlich der eigentliche Zweck des Karnevals. Es war eine der wenigen Gelegenheiten, bei denen man keine Unterschiede kannte zwischen arm und reich, denn auf allen Straßen von Brügge wurde getanzt und man konnte sich jungen Frauen, ohne ihnen vorgestellt worden zu sein, zwanglos zugesellen, was dann weder für die eine noch für die andere Seite eine bindende Verpflichtung bedeutete.

Na ja, so ganz stimmte das nicht. Denn wie gut die Masken auch paßten, die Adligen hoben sich doch von der Menge ab – durch ihre Kleidung und ihre livrierten Diener. Herren konnten mit der Gastfreundschaft der vornehmen Häuser rechnen, wo es Musik, Erfrischungen und Tanz gab. Und jeder Adlige, der durch die Straßen schlenderte und eine Dame von Stand traf, konnte (so war es Brauch) ihr auf einem Pergamentröllchen seinen Namen zeigen und sie, wenn sie einverstanden war, zu jeder Belustigung begleiten, nach der ihr der Sinn stand, nur durfte er dabei kein Wort sprechen.

Das waren die Regeln, und sie funktionierten gut. Die Paare trafen sich relativ zwanglos, und das Decorum wurde auch gewahrt, oft waren gute Eheverträge die Folge. Die ganz Jungen allerdings wurden streng behütet. Mit dreizehn oder vierzehn handelte ein Mädchen oder ein Junge impulsiv, und das führte dann zu unglücklichen Ehen.

«Na, John ist alt genug», fand Colard Mansion. «Er sollte heiraten. Du ebenfalls. Was für Pläne hat deine Mutter denn?»

Felix starrte ihn an. «Tust du immer, was deine Mutter sagt? Ich will nicht noch eine Frau am Hals haben. Nicht ehe ich etwas Freiheit gehabt habe. Ich nehme Grielkine, was hast du denn geglaubt?»

Claes machte den Mund auf.

«Und du nimmst Tilde und Catherine», erklärte Felix mürrisch.

«Ich? Wer sagt das?»

«Ich sage das», erwiderte Felix. «Ich brauche nicht alles zu tun, was meine Mutter sagt. Ich wünschte, sie würde wieder heiraten.»

«Wirklich?» fragte John überrascht. «Mit wem geht sie denn zum Karneval?»

«Mit Oudenin, wenn's nach seinem Kopf geht. Das hat natürlich keinen Sinn. Nein. Sie will einen reichen Mann heiraten, einen, der ein herrschaftliches Landgut hat, etwas Grundbesitz, einen Adelstitel.»

«Jemanden wie Jordan de Ribérac?» wollte Claes wissen.

«Na ja, er ist reich, oder? Das könnte seinen fiesen Sohn Simon davon abhalten, uns alle fünf Minuten vor Gericht zu bringen.»

«Das ist doch Unsinn, Felix», gab Anselm Sersanders zu bedenken. «Wenn es dir mißfällt, daß deine Mutter bestimmt, wie du leben sollst, dann wird es dir doch vermutlich noch weniger gefallen, die ganze Firma einem Stiefvater zu überlassen. Schließlich bist du der Erbe.»

Alle seine Locken hingen ihm wieder bis auf die Schulter herunter, und Felix' Augen waren schläfrig von zuviel Bier. «Sorgt dafür, daß ich Hunde habe, sorgt dafür, daß ich zu trinken habe, sorgt für meine Rüstung, und jeder kann das verdammte Geschäft haben.»

«Rüstung?» fragte Claes.

Felix lachte leicht verächtlich. «Ich dachte, du hättest bei Astorre gelernt, Soldat zu sein? Astorre!»

John Bonkle sah von einem zum anderen. Sersanders bemerkte Claes' höfliches Erstaunen und erklärte: «Seit du weggegangen bist, ist Felix ein gewandter Turnierkämpfer geworden. Stimmt's nicht, Felix? Nur daß die Demoiselle nicht die ganze Ausrüstung bezahlen will – noch nicht.»

«Das ist unwichtig», sagte Felix. «Brauche keine Ausrüstung, um zu zeigen, was ein Mann tun kann. Nicht mit Knüppeln, wie, Claes? Vielleicht Schwerter? Oder stumpfe Lanzen, wenn du reiten kannst. Kannst du reiten?»

«Da mußt du Thomas fragen. Er trägt mich gewöhnlich ein Stück des Weges und springt dann vom Pferd herunter, wenn es richtig auf allen vier Beinen läuft. Wer hat dir das Tjosten beigebracht?»

Sersanders lächelte. «Wenn du Felix überreden kannst, es dir zu sagen, dann wirst du mehr wissen als wir. Er hat in Löwen einen Lehrer gefunden. Leider ist das alles ein bißchen teuer, deshalb verstehen wir seine Einstellung. Wenn ihm der Karneval einen reichen Stiefvater beschert, wird es ihm ziemlich gleichgültig sein, wer das ist. Stimmt's, Felix?»

«Oudenin, das habe ich immer gesagt», warf Claes ein. «Und Felix kann seine Tochter heiraten. Colard, warum hast du uns gewinkt?»

«Wie?» Colard hatte ein Pergament aufgenommen und sich in den Inhalt vertieft. Er legte es wieder hin.

«Du hast uns gewinkt», wiederholte Sersanders geduldig.

«Ich habe gewinkt. Ja. Eine Botschaft. Dein Onkel will dich sehen. Claes auch, wenn er irgendwelche Briefe hat. Er ist bei Giovanni Arnolfini.»

«Colard», sagte Claes. «Wir sind seit einer Stunde hier. Zwei Stunden, vielleicht.»

«Hat mir nichts ausgemacht. Aber es ist nicht mehr sehr hell, das stimmt. Vielleicht ist es besser, wenn ihr geht.»

«Ist vielleicht wirklich besser, was meinst du, Claes?» fragte Sersanders.

«Ja, ich komme mit. Felix?»

«Wie?» Felix machte die Augen auf.

«Was war das mit deinen beiden Schwestern morgen? Deine Mutter hat dich gebeten, sie zum Karneval mitzunehmen, nicht wahr?»

«Und ich sage dir, du nimmst sie statt dessen mit.» Felix machte die Augen noch ein bißchen weiter auf. «Du wirst doch nicht behaupten, daß du nein sagen kannst?»

«Felix», schaltete sich Sersanders ein. «Das ist nicht anständig. Und deiner Mutter würde es sowieso nicht gefallen. Das heißt...»

«Dann muß sie sich eben damit abfinden. Es ist niemand anderes da. Oudenin wäre natürlich entzückt, aber er ist der letzte, Gott sei Dank, an den sie sich wenden würde. Da gibt es immer noch Henning, aber du wirst zugeben, daß Claes dann noch besser ist als der. Trotz seines Gesichts. In was für eine Rauferei bist du eigentlich hineingeraten?»

«Ich bin von dem Stachelschwein überfallen worden», erklärte Claes kurz angebunden. «Na schön, ich nehme die Mädchen mit, aber unter einer Bedingung: Daß du deiner Mutter sagst, du hättest mich darum gebeten, und daß du ihr Einverständnis erhältst. Sonst kriege ich Ärger.»

«Ihr macht Ärger», sagte Colard Mansion freundlich. «Würdet ihr mir bitte alle aus dem Licht gehen?»

Draußen trennten sie sich; Felix mit Bonkle im Schlepptau machte sich reichlich spät zu der desolaten Kegelbahn seiner Wahl auf. Claes und Anselm Sersanders begaben sich in Richtung Westen zum Markt und eilten von dort nach Norden zum Konsulatsgebäude der Luccheser, in dem der reiche Kaufmann Arnolfini wohnte, bei welchem sich Sersanders' Onkel aufhielt, der elegante Anselm Adorne.

Es war gar nicht leicht, schnell voranzukommen. Es hatte aufgehört zu schneien, aber die dünne Schneedecke war in sepiabraunen Schlamm verwandelt worden durch die Füße der hin- und hereilenden Arbeiter, die von der Stadt und den Zünften beauftragt waren, den Marktplatz, die Halle, den Belfried, die innerstädtischen Hafenanlagen und die umliegenden Häuser für die Belustigungen des morgigen Fastnachtsdienstags zu schmücken.

Leitern, von wenigen Männern getragen, quälten sich von einer Straße zu anderen und zogen gefährlich um Ecken herum. Karren voller Papierlaternen und Schubkarren voller Kerzen machten sich gegenseitig den Platz streitig. Zusammenlegbare Buden, die tagsüber die Menschenmengen mit Speise und Trank versorgen sollten, die kamen, um die Ziehung der Lotterielose mitzuerleben, und abends die Massen beim Karnevalstreiben, wurden aufgestellt und brachen wieder zusammen. Ratsdiener versuchten die Stadt zu durchqueren, um Neuigkeiten zu verkünden, wie es ihre Pflicht war. Wer Bankrott gemacht hatte. Wer gestorben war und wer heiraten wollte und wo eine Amme gebraucht wurde. Interessante Neuigkeiten, wenn man sie hören konnte.

Männer mit Fahnen schlugen Halterungen dafür ein. Maler malten. Rollwagen mit Weinfässern und Bierfässern in Schleppnetzen rumpelten von einer Schenke zur anderen und wurden von stämmigen Gäulen gezogen, von denen manche schon einen kecken Federbusch über einem Auge trugen. Eine Horde schreiender Gassenjungen folgte einem zweibeinigen Faß, das einst Bier enthalten hatte und jetzt Poppe, einen Verkäufer von ungewaschenem Fasten-Ingwer, umschloß, der wegen seines Vergehens auf den Straßen zur Schau gestellt wurde.

Anselm bewarf ihn im Vorbeigehen mit einem freundschaftlichen Schneeball, der etwas von dem Ei auf seiner Stirn abwusch, und er und Claes blieben stehen, um den Weber Witken mit ein oder zwei weiteren zu bedenken, der an einem Pfahl festgebunden und mit seiner eigenen mangelhaften Wolle bekleidet dastand, um ihn daran zu erinnern, daß Weben bei Frost ungesetzlich war.

Beide Opfer reagierten fluchend, aber ohne Groll. Man umging das Gesetz. Man wurde erwischt. Man fand sich damit ab. Nächstes Mal könnte Claikine dran sein. Poppe und Witken würden sich dann vergnügt rächen. Vielleicht mit Mist.

Das Lucca-Haus stand in derselben Straße wie das Haus von Pierre Bladelin; hinter der Börse mit all den Lotterieplakaten und nahe dem Haus der Genueser Kaufleute. An der Tür wurde Sersanders zu seiner Überraschung gleich mit einem Auftrag weggeschickt. Sein berühmter Onkel bat ihn um eine Gefälligkeit, seine Cousinen Katelijne und Marie, die mit ihrem Bruder auf dem Minnewater Schlittschuh liefen, aufzusuchen, zu trösten und ihnen zu sagen, daß ihr Vater bald bei ihnen sein werde.

Sersanders war ein freundlicher junger Mann und hatte nichts gegen seine kleinen Cousinen, obwohl er manchmal das Gefühl hatte, von den Heldentaten ihres Bruders Jan in Paris genug gehört zu haben. Da er aber nicht nur freundlich war, sondern auch Einfühlungsvermögen besaß, machte er sich unverzüglich auf den Weg und ließ Claes da.

Der Hausmeister führte Claes durch die Konsulatsräume zu einem kleinen Hof und dann über eine Treppe zu drei Männern, die an einem langen, mit einem kostbaren Stoff bedeckten Tisch saßen. Einer von ihnen war Giovanni Arnolfini, der zweite Anselm Adorne. Den dritten kannte er vom Sehen, es war William, der Gildemeister der englischen Kaufleute in Brügge. Claes stand da und unterdrückte mühelos den Impuls zu lächeln.

«Mein lieber Claes», sagte Messer Arnolfini, «was hast du denn mit deinem Gesicht gemacht?»

Das war eine Frage, die mit der Zeit zweifellos lästig wurde. Wenn man unfreundlich wäre, könnte man Messer Arnolfini dasselbe fragen. Fünfundzwanzig Jahre waren vergangen, seit Jan van Eyck dieses blasse Gesicht mit dem gespaltenen Kinn, den wimperlosen Lidern und der überlangen, spitzen Nase gemalt hatte. Giovanni Arnolfini Hand in Hand mit seiner Verlobten.

Gewiß stand Monna Giovanna das rote Haar immer noch in zwei Hörnern vom Kopf ab, doch Meester van Eyck war tot und Messer Arnolfini, seinem Aussehen nach, halbtot. Völlig unverändert waren nur der Hohlspiegel, obwohl eine der Emailfarben aufgefrischt war, und der Kronleuchter aus vergoldetem Silber mit den sechs Kerzen, die geziemend brannten.

Alles bei Messer Arnolfini und seinen Verwandten in Brügge, London und Lucca zeugte von Weltgewandtheit. Ursprünglich Seidenhändler, war er Herzog Philipps Finanzier geworden. Er besaß die Franchise in Höhe von jährlich 15 000 Franken von des Herzogs listiger Steuer auf alle Waren (wie etwa englische Wolle), die über Gravelines nach Calais gingen oder von dort kamen. Er kaufte Stoffe für die Garderobe des Dauphins von Frankreich. Und er lieh dem Dauphin Geld.

«Monseigneur», antwortete Claes, «es war ein Unfall. Wünscht Ihr, Neuigkeiten aus Mailand zu hören?»

Das bleiche, kluge Gesicht lächelte. «Die habe ich schon aus den Briefen entnommen, die du mir hiergelassen hast. Nein, ich wollte, daß Messer William dich kennenlernt. Und ich habe Anweisungen für dich. Die Briefe, die du für Monsieur le Dauphin aus Italien mitgebracht hast, sollen mir ausgeliefert werden.»

Diese Aussage enthielt vier Informationen, denen man eigentlich nachgehen sollte. Der erste Schritt lag auf der Hand. «Gern, Monseigneur», sagte Claes. «Hat Monseigneur die Anweisungen schriftlich?»

Er hatte sie.

«Und die Rüstung, Monseigneur?»

«Die Rüstung?» Der Kaufmann beugte sich vor und deutete mit dem Finger auf einen Hocker auf der anderen Seite des Tisches. Claes setzte sich hin.

«Die Rüstung von Monsieur le Dauphin», erklärte Claes. «Das Geschenk des Herrn Herzogs von Mailand vom vorigen Jahr. Der Abgesandte von Monsieur le Dauphin wollte sie nach Norden bringen, so hörte ich im Herbst, aber er mußte sie in Genf lassen. Bei einem Pfandleiher. Um seine eigene Heimreise zu finanzieren.»

«Und?» fragte Messer Arnolfini. Seine beiden Gäste musterten die hübschen Deckenbalken.

«Da ich Gold dabei hatte, habe ich sie eingelöst. Sie befindet sich im Haus de Charetty zusammen mit den Briefen des Herrn Herzogs für Monsieur le Dauphin. Ich werde sie Euch unverzüglich übergeben.»

«Du hast sie mit deinem eigenen Geld eingelöst?» fragte Arnolfini.

«Natürlich. Auf Anraten von Monsieur Gaston du Lyon. Der zum Tjost in Mailand weilt.»

Es trat eine Pause ein. Dann fragte Messer Arnolfini: «Und, mein lieber Niccolo, hast du den Pfandschein?»

Er hatte ihn in seinem Geldbeutel.

«Dann erlaube mir, wenn du die Rüstung bringst, dir im Namen von Monsignore il Delfino den Betrag zu erstatten. Nun erzähle uns, wenn du willst, was es Neues gibt von denjenigen, die du auf deiner Reise getroffen hast. Zum Beispiel vom Bischof von Terni, Monsignore Francesco Coppini.»

«Ein hervorragender Kirchenmann. Beauftragt, Silberlinge für den Kreuzzug Seiner Heiligkeit zu sammeln. Das heißt, in Flandern. Seine Heiligkeit hat bereits gesagt, er habe die Hoffnung aufgegeben, Hilfe aus England zu erhalten, das vom Bürgerkrieg erschüttert wird, oder aus Schottland, das so abgelegen an den fernsten Gestaden des Ozeans ist. Dennoch hat er Bischof Coppini entsandt, um dort hinzugehen, obwohl dieser sehr klein ist.»

«Wohin zu gehen?» fragte der englische Gildemeister in ausgezeichnetem Flämisch, was zu erwarten war von einem Sohn des flämisch besetzten Norfolk, der nun schon seit fünfzehn Jahren in Brügge wirkte. Wie jedermann wußte Claes, daß die Freundschaft zwischen dem Gildemeister und Adorne seit ihrer frühen Jugend bestand. Und er wußte auch von der Freundschaft zwischen dem Gildemeister und dem Buchhändler Colard.

Claes starrte den Gildemeister an und antwortete: «Ich vermute, daß Bischof Coppini nach England gehen soll, Meester William. Um König Henry mit seinen Verwandten, den York, zu versöhnen. Oder vielleicht nach Calais, um den Sohn des Herzogs von York mit König Henry zu versöhnen. Ich weiß es nicht, da ich mit dem Herrn Bischof nicht gesprochen habe. Allerdings haben wir seinen Kaplan sehr oft in Vigevano gesehen.»

«Ach», wunderte sich Messer Arnolfini. «Und hat des Bischofs Kaplan auch die Hoffnung aufgegeben, daß der englische Krieg endet und ein tapferes englisches Heer den heidnischen Horden entgegenzieht?»

Es tat immer noch weh zu lächeln, deshalb unterließ er es. «Ich hatte den Eindruck, Monseigneur, daß des Bischofs Kaplan volles Vertrauen in die Fähigkeiten des Bischofs hatte, den englischen Streit zu schlichten. Und vielleicht rechtzeitig zu schlichten, um einem englischen Heer zu ermöglichen, mit Zuversicht in die Schlacht zu ziehen. Aber gegen wen ...»

«Ja?» Der englische Gildemeister war gespannt.

Claes' Stimme klang bekümmert. «Gegen wen, Monseigneur, vermochte ich nicht herauszubekommen.»

Damit war, wie er es beabsichtigt hatte, alles gesagt, was sie erfahren wollten; denn diese drei Männer standen nicht auf der Seite des englischen Lancaster-Königs Henry, sondern auf der Seite des Prätendenten York und daher des Dauphins von Frankreich, des Herzogs von Mailand und des Königs Ferrante von Neapel. Für den Astorre und seine neue zusammengestellte Truppe sich anschickte zu kämpfen.

Es erforderte einige Findigkeit, das Gespräch von diesem Thema auf seine Waffeninteressen zu bringen, aber nach einiger Zeit gelang es Claes. Er nahm demütig die Ratschläge entgegen, die die Herren ihm zu geben hatten. Dann kam die Rede auf die Lotterie, bei der vor kurzem Meester van Eycks Witwe und ein Freund des englischen Gildemeisters gewonnen hatten. «Ich hoffe also, mein Freund», sagte Adorne, «daß du nicht versäumt hast, dir ein Los zu kaufen. Wer weiß, was du gewinnen könntest?»

Er hatte kein Los gekauft, aber er werde es jetzt tun. «Komm, begleite mich zuerst, wenn ich meine unternehmungslustigen Kinder abhole», fuhr Sersanders' Onkel fort. «Du wirst aber nicht vergessen, Messer Arnolfini die Briefe und die Rüstung zu bringen?»

Er werde es nicht vergessen. Die drei Männer erhoben sich von ihren Stühlen und nahmen voneinander Abschied. Nicht allzusehr überrascht ging Claes, mit dem berühmten Adorne an seiner Seite, dessen asketisches Gesicht von Pelz umrahmt war, durch die nachmittäglichen Straßen zum Binnenhafen. «Du hast mir Briefe von meinen Verwandten in Genua gebracht», sagte der große Mann. «Gibt es noch weitere Neuigkeiten?»

Ein Stoß Säcke trennte sie. Als sie wieder nebeneinander gingen, sagte Claes: «Mijnheer, was kann ich Euch berichten? Euer Verwandter Prosper Adorno wird Doge werden, wenn der französische König die Herrschaft über Genua verliert. Aber wer weiß, wann das sein wird? Messer Prosper hat viele Freunde, aber sie wünschen, nicht genannt zu werden.»

«Solange sie Freunde sind. Wie du weißt, haben viele Angehörige meiner Familie Genua als Dogen gedient. Dank der levantinischen Handelsniederlassungen fehlte es ihnen nie an Vermögen. Aber das änderte sich durch das Vordringen der Türken.»

«Der Verlust von Phokaia. Ich hörte davon in Mailand. Viele Leute in Mailand sprechen darüber. Es ist ein Jammer, Meester Anselm, daß Venedig jetzt die Konzession hat. Natürlich sind die Acciajuoli nicht dieser Meinung. Aber da ist ein vortrefflicher Mann, Messer Prosper de Camulio, der wartet nur darauf, daß er eine Chance erhält. Und natürlich leidet Brügge auch. Die Firma Charetty genau wie alle anderen.»

«Ja», sagte Adorne. «Wie ich höre, kümmerst du dich sehr um das Geschäft deiner Herrin. Ich muß dich loben.»

Claes setzte, ohne zu lächeln, den überzeugendsten Ausdruck der Freude auf, den er zustande bringen konnte. «Die Demoiselle ist die beste aller Brotherren, aber ich besitze keine Erfahrung. Darf ich Euch, Mijnheer, irgendwann um Rat bitten? Die Demoiselle de Charetty ist bestrebt, ihren Betrieb zu erweitern, und ich glaube, ich sehe eine Möglichkeit.»

«Du willst investieren? Ich bin, wie du vielleicht weißt, kein städtischer Beamter mehr. Aber ich bin einigermaßen darüber im Bilde, was es an Grundbesitz gibt und was zum Verkauf kommen mag. Vielleicht sollten wir uns zusammensetzen und das besprechen.»

«Mijnheer, wie kann ich Euch danken? Eine solche Besprechung würde für uns beide vorteilhaft sein. Davon bin ich überzeugt. Und seht mal. Da sind Eure Kinder und Euer Neffe Anselm.»

Sie waren leider schon am Innenhafen angekommen. Dort auf der weißen Eisfläche des Minnewater kreischten zwei von Adornes Töchtern, und auch das mürrische Gesicht seines ältesten Sohnes Jan war zu erkennen. Bei ihnen befand sich nicht nur sein Neffe, sondern auch eine Gesellschaft aus Seeland. Der Sekretär und Kaplan Seiner Lordschaft hatte das de Veere-Prinzchen Charles hergebracht, und ihn begleiteten die Cousinen seines Vaters, Katelina und Gelis van Borselen.

Die jungen Leute erblickten Adorne. Unterschiedlich geübt im Schlittschuhlaufen kamen sie auf ihn zu. Als erste kam Katelina van Borselen, die Claes schon dreimal gesehen hatte. Kichernd mit Lord Simon in Damme. Ärgerlich über das Griechisch des Griechen in Adornes Haus. Und sich im Haus der Demoiselle, wie ungeschickt auch immer, dafür entschuldigend, daß sie Simons schlechte Laune verursacht hatte.

Sie war es natürlich, die ihn als erste vor Jordan de Ribérac gewarnt hatte.

Heute schien sie fröhlicher gestimmt zu sein und sah auch besser aus: Ihr kräftiges Gesicht mit den gut gezeichneten Augenbrauen und dem runden Kinn erblühte in rosiger Frische, und Strähnen ihres dunkelbraunen Haars hatten sich unter der Kapuze hervorgestohlen und hingen wie die von Katelijne vor ihren Ohren. Sie schob sie zurück, hielt gekonnt vor Anselm Adorne an und begrüßte ihn lächelnd. Dann wandte sie ihren Blick Claes zu, runzelte die Stirn und zog dann die Augenbrauen hoch. «Und unser neuester Abgesandter. Wie ich hörte, bist du umgetauft worden in Niccolo. Offenbar mit einem Messer.»

Ihr Ton war nicht barsch, aber Adorne, der auf gute Manieren Wert legte, runzelte nun seinerseits die Stirn, ging ein Stückchen weiter, um mit seinen Kindern zu sprechen, und ließ Claes am Ufer stehen. Der sagte: «Mein Gesicht, Demoiselle? Ich habe mich hingelegt, und jemand ist auf mir Schlittschuh gelaufen.»

Sie sah aus wie Julius, wenn er bereute, freundlich gewesen zu sein. Da Claes' Gefühle aber keineswegs unfreundlich waren, fügte er hinzu: «Es war nur ein kleiner Unfall. Auch der Name hat nichts zu besagen. Die Mailänder ziehen ihn der flämischen Lesart vor. Er hat niemanden davon abgehalten, mich Claes zu rufen.»

«Oder sonstwie», sagte Anselm Sersanders, der von dem Zischen schlecht sitzender Schlittschuhe begleitet ankam. «Sieh mal, die habe ich mir geliehen. Willst du mal probieren?»

Er taumelte. Ein pummeliges Mädchen, dreizehn oder vierzehn Jahre alt, zog die Hand zurück und beklagte sich: «Du bist mit mir gelaufen.»

«Lauf statt dessen mit Claes», schlug Sersanders vor. «Er kann es sehr gut.»

«Er ist ein Diener», bemängelte das dicke Mädchen.

Claes lächelte sie an. «Aber dafür sind Diener doch da. Ich laufe neben dir, und du sagst mir, wie ich dir dienen kann. Schau mal. Ich werde jetzt Schlittschuh laufen wie Schatzmeister Bladelin. Er ist sehr vornehm, aber schließlich auch bloß der Diener des Herzogs. So läuft er Schlittschuh.»

Jetzt hatte er sich die geborgten Schlittschuhe untergeschnallt, begab sich auf das Eis, wandte sich dem Kind zu und verzog das Gesicht so, daß es aussah wie das von Schatzmeister Bladelin, wenn er gerade eine hochgeborene Dame ansprechen wollte. Es tat weh, aber es lohnte sich. Er machte eine formvollendete Verbeugung, die ihn gefährlich ins Schwanken brachte, reichte dem Kind den Arm und stieß mit starkem französischem Akzent eine elegante Aufforderung hervor. Es war eine der am leichtesten zu imitierenden Stimmen. Fasziniert sah das Kind zu ihm auf und richtete den Blick dann auf Katelina van Borselen. Ein wenig zu spät wurde Claes klar, daß das Katelinas jüngere Schwester sein mußte. Na schön. Er wiederholte: «Edle Dame, wollt Ihr mir die Ehre erweisen?», nahm die Hand des Kindes, die ihm widerstandslos überlassen wurde, und glitt mit der Kleinen davon.

«Mach mehr davon nach», sagte sie.

Er machte mehr von Pierre Bladelin nach. Er machte beide Bürgermeister nach. Er lief dreist wie der sittenlose Neffe des Herzogs, bombastisch und selbstsicher bis zu dem verheerenden Sturz am Ende. Er lief mit ernster Aufmerksamkeit wie der beileibe nicht sittenlose Sohn des Herzogs, der Graf von Charolais, worüber sich der kleine Charles van Borselen, der sein Patensohn war, vor Lachen ausschüttete. Er lief wie Jehan Metteneye, der einen Ballen Stoff prüfte und ein Angebot dafür abgab; und wie der Propst von St. Donatian, der sich bemühte, mit den anderen Teilnehmern der heiligen Blutprozession Schritt zu halten, und wie die Männer, die nach zu vielen Bechern Bier die Räder des Krans antreiben.

Seine Freunde verlangten wiederholt nach einer seiner Glanznummern, und zwar Olympe, der Dame, die das städtische Bordell betrieb, aber das lehnte er ab. Was er hier bot, war für Kinder bestimmt, die jetzt einen Kreis um ihn gebildet hatten, sich aneinander festhielten und vor Vergnügen kreischten. Er imitierte, wen immer sie wollten, ausgenommen Anwesende und die Eltern der Kinder. Was er früher an Prügel bezogen hatte, reichte. Er behielt auch Gelis in dem Kreis bei sich und machte sie zu seiner Partnerin. Ihr bemitleidenswert teigiges Gesicht strahlte vor Aufregung.

Adorne war es, der die Vorführung beendete, indem er seine Familie rief und sich dann bemühte, die Aufmerksamkeit des Alleinunterhalters auf sich zu lenken. «Du wirst doch nicht vergessen, Freund Claes, daß du noch Briefe zu Messer Arnolfini zu bringen hast?»

Er wartete, während der junge Mann auf ihn zulief, den Arm um das Kind gelegt und einen Schwarm von enttäuschten Jugendlichen im Schlepptau. Katelina van Borselen stand schweigend neben Adorne und wartete auf ihre Schwester. Als Claes ankam, hatte Gelis die Brauen gerunzelt und sagte: «Ich will weiter Schlittschuh laufen.»

«Das glaube ich dir gern», begütigte Katelina, «aber du darfst deinen Begleiter nicht zu sehr in Anspruch nehmen. Er muß seine Kräfte für den Karneval morgen aufsparen, wenn er ältere Damen zu unterhalten hat.»

Weil die erhitzte Haut den Schorf aufgeweicht hatte, war die Wunde wieder aufgeplatzt, und Claes tupfte sie mit dem Taschentuch ab, während er sich hinsetzte und mit einer Hand begann, die Schlittschuhe abzuschnallen. Sersanders kam, um ihm zu helfen und sprach über die Schulter.

«Ach ja, der Karneval. Ihr werdet nie erraten, mit welchen vornehmen Damen Claes den Karneval verbringen wird. Soll ich es ihnen sagen?»

«Komm, Gelis», mahnte die große Schwester.

«Mit wem?» wollte Gelis wissen.

Anselm Sersanders sah auf. «Na, mit Mathilde und Catherine, Felix de Charettys kleinen Schwestern. Felix hat es gerade verfügt. Werden sie sich nicht alle gut unterhalten?»

«Ich will auch gehen», erklärte Gelis.

«Du gehst ja auch. Du gehst mit Charles», wurde sie von Katelina erinnert.

«Ich will mit diesem Mann gehen», sagte Gelis.

Claes, der mit einem Schlittschuh ungewöhnliche Schwierigkeiten hatte, bedeckte sein Gesicht mit dem Taschentuch.

«Aber er ist...» begann Katelina. Dann hielt sie inne und sagte: «Aber was wird mit Charles, wenn er keine Freunde hat, die mit ihm gehen? Das wäre unfreundlich.»

«Er hat ja Pater Dierig und Meester Lievin. Und wie du genau weißt, noch viele andere Kinder. Ich will mit jemandem gehen, der etwas älter ist.»

Es war unmöglich, sich noch länger über seinen Schlittschuh zu beugen. Claes schaute auf und traf verhängnisvollerweise auf den gereizten Blick von Katelina van Borselen. Er wandte sich dem fetten Kind zu und fragte: «Nun, Demoiselle, warum geht Ihr nicht mit Eurer reizenden Schwester?»

Die reizende Schwester errötete, und er bereute seine Worte. Sie war sicherlich schon mit jemandem verabredet, und wenn nicht, würden ihre Eltern dafür gesorgt haben, daß eine Reihe geeigneter Herren morgen abend ihren Weg kreuzte. Sie war neunzehn und unverheiratet.

Ein älterer, klügerer Kopf beendete die peinliche Situation. «Vielleicht», sagte Anselm Adorne, «könnte das Problem gelöst werden, wenn die Demoiselle de Charetty ihren beiden Töchtern erlauben würde, sich morgen abend meinen Kindern anzuschließen. Unser Freund Claes wäre als zusätzlicher Begleiter willkommen.»

«Aber...» sagte das dicke Kind.

«...und natürlich auch die kleine Demoiselle, wenn sie Lust hat, Charles, den Sohn ihres Cousins, ein Weilchen zu verlassen.»

«Ich gehe mit ihm», erklärte Gelis.

Claes verneigte sich höflich vor dem auf ihn deutenden Finger, richtete sich dann auf und erhob sich. Er wandte sich an Anselm Adorne: «Das ist sehr freundlich von Euch. Die Demoiselle de Charetty wird überaus dankbar sein, und ich bin es auch. Um welche Zeit...?»

«Komm, wir gehen hier lang», sagte der Herr des Hauses Jerusalem. «Jan wird die Kinder nach Hause bringen. Demoiselle, Ihr werdet mir verzeihen...?»

Katelina van Borselen verzieh ihm und starrte Claes verwirrt an.

«Ich wollte», sagte Anselm Adorne, als sie weggingen, «nachdem du von Waffen gesprochen hast, das Waffenlager der Ritter im St. Jansspital erwähnen. Hier drin. Mein Vater war der Treuhänder. Er sagte immer, das Spital sollte lieber die Sammlung verringern und statt dessen Krankenbetten aufstellen.»

«Vielleicht», sagte Claes. Er kannte den Turm, in dem die Rüstungen aufbewahrt wurden. Er blickte nachdenklich hinauf, als sie vorbeigingen. «Es sei denn, die Waffen sind alt oder in schlechtem Zustand.»

«Im Gegenteil», erwiderte Adorne. «Ich habe keinen Schlüssel, sonst würde ich sie dir zeigen. Panzerhemden, Helme, Beinschienen. Schuppenpanzer aus der Zeit Hennequins de Bruges von tadelloser Beschaffenheit. Piken und Lanzen. Sogar einige Schwerter.»

«Nun, Mijnheer, ich kann Euch versichern, viele wären froh darüber. Es bleibt wenig Geld für Rüstungen, wenn neue Geschütze gekauft worden sind. Hauptmann Astorre tätigt in diesem Augenblick Einkäufe in Piacenza. Bei Messer Agostino, der auch für den Heiligen Vater Kanonen gießt. Eine soll Silvia genannt werden nach seinem eigenen Namen, eine Vittoria nach der Mutter des Papstes, und die dritte Enea nach dem Namen des Papstes in den Tagen seiner... Ehe er Kanonen brauchte. Sie kann eine Steinkugel durch eine zwanzig Fuß dicke Wand schleudern, die Enea.»

«Besser als die Kanone aus Mons? Du wirst gehört haben, daß sie heil und sicher nach Schottland gelangt ist, was man ja auch annehmen konnte. Hier trennen wir uns. Oder müssen uns wenigstens trennen, wenn du dir dein Lotterielos sichern willst. Und morgen bringst du die Kinder deiner Herrin, für den Karneval gerüstet, ins *Hôtel Jerusalem*. Sagen wir, bei Sonnenuntergang?»

«Bei Sonnenuntergang», wiederholte Claes, neigte den Kopf und sah Adorne nach, als er wegging. Er war glücklich.

Er mußte die Briefe des Dauphin für Messer Arnolfini holen, und den Ballen mit der eingelösten Rüstung für den Dauphin. Er mußte zur Burg zurücklaufen und ein (weiteres) Lotterielos erwerben. Er mußte Felix auftreiben und dafür sorgen, daß er nüchtern wurde, und dann herauszufinden versuchen, was mit Meester Olivier los war, dem Geschäftsführer in Löwen, der Ärger machte. Er mußte anfangen, verschiedene Handwerker auszuhorchen, von denen es hieß, sie wollten sich von ihrem Grundbesitz trennen.

Das Schlittschuhlaufen hatte ihn hungrig gemacht, ihm aber in anderer Beziehung gutgetan. Der Vormittag war schon lange vorbei, und ebenso die Drohungen des Vormittags. Er kehrte für zwanzig Minuten in einer seiner Lieblingsschenken ein, aß einen Teller Kutteln, trank einen Krug Bier und traf eine Menge Leute, die er kannte, darunter Thomas, der sich offenbar freute, ihn zu sehen. Dann machte er sich auf den Weg, um das Programm zu erledigen, das er sich vorgenommen hatte.

Kapitel 18

Das Eintreffen der venezianischen Galeeren und die Karnevalszeit, das waren die beiden wunderbaren Geschehnisse im Jahr eines Kindes, die Katelina van Borselen vermißt hatte, als sie mit einer verbannten Königin nach Schottland geschickt worden war. Sie erinnerte sich, daß sie in ihres Vaters Haus hier in Brügge daran gedacht hatte, ehe Simon of Kilmirren mit ihr in den Garten gegangen war und versucht hatte, sie zu küssen. Und sie, selbstbewußte Närrin, die sie war, hatte sich ihm widersetzt.

Das war im September zur Galeerenzeit gewesen. Jetzt war Februar und Karnevalszeit, und jetzt würde es sich entscheiden, ob sie gleich in die Bretagne geschickt würde, um Hofdame der verwitweten Herzogin, einer weiteren Schwester des schottischen Königs, zu werden oder nicht. Noch so eine glückliche Witwe, jetzt in den Dreißigern. Bei ihrer Verlobung hieß es, ihr zukünftiger Mann habe es gleichmütig zur Kenntnis genommen, als er darauf aufmerksam gemacht wurde, daß sie mehr als nur etwas dümmlich sei und die Sprache kaum verstehe. Das mache nichts, erklärte der Edelmann. Sie müsse lediglich sein Hemd von seinem Wams unterscheiden können. Er machte sie zweimal zur Mutter, ehe er sie zur Witwe machte, so daß sie das Problem also gelöst haben mußte.

Wenn sie, Katelina, eine Witwe werden wollte, dann würde sie allerdings zuerst einmal Ehefrau werden müssen, und der heutige Abend bot dazu natürlich eine günstige Gelegenheit. Das hatte ihre Mutter auch gesagt, eine energische Frau, die Katelina nicht mochte und die jetzt die Zukunft ihrer Tochter in die Hand genommen hatte. Von einer Liste geeigneter Kavaliere waren angesichts von Katelinas ausgesprochener Gleichgültigkeit drei ausgewählt worden, und Katelinas Mutter hatte der Mutter eines jeden einen freundlichen Besuch abgestattet. Selbst jetzt, während Katelina mit ihren Eltern zusammensaß und auf den Marktplatz hinunterschaute, warfen junge Männer aus guter Familie ihr wahrscheinlich von unten Blicke zu und einigten sich darüber, wer von ihnen nach Einbruch der Dunkelheit maskiert und mit einer Schriftrolle in der Hand ihren Weg kreuzen werde. Oder sie einigten sich darüber, daß sie alle eine frühere Verabredung geltend machen würden.

Der Platz war umsäumt von nur gelegentlich benutzten Häusern wie diesem, dessen Eigentümer es an allgemeinen Feiertagen räumten, damit prominente Persönlichkeiten an den Fenstern sitzend die Aussicht genießen und sich an dem angerichteten Büfett erfrischen konnten. Eine Wohltat, die man zu schätzen wußte, wenn es, wie heute, geschneit hatte. Die über die Fensterbretter gehängten Wandteppiche waren alle weiß bepudert, und auf allen Stufen der roten Treppengiebel lag Schnee, hatte die braunen Backsteine gesprenkelt und sich in dem kunstvollen Maßwerk über Fenster und Türen eingenistet.

Das Dach des gedeckten Hafenbeckens gegenüber war ein langgestreckter, sanft abfallender weißer Hang, die Brunnenfiguren trugen weiße Kappen, und weiß geschmückt war die quadratische Bastion der alten Tuchhallen, die, vom Belfried überragt, den Platz abschlossen.

Auf dem Dach des Belfrieds bedienten sie sich jetzt des Sprachtrichters, um den ganzen Tag über die Ergebnisse der Lotterie zu verkünden. Der *Bailli* und der *Ecoutète* und beide Bürgermeister standen auf der hölzernen Tribüne, die vor der Tuchhalle aufgeschlagen war, und außerdem natürlich die Beamten des Schatzamtes und einige Schöffen und die Konstabler der einzelnen Bezirke. Sie alle trugen ihre schönsten Kopfbedeckungen und ihre prächtigsten Gewänder in Blau und Grün und kostspieligem Rot und überaus kostspieligem Schwarz und standen zusammengedrängt unter dem Baldachin mit dem üppigen grünen Laub und den gemalten Fahnen. Die Kohlenpfannen knisterten auf beiden Seiten, und kleine Tische standen bereit, auf denen dann und wann Zinnkrüge erschienen und Schüsseln mit dampfenden Gerichten.

Es war für die Stadtväter nicht die angenehmste Art und Weise, den Faschingsdienstag zu verbringen. Andererseits konnte die Lotterie, richtig gehandhabt, einen schönen Batzen für die Stadt abwerfen. Es gab immer großzügige Spender, vor allem jetzt am Abend vor Aschermittwoch.

Ein Stachelschwein in einem Käfig war gerade von zwei Beamten recht vorsichtig hochgehalten worden. Das Gedränge auf dem Platz und den umliegenden Straßen war so groß, daß die Menge fast reglos dastand. Vor Begeisterung schrie die Menge und man sah ein Wogen von bedeckten und unbedeckten Köpfen. Hochgehobene Kinder schlugen mit den Armen um sich, sie waren die einzigen, die das tun konnten.

Eine Waschfrau, ein Ziegelbrenner oder ein Schiffsjunge von den Fischerbooten konnte natürlich ein Stachelschwein ebensowenig brauchen wie ein Paar Handschuhe, ein Weinglas, eine Trommel oder einen Falken. In solchen Fällen wurden die hübschen Gewinne in wenigen Minuten in Geld verwandelt. Katelina sah, daß der Haushofmeister ihres Vaters geduldig unter den eleganten Leuten stand, um zu sehen, wer das gute spanische Pferd gewonnen hatte. Andere hatten, wie Katelina wußte, es wohl auf das Evangeliar abgesehen, das der Herzog gestiftet hatte, oder auf den Jagdhund oder ein Heiligenbild. Manchmal gewann ein wohlhabendes Zunftmitglied – ein Schuhmacher, Metzger, Schneider oder Zimmermann – ein solches Los und behielt es, oder es wurde von einem Adligen aus Brügge oder von außerhalb erworben, denn für die Lotterie wurde überall Reklame gemacht. Aber bei den meisten Gewinnen handelte es sich um Geldbeträge, und das Ausrufen jeder neuen Losnummer wurde mit verblüfften Freudenschreien begrüßt.

Bei zwei Gruppen von Leuten rief das Stachelschwein Aufregung hervor. Die eine bestand aus Gefängniswärtern vom Steen, die es offenbar gewonnen hatten, die andere aus einer Reihe von Personen, die alle in das einheitliche Blau der Firma Charetty gekleidet waren. Die weiblichen Angestellten hatten neue Umhängetücher, und die Arbeiter trugen neue Kappen mit Kokarden aus Borte, die auch ihre Jacken einfaßte. Die Demoiselle, ihre Brotherrin, klein, rundlich und höflich, wie Katelina bei ihrer einzigen Begegnung festgestellt hatte, stand in dem Ruf, eine schlaue Geschäftsfrau zu sein, streng gegenüber ihrem Personal, die sich auch nicht scheute, es mit einem Mann aufzunehmen und ihre Meinung zu sagen, wenn ihr danach zumute war. Offenbar wußte sie aber auch, worauf gute Betriebsführung beruht: gelegentlich nachzugeben und großzügig zu sein.

Die Witwe selbst war natürlich nicht auf dem Marktplatz, aber Katelina bemerkte ihren Sohn Felix, der ein pompös gefälteltes und von oben bis unten mit schwarzweißem Pelz besetztes Gewand anhatte und eine schiefsitzende Pelzkappe trug, die offensichtlich durch herabhängende Hermelinschwänze nach einer Seite gezogen wurde. Er schrie vor Lachen und hielt sich an den Armen von zwei Freunden fest, von denen der eine, pflichtgemäß in Blau, der stattliche Lehrling namens Claes war. Derjenige, der nach Italien in den Kampf gezogen und dann unerklärlicherweise zurückgekommen war. Derjenige, dessen Schlittschuhlaufen Gelis gestern so belustigt hatte.

Man konnte sogar von hier den dicken roten Schnitt in seinem Gesicht sehen, obwohl die Wange heute weniger geschwollen war. Er war ruppig gewesen, als sie sich danach erkundigt hatte. Sie hatte die Frage natürlich nicht so formuliert, wie sie es bei einem Standesgenossen getan hätte, aber er hatte kein Recht, es ihr übelzunehmen. Schließlich war sie an jenem Abend im vorigen Herbst extra ins Haus der Witwe gekommen, weil sie geglaubt hatte, er sei von Simon mißhandelt worden. Na, an dieser Verletzung konnte Simon wenigstens nicht schuld gewesen sein. Simon war in Schottland.

Der Knabe Felix zog ihre Aufmerksamkeit wieder auf sich, weil er von neuem brüllte. Der junge Claes hatte etwas gewonnen. Eine Rüstung. Nein, sozusagen ein Gutschein, ein einzelner Panzerhandschuh, den ihm einer der Gelbmützen, ein Rekonvaleszent vom St. Jansspital, das ihn gespendet haben mußte, überreichte. Als er da auf dem Podium stand, Fragen beantwortete und lächelte und die Mütze abgenommen hatte, sah Claes wie der Soldat aus, der er nicht war. Zum Teil kam das Kreischen der Zuschauer zweifellos aus weiblichen Kehlen. Er machte den Eindruck, als bemerkte er es sehr wohl, drehte sich aber nicht um und winkte nicht.

Tatsächlich, dachte Katelina van Borselen, als sie sich einen Bonbon nahm und ihn an ihre gefräßige kleine Schwester weitergab – tatsächlich war dieser junge Frauenheld ziemlich gewitzt, und das war das letzte, was man bei einem Diener brauchen konnte. Verstand wünschte man sich bei seinem Geliebten. Bei einem Ehemann konnte man kaum darauf hoffen.

Sie dachte wieder an die drei Namen der in Frage kommenden Freier auf der Liste ihrer Mutter. Zwei waren die nicht mehr ganz jungen Erben bescheidener Herrensitze, der eine in der Nähe von Gent, der andere nicht weit von Kortrijk. Der dritte, und das wäre die beste Partie, war ein Angehöriger der Familie Gruuthuse, einer der ältesten und bedeutendsten in Brügge, in die Katelinas Cousine Marguerite vor vier Jahren eingeheiratet hatte. Guildolf von Gruuthuse, ein reizender Fünfzehnjähriger, war bereits routiniert. Wenn sie ihn heiratete, stünden ihr zwanzig Jahre bevor, in denen sie einem vier Jahre jüngeren Ehemann Kinder gebären würde. Es bestand wenig Aussicht, eine reiche Witwe zu werden.

Ihr schoß der Gedanke durch den Kopf, wie kurzsichtig es doch von ihr gewesen war, den erfahrenen älteren Gemahl, der ihr in Schottland zugedacht worden war, so heftig abzulehnen. Es gab ihr einen Stich, als sie erkannte, daß ihr Vater in dieser Angelegenheit gar nicht so gefühllos gewesen war, wie sie geglaubt hatte. Sie wurde sich endlich darüber klar, daß sie der rosigen Welt kindischer Schwärmerei entwachsen war. Das wirkliche Leben war anders. Man paßte sich an, während man bestrebt war, alle nur möglichen Vorteile daraus zu ziehen.

Sie wandte den Blick ab von dem fiebrigen Getümmel auf dem Marktplatz und begann an den bevorzugteren Fenstern und Balkonen nach den Emblemen gereifter Herren aus Gent und Kortrijk sowie nach der kriegerischen Kanone zu suchen, die das nachdrückliche Symbol derer von Gruuthuse war.

Marian de Charetty verbrachte den Tag mit ihren Töchtern Tilde und Catherine. Zusammen mit anderen Mitgliedern der Färberzunft und deren Frauen und Kindern hatte sie eine Zeitlang bei der Verteilung der Lotteriegewinne zugeschaut und dann, als sich das Ende näherte und die Menge sich zerstreute, erlaubte sie den Mädchen, sie von einer Bude zur anderen zu schleppen und zu kaufen und zu essen, was sie wollten. Sie sahen sich die Zwerge an und die Stehaufmännchen und warfen Münzen in die Mütze des Mannes mit dem dressierten Hund, errieten das Gewicht eines Schweins und sahen einen Mann mit zwei Köpfen in einem Käfig und ein Mädchen mit einem Bart und ein Tier, das halb Pferd und halb Kuh war mit einer Mähne an einem Ende und Eutern, die gemolken werden konnten, am anderen. Es wurde Käse aus dieser Milch verkauft, und Catherine wollte einen kaufen, aber das erlaubte ihre Mutter nicht.

Dort traf sie Lorenzo Strozzi, und da sie gerade daran dachte, fragte sie ihn höflich, wie er mit seinen Plänen vorankomme, den Vogel Strauß für Tommaso zu importieren. Während sie sich seine Antwort anhörte (von einem Kapitän habe er erfahren, daß der Vogel noch in Barcelona sei, und er habe zu Wasser und zu Lande Botschaften geschickt, er solle sofort nach Sluis verschifft werden), fiel ihr die nervöse Spannung in den schmalen Schultern und dem bleichen, ernsten Gesicht auf, und sie dachte dabei wie immer an Felix. Er war unreif, unzuverlässig und konnte einen rasend machen, aber wenigstens sah Felix nicht so gequält aus wie dieser junge Italiener, der unter dem Druck der Rivalität mit seinen Cousins aus den anderen Handelsniederlassungen der großen Familie in Florenz, Neapel und Rom stand.

Marian de Charetty versuchte ihren einzigen Sohn Felix zu leiten und zu erziehen, und wenn er ihr trotzte oder sich ihr widersetzte, wurde sie fuchsteufelswild. Aber war das hier die Alternative? Lorenzos Mutter Alessandra, die nach der Verbannung und dem Tod ihres

Mannes in vornehmer Armut in ihrer Heimatstadt Florenz lebte, hatte nie aufgehört, ihre drei Söhne und zwei Töchter anzutreiben.

Ihr jüngster Sohn war jetzt tot. Filippo, der älteste und tüchtigste, hatte die beste Ausbildung erhalten und jetzt einen ehrenvollen Posten im Familienbetrieb seines väterlichen Cousins Niccolo di Leonardo Strozzi in Neapel inne. Lorenzo war aus Spanien hergekommen, um für Niccolos Bruder zu arbeiten, den Leiter der Firma Strozzi in Brügge. Aber Alessandras Söhne, von ihrer Mutter so erzogen und durch ihren eigenen Stolz und Ehrgeiz verblendet, sahen ihre Arbeit als Knechtschaft an. In Florenz verkaufte Alessandra Grundbesitz und schickte ihnen Geld und Rat, während zwischen Neapel und Brügge Briefe hin- und hergingen und Lorenzo und sein Bruder Komplotte und Pläne schmiedeten und sich abmühten und unglücklich waren.

Keiner von ihnen konnte nach Florenz zurückkehren, denn sie waren ebenso wie ihr Vater verbannt worden. Keiner von ihnen machte Anstalten zu heiraten, ebensowenig wie Tommaso Portinari es getan hatte. Sofern man nicht eine gute Florentiner Frau bekommen konnte, traf man keine bindende Vereinbarung. Und wenn der alte Jacopo Strozzi hier in Brügge starb, würde Lorenzo, der Sohn eines Cousins, ihn dann beerben? Nein, das Geschäft würde dem Bruder in Neapel zufallen. Und der Bruder in Neapel könnte, wenn er Lorenzo so anschaute, siebenundzwanzig Jahre alt und geldgierig, es für sicherer halten, seinen eigenen Geschäftsführer einzustellen und Lorenzo weiterhin Botengänge für die Medici in Angelegenheiten wie der des Vogel Strauß machen zu lassen.

Als Lorenzo seinen Bericht beendet hatte, sagte die Demoiselle de Charetty lächelnd: «Und ich bin überzeugt, Ihr habt eine Partnerin für heute abend. Felix hat mir erzählt, er sei versorgt, allerdings hat er den Namen des Mädchens nicht erwähnt.»

Catherine, den Mund voller Pfefferkuchen, sagte: «Wir gehen mit Claes aus.»

Für Lorenzo waren Kinder ein Buch mit sieben Siegeln. Da ihm zweifellos eine Reihe hitziger Auseinandersetzungen einfielen, errötete er. «Ja, das habe ich schon gehört.»

Marian war belustigt. Ohne nachzudenken sagte sie: «Vermutlich von Felix gedeichselt», und fing daraufhin einen empörten Blick von Tilde auf. Sie fuhr ruhig fort: «Tatsächlich sind sie eingeladen worden, sich der Adorne-Gesellschaft anzuschließen, was ihnen allen sehr gefallen wird. Ach, wäre man doch noch einmal dreizehn!»

«Man müßte immer dreizehn bleiben können», erwiderte Lorenzo.

Sie wußte nicht, was sie darauf erwidern sollte und ließ ihn gehen, als er sich verbeugte und zu seinen Gefährten zurückkehrte.

Am Nachmittag, als es kälter wurde, ging sie mit den Mädchen nach Hause, damit sie sich ausruhten, etwas aßen und dann ihre Kleider in Ordnung brachten und ihre langen Haare kämmten und sich eine teure Hörnerhaube aufsetzten; Tilde hatte eine rote und Catherine eine blaue. Die Samtflügel, die auf beiden Schultern ruhten, verliehen den Gesichtern der Kinder eine bezaubernde Unschuld; und der von der Haube herabhängende Schleier mit goldenen Fransen betonte die geraden, kindlichen Schultern. Die Kleider mit viereckigem Ausschnitt unter dem Umhang waren aus Samt und an den engen Manschetten mit Hermelin besetzt. Die Familie Adorne brauchte sich ihrer Gäste nicht zu schämen.

Zwölf und dreizehn waren die Mädchen; keine Kinder mehr, dachte Marian de Charetty. Der empörte Blick der sanften Tilde hatte sie daran erinnert. Was sollte man tun? Sie verstand nur zu gut, warum Felix die Aufgabe, die Mädchen zu begleiten, auf Claes abgewälzt hatte. Aber dergleichen hatte er schon früher getan, und Claes war durchaus imstande, sich dem zu entziehen. Sie glaubte auch nicht, daß sich Claes über Tildes Gefühle nicht im klaren war. Besser als die meisten Menschen vermochte er sich in andere hineinzuversetzen. Tilde war es, die ihr von der offenen Truhe in Claes' Zimmer erzählt hatte und daß sie den darin liegenden vergoldeten silbernen Apfel gesehen habe, der zum Wärmen der Hände gedacht war. Ein Mitbringsel aus Mailand. Aber für wen?

Der vergoldete silberne Apfel war nicht verschenkt worden, zumindest nicht in diesem Haus; und sie befürchtete auch zu wissen warum. Und aus demselben Grund hatte Claes es zweckdienlich gefunden, sich zu verpflichten und diesen schon lange ersehnten Karnevalsabend neutral mit ihren Töchtern zu verbringen. Als er kam, um sie abzuholen, war er indes äußerst vergnügt, die Gesichtszüge um die scheußliche Narbe aufgehellt, seine blaue Hose, das Wams und die Jacke in Ordnung, und einer von Felix' Hermelinschwänzen steckte an seiner Mütze.

Abgesehen von dieser strapazierfähigen Livree besaß er, soweit sie wußte, keine neuen Kleider und hatte sich nur einen guten Geldbeutel und niedrige Stiefel gekauft, die er trug. Für seine Freunde war er einfach der alte Claes, der wandelnde Lumpensack. Marian de Charetty sah darin das Ergebnis einer bewußten Entscheidung, er wollte nicht auffallen, er wollte seine vorübergehende Zugehörigkeit zu der alten Gruppe erleichtern. Sie konnte sich vorstellen, wie Felix reagiert hätte, wäre Claes bei seiner Rückkehr nach der neuesten Mailänder Mode gekleidet gewesen.

Sie fragte sich, ob sich Claes überhaupt nach derlei Dingen sehnte, und kam zu dem Schluß, daß er es nicht tat. Oder jedenfalls bisher nicht. Wenn ja, dann würde es zweifellos irgendeine Frau sein, die es ihm beibrächte. Die kleine Magd Mabelie hatte sich mit John Bonkle angefreundet – das hatte Felix verraten. Und Felix selbst, da war sie ziemlich sicher, hatte ein Mädchen derselben Art gefunden. Damit konnte sie sich nicht auch noch befassen. Und Julius, der in mancher Hinsicht so tüchtig war, hatte sie in dieser Beziehung auch im Stich gelassen. Es war eines der wenigen Gebiete, wo der Stolz nicht zuließ, daß Felix von Claes lernte.

Entwachsen Jugendliche diesen flüchtigen Leidenschaften? Würde das hübsche Gesicht am Wegesrand sie immer wieder becircen, bis hin zu der Zeit und noch lange darüber hinaus, wenn der gesunde Menschenverstand ihnen schon sagt, sie müßten eine Familie gründen, sonst würden sie im Alter ganz allein dastehen? In welchem Alter kommt ein Mann endlich zur Besinnung und sieht ein, daß er Sicherheit braucht? Manche Männer begreifen das vielleicht nie.

Ihr Haus war leer. Zu Cornelis' Lebzeiten hätte sie seine Freunde bewirtet, und die Jungen wären in ihren Karnevalskostümen ausgegangen und hätten die Nacht mit verschwiegenen Lustbarkeiten verbracht. Als Witwe hatte sie schon des öfteren die Gastfreundschaft der anderen Färber angenommen, aber an diesem Abend wollte sie nicht gern als Angehörige der älteren Generation, der von Cornelis, die nicht die ihre war, bei ihnen Besuche machen. Aber sie wollte sich auch nicht gern der Menge auf dem Marktplatz anschließen, sie, eine Mutter und Witwe, als Anstandsdame für die vielen Liebespaare. Doch allein zu Hause zu bleiben war auch nicht schön.

Deshalb war sie überrascht und entzückt, als ein oder zwei Stunden nach Einbruch der Dunkelheit ein Diener der Familie Adorne zu ihr kam mit einer Einladung, den Abend im *Hôtel Jerusalem* zu verbringen. Die jungen Leute seien alle ausgegangen, und die Demoiselle Margriet habe gedacht, sie sei vielleicht allein und könne bei ihnen bleiben, bis ihre Töchter zurückkämen. Oder auch bei ihnen übernachten, wenn sie wolle.

Sie bat den Diener zu warten, während sie sich rasch zurechtmachte, dann schloß sie ihre Türen ab und überließ das Haus ihrem Pförtner. Sie trat hinaus auf die vertraute Straße und nahm sich die Zeit, sich noch einmal umzuschauen. Der Diener der Adorne blieb mit der Fackel in der Hand ebenfalls gehorsam stehen. Aber heute abend war gar kein Licht nötig. Der Schnee war verschwunden bis auf ein glitzerndes Muster auf den Gebäuden, pfirsichfarben und rosa und lila und blattgrün gefärbt von den Papierlaternen, die sich wie Vogelschwärme in allen Straßen um Fenster, Türen, Mauern und Kragsteine scharten.

Heute abend brannten alle Torlampen, und die Ecknischen mit ihren Heiligenstatuen leuchteten strahlend. Und das taten auch alle Kirchtürme, die sich im funkelnden Kerzenlicht als Silhouette von dem schwarzen, kalten Himmel abhoben. Selbst hier, nicht einmal in der Stadtmitte, wimmelte die Straße von Leuten mit rosigen Wangen in dicken Mänteln, und von irgendwoher war Musik zu hören.

Marian de Charetty schritt forsch voran. Der Abend, der nicht sehr verheißungsvoll gewesen war, versprach jetzt Geselligkeit. Das war wenigstens etwas.

Unter demselben verzauberten Himmel unterhielt der ehemalige Lehrling Claes überaus gekonnt eine Reihe völlig verschiedener Jugendlicher, deren Betreuer sich weniger gut mit Kindern auskannten als er. Wenigstens kam ihm das ungetrübte Entzücken der Kinder über die Laternen zugute. Sie schlenderten durch die Stadt und richteten den Blick in die Höhe. Vom höchsten Punkt jeder Bogenbrücke mit ihren bemalten Statuen, ihren mehrarmigen Leuchtern und immergrünen Pflanzen erblickten sie unten, im Wasser reflektiert, ein Märchenland. Die Kanäle waren glitzernde Bänder, wie mit Rauschgold geschmückt, und ebenso strahlend waren die Gesichter der Kinder, auf denen sich der Lichtschein widerspiegelte.

Aber dann, nach dem Zauber der Lichter, kam der Begeisterungstaumel auf dem Marktplatz, wo es viel aufregender war als bei der Lotterieziehung und wo die Buden, alle von Wachskerzen erhellt, lauter wundervolle Dinge feilboten – Früchte und kandierte Mandeln und Nüsse und Feigen und Rosinen. Die Verkaufsstände hatten Fahnen gehißt, und überall auf dem Platz und auf dem Dach der Wasserhalle und der alten Halle waren Fahnen, alle von Laternen beleuchtet.

Da waren so viele Lichter und so viele Menschen, daß man die Kälte wirklich nicht spürte, doch für alle Fälle standen Kohlenpfannen an den Straßenecken, und an einigen Buden konnte man heiße Getränke und Suppe bekommen, und da waren auch drei Männer mit einem Ofen auf Rädern, in den sie an einem Ende Teig schoben und am anderen Ende auf Teufel komm raus heiße Pasteten herausholten, während ihre Kunden Schulter an Schulter um sie herumstanden, futterten und redeten und vom Widerschein des Feuers rote Gesichter hatten.

Auch am anderen Ende des Platzes standen Kohlenpfannen auf der Tribüne, die jetzt freigemacht worden war für die Stadtmusikanten mit ihren Trompeten und Flöten und Trommeln und Pauken und Fiedeln und für die Stadtsänger, die sich die von der Krempe ihrer Hüte herabhängenden Tücher um ihre kostbaren Kehlen gewickelt hatten. Die Lieder, die sie sangen, waren nicht von der Art, die man in einer Schenke hören würde, aber als die Trommeln und Fiedeln in Schwung kamen, begannen die Kinder auf- und abzuhüpfen, dann kamen ältere Leute hinzu, und schließlich wurde irgendwo ein Kreis gebildet für einen Volkstanz, der sich aber wieder auflöste, weil es noch früh war und alles noch ganz schicklich zuging.

Der Pranger war natürlich abgebaut worden, der Weber Witken hatte seine zwei Bußtage hinter sich, und auch Poppe hatte offiziell das Ende seiner Demütigung durch ein Faß erreicht, obwohl er es, betrunken und von seinen ausgelassenen Freunden begleitet, immer noch trug. Dann begannen die Matrosen Taue auf den Marktplatz zu bringen für das Seiltanzen, das sie immer mit Reifen hoch oben im Belfried darboten; einige von ihnen waren auch betrunken, doch, wie man hoffen mußte, weder diejenigen, die das Seil befestigen würden, noch diejenigen, die darauf tanzen sollten. Unterdessen waren Claes' junge Damen in außerordentliche Erregung geraten.

Unterdessen war auch einiges passiert.

Zum einen war Jan Adorne weggegangen. Als Student war er zwar nicht auf der Jagd nach einer Ehefrau, aber mit seinen fünfzehn Jahren zweifellos auf der Suche nach etwas anderem als einer Gruppe kleiner Mädchen. Die kleinen Mädchen, die sich gar nicht als solche empfanden, nahmen das übel.

Die beiden Adorne-Töchter waren, was es ja gab, wohlerzogen und kamen gut mit Claes aus. Er unterhielt sich mit ihnen und brachte sie zum Lachen, er dachte sich alles mögliche aus und stellte sie komischen Leuten vor (wenn Pater Bertouche ihn nicht daran hinderte) und ließ sie, wenn Pater Bertouche nicht hinsah, manches tun, was Mutter nie erlaubt hätte. Ihnen gefielen seine Witze, und sie spürten gern seine breiten, tüchtigen Hände auf ihren Rücken, wenn er sie durch die Menschenmenge bugsierte. Sie waren natürlich zu groß, um auf seinen Schultern zu reiten, aber ab und zu legte er beide Hände um Katelijnes kindliche Taille und hob sie hoch, damit sie besser sehen konnte.

Wenn Claes das machte, hustete Pater Bertouche oder klopfte ihm auf die Schulter. Einerseits hustete er aus Mißbilligung, andererseits, weil er fürchterlich erkältet war. Ihm taten auch die Füße weh, und er sehnte sich ausgesprochen nach seiner behaglichen Unterkunft im *Hôtel Jerusalem*. Der Kaplan war daher keine Hilfe, insbesondere, da die Charetty-Mädchen ihm gar keine Beachtung schenkten: Catherine nicht, weil sie vor Aufregung ganz außer sich war, und Tilde nicht, weil sie Claes' auserwählte Dame war und sich dadurch an diesem Abend von der übrigen Menschheit abhob.

Das war Claes' Fehler, der, wie seine Brotherrin vermutet hatte, darauf zurückzuführen war, daß er sich so gut in ihre ältere Tochter hineinversetzen konnte. Tilde dadurch zu verletzen, daß er sie genau wie die anderen als Kind behandelte, kam nicht in Frage. Daher hatte er angekündigt, daß Tilde als die ältere von Felix' Schwestern an diesem Abend ihre Mutter ersetzen und seine offizielle Begleiterin sein sollte. Zuerst schien das eine ganz gute Idee zu sein. Tilde war vor Freude errötet, und er hatte es sich angelegen sein lassen, die anderen Kinder gut zu unterhalten und ihr, wann immer möglich, eine scheinbar ritterliche Aufmerksamkeit zuteil werden zu lassen, an der sie Gefallen finden konnte, ohne sie ernst nehmen zu müssen. Dann aber begann Catherine, aufgestachelt durch den Lärm und die Lichter und all das Neue, durchzudrehen.

Wenn Felix einen Wutanfall bekam, entzog ihn Claes den Blicken der Öffentlichkeit und fand dann eine Möglichkeit für ihn, seinen Überschwang abzubauen. Bei einem jungen Mädchen war es anders, das sich dauernd von der Hand des unglücklichen Kaplans losriß und sich mitten in die Menge stürzte, eine Menge, die mittlerweile nicht mehr ganz so friedlich und ganz so nüchtern war und überdies von einer anderen Gruppe hierhin und dorthin geschubst wurde – den jungen Adligen in ihren Seidengewändern und Pelzen und ihren grotesken und phantastischen Masken, die mit ihren Dienern und Musikanten in Gruppen aus ihren Herrenhäusern kamen oder dort hineingingen und dazu aufgelegt waren, ein unbekümmertes Kind, das in sie hineinrannte, zu schlagen oder aber es am Arm zu packen und mitzunehmen.

Claes erwischte sie zweimal und holte sie in einem Wirbelsturm von Gequietsche und Gelächter wieder zurück. Beim zweitenmal hob Tilde den Arm und verpaßte ihrer Schwester eine Ohrfeige, so daß Catherine nun ernstlich schrie und sie wütend anfunkelte, die Hand auf der Wange und Tränen in den Augen. Die Adorne-Töchter starrten die beiden pikiert an, und der Kaplan machte ein Geräusch wie ein Pferd, das durch Schlamm trottet.

«He!» sagte Claes, umschloß mit seiner warmen Hand Tildes Handgelenk und legte Catherine den anderen Arm um die Schulter. Er schüttelte Tildes Handgelenk ein wenig und drehte die geballte Hand. «Sieh dir mal diese Faust an. Du hast mich erschreckt! Wie kann ich eine Dame begleiten, die mich womöglich im nächsten Augenblick schlägt?»

Catherine kicherte. Er wandte sich zu ihr. «Ach du liebes bißchen, sieh doch mal Pater Bertouche an. Er kann sich nicht um alle kümmern, wenn ich hinter dir herrenne. Er wird euch alle nach Hause bringen müssen, und dann verpassen wir die Seiltänzer und das Feuerwerk. Und du hast dir noch nicht einmal wahrsagen lassen.»

«Ich will mir wahrsagen lassen», erklärte Catherine.

«Aber ich kann dir doch nicht vertrauen», sagte Claes. «Deshalb werde ich dafür sorgen müssen, daß du nicht wieder wegläufst.» Und während er sie fest am Arm hielt, schnallte er seinen Gürtel auf und befestigte ihn an ihrem, so daß sie locker an ihn gefesselt war.

Das war genau das, was sie wollte. Die Tränen versiegten, sie nahm seinen Arm und zog ihn hinüber zum Astrologen. Tilde neben ihm schaute beleidigt drein. «Mutter hätte sie auch geschlagen», sagte sie.

Sie war nicht mehr seine unbestrittene Partnerin. Catherine hüpfte auf seiner anderen Seite. «Natürlich muß man schlagen», sagte Claes, «wenn alles andere versagt und Gefahr besteht. Aber es ist gut, wenn man es zuerst mit anderen Mitteln versucht.»

«Felix schlägt dich», sagte Tilde. Sie hielt inne und fuhr dann fort, ehe er antworten konnte. «Aber meine Mutter natürlich nicht.»

Ein Geschrei erhob sich. Die Seiltänzer waren oben auf dem Belfried erschienen. Die Köpfe von Marie, Katelijne, Catherine, Pater Bertouche und sogar von Mathilde drehten sich unwillkürlich nach oben. Claes stieß verstohlen einen Seufzer der Erleichterung und Belustigung aus, was seine Wunde wieder aufplatzen ließ. Dann hörte er eine herrische Stimme, schrill wie ein Pfeifton: «Ah, da bist du ja! Wo hast du gesteckt? Dir ist doch befohlen worden, nach mir Ausschau zu halten. Du hast es gar nicht versucht!»

Alle Tyrannen der Welt ließen grüßen. Packpferde über die Alpen zu bringen war weniger anstrengend. Eine kleine, pummelige Person, die er schon einmal gesehen hatte, zwängte sich mit ihren teuren Pelzen an seine Seite... Ah, Gelis, die jüngere van Borselen-Tochter, mit der er Schlittschuh gelaufen war und die versucht hatte, seine Dienste für den heutigen Abend anzufordern. Gottlob, ein livrierter Diener und eine Zofe mit Umhang und weißer Haube drängelten sich durch die Menge und stellten sich hinter Gelis. Tilde neben ihm wandte den Kopf und einen Augenblick später auch der Kaplan.

Der van Borselen-Sprößling sah streng zu ihm auf. Man stülpte ihnen einen Sack über das Gesicht, das war alles. Einen Sack mit ein paar Haferkörnern unten drin, und sie waren vollkommen glücklich. Gelis sagte: «Ich habe einen Umhang und eine Maske mitgebracht, falls du sie dir nicht leisten kannst. Hier.» Der Diener, der niemanden ansah, überreichte Gelis eine lange Rolle von überaus gutem Tuch, mit einem Sammelsurium von Federn besetzt. Sie streckte Claes das Ganze hin.

«Demoiselle, wir freuen uns, wenn Ihr Euch uns anschließt. Wir hofften, daß Ihr es tun würdet. Aber wir sind zu viele für eine Maskerade. Ihr kennt die Demoisellen de Charetty? Und natürlich die Demoisellen Adorne. Pater Bertouche...»

Pater Bertouche hatte die entzündete Nase in seinem Taschentuch vergraben und starrte den drohenden Zuwachs seiner Herde voll Feindseligkeit an. «Wir machen bestimmt nicht bei einer Maskerade mit. Ganz im Gegenteil überlegen wir, ob wir uns am Ende dieser Darbietung nicht nach Hause begeben sollten.»

«Ich würde gern nach Hause gehen», erklärte Tilde kategorisch. Catherine auf der anderen Seite von Claes sah mißmutig aus. Die beiden Adorne-Mädchen neben dem Priester tuschelten miteinander. Marie, die ältere, errötete und murmelte etwas.

«Was?» fragte Pater Bertouche.

Das van Borselen-Mädchen sah ihn verärgert an. «Sie sagt, ihre Schwester müsse heimgehen. Habt Ihr kein Dienstmädchen bei Euch?»

Der Kaplan zog das Taschentuch von seiner Nase, und seine Oberlippe schimmerte ockerfarben im Lampenlicht. Er sah leidend aus. Claes lächelte. «Das ist ein alltägliches Problem. Ich habe nichts dagegen, sie nach Hause zu bringen, wenn es sie beruhigt. Ich kenne hier eine Menge Mädchen.»

Das Adorne-Kind, das arme Ding, sah ebenso leidend aus wie der Kaplan. «Ich will nach Hause.» Ihre Stimme klang erstickt.

«Na schön», bestimmte Gelis van Borselen, «nimm mein Mädchen. Matten, geh mit ihnen. Hilf der Demoiselle, wenn sie es nötig hat. Du brauchst nicht zurückzukommen.»

Herrgott noch mal. «Dann gehen wir alle zum *Hôtel Jerusalem*», sagte Claes.

Das fette Mädchen starrte ihn an. «Ich gehe hier nicht weg. Und ich habe meinen Diener nach Hause geschickt. Ich werde allein hierbleiben, wenn du dein Versprechen nicht halten willst. Du hast es versprochen.»

Mit unerwünschter, aber verständlicher Geschwindigkeit löste sich die Gruppe auf. Claes, der Catherine losband, ein paar Worte fand, die er Tilde und dem auf dem Rückzug befindlichen Kaplan sagen konnte, hatte den entscheidenden Satz gehört, stürzte dem verschwindenden Diener noch rechtzeitig nach und zog ihn am Arm zurück. Er sah verängstigt aus.

Aus gutem Grund. «Ich habe ihm befohlen wegzugehen», sagte das Kind. «Sonst wird er von meinem Vater etwas darüber hören.»

«Und ich», erwiderte Claes ruhig, «befehle ihm hierzubleiben, sonst wird Euer Vater von mir etwas darüber hören. Woher kommen dieser Umhang und die Maske?»

«Die habe ich geliehen.» Sie hob trotzig das Kinn, was ihr Aussehen ein wenig verbesserte.

«Davon bin ich überzeugt. Und wenn Ihr sie rechtzeitig zurückbringt, wird vielleicht niemand etwas darüber sagen. Ich mache Euch deshalb ein Angebot. Zehn Minuten hier beim Seiltanzen. Zehn Minuten Tanzen mit einigen meiner Freunde. Zehn Minuten für das Feuerwerk. Und dann werden unser Freund hier und ich Euch nach Hause zu Eurer Schwester bringen.»

«Ich wohne nicht mit Katelina zusammen. Ich wohne in Herrn de Veeres Haus, wo Charles ist. Willst du wissen warum?»

Sie war kein schlechtes Kind. Schon tauchte völlig unerwartet die Hoffnung auf, ein oder zwei Stunden zu haben, die er verbringen könnte, wie er wollte und mit wem er wollte.

Er hörte sich geduldig die Mitteilung an, die sie ihm aufdrängte, und fand sie tatsächlich fast so interessant wie Gelis selber.

Kapitel 19

Als die Kinder nach Hause gebracht wurden, strömten Maskierte auf die Straßen. Nach und nach erschienen zwischen den einfachen Barchentjacken dicke Mäntel aus pelzbesetztem Samt mit kurz aufschimmernden perlenbestickten Ärmeln und Goldfransen und Seidenbrokat darunter. Und an den Filzkappen und ehrbaren Kapuzen und weißen Häubchen strich plötzlich ein Geier vorbei, ein Hofnarr oder ein Adler. Ein Einhorn drehte sich nach einem hübschen Fußknöchel um, ein Schiff mit vollen Segeln ging lachend vorüber, ein Ziegenbock oder ein Karl der Große hielt inne, warf eine Münze hin und nahm sich etwas Zuckerwerk.

Katelina van Borselen war noch nicht draußen. Der Mantel, den sie tragen wollte, lag auf dem Tisch neben dem großen Fenster in ihrem Elternhaus. Von Zeit zu Zeit blieb sie am Fenster stehen, um zu sehen, ob die drei Freier von der Liste ihrer Mutter schon warteten. Es war niemand im Haus außer den Pförtnern. Sie waren da, um es zu beschützen, denn die übrigen Diener hatten Ausgang oder waren mit ihren Eltern im Haus des Herrn von Veere. Die Pförtner waren außerdem da, um Katelina zu beschützen, falls ihr Begleiter nicht kam oder sich als unerwünscht erwies. Oder falls (was schon vorgekommen war) ein Kavalier mit einem anderen Streit bekam und sie sitzengelassen wurde.

Gewöhnlich gab es allerdings keine Unannehmlichkeiten. Der Bewerber überreichte sein Pergamentröllchen und wurde entweder erwählt oder höflich zurückgewiesen. Da er in seiner Maske unkenntlich war, konnte er einem wartenden Rivalen gegenüber das Gesicht wahren. Es sei denn, er war zuversichtlich genug, um seine Fackelträger, seine Pagen und Diener in Livree mitzubringen. Was Guildolf von Gruuthuse getan hatte, wie sie feststellte, als sie gerade hinausschaute.

Sie hatte sein Kommen gar nicht bemerkt. Er wartete schon unter dem Dachvorsprung des Hauses gegenüber. Er trug keinen Mantel. Vom Hals aufwärts sah man nichts von ihm, sondern nur Fell, Augenhöhlen und Fangzähne eines prächtigen Leopardenkopfes. Vom Hals abwärts erkannte man im Lampenlicht einen kurzen, pelzgesäumten Tappert und von der Mitte des Oberschenkels bis zu den Fußsohlen die lässig dargebotene Hose. Eine behandschuhte Hand stützte sich auf die Hüfte. Die andere, auf die der Lichtschein fiel, hielt ein Schriftröllchen. Und hinter ihm, mit der Gruuthuse-Kanone auf jeder Schulter, standen sechs Diener in Livree. Einer von ihnen hielt eine bebänderte Laute wie eine Katze am Schwanz.

Er hatte die Stellung wohl gerade erst bezogen, dachte Katelina, denn die jungen Leute, mit denen er gekommen war, waren noch nicht außer Sicht und man hörte Rufe und Gelächter. Während sie hinunterschaute, kamen noch andere, und Scherzworte wurden ausgetauscht. Das war normal. In dem Augenblick, in dem sie erschien, würde er zu den Gepflogenheiten ritterlichen Benehmens zurückkehren. Sie sollte hinuntergehen. Zuerst mußte sie sich vergewissern, daß keine anderen Bewerber da waren. Mit allergrößter Vorsicht lugte sie aus dem Fenster.

Da war tatsächlich noch ein zweiter Bewerber. Ein Mann, der größer und massiger war als Guildolf, wartete friedlich mit der Schriftrolle in der Hand neben ihrem Torpfosten. Er war allein und keine Diener oder Embleme verrieten, wer er war. Von seiner Gestalt konnte sie auch nichts sehen, denn sein Mantel reichte von der Maske bis zu den Stiefeln. Und auch von der Maske konnte sie in dem trüben Licht nicht viel erkennen. Sie schien aus Federn zu bestehen.

Sie zögerte. Dann nahm sie ihren Mantel und stieg langsam die Treppe ihres Vaterhauses hinunter. Sie ging über den Hof und sprach mit einem Pförtner, der das Tor aufschloß. Sie durchschritt es.

Der große Mann mit dem Mantel war natürlich dem Tor am nächsten, aber sie mußte beide begrüßen. Katelina überbrückte die größere Entfernung zu dem Leoparden, indem sie ihm einen höflichen Knicks machte, wandte sich dann aber natürlich erst an den namenlosen Freier neben ihr. Sie raffte also noch einmal mit betonter Vornehmheit ihre Röcke und streckte die Hand nach seinem Papier aus.

Er kniete nieder und überreichte es. Die Kopfbedeckung, auf die jetzt das Licht fiel, erwies sich als eine Eulenmaske. Der Name auf dem Röllchen war der des Freiers aus Kortrijk, was merkwürdig war, denn sie hatte geglaubt, der sei von untersetzter Gestalt. Auf der anderen Straßenseite hatte sich Guildolf von Gruuthuse auf den Weg zu ihr gemacht und überquerte elegant das Kopfsteinpflaster.

So. Es gab also keine anderen Anwärter. Sie mußte zwischen dem Raubtier und dem Vogel wählen. Der Vogel neben ihr, der aufgestanden war, lachte leise. Freier durften nicht sprechen. Dieser hier hielt sich nicht daran. Sein Flämisch war melodisch und klang irgendwie leicht französisch. «Nehmt ihn, wenn Ihr wollt, aber er spielt die Laute wie ein Metzger und drückt sich morgens am Frühstückstisch seine Furunkel aus. Deshalb der Leopard. Bis er die Maske abnimmt, habt Ihr Euch daran gewöhnt. Seine übrige Haut hebt er für die Brautnacht auf.»

Sie verschluckte sich. Bei der Bemühung, das Husten zu unterdrücken, tränten ihr die Augen. Die hübschen Beine und der Leopardenkopf waren jetzt vor ihr. Der Reichtum derer von Gruuthuse. Zwanzig Jahre Schwangerschaften. Furunkel.

Katelina van Borselen knickste noch einmal vor Guildolf von

Guuthuse und legte sein Pergamentröllchen wieder in die Hände, die es ihr gereicht hatten. «Mein Herr, es ist mir eine Ehre, doch ist Euch ein anderer zuvorgekommen. Gott schenke Euch einen schönen Abend und eine gute Nacht, und mögen wir eines Tages in Freundschaft gemeinsam einen Schluck trinken.»

Er war aufs äußerste verstört. Sie begriff, wie unwahrscheinlich es war, daß er jemals wieder mit ihr oder einem Mitglied ihrer Familie einen Schluck trinken würde. Hoffentlich konnte ihre Mutter, die ja dieses Unheil angerichtet hatte, es ebenso leicht wieder aus der Welt schaffen, wovon sie eigentlich überzeugt war. Schließlich war es ja ihre Mutter gewesen, die drei Aufforderungen ausgesprochen hatte. Jemand mußte enttäuscht werden. Der Gedanke, daß drei Männer enttäuscht werden könnten, war ihrer Mutter natürlich nicht gekommen.

Katelina machte sich keine großen Sorgen. Ihrer Ansicht nach war nur wichtig, ob sich der Abend so abspielte, daß sie, Katelina, nicht enttäuscht wurde. Sie machte einen tiefen Knicks, der Gruuthuse-Knabe verbeugte sich und zog von dannen, und seine Begleiter folgten ihm widerwillig, alle Münder auf unterschiedliche Weise verzogen. Der Diener, der die Laute trug, machte damit hinter dem Rücken seines Herrn eine zotige Bewegung, die Katelina nicht verstanden zu haben hoffte. Ein leise dröhnendes Geräusch, das unter der Maske ihres Begleiters hervordrang, verriet ihr, daß er es auch gesehen hatte. Sie erkannte, daß sie einen vulgären Mann erwählt hatte, und wurde von starken Zweifeln befallen.

Vielleicht hatte er es bemerkt. Jedenfalls machte er ihr eine umständliche und gekonnte Verbeugung, reichte ihr den Arm, legte seine Hand auf die ihre und führte sie im Kielwasser der elegant gekleideten Höflinge vor ihnen langsam die Straße hinauf.

Der erste offene Hof, den sie erreichten, war der des Schatzmeisters. Am Karnevalsabend brauchten die Adligen keinen anderen Passierschein als ihre Kleider, ihre Masken und ihre Juwelen. Sie eilten durch den Torbogen in den von Laternen erhellten Garten, wo die Glut der Kohlenbecken den Wein in ihren Gläsern schimmern ließ. Hoch oben in einem Turm spielten Flöten, Geigen und Violen eine Begleitmusik zu dem allgemeinen Geplauder, das eine eifrige kleine Trommel paraphrasierte.

Die Leute liefen auf und ab und im Kreis und gingen weg. Einmal schlängelte sich unter den Bäumen eine Arkade von Tänzern hindurch; sie hatten einander die Hände gereicht und hielten sie hoch, weite Ärmel wehten unter unheimlichen und schönen Kopfbedeckungen, die gleichsam von gotischen Kreuzblumen gekrönt waren. In der eiskalten Februarnacht blühte der Kopfschmuck der Frauen wie Kamelien oder Türkenbundlinien oder schien eßbar zu sein wie Kürbisse und Windbeutel und ganze Berge von Zuckerwerk, kandiert mit Engelwurz.

Heute abend trug Katelina nicht den berühmten Hennin, denn ihre Zofe hatte einzelne Strähnen ihres Haars durch ein goldenes Netz geflochten und das übrige Haar zu einem dicken, bebänderten Zopf, der so lang war, daß er unter ihren Chiffonrock geriet, wenn sie sich hinsetzte. Heute lag ihre vierreihige Goldkette aus Lyon auf ihrer nackten Haut statt auf dem üblichen Gazeeinsatz, und an den meisten Fingern hatte sie Ringe.

Ihr Begleiter trug keine, nicht einmal einen Siegelring. Das bestätigte ihre Vermutung, obwohl er, die Regeln einhaltend, nicht wieder sprach. Er wußte, was sich gehörte. Zuerst stellte sie keine großen Anforderungen an ihn, sondern erst später, als sie von Bladelins Haus zum neu erbauten Ghistelhof und von da zum Haus von Vasquez gingen; vom Palast von Jean de Gros zu den sieben Türmen oder dem Zunfthaus der Bogenschützen; als sie sich in das große Herrenhaus derer von Gruuthuse wagten, ohne einen Leoparden zu treffen, und schließlich im Park des Prinsenhofs landeten, Gäste des abwesenden Grafen von Charolais – erst da wagte sie zögernd, sich an den Tänzen zu beteiligen, und stellte fest, daß sie sich keine Sorgen zu machen brauchte, denn ihrem Partner waren die Tanzfiguren vertraut, und er führte sie geschickt aus. Wenn sie eine Erfrischung wünschte, bediente er sie übertrieben formvollendet, und ebenso diejenigen ihrer Freundinnen, die sie trafen.

Manchmal, bei weniger formellen Begegnungen, bediente er die Damen auf andere Weise, und dann hielten sie die Luft an und lachten, weil er ihre Teller hochwarf und mit ihnen jonglierte und Messer herbei- und wieder wegzauberte. Er war nicht vulgär, stellte Katelina erleichtert fest, sondern amüsant. Und er legte weder seinen Mantel ab noch berührte er sie, nur an der Hand oder am Ellbogen. Allerdings bemerkte sie, solange sie es noch bemerken konnte, daß er dafür sorgte, daß ihr viel zu trinken angeboten wurde.

Sie war nicht beunruhigt. Sie ließ sich einfach vom Abend treiben, denn sie kannte den Ablauf. Irgendwann würde ihr Partner sie nach Hause bringen – in das Haus, das leer war bis auf die Pförtner, die ihren Begleiter wiedererkennen und sie beide einlassen würden. Sie würde ihn in das Wohnzimmer ihrer Mutter führen, ihm als Dank für seine Begleitung Wein anbieten und ihn darum bitten, sein Gesicht sehen zu dürfen. Und er würde die Maske abnehmen.

Mädchen, die ihr davon erzählt hatten, äußerten sich selten genauer über das, was dann folgte. Wenn eine Eroberung gemacht worden war, würde die Familie des Freiers der Familie der zukünftigen Braut einen Besuch abstatten, und eine Übereinkunft würde getroffen werden.

Das war dann am nächsten Tag. Was an dem fraglichen Abend geschah, war offenbar etwas, worüber man nicht sprach. Aber schließlich konnte es ja nicht sehr viel sein. Das Haus mochte leer sein, doch würde es nicht die ganze Nacht leer bleiben. Und unter normalen Umständen war es ohnehin unwichtig. Man lud seinen anerkannten Kavalier in sein Haus ein, und er kam. Das bedeutete Ehe. Kein Problem, wenn man den richtigen Mann eingeladen hatte. Nicht ganz so einfach, wenn es nicht der richtige Mann war.

Es strengte sie an, darüber nachzudenken. Ihr Begleiter fing sie auf, als sie zum zweitenmal stolperte, und sagte: «Ihr müßt müde sein. Soll ich Euch nach Hause bringen?» Es waren die ersten Worte, die er nach der Begrüßung gesprochen hatte, und sie konnte darin überhaupt nichts Mundartliches von Kortrijk entdecken. «Ja, es ist wohl besser», erwiderte sie, und fügte dann hinzu: «Nachdem Ihr die Maske abgenommen habt.»

Sie standen einander nicht mehr gegenüber. Sie wartete darauf, daß er ihrem Wunsch entsprach. Aber die Maske mit den unbeweglichen Eulenaugen drehte sich nur von einer Seite zur anderen, um eine eindeutige Weigerung zum Ausdruck zu bringen. Sie blieb noch eine Weile stehen, um zu sehen, ob er nachgeben würde, und als er es nicht tat, machte sie kehrt und ging stirnrunzelnd weg. Nach einem Augenblick holte er sie ein und reichte ihr seinen Arm, wofür sie dankbar war.

Am Tor erkannte der Pförtner die Maske, und da er gut geschult war, wünschte er ihnen beiden nur einen guten Abend und öffnete das Tor, ohne zu lächeln. Er ging voraus, um die Tür zur Eingangshalle zu öffnen und sich zu überzeugen, daß auch alle Lampen brannten.

Sie führte ihren Gast in das Wohnzimmer ihrer Mutter. Sie hatte sehr viel getrunken, aber in Erwartung dieses Augenblicks hatte sie dafür gesorgt, daß keinerlei Unbehagen sie befiel, und auch er, darüber war sie sich klar, hatte sich ab und zu in aller Stille entfernt. Ein weiteres Anzeichen seiner Erfahrenheit. Jetzt konnte sie also herausfinden, wo er seine Erfahrungen gesammelt hatte.

Das Feuer war heruntergebrannt. Sie ging hinüber, um es wieder in Gang zu bringen, und er sagte: «Paßt auf Euren Mantel auf», wieder in akzentfreiem Flämisch. Sie wartete und ließ ihn von hinten die Schließen des Gewands lösen, ehe sie sich hinkniete; sie spürte, daß seine Finger über ihren zerzausten Zopf strichen. Dann, während sie das Feuer schürte, ging er durch das Zimmer und legte ihren Mantel auf einen Stuhl.

Als sie aufstand und sich umdrehte, erwartete sie, daß er seinen Mantel auch ausgezogen hätte, aber er hatte nichts abgelegt. «Nun erhaltet Ihr Euren Lohn», sagte sie, «für Eure Kavaliersdienste heute abend. Es ist leider wieder nur ein Becher guten Weins, aber wenigstens könnt Ihr Euch hinsetzen und ihn Euch von mir reichen lassen.» Sie war am Schrank angelangt und lächelte, aber er hatte sich immer noch nicht gerührt. Sie nahm zwei Becher und eine Karaffe heraus und schickte sich an, sie zur Bank vor dem Kamin zu bringen. «Ich verstehe», sagte sie. «Ist da ein Eulengesicht unter dem Eulengesicht?»

Der Mantel war blau und dick und reichte bis auf den Boden. Der Mann traf keine Anstalten, ihn auszuziehen. Sie beugte sich ein wenig ungeduldig vor, um die Becher und die Karaffe auf einen Hocker zu stellen, und bemerkte dabei, daß ihr eine Haarsträhne bis auf die Schulter hing. Sie legte den Kopf schräg, um die Haare zurückzustreichen, als ihr mit einemmal klarwurde, was geschehen war. Als er ihr den Mantel abnahm, hatte er ihren Zopf entflochten.

Sie drehte sich um und hob den Blick. Er stand direkt hinter ihr, und die Eulenmaske war ihr ganz nahe. «Und nun», sagte er, «die anderen hübschen Schnürbänder.»

Sie entzog sich ihm mit einem Ruck. Tatsächlich war sie so heftig zurückgefahren, daß ihre Halskette in seinen Händen blieb. «O nein», sagte Katelina, «das gehört nicht zur Abmachung.»

Die Eule rührte sich nicht von der Stelle. Es ließ sich nicht feststellen, ob er bestürzt, verärgert oder bloß geduldig war. Er sagte: «Ich habe keine Abmachung getroffen.» Dann ging er ohne Hast auf sie zu.

Sie stand zwischen einem Stuhl und der Wand. «Doch, das habt Ihr», erwiderte sie. «Die Vereinbarung mit meiner Mutter. Ihr habt durch das Pergamentröllchen die Erlaubnis erhalten, einen Abend lang mein Begleiter zu sein. Damit müßt Ihr Euch jetzt zufriedengeben. Wenn Ihr mehr wollt, könnt Ihr morgen bei ihr vorsprechen.» Sie rang nach Luft.

Er war bei dem Stuhl stehengeblieben. «Wenn *ich* mehr will? Aber Ihr seid es doch, Demoiselle, die das gewollt hat. Ihr wußtet, als Ihr das Röllchen saht, daß ich nicht von dem Herrensitz in Kortrijk kam. Ihr wußtet, als Ihr mich in Euer Haus brachtet, daß ich nicht einer der drei Freier war, die Eure Mutter ausgewählt hatte. Niemand hat eine Abmachung getroffen. Niemand hat mir die Erlaubnis erteilt, hier zu sein, nur Ihr selbst. Und aus welchem Grund, wenn nicht dafür?»

«Es war nicht dafür.»

«Um meiner geistvollen Unterhaltung willen? Aber ich habe den ganzen Abend schweigend verbracht. Weil wir uns verstehen? Aber wir sind noch nie zusammen allein gewesen. Warum habt Ihr mich dann hierhergebracht, wenn nicht, um mein Begehren zu verstärken und das Eure zu befriedigen? Holde Demoiselle, die ganze Welt weiß, daß Ihr Jungfrau seid, und vermutet, daß Ihr es nicht gern seid. Warum wollt Ihr dann noch länger Jungfrau bleiben?»

Es klappte nicht nur nicht, es ging ganz und gar schief. Sogar seine Stimme klang anders. «Es mag kaum glaubhaft sein, aber Vergewaltigung war nicht das, was ich im Sinn hatte.» Sie hielt inne. «Heirat vielleicht.» Hatte er die Tür abgeschlossen?

Die Maske lachte leise. «Ihr wart bereit, einen Heiratsantrag des Mannes, für den Ihr mich hieltet, in Erwägung zu ziehen. Unsinn, liebe Demoiselle. Ich gedenke Euch zu heiraten, aber erst, nachdem ich Euch in die ganz besonderen Freuden dieses Zustands eingeführt habe. Dann, glaube ich, werdet Ihr ohne allzuviel Überredung recht gern meine Frau sein. Ich bin, wie es heißt», sagte die Eule, «ein Mann von außergewöhnlichen Fähigkeiten. Ich bin bereit, da mein Sohn Euch nicht gefällt, all diese Fähigkeiten Euch zur Verfügung zu stellen.»

«Euer *Sohn*?»

Während sie die Frage stellte, wurde der schwere Mantel zurückgeworfen. Die Hände des Höflings, die Katelina so gekonnt bedient hatten, hoben sich zu der amüsanten Eulenmaske. Die Finger, die sie von Tanz zu Tanz geführt und so energisch und überlegt nach ihrer Kleidung gegriffen hatten, faßten statt dessen beide Seiten der Maske und nahmen sie vorsichtig ab. Es kamen die freundlichen, mammuthaften Züge von Jordan de Ribérac zum Vorschein.

«Könnt Ihr Simon wirklich so wenig leiden? Ich frage mich das manchmal. Aber er ist natürlich viel zu beleidigt, um Euch einen Antrag zu machen, und außerdem hat er zuerst seine eigene kleine Fehde auszutragen. Oder glaubt es zu müssen. Er wird vermutlich feststellen, wenn er zurückkommt, daß sie für ihn bereits ausgefochten ist. Der Flegel hat noch zwei Augen, aber jedesmal, wenn er in den Spiegel schaut, wird er an mich denken. Ich verabscheue Bauern und Leute, die sich mit Bauern einlassen. Ihr werdet das bemerken», sagte der Vicomte de Ribérac, «wenn Ihr nach Frankreich kommt. Sonst könnte ich keine Kinder mit Euch zeugen.»

Claes. Das war also der Mann, der Claes gezeichnet hatte. Und was hatte er noch gesagt? Sie legte beide Hände auf die Lehne des Stuhls, der vor ihr stand. «Ihr wollt Kinder zur Enteignung...»

Er unterbrach sie freundlich lächelnd: «Ein einziger Sohn: das ist keine Sicherheit für die Zukunft. Ein reicher Mann braucht mehr als einen Erben.»

«Ihr habt doch eine Frau.»

Jordan de Ribérac lächelte. «Es gibt viele Möglichkeiten, sich einer Ehefrau zu entledigen. Hingegen wird eine gebärfähige Frau von Mann und Gott geliebt, wie wir beweisen werden, Ihr und ich, so Gott will. Die Tür ist verschlossen und die Pförtner sind bestochen, Demoiselle Katelina. Ich werde mich ausziehen, und Ihr werdet, wenn Ihr so freundlich sein wollt, noch etwas Holz auf das Feuer legen. Auf diesem Fußboden zieht es. Ich spüre es jetzt schon.»

Die Tür zum Haupthaus war verschlossen, aber die Tür in der Ecke gegenüber nicht. Sie führte zu einer Treppe, einem Hof und einer Hintertür, von der sie wußte, wie man sie aufbekommt.

Sie ging zum Kamin, als wollte sie nachlegen. Er zog sich tatsächlich aus. Er hakte die Schließen seines Überrocks auf und begann seine massigen Arme aus den gesteppten Ärmeln herauszuziehen. Sie wartete nicht länger. Mit einem Sprung war sie an der kleinen Tür und raste dann die Treppe hinunter, immer zwei Stufen auf einmal nehmend und Gewand, Ärmel und Unterrock hochraffend, um nicht dadurch behindert zu werden.

Sie hörte, daß er einen Fluch ausstieß und ihr nachsetzte. Seine Schritte dröhnten auf den obersten Stufen, während sie über die untersten eilte und in den Garten stürzte. Bäume, Pflanzenkübel und der unselige Springbrunnen waren ihr im Weg. Ihre Füße versanken im Schnee. Sie konnte die Hintertür nicht finden; dann fand sie sie, stellte aber fest, daß die Riegel in der Kälte klemmten. Sie hämmerte darauf ein und hörte de Ribéracs Schritte hinter sich.

Der erste Riegel gab nach, dann der zweite. Sie riß die Tür auf und stürzte auf die Steenstraat, die hell erleuchtet war und von Feiernden wimmelte. Die ihr am nächsten waren, drehten sich um und lächelten. Sie war in Sicherheit. Es war nicht nötig, um Hilfe zu rufen. Sie brauchte nur den Platz zu überqueren, um zum *Hôtel de Veere* zu kommen, wo ihre Eltern und Gelis waren. Sie glaubte, de Ribérac habe gelogen, als er behauptete, ihre Pförtner bestochen zu haben, aber das hatte Zeit bis morgen. Es war nicht nötig, heute abend in das Haus in der Zilverstraat zurückzukehren.

Als sie von der Menge auf der Straße, der singenden, lachenden Menge, in der sich Adel und gewöhnliches Volk mischten, umgeben war, drehte sie sich um und schaute zurück. Jordan de Ribérac war durch die Hintertür herausgekommen, stand ohne Hut und Mantel da und sah ihr nach. Er machte keine Anstalten, sie zu verfolgen, sondern starrte sie über die zwischen ihnen wogenden Köpfe hinweg an. Dann setzte sich sein massiger Leib in Bewegung und ging von seinem Schatten gefolgt, entschlossen in entgegengesetzter Richtung davon.

Er hatte ihr Ehe und Vergewaltigung angeboten, und beides in ihrem eigenen Haus. Nachdem sie einen Abend mit ihm verbracht hatte. Nachdem sie ihn herzlich eingeladen hatte.

Natürlich hatte er sie getäuscht. Der Name, den er ihr gezeigt hatte, war nicht der seine. Er hatte nicht die Genehmigung ihrer Eltern eingeholt. Sie mußte es ihren Eltern sagen, denn sie benötigte ihren Schutz. Aber sonst brauchte es niemand zu erfahren. Sie konnte sich schon vorstellen, was für ein Gesicht ihre Mutter machen würde. Der Sohn des Herrn aus Kortrijk, das wußte ihre Mutter auch, war sechs Zoll kleiner als Simons Vater.

Sie merkte, daß sie zitterte, und ging schneller, was ihr vom Sog der Menge leichtgemacht wurde. Die Zeit des Feuerwerks und des Freudenfeuers mußte gekommen sein. Irgendwo in der Nähe waren höchstwahrscheinlich die Gäste des Herrn von Veere und Charles und Gelis und eine beruhigende Anzahl von Dienern. Und da, in der Ferne, war tatsächlich Gelis. Aber Gelis war allein, nur ein Diener stand hinter ihr, der erschreckt aussah. Mit schrill erhobener Stimme und von Entsetzen verzerrtem Gesicht redete Gelis heftig auf gleichgültige, ausgelassene Karnevalisten ein.

Katelina raffte wieder ihre Röcke und rannte ihrer kleinen Schwester entgegen. Sie rief ihren Namen und breitete die Arme aus, als das Kind sich mit den Ellbogen den Weg zu ihr bahnte. Ohne Tränen, ohne schrillen Schrei sagte Gelis: «Sie wollen es mir nicht glauben. Wir haben es vom Turm aus gesehen. Zwei Männer sind gekommen und haben Claes mitgenommen. Und ich glaube, sie haben ihn umgebracht.»

Weil Claes für Gelis und ihren Diener die Verantwortung hatte, war ihm, als ginge es für ihn schon um das anstrengende Ende eines besonders anstrengenden Tages. So war das Leben nun einmal, und deshalb wäre er nicht sehr überrascht gewesen, wenn es noch mehr Komplikationen gegeben hätte. Daß er in Gefahr sein könnte, kam ihm gar nicht in den Sinn.

Das Zusammensein mit dem Mädchen war eigentlich nicht anstrengend gewesen. Er hatte Freunde gefunden, die mit ihnen einen Rundtanz machten, und ihr einen Platz besorgt, von dem aus sie den Jongleuren zuschauen konnte. Und er hatte einen Bekannten getroffen, der sie alle auf den Turm der St. Christoph-Kapelle bringen wollte, um das Feuerwerk von dort aus anzusehen. Nachdem Gelis bekommen hatte, was sie wollte, wurde man leicht mit ihr fertig. Das galt übrigens für alle Mädchen.

Danach war er nicht mehr Herr der Lage.

Er brachte Gelis und ihren Diener in den Turm. Er lief hinunter, um seinen Bekannten zu suchen und ihm zu danken. Er wollte gerade wieder hinaufgehen, als eine wogende Masse von Schaulustigen ihn fast umriß. Als der Ansturm nachließ, stellte er fest, daß er fast bis zur Wasserhalle mitgeschleppt worden war und sich überdies ein paar Betrunkene an ihn gehängt hatten, die ihn nicht losließen. Schließlich hob einer der Betrunkenen benommen einen Arm, an dessen Ende etwas anderes als eine Hand gewesen sein mußte, denn als dieser auf seinem Kopf landete, spürte Claes nur den ersten Anflug von Schmerz, so schnell trat die Bewußtlosigkeit ein.

Als er aufwachte, hörte er ein rauhes Keuchen und begriff, daß er selbst es hervorbrachte und daß er zitterte und stöhnte, weil es kaum Luft zum Atmen gab. Seine anderen Sinne, die allmählich zurückkehrten, machten ihn auf einen fürchterlichen Schmerz in seinem aufgeschlitzten Gesicht und seinem Kopf aufmerksam und dann auf die Wahrscheinlichkeit, daß er nicht nur blind, sondern auch völlig gelähmt sei.

Während er nach Luft schnappte, befaßte sich seine Vernunft mit diesem Unsinn. Er war nicht gelähmt. Seine Glieder waren verkrampft, weil er in einem sehr engen Raum kauerte, und er konnte nichts sehen, weil es dunkel war. Er streckte gefühllose Finger aus, und sie stießen auf die hölzernden Wände seines Gefängnisses.

Ein Sarg vermutlich. Oder es sollte einer sein. Er sperrte den Mund weit auf wie ein Fisch auf dem Trockenen. Er spürte, wie sich seine Lippen dehnten und sich seine Nasenflügel blähten. Er hatte Schmerzen im Nacken und in der Brust. Ein Schwächeanfall überkam ihn und verging. Holz. Aus Holz konnte man ausbrechen, wenn es dünn genug war. Wenn es nicht tatsächlich ein Sarg war. Wenn er sich nicht in einem Grab befand mit Erde ringsum und über ihm.

Versuchen.

Seine Knie waren schon bis zur Brust angezogen. Er zog sie noch höher und trat dann mit beiden Füßen gegen die Wände seines Gefängnisses. Völliger, undurchdringlicher, absoluter Widerstand. Ein dumpfer Ton, der genausogut von einem Schlag auf Metall hervorgerufen sein könnte. Nichts. Ein neuer Schwächeanfall sagte ihm, daß er keine Reserven hatte, um es noch einmal zu versuchen.

Wenn das Holz überall gleich dick war... Der Deckel, wie stand es damit? Sich rühren. Langsam atmen. Eine Hand heben, dann die zweite. Es erkunden.

Es roch nicht bloß nach Holz, sondern irgendwie vertraut. Kein Rechteck. Nicht der Geruch von Fäulnis. Ein Geruch, der so schwach war wie das bißchen Luft, das den Geruch zu ihm brachte, zugleich mit einer verrückten, abgedroschenen Gedankenverbindung. Er erinnerte an Mädchen. An Schenken, an Lebenslust. Es war der Geruch von Malvasierwein. Er war nicht in einem Sarg. Er war in einem Faß.

Ihm war nach Lachen zumute, aber vorsichtshalber ließ er es bleiben. Sein Verstand sagte: Wenn...

Er vergaß, was er gedacht hatte.

Er erinnerte sich. Sein Verstand sagte: Wenn es ein Faß ist...

Es war wichtig, deshalb hielt er daran fest. Er ballte die Fäuste. Er atmete lange die mit Alkoholschwaden geschwängerte Luft ein und wollte wieder lachen, unterließ es aber. Wenn das ein Faß war, dann mußte es ein Spundloch haben.

Tasten. Seine steifen Hände strichen über die vom Wein aufgerauhten Rundungen. Kein Spundloch. Sich bewegen. Das war schwieriger. Es bedeutete, die Lage zu ändern und halb einzuschlafen und aufzuwachen und die Lage wieder zu ändern. Wenn er schlief, taten ihm der Kopf und die Brust nicht weh. Warum hatte er sich bewegt?

Den Grund begriff er nicht. Der Schmerz ließ nach. Er lag da, keuchte ab und zu und preßte die Hand gegen die Brust. Sein Handrücken stieß an etwas. An nichts. An ein Loch.

Das Spundloch. Das war es, wonach er suchte.

Gegen seine ungeheure Schlafsucht ankämpfend, hob er eine Hand und schob die Finger in das Loch. Durch das Loch. Hinaus durch die Wand des Fasses. Er stieß auf einen anderen Holzgegenstand. Kein Spundloch. Die Seite eines anderen Fasses – eines zweiten Fasses.

Er war in einem Faß mit einem offenen Loch an der Seite. Aber das Faß lag mit der Oberseite nach unten zwischen anderen, und das offene Loch war verdeckt. Er konnte nicht aus dem Faß ausbrechen. Wenn er Luft haben wollte, mußte er das Faß herumrollen. Aber wenn er es herumrollte, könnten andere Fässer über ihm das Loch wieder verschließen. Bei der Anstrengung, es herumzurollen, könnte die ganze Luft, die er noch hatte, verbraucht werden. Wenn er endgültig ohnmächtig wurde, würde er ersticken.

Na schön. Wenn er Luft schon verbrauchte, warum dann nicht schreien? Aber wie weit würde ein Schrei von einem Stapel Fässer tragen? Lagen die Fässer überhaupt in Brügge? In der Nähe von Passanten? In der Nähe von irgend jemanden? Wenn er dieselbe Energie aufwandte, um die Lage des Fasses zu ändern, würde das dann ebenso laut sein wie ein Schrei?

Das war kein Nachdenken; es war eher wie ein langer, zusammenhangloser Traum. Zu dieser Einsicht gelangte er. Dann pumpte er vorsichtig alle Luft, die es in seinem Gefängnis noch gab, in seine Lunge, hob sich ein wenig an und warf sich mit dem ganzen Körper und aller Kraft, die er aufbringen konnte, seitwärts und abwärts gegen die runde Faßwand.

Holz schlug dröhnend auf Holz. In seinem Gefängnis hallte der Krach wider wie ein Schuß von Cambiers Kanone, der in seinem Kopf explodierte. Seine Zähne klapperten im Takt mit dem Zusammenprall von Faß auf Faß und klapperten dann von neuem, als ein weiterer Zusammenprall widerhallte. Sein Faß war auf das benachbarte aufgeschlagen und dann von einem anderen getroffen worden.

Eine dritte Kollision folgte und schüttelte ihn von einer Seite zur anderen wie ein Küken in der Eierschale. Seine Knie und Schultern schlugen auf die eichenen Dauben, und sein aufgeschlitztes Gesicht war plötzlich der vollen Erschütterung ausgesetzt. Während er noch keuchte, wurde ihm klar, was das bedeutete. Das Faß war halb umgekippt.

Dann begriff er nicht, was eigentlich vor sich ging, denn eine Folge unerträglicher Schläge führte dazu, daß das Faß gerüttelt und geschüttelt wurde wie ein Baum, dem Axthiebe versetzt werden. Sein Verstand, abgestumpft durch Schmerz und Luftmangel, vermochte ihm nichts mehr zu erklären. Die Bewegung wurde immer schwächer. Die Schläge, die mit Unterbrechungen erfolgten, wurden langsamer und schwerer. Der letzte, direkt über seiner Schulter, machte sich tatsächlich durch das blaue Tuch der Demoiselle de Charetty bemerkbar. Die Daube eines anderen Fasses hatte das seine durchschlagen und war auf seiner Schulter gelandet.

Seine neue blaue Jacke. Die Demoiselle würde sie flicken lassen müssen. Für einen anderen wird sie noch brauchbar sein. Oder für Felix' Hundekorb. Er schlief ein. Die arme Tilde. Er wachte wieder auf.

Er keuchte nicht. Sein Kopf tat weh, seine Schulter auch. Und wenn er es recht überlegte, jeder Zoll seines Körpers. Aber er keuchte nicht, weil das aufgerissene Faß etwas Luft hereinließ. Und

Licht. Und mehr Luft und Licht spielten auf seinem Bauch, wo das offene Spundloch des Fasses jetzt frei lag.

Es hatte geklappt. Er konnte atmen. Auf welchem Stapelplatz sein Faß auch liegen mochte, er bekam wieder Luft. Er könnte von hier aus schreien; seine ganze Kraft zusammennehmen und aus dem Faß ausbrechen; es ganz stur in die Freiheit rollen, wenn es sein mußte. Er brauchte nichts zu tun, als Atem zu holen, sich etwas zu drehen, um sein Auge an das Loch zu pressen, seinen Aufenthaltsort festzustellen und seine Rettung in die Wege zu leiten.

Sein Kopf tat ihm weh, aber er bemerkte es kaum. Er hatte nur eine Frage an seinen Schutzengel zu stellen. Heiliger Nikolaus. Heiliger Claikine. Lache nicht. Das sind Weinschwaden. Lache nicht, sondern sage es mir. Warum ist das Licht, das durch das Spundloch fällt, hellrot?

Füße hoch, Schulter tief, Kopf tief. Auge am Loch. Antwort: Das Licht ist hellrot, weil draußen etwas brennt.

Ein Feuer auf dem Lagerplatz eines Küfers, eines Brauers? Gefährlich, Freund Nikolaas. Aber es gibt Nachtwächter mit Hörnern und Menschen und Wassereimer... Menschen? Die sind doch alle auf dem Marktplatz und genießen den Karneval.

Ich war auch auf dem Marktplatz. Auf dem Marktplatz hat mir jemand einen Schlag auf den Kopf versetzt. Zwei Männer können mich unmöglich durch die Menge getragen und bis zu einer Brauerei gebracht haben. Das brauchten sie auch nicht. Auf dem Marktplatz stand ein Rollwagen voller Fässer. Sie brauchten mir nur ein Faß über den Kopf zu stülpen wie ein Schmetterlingsnetz und den Deckel zuzuhämmern, während sie es wegtrugen. Und es auf den Wagen zu werfen.

Ein Rollwagen zur Karnevalszeit? Ein Rollwagen voller Teerfässer für das Karnevalsfeuer. Das Karnevalsfeuer, das dieses Jahr wie alljährlich nicht bloß ein Landrattenfeuer aus Reisigbündeln war. Nicht in Brügge. In Brügge wurde ein altes Kanalboot an der St. Jansbrücke vertäut, mit Teerfässern beladen und angezündet.

Er war auf dem Boot und im Karnevalsfeuer, und im Prasseln des Feuers und dem Geschrei der Menge würde niemand die Stimme eines verbrennenden Menschen hören.

Du hast Luft zum Atmen. Du hast Grips. Du denkst gern. Also gebrauche deinen Verstand.

Das Spundloch, durch das er sah, war auf das Flammenmeer vor dem Kanalboot gerichtet. Durch die zersplitterten Dauben an seiner Schulter auf der anderen Seite fiel trübes Licht. Dahin also, und zwar schnell. Was bloß ein rotes Leuchten durch das Spundloch gewesen war, wurde zu mörderischer Hitze, als ein Teerfaß nach dem anderen Feuer fing, aufloderte und vom Feuer verzehrt wurde.

Er trat zu, jetzt mit voller Kraft, aber der Faßboden und die Dauben gaben nicht nach. Also der Deckel, vielleicht saß er nicht so fest. Er zwängte eine Hand an seinem Kopf vorbei nach oben und drückte sie hoch. Die Nägel gaben nach. Eine Seite öffnete sich. Er hatte keine Zeit mehr, den Deckel ganz aufzustoßen. Mit der freien Hand griff er nach draußen, fand einen guten Angriffspunkt und stieß sein Faß ein Stück ab; als er es noch einmal tat, verschob sich alles, sein Faß kippte um, und fast wäre ihm dabei der Arm gebrochen.

Er zog ihn herein, als das Ganze ins Rutschen kam und nicht nur sein Faß wegrollte, sondern auch andere. Durch den halboffenen Deckel drangen Wellen von Geschrei zu ihm. Ganz Brügge stand am Kanal und sah sich das Feuerwerk und das Karnevalsfeuer an...

Du lieber Himmel...

Wenn alles in die richtige Richtung rutschte, würden er und mit ihm noch andere Fässer von dem brennenden Kanalboot herunterfallen.

Wenn ein anderes Faß auf den halboffenen Deckel des seinen traf, könnte es ihn erschlagen. Wenn der halboffene Deckel unter Wasser geriet und das Faß volliefe, könnte er ertrinken. Oben zu bleiben und zu verbrennen wäre womöglich vorzuziehen.

Diese Überlegung kam ihm sehr amüsant vor. Er sah ein, daß er ziemlich betrunken war. Unter diesen Umständen war das noch komischer. Zwischen Gelächter und Rülpsen prallte er in seinem Faß von einer Seite auf die andere, während es mit den anderen rollte und rutschte. Als es in den Kanal stürzte, sah er flüchtig die am Ufer stehenden Leute, ihre Gesichter vom Feuerschein beleuchtet und vor Begeisterung strahlend, und hörte ihre gutmütigen Buhrufe, weil die trotteligen städtischen Beamten ein Dutzend schlecht aufgeschichtete Fässer vom Feuerschiff verloren. Unter den Zuschauern leuchteten diamanthell die Gesichter der Trunkenbolde von der St. Christoph-Kapelle. Jetzt waren sie nüchtern und er berauscht.

Der Kanal war halb zugefroren. Einige Fässer plumpsten ins Wasser, einige schlugen auf Eisschollen wie seines. Bei dem Aufprall brach der Faßboden durch und fiel heraus. Zwei Dauben barsten, wurden aber von den Faßreifen gehalten. Undeutlich wurde ihm bewußt, daß er sich immer noch in seinem Gefängnis befand, das gleichsam durch Selbstantrieb über das Eis glitt. Wenn die beiden Mörder ihn sahen, würden sie sein Faß natürlich aufheben und es wieder ins Feuer werfen. Deshalb mußte er schreien.

Er war gerade zu diesem Schluß gelangt, als er das Ende der Eisscholle erreichte und sein Faß kippelte und ins eiskalte Wasser klatschte, das an einem Ende in sein Faß hineinfloß und am anderen wieder hinaus; es durchnäßte ihn, erstickte ihn fast und ließ ihn in einem schaukelnden Tümpel zurück. Das Faß schwamm und stieß ans Ufer. Niemand hob es auf. Niemand hatte es bemerkt.

Claes überlegte, so benommen er auch war. Dann streckte er die Beine aus und stieß sie durch den zerbrochenen Faßboden. Die Kälte des Wassers war lähmend. Er stützte sich mit den Ellbogen im Faß ab und paddelte mit den Füßen leise am Ufer entlang. Irgendwo in der Nähe war eine Rampe, über die Pferde zur Tränke geführt wurden. Dort konnte er aus dem Faß schlüpfen und sich unter die Volksmenge mischen. Halb betrunken und tropfnaß und zwei seiner Feinde ganz in der Nähe.

Und vielleicht auch derjenige oder diejenigen, die die beiden gedungen hatten.

Ihm war jetzt so kalt, daß er kaum atmen konnte. Eine weitere Ironie. Aber er hatte keine Möglichkeit mehr zu lachen. Das Faß stieß an die Rampe, nach der er gesucht hatte, er tastete mit den Füßen nach dem Grund, fand ihn und versuchte gerade, empfindungslos vor Kälte, das Faß wegzuschieben und daraus hervorzukommen, als Gestalten, die sich oben bewegten, ihre Schatten auf ihn warfen und jemand mit beiden Händen sein Faß packte, es mit Gewalt wieder nach unten drückte und einen Augenblick später mit einem Ruck den Deckel abriß.

Ehe er sehen konnte, wer das getan hatte, war sein ganzer Kopf durch einen ihm übergestülpten Gegenstand unkenntlich gemacht worden. Eine vertraute Stimme sagte mißmutig: «Müssen wir diesen Trunkenbold überall treffen? Du! Bist du ein Freund von Poppe?» Es war Katelina van Borselens Stimme.

Poppe. Der Pfefferkuchenverkäufer im Faß.

Sie sagte: «Ihr drei da. Seht mal, er kann nicht mal stehen.»

Sie wußte nicht, ob er laufen konnte. Langsam kam er auf die Beine, sein Leib im Faß eingeschlossen. Sein Kopf tauchte auf, verhüllt durch das, was sie ihm verpaßt hatte. Eine Karnevalsmaske. Eine Menge Federn. Eine Männerstimme sagte: «Ich habe Poppe schon vor Stunden nach Hause gebracht. Ich dachte, er sei zu Hause.»

«Er ist eben wieder rausgegangen, das siehst du ja.»

Du lieber Himmel. Diesmal eine Kinderstimme. Die Schwester. Beide van Borselen-Mädchen waren anscheinend da.

Gelis. Natürlich. Gelis mußte es vom Turm aus gesehen haben, hatte die beiden angeblichen Trunkenbolde wiedererkannt und ihre ältere Schwester darauf hingewiesen, daß sie ihn nicht verraten durfte. Aber wie würden sie es erklären, daß Poppe triefnaß in einem triefnassen Faß steckte? Sie brauchten es nicht zu erklären, sondern ihn bloß in eine Gruppe hilfsbereiter Menschen zu bringen, die ihn für Poppe hielten. Auf diese Weise konnte ihm niemand etwas zuleide tun. Bis sie zu Poppes Haus kamen.

Das Faß war unglaublich schwer. Vielleicht hatte das Bestrafungsfaß innen Handgriffe. Oder einen besonderen Deckel oder Stützen für die Schultern. Dieses hier mußte er halb tragen, während Leute ihn von beiden Seiten oder von hinten anrempelten. Es schien eine kleine Menschenmenge zu sein, die ihn begleiten wollte. Er war beliebt, der Poppe. Claes fragte sich, wo er wohnte. Er merkte, daß er ständig stolperte, und wenn die Menschenmenge nicht gewesen wäre, wäre er über die ganze Straße getorkelt. Durch die Schlitze in seiner Maske sah er ab und zu das leichenblasse, besorgte Gesicht des Kindes. Und manchmal auch das der Demoiselle mit einer Falte zwischen den schwarzen Brauen, aber furchtlos. Es war eher ein Ausdruck von wildester Konzentration.

Die Leute gingen langsamer. Die Leute blieben stehen. Das Haus von Poppe. Wo Poppe ebenso wie seine Frau und seine Kinder zweifellos im Bett lag und schlief. Warum war die Demoiselle so furchtlos? Sie war jetzt neben ihn getreten, wie er sah. Gelis war auf der anderen Seite. Jemand sagte: «Hoch!»

Das Faß erhob sich in die Luft, und die Demoiselle sagte: *«Komm raus und lauf!»*

Wie er gern zu bedenken gegeben hätte, war ihm eher danach zumute, sich irgendwie zu ducken und dann langsam zusammenzusinken. Aber kaum war er von dem Faß befreit, da hatte ihn jemand – die Demoiselle – am Arm gepackt und weggezogen. Das Faß blieb zurück, offenbar mit einem anderen Insassen.

«Gelis», erklärte die Demoiselle. «Sie wird es gleich absetzen und sich davonmachen. Ihr wird nichts passieren. Gelis kommt immer zurecht. Ich habe ihr gesagt, sie soll zu den de Veeres gehen.»

Ihm klapperten so laut die Zähne, daß er glaubte, sein Kopf müsse platzen. In der eisigen Kälte fühlte sich der Schnitt in seinem Gesicht an, als wäre die Wunde durch einen Axthieb entstanden. Auch sein Gehirn war eingefroren. Sie sagte: «Ich bringe dich von hinten in die Zilverstraat. Es ist niemand im Haus.»

Er erinnerte sich, wie verwundert er war, daß die van Borselen ihre Hintertür nicht verriegelt hatten. Er erinnerte sich, daß er in eine Küche geführt wurde, die durch die Glutasche eines gewaltigen Feuers erhellt wurde, daß er mit einemmal auf der Schwelle stehenblieb und sich dann klarwurde, warum er stehengeblieben war und ruhig weiterging. Ruhig war der falsche Ausdruck. Er konnte nicht aufhören zu zittern. Er erinnerte sich sehr genau, daß die Demoiselle sagte: «Zieh dich aus.»

«Nein», antwortete er.

Sie vergeudete keine Zeit, das mußte er zugeben. Sie zerrte die hölzerne Badewanne heraus, goß mehrere Krüge kalten Wassers hinein, dann schützte sie ihre Hände mit Topflappen, nahm den großen Kessel vom Feuer und füllte die Wanne mit dem brühheißen Wasser. Das sagte sie: «Ich gehe, um mir auch trockene Kleider anzuziehen. Zieh dich aus und steig da rein.»

Das gute blaue Tuch zerriß, als er es auszuziehen versuchte. Er zog alles auf einmal aus. Selbst dabei mußte er sich an die Küchenwand lehnen. Er hielt sich am Rand der Wanne fest, aber trotzdem schwappte Wasser über, als er sich plötzlich hineinplumpsen ließ. Er legte die Arme auf die angezogenen Knie und den Kopf auf die Arme, und seine Sinne verwirrten sich, wurden wieder klar und schwanden ihm dann ganz. Das Feuer, das die Demoiselle wieder in Gang gebracht hatte, ehe sie wegging, loderte prächtig und hielt die Wanne und ihren Inhalt warm wie einen Kupferkessel.

Claes schlief.

Kapitel 20

Viel später wachte Claes auf und drehte träge den Kopf, der auf seinem Arm lag.

Eine Küche. Die gutgeführte, gutausgestattete Küche eines wohlhabenden Haushalts, in der es herrlich nach Huhn roch.

Er drehte den Kopf noch weiter.

Eine Holzwanne. Ein gescheuerter Tisch mit zwei Rollbetten darunter und einem Leuchter mit Talgkerzen darauf. Eine Wand, an der eiserne und kupferne Pfannen und Töpfe hingen und langstielige Geräte aus Eisen und Holz. In einem geschnitzten Schrank, der halb offen stand, sah man Schüsseln aus Holz und Steingut und Zinn und Messing und einige Zinnteller. Ein kupferner Wasserkrug auf dem Fußboden und ein Fliegenschrank und ein Eimer. Ein Zuckerfaß. Ein Salzkasten. Eine Bank, auf der eine brünette junge Frau in einem weiten Gewand saß.

Und er saß offenbar nackt in einer gefüllten Badewanne und umklammerte seine Knie.

Sein Verstand konnte ihm nicht gleich einen Grund dafür liefern. Die junge Frau bekundete eine wohlerzogene, tiefe Ruhe mit einem Anflug von Belustigung. Da er keine Ahnung hatte, was sie von ihm erwartete, erwiderte er ihren Blick mit ebensoviel Gelassenheit. Durch die Anstrengung wurde ihm schwindlig. Der Kopf tat weh. Sein ganzer Körper tat ihm weh. Er wandte den Blick von dem Mädchen ab und ließ ihn zum Kamin schweifen, vor dem seine Kleider zum Trocknen ausgebreitet waren.

Jetzt fiel ihm alles wieder ein. Das da war Katelina van Borselen, die sich umgezogen hatte. Jetzt hatte sie ein Hemd aus feinem Leinen an mit einem Überwurf über den Schultern, und ihr Haar fiel lose herab.

So. Alles der Reihe nach. Um seines Seelenfriedens willen vergewisserte er sich, daß seine gegenwärtige Stellung einigermaßen schicklich war. Er erinnerte sich, daß sie gesagt hatte, es sei niemand im Haus. Er wandte ihr wieder den Blick zu und stellte fest, daß sie ihn immer noch ansah. Nicht wachsam, sondern so prüfend, wie Colard ein Gemälde zu betrachten pflegte, das ihm ein Fremder gebracht hatte. «Offenbar habe ich geschlafen», sagte er.

«Eine Stunde. Es ist noch niemand im Haus.»

«Danke, daß Ihr meine Kleider trocknet.»

«In ein oder zwei Stunden kannst du sie wieder anziehen. Komm raus aus der Wanne. Ich habe etwas Brühe warm gemacht.»

Ähnliche Situationen wie diese hatte er oft genug erlebt, in Badehäusern oder anderswo, und die Folge war immer ein Techtelmechtel gewesen. In jenen Fällen war das betreffende Mädchen keine Katelina van Borselen, und er war nicht gerade erst in Lebensgefahr gewesen. Die Ähnlichkeit der Situationen war also nur eine scheinbare. Er ging so direkt vor wie nur möglich. «Ich bin in einer ungünstigeren Lage als Ihr», sagte er.

Sie sah ihn verächtlich an. «Glaubst du, ich habe noch nie einen nackten Mann gesehen? Meine Eltern schlafen unbekleidet, und meine Diener und meine Cousins ebenfalls.»

Es gab kein Handtuch in Reichweite. Völlig gleichmütig stützte er beide Hände auf den Wannenrand und hievte sich hoch und hinüber. Er gönnte ihr jede Ansicht von seinem Rücken, die sie haben wollte, während er, ohne sich zu eilen, zum Kamin ging, sein feuchtes Hemd nahm, es um die Hüften schlang und die Schnürbänder fest verknotete. Seine Haut war vom langen Baden schrumpelig geworden, und seine Muskeln waren irgendwie aufgeweicht. Um sich Halt zu verschaffen, stützte er eine Hand auf den Kaminsims, drehte sich um und sagte lächelnd. «So. Da war doch was mit Hühnerbrühe.»

Sie hatte sich nicht von der Bank gerührt. «Hole sie dir selbst, wenn du welche willst. Sie hängt da über dem Feuer.»

Er hinterließ Wasserspuren, wohin er auch ging. Er sah, daß sie es bemerkte, aber nicht in der Stimmung war, es wichtig zu finden. Außerdem war die Küche mächtig warm. Er fand den an seiner Kette hängenden Topf und rührte die Suppe um, dann ging er zum Wandschrank und holte zwei Schüsseln, wobei er sparsam mit seiner Kraft umging, die allmählich zurückkehrte. Er hatte die Brühe nötig und hoffte, er werde etwas davon zu sich nehmen können, ehe die Feindseligkeit, aus welchem Grund auch immer, zum offenen Krieg wurde. Er füllte die erste Schüssel, stellte sie vor die Demoiselle auf den Tisch und legte einen Löffel daneben. «Möchte die Demoiselle auch etwas essen?»

Damit hatte er sie irgendwie vor ein Problem gestellt. Sie antwortete kurz angebunden: «Wir werden beide am Tisch essen.»

Es stand noch eine zweite Bank an der anderen Seite des Tisches. Dorthin stellte er seine Schüssel und setzte sich. «Gott schütze die Gastgeberin», sagte Claes. Sie sah nicht so aus, als ob sie Appetit hatte. Er nahm seine Schüssel und trank die kräftige, warme und nahrhafte Brühe, die den Nachgeschmack von Kanalwasser und Malvasierwein vertrieb, in einem Zug aus. Dann stellte er die Schüssel hin und sagte: «Ihr habt mir zweimal das Leben gerettet. Erst beim Kanal und jetzt mit der Suppe. Ich habe Euch noch nicht gedankt.»

Er zweifelte nicht daran, daß sie Fragen zu stellen hatte. Eine ganze Menge wollte auch er gern wissen. Zum Beispiel, wer außer ihr und Gelis noch gesehen hatte, was vorgefallen war. Zum Beispiel, wie es kam, daß sie ohne Begleitung dagewesen war. Zum Beispiel, warum sie, als sie ihn gerettet hatte, kein Geschrei erhoben und ihre Eltern oder die Friedensrichter nicht gerufen hatte. Und warum er einfach so hier war. Wäre es jemand anderes gewesen, hätte er es gewußt. Es war ein Rätsel, das man wie die Geheimschrift der Medici indirekt anpacken mußte. Er konnte nur seine Meinung äußern und hoffen, daß dann ein Gespräch folgen würde.

Nichts folgte. Demoiselle Katelina tauchte immer wieder ihren Löffel in die Suppe, ohne zu antworten. Er wartete geduldig.

Sie war ein hübsches Mädchen und gut gewachsen wie eine gelungene Drechslerarbeit. Ihre Brüste unter dem Hemd waren rund wie kleine spanische Orangen. Sein Blick, auf dem Weg woandershin, glitt über ihren ganzen Körper. Das Leinen war so fein, daß man den Farbwechsel sehen konnte, wo das Weiß ihrer Haut darunter aufhörte. Sein Blick blieb schließlich an seiner Schüssel hängen, was ihm die Zeit für ein wenig notwendige Selbstbeherrschung gewährte.

Er wußte, in welchem Ruf er stand, und der war größtenteils wohlverdient. Er hatte Mädchen gern. Er hatte sie natürlich gern, weil sie ihm die größten und am wenigsten kostspieligen Freuden bereiteten; aber auch, weil er ihre Gesellschaft mochte, ihre Ansichten. Er brachte sie gern zum Reden. Dieses Mädchen war noch Jungfrau, davon war er überzeugt. Mit Jungfrauen hatte er nicht viel Erfahrung. Mädchen dieser Art, die sich selbst anboten, waren gewöhnlich zu jung, um zu wissen, was sie taten. Das nutzte man nicht aus. Bei einer älteren Frau war es manchmal bloß eine Gefälligkeit.

Dieses Mädchen sah nicht so aus, als ob sie reden wollte. Halb und halb bedauerte sie schon, was sie getan hatte. Es wäre einfach, die Situation ganz unmöglich zu machen, so daß sie ihn auffordern würde wegzugehen. Aber was würde sie dann tun? Besser wäre es, ihr zu helfen. «Wißt Ihr, Demoiselle», fragte er, «ob Meester Simon in Brügge ist?»

Ihre Hand mit dem Löffel hielt sofort inne. «Er war nicht schuld.» Dann errötete sie und fügte barsch hinzu: «Er ist nicht in Brügge.»

Sie war kein Dienstmädchen und hatte den zweiten Gedanken verstanden, der in seinen Worten mitschwang. Jetzt würde sie ihn auffordern zu gehen. Er schob die Schüssel beiseite und schickte sich an aufzustehen. Sie sagte mit plötzlicher Heftigkeit: «Sie hatten vor, dich zu verbrennen.»

Er ließ sich mit seinem ganzen Gewicht wieder auf die Bank fallen. «Es ist ihnen nicht gelungen, dank Euch, Demoiselle. Ich weiß, glaube ich, wer sie sind. Sie werden es nicht wieder versuchen. Ihr braucht Euch keine Sorgen zu machen. Sagt Eurer Schwester, es ist alles in Ordnung.»

Er beobachtete sie. Sie konnte nicht allein auf der Straße gewesen sein. Er mußte herausbekommen, ob es noch jemand wußte. «War Eure Schwester gekommen, um Euch zu holen?»

Die Frage erschreckte sie. Sie schob ihre Schüssel beunruhigt weg, stand auf und ging zum Kamin. Da hing, was seiner Aufmerksamkeit entgangen war, ein gestreiftes Handtuch zum Anwärmen. Sie beugte sich vor und nahm es, während er sich auf der Bank umdrehte und sie beobachtete. Der Schein des Feuers glühte durch den Faltenwurf ihres Leinenhemds, und ihm wurde klar, daß sie ihr Übergewand auf der Bank hatte liegen lassen. Sie drehte sich um, das zusammengelegte Handtuch in der Hand. Sie beantwortete seine Frage nicht, sondern erkundigte sich: «Hat er deine Wange aufgeschlitzt?»

Er blieb ruhig. «Simon? Nein.»

«Nicht Simon. Sein Vater, Jordan de Ribérac.»

Es war ein solcher Schlag, als wäre er wieder im Faß. Gestern hatte sie nicht gewußt, wie er zu der Schramme gekommen war. Heute vermochte sie, sie mit Jordan de Ribérac in Verbindung zu bringen. Und durchblicken zu lassen – denn sie hatte es doch wohl durchblicken lassen? –, daß sie beide wußten, daß Jordan de Ribérac für das verantwortlich war, was heute abend geschehen war. Dennoch hatte sie nicht laut um Hilfe gerufen.

Sie hielt das zusammengelegte Handtuch vor sich, als könnte es ihr die Lage erleichtern. Er fragte: «Habt Ihr ihn heute abend gesehen? Monseigneur de Ribérac?»

«Er hat mir einen Heiratsantrag gemacht.»

Heirat! Er starrte sie verblüfft an. Sie hatte voll Verbitterung gesprochen, als ob ihr Jordan de Ribérac außer der Ehe noch etwas anderes angeboten hätte. Wenn ja, war es wohl kaum auf der Straße gewesen. Also hier, in dem leeren Haus. Aber wie hatte sich Jordan de Ribérac Einlaß verschafft in das Haus einer jungen Dame, in dem sie allein war? Auf eine bestimmte Weise. Claes lockerte seine verkrampften Hände und fragte: «War er maskiert? Und hat er Euch gesagt, er wolle mir ein Leid antun?»

«So ungefähr. Er sagte, er habe Simons Fehde mit dir erledigt. Das hatte er natürlich. Er glaubte, er habe die beiden Männer veranlaßt, dich umzubringen. Gelis und ich können das bezeugen. Ich werde es meinen Eltern sagen. Er wird bestraft werden.» Sie zwirbelte das Handtuch, das sie in den Händen hielt. Sie wollte, daß de Ribérac bestraft werde.

«Schon möglich, daß er Männer bestach, um mich aus dem Weg zu räumen, aber ich frage mich, welchen Beweis es dafür gibt. Hat sonst noch jemand gehört, daß er mich bedrohte?»

Neben dem Kamin stand ein Hocker, und sie setzte sich darauf. Ihr braunes Haar schimmerte rot im Feuerschein und wellte sich, wo es eingeflochten gewesen war. «Er war hier. Ich war die einzige, mit der er gesprochen hat. Er war mein Partner für den Abend. Ich glaubte, er sei... ein anderer.»

Das hatte er fast erraten. «Und die beiden Männer, die mich überfielen? Wir werden Zeugen brauchen oder jemanden, der sie kennt, oder jemanden, der von ihrer Verbindung mit Monseigneur weiß. Ihn ohne solche Zeugen zu beschuldigen hieße, Euren Namen mit dem seinen zu verknüpfen auf eine Weise, die Euch nicht gefallen würde. Er könnte das, was geschehen ist, ganz hinterhältig verdrehen.»

«Ich weiß es nicht. Ich weiß nicht, wer die beiden Männer waren. Hast du keine Beweismittel gegen ihn?»

«Keine, die etwas nützen würden. Wißt Ihr, es ist nicht nötig, daß

Ihr da noch etwas unternehmt. Es ist sowieso mein Kampf, obwohl ich froh bin, daß Ihr ihn eine Zeitlang zu Eurem gemacht habt. Sonst wäre ich wohl nicht mehr am Leben. Aber jetzt vergeßt, was mir widerfahren ist. Sagt Euren Eltern nur, daß Monsieur le Vicomte Euch getäuscht und Euch einen unwillkommenen Antrag gemacht hat. Er wird Euch wohl nicht wieder belästigen.»

Er beobachtete sie. In ihrem Gesicht spiegelte sich Erleichterung, aber auch Enttäuschung. Er hatte ihr gesagt, was sie hatte hören wollen. Sie hatte etwas seltsam Entschlossenes. «Es spielt kaum eine Rolle, ob Monsieur le Vicomte oder irgend jemand sonst zudringlich wird. Sie werden mich bald mit jemandem verheiraten. Falls ich nicht die ganze Geschichte erzählt habe. Es ist wirklich schade, daß nichts passiert ist. Es hätte keinen Unterschied gemacht.»

Jetzt wußte er, warum er da war. Sie war neunzehn und gescheit und tüchtig, aber in dieser Sache dachte sie wie Gelis. So wie er mit Gelis gesprochen haben würde, fragte er sie freundlich: «Ist dieses Handtuch für mich?»

Sie hatte es vergessen. Dann erinnerte sie sich, wollte es ihm bringen, zögerte und legte es ihm um die Schultern. Sie zog ihre Hände nicht gleich zurück. Sie zitterten. Er hob eine Hand, nahm die ihre, drehte Katelina herum und zog sie zu sich auf die Bank. Der Feuerschein, der ihr leinenes Gewand durchsichtig erscheinen ließ, verriet ihm noch etwas. Claes, du brauchst also die Beherrschung für euch beide. Wollen wir mal sehen, wie du das schaffst.

«Demoiselle, die Welt wimmelt von Ehekandidaten. Behandelt sie nicht grausam, weil einige Eurer Freier Euch mißfallen.»

«Du heiratest ja nicht.»

Dieser Argumentation wollte er nicht folgen. Er versuchte es mit einer anderen und drückte sich einfach aus, um sie zu überzeugen. «Eines Tages werde ich heiraten. Natürlich sollte niemand zuviel erwarten. Aber wer immer meine zukünftige Frau wird, sie könnte es bereuen, einem launigen Einfall nachgegeben zu haben.»

«Ich erwarte zuviel. Was ich haben will, gibt es nicht. Deshalb ...»

Förmlichkeit war nicht länger zweckdienlich, und das, worüber sie sprachen, mußte beim Namen genannt werden. Das bedauerte er, denn das Ende vom Lied würde sein, daß sie ihn haßte. Er gab ihre Hand frei und stand auf. Nun war er es, auf den der Feuerschein fiel. «Ihr bestimmt mich also zum Ersatzmann. Danke vielmals, aber das schmeichelt mir nicht. Und Ihr irrt Euch. Es gibt viele Männer, die Euch glücklich machen würden.»

Auch sie sprach jetzt offen mit ihm. «Zeige mir wie. Es ist mein Einfall. Du bist nicht verantwortlich.»

Er stand noch und sah auf sie hinunter. «Natürlich bin ich verantwortlich. Wir sind von unterschiedlichem Rang. Es könnte Folgen haben.»

«Es wird keine Folgen haben. Sonst hätte ich dich überhaupt nicht herbringen dürfen. Fürchtest du dich vor etwas anderem? Oder bin ich geringer als das, woran du gewöhnt bist? Kannst du mich in diesem Fall einem Freund empfehlen?»

Sie sprach außerordentlich barsch wie damals in Damme. An ihren Wimpern hingen Tränen. «Ach du lieber Gott», sagte er, kniete sich hin und ergriff wieder ihre Hände. «Was Ihr verlieren würdet, würdet Ihr für immer verlieren.»

«Würdest du dich dessen rühmen? Ach nein. Entschuldige. Ich kenn dich gut genug, um zu wissen, daß du das nicht tätest.»

«Ihr kennt mich überhaupt nicht», sagte er verzweifelt. Sie roch nach irgendeinem guten Parfum. Er versuchte, seine Hände still zu halten und seinen Verstand zum Denken zu zwingen. Plötzlich entzog sie ihm eine Hand, legte sie auf seine nackte Schulter und strich dann immer wieder von oben nach unten über die Muskeln seines mißhandelten Rückens.

Kannst du mich einem Freund empfehlen?

«Ich werde Euch zeigen, wie es ist. So behutsam, wie ich nur kann, damit Ihr mir jederzeit Einhalt gebieten könnt. Danach werde ich versuchen aufzuhören, wenn Ihr es mir befehlt. Wenn ich nicht aufhöre, müßt Ihr Gewalt anwenden. Ich weiß nicht, wieviel Ihr über Männer wißt.»

Sie hatte ihre Wange an seine gelegt, und er spürte, daß sie kurz lächelte. Er fühlte ihr Herz schlagen. Sie sprach, als ob sie Halsschmerzen hätte. «Gelis sagt, du seiest der leidenschaftlichste Liebhaber in Brügge, das haben alle Mädchen behauptet, die sie gefragt hat. Und daß du ihnen immer sagst, du könntest aufhören, daß sie das aber nie wollten.»

Sie war ein Kind. Und weil zwei Männer grausam gewesen waren und ihre Mutter herzlos, würde er sie verführen müssen.

Er würde sie hinauf in ihr Schlafzimmer tragen und, wie es ihre zukünftigen Liebhaber tun würden, auf ihr Bett legen. Dann wollte er sie behutsam entkleiden und liebkosen und sie so zärtlich wie möglich in das Liebesspiel einführen.

Wie die meisten seiner gut durchdachten Vorhaben ging alles nach Wunsch, nur daß er nachher einschlief, was er nicht beabsichtigt hatte, was unter den gegebenen Umständen aber begreiflich war.

Er wachte im Bett auf, ein schlummerndes Mädchen im Arm, deren langes Haar sich über seinen Körper ringelte. Im Schlaf sah ihr Gesicht anders aus; rosig, friedlich und befriedigt. Irgendwo spielte noch ein Lächeln um ihren Mund, und er lächelte ebenfalls, zweifellos aus demselben Grund. Dann, in die Wirklichkeit zurückgekehrt, sah er zum Fenster. Noch dunkel, Gott sei Dank. Die Dienerschaft würde kaum vor Morgengrauen zurückkommen und die Eltern noch später. Dennoch hätte er schon längst weg sein sollen.

Normalerweise wußte er genau, wie lange das Liebesspiel dauern sollte. Wann es auf den Höhepunkt zu bringen war. Wieviel Zeit für die Artigkeiten nachher berücksichtigt werden mußte. Aber das hier war schwerlich Routine zu nennen. Zuallererst mußte er die Küche aufräumen und seine Kleider wegräumen.

Vorsichtig löste er sich von dem Mädchen, verließ leise das Zimmer und ging in die Küche. Dort sagte ihm die Sanduhr, daß er vielleicht noch vier Stunden hatte, ehe es Tag wurde. Dennoch nahm er sich nicht die Zeit, sich anzuziehen, sondern machte sich rasch ans Aufräumen. Schließlich fand er, es sehe jetzt so aus wie zuvor, als Katelina ihn vom Garten aus hereingebracht hatte. Daß Brühe fehlte, würde wohl niemand merken. Oder daß ein Handtuch fehlte, das aus sehr guten Gründen oben war. Er sah sich um, nahm seine Kleider auf und zögerte. Er könnte sich hier anziehen und weggehen, wie er es getan hätte, wenn er nicht geschlafen hätte. Aber dann hätte er sich von ihr verabschiedet, wie es sich gehörte.

So wie die Dinge lagen, wußte er nicht, was er tun sollte. Sie schien glücklich zu sein. Sie war glücklich gewesen; zumindest davon war er überzeugt. Sie hatte sich, als der Höhepunkt kam, an ihn geklammert, als würde die Himmelstür geschlossen. Nachher hatte sie sehr wenig gesprochen, nur dagelegen und ihn gestreichelt, immer wieder und wieder, als wäre er ein neuer Besitz. Und er war eingeschlafen.

Aber er war froh darüber. Er war durchaus im Bilde über die Bettgewohnheiten hochgeborener Frauen. Einige machten kein Hehl daraus, was sie wollten, und waren aufgeschlossen und kameradschaftlich, ob man sie nun im Arm hatte oder nicht. Manche wollten Diener als Liebhaber, die sie im Bett peitschen, sonst aber vor ihnen kuschen sollten. Katelina gehörte weder zur einen noch zur anderen Sorte. Er fragte sich, was er ihr angetan hatte. Vielleicht würde sie nach diesem ersten Schritt gar nicht heiraten, sondern sich einen Liebhaber nach dem anderen zulegen. Bis sie mit der Zeit aufhörte, auf den Kalender oder die Schicklichkeit zu achten und Unglück und Verderben die Folge wären.

Vielleicht würde es gut ausgehen. Vielleicht würde sie jetzt wie ein überängstliches Kind bereit sein, sich bis zu einer geeigneten Heirat zu gedulden. Oder sich sogar darauf zu freuen. Er lächelte ein wenig, als er an die Art von Männern dachte, junge und alte, die ihre Familie ihr vorschlug. Vielleicht wäre es besser gewesen, wenn er die Prozedur ein wenig abgekürzt hätte. Aber sie war ein herrliches Mädchen, gut gebaut und beherzt. Was sie sonst noch war, wußte er nicht, ebensowenig wie sie ihn kannte, was auch immer sie behauptete. Seit sie sich zum erstenmal gesehen hatten, hatten sie kaum mehr als ein paar Worte miteinander gewechselt. Es war nicht sein Verstand, dessentwegen sie oder eine andere ihn begehrte. Damit hatte er sich durchaus abgefunden.

Er beschloß, noch einmal zum Schlafzimmer zu gehen und die Tür aufzumachen. Sie brauchte sich nur schlafend zu stellen, wenn sie ihn nicht mehr sehen wollte. Falls sie noch schlief, würde er sie nicht wecken. Jedenfalls konnte sie sich darauf verlassen, daß er sie bei ihrer nächsten Begegnung so begrüßen würde, wie ein Diener eine Dame begrüßen sollte.

Der Lichtschimmer unter ihrer Tür verriet ihm, daß sie aufgestanden war und eine neue Kerze angezündet hatte. Vielleicht hatte sie sich auch angezogen. Seine Kleider, die er mit einer Hand vor sich hielt, waren ein Symbol für die nötige Schicklichkeit: er wollte die Sache auf die eine oder andere Weise beenden. Er öffnete die Tür.

Sie war wirklich aufgestanden, hatte eine neue Kerze angezündet und das Laken vom Boden aufgehoben, sich aber nicht angezogen. Sie sah auf, halb im Bett und halb im Freien. Er betrachtete die lange Linie von Schienbein und Knie und Oberschenkel und all die Stellen, auf denen seine Hände und seine Lippen geruht hatten. Und dann die weiße Haut der Arme und die schmächtigen Rippen und die kleinen Brüste, rund wie Orangen. Und ihre leicht geöffneten Lippen. Sie lächelte. Sie stand auf, und er bemerkte die kleine Unregelmäßigkeit ihrer Atemzüge. Dann ging sie ihm entgegen, den Blick auf seine Hand und das schützende Knäuel von Kleidern gerichtet. «Die müssen zusammengelegt werden», sagte sie. «Und außerdem sind sie im Weg.» Sie riß sie ihm aus der Hand und ließ sie auf den Boden fallen, dann nahm sie deren Platz ein.

Diesmal gab es überhaupt keine Umstände. Beim zweitenmal eine ganze Menge. Beim drittenmal, als der Himmel vor dem Fenster schon hell wurde, gab es einen gewaltigen Sturmangriff, den Claes vergeblich abzuschwächen und zu zügeln versuchte.

Mittendrin schlug unten eine Tür. Katelina kämpfte mit ihm und zwang ihn weiterzumachen. Die Folge war eine Entladung, die sie beide eine ganze Weile lähmte. Dann lagen sie da, und ihre Herzschläge ließen das Bett beben. Sie hätten sich nicht rühren können, wäre die Tür aufgegangen.

Sie öffnete sich nicht. Man hörte schlurfende Schritte unten, die erkennen ließen, daß ein Diener damit beschäftigt war, für die bald zurückerwartete Herrin Wasser zu holen und Feuer zu machen. «Geh nicht weg», sagte Katelina. «Es gibt einen Ausgang zum Garten. Es vergehen noch Stunden, bis Mutter kommt.»

Er lag still, das Gesicht vergraben. Soviel zur Selbstbeherrschung. Dann hob er den Kopf und sagte: «Demoiselle.»

«Demoiselle!» sagte Katelina van Borselen.

Er drehte sich auf die Seite und sah sie an. Jetzt war sie blaß, nicht wie das blühende Mädchen, das er vorhin verführt hatte; ihre Haut war feucht, das Haar zerzaust, und sie hatte blaue Schatten unter den Augen.

«Wie kann ich Euch sonst nennen? Ich habe Euch etwas Kostbares genommen. Vielleicht habe ich Euch das gegeben, was Ihr wolltet. Wenn es verkehrt ist, dann ist es nun mal verkehrt. Aber für mehr als eine Nacht – das wäre Gier auf beiden Seiten.»

Sie hatte bisher nicht an ihren Stolz gedacht. Er sah, daß sie jetzt darüber nachdachte. Sie sagte: «Wenn du... ein Rechtsgelehrter wärst... würdest du mich dann heiraten?»

So entwaffnend, so grausam. Er nahm liebevoll ihre Hand.

«Selbst wenn ich ein Rechtsgelehrter wäre, Ihr steht zu hoch über mir.»

Sie schloß die Augen und öffnete sie wieder. «Es heißt, du seiest gescheit. Ich finde, du bist gescheiter, als die Leute glauben. Sicherlich hättest du doch Schreiber werden können? Warum bist du ein Handwerker?»

«Weil es mir gefällt. Doch Lesen und Schreiben habe ich gelernt. Aber meine Mutter ist gestorben. Jetzt habe ich alles, was ich brauche.»

«Ich glaube, daß es gelogen war, als du sagtest, du wolltest eines Tages heiraten.»

«Ja, es war gelogen. Aber das bedeutet nicht, daß ich wieder zwischen Euch und Euren zukünftigen Ehemann treten würde.»

«Willst du es nicht?» fragte sie kindisch.

Er setzte sich auf. «Würdet Ihr es von mir verlangen? Von einem Diener?»

Sie hatte sich auch erhoben. «Du bist kein Diener. In meinen Augen bist du Nicolaas.»

«Weil ich getan habe, was ich getan habe, wagt Ihr nicht, an mich als Claes zu denken. Aber ich bin ein Diener. Und noch dazu ein schlechter. Ich habe Euch allzu sehr wachgerufen, Katelina. Doch was mich übermannte wird eines Tages einen anderen übermannen. Ihr braucht keinen Mustergatten. Ihr tragt die Lust in Eurem eigenen Leib. Ihr wißt das auch.»

Sie antwortete nicht. Sie sah ihm beim Anziehen zu, das erste Mal, nahm er an, daß sie sah, wie sich ein Mann bedeckte. Sie mußte sich fragen, ob es das letzte Mal sein würde. Es gab nichts, was er hinzufügen oder noch tun konnte. Als er fertig war, trat er ans Bett und sah zu ihr hinunter, und da sprach sie. «Wenn Jordan de Ribérac das wüßte, würde er dich vermutlich töten.»

Daran hatte er auch gedacht. «Er wird es nicht erfahren», sagte er. «Macht Euch keine Sorgen.»

Sie war leichenblaß. «Warum hat er dein Gesicht verunstaltet?»

«Er wollte, daß ich Simon bespitzel. Ich habe das abgelehnt.»

«Warum?»

«Warum ich abgelehnt habe? Weil ich nicht in Verdacht geraten will, wenn Simon umgebracht wird. Eine reizende Familie. Sie hassen einander.» Er dachte einen Augenblick darüber nach.

«Claes?» fragte sie in einem sonderbaren Ton, aber als er sie ansah, sagte sie nur: «Sei vorsichtig.»

«Selbstverständlich. Aber ich muß jetzt gehen.»

Sie saß ganz still da und hatte das Laken um sich geschlagen wie ein Gewand, und er versuchte nicht, sie zu umarmen. Vielmehr beugte er sich hinunter, nahm ihre Hand und küßte sie wie ein Edelmann.

Sie erschauerte, und er verließ sie rasch.

Er war sich nicht darüber klar, daß er sie einmal Katelina genannt hatte. Er verstand nicht im mindesten, was er getan hatte.

Kapitel 21

Grau in Grau dämmerte der Morgen des Aschermittwochs über der Stadt Brügge, und zögernd begann Rauch aus den Schornsteinen aufzusteigen. In dem freundlichen und wohlgeordneten Haus Adorne standen die Kinder auf, wurden gewaschen und angezogen und mit ihren Eltern, der Dienerschaft und den Gästen zur Messe in die Jerusalemkerk geleitet. Nachher frühstückten die Gäste und gingen heim, unter ihnen die Witwe Charetty und ihre beiden Töchter, die zierlich knicksten und von der Demoiselle Margriet einen Kuß bekamen.

Die beiden Schwestern, die ungewöhnlich schweigsam waren, wurden von einem Diener nach Hause gebracht, während sich ihre Mutter zum Rathaus begab, wo die Stadt an diesem Tag üblicherweise zu einem Festmahl lud, bei dem es Süßwasserfisch und guten Wein gab. Marian de Charetty wußte nicht, und es war ihr auch gleichgültig, wo die männlichen Mitglieder ihres Haushalts waren oder wie sie die Nacht verbracht hatten.

Tilde hatte sie weinend verbracht. Niemand konnte es Pater Bertouche zum Vorwurf machen, daß er die vier kleinen Mädchen nach Hause gebracht hatte. Es war ein Jammer, daß die kleine van Borselen sich so gewaltsam in die Gesellschaft eingedrängt hatte, aber gewiß hatte sich Claes schließlich vor ihren Freundlichkeiten retten können. Jemand – ein Diener? Vielleicht die Schwester Katelinas? – wird die kleine Gelis wohl gesucht und nach Hause gebracht haben. Das ging Marian de Charetty nichts an.

Sie vermutete, daß Felix die ganze Nacht mit seiner neuen Freundin verbracht hatte. Jetzt, da er den Bogen heraus hatte, mußte sie wohl mit ihm sprechen, sonst würde die Hälfte aller Mägde in Brügge behaupten, von ihm geschwängert zu sein. Da er keinen Vater hatte, wäre eine Ehefrau die beste Lösung.

Sie brauchte Hilfe bei Felix. Aber Ehefrauen hatten Väter. So wie die Dinge lagen, stolperte sie bei jedem Schritt über den Pfandleiher Oudenin. Nach dem Festmahl kam sie rechtzeitig nach Hause zur jährlichen Inspektion der Maße und Gewichte und stellte fest, daß Claes ihr zuvorgekommen und auf dem Hof schon an der Arbeit war, nackt bis aufs Hemd und ein ganz altes Wams. Sie ließ ihn allein und ging in die Küche, wo sie Felix fand, der eine ihrer Dienerinnen beschwatzte. Er hatte bei der Lotterie einen Sack voll Schellen gewonnen und wollte sie auf Claes' Kleider genäht haben.

Claes' Kleider waren schon in der Küche und wurden gebügelt und ein großer Riß geflickt. Er sei in den Kanal gestoßen worden, sagte ihre Zofe und glaubte es offensichtlich. Felix, dessen Augen vor Schlaflosigkeit glänzten, glaubte es offensichtlich nicht. Sie auch nicht. Claes hatte ebensolche Augen wie Felix, und seine rote Narbe verlief über eine käsige Wange.

Aschermittwoch. Ein Tag, den sie schon immer gehaßt hatte.

Später gab es eine kurze Szene, als Claes hereinkam, um seine Kleider zu holen, und überall auf seinem Wams und seiner Jacke Schellen fand. Nachdem Felix und seine Freunde ihn gezwungen hatten, die Kleider anzuziehen, ging er schnurstracks weg und kam nach einiger Zeit mit einer Herde Ziegen zurück, die er bimmelnd ins Haus und die Treppe hinauf und bis in Felix' Zimmer führte, wo sie meckerten und vor Angst koteten. Felix war wütend, aber seine Freunde schrien vor Lachen und brachten ihn so weit, daß er es auch lustig fand. Später kam ein Mann, dessen Entlohnung zweifellos dem Erziehungskonto von Felix belastet wurde, um das Zimmer wieder sauberzumachen, während jemand die Schellen abschnitt und Claes, wieder in seinen alten Kleidern, sich die Kellerschlüssel geben und einen Lastkarren anspannen ließ. Einen Augenblick später sah die Witwe ihn aus dem Hof hinausrumpeln, Claes kutschierte und hatte einen jungen Hilfsarbeiter neben sich.

Felix war weggegangen, ohne sich zu verabschieden oder um ihre Erlaubnis zu bitten. Henning, wegen des Karrens zur Rede gestellt, war der Meinung, es sei nichts Gutes bei dem Versuch herausgekommen, aus einem Lehrling einen Soldaten zu machen. Vor sechs Monaten sei das ein braver Junge gewesen, der gar nicht auf den Gedanken gekommen wäre, ohne zu fragen mit dem Karren seiner Herrin und noch dazu während der Arbeitszeit wegzufahren.

«Wofür wollte er denn den Wagen haben?»

«Er holt seine Lotteriegewinne ab. Ein Panzerhandschuh war alles, was er bekommen hat, aber das ist nur die Anzahlung. Es könnte ein Schild sein, den er abholen soll, und vielleicht ein Helm.»

«Oder bloß der zweite Handschuh», sagte Marian de Charetty. «In diesem Fall macht er sich mit einem Wagen lächerlich, nicht wahr? Na schön. Wir haben uns um andere Dinge zu kümmern. Zeig mir die Waage, die manipuliert worden ist.»

Der Karren blieb ziemlich lange fort. Catherine war von Freundinnen abgeholt worden und erzählte, als sie zurückkam, auf dem Marktplatz wären Buden, die Dörrobst verkauften, und das van Borselen-Mädchen sei dagewesen und hatte eine schlechtere Laune gehabt denn je. Gelis, die Dicke. Gelis hatte nichts weiter über die Tatsache zu sagen, daß sie beim Karneval Claes als Kavalier gehabt hatte, als daß sie sich so gelangweilt habe wie nie zuvor in ihrem Leben und daß sie allein nach Hause gegangen sei. Mit wem Claes weggegangen sei, sagte sie nicht, aber stellt euch vor: Gelis hat einen neuen Handwärmer. Und ratet mal, was für einen?

Natürlich einen vergoldeten silbernen Apfel. Marian de Charetty fragte sich, ob Claes ihn übergeben hatte, bevor oder nachdem seine Kleider voller Schellen waren. Oder vielleicht hatte er ihn schon gestern abend bei sich. Man weiß nie, wen man beim Karneval womöglich bestechen – oder belohnen – muß.

Bei Einbruch der Dunkelheit, als alle schon im Haus waren, kam der Karren zurück, und sie hörte, daß die Kellertür aufgeschlossen wurde. Eine lange Zeit gingen schwere Schritte hin und her. Dann klopfte der junge Hilfsarbeiter, der vergnügt aussah, an ihrer Tür und sagte, es seien einige gute neue Waren gekommen, und ob die

Demoiselle sie gern sehen wolle für die Bestandsaufnahme? Sie legte sich einen Schal um die Schultern, nahm eine Lampe und ging hinaus. Der Schlüsselbund an ihrem Gürtel klapperte. Der Wind fing sich in dem ganzen matronenhaften Plissee des Voiles auf ihrem Kopf und zerrte am Gebände. Claes war allein im Keller, er kniete zwischen Säcken und angezündeten Kerzen. Sie schloß die Tür auf.

Er wandte den Kopf und sagte: «Ich habe den jungen Hilfsarbeiter mitgenommen, weil er ein bißchen einfältig ist. Er glaubt, die Hälfte hiervon sei Wolle. Schaut mal her.»

Sie ging zu ihm und bückte sich. Einige Säcke waren schon ausgepackt. Dahinter standen Kisten, deren Deckel er anhob. Zuerst sah sie eine Schicht Stroh und dann dunkel schimmerndes Metall. Ein Brustharnisch, darunter ein zweiter. Schulterstücke, ineinandergelegt, und Diechlinge und Armkacheln. Ein Sack war gefüllt mit eisernen Helmen, und zwar nicht mit burgundischen, sondern deutschen. In einer anderen Kiste lagen schwere Rüstungen. Marian de Charetty ließ den Deckel dieser Kiste fallen und setzte sich darauf, sagte aber nichts.

Claes arbeitete rasch, öffnete die letzten Säcke und überprüfte ihren Inhalt. Dann hob er seine Kerze hoch, wirbelte sie in einer überschwenglichen Geste herum und nahm sie mit, als er sich neben die Demoiselle setzte. «Nun?»

«Ich habe gehört, du hast einen Panzerhandschuh gewonnen.»

Sein Gesicht war vor Anstrengung gerötet. Aber niemand konnte so gewinnend lächeln wie Claes. Er klopfte auf ein Faß, dann schwang er sich darauf. «Da sind noch zwei Dutzend drinnen, vom Spital des heiligen Jan. Wenn jemand danach fragt, das ist alles, was ich gewonnen habe. Ihr habt sie von mir gekauft, und Thomas wird sie zu Astorre bringen. Natürlich wird er auch die übrigen mitnehmen, zusammen mit dem Zeug, das ich auf dem Weg nach Norden gekauft habe. Das ermöglicht es uns, fünfzig Mann mehr auszurüsten als vertraglich vereinbart ist. Sie stellen die Pferde zur Verfügung und wir die Rüstungen.»

Er sprach mit ihr von Mann zu Mann, wie er es jetzt oft tat. Sie wandte den Blick ab von seinen aufgekrempelten Ärmeln und den blauen Flecken überall auf seinen Armen und fragte: «Und was bezahle ich dir für das Faß mit Handschuhen? Das sollte ich eigentlich erfahren, nehme ich an.»

«Nicht sehr viel. Die Handschuhe sind alt. Ich werde es ins Hauptbuch eintragen. Natürlich bezahlt Ihr mir gar nichts. Das ganze Zeug stammt aus dem Waffenlager im Spital. So lautet jedenfalls die Absprache mit der Familie Adorne. Es gibt keine Aufzeichnungen darüber, und keiner von uns hat je davon gehört.»

Es war kalt im Keller, und die drei oder vier Kerzen, die er angezündet hatte, wärmten kaum. Aber die Witwe war viel zu hartnäckig, um ihn einfach so davonkommen zu lassen. Sie legte die Hände in den Schoß und fragte: «Womit hast du das bezahlt?»

«Mit Versprechungen. Ich werde es Euch sagen, wenn Messer Adorne und ich uns zusammengesetzt haben. Ich bin in Mailand auf etwas Interessantes gestoßen. Etwas, das der Familie Adorne und der Firma Charetty nützen wird. Messer Adorne kennt die Einzelheiten noch nicht, dennoch war er zu einer erheblichen Investition bereit. Und wie ich gesagt habe, können wir fünfzig Mann mehr ins Feld schicken, ob der Plan nun klappt oder nicht.

«Ja, ich habe mir schon zusammengereimt, was du von mir willst: Ich soll Astorre ein Heer kaufen. Ich sehe hier aber keine Waffen.»

«Nein. Ich habe Euch gesagt, daß Messer Tobie nach Piacenza geht. Er hatte den Auftrag, für Thibault und Jaak de Fleury Gewehre und Pulver zu kaufen. Ich bat ihn, für Hauptmann Astorre außerdem fünfzig *schiopetti* zu kaufen. Handfeuerwaffen.»

«Und sie zu bezahlen?»

«Ach, wißt Ihr, das ist ein wunderbares Verfahren. Die Medici-Bank unterstützt Mailand und den König von Neapel, deshalb ist ihr Geschäftspartner in Mailand – und zwar Tommasos Bruder Pigello – durchaus bereit, uns das Geld für die Handfeuerwaffen vorzuschießen, ebenso das Handgeld, das Thomas braucht, um zusätzliche fünfzig Mann mehr anzuwerben, als Astorre erwartet. Dann gehen wir zum Herzog von Mailand und bieten ihm fünfzig vollbewaffnete, großartige Schützen an, vorausgesetzt, er stellt eine neue *condotta* aus. Mit dem Geld, das wir dafür bekommen, bezahlen wir unsere Schulden bei Pigello und den Waffenschmieden und behalten eine ganze Menge übrig.»

«Hauptmann Astorre ist also von diesem herrlichen Plan noch nicht unterrichtet worden?»

«Er mag keine Handfeuerwaffen. Aber Messer Tobie mag sie, und Thomas auch.»

«Doch Meester Julius nicht? Oder hast du vergessen, daß ich einen hochbezahlten Schreiber bei der Truppe habe, dessen Aufgabe, hätte ich angenommen, genau darin besteht, sich mit Aufträgen, Kontrakten und Einkäufen zu befassen?»

Seine Lippen, die gelächelt hatten, verzogen sich jetzt zu einem kleinen Schmollmund. Er überlegte. Er hob beide Hände, verschränkte sie über dem Kopf und kniff die Augen zusammen.

«Die Frage ist nicht so schwierig, wenn du keine Kopfschmerzen hast.»

Er ließ die Hände fallen. Sein Lächeln kehrte wieder, ein Zeichen, daß der Hieb gesessen hatte. «Sie ist doch schwierig, soweit sie Julius betrifft. Er ist ein kluger Mann. Er würde eher auf Euch als auf Tobie oder mich hören.»

«Was bedeutet, daß Tobie dein Format hat und Julius nicht. Warum sagst du es dann nicht klipp und klar?»

«Hat Felix getrunken?» fragte er.

Er ließ nie eine Meinungsverschiedenheit zwischen ihnen bestehen, ohne sofort ein ganz anderes Thema anzuschneiden. Sie hätte daran denken müssen. «Ja. Du hast ihm gefehlt. Die Schellen... Die Ziegen...»

«Es tut mir leid. Aber ich hatte noch nicht die Zeit, mich auf ihn einzustellen. Gebt Ihr ihm Geld?»

«Nicht für eine Turnierrüstung.» Und als er sie immer noch ansah, fügte sie hinzu: «Auch nicht für Hermelinschwänze.»

«Dann...» begann er einen Satz und unterbrach sich. Jetzt hörte sie sie auch, die Stimme von Felix, der draußen rief.

«Sollten wir...» fragte sie.

«Nein. Laßt ihn alles sehen. Keine Einzelheiten. Ein geheimes Geschäft, über das er den Mund halten muß. Das wird er auch tun. Es ist seine Firma.»

«Aber...» wollte sie einwenden.

Felix stand in der Tür. Seine schmalen Augen waren voller Mißtrauen. «Sie haben mir gesagt, ihr seid beide hier.»

«Na, das will ich hoffen», sagte Marian de Charetty. «Denn ich habe angeordnet, daß du hergeschickt wirst, sobald du nach Hause zu kommen geruhst. Wo bist du gewesen?»

«Ausgegangen. Was ist das hier alles?»

Er nahm Claes die Kerze ab und stöberte die ganze Zeit, während seine Mutter mit ihm sprach, herum. Dann kam er mit einem spitzen Helm zurück und stülpte ihn Claes unversehens auf den Kopf. Claes zuckte zusammen. Felix trat einen Schritt zurück und kicherte. «Nur etwas war schlechter als das, und zwar das Zeug, das du anhattest, als du zurückkamst. Warum suchst du dir nicht eine Garnitur aus und kaufst sie uns ab?»

Mit strenger Miene wollte Marian de Charetty etwas sagen, aber Claes kam ihr zuvor. «Ich habe alles, was ich brauche. Außerdem wirst du das Beste für dich haben wollen.»

Felix grinste. «Das Beste davon? Das da sind Rüstungen für Soldaten, die im Dreck herumstampfen.»

«Irrtum meinerseits», sagte Claes.

«Das will ich meinen. Du glaubst doch nicht im Ernst, ich würde...»

«Natürlich nicht. Schließlich hatte ich Unterricht bei Hauptmann Astorre. Ich vergaß, daß du keinen hattest.»

Marian de Charetty schaltete sich ein. «Mir ist kalt. Felix, nimm die Lampe und leuchte mir zur Tür. Claes, das reicht. Lösche die Kerzen und schließe ab.»

Claes stand gehorsam auf und wollte hinübergehen, um die Kerzen auszublasen. Felix, der seiner Mutter den Rücken zudrehte, trat ihm in den Weg. «Was soll das heißen, Astorre hat dich unterrichtet und mich nicht? Was glaubst du denn, wofür Mutter ihn angestellt hat?» sagte er mit gerötetem Gesicht.

«Dein Vater hat ihn angestellt. Als Leibwächter.»

«Und was für eine Ausbildung bekommt man von einem Leibwächter?» Felix fiel es nie schwer, seinen Standpunkt zu ändern, vor allem nicht, wenn er wütend war. «Mein Gott, eine Woche in der Truppe eines zweitrangigen einfachen Soldaten, und du hältst mir Vorträge über das Kämpfen. Ein Mann von vornehmer Herkunft gibt sich nicht mit Ringkämpfen in Hinterhöfen ab. Er tjostiert. Glaubst du, ich habe das, was ich davon verstehe, von Astorre gelernt?»

Claes, der geduldig abwartete, beugte sich hinunter und blies eine Kerze in Felix' Nähe aus. «Von wem hast du es denn gelernt?» fragte er.

Felix holte Luft und hielt dann inne. «Du wirst nicht dafür bezahlt, daß du wißbegierig bist. Du wirst dafür bezahlt, daß du tust, was dir befohlen wird. Blase diese Kerzen aus.»

Er trat beiseite. Claes blies sie aus, und Felix stolzierte mit der Lampe zur Tür. Seine Mutter folgte ihm. Aus der Dunkelheit folgte ihnen Claes' Stimme: «Hauptmann Astorre lehrt auch tjostieren.»

Felix wandte den Kopf und brach in ein kurzes, kläffendes Gelächter aus. «Und du glaubst, du könntest besser tjosten als ich?»

«Ich habe kein Pferd. Und auch keine Lanze.» Claes' Stimme klang ziemlich traurig.

Felix drehte sich ganz um und sagte: «Also das ist doch kein Problem. Ich werde dir eine leihen. Du stellst dir eine schöne Rüstung zusammen. Die sehen wir dann als Leihgabe an. Und ich werde die anderen draußen vor den Stadtmauern einen Turnierplatz herrichten lassen, sagen wir morgen, und dann werden wir sehen, was du kannst. Mit einem richtigen Kampfpreis natürlich. Wenn du Mumm hast.»

«Felix! Claes!» sagte Marian de Charetty.

Ihr Sohn, der immer noch die Lampe trug, huschte an ihr vorbei, überquerte den Hof, knallte die Haustür zu und überließ Hof und Keller der Dunkelheit. Sie hörte Claes leise lachen. Ein kratzendes Geräusch, und dann brannte eine neue Kerze, die er mit der Hand vor dem Wind schützte. Er hatte den Helm abgenommen und sah eine Spur ernsthafter aus.

«Felix wollte eine Tjost-Rüstung», sagte Claes. «Er muß sie schon besitzen. Ich habe mir Gedanken gemacht über die Zunft der Kämpfer des Weißen Bären. Über ihr großes Turnier nach Ostern.»

Sie starrte ihn an. «Das wird er doch nicht versuchen wollen!»

«Es könnte sein. Mit der richtigen Unterstützung wäre es möglich. Anselm Adorne griff zur Lanze, als er nicht viel älter war.»

«Aber er war ausgebildet. Die ganze Familie Adorne ist von Turniermeistern unterrichtet worden.»

«Vielleicht wird Felix von einem Turniermeister unterrichtet. Es würde mich nicht wundern. Er ist sehr selbstsicher. Aber es könnte sinnvoll sein herauszufinden, wie gut er ist.»

Er wollte ins Haus gehen, aber sie blieb stehen. «Wie gut bist du?» fragte sie.

«Nicht sehr gut», erwiderte Claes. «Ich hoffe, daß wir gleich stark sind. Was immer geschieht, er wird gewinnen müssen. Deshalb besteht kein Grund, sich Sorgen zu machen. Felix kann dabei unmöglich etwas passieren. Und es wird das erste Mal sein, daß ich in voller Rüstung öffentlich Prügel beziehe. Im Steen hätte ich ein paarmal eine brauchen können, das kann ich Euch versichern.»

Tatsächlich waren zwei Tage erforderlich, damit die bedauerliche Konfrontation zwischen Felix und dem Diener seiner Mutter stattfinden konnte. Den größten Teil der Vorkehrungen traf Felix. Er spannte seine Freunde ein und begann sich derart verbissen darauf vorzubereiten, daß es Kriegsvorbereitungen nahekam. Dann, als etwas Zeit verstrichen war und seine Freunde ihn etwas besänftigt hatten, begann er wie üblich seinen Ärger zu vergessen und sich zu amüsieren. Er beschloß, seine Fähigkeiten zu beweisen, seine Rüstung zur Schau zu stellen und einen entscheidenden Sieg zu erringen, ohne daß sein guter, wenn auch etwas großmäuliger Freund Claes unangemessen viel einstecken müßte. Auf diese Weise gewann er dann natürlich den Kampfpreis, der, worauf seine Mutter bestanden hatte, nur noch aus einem Paar Panzerhandschuhen bestand.

Als der Termin näherrückte, kam ihm zum Bewußtsein, daß er gar keine Rüstung über den üblichen Haushaltsbestand hinaus haben durfte. Aus diesem Fundus bediente er sich, konnte aber der Versuchung nicht widerstehen, seinen eigenen prachtvollen Helm mit dem Adlerkopf und dem roten Helmbusch aus dem Versteck hervorzuholen. Er sagte Guildolf von Gruuthuse, er solle behaupten, daß er ihn ihm geliehen habe. Er begann sich auf den Kampf zu freuen. Einige seiner Freunde, angeregt durch die Vorbereitungen, verschafften sich die Pferde ihrer Väter und fragten, ob sie mitmachen könnten. Einige städtische Beamte mit ernster Miene sprachen bei Felix vor und machten ihn darauf aufmerksam, daß Wettstreite dieser Art verboten seien, selbst wenn sie nur aus Spaß ausgefochten würden, es sei denn, sie wären rechtmäßig angeordnet worden. Er geriet in Wut bei dem Wort Spaß, und John Bonkle mußte die Beamten beschwichtigen und ihnen etwas Geld zustecken.

Der Tag brach kalt und naß an. Das ganze Haus schien leer zu sein.

Nein, Unsinn. In der Färberei und der Walkmühle waren so viele Leute, wie dort sein sollten, und das Haus hallte von den Schritten der Dienerschaft wider. Aber Felix und Claes und der Haufen junger Männer, die sie begleiteten, waren weg, und auch eine Schar träger und gleichgültiger Pferde und ein Schubkarren voller Rüstungen und eine Menge Lanzenfähnlein, an denen die frische Farbe herunterlief.

Marian de Charetty hatte längst aufgehört, sich wegen dieses Unsinns Sorgen zu machen. Sie ärgerte sich auch nicht mehr darüber. Sie waren alle alt genug, um mit den Dingen selbst fertig werden zu können, und sie verließ sich darauf, daß Claes ihren Sohn und sich selbst vor wirklichem Schaden bewahren würde. Als sie jetzt an ihrem Fenster stand, sah sie das Gesicht ihres Sohnes, der vor Erregung strahlte, und daneben Claes, der brummend herumstampfte, als sei er eine Imitation der leidenschaftlichen Gestalt des Hauptmanns Astorre. Die übrigen, Bonkle, Sersanders, Cant, der junge Adorne, konnten sich vor Lachen nicht mehr halten. Claes selbst, das sah sie, das wußte sie, war ungetrübt glücklich.

Vier Stunden später kamen sie zurück, und alles war in Ordnung bis auf ein verstauchtes Handgelenk (das von Sersanders) und eine Rechnung für drei Schweine, die Felix verscheucht und mit dem falschen Ende seines Lanzenfähnleins abgestochen hatte, als sie sich auf den Turnierplatz verirrt und sein Roß erschreckt hatten. Auf dem Nachhauseweg hatten sie auch immer wieder haltgemacht, um mit ihrer Rüstung anzugeben und auf den Erfolg des Turniers anzustoßen. Diesen Schluß zog Marian de Charetty aus dem unregelmäßigen Klirren, das ihrem Diener Claes vorausging, als er die Stufen zu ihrem Arbeitszimmer erklomm. Er klopfte donnernd an die Tür und entschuldigte sich, als er hereinkam, daß er noch seine Panzerhandschuhe anhabe, aber er hatte eine Wette zu bestehen gehabt, daß er aus einem Glas trinken könne, ohne sie auszuziehen. Sein Gesicht war puterrot, die Narbe knallrot.

«Wenn du dich hinsetzen mußt», sagte die Witwe, «dann ist dieser Stuhl da, glaube ich, der stabilste. Es ist also alles gutgegangen?»

Er setzte sich hin. Es war, wie wenn eine Mahlzeit Gang für Gang aufgetischt wird. Er strahlte. «Das will ich meinen. Ich kann mich nicht erinnern, wann ich zuletzt so gelacht habe... Ja, es ging sehr gut. Überhaupt keine Scherereien. Allerdings die Schweine. Wir... ich muß Euch von den Schweinen berichten.» Er berichtete ihr von den Schweinen, worüber sie indes gar nicht lächelte. Sein Gesicht, schmierig von Schweiß, Schrammen und Lachtränen, hätte dringend abgewischt werden müssen, aber das konnte er nicht, weil er die Handschuhe nicht abbekam und sie ihm nicht half.

Es schien ihm nichts auszumachen. Sie sagte: «Es freut mich, daß du dich so gut amüsiert hast. Es muß interessanter gewesen sein, als in der Färberei deinen Lohn zu verdienen.»

Trotz des Schwipses wandte er ihr seine Aufmerksamkeit zu. «Demoiselle, es tut mir leid.»

Wäre sie so ehrlich gewesen wie er, hätte sie gesagt, woran sie dachte. Sie hätte vorwurfsvoll gesagt: Warum bist du so oft so glücklich? Statt dessen fragte sie:

«Was ist mit Felix? War das nicht der Zweck des Ganzen?»

«Er ist sehr vielversprechend und sehr mutig. So mutig, wie man nur sein kann.»

«Aber er hat noch nicht genug Erfahrung für das Turnier des Weißen Bären?»

«Nein. Noch nicht. Und weil er tapfer ist, ist er sich über seine Unzulänglichkeiten nicht klar. Er wird Risiken eingehen und sich in Gefahr bringen. Er sollte daran gehindert werden, Ostern zu tjostieren. Unter allen Umständen daran gehindert werden.»

Sie schwieg und versuchte sich vorzustellen, daß sie Felix das verbieten würde, woran sein Herz hing. Dann fragte sie: «Wie groß würde die Gefahr sein? Stumpfe Schwerter und Lanzen ohne Spitze...»

«Es sterben immer noch Männer dabei. Und manches, was geschieht, ist kein Unfall. Angenommen, jemand wollte Euer Geschäft zugrunde richten?»

Sie sah ihn starr an. Sie stand auf, ging um den Schreibtisch herum, streckte die Hand aus und sagte gereizt: «Um Himmels willen, zieh diese Handschuhe aus. Felix ist wohl kaum die Hauptstütze des Geschäfts.» Klirrend zerrte sie an einem Handschuh. «Außerdem, wer würde so etwas vorhaben?»

«Felix ist der Erbe.» Claes streckte ihr den zweiten Handschuh hin, dann sah er auf das Tuch, das sie ihm hinhielt. «Es ist das zweite Mal, daß Ihr mir ein Tuch geben mußtet. Es muß Euch verwundern, daß ich überhaupt stubenrein bin.» Er hielt inne und fuhr dann fort: «Im übrigen, wenn Ihr Euch an das erste Mal erinnert, werdet Ihr Euch auch an einige ganz eindeutige Drohungen erinnern.»

Sie stand da, in jeder Hand einen Handschuh. «Jordan de Ribérac?»

Claes senkte den Blick auf das Tuch. «Ich hatte neulich ein Zusammentreffen mit zweien seiner Leute. Kein erfreuliches. Und fangt nicht an, Euch formelle Beschwerden auszudenken: nichts kann bewiesen werden. Jetzt ist er sowieso nach Frankreich zurückgekehrt. Aber es gab mir zu denken. Zum Beispiel die Bottichexplosion, als ich weg war.»

Sie setzte sich hin, die Handschuhe auf dem Schoß, und sah ihn an.

«Ich hatte das Gefühl», sagte er, «daß es kein Unglücksfall war. Ich ließ mir den neuen Bottich und die neue Pumpe zeigen. Sie waren falsch miteinander verbunden. Ihr hättet in weniger als einer Woche einen neuen Unglücksfall gehabt.»

«Wer...?»

Claes schüttelte den Kopf. «Jemand, den Henning nicht kannte, der aber mit vortrefflichen Zeugnissen ankam. Ich habe ihm gesagt, er solle Reparaturen nur von Männern vornehmen lassen, die er gut kennt. Aber natürlich kann jeder bestochen werden. Und wenn es hier Ärger gibt, dann könnte es in Eurem zweiten Betrieb in Löwen auch Ärger geben.»

«Wir hatten schon welchen.»

«Das habe ich mir fast gedacht. Ich habe nicht viel Zeit. Aber ich frage mich, ob ich nicht hingehen und mir den neuen Mann ansehen sollte. Olivier heißt er, nicht wahr? Felix würde mich vielleicht gern begleiten. Und ich würde auch gern in Genappe vorsprechen.»

Sechzehn Meilen südlich von Brüssel lag die mächtige, von einem Wallgraben umgebene Burg Genappe, die bis vor kurzem das Lieblingsjagdschloß des Herzogs von Burgund gewesen war. Bis der Dauphin Louis, Kronprinz von Frankreich, bei seinem lieben Onkel Zuflucht gesucht und sein lieber Onkel ihm Genappe geschenkt hatte, damit er dort wohnen könne, solange er sich seinem Vater zu widersetzen wünschte.

Claes ließ wissen, er wolle den Dauphin von Frankreich besuchen. Ihr Diener Claes. Ihr bemerkenswerter, halb berauschter, völlig selbstbeherrschter Nicolaas. Der so oft so glücklich war.

Er fand offenbar nichts merkwürdig daran. «Na, dann vergewissere dich lieber, daß dein blaues Wams ordentlich geflickt ist», sagte sie.

Er warf ihr einen bewundernden Blick zu; seine aufgeworfenen Lippen zogen sich in die Breite zu einem Lächeln des vollständigen und gelassenen Einvernehmens. «Und soll ich auch alle Schellen wieder annähen, wenn ich schon dabei bin?»

Kapitel 22

In diesem Jahr war Ostern spät, erst Mitte April. Es wäre ideal, fand Claes, wenn der Ausflug nach Genappe kurz davor stattfinden könnte. Für den Fall, daß sich die Verhältnisse ändern sollten, wurde er sehr betriebsam.

Mitte März war Marian de Charetty Eigentümerin von beträchtlichen Liegenschaften, sie besaß drei Lagerhäuser neben ihrem Haus, eine Weinschenke nahe dem Fischmarkt und, zu einem Preis, der sie erschreckte, ein Haus und Lagerräume in der Spanjaardstraat (oder Spanischen Straße). Die Spanjaardstraat lag mitten im besten Handelsviertel von Brügge, nicht weit von der St. Jansbrücke, nur durch den Kanal getrennt von den Handelshäusern der Engländer und Schotten und drei Minuten entfernt vom Zollhaus, der Börse, den Konsulaten von Florenz, Venedig und Genua und der Zunftloge der Kämpfer des Weißen Bären. Das Nachbarhaus gehörte übrigens Anselm Adorne.

Felix wurde die Aufgabe übertragen, die Verschönerung der Weinschenke zu beaufsichtigen. Erstaunlicherweise machte er sich voll Energie daran, führte eine Reihe vortrefflicher Neuerungen ein und gab nur durch seine unangebrachte Strenge im Umgang mit seinem Personal und seinen Gästen zu Besorgnis Anlaß. Einer der Metteneye-Jungen, der das Pech hatte, sich an einem von Felix' neuen Tischen zu erbrechen, war mehr als überrascht, als er sich auf der Straße wiederfand und ihm gesagt wurde, er solle sich erst wieder blicken lassen, wenn er seine Getränke bei sich behalten könne. Felix' Mutter, die der Metteneye-Mutter einen Besuch abstattete, mußte sich entschuldigen.

Das Geld für all das stammte offenbar teilweise aus Darlehen, teilweise von dem Gewinn aus irgendeiner Kapitalanlage, die Claes bei den Mailänder Medici getätigt hatte.

Als Thomas gegen Ende Februar mit zweihundert Fußsoldaten und Reitern eintraf, standen Unterkunft, Verpflegung und Futter für ihn bereit, außerdem ein paar Maulesel und gemietete Karren, beladen mit Rüstungen. Thomas war der Nachkomme von drei Generationen landloser Soldaten, die in Frankreich gestrandet waren infolge von mehreren verzeihlichen englischen Niederlagen, ihrerseits verschlimmert durch mehrere unverzeihliche englische Kampfpausen, und Thomas wurde zunehmend milder gegenüber Ausländern, die gar nicht so übel waren, solange man den Mistkerlen von Zeit zu Zeit dorthin einen Fußtritt verpaßte, wo es am meisten weh tat.

Nach einer Woche des geräuschvollen Durcheinanders zogen Thomas und sein kleines Heer ab, um sich in Mailand mit Meester Tobias zu treffen und dann weiter in Richtung Süden nach Neapel und zu Astorre zu marschieren. Thomas wurde begleitet von einem außerordentlich stämmigen Kaplan namens Gottschalk aus Norddeutschland und einem ungarischen Armbrustschützen, der Abrami hieß; beide waren von Claes entdeckt worden. Die Aufgabe des Kaplans, erklärte er, sollte es sein, Julius bei den Schreibarbeiten zu helfen und Tobie daran zu hindern, sich einzumischen, und im übrigen den Soldaten einzuschärfen, daß das Nichtbefolgen von Astorres Befehlen sofortigen Tod und Höllenfeuer bedeutete. Abrami sollte Thomas in seiner Einbildung, daß er mit allem fertig werde, bestärken und dann das erledigen, womit Thomas nicht fertig wurde.

Marian de Charetty hörte zu, stellte Fragen, erhob Einwände, stritt und setzte sich manchmal durch.

Die Pumpe im Betrieb war in Ordnung gebracht und ein Mann aus Aalst eingestellt worden, dessen einzige Aufgabe es war, sich um die Maschinen zu kümmern, freundschaftliche Beziehungen zu Lippin zu unterhalten und Hennings Befehle zu befolgen. Henning war froh, und der Mann, der der Witwe direkt unterstellt war und oft ganz andere Befehle erhielt, war diskret und tüchtig. Welcher Teil von Claes' Agentennetz ihn hervorgebracht hatte, war noch nicht klar. Gottschalk, das wußte Marian, war ein Bruder des Kaplans der Malergilde; sie vermutete, daß Colard Mansion ihn besorgt hatte. Der Ungar war erstaunlicherweise mit der Frau eines Seemanns in Sluis verwandt. Hennings neuer Stellvertreter, der waschechtes Flämisch sprach, hörte auf den Namen Bellobras, was Felix immer noch außerordentlich belustigte.

Wenn sich die Witwe nicht gerade über Darlehen Sorgen machte, dann war ihr auch fröhlich zumute. Niemals zuvor hatte sie einen so schwungvollen Umbruch erlebt, nicht als junges Mädchen, nicht zu Cornelis' Lebzeiten. Sie hatte Claes um seine Veranlagung beneidet. Selbst bei den schlimmsten seiner Lehrlingsexzesse hatte es noch Spaß gemacht, sich damit zu befassen. Jetzt, da er ihr, wie es schien, als Oberhofmarschall diente, wachte sie jeden Morgen gespannt und erwartungsvoll auf und fragte sich, was für erstaunliche Schlachten sie heute zu schlagen haben würde, was für neue Erwerbungen, neue Erfahrungen, neue Abenteuer dieser Tag ihr wohl bringen würde. Sie wurde nie enttäuscht. Noch nie hatte sie jemanden auf so vielen unterschiedlichen Gebieten so übermäßig arbeiten sehen. Die Exzesse der Vergangenheit faßte sie jetzt als ein bloßes Überschäumen dieser ganzen Vitalität auf, und sie konnte nur dankbar sein, daß es nicht noch mehr davon gegeben hatte. Schnelligkeit war natürlich wichtig, denn er mußte nach Mailand zurückkehren wegen des Kurierdienstes. Der war ebenfalls aufgebaut worden. Sie hatte verlangt, ständig darüber unterrichtet zu werden, und das wurde sie auch in geradezu überreichlichem Maße. Es schien darum zu gehen, Reiter anzuwerben und Informationen über Pferde und Unterkünfte und Wegezölle und andere Kuriere auszuwerten. Die Brügger Niederlassungen einer Reihe von Banken, zu denen auch die Medici gehörten, wollten einen Vertrag darüber abschließen, daß gewisse Sendungen der Firma Charetty anvertraut werden sollten. Einer der neuen Kuriere war bereits mit einer starken Wachmannschaft und einer Ledermappe auf dem Weg nach Süden.

Aber Geschäftsführer wie Angelo Tani wünschten von Claes persönlich bedient zu werden, und er entsprach diesem Wunsch gern. Er würde die Briefe selbst überbringen. Er mußte sich ohnehin nach Mailand begeben und diese Seite des Geschäfts regeln. Tani erwartete, daß Claes aufbrechen würde, sobald die neueste Nachricht aus London eingetroffen sei. Und sobald Tommaso einen verbindlichen Bescheid über den Strauß erhalten hatte. War er von der Firma Strozzi auf Mallorca an Bord eines katalanischen Schiffs gebracht worden oder nicht?

Nachdem die Flandern-Galeeren ungewöhnlich lange gezögert hatten, faßten sie Mut und liefen nach London aus, um englische Waren zu laden und dann die lange Seereise zurück nach Venedig anzutreten. Es war die Frage, ob der englische König Henry, der einen Bürgerkrieg am Hals hatte, die Galeeren für seine eigenen Zwecke beschlagnahmen würde. Die Kaufleute in Brügge, London und Southampton warteten ängstlich ab.

Bischof Coppini setzte seine fromme Friedensmission fort und machte sich entlang der Küste zum englisch besetzten Calais auf, um mit den englischen Rebellen, dem Earl of Warwick und Edward aus dem Hause York, dem Sohn des Herausforderers des Königs, zu reden. Es hieß, es seien auch einige Schotten in Calais gesehen worden. Es hieß, der König von Schottland habe seine Meinung geändert und führe jetzt geheime Besprechungen mit beiden Seiten des englischen Streits, statt nur mit dem regierenden Haus Lancaster, und er habe beim Herzog von Burgund angefragt, ob er noch mehr Kanonen entbehren könne.

Es hieß, der schottische König habe einige Abgesandte, als Kaufleute verkleidet, nach Brüssel geschickt, und einer von ihnen sei wahrscheinlich Simon of Kilmirren. Erinnert ihr euch an Simon, der soviel Wirbel um seinen Hund machte, nachdem er den jungen Claes mit einem Mädchen im Keller erwischt hatte? Der in Sluis für Lionetto Partei ergriff gegen Astorre und die Charetty-Leute? Der den jungen Claes mit einer Schere fast umgebracht hatte? Oder vielleicht war es umgekehrt gewesen...

Die Witwe hörte diesen ganzen Klatsch im Zunfthaus der Seidenhändler, wo sie sich um einen Auftrag bemühte, bei dem es um das Färben von Garn ging – einer der wenigen Geschäftsbereiche, die sie noch selbst wahrnahm. Es folgten drei weitere Versammlungen, die in verschiedenen Stadtteilen abgehalten wurden und zu denen Claes sie begleitete, bei denen sie aber keine Gelegenheit hatte, mit ihm zu reden. Als sie von der dritten in St. Lievens zurückritten, erzählte sie es ihm, und er war augenscheinlich nicht beunruhigt.

«Mylord Simon? Mit Euch hat er keinen Streit. Und ich werde bald aus seinem Blickfeld verschwunden sein. Wahrscheinlich wird er mit seinem Vater genug zu tun haben. Vor allem, wenn er für König James oder Bischof Kennedy Ränke schmiedet. Ich habe heute etwas Erfreuliches gehört.»

Heute morgen hätte sie noch auf einer gründlichen Aussprache über Simon of Kilmirren bestanden. Jetzt ließ sie ihn das Thema wechseln, um ihre Kräfte zu schonen. Etwas Erfreuliches bedeutete vermutlich noch mehr Arbeit, und sie war erschöpft. Niemand verhandelte mit einem Untergebenen. Wohin auch immer Claes ging, dorthin mußte sie ebenfalls gehen, um die Verhandlungen zu führen. Bis, wie Claes sagte, Felix bereit sein würde. Und zweifellos hatte Claes recht. Felix, dem meisterhaften Schankwirt, fehlte bisher der Antrieb, sich den weniger verlockenden Teilen des Geschäfts zuzuwenden. Dieser Antrieb konnte noch lange auf sich warten lassen. Und einstweilen, das wußte sie, übte sich Felix immer noch heimlich in seinem wundervollen Tjostieren. Deshalb antwortete sie Claes schließlich etwas lustlos: «Ach? Etwas Erfreuliches?»

Er hatte jetzt keine Schwierigkeiten mehr zu Pferde. Mühelos im Sattel sitzend, wandte er ihr den blaubemützten Kopf zu und grinste. «Noch vier Besprechungen. Nein. Spaß beiseite. Hauptmann Lionetto, gegenwärtig bei dem Condottiere Piccinino, hat jetzt ein Bankkonto bei den Deponenten Thibault und Jaak de Fleury, unseren sehr guten Freunden in Genf. Sind sie nicht einander würdig?»

«Ich bin nicht so nachsichtig», erwiderte seine Arbeitgeberin. «Du sagst, Lionetto sei von Piccinino in Dienst genommen worden? Also kämpft er für König Ferrante, genau wie wir. Also bekommt auch er im Handumdrehen eine Menge Gold vom Herzog von Mailand und vom Papst. Wenn der Krieg vorbei ist, wird, wer auch immer gewinnt, Jaak de Fleury ein reicher Mann sein und Lionetto ein Vermögen verdienen. Ganz gleich, wer gewinnt, die Söldner verdienen ihr Geld. Das ist der Grund, warum du mich überredet hast, Astorre alle diese zusätzlichen Leute zu schicken.»

«Ja, Ihr werdet auch ein Vermögen verdienen», sagte Claes vergnügt. «Aber dennoch ist es eine erfreuliche Nachricht. Was wollt Ihr morgen tun?»

«Nichts», erklärte Marian de Charetty nachdrücklich.

«Na, das ist gut. Ich dachte, ich mache dann die kleine Reise nach Löwen, über die wir gesprochen haben. Felix könnte mitkommen mit der Befugnis, Euren neuen Betriebsleiter zu entlassen. Und dann reiten wir weiter nach Genappe.»

Sie verhielt unwillkürlich ihr Pferd und gab ihm dann die Sporen, ehe ihre Reitknechte sie überholten. Sie ritt besser als Claes. Ihr Umhang lag tadellos an, und ihre Kapuze war über ihrer Haube festgesteckt, so daß kein einziges Haar herausschaute. Ihre Satteldecke war in Charetty-Blau, mit Scharlach eingefaßt, und Zaum und Zügel waren mit Silber beschlagen. «Felix wird nicht nach Genappe gehen, wenn du dabei bist. Und wer hat etwas davon gesagt, Olivier zu entlassen? Du hast ihn ja überhaupt nie gesehen.»

«Ich? Ich bin weder für noch gegen ihn. Aber Felix kann sich die Sache anhören und sich selbst ein Urteil bilden. Eine Kostprobe von Grab und Galgen. Feudalherrliche Machtvollkommenheit.»

«Und Genappe?»

Claes lächelte. «Ich gehe da hin. Und Felix wagt es nicht, mich allein gehen zu lassen.»

Vier Tage später war Olivier, der Betriebsleiter der Firma Charetty in Löwen, entlassen. Die vorangegangene Untersuchung nahm den größten Teil des Tages in Anspruch, und die Entlassung wurde von Jonkheer Felix de Charetty mit Aplomb ausgesprochen. Meister Olivier, dem schon gewisse Gerüchte aus Brügge zu Ohren gekommen waren, war mit dem Packen schon teilweise fertig und erhielt die Erlaubnis, auch den Rest noch einzupacken, nachdem er eine Reihe von Dokumenten unterzeichnet hatte. Am Abend war er weg.

Der junge Kompagnon eines Maklers, den Claes zufällig mitgebracht hatte, weil er die Abrechnungen prüfen sollte, erklärte sich gleich bereit, einstweilen hierzubleiben und den Posten des Geschäftsführers zu übernehmen, was die Lage erleichterte. Felix überließ es Claes, ihn anzulernen, und ging dann los, um seine Freunde von der Universität über das Leben in der Geschäftswelt aufzuklären. Der Morgen dämmerte, als er heimkam, und im Kontor des Geschäftsführers brannten immer noch Kerzen, was sozusagen eine Verschwendung von Wachs war. Aber er war zu müde, um die Tür aufzumachen und sich zu beschweren.

Als er am nächsten Morgen aufstand, war das Haus leer und das Frühstück auf dem Tisch kalt. Als er hinausschaute, sah er mitten auf dem Hof eine Gruppe Leute stehen. Sie hörten Claes zu, der auf einem Schubkarren zu sitzen schien und mit ihnen redete. Der Makler, ein rothaariger Mann, mit dem Felix manchmal gekegelt hatte, stand neben Claes und sah aufmerksam aus. Während Felix noch hinausschaute, fand die Besprechung ein Ende. Die Leute begannen sich zu zerstreuen, und Claes und der Makler gingen zusammen zur Pfandleihe und den Lagerräumen. Felix begab sich nach unten.

«Ah, da bist du ja», sagte Claes. «Wenn du gefrühstückt hast, sollten wir uns auf den Weg machen. Leute, die in Schlössern wohnen, haben es nicht gern, wenn man sie warten läßt. Altes persisches Sprichwort. Müssen wir jemanden mitnehmen? Wir könnten doch auch allein nach Genappe reiten. Du stützt mich auf meinem Pferd ab, und ich besorge dir ein Mittagessen.»

Der Kampf um Genappe war wieder entbrannt. Die erste Salve war in Brügge von Felix' Mutter abgefeuert worden. Felix sollte mit einigen Leuten nach Löwen reiten und gemeinsam mit Claes überprüfen, wie der neue Betriebsleiter das Geschäft führte. Er solle bei Claes bleiben, der einen Besuch in Genappe machen wolle. Dann solle er nach Hause kommen. Felix hatte sich schlankweg geweigert und war von seiner Mutter aus dem Zimmer geschickt worden.

Die zweite Salve von Henning. Welche Leute Felix nach Löwen und Genappe mitnehmen wolle? Antwort: er gehe da gar nicht hin.

Überraschung bei Henning. Dann mußte er wohl den jungen Wichtigtuer Claes fragen, welche Leute er mitnehmen wolle. Er habe gedacht, die Witwe, Jonkheer Felix möge es verzeihen, hätte mehr Verstand, als einen Diener mit solchen Aufträgen zu betrauen. Claes auf Genappe! Der Herr Dauphin werde sich fragen, wie weit es mit den Leuten von Brügge noch kommen werde.

Zurück zu seiner Mutter. Natürlich müsse Claes, wenn Felix die Familie nicht vertreten wolle, allein nach Löwen reiten. Sie könne Brügge nicht verlassen. Die Sache mit Olivier sei dringend. Was Genappe betreffe, so wisse Claes mehr darüber als sie.

Hinaus, um Claes zu suchen. Er fand ihn. Felix sagte zu Claes, er verstehe natürlich, daß eine Fahrt nach Löwen unternommen werden müsse, um zu sehen, was dieser neue Mann da treibe. Aber worum handle es sich eigentlich, wenn der Dauphin besucht werden soll?

Der Dauphin? Genappe. Das war ein Wort, bei dem man anbeißen konnte, und Felix biß an.

Ach, Genappe. Ja, ganz recht. Claes wolle einen Freund auf Genappe besuchen, aber natürlich war das nicht der Dauphin, sondern bloß ein Kriegsknecht am Hof des Dauphin. Raymond du Lyon heiße er. Es werde nicht lange dauern. Ein Nachmittagsritt von Löwen, und es könne sein, daß er sonst keine Gelegenheit mehr habe, Raymond zu sehen. Wenn Felix nicht erpicht darauf sei, brauche er nicht mitzukommen.

Felix (sagte Felix) sei keineswegs erpicht auf den Ritt nach Löwen, geschweige denn bereit, dem Ausflug eines Dieners nach Genappe zuzustimmen. Aber Löwen, das sehe er ein, sei wichtig. Er könne kaum einen unehelichen Lehrling die Familie Charetty vertreten lassen. Er werde mitkommen.

Felix ließ Pläne fallen, versäumte Verabredungen und verließ Brügge mit Claes und seinem Gefolge in schlechter Laune, die an zweien der drei Reisetage anhielt. Dann fand Claes ein gutes Bordell für ihn in Brüssel und eine Gastwirtschaft, wo wunderbar gekocht wurde und die Wirtin wissen wollte, wie es sei, die beste Schenke in Brügge zu betreiben. Als sie nach Löwen kamen, war Felix in der richtigen Stimmung für Geschäftliches.

Aber jetzt war Genappe wieder im Programm aufgetaucht. «Du denkst nie an deine Brotherrin», sagte Felix. «Während der Arbeitszeit und mit ihren Pferden machst du einen privaten Besuch, wenn ihr ganzer Betrieb in Löwen zusammengebrochen ist und sie es nicht weiß. Ich reite gleich nach Brügge zurück, um darüber zu berichten, und du kommst mit. Das ist ein Befehl.»

«Na schön», sagte Claes friedfertig. Die Aprilsonne bräunte seine Haut und ließ das unverwüstliche Blau seiner Livree sich in seinen Grübchen spiegeln. «Allerdings», fügte er hinzu, «werde ich dem Dauphin eine Erklärung zukommen lassen müssen. Er erwartet uns heute abend.»

«Was?»

«Du hast noch geschlafen. Mein Freund Raymond hat heute morgen eine Nachricht geschickt. Der Herr Dauphin will uns beide sehen. Das ist eine große Ehre für jemanden wie mich.»

«Wäre es, wenn du hingingest. Ich werde hingehen und ihnen sagen, daß du krank bist.»

Claes erhob keine Einwände. Felix gefiel das nicht. «Natürlich», sagte Claes in demselben versöhnlichen Ton, «könntest du ihnen das jetzt erklären. Das ist die Eskorte da drüben, die darauf wartet, uns nach Genappe zu bringen. Ich habe leider schon mit ihnen gesprochen, aber vielleicht glauben sie es, daß ich krank geworden bin. Ich könnte umfallen.» Er warf einen berechnenden Blick auf den Hof, trat einen Schritt zurück und rieb sich schon bereitwillig die Hüftknochen.

Die ganze Sache, merkte Felix mit einemmal, war ziemlich dumm. Und komisch. Er begann aus seinem Mißmut aufzutauchen. Er stöhnte, und Claes sah sofort auf und sagte grinsend: «Hast du geglaubt, du würdest mit der Behauptung durchkommen, daß Guildolf von Gruuthuse dir diesen albernen Helm geliehen hat? Wenn das der Fall wäre, hättest du sowieso schon längst vor Neid Furunkel bekommen. Nun mach schon. Es gibt keinen Ausweg. Du hast nie überzeugend lügen können.»

«Weiß Mutter...?»

«Natürlich weiß deine Mutter, daß du etwas im Schilde führst. Halb Brügge weiß es. Es wird allgemein angenommen, daß der Dauphin zur Jagd herkam und du ihn getroffen und mit ihm über Hunde geredet hast und daß er dich mochte. Du seiest auf Genappe gewesen, und er habe einem seiner Waffenmeister befohlen, dir ein bißchen Tjostieren beizubringen. Dann hat dir jemand eine Rüstung geliehen, die ihm nicht paßte. Warum solltest du darüber den Mund halten?»

«Sie haben mir die Rüstung gegeben. Als kleines Geschenk. Ich wußte, daß meine Mutter mir nicht erlauben würde, sie zu behalten. Schlecht fürs Geschäft. Die Kunden würden glauben, daß die Firma Charetty mit dem Dauphin Ränke schmiedet. Das ist es, was die Leute sagen, du weißt schon. Jedes Land, das Frankreich haßt, hat Agenten auf Genappe, die mit dem Dauphin Ränke schmieden. Damit er seine ganzen Ländereien von seinem Vater zurückbekommt. Damit er ihnen seine Gunst erweisen kann, wenn er nach dem Tod seines Vaters König von Frankreich wird.»

«Du meinst, du spinnst keine Ränke mit dem Dauphin? Das ist enttäuschend. Ich dachte, ich könnte mich dir anschließen und auch eine Tjostrüstung bekommen.»

Felix brach in Gelächter aus. «Ich glaube nicht, daß du den richtigen Stil hast. Aber weißt du, ich habe mir was ausgedacht.»

«Was?»

«Beim nächsten Geschäft, das du machst, gibst du mir und nicht Mutter den Gewinn, dann kann ich die Rüstung kaufen. Dann bin ich niemandem etwas schuldig.»

«Das ist absolut wahr. Und dann kann deine Mutter deine Rüstung verkaufen, und sie bekommt ihren Gewinn.»

«Also weißt du», sagte Felix.

«Dann müssen wir uns etwas anderes ausdenken. Später. Komm jetzt. Laß uns nach Genappe gehen, wenn wir denn gehen.»

Besser als die windgepeitschten Niederungen bei Brügge kannten Felix und sein Diener die liebliche, hügelige Landschaft in der Umgebung von Löwen. Jetzt zu Beginn des Frühjahrs war jede Wegbiegung eine Freude und für Felix eine Verheißung. Die Peinlichkeit von Claes' Anwesenheit war vergessen. Felix war ein Mann von Format, eingeladen von Prinzen.

Claes, wohlvertraut mit Felix' Eigenheiten, beobachtete, wie er einen Angehörigen der Eskorte des Dauphin nach dem anderen ins Gespräch zog und sie ihm höflich antworteten. Keiner von ihnen kam, was die Kostbarkeit oder Eleganz der Kleidung betraf, dem Erben der Charetty-Färberei gleich. Claes, der bemüht war, sich nicht alle Einzelheiten anzusehen, hatte einen Eindruck von pelzbesetzten Säumen und violetten Rüschen. Jedenfalls hatte Felix einen sehr hohen Hut auf.

Claes hoffte, Felix werde den Ritt genießen, denn er war sich überhaupt nicht sicher, was sie beide auf Genappe erwartete. Bis jetzt hatte der Dauphin Arnolfini als seinen Mittelsmann eingesetzt. Eine Begegnung wie diese – wenn sie denn stattfand – würde eine direkte Verbindung zwischen Mailand und Genappe herstellen. Wenn sie stattfand, wie würde sie sein? Prinzen gehörten nicht zu Claes' Erfahrungsschatz. Der Graf von Urbino im letzten Winter war der höchste Adlige, den er je kennengelernt hatte, und ihre Begegnungen waren kurz gewesen, noch dazu bei Waffenübungen: keine Treffen, bei denen es auf geistige Fähigkeiten ankam. Über die geistigen Fähigkeiten, an die er gewöhnt war, abgesehen von seinen Arbeitskameraden und Felix und dessen Freunden, verfügten Menschen wie Julius und die Witwe. Mit Anselm Adorne zu sprechen erforderte etwas mehr Vorsicht. Ebenso mit den Griechen, Acciajuoli und der Dame Laudomia. Der Professor war etwas Neues gewesen, aber nur kurz: sein Verstand fügte sich üblichen Denkweisen ein. Der von Tobie nicht so sehr.

Adlige... Das war nur mühsam wegen des anderen Stils, der zu Beginn verschleiern konnte, wie die Adligen einen anzugreifen gedachten. Gewiß traf das auf Jordan de Ribérac zu, der, wie man ironischerweise annehmen mußte, abgesehen von Urbino der ranghöchste der Männer war, mit denen Claes zu tun gehabt hatte.

Und nun ein Königssohn. Ein Königssohn, der es sich nach Marian de Charettys Aussage angelegen sein ließ, schäbig, kameradschaftlich, ja sogar vulgär zu erscheinen, und der demonstrativ fromm war. Der aber auch mit einundzwanzig Jahren Heere angeführt, die Dauphiné regiert und Ränke gesponnen hatte, um Herrschaftsgebiete in Italien zu erobern; und der sich seinem königlichen Vater widersetzt und eine wenig anziehende Zwölfjährige aus dem Haus Savoyen geheiratet hatte, weil die Ländereien ihres Vaters ihm ein gutes Operationsgebiet boten. Er widersetzte sich seinem Vater auf so vielfältige Weise, daß der König von Frankreich den Herzog von Savoyen zwang, sich von seinem Schwiegersohn Louis loszusagen und ihn, den König von Frankreich, als Souverän anzuerkennen. Dann kam die Flucht des Dauphin Louis nach Burgund. Nach Genappe, von wo aus er mit Mailand und dem Earl of Warwick gegen seinen königlichen Vater intrigierte und natürlich nicht wünschte, daß diese Tatsache durch Kuriere ausposaunt würde.

Aus seinen vielen Quellen hatte Claes eine Menge über den Dauphin erfahren, aber es war die Witwe, die ihm letztlich am meisten geholfen hatte. Und zwar, als sie ihn schließlich festgenagelt und gefragt hatte, warum er dort hingehe, und er es ihr sagte.

«Boten sind immer eine Gefahr. Wir alle wissen zuviel. Und plötzlich bedienen sich meiner nicht nur Gaston du Lyon, der Vertraute des Dauphin, sondern auch die Medici und die Sforza. Es ist nur vernünftig herauszufinden warum. Und wen ich besuche. Und was ich weiß.»

Es war ein Schock für sie gewesen. Nach einem Augenblick war er sich über den Grund klargeworden und hatte schnell hinzugefügt: «Aber Felix weiß natürlich nicht, daß er mehr verrät, als er sollte. Davon bin ich überzeugt. Aber wenn wir ihn warnen und veranlassen, nicht mehr nach Genappe zu gehen, werden sie glauben, es gäbe etwas zu verbergen.»

«Warum gehst du denn dann hin?» wollte sie wissen.

«Nicht, weil er in Gefahr ist. Nur um zu bekunden, daß ich weiß, was vor sich geht. Ich habe nicht darum gebeten, den Dauphin zu sehen. Nur daß ich Felix zu dem Besuch bei Raymond, dem Bruder des Kammerherrn, mitnehmen möchte. Es wird den Zweck erfüllen. Wenn der Dauphin uns sehen will, wird er es sagen.»

«Und wenn er dich sehen will, Nicolaas? Ich habe dich schon einmal nach ihm gefragt. Du hast, glaube ich, gesagt, er sei viel zu klug, und du hättest nicht die Absicht, ihn zu hintergehen.»

Wenn die Witwe ihn Nicolaas nannte, war sie entweder zornig oder ängstlich. Er erinnerte sich, bei welcher Gelegenheit er das gesagt hatte. Sie war damals beides gewesen, zornig und ängstlich, und er ebenfalls. Er vergaß zu antworten, als er daran dachte.

«So», hatte sie gesagt. «Du wirst dich entscheiden müssen, nicht wahr? Claes oder Nicolaas? Welchen willst du dem Dauphin vorführen?»

Da er nur eine Person war und kein Karnevalsnarr, hatte er angefangen zu lachen. Jedenfalls bestand kein Zweifel, daß er, was immer geschah, einer gründlichen Prüfung unterzogen werden würde, und auf einer neuen Ebene. Er hatte das erfreulich gefunden, bis er sich darüber klarwurde, daß ebendies ein Beweis seiner Unerfahrenheit war. Jetzt stand ihm der Besuch auf Genappe unmittelbar bevor. Jetzt hörte er Felix zu, der, während sie ritten, noch einmal sagte: «Und du kniest *dreimal* nieder. Beim Hineingehen, beim Herausgehen. Denke um Gottes willen daran und mache mir keine Schande.» Und er hatte wieder angefangen zu lachen, weil er wahrscheinlich nicht daran denken würde. Armer Felix. Armer Claes. Viel Glück, Nicolaas.

Kapitel 23

Wenig später bemerkte Claes, daß die Eskorte, die geschickt worden war, um Felix und ihn abzuholen, sie ziemlich weit von der Straße nach Genappe weggeführt hatte. Daß sie über Felder und durch ein Wäldchen ritten, und dann hörte man von jenseits einer grasbewachsenen Anhöhe das Geräusch vieler Stimmen und Hufgetrappel und das Gebell aufgeregter Hunde. Ein Horn schmetterte.

Der Hut, den Felix trug, ragte hoch über seinem Gesicht, es war Claes zugewandt und vor Freude gerötet. «Der Jäger des ehrwürdigen Dauphin», sagte er. «Das muß er sein. Niemand sonst darf hier jagen. Jetzt wirst du es sehen. Pechschwarze Pferde. Andere will er nicht haben. Und die Hunde. Er hat zwei neue...»

«Monsieur hat recht», sagte der Anführer der Eskorte. Er hatte seit einer Stunde nicht gesprochen, und Claes sah ihn erstaunt an. Der Hauptmann setzte das Gespräch mit Felix fort. «Aus eben diesem Grund hat der Herr, der Dauphin, gewünscht, daß Ihr auf diesem Weg hergebracht werdet. Es wird Euch doch gefallen, auf die Jagd zu gehen?»

Claes betrachtete die violetten Rüschen, den wattierten Rock mit dem Marderbesatz, den mit Quasten geschmückten kegelförmigen Hut auf Felix' Kopf, der die unteren Äste einer Kiefer abscheren würde. «Mein lieber Hauptmann», rief Felix, «es ist mir eine Ehre!»

Der Hauptmann lächelte und spornte sein Pferd zu einem leichten Galopp an. Felix tat es ihm gleich. Ebenso alle anderen mit Ausnahme von Claes, der vom Pferd fiel. Währenddessen waren der Hauptmann und Felix schon weit vorn und ritten über die Anhöhe, ohne es zu bemerken. Die anderen Reiter, die es bestimmt bemerkt hatten, ritten weiter, als hätten sie es nicht bemerkt. Der letzte Mann, der sogar um ihn herumreiten mußte, beugte sich herüber, packte Claes' Pferd am Zügel und nahm es mit.

Claes setzte sich im Gras auf und schrie hinter ihm her. Aber er entschwand gleichmütig und ging den Hügel in einer anderen Richtung in einem forschen, gleichmäßigen Galopp an. Claes saß da, die Hände über die Knie gelegt, holte beschaulich Luft und schickte ein harmonisches Hallo in diese Richtung. Der Reiter begann auf der anderen Seite des Hügels hinunterzureiten. Das letzte, was Claes von der Gruppe sah, waren die beiden Ohren seines Pferdes, die sich vom Horizont abhoben.

Der Sattel, der zusammen mit ihm heruntergefallen war, lag mit der Oberseite nach unten in einiger Entfernung auf der Grasnarbe. Daneben war eine Hacke auf den Boden gestemmt, und auf sie stützte sich ein Mann in einem ungewöhnlichen Winkel. Seine Füße, die Claes am nächsten waren, steckten in geflickten und unförmig gewordenen Stiefeln, er trug die Filzkappe und den kurzen Rock eines Bauern und hatte die Ärmel aufgekrempelt. Er wandte Claes ein knolliges, zahnloses Gesicht zu.

«Na so was», sagte er. «Sieh mal einer an. Dieser neue Jagdfalke hat einen Sattel heruntergeholt.» Er hob das Kinn von den verschränkten Händen und richtete sich langsam auf, die tränenden Augen gen Himmel gerichtet. Claes blieb sitzen.

«Könnte nächstes Mal das Pferd herunterholen», erwiderte er. «Da würd ich aufpassen.»

Die Hacke erbebte. Die über dem Zahnfleisch zusammengezogenen Lippen des Mannes strebten auseinander, und Speicheltröpfchen spritzten in die Luft. «Könnte nächstes Mal einen Mann herunterholen. Würde mich nicht wundern. Du holst dir den Tod, wenn du auf dem Gras sitzt. Anderer Leute Gras. Letzte Woche hab ich einen Mann an dem Baum da aufgehängt.»

«Ich habe mich schon gefragt, was du pflanzt.»

Sonnenstrahlen tanzten auf einem weiteren schaumigen Erguß. «Hast du Hunger?»

Claes warf den Kopf zurück und lachte. Wenn es nach Erleichterung klang, dann machte ihm das nichts aus. Es war Erleichterung. «Ich habe immer Hunger.»

«Großer Bursche wie du. Solche Kerle habe ich zur Erntezeit gesehen. Essen zum Abendbrot so viel, wie die Ernte wert ist. Sie sind da drüben. Ich muß dir dein Schwert abnehmen und deinen Dolch.»

Claes lächelte ihn an. «Wo finde ich sie dann wieder?»

Die stoppeligen Wangen glitzerten. «Wenn du zurückkommst, werden sie unter der Hacke liegen.»

«Und mein Sattel?»

Der alte Mann ließ die Hacke fallen. Als er sich jetzt umdrehte, sah man, daß er ein Jagdmesser am Gürtel hängen hatte. Die zweischneidige Klinge sah ganz neu aus. Er rieb sich den Schmutz von den Händen, wischte sie am Rock ab und wartete darauf, daß Claes aufstand. «Du brauchst ein Pferd, ehe dir der Sattel was nützt. Der Sattelgurt ist kaputt.»

Der Sattelgurt, das hatte Claes schon bemerkt, war durchgeschnitten. Ohne Widerrede stand er auf, schnallte sein wenig eindrucksvolles Schwert und den Dolch ab, ging hinüber und legte sie neben die Hacke. Als er sich aufrichtete, traf sich sein Blick mit dem des alten Mannes, der eingehüllt war in den Dunst von Schweiß und ungewaschenem Leinen, der an den Geruch von versetzten Kleidern erinnerte. «Geh am Bach entlang bis zu den Bäumen», sagte der alte Mann. «Und laß es dir schmecken, mein Junge. Du mußt hungrig sein.»

Louis, Dauphin von Frankreich, speiste im Freien. Zwischen den Bäumen, zu denen der Bach führte, war eine leichte Jagdhütte aus Holz errichtet worden. Sie enthielt zwei kleine Räume, in denen sich zur Zeit niemand aufhielt. Die Gesellschaft, die sehr klein war, befand sich auf dem Rasenstück davor und wurde an Zahl fast übertroffen von den Weidenkörben und Flaschen, von denen die Herren umgeben waren. Das Klirren von Zaumzeug etwas weiter entfernt verriet, wo die Pferde angebunden waren und grasten.

Alle Anwesenden waren schlicht gekleidet, obwohl der Stoff ihrer Jagdanzüge und die Qualität ihrer Gürtel, Stiefel und Sporen erkennen ließen, daß sie keine Diener waren, wenngleich sie nicht bedient wurden.

Nur der Mann, der der Hütte am nächsten saß, wurde von den übrigen bedient, und zwar kniend. Er sah sich nicht um, als Claes herankam. Nur einer der Gesellschaft tat es, stand auf und ging ihm entgegen. Claes kannte keinen, aber er wußte, daß der Mann an der Hütte der Dauphin war und die anderen seine Vertrauten sein mußten. Also der Bastard von Armagnac und der Herr von Montauban. Jean d'Estuer vielleicht, Monsieur de la Barde. Jean Bourré, der Sekretär. Und jemand von adliger Herkunft als routinierter Leibwächter... wahrscheinlich der Mann, der auf ihn zukam und der bei genauerer Betrachtung demjenigen bemerkenswert ähnlich sah, den er zuerst im savoyardischen Schnee getroffen hatte.

«Monsieur Raymond du Lyon? Ich freue mich, Euch kennenzulernen.»

«Ganz meinerseits, Monsieur Nicolaas.» Das Haar unter der Krempe seines Huts war so dunkel wie das von Gaston, und er hatte die Schultern eines Turnierkämpfers. Sein freundliches, ungezwungenes Lächeln offenbarte drei abgebrochene Zähne. Er fügte hinzu: «Ich hoffe, Ihr habt keinen Schaden genommen bei unserer Methode, Euch von den anderen zu trennen? Wir haben uns sehr bemüht, uns eine sanftere auszudenken.»

«Es ist eine, die mir durchaus vertraut ist. Euer Bruder wird es bestätigen.»

Raymond du Lyon lächelte wieder, ging aber darauf nicht ein. Statt dessen sagte er: «Monsieur le Dauphin wünscht Euch zu sprechen. Kommt.»

Der Prinz saß auf einem Kissen, die X-Beine vor sich ausgestreckt, und entsprach ziemlich genau der Beschreibung, die Klatschmäuler von ihm verbreiteten. Unter der schmalen Krempe der zuckerhutförmigen Kopfbedeckung die schmale, lange Nase, die dicken Lippen, das kleine Kinn. *Er ist der mißtrauischste Mann auf Erden*, hatte jemand von ihm gesagt. Die hübsche Margaret von Schottland, die ihn mit elf Jahren geheiratet hatte, war, geschändet von seinem Vater, trotzig mit zwanzig gestorben, unversöhnlich kinderlos nach einer Diät von unreifen Äpfeln und Essig. Die reizlose Charlotte von Savoyen, mit zwölf verheiratet, war mit zwanzig schon zweimal schwanger gewesen und hatte keine Gelegenheit gehabt, von Louis' Vater geschändet zu werden. Das letzte Mal hatte der Dauphin seinen Vater vor dreizehn Jahren gesehen. Seitdem war er nach Burgund geflohen, und sein Vater hatte den berühmten Ausspruch getan: *Der Herzog von Burgund hat einen Fuchs aufgenommen, der seine Hühner fressen wird.*

Er aß einige jetzt, eingeschlagen in ein Mundtuch. Claes ging auf ihn zu, dachte daran, Felix keine Schande zu machen, und kniete, wie vorgeschrieben, dreimal nieder, während der Dauphin sein Fleisch weglegte und sich Mund und Hände abwischte. Claes küßte ihm die Hand, die nach Fuchs und Huhn zugleich roch. Als er auf dem Gras Platz genommen hatte, bekam er einen Weizenwecken mit einer Scheibe Fleisch und einem Hühnerbein, das üppig mit Sauce bedeckt war. Ein hölzerner Humpen mit Bordeauxwein erschien.

Der Dauphin sprach französisch. Irgend etwas stimmte wohl mit seinem Gaumen nicht, mit den Zähnen oder gar mit der Zunge, jedenfalls nuschelte er, und was er sagte, war nicht immer verständlich, aber es hielt ihn nicht davon ab, viel und rasch zu sprechen. Jetzt sagte er: «Ich habe da diese Schwierigkeit, die einen jugendlichen Verstand erfordert, mein lieber Nicolaas. Monsieur le Bâtard, wo ist es?»

Einer der Adligen stand schweigend auf, nahm aus seiner Tasche ein Papier und reichte es dem Dauphin. Nein, kein Papier. Ein Pergament, bedeckt mit Diagrammen.

Der Dauphin streckte es ihm hin. «Du warst ja in Löwen mit deinem jungen Herrn Felix. Ich habe dich gesehen, als der gute Rektor unterrichtete, Monsieur Spierinct. Er hat diese graphische Darstellung für mich gezeichnet, aber manchmal, wenn mein armer Kopf mit anderen Dingen beschäftigt ist, kann ich mich auf den Code nicht besinnen. Übersetze es für mich.» Es war das Horoskop eines Astrologen auf lateinisch und griechisch. Jedermann wußte, daß der Dauphin seine eigenen Astrologen beschäftigte. Einer von ihnen war vermutlich anwesend.

Claes oder Nicolaas? Nicolaas richtete seinen ernsten Blick auf den Dauphin und sagte: «Ja, Monseigneur, ich habe den Medici-Code entschlüsselt.»

Er spürte die Bewegung hinter sich. Die scharfen Augen vor ihm waren wie das Jagdmesser des alten Mannes. «Na, na», sagte der Dauphin, «du hast den Springer bewegt, aber mich schleppst du immer noch hinter dir her. Ein Schritt nach dem anderen. Kannst du dieses Dokument übersetzen?»

«Verzeiht, Monseigneur.» Claes nahm das Pergament und überflog es. Nach einem Augenblick sagte er: «Bis hierhin kann ich es lesen. Danach müßte ich es verbessern. Der Abschreiber hat einen Fehler gemacht.»

Einer von der Jagdgesellschaft trat neben ihn. Der Dauphin sagte: «Habt Ihr das gehört, Monsieur? Mein Schreiber hat einen Fehler gemacht. Zeige es dem Herrn, Nicolaas.»

Auch das war vorauszusehen gewesen. Während er sprach, stellte Claes methodisch seine letzten Berechnungen an. Er überprüfte sie. Dann hielt er das Pergament hoch und benutzte den Hühnerbeinknochen als Zeiger: «Da sind die falschen Zahlen. Statt dessen müßte es etwa folgendermaßen lauten.»

Er war noch mittendrin in der Aufzählung, da sagte der Mann an seiner Seite: «Halt!» Er war rot geworden. «Mein Dauphin, das ist richtig.»

Es trat ein kurzes Schweigen ein. Der Dauphin sah verblüfft aus. «Dann gebt dem Jungen mehr Wein, noch etwas zu essen. Muß er einen Knochen hochhalten, um uns daran zu erinnern, daß wir schlechte Gastgeber sind? Mein Freund Nicolaas, wie gut, daß wir uns kennengelernt haben. Wir sitzen am selben Schachbrett. Es fragt sich nur, ob wir auf derselben Seite sind?»

«Monseigneur, Monsieur Gaston wird es Euch sagen. Ich bin Angestellter einer freien Bürgerin von Brügge. Ihre Truppe ist vom Herzog von Mailand gemietet worden, um König Ferrante von Neapel zu unterstützen. Als ihr Kurier haben der Herzog, die Firma Medici und Ihr selbst meine Dienste in Anspruch genommen, Botschaften und Nachrichten zu überbringen. Ich habe Euch Botschaften von Monsieur Gaston und vom Herzog von Mailand überbracht und bin von Messer Arnolfini gut bezahlt worden.»

«Aber das», sagte der Dauphin lächelnd, «ist nur das erste Anzeichen der Herzlichkeit unserer Gefühle für dich. Denn eine solche Beziehung muß auf Vertrauen beruhen, nicht wahr? Es ist nicht angängig, daß Botschaften von Monsieur Gaston oder dem Herzog an mich anderen Leuten in die Hände fallen. Und dennoch hat mein erlauchter Vater, wie wir feststellen, Kenntnis davon, daß Monsieur Gaston in Mailand war, und sogar davon, daß er in meinem Auftrag Savoyen einen Besuch abgestattet hat.» Der Dauphin hob den Arm und beschrieb mit dem Handballen ein halbes Kreuzzeichen, womit er jede Besorgnis von sich wies. «Nicht daß mein königlicher Vater solche Nachrichten unpassend fände. Meine Familie ist zweifach mit dem Haus Savoyen verbunden; der Austausch von Klatsch ist daher natürlich.» Die Hand fuhr blitzschnell herab und verkrallte sich in Claes' Arm wie eine Vogelklaue. «Was du, mein Junge, wohl verstehen wirst. Thibault und Jaak de Fleury in Genf sind deine Verwandten, wie mir gesagt wurde.»

«Monsieur Gaston kennt meine Lage. Ich bin ein unehelicher Großneffe. Ich schulde ihnen nichts, und sie ziehen es vor, nichts mit mir zu tun zu haben. Es gibt eine rechtmäßige Erbin. Ich habe nichts zu gewinnen oder zu verlieren, solltet Ihr beschließen, sie auf Eure Seite zu ziehen.»

«Natürlich glaube ich dir. Obwohl ein unfreundlicher Mensch sagen könnte, daß eine Bestechungssumme von mir für Monsieur Jaak de Fleury zum Teil den Weg in deine Tasche finden könnte. Und daß die Familie, obwohl sie eine Bestechung annimmt, so unredlich sein könnte, heimlich meinem Vater zu dienen. So wie die Dinge liegen ...»

Er hielt inne, und Claes senkte den Blick.

«Wie die Dinge liegen, sagt mir Monsieur Gaston, daß die Herren Thibault und Jaak es ablehnen, ihre Loyalität gegenüber dem Herzog von Savoyen und meinem Vater aufzugeben. Er bot ihnen eine beträchtliche Summe an. Wie ich schon sagte, mein Vater weiß von dem Besuch meines Kammerherrn. Vermutlich weiß er davon, weil dein Großonkel und seine Familie es ihm gesagt haben. Aber du behauptest, du habest nichts mit ihnen zu tun.»

«Monseigneur, Ihr seid mit Anjou verwandt.»

Wieder die leichte Bewegung hinter seinem Rücken. Wieder der schwarze Blick über der langen, spitzen Nase. Dann hob der Dauphin die Hand, schlug damit einmal kräftig auf Claes' Arm und zog sie zurück.

«Wir spielen schon wieder Schach», sagte er. «Wie eifrig wir doch sind. Aber ist es das Bestmögliche, was du tun kannst, um mich von deiner Redlichkeit zu überzeugen? Wirst du nicht so viele Geheimnisse, so viel Geld aus uns herausholen, wie du nur kannst, und dich dann heimlich von der guten Dame, deiner Arbeitgeberin, davonmachen? Vielleicht nach Venedig? Ich habe gehört, daß du schon eine Kleinigkeit auf die hohe Kante gelegt hast, und wir wissen natürlich von der Wertschätzung der Acciajuoli. Wie kann ich sicher sein, daß meine geheimen Botschaften in den Händen eines solchen Entzifferers von Geheimschriften geheim bleiben?»

Der Dauphin hatte die Hände zusammengelegt, sein Blick war ruhig. Claes überlegte. Die anderen Herren hatten mit dem Essen aufgehört. Sie redeten leise miteinander und achteten offenbar nicht auf das Gespräch. Der Astrologe, dessen Namen er immer noch nicht wußte, hatte sich ihnen angeschlossen. Ein Mann tauchte zwischen den Bäumen auf, wo die Pferde waren, blickte sich um und ging dann rasch weg, aber nicht ehe Claes ihn gesehen hatte.

«Monseigneur», sagte Claes, «das eben ist das Mißliche bei Kurieren. Man kann nie sicher sein. Ihr könnt sie so hoch entlohnen, daß sie Euch dem anderen Kunden vorziehen; aber Ihr könnt nicht wissen, ob der andere Kunde nicht dasselbe tut. Ihr könnt drohen, und wenn der Kurier einen Fehler macht, dann habt Ihr ihn natürlich erwischt. Aber das einzig Sichere ist, ihn nicht fest anzustellen. Meine Herrin, Monseigneur, wird vom Herzog und den Medici gut bezahlt. Es ist nicht nötig, daß Ihr mich beschäftigt.»

Der Dauphin riß einen Grashalm ab, hielt ihn mit ausgestrecktem Arm vor sich hin und betrachtete ihn genau. Dann kreuzte er die Arme, behielt den Grashalm in der Hand und zwirbelte ihn. «Du hast völlig recht. Welchen Vorteil kann ich möglicherweise erwarten, der eine solche Gefahr aufwiegen würde?»

Claes starrte das düstere Gesicht des Prinzen an. «Ihr könntet mich nur für formelle Botschaften beschäftigen und die anderen besser akkreditierten Kurieren anvertrauen, wenn Ihr welche habt.»

Der Grashalm drehte sich. «Na, das ist aber ein bedauerlicher Mangel an Ehrgeiz! Ein junger Mann, der schlauer ist als Astrologen, aber nicht weiß, daß seine Begabungen bares Geld bedeuten.» Der Dauphin blickte auf. «Jean, *mon compère*. Was verstehst du von Geheimschriften?»

Einer der sitzenden Männer stand auf, kam herüber und kniete nieder. «Herzlich wenig, Monseigneur.»

«Und hier haben wir einen Fachmann.» Der Grashalm deutete auf Claes.

«Mein Freund», sagte der Dauphin zu Claes, «dein Können ist Geld wert. Bist du dir darüber nicht im klaren? Sehr viel Geld. Vorausgesetzt, es kommt ausschließlich uns zugute. Messer Cosimo und Messer Cicco sind sehr gute Freunde von mir, aber ihre Geheimschriften sind bereits die besten der Welt. Wir, die wir hinterherhinken, brauchen deine Begabungen.»

Claes sah vom Prinzen zum Sekretär und sagte demütig: «Selbstverständlich, Monseigneur. Es ist mir eine Ehre. Das heißt, ein Diener kann nur soviel leisten, wie sein Können zuläßt, und es mag Angelegenheiten geben, bei denen ich, wenn ich mich mit ihnen befaßt habe, nur Schaden anrichten würde. Monseigneur versteht das.»

«Natürlich.» Der Dauphin lächelte de la Barde an.

«Und außerdem...» fuhr Claes schüchtern fort.

«Ja?» Diesmal war der Dauphin weniger geduldig.

«Ich bitte den Dauphin um Vergebung. Aber je mehr Zeit ich für derlei Angelegenheiten aufwende, um so weniger kann ich mich der Firma Charetty widmen. Monsieur Felix ist, wie Ihr wißt, ein vortrefflicher junger Mann und wird eines Tages ein würdiger Leiter des Unternehmens sein, doch zur Zeit wird er noch durch andere Freuden stark abgelenkt.»

Der Dauphin riß die Arme hoch. «Habt ihr das gehört, meine Freunde! Mir wird hier der Kopf gewaschen wegen meiner Gastlichkeit! Willst du mich der Gesellschaft dieses reizenden jungen Mannes berauben? Ich schmeichle mir, daß auch er betrübt sein wird. Wie sehr hat es ihm doch gefallen, unsere Hundezwinger zu besichtigen, unsere Pferde zu reiten und die ritterlichen Künste zu erlernen!»

Claes sagte nichts.

Der Dauphin ließ die Arme sinken. «Aber du hast recht. Die

Pflicht ruft. Seine Familie braucht ihn. Ich werde ihn nicht mehr von seinen Küpen weglocken. Aber was soll ich ihm sagen?»

«Er wird untröstlich sein, das weiß ich. Ich frage mich, ob ich Monseigneur eine letzte Einladung zu einem besonderen Festtag vorschlagen darf, an dem die Anwesenheit von Monsieur Felix Euch nicht lästig wäre? Sagen wir am zweiten Sonntag nach Ostern?»

Der Dauphin sah ihn scharf an, dann wandte er den Blick seinem Sekretär zu. «Natürlich! So soll es sein. Mein Freund, Monsieur Bourré, wird es vormerken. Der junge Monsieur Felix wird die Einladung erhalten. Und wir werden dafür sorgen, daß er sie nicht ablehnt. Ist es das, was du wünschst?»

«Genau das ist es. Monseigneur, diese Absprachen sollten für uns alle von Nutzen sein. Ich bin dankbar.»

«Gut!» Der Dauphin warf den Grashalm weg, stützte sich mit einer Hand auf der Schulter seines Sekretärs ab und stand auf. Über den Stiefeln waren die Knie deutlich einander zugekehrt. Die dünnen und muskulösen Oberschenkel verschwanden in dem kurzen Jagdrock. Die Augen unter der zuckerhutförmigen Kopfbedeckung ruhten auf den übrigen Herren, die sich schon eilig erhoben hatten und begannen, die Körbe zu schließen und zusammenzustellen. Unter den Bäumen hörte man die Pferde stampfen. Der Dauphin warf einen schnellen Blick auf Claes, der auch aufgestanden war, jetzt aber rasch niederkniete.

«Wir verstehen einander», sagte der Dauphin. «Du bist ein braver Junge und wirst mir gut dienen. Monsieur Bourré wird nach dir schicken, und auch Monsieur Arnoulphin, den du schon kennst. Ich hoffe, dir sind die Kosten für die Rüstung erstattet worden?»

«Bis auf den letzten Saldo des Pfandscheins.»

Der Dauphin runzelte die Stirn. «Wir hätten mehr tun sollen als das. Monsieur de la Barde!»

Der am prächtigsten gekleidete Herr trat vor. «Ich werde dafür sorgen, Monseigneur.»

Der Dauphin wandte sich wieder lächelnd an Claes. «Du verstehst, junger Mann. Du verläßt diese Hütte nicht in Goldstoff gekleidet, mit Ringen an den Fingern oder auch nur mit Gold in den Taschen. Aber du wirst als Folge dieses Tages kein armer Mann sein. Vorausgesetzt, daß du treu bist, und du wirst treu sein. An die andere Möglichkeit darf man gar nicht denken. Nun sei Gott mit dir.»

Claes küßte die harte Hand, stand auf, trat zurück und stieß mit Raymond du Lyon zusammen, der ihn am Arm nahm, herumdrehte und mit ihm ein Dutzend Schritte von der Lichtung wegging. Sein Pferd wartete dort, der Sattel war geflickt und lag darauf. «Ihr seid betäubt gewesen vom Sturz», sagte sein Begleiter, «und ein Landarbeiter hat Euch betreut. Die Jagd ist nicht weit entfernt. Wißt Ihr, wo Ihr Eure Waffen wiederfindet?»

«Unter der Hacke. Sofern nicht jemand die Hacke gestohlen hat. Es ist spät, um zurückzureiten.»

Raymond du Lyon ließ seine drei abgebrochenen Zähne sehen. «Euer junger Monsieur Felix hat schon eine Nachricht vom Haushofmeister des Dauphin erhalten, daß der Prinz seine Pläne ändern mußte und eine Begegnung jetzt nicht stattfinden kann. Aber für Euch beide ist auf Eurem Rückweg in Wavre ein Zimmer bestellt worden, für das nichts zu bezahlen ist.»

«Das wird Monsieur Felix freuen.» Claes' Waffen waren schnell gefunden. Er verabschiedete sich von Gastons Bruder und ritt davon. Er war etwas außer Atem wie damals im Februar, als er aus dem eiskalten Wasser stieg. Noch unter der Einwirkung des Schocks mischte sich das Gefühl der Freude mit einer sehr vernünftigen Besorgnis.

Kapitel 24

In Hoftracht, zu der ein Hennin gehörte, ritt Katelina van Borselen mit ihren Eltern und einem stattlichen Gefolge unter dem Veere-Banner durch die Straßen von Gent. Sie besaß die Erlaubnis ihres Lehnsherrn, Herzog Philipps, sich in die Bretagne zu begeben und dort ihre Stellung als Hofdame der verwitweten schottischen Herzogin anzutreten. Morgen würden sie und ihre Begleitung nach Seeland reiten. Für heute nacht hatten sie Zimmer in einem der großen Gasthäuser von Gent bestellt. Sie bogen gerade in den Hof ein, als Katelinas Vater noch einmal haltmachte, um jemanden zu begrüßen, den er kannte, und seine Frau, seine Tochter und die Diener hielten ebenfalls gehorsam an.

Dann sah Katelina, daß es der Sohn von Marian de Charetty war, den er begrüßte, und daß hinter Felix zwei Reitknechte und Claes standen. Claes, den sie seit dem Morgen des Aschermittwochs nicht gesehen hatte. Claes, der sich sehr höflich genommen hatte, was sie ihn geheißen. Und dann, sie erinnerte sich gern daran, hatte er es ausschließlich zu seinem eigenen Vergnügen noch einmal genommen. Es sei denn, er wäre noch klüger, als sie geglaubt hatte.

Niemals, weder am nächsten Morgen noch später, hatte sie sich dessen, was geschehen war, geschämt. Sie hatte eine gute Wahl getroffen. Sie war nicht grob behandelt worden. Ihre Initiation, das zu glauben war sie geneigt, hatte sich, schonungsvoller vollzogen, als das von dem ihr ehelich verbundenen Sohn des Edelmanns aus Kortrijk oder auch von Guildolf von Gruuthuse zu erwarten gewesen wäre, ganz zu schweigen von Jordan de Ribérac und seinem widerlichen Sohn. Sie war Claes dankbar, obwohl ihm ein Fehler unterlaufen war. Er hatte sie allzusehr wachgerüttelt.

Man hätte daher annehmen können, daß sie zum erstenmal begierig gewesen wäre, die neuerliche Liste von jungen und alten Freiern zu studieren, die ihre Mutter ihr aufdrängte. Daß sie, da dieses merkwürdige Verlangen sie jetzt heimsuchte, nach der Gesellschaft der jungen Männer getrachtet hätte, die in ihr Haus kamen, ihre Familie begleiteten und bestrebt waren, ihr zu gefallen. Es war lächerlich, daß dem nicht so war. Es hieß, ein Entenküken, das seine Mutter nicht sieht, wenn es aus dem Ei schlüpft, würde der ersten Gestalt folgen, die ihm vor Augen kommt. Der Himmel verhüte, daß sie ihr Leben lang nach jemandem suchen würde, der in einer Badewanne saß und sprach wie... aussah wie... und mit ihr umging wie der junge Claes.

Sie dachte insbesondere über ihre nächste Begegnung mit Claes nach. Trotz ihres Standesunterschieds würden Claes und sie sich in den nächsten Wochen unweigerlich treffen. Sie konnte sich, glaubte sie, darauf verlassen, daß er keinen vertraulichen Ton anschlagen würde. Aber die Umstände verlangten irgendeine Anerkennung – eine veränderte Haltung, eine besondere Freundlichkeit, sogar in der Öffentlichkeit. Damit mußte sie fertig werden, und er auch.

Jedenfalls stellte sie fest, daß sie neugierig war, was aus ihm geworden war. Sie entdeckte, daß er als Kurier einen etwas höheren Rang erlangt hatte, daß seine Arbeitgeberin ihm Gelegenheit gab, die verschiedenen Bereiche ihres Unternehmens kennenzulernen. Claes durfte Marian de Charetty jetzt zu geschäftlichen Besprechungen begleiten und wurde nicht ganz und gar wie ein Diener behandelt, sondern durfte still im Hintergrund sitzen und sich Notizen machen, als ob er Meester Julius wäre. Natürlich war es für eine angesehene Frau angenehm, einen Diener zu haben, der zugleich Leibwächter war. Wenn die Leute von Claes sprachen, lachten sie immer noch.

Doch obwohl Katelina gelegentlich von ihm hörte, hatte keine Begegnung mit Claes stattgefunden. Seit der Karnevalsnacht hatte sie ihn nur einmal flüchtig gesehen, und zwar am nächsten Morgen, als das Personal durch ein ungewohntes Schellengeläut an die Fenster gelockt wurde. Die Fröhlichkeit der Dienerschaft veranlaßte sie, auch ans Fenster zu gehen, und so hatte sie Claes vorbeilaufen sehen, seine verknitterte blaue Jacke war verrückt mit Schellen übersät, und hinter ihm her trottete eine Ziegenherde. Er hatte lebhaft auf die Buhrufe reagiert und in die Runde geblickt, jeden frechen Zuruf mit einem ebensolchen erwidert und forschend die Fenster überprüft. Sie hatte versucht, mit einem Lächeln die Vertraulichkeit und Freundlichkeit, die sie an diesem Morgen empfand, zum Ausdruck zu bringen und machte eine kleine Handbewegung, die ihm sagen sollte: Alles ist in Ordnung.

Und jetzt trafen sie sich wieder. Er sah älter aus. Nach sechs oder sieben Wochen, das war doch unmöglich. Eine andere Arbeit bewirkte, daß die Gesichter der Menschen andere Züge annahmen. Ein Leben in Kellern und Färberschuppen bei Hitze und scharfen Dämpfen hatte ihm ein Aussehen verliehen, das sie als gerundeter und weicher in Erinnerung hatte. Als er sie jetzt ansah, trugen seine ungewöhnlich offenen Augen einen Ausdruck, der freundlich war, gedämpft, verlegen, ein wenig schüchtern. Verlegen, nahm sie an, weil er die Begegnung nicht erwartet hatte. Aber es war ja ganz offensichtlich kein Unglück geschehen. Sie war auf dem Weg in die Bretagne, und er mußte sich vermutlich bald nach Mailand begeben.

Die scheußliche, zackige Narbe fiel nicht mehr so sehr ins Auge, war aber immer noch ein dicker rosa Strich, als ob ihm ein Färberstock über die Wange gezogen worden wäre. Er hatte dieselbe Jacke und dasselbe Wams an, die sie damals vor dem Feuer für ihn getrocknet hatte. Der Riß war ausgebessert, der Stoff gereinigt und gut gebügelt.

Indes sah der Knabe Felix aus, als sei ihm Unheil widerfahren. Die Hälfte der Rüschen an seiner lila Jacke waren zerrissen, und er trug einen Hut, der nicht zu seiner sonstigen Kleidung paßte. Ihr Vater, das sah sie, stellte ihm Fragen. Claes, der hinter ihm stand, reagierte mit einer kleinen Verbeugung auf das Lächeln ihrer Mutter. Dann wandte er seinen Blick ihr, Katelina, zu, und sein Lächeln vertiefte sich, als er ihren Hennin betrachtete.

Ihre Mutter war Claes wohlgesonnen, der am Karnevalsabend ein so musterhafter Begleiter für Gelis gewesen war. Der Diener, der entsprechend bestochen worden war, hatte Gelis nach Hause gebracht, als ob nichts gewesen wäre. Mit den Pförtnern des Hauses ihres Vaters war es noch einfacher gewesen. Niemand schien sie bestochen zu haben. Sie hatten gesehen, daß ein maskierter Begleiter mit ihr weggegangen und zurückgekommen war. Sie hatten ihn nicht wieder herauskommen sehen, weil er, wie Katelina ihrer Mutter erklärt hatte, kurz darauf durch die Hintertür hinausgegangen war. Als ihre Mutter das hörte, war sie geneigt, die Ablehnung von Guildolf von Gruuthuse streng zu verurteilen. Katelina hatte nicht ganz deutlich gemacht, daß die Ablehnung am Anfang, nicht am Ende des Abends erfolgt war. Sie nahm an, daß Guildolf nicht damit angeben würde. Weder mit ihrem Vater noch mit ihrer Mutter hatte sie über Jordan de Ribérac gesprochen.

Der Vicomte de Ribérac hatte Brügge am nächsten Tag verlassen. Das hatte sie mit einiger Mühe selbst herausgefunden. Auch Claes hatte, wie sie erfuhr, Erkundigungen angestellt. Sie war erleichtert gewesen und hatte das Gefühl, beschützt zu sein. Das war Unsinn. Wenn etwas auf der Welt feststand, dann war es Claes' Tod, falls Jordan de Ribérac je herausfinden sollte, was geschehen war. Claes wußte, wie nötig es war, vorsichtig zu sein.

Jedenfalls hatte sie ihre Eltern, die sie beschirmten. Nur daß ihre Eltern wieder über Freier sprachen. Diesmal gab es keinen Ausweg. Es war auch nicht wahrscheinlich, daß sie sich jetzt für ein Nonnenkloster entscheiden würde. Sie entschied sich für die Bretagne. Wenn das Leben seine Tore für sie nicht öffnete, würde sie sie aufbrechen.

Nein. Das hatte sie ja schon getan.

Ihr Partner bei dieser Erfahrung war gerade damit beschäftigt, die Tore wieder zu schließen. Ja, Jonkheer Felix verbringe die Nacht auch in Gent. Nein, Claes bedaure, er habe für Jonkheer Felix und sich nicht Betten in diesem Gasthaus, sondern in einem anderen bestellt. Hatte er es Jonkheer Felix nicht gesagt? Er mußte es vergessen haben.

Katelinas Vater, freundlich wie er war, drängte die jungen Leute nicht, ihre Abmachungen zu ändern. Das Gasthaus war auch sehr teuer. Vielmehr lud er den lieben Sohn seines alten Freundes Cornelis ein, mit ihm und seiner Familie zu Abend zu essen. Und natürlich Claes mitzubringen, der die kleine Gelis so gut behütet hatte. Das war, dachte Katelina, darauf zurückzuführen, daß sich Claes' Aussichten, wie man in Brügge meinte, gebessert hatten. Felix war entzückt und nahm die Einladung an, und sein Quartiermeister war überstimmt und sagte nichts mehr.

Claes hatte ihr Vater ihn genannt. Unter diesem Namen kannte ihn ganz Brügge: Vielleicht würde ihm die Stadt nie einen anderen zugestehen. Es war der Name, den sie ihm seit jener Nacht mit großer Entschlossenheit in Gedanken immer gegeben hatte. Sie hatte nicht vergessen, was er gesagt hatte und was wahr gewesen war.

Sie trennten sich vorübergehend: Felix und seine Begleitung, um Pferde und Gepäck in irgendein anderes Gasthaus zu bringen, an dessen Namen Claes sich offenbar nicht gleich erinnern konnte. Dann kamen sie zurück, um als Gäste von Florens van Borselen sein Abendessen mit ihm zu teilen.

Katelinas Vater hatte ein Privatzimmer für seine Familie genommen und noch andere Gäste eingeladen, sämtlich freie Bürger von Gent und auch eine oder zwei Ehefrauen und eine Tochter. Sein Schreiber war ebenfalls da, und sein Platz war ihm wohlüberlegt neben Claes angewiesen worden. Der Raum war klein, auf dem sauberen, gekachelten Fußboden stand ein langer Tisch, der mit einem guten Leinentuch mit Hohlsaumstickerei bedeckt war. Auf den Bänken an drei Tischseiten saß die Gesellschaft, aß und trank und machte schicklich Konversation, bedient von den vortrefflichen Lakaien ihres Vaters. Katelina beobachtete, daß das einzige außer ihr anwesende junge Mädchen Claes ansah, dann wegschaute und ihn wieder ansah. Er schien es nicht zu bemerken, aber sie wußte genau, daß er es bemerkte. Er und der Schreiber hatten einander unendlich viel zu sagen.

Ihre Mutter sprach, wie zu erwarten gewesen war, von Brüssel. Der junge Felix steuerte etwas bei, wechselte aber bald das Thema und begann einen ausführlichen und recht herzigen Bericht über Hetzjagden mit den Hunden des Dauphin. Danach sprach ihr Vater über die Attraktionen von Löwen und die Professoren und sehr höflich über den dortigen Charetty-Betrieb und auch über andere Geschäftszweige, von denen er glaubte, daß Claes und auch Felix sich gern darüber unterhalten würden.

«Ihr vergeßt, Vater», sagte Katelina, «daß Claes diesen Teil des Betriebs verlassen hat und Kurier geworden ist.»

Ihre Mutter klopfte ihrem Vater auf die Hand. «Na, na, Meester Florens, das habt Ihr vergessen. Und der schöne Wärmeapfel, den die kleine Gelis aus Mailand bekommen hat. Eine schöne Stadt, wie ich gehört habe. Aber der Kaplan der Prinzessin war entsetzt darüber, wie die Damen ihre Gesichter weiß machen. Er ist ein toleranter Mann, doch die Schminke war zuviel für ihn. Er hat uns davon erzählt.»

Katelinas Vater hörte selten zu, wenn seine Frau etwas sagte, eine Gewohnheit, die, wie Katelina oft dachte, zu seiner Liebenswürdigkeit beigetragen haben mußte. Jetzt fragte er: «Kurier? Das sollte dich an einige interessante Orte bringen. Bist du für den Dauphin tätig?»

Die beiden irreführenden Grübchen erschienen auf Claes' Wangen. Das Mädchen – wer war das eigentlich? Katelina hatte ihren Namen, als ihr Vater sie vorstellte, nicht verstanden – betrachtete die Grübchen und wandte ihren Blick nicht von Claes ab. «Ich weiß», sagte Claes, «daß Jonkheer Felix mit den Hunden des Dauphin jagt, aber damit ist die Grenze des erhabenen Umgangs, den wir pflegen, erreicht. Ich bin allerdings für Angelo Tani tätig, für die Strozzi-Bank und die Doria.»

«Na ja, ich habe den Dauphin kennengelernt, auch wenn du ihn nicht kennst», sagte Felix. Er warf sein Haar, das ausnahmsweise gut gekräuselt war, zurück, als er sich zu seinen Gastgebern umwandte. «Ein wunderbares Schloß, Genappe. Ich nehme an, Ihr kennt es?»

Da sie es nicht kannten, erzählte er ihnen davon. Der Bericht weckte Katelinas Zweifel, ob er wirklich viel vom Schloß gesehen hatte oder oft dagewesen war. Sie dachte, daß das vielleicht ganz gut war. Alle Komplotte, hieß es, begannen auf Genappe. Es würde der Firma Charetty nicht gut bekommen, wenn es den Anschein hätte, als wäre sie allzu eng mit dem Schloß verbunden.

«Ich nehme an», sagte Katelinas Mutter, «daß einiges für ein gutes Familienleben spricht, selbst wenn man sich nicht den Umstand mit einer großen Dienerschaft macht und Unterkünften in jedem Wald, in dem gejagt wird. Da ist nun der König von Frankreich, ungeliebt und leidend trotz seiner Dutzende von neuen Seidengewändern und roten und grünen Wämsen; und sein eigener Sohn ist sein erbittertster Feind.»

Katelinas Vater lächelte. «Wohl kaum ungeliebt, nach allem, was man hört, meine Liebe. Tatsächlich heißt es, wenn Ihr mir verzeihen wollt, daß gerade die Liebe sein Leiden hervorgerufen hat. Ja, ja, es ist traurig. Daß ein Sohn seinen Vater nicht mag – das geht vorüber. Das ist natürlich bei einem Heranwachsenden. Aber daß ein Mann dem Haß auf seinen Sohn freien Lauf läßt – das ist unnatürlich.»

«Dann seht Euch doch mal den Herzog von Burgund an», sagte Katelinas Mutter. «Er hat doch nur einen einzigen Sohn; reizend, fromm, von größter sittlicher Reinheit. Der prachtvollste Grundbesitzer in Holland, tapfer, wie man es sich nur wünschen kann, segelt sein Boot bei rauhester See, nur von dem Verlangen erfüllt, seine Tapferkeit auf dem Schlachtfeld zu beweisen. Und denkt nur, wie er seinen Vater haßt und sein Vater ihn! Dieser entsetzliche Streit. Wäre der Dauphin nicht gewesen, sie hätten einander womöglich umgebracht. So wie die Dinge liegen, hat die arme Herzogin den Hof verlassen. Und jetzt, da der Dauphin den jungen Charles auf die Jagd mitnimmt, ist der Herzog wütend. Es heißt, der König von Frankreich habe im Scherz angeboten, den Sohn des Herzogs als seinen anzusehen, da sein eigener Sohn den Herzog lieber habe. Da sieht man, was Land und Macht anrichten!»

Die Gäste, die Florens van Borselens Frau schon kannten, lächelten vorsichtig und schwiegen wohlweislich. Wie immer hatten Katelina und ihr Vater es still über sich ergehen lassen. Als die Mutter geendet hatte, sagte ihr Vater bloß: «Ich rate Euch, meine Liebe, hütet Eure Zunge, sonst bringt Ihr Katelina noch dazu, einen Armen zu heiraten, falls ihre Erben eines Tages genötigt sind umzuschwenken und ihr das Herz zu zerreißen.» Er hatte Simon of Kilmirren nicht erwähnt, dessen Verhältnis zu seinem Vater er einmal als «unnatürlich» bezeichnet hatte. Und mit dem Gedanken, ihn zu heiraten, hatte Katelina einst gespielt.

Felix errötete. Claes sah ihn an, zögerte, schwieg dann aber. Felix sagte: «Ich behaupte nicht, daß der Dauphin recht hat oder der Graf von Charolais. Aber Männer wollen nicht immer Befehle befolgen. Ob es sich um Land oder Macht handelt oder nicht.»

«Ihr habt völlig recht», sagte Katelinas Vater. «Tatsächlich erheben sogar Frauen manchmal Einwände gegen Befehle. Aber in manchen Familien sind die Wirkungen folgenschwerer als in anderen. Zwietracht unter Fürsten kann ein Land zugrunde richten. Ein Streit zwischen Vater und Sohn kann natürlich einen Betrieb zugrunde richten. Ein Zank zwischen einem Fischer und seinem Sohn mag bedeuten, daß das Boot nicht auslaufen kann und der Lebensunterhalt nicht erworben wird. Daher wird ein König viele Bastarde haben, damit er, wenn die Söhne versagen, Männer seines Blutes hat, denen er vertrauen kann. Ein Mann aus einer bürgerlichen Familie wird sich an seine Onkel und Vettern halten, denn er mag sie brauchen. So mancher Mann hat in seinem Neffen einen treueren Sohn als den, der ihm geboren wurde.»

Katelina hatte ihren Vater das noch nie sagen hören. Sie begriff, daß er die Anwesenheit des Bastards Claes vergessen hatte, und sie blickte hinüber und stellte fest, daß eben dieser Bastard sie ansah, leicht amüsiert und sanft beruhigend. Dann wurde ihre Aufmerksamkeit wieder auf ihre Mutter gelenkt, die hochging.

Ihre Mutter ging oft hoch, und dann warteten sie alle einfach, bis es vorbei war. Offenbar hatte es sie zutiefst verletzt, daß ihr Mann auch nur auf den Gedanken kommen könnte, das Kind irgendeiner anderen Frau ihren lieben, ehelich geborenen beiden Töchtern vorzuziehen, und sie sei sicher, daß die anderen Damen ebenso empfänden. Sie halte die Vielzahl der herzöglichen Bastarde für eine Schande. Wollte ihr Mann ihr etwa weismachen, daß die beiden unehelichen Töchter des Dauphin aus politischen Gründen gezeugt worden seien? Und was sei mit...

Der vornehmste Gast, ein Mann von großem Selbstbewußtsein und einiger Erfahrung mit der Familie van Borselen, entdeckte, daß es leider schon spät sei und er verdiene, bestraft zu werden, weil er

Meester Florens und seine Gemahlin vom Zubettgehen abgehalten habe. So erfreulich sei ihre Gastlichkeit gewesen, so hinreißend ihre Gesellschaft, daß sie es sich indes selbst zuzuschreiben hätten.

Die Gäste erhoben sich. Auch Claes. Und widerstrebend auch Felix. Das unbekannte Mädchen brauchte Hilfe, die Claes leistete, damit sie sich vom Tisch herauszuwinden vermochte. Er hatte so dumme Augen wie ein importierter Affe. Das war absolut wahr. Und seine muskulösen Arme, das kam vom Herumwuchten von Stoff in einer Färberküpe. Die Grübchen bebten, und das Mädchen sah zu ihm auf und sagte mit blitzenden Augen irgend etwas. Er antwortete. Das Mädchen lächelte.

Ihr Vater sagte: «Katelina! Du träumst. Bitte geleite die Damen hinaus.» Sie begleitete sie beflissen und mit einer gewissen bissigen Befriedigung. Sie brachte sie zu den Toren des Gasthauses, dann drehte sie sich um und wollte ihrem Vater und seinem Schreiber folgen, als sie mit jemandem zusammenstieß. Claes stützte sie mit einer fast unsichtbaren Hand an ihrem Arm und sagte: «Sie hat den Heimfallanspruch auf drei Bäckerläden in Aalst. Was haltet Ihr davon?»

Als ob er ihn mit einem Bügeleisen geplättet hätte, verschwand der Schmerz. Katelina hob ihre Hand, und als er seine fallen ließ, ergriff sie sie und behielt sie in ihrer, ihm zum Trotz. Die Lampen auf dem Hof des Gasthauses tauchten beide in Licht und zeigten ihr, daß seine Augen zu ihrem Vater huschten, der auf der Treppe wartete, und dann wieder zu ihr. Sie hielt seine umklammerte Hand im Schatten. Er lächelte und sagte: «O Madonna, Ihr müßt hineingehen.» Und in ihr kam ein neuer Schmerz auf.

Ihr Vater kam die Treppe wieder herunter, er sah ärgerlich aus. Katelina sagte laut: «Also dann morgen früh. Meine Zofe wird dir das Päckchen geben. Vater, Ihr habt doch nichts dagegen? Claes ist so freundlich, etwas für mich zu erledigen.»

Ihr Vater lächelte. «Du bist ein braver Bursche», sagte er. «Der junge Felix könnte nicht in besseren Händen sein. Es tut mir nur leid, daß du nicht immer in Brügge bleiben kannst. Aber die Fremde lockt, wie? Und der Ehrgeiz. Du wirst Erfolg haben. Davon bin ich überzeugt.» Und dann kam Felix zurück, der mit unerfreulicher Plötzlichkeit ein menschliches Bedürfnis verspürt hatte, um noch einmal seinen Dank auszusprechen und sich zu verabschieden, und ehe er noch vom Hof auf die Straße gekommen war, begann er Claes zu beschimpfen, daß dieser nicht vorausschauend genug gewesen war, um Zimmer im selben Gasthaus zu bestellen. Claes, der ihm gewöhnlich eine patzige Antwort gab und damit seine gute Laune wiederherstellte, war weniger gesprächig, als er hätte sein sollen.

Das war van Borselens Schuld. Diener sollten nie zum Essen eingeladen werden, sonst bilden sie sich ein, sie könnten sich alles erlauben.

Katelina zog sich in ihr Zimmer zurück. Es war das Vorrecht einer Dame, junge Männer auf die Probe zu stellen und sie zu leidenschaftlichem Begehren anzustacheln, ohne es zu befriedigen. Wenn Claes nicht kam, war die Sache erledigt. Er war ein Diener und ein Feigling.

Würde er morgen in das Familienzimmer kommen und ihren Auftrag in der Öffentlichkeit abwickeln, dann würde ihr das noch etwas anderes verraten. Daß er prüde war.

Wenn er auf andere Weise käme, ihrer Kammerjungfer vertrauend, auf die Wirkung der Bestechung vertrauend, auf ihre Diskretion vertrauend, dann war er ihrer allzu sicher, allzu selbstsicher und ungalant. Und dazu unaufrichtig nach allem, was er gesagt hatte.

Er kam vor der Morgendämmerung. Sie schlief. Ihre Kammerjungfer weckte sie. Als er dann die Tür öffnete und sie äußerst leise wieder schloß, saß sie im Bett. Sie hatte das Laken hochgezogen und fest um sich geschlagen. Eine Kerze, abgeschirmt gegen die Tür, war angezündet worden. Sie hatte auch ihren Nachtzopf entflochten. Sie konnte ihr Haar in seinen glänzenden Augen sehen, als hätte sie ihn nur als Spiegel zu sich gerufen. Ihr Haar und das Laken und die nackten Schultern.

Er blieb an der Tür stehen und fragte leise: «Gibt es irgendwelche Schwierigkeiten?» Seine Stimme klang beruhigend, aber sein Gesicht zeigte eine Besorgnis, die sie nicht mißverstehen konnte. Natürlich. Darum war er gekommen.

Der Stolz gebot, daß sie ihn aufklärte und wegschickte. Das flehende Fleisch war stärker. Ihre Kehle war trocken. «Ja», sagte sie, «es gibt Schwierigkeiten.»

Er kam sofort von der Tür an ihr Bett und kniete nieder, so daß ihrer beiden Augen auf gleicher Höhe waren. Sie sah den Schimmer von Bartstoppeln über der Wölbung der Lippen und am Kinn. Seine Augen hatten, auch wenn er nicht lächelte, immer noch ein halbmondförmiges Lachpolster, zugeschnitten auf beide unteren Lider und darüber hinaus, bereit für den Augenblick, in dem er wieder glücklich war.

Ihre Hand lag auf der Decke. Sie sah, daß er sich einfach aus Besorgnis anschickte, seine Hand auf die ihre zu legen, und sie wußte, sie würde ein Zittern nicht unterdrücken können. Er berührte sie, und sie erschauerte von Kopf bis Fuß. In einer einzigen Nacht hatte sie gelernt, seine Reaktion von seinem weicher werdenden Gesicht abzulesen. Sie sah, daß er jetzt keine Reaktion zu zeigen versuchte. Doch als er seine Hand wegziehen wollte, ergriff sie sie. Das Laken rutschte ihr bis zu den Hüften hinunter. Würde er zur Tür gehen, müßte er sie nackt mitschleppen. Und hinaus auf die Straße. Ihr Körperinneres machte sich plötzlich selbständig und begann aus eigenem Antrieb den Gipfel zu erklimmen, auf den sie von ihm gebracht werden wollte. «Oh, *hilf mir*!» rief sie aus, dachte aber, als er sich herbeiließ zu reagieren, daß es zu spät sei.

Er war erfahren. Sie wurde aus dem Bett gehoben und auf den Fußboden gelegt, und es dauerte nur Sekunden, da war er bei ihr, und diesmal mit drängendem Ungestüm.

Sie lag betäubt da in einer Art Bewußtlosigkeit, die Schlaf hätte sein können. Als sie aufwachte, war sie wieder im Bett, vom Laken bedeckt. Ihre Glieder waren butterweich. Wo sie die Qual des Verlangens empfunden hatte, verspürte sie jetzt einen schwachen, ungewohnten Schmerz, ganz anders als das scharfe Reißen bei ihrer Initiation. Ihr kam der seltsame Gedanke, daß sie letztes Mal nur eine vergewaltigte Jungfrau gewesen war. Diesmal war sie irgendwie zur Frau geworden.

Wieder durch Claes. War er weggegangen? Nein, das wäre zu unhöflich. Oder wartete er darauf, daß sie aufwachte?

Sie machte eine Bewegung und fand seine nackte Schulter an der ihren und seinen Kopf neben ihr, im Kissen vergraben. Um sie zu trösten und ihre Bekenntnisse anzuhören, hatte er das getan, was rücksichtsvoll war. Und sicher hatte er auch andere Gründe dafür gehabt. Nicht einmal Claes hätte diesen Punkt so schnell erreicht, wenn er sie nicht begehrt hätte.

Er rührte sich, als er ihre Bewegung spürte, stützte sich auf einen Ellbogen und streckte die Hand aus, aber nicht zu ihr, sondern zur Bettkante hin. Als er sich dann, halb sitzend, umdrehte, hatte er einen Zinnbecher in der Hand, in den er schon Wasser gefüllt hatte. Statt ihn ihr anzubieten, stellte er ihn auf das Laken und sagte: «Bleibt ein bißchen still liegen. Wenn es so wie eben ist, können die ersten Bewegungen manchmal Kopfschmerzen verursachen.»

Sie blieb liegen und spürte, wie sich ihr Körper beruhigte und der Druck von ihrer Stirn wich. Er machte kein Hehl aus seiner reichen Erfahrung, nicht einmal jetzt. Nach einem Weilchen rührte sie sich ebenfalls, zog sich etwas hoch, nahm den Becher und leerte ihn. Er beugte sich hinunter, um ihn auf den Fußboden zu stellen, und sie beobachtete das Spiel seiner vom Laken befreiten Muskeln von der Schulter bis zu den Rippen, von den Rippen zur Hüfte und von der Hüfte zum Oberschenkel, und als er sich umdrehte, ließ sie ihn ihren prüfenden Blick spüren.

«Ich habe einmal», sagte sie, «einem jungen Bullen zugesehen, der ein Feld pflügte. Ich konnte kaum glauben, was ich sah. Wie viele andere hast du heute besprungen?»

Er antwortete nicht gleich, zog aber das Laken nicht wieder hoch, obwohl sein Gesicht ruhiger wurde. «Keine, Demoiselle.»

Katelina starrte ihn an. «Ach so. Daher zweifellos deine hervorragende Leistung. Was hättest du getan, wenn ich nicht hier gewesen wäre? Wärst du in ein Bordell gegangen?»

Er wich ihrem Blick nicht aus. «Unverheiratete Männer tun das. Es ist etwas, das die Gesellschaft uns erlaubt. Ich habe Felix gerade in eins gebracht.»

«Du meinst, du hast durch mich Geld gespart?»

Er ließ wieder einen Augenblick verstreichen, einen Ellbogen auf das Kissen gestützt, den Blick auf seine gefalteten Hände gerichtet, ehe er antwortete: «Ihr habt gesagt, Ihr hättet Schwierigkeiten.»

«Ja, das stimmt.» Katelina keuchte vor Zorn und Angst. «Du genießt meinen Körper.»

Er blickte auf seine Hände und lächelte. «Es ist mir also nicht gelungen, das zu verbergen.»

«Wenn ich deine Frau wäre, könntest du das die ganze Nacht und den ganzen Tag tun. Würdest du mich deswegen heiraten? Oder kannst du es mit anderen Frauen besser?»

Er sah auf. Dann löste er seine gefalteten Hände voneinander, nahm eine der ihren und drückte sie leicht. «Ihr seid unvergleichlich. Aber, Demoiselle, es muß einiges besprochen werden. Habt Ihr Euren Eltern von Jordan de Ribérac nichts gesagt?»

«Nein. Ich sagte ihnen, mein Begleiter sei der junge Gruuthuse gewesen.»

«Dann werden sie erwarten, daß Ihr ihn heiratet.»

Sie starrte ihn an.

«Habt Ihr daran nicht gedacht? Und wenn er Euch unbedingt heiraten möchte, wird er vielleicht nur zu gern behaupten, Euer Geliebter zu sein. Ihr seht also, Ihr müßt mich nicht heiraten.»

Er machte eine Pause. Als sie nicht antwortete, fuhr er ruhig fort: «Wenn Ihr ihn nicht wollt, müßt Ihr natürlich Euren Eltern sagen, wie es wirklich gewesen ist. Sie werden Euch helfen, einen anderen Ehemann zu wählen. Oder auch, wenn Ihr beschließt, erst später zu heiraten. Mädchen aus vornehmer Familie werden zur Entbindung oft ins Ausland geschickt und das Kind in Pflege gegeben.»

Die Lage war plötzlich unhaltbar geworden. «*Es meinen Eltern sagen*! Sie würden dir den Kopf abreißen!» fuhr es aus ihr heraus.

Er zuckte leicht die Schultern. «Wenn ich in Flandern bleibe, natürlich. Aber es gibt noch andere Länder. Und sofern Ihr den jungen Gruuthuse nicht heiraten wollt, müssen sie die Herkunft des Kindes erfahren, um Euch zu schützen. Jordan de Ribérac war vor mir allein in Eurem Haus. Die leiseste Andeutung, und er könnte versuchen, die Vaterschaft für sich in Anspruch zu nehmen und Euch zur Heirat zu zwingen.»

«Das kann er nicht!» sagte Katelina scharf.

«Er könnte es wahrscheinlich, sofern ich ihm nicht beweisen kann, daß er dadurch verlieren würde. Kennt Ihr Andro Wodman?»

Es gab im vorigen Jahr ein Bankett für den Kommandanten der Flandern-Galeeren, bei dem sie Jordan de Ribérac kennengelernt hatte. Und ihr Vater hatte einen Schotten mit Namen Andro Wodman in de Ribéracs Gefolge erwähnt. Sie erinnerte sich, antwortete aber nicht. Claes fuhr fort: «Nein? Nun ja, er ist ein Bogenschütze in der Leibwache des französischen Königs. Ich habe ihn sowohl mit dem Vicomte de Ribérac gesehen, als auch in… in der Begleitung des Dauphin. Er versuchte, sich vor mir zu verstecken. Außerdem», sagte Claes, zog seine Hände zurück und verschränkte sie wieder, «weiß Monsieur de Ribérac mehr über Gaston du Lyon, den geheimen Abgesandten des Dauphin, als er wissen sollte.»

Claes in der Umgebung des Dauphin? «Was sagst du da?» fragte sie. «Daß der große Jordan de Ribérac vom Dauphin gekauft worden ist, und der König von Frankreich weiß es nicht?»

«Ich vermute es. Der Vicomte weiß viel, viel mehr, als er wissen sollte.»

Woher wußte Claes das? Gerüchte, aufgeschnappt in Kontoren, Schenken, Bordellen? Andeutungen und Hirngespinste, in eine rachsüchtige Falschaussage eingebaut? Zuvor hatte er nichts davon gesagt. Er hatte es vielleicht nicht gewußt. Und zuvor hatte sie natürlich einen Ruf zu wahren gehabt. Die von de Ribérac verursachte Narbe war immer noch zu sehen, ein schimmernder Streifen auf seiner Wange. Katelina betrachtete sie und sah ihm dann in die Augen, die frei von Gehässigkeit waren. Sie glaubte ihm. «Du hast also Beweise.»

«Nur ein paar Tatsachen. Ich habe mich nicht um weitere bemüht. Aber ich werde alle Beweise finden, die Ihr braucht, wenn Monsieur le Vicomte Euch Angst einjagt oder versucht, Euch zu etwas zu zwingen, was Ihr nicht tun wollt. Ihr braucht es mir nur zu sagen. Ihr braucht es mir nur zu sagen, wenn ich sonst noch etwas tun kann.» Er hielt inne. «Ich glaubte, Ihr würdet mich verabscheuen.»

Sie verabscheute ihn nicht. Einen Diener haßt man nicht. Sie war nur wütend auf ihn gewesen, weil sie sich schämte und auf sich selbst wütend war. «Nach allem, was du gesagt hast, hast du wohl Anlaß, mich zu verabscheuen. Ich habe dich aufgefordert, das zu tun, was du getan hast. Ich habe dir gesagt, es bestehe keine Gefahr. Ein bei diesem Beischlaf gezeugtes Kind könnte dein Leben mehr zugrunde richten als meines. Es sei denn, du würdest mich heiraten.»

Sie hatte es zum zweitenmal gesagt, und zum zweitenmal wartete sie auf seine Antwort. Sie wußte nicht, womit sie sich verriet. Durch ihre Hartnäckigkeit. Dadurch, daß sie ihre Wut nörgelnd äußerte, statt ihn anzuklagen. Er ließ die Hände sinken und sah sie an. Sein Blick ging ihr durch Mark und Bein. Sie wandte die Augen ab.

«Ihr seid nicht schwanger, und es gibt keine Schwierigkeiten», sagte er unumwunden.

Sie war Katelina van Borselen, die seit ihrer Kinderzeit nicht mehr vor Scham den Kopf gesenkt hatte. Sie sah nicht auf und schwieg, während er rasch aus dem Bett sprang. «Warum also?» fragte er.

Nach seiner Stimme zu urteilen, stand er noch neben dem Bett. Er hatte sich nicht gerührt, um sich anzuziehen oder sich zu bedecken. Als sie ihn ansah, stand er hoch aufgerichtet und selbstvergessen da wie die Männer, von denen sie behauptet hatte, mit ihnen vertraut zu sein: ein nackter Mann, der auf eine Erklärung wartete, auf die er Anspruch hatte. Er kannte den Grund, aber jetzt wollte er ihn von ihr hören. Und sie sagte: «Du wärst sonst nicht gekommen.»

«Und ist es nun leichter, da ich gekommen bin?»

Sie schüttelte den Kopf.

«Und was soll jetzt geschehen? Ich bin Euch natürlich zu Diensten. Auf jede Weise, nur nicht auf diese.»

Sie suchte nach einer Verteidigung. «Ich habe von Heirat gesprochen.»

«Ernstlich? Nein, Demoiselle. Nur um herauszufinden, wie Ihr auf einem neuen Gebiet der Eroberung eingeschätzt werdet. Ihr seid unvergleichlich. Das habe ich Euch gesagt. Ich habe nicht den Wunsch zu heiraten. Das habe ich Euch auch gesagt. Und eine Ehe mit mir wäre das letzte, was Ihr wolltet.» Er unterbrach den Redeschwall. Sein Ausdruck, der nicht gerade geduldig gewesen war, verwandelte sich in eine Miene verbitterter Belustigung. Er stieß einen Seufzer aus. «Katelina, was Ihr wollt, ist das, was Ihr gerade bekommen habt, und jeder Ehemann wird es Euch verschaffen.»

Sie lag schicklich ausgestreckt auf dem Bett, und der Schmerz überwältigte sie. «Willst du es nie wieder von mir, obwohl ich doch unvergleichlich bin?»

«Natürlich will ich es. Natürlich will ich Euch. Aber nicht wieder. Nie wieder. Wir gehen miteinander um wie Huren. Seht Ihr das nicht ein?»

«Doch, ich sehe es ein. Und ich stimme dir zu. Und außerdem werden wir nie wieder allein zusammen sein. Aber jetzt sind wir hier, zum letztenmal, und wir können einander Erleichterung verschaffen. Bitte komm. Bitte komm her. Bitte komm zurück.»

Er kann mich doch nicht abweisen, dachte sie, und ebensowenig kann er bestreiten, daß er mich im Augenblick begehrt.

Aber er beugte sich plötzlich hinunter und löschte die Kerze aus, die es verriet. Dann, als ob es kein Verlangen gäbe, zog er sich im Dunkeln an und ging zur Tür. Von dort aus sagte er nur: «Adieu, Demoiselle. Adieu.»

Kapitel 25

Am nächsten Tag fuhr Claes in aller Öffentlichkeit zum erstenmal in seinem Leben aus der Haut. Als sie von Gent nach Brügge ritten, mußte er Felix einbleuen, was er, Felix, seiner Mutter berichten sollte. Claes rief ihm in Erinnerung, warum er seinen Geschäftsführer in Löwen entlassen hatte und welche Veränderungen der neue Mann, von Felix unterstützt, einführen werde. Felix, müde nach seinen nächtlichen Exzessen, war gereizt; etwas, womit Claes normalerweise leicht fertig wurde.

Diesmal vermochte er ihn nicht aufzumuntern, vielleicht weil er selbst nicht gerade zu einfallsreicher Neckerei aufgelegt war. Felix fuhr ihn an, erklärte, er wisse ganz genau, was seine Mutter hören wolle, er habe das Thema satt und es gehe Claes sowieso nichts an. Da er jahrelang seine Erfahrungen mit Felix gemacht hatte, ließ Claes die ganze Sache fallen und schickte sich an, Felix und sich selbst in eine bessere Laune zu versetzen. Sie waren Brügge schon nahe, als Felix, der jetzt ganz vergnügt war, Mabelie erwähnte.

Überall wurde Claes wegen seiner Eroberungen gehänselt. Er nahm es gleichmütig hin. Über seine wahren Gefühle für dieses oder jenes Mädchen mit irgend jemandem zu reden, fühlte er sich nicht bemüßigt. In den drei Monaten seiner Abwesenheit waren seine Affären, wenn er überhaupt welche hatte, seine Privatsache gewesen. Und nach seiner Rückkehr hatte er zuviel zu tun und keine Zeit mehr gehabt für persönliche Dinge. Abgesehen von denen, die er nicht vermeiden konnte. Aber an seinem ersten Tag in Brügge hatte Felix ihm erzählt, John Bonkle habe die Zuneigung von Mabelie errungen. Womit sich Claes, da John ein netter Junge war, abgefunden hatte; er hatte auch dafür gesorgt, daß sich das Verhältnis zwischen ihm und John nicht trübte, und hatte Mabelie, die ein süßes Ding war, klargemacht, daß er keinen irgendwie gearteten Anspruch auf sie habe.

Nie und nimmer hatte er erwartet, mit Felix über Mabelie reden zu müssen, und schon gar nicht auf der Straße zwischen Gent und Brügge. Tatsächlich begann es mit einem Thema, das viel bedenklicher zu sein schien. «Ich sehe nicht ein», sagte Felix unterwegs, «warum ich meine Rüstung immer noch verstecken soll. Du weißt sowieso alles. Du kannst sagen, die Leute des Dauphin hätten sie mir geliehen. Du kannst sie für mich putzen, und ich werde sie auf der Wappenschau für den Tjost vom Weißen Bären ausstellen.»

«Hast du dich denn dafür eingetragen?»

«Sie haben mich angenommen. Ehe wir nach Löwen gingen. Es sind nur noch zwei Wochen bis dahin. Ich will jeden Tag üben. Es ist der größte Tjost in Flandern. In Frankreich. Sogar in Europa. Und sie werden alle da sein. Der Herr von Ghistelle. Der Herr von Gruuthuse. Der Graf von Charolais vielleicht. So viele Ritter vom Goldenen Vlies, wie abkömmlich sind. Du weißt schon. Der Mann, der die Lanze gewinnt, wird für das Jahr zum Forestier gemacht und geht mit seiner Schar von Haus zu Haus...»

«Das kostet eine Menge Geld», sagte Claes. Er blinzelte. «Hast du auch Geld bekommen?» fragte er leise, damit die Reitknechte hinter ihnen es nicht hörten.

Felix grinste. «Hast du es nicht erraten? Das war für Dinge bestimmt, von denen du nichts weißt. Zum Beispiel Mabelie.»

«Mabelie?»

Felix' Grinsen unter dem geborgten Strohhut wurde noch breiter. «Ich habe Mabelie von John Bonkle gekauft.»

«*Was* hast du?» Claes hielt plötzlich sein Pferd an. Die Reitknechte hinter ihm wichen seitlich aus. Felix ritt noch ein paar Schritte weiter, und als er merkte, daß er allein war, machte er kehrt und kam, noch breiter grinsend, zurück. Die Reitknechte zögerten und sahen Claes an, der sich umschaute und auf ein paar Bäume deutete: «Dort werden wir essen. Geht dahin und wartet.»

Die Reitknechte ritten weiter, ohne einander anzusehen, bis sie außer Reichweite waren. Felix blieb, wo er war. Seine Augen blitzten. «Aha!» sagte er. «Wünschst du nicht, du hättest selbst daran gedacht?»

Claes legte die Fäuste auf den Sattel und stützte sich darauf. «Für Mabelies Liebesgunst ist gezahlt worden? John Bonkle hat sie dir verkauft?»

«Er wollte nicht. Aber er hat eine Pelzkappe gekauft, ohne es seinem Vater zu sagen, und konnte sie nicht bezahlen.»

«Armer John Bonkle. Wie hat er es Mabelie beigebracht?»

Das Grinsen verschwand von Felix' Gesicht. «Woher soll ich das wissen? Sagte ihr wohl, es sei das letzte Mal, und in Zukunft solle sie sich bei mir melden, nehme ich an. Sie solle sich bereithalten, wenn ich aus Löwen zurückkomme. Heute abend.» Sein Gesicht heiterte sich auf, als er daran dachte. Er grinste wieder, flehentlich. «Billiger als letzte Nacht, wie?»

Claes rührte sich nicht. «Was ist mit Grielkine?»

Das Lächeln verschwand wieder. «Ja, was ist mit ihr? Wo gibt es ein Gesetz, das vorschreibt, man dürfe nicht jede Nacht ein anderes Mädchen haben, wenn man möchte? Wenn es das Gesetz gibt, hast *du* es jedenfalls nie befolgt.»

«Sag mal», wollte Claes wissen, «was wirst du tun, wenn Mabelie nicht kommt?»

Felix starrte ihn wütend an. «Natürlich wird sie kommen.»

«Von John Bonkle zu dir. Einfach so. Und sie weiß, daß Geld für sie bezahlt worden ist. Wenn sie wirklich kommt, was ist dann aus ihr geworden?»

«Ich reite weiter», sagte Felix und gab seinem Pferd die Sporen.

Claes streckte blitzschnell den Arm aus und packte Felix' Zügel. Dann nahm er alle Zügel in eine Hand. Felix' Pferd zerrte und stampfte. Felix hob seine Peitsche, und Claes ließ seine freie Hand auf Felix' Handgelenk niedersausen. Felix stieß einen Schrei aus, die Peitsche fiel ihm aus der Hand. «Du Mistkerl!» schrie er. «Du hast meine Hand verletzt. Jetzt kann ich nicht...»

«Die wird in zehn Minuten wieder genauso sein, wie sie vorher war. Wenn wir dieses Gespräch beendet haben. Sollte Mabelie heute abend nicht kommen, was machst du dann?»

Felix war blaß und schäumte vor Wut. Stechende Blicke trafen Claes. «Ich habe sie gekauft. Wenn sie nicht kommt, gehe ich hin und hole sie.»

«Aus Adornes Haus», sagte Claes.

Felix grinste tückisch. «Nicht unbedingt. Sie muß ja manchmal ausgehen.»

«Dann entführst du sie, bringst sie an irgendeinen stillen Ort und vergewaltigst sie. Und wiederholst das Verfahren jedesmal, wenn du sie haben willst? Oder glaubst du, sie wird nach dem erstenmal klein beigeben?»

«Höchstwahrscheinlich», sagte Felix. Seine Wut ließ ihn das tückische Grinsen, das nicht typisch für ihn war, beibehalten.

«Bis jemand anderes sie kaufen will und du sie verkaufst?»

«Bei dir klingt das wie... was geht es dich überhaupt an?» schrie Felix.

«Bei mir klingt es wie Sklavenhandel, denn das ist es auch. Du verfährst mit Mabelie, als wäre sie Loppe. Schlimmer noch. Ich glaube nicht, daß jemand Loppe gegen seinen Willen vergewaltigen würde. Du bist der Inhaber einer der besten Handelsfirmen in Brügge oder wirst es bald sein. Und du kaufst und verkaufst ein junges Mädchen wie eine Ware. Nicht einmal der edle Simon hat das getan. Er hat sie vielleicht entjungfert, aber sie ist aus Liebe zu ihm gegangen. Glaubst du, sie kam zu mir wegen Geld? Oder zu John Bonkle? Natürlich müßte sie heiraten. Natürlich sollte sie nicht einen Liebhaber nach dem anderen haben, ebensowenig wie – ja – ich habe mit verschiedenen Mädchen in verschiedenen Nächten geschlafen. Aber zumindest wird dabei niemand getäuscht. Keiner Frau versprechen wir die Ehe oder lebenslange Treue. Wir, die Mädchen wie die Männer, tun es ausschließlich aus Liebe. Aber das! Nach dem, was du getan hast, gilt Mabelie, ob sie heute abend zu dir kommt oder nicht, als gekaufte Hure.»

Schweigen herrschte. Claes saß da, sein Atem flog, er lauschte dem Echo seiner eigenen Stimme und dachte, wie töricht er gewesen war. Er hatte Felix keinen Ausweg gelassen, ihm keinen Kompromiß angeboten, keine Möglichkeit, sein Gesicht zu wahren. Er wußte sehr genau, auch wenn Felix es nicht wußte,was ihn dazu getrieben hatte.

«Na gut», sagte Felix. «Kaufe sie mir ab. Aber nicht mit einem Schuldschein auf die Medici. In bar. Heute abend.»

Wieder herrschte Schweigen. Dann sagte Claes ruhig: «Wie du meinst. In diesem Fall wirst du es entschuldigen, wenn ich mich beeile. Es gibt eine Menge zu tun.»

Er ließ Felix' Zügel los, nahm seine eigenen und ritt los. Als sein Pferd wieder auf der Straße war, setzte er es erst in Trab und dann in leichten Galopp. Als er an den Bäumen vorbeikam, sah er die Reitknechte dastehen und starren, und dann drehten sie sich um und schauten zu Felix zurück. Aber wie Claes erwartet hatte, folgte Felix ihm nicht.

Es war noch hell, als Claes mehrere Stunden vor den anderen durch das Genter Tor nach Brügge hineinritt. Er hatte beabsichtigt und beabsichtigte noch, daß Felix seiner Mutter den ersten Bericht über Löwen erstatten sollte. Er war daher froh, daß die Demoiselle de Charetty und ihre Töchter nicht da waren, obwohl Henning ihn schon anzuschnauzen begann, als er gerade sein dampfendes Pferd in den Stall bringen wollte.

Die Litanei begleitete ihn über den ganzen Hof. Die Pumpe war wieder kaputt. Eine der Küpen leckte. Es hatte einen Streit zwischen drei Arbeitern gegeben, und die anderen hatten gemault. Der Mann, der neulich der Witwe einen Teil dieses Grundstücks verkauft hatte, wollte es zurück haben und sagte, er könne beweisen, daß der Verkauf gesetzwidrig gewesen sei. Ein ganzer Sack mit Waidballen war schimmelig geworden. Die Witwe hatte einen neuen Syndikus eingestellt. Die Florentiner und die Luccheser und sogar der Sekretär des päpstlichen Gesandten haben die Witwe aufgesucht und abgesprochen, daß der Oberkurier der Firma Charetty – das sei er – bald nach Italien aufbrechen sollte, da ihre Depeschentaschen schon recht voll waren. Ein Päckchen mit dem Siegel des kahlköpfigen Arztes darauf war für ihn aus Mailand gekommen. Und zu welcher Stunde auch immer Claes eintreffe, Anselm Adorne wollte ihn sofort sprechen.

«Was für ein Empfang!» sagte Claes. Er merkte, daß Henning glaubte, er beklage sich, aber das stimmte nicht. Er war einfach glücklich darüber, alles regeln zu müssen. Er eilte sich, sein Pferd abzuliefern, und stürmte durch das Gebäude, rief nach rechts und links Grüße und Beleidigungen und nahm im Vorbeigehen das Päckchen von Tobie mit.

Er las den Brief, während er sich bis aufs Wams auszog, hörte mittendrin auf und las ihn noch einmal. Dann band er sich ein Stück Stoff um die Taille und rannte nach unten und hinaus auf den Hof, um die Pumpe zu reparieren. Während er noch dabei war, kamen vier verschiedene Männer und beschwerten sich, bis sie wieder an ihren Arbeitsplatz gerufen wurden von einem adretten jungen Mann mit einer Nase wie eine Sichel und einem wadenlangen schwarzen Talar, der mit Claes zu sprechen glaubte.

Claes bestätigte das, richtete sich auf und wischte sich die Hände an der Schürze ab. Er hatte versucht, die Witwe dazu zu bringen, jemanden einzustellen, der Julius helfen und seine Stelle einnehmen sollte, wenn Julius mit der Armee im Ausland war. Es hatte drei Anwärter für den Posten gegeben, alle gut beleumdet. Die Witwe hatte also einen ausgewählt. Er hoffte, daß es der richtige war.

Der Mann mit den scharfen Zügen, der aussah, als sei er Ende Zwanzig, sagte: «Ich bin Messer Gregorio. Ich habe nach jemandem geschickt, der sich um die Pumpe kümmern soll. Es wäre mir lieber, wenn du gleich in mein Kontor kämst und mir über Löwen Bericht erstattetest. Die Demoiselle de Charetty wird gleich zurück sein. Sie wollte den Bericht so rasch wie möglich haben.»

Es *war* der richtige. Sohn eines Lombarden, der mit dem verstorbenen Vater der Demoiselle befreundet gewesen war. Studium der Rechte in Padua. Ein paar Jahre zweiter Schriftführer beim Senat von Venedig. Zu Hause in Asti und dann wieder in Flandern, wo sein Vater Pfandleiher in Furnes gewesen war. Und, wie man sah, daran gewöhnt, nur mit seinen Vorgesetzten zu tun zu haben.

«Gleich, Messer Gregorio», sagte Claes. «Jonkheer Felix hat den Wunsch geäußert, auch anwesend zu sein, wenn der Demoiselle Bericht erstattet wird. Er wird in einer Stunde hier sein.»

Der Syndikus, der Felix nicht kannte, zögerte. «Wenn das der Fall ist, kannst du auch die Pumpe fertig machen. Sei im Kontor, wenn Jonkheer Felix eintrifft.»

Claes nickte. Er wartete, bis der Syndikus außer Sicht war, dann überprüfte er die Pumpe noch einmal, die jetzt in Ordnung war. Er rief jemanden, damit er für ihn aufräumte, begab sich auf einem anderen Weg ins Haus und zog, nachdem er sich gesäubert hatte, seine blaue Livree wieder an. Dann steckte er Tobias Päckchen in seine Ledertasche, entlieh einen Maulesel aus den Ställen und trabte zum *Hôtel Jerusalem*. Unterwegs machte er zwei Besuche.

Sowie Marian de Charetty das Haus betrat, wurde sie von ihrem neuen Syndikus mit der Nachricht empfangen, daß ihr Angestellter Claes zwar kurz dagewesen sei, sich aber nicht, wie er verlangt hatte, in seinem Kontor gemeldet habe. Und daß der junge Herr, ihr Sohn Felix, angeblich unterwegs, noch nicht eingetroffen sei.

Claes war ohne Felix zurückgekommen. Da war etwas passiert. Hatte Felix versucht, Claes zu entlassen? Hatte Claes eine andere Stellung angenommen und war nur zurückgekommen, um seine Sachen abzuholen? Nein. Zumindest würde er warten, bis sie zurück war, und mit ihr sprechen.

Sie hatte ihrem neuen Rechtsberater das Zimmer mit Schreibtisch zugewiesen, das Julius innegehabt hatte. Sie dankte ihm und bat ihn zu warten, bis sie ihn rufe. Dann ging sie in ihr Kontor und erfuhr von Henning, daß die Pumpe in Ordnung gebracht sei, die Unruhe im Betrieb aber noch anhalte. Er erwähnte Gregorio nicht, ein Zeichen dafür, daß er sich immer noch über ihn ärgerte. Die Tatsache, daß die Pumpe von Claes repariert worden war und alle, die mit ihm gesprochen hatten, offenbar ganz vergnügt waren, bedeutete sicherlich, daß er nicht weggehen würde. Was die kleine Catherine freuen würde, wenn auch nicht die kleine Tilde. Marian de Charetty warf ihre Hauptbücher auf den Tisch und vertiefte sich in sie.

Dann kam Felix. Er schien in Lumpen herumzulaufen, und das liege daran, sagte er, daß die Leute des Dauphin ihn zur Jagd mitgenommen hatten. Er begann ihr alles darüber zu erzählen. Da er Claes nicht erwähnte, vermutete sie, daß er von Henning schon erfahren hatte, daß Claes zurück war und noch nicht mit ihr gesprochen hatte. Ehe sie eine Frage stellen konnte, klopfte der neue Syndikus an die Tür. Sie hatte ihn gebeten, dabei zu sein, wie ihr einfiel. Er wollte wissen, was in der Niederlassung in Löwen vor sich ging.

Messer Gregorio hatte sich kaum hingesetzt, da riß Felix' junger Freund John Bonkle die Tür auf. Die Demoiselle de Charetty starrte ihn an. John Bonkle blieb auf der Schwelle stehen und errötete. «Entschuldigung, Demoiselle. Es hieß, Felix sei hier.»

«Ja, er ist da», sagte seine Mutter, «aber leider ziemlich beschäftigt. Ist es dringend?»

«Nein. Ja.» John Bonkle war nicht für seine kaltblütige Geistesgegenwart bekannt. «Felix hat bis heute abend acht Pariser Groschen verlangt. Ich kann das nicht bezahlen, du Mistkerl.»

Felix' große, seichte Augen, die jetzt seiner Mutter zugewandt waren, ließen nur noch das Weiße sehen.

John Bonkle wurde bleich. «Das heißt – ich bitte um Verzeihung. Bloß eine Redensart, Demoiselle. Aber ich kann es nicht bezahlen, Felix.»

«Was bezahlen? Wofür?» fragte Felix.

«Dir das bezahlen. Für ihn. Für sie. Du weißt schon.»

«Mich wofür bezahlen?» Felix wurde langsam puterrot.

«Entschuldigung, Demoiselle... Aber Claes sagte, ich muß ihm bis heute abend acht Pariser Groschen bezahlen, sonst...»

«Sonst was?» fragte Marian de Charetty freundlich.

Schweigen.

Marian de Charetty stand auf. Sie nahm einen Schlüssel von dem Bund an ihrem Gürtel, bückte sich und schloß eine der Truhen an der Wand auf. Daraus nahm sie einen Beutel und eine Waage und brachte beide zum Schreibtisch. Sie hielt den Beutel schräg, und eine Menge Silbermünzen ergossen sich auf den grünen Fries. Sie wog sie, nahm einige weg und suchte sich einen neuen Beutel, in den sie die abgewogenen Münzen füllte. Die Waage stellte sie einstweilen auf einen Stapel Schuldscheine neben der Preistafel für die Färberei, auf der neben der Reihe bunter Wollmuster sorgfältig die Preise eingetragen waren. Es war alles sehr geschäftsmäßig.

«Die Waage ist kürzlich überprüft worden», sagte sie zu John Bonkle. «Ich glaube, du kannst dich darauf verlassen.» Sie sprach in freundlichem Ton und wog den Beutel in der Hand. «Gebe ich das nun dir oder Felix oder Claes?»

«Mir», sagte Felix rasch.

Sie sah ihren mittlerweile erwachsenen Erstgeborenen an. «Gern. Aber du mußt mir natürlich sagen, wofür das Geld ist.»

Schweigen. Dann sagte Felix widerstrebend: «Das heißt, es gehört tatsächlich John. Ich schulde es ihm. Es ist Johns.»

Die Demoiselle sah John an. «Stimmt das?»

Offenbar hatte es ihm die Sprache verschlagen; er nickte nur.

«Dann», sagte Felix' Mutter, «gebe ich es dir gern in Felix' Namen. Er kann es mir nach und nach zurückzahlen. Ich werde sehr wenig Zinsen verlangen. Bist du zufrieden, John?»

John nickte.

«Dann auf Wiedersehen», sagte Marian de Charetty. «So, Felix, nun berichte mir, was in unserer Niederlassung in Löwen vor sich geht. Ausführlich. Mit allen Zahlen, die du mitgebracht hast. Fange ganz von vorn an und berichte uns alles.» Sie glaubte, da sie Claes kannte, daß er zumindest versucht haben würde, Felix entsprechend vorzubereiten. Aber offenbar hatte er es nicht getan.

Als Claes auf den Hof trabte, war die Besprechung vorbei, das Kontor leer, Felix in seiner Lieblingsschenke und Meester Gregorio zu seiner spröden Tätigkeit in sein Kontor zurückgekehrt. Die Demoiselle de Charetty hatte sich vor dem Kamin in ihrem Wohnzimmer niedergelassen, wo Katelina van Borselen sie einst gefunden hatte, und genau wie damals war sie in ihre Geschäftsbücher vertieft. Ihre Kammerfrau, die als erste von Claes' Rückkehr erfahren hatte, kam jetzt und fragte, ob sie ihn empfangen wolle. Das war geschickt, denn dadurch hatte Claes es vermieden, ihr übriges, höherrangiges Personal gegen sich aufzubringen. Ihr fiel ein, daß sie eigentlich männliche Angestellte nicht allein in ihrem Wohnzimmer empfangen sollte. Meester Gregorio zum Beispiel wußte nicht, daß Claes seit seiner Kindheit in ihrem Haushalt gelebt hatte. Oder daß sie im vorigen Jahr an seinem Krankenbett gesessen hatte. Oder dabei gewesen war, als ein mächtiger Mann ihn fürs ganze Leben verunstaltete.

Er wurde hereingeführt. Das herzliche, arglose Lächeln. Sein Haar war zu Seegras geworden, denn ihm lief der Schweiß herunter, weil der Tag so anstrengend gewesen war. Sie rümpfte die Nase. Das Lächeln wurde ein wenig breiter. «Ich müßte mich eigentlich entschuldigen, denn Geld stinkt doch.»

Sie richtete sich im Sessel mit der hohen Lehne auf und sah ihn an. «Ich würde gern die acht Pariser Groschen wieder haben.»

Er begriff auf der Stelle. «Ah. John Bonkle? Wer hat ihn bezahlt? Ihr doch nicht etwa?»

«Es schien eine Forderung an das Haus Charetty zu sein. Wer die Schulden gemacht hatte und wofür, wurde nicht ganz klar. Nur daß du versucht hattest, den Betrag einzutreiben. Ich habe Felix gesagt, er kann ihn mir zurückzahlen, wann immer es ihm möglich ist.»

Er warf den Kopf zurück und lachte schallend. «Felix wird es mir nie verzeihen. Wir haben uns unterwegs gezankt. Ich werde das in Ordnung bringen.»

«Das nehme ich an. Ich muß dir sagen, daß ich nicht die geringste

Ahnung habe, was in Löwen geschehen ist, nur daß Olivier weggegangen ist und Felix jemand anderen eingesetzt hat. War er überhaupt da?»

«Ja. Aber es ist nicht leicht für ihn, den Zusammenhang zu begreifen. Das wird noch kommen. Möchte die Demoiselle, daß ich ihr erzähle, wie ich darüber denke?»

«Ich möchte, daß mir jemand etwas erzählt. Ich glaube, du solltest dich da drüben hinsetzen, nicht zu nahe. Und dann sage mir auch, was du damit meinst, daß Geld doch stinkt.»

Und so kam es, daß er ihr nicht nur über Löwen berichtete, sondern auch über Tobias Beventini und seinen Onkel, über Quilico und den Patensohn des Papstes und Prosper Camulio de' Medici und die Verwandten von Nicolai Giorgio de' Acciajuoli, dem Griechen mit dem Holzbein, in Mailand und Konstantinopel. Dessen Angelegenheiten hatten den ersten Anstoß zu einem gewaltigen Plan gegeben.

Am Schluß saß sie absolut still da. Dann fragte sie: «Und Tobias hat diese Mine ausfindig gemacht?»

«Ja.» Claes war aufgeregt und ein bißchen atemlos, seine Augen strahlten. «Ich hätte nicht gedacht, daß er es tun würde. Oder uns daran beteiligen wollte. Er bekam Hilfe von Messer Prosper. Der ist Botschafter im Dienste Mailands, aber ein persönlicher Freund der Familie Adorno.»

«Und wohl ein Freund von Anselm Adorne? Daher dein Erfolg bei der Lotterie. Ich dachte, du sagtest, es sei ein gänzlich venezianisches Monopol?»

«Bisher.» Etwas von der Hochstimmung war verflogen. Die Demoiselle ließ keine Begeisterung erkennen. Er fuhr fort, als erstattete er einen ganz normalen Bericht: «Von den Genuesen weiß keiner, wo die Mine ist, nur daß sie im Kirchenstaat liegt. Alle Angaben über Lage, Menge und Qualität werden in diesem Frühjahr ausgearbeitet und überprüft und für die Venezianer allein notariell beurkundet. Dann werden sie uns bezahlen.»

«Wie?»

«Auf verschiedene Weise. Das muß noch geklärt werden. Darum muß ich nach Mailand gehen. Es ist einer der Gründe.»

«Ich verstehe.» Sie setzte sich anders hin, ließ ihre Ärmel in zwei neuen, unzerknitterten Falten an den Seiten herabhängen und legte ihre Hände in den Schoß. «Du sprichst also davon, daß es darum geht, sich einen Teil des Gewinns aus dem weltweit einzigen Lager an gutem Alaun zu sichern?»

«Auf zwei Jahre höchstens. Vielleicht weniger. Aber den Gewinn sollte man sich nicht entgehen lassen. Er würde Euch ermöglichen, diese Firma wirklich lohnend auszubauen.»

«Ja. Diese Firma. Vielleicht sollten wir auf der Erde bleiben. Vielleicht sollten wir erst mal sehen, wie sich all das auf die Firma auswirkt. Hast du zum Beispiel von den Unglücksfällen im Betrieb gehört?»

Seine glühende Begeisterung war verschwunden, aber er gab sich nach wie vor völlig ungezwungen. «Ja. Sie konnten den Mann nicht finden, der die Pumpe instandhält. Die undichte Küpe hätte ausgetauscht werden müssen. Kleine Probleme. Euer Meester Gregorio müßte damit fertig werden können.»

«Und hast du von den Streitereien in der Färberei gehört, und von Hennings schlechter Laune? Der Grund dafür ist Meester Gregorio. Er ist einer von den Kandidaten, die du vorgeschlagen hast. Ich bin überzeugt, daß er der beste Mann für die Aufgabe ist. Aber bislang versteht er es überhaupt nicht, mit den Leuten umzugehen. Hast du von der Grundstücksangelegenheit gehört?»

«Die ist erledigt. Da habe ich vorgesprochen auf dem Weg zu Meester Adorne. Sie waren von einer falschen Voraussetzung ausgegangen. Meester Gregorio hätte das genauso erkannt. Er wird sich einarbeiten.»

«Das habe ich mir auch gesagt. Als ich merkte, daß es voraussichtlich Ärger geben würde, habe ich mit ihm gesprochen, und auch mit Henning. Offenbar habe ich die falschen Worte gebraucht. Und was ist mit Löwen?»

«Olivier hat krumme Dinge gemacht. Er wurde, glaube ich, von dritter Seite dafür bezahlt. Darum habe ich Cristoffels mitgenommen. Natürlich ist er noch nicht fest angestellt worden. Ihr müßt ihn Euch ansehen und die Entscheidung treffen. Aber er ist tüchtig, und er ist ehrlich, und ich habe ihn vor raubgierigen Menschen gewarnt.»

«Ich nehme an, du sprichst von Jordan de Ribérac? Als wir uns das letzte Mal unterhielten, hast du dich ganz zufrieden über ihn geäußert.»

Er spitzte die Lippen und zog sie wieder zurück. «Ich weiß nicht, von wem ich spreche. Aber erfolgreiche Firmen haben nun mal Konkurrenten. Es ist empfehlenswert, vorsichtig zu sein.»

Marian de Charetty lehnte sich zurück und sah ihn an. «Und wann gehst du wieder nach Italien? Nächste Woche?»

Jetzt war sein Gesicht völlig ausdruckslos. «Erst nach dem Turnier vom Weißen Bären.»

«Also in zwei Wochen. Dann sitze ich da mit einem Betrieb in Löwen, der irgendwie gefährdet ist und zur Zeit von einem Fremden geleitet wird, den ich nicht einmal kenne. Ich habe einen Betrieb in Brügge, der noch unter der schlechten Verwaltung der letzten Zeit und dem Verlust des bisherigen Aktuarius leidet und nun von einem weiteren Fremden geleitet wird, der, wenn er auch hervorragend sein mag, meine Bediensteten dazu bringt, übereinander herzufallen. Ich habe Grundbesitz übernommen, dessen Erwerb rechtliche Probleme aufwirft, und ich habe mich in die Kurierbranche vorgewagt, wo Geheimnisse nicht nur Geld bedeuten, sondern auch Gefahr für Leib und Leben. Ich bin mit hohen Krediten belastet. Die Leibwache meines Mannes, einst eine kleine Gruppe, die angeworben wurde, um auch andere Kaufleute zu beschützen, sollte ihren Unterhalt dadurch verdienen, daß sie benachbarten Fürsten zur Verfügung steht; jetzt hat sie Leute, Rüstungen und Waffen erworben und ist ein Truppenteil in einem internationalen Krieg geworden. Dadurch werde ich für Mord und Totschlag verantwortlich und bin Forderungen auf Schadenersatz ausgesetzt, einschließlich solcher, die durch Vendetten zwischen rivalisierenden Söldnerführern hervorgerufen werden.»

Sie sah Claes an und bemühte sich, ihre Stimme nicht so mutlos klingen zu lassen. «All das hast du vorgeschlagen. Ich war damit einverstanden. Ich habe das alles mit dir in die Wege geleitet. Ich fühle mich geschmeichelt und bin dankbar. Du hast zu Recht angenommen, daß ich gern reich wäre, daß ich es gern sehen würde, wenn die Firma aufblüht und gedeiht, daß ich Cornelis' und meinem Sohn gern etwas Wertvolles übergeben möchte. Du glaubtest, ich könnte diesen Betrieb führen, und Felix würde ihn mit der Zeit für mich leiten.»

Sie hielt inne und bemühte sich wiederum, ihre Stimme ruhig zu halten. «Aber, mein Lieber, ich kann ihn nicht führen. Wie gutwillig sie auch sind, Cristoffels und Gregorio und Henning und auch Astorre, Thomas und Julius da unten in Italien, sie sind nicht gescheit genug, um mir dabei zu helfen, es richtig zu machen. Und Felix, ich weiß es, und du mußt es jetzt auch wissen, kann es nicht tun, will es nicht tun und wird, glaube ich, sich der Firma nur erinnern, wenn er Geld braucht, wenn er acht Groschen haben will für – wofür auch immer er acht Groschen haben wollte.»

Sie sah Claes direkt in die Augen. «Ich kann diese Firma, so wie sie ist, nicht leiten. Dein wunderbarer Coup, dein Meisterstreich, der mir ein Vermögen verschaffen sollte, übersteigt einfach meine Fähigkeiten. Ich sehe keine Möglichkeit, dem Ganzen zuzustimmen.»

«Ich dachte», sagte Claes, «Felix würde sich schneller entwikkeln.» Und als sie eine ärgerliche Bewegung machte, fügte er rasch hinzu: «Na gut. Ja. Ich weiß es. Er wird nicht so bald dazu imstande sein. Aber er hat das Zeug dazu. Ich habe es gesehen. Erwartet nicht zu wenig von ihm. Das ist mit ein Grund für das Problem.»

Als er nicht weitersprach, sagte sie: «Das ist es, was ich von dir möchte. Aufrichtige, kritische Bemerkungen. Auch über mich.»

Er sah stirnrunzelnd ins Feuer. Schließlich sagte er: «Ja. Ihr kommt gut zurecht mit Angestellten, die Ihr kennt, aber es fehlt Euch die Erfahrung, neue Mitarbeiter anzulernen. Nicht Eure Schuld. Außerdem ist der Betrieb zu verzettelt. Ich wollte vorschlagen, daß Ihr, sobald Cristoffels die Dinge in Löwen in Ordnung gebracht hat, die dortige Färberei und das reine Pfandleihgeschäft verkauft und die Abteilungen Geldwechsel und Darlehensgewährung hierher nach Brügge verlegt, wo Ihr sie zentral betreiben könnt. In sechs Monaten werden sich Eure Mitarbeiter aneinander gewöhnt haben und Ihr Euch an sie.»

«Aber wir sind uns doch gerade darüber einig gewesen, daß ich allein das Ganze nicht sechs Monate lang zusammenhalten kann. Und selbst später mag es sein, daß eingespielte Arbeitsgruppen sich auflösen und Neueinstellungen erforderlich werden. Auch das kann ich nicht verkraften. Und wäre das allerbeste Personal der Welt auch jetzt sofort verfügbar, es würde mit einem Projekt wie dem Alaun-Plan, den du verfolgst, nicht fertig werden.»

Claes überlegte noch. «Nein», sagte er dann. «Das müßte ich tun. Das Reisen wäre kein Nachteil. Aber eine gut geleitete Firma hier in Brügge als Rückhalt wäre nötig, da habt Ihr recht.»

Sie fragte sich, ob sie den Vorschlag machen sollte. «Als du dumme Jungenstreiche begingst, wollten die Stadtväter dich lossein. Nachdem sie deine Arbeit in den letzten sieben Wochen gesehen haben, würden sie, glaube ich, jetzt keinen Einwand erheben, wenn du hier bliebest.»

«Nein. Es ist mir in der Tat gelungen, nicht wieder im Steen zu landen. Aber das ist nicht wirklich das Hindernis.»

Sie unterbrach ihn: «Deine Kontrakte? Wir könnten doch gewiß einen anderen ersten Kurier finden?»

Er lächelte, sah sie aber nicht an. «Keinen, der mit Geheimschriften umgehen kann. Ich weiß schon zuviel. Die Medici würden keinen Wechsel hinnehmen. Der Dauphin auch nicht. Jedenfalls ist das, was ich erfahre, ein Vorteil für die Firma, kein Hindernis. Es mag sogar sein, daß ich eine ausreichend lange Zeit zwischen den Reisen einschieben kann, um hier in Brügge für Ordnung zu sorgen, bis Eure eingespielte Arbeitsgruppe das meiste selbst erledigen kann.» Er machte eine sparsam veranschaulichende Bewegung. «Das *wahre* Hindernis ist, daß nicht einmal der einfachste Eurer Arbeiter sich von mir etwas sagen lassen würde, ganz zu schweigen von Henning und Meester Gregorio. Oder schlimmer noch, Felix und Astorre, Tobie und Julius. Ihr braucht jemanden wie Gregorio, oder vielmehr, wie Gregorio sein wird. Jemanden, der intelligent ist und Autorität besitzt. Ich kann nicht danach streben, eine Firma zu leiten. Ich kann mich Bürgern und Adligen nicht aufdrängen. Ich bin neunzehn; ich bin unehelich geboren, ein Arbeiter, der zufällig Lesen und Schreiben gelernt hat. Es würde geklatscht werden.»

Jetzt sah er auf und lächelte. Sie sagte dann etwas, wovon sie nie geglaubt hatte, daß sie es je zu ihm sagen würde. Es geschah ganz einfach, weil es still war und kein Druck herrschte, als sie da vor dem Feuer saß und so sprach. Sie sagte: «Du kannst durch Heirat ein freier Bürger werden.»

Sie kannte ihn so gut, wie man ihn nur kennen konnte. Sie wußte, daß ein geborener Spaßmacher auch ein geborener Schauspieler ist. Ob er an diese Möglichkeit gedacht und erwartet hatte, daß sie es vorschlug, ober ob er gefürchtet hatte, sie könnte es vorschlagen, würde sie nie herausbekommen, weil er es ihr nie verraten würde. Sie schmeichelte sich nicht, daß er gewünscht hätte, sie würde es vorschlagen. So verriet ihr sein Blick, als er sie anschaute, nur eines: daß er seinerseits zu verstehen versuchte, was sie wirklich wollte.

«Du brauchst keine Angst zu haben», sagte sie. «Eine wirkliche Ehe wäre so etwas wie Inzest, nicht wahr? Ich spreche nur von Formalitäten.»

Da holte er rasch Luft, als ob sie ihm vorgeworfen hätte, unhöflich zu sein, und sagte: «Entschuldigung. Eine solche Sache... nimmt man nicht auf die leichte Schulter.»

Sie fragte sich, was er in ihren Augen sah. Sie verlieh ihrem Gesicht einen möglichst unpersönlichen und freundlichen Ausdruck. «Ich habe dich nur aufgefordert, über etwas nachzudenken. Vielleicht solltest du ein bißchen näher heranrücken. Es ist kein Thema für Lauscher.»

Er lächelte, und sie wußte, daß er verstanden hatte. Sie wollte ihn besser sehen. Sie vertraute darauf, daß er sie richtig verstehen würde. Er wußte, warum er seinen Hocker heranrücken und sich näher heransetzen sollte, aber nicht zu nahe. Er tat es und legte dann das Kinn auf die angezogenen Knie. Im Schein des Feuers war die Narbe auf seinem Gesicht geschlängelt wie eine Peitschenschnur. «Ich kann Euch eine unpersönliche Sicht der Dinge geben, soweit ich dazu imstande bin. Alle, die für Euch arbeiten, würden entsetzt sein. Die besten Eurer freien Angestellten würden wohl kündigen. Die schlechtesten würden bleiben in der Hoffnung, die Situation für sich auszunutzen. Diejenigen, die nicht weggehen können, würden höchst widerwillig für Euch und auch für mich arbeiten. Eure Töchter würden zumindest fassungslos und verängstigt sein. Und Felix würde das Haus verlassen und entweder auf das Mitgefühl seiner Freunde hoffen oder ins Ausland gehen.»

«Du malst ein grausiges Bild. Fahre fort. Was würde noch geschehen?»

«Ihr wißt es natürlich. Die Geschäftsleute in der Stadt würden mich akzeptieren, weil sie es müßten, aber mit ihren Familien wäre es anders. Ihr würdet feststellen, daß Eure Freunde weniger gastlich sind als früher und erstaunlicherweise nicht mehr dazu in der Lage, Euch hier zu besuchen. Es würde offenkundig sein, daß Euer Betrieb Nutzen zieht aus den Informationen, die ich auf meinen Reisen erhalte. Ich würde als Kurier weniger gefragt sein, zumindest bei den Durchschnittskaufleuten. Während es mit dem Geschäft aufwärts geht, würde der Konkurrenzkampf viel härter werden. Konkurrenten und Lieferanten, die mit Euch bisher nachsichtig umgegangen sind, würden miteinander wetteifern, um uns beide zu übervorteilen. Und ebenso, wie Ihr Eure Freunde verlieren würdet, würde ich meine verlieren.»

«Ja, natürlich», sagte sie und stand ziemlich steif auf, nachdem sie solange gesessen hatte. «Du hast mir erschöpfend geantwortet. Niemand würde dabei gewinnen. Ich werde also verkaufen.»

Er stand so rasch auf, daß ihr plötzlich klarwurde, was er denken mußte. «Ich meine natürlich, wenn für alle Vorsorge getroffen und auch deine Zukunft gesichert ist.»

«Du lieber Himmel! Habt Ihr geglaubt, ich hätte Euch im Verdacht, mir irgend etwas aufzuzwingen? Ihr habt seit meiner Kindheit für mich gesorgt. Ich kann jetzt auf eigenen Beinen stehen, wenn es sein muß. Aber was mich am meisten befriedigen würde, wäre, Euch und dem Betrieb zugleich nützlich zu sein.»

Sie sah ihn an. «Es tut mir leid, aber ich kann nicht weitermachen. Ich würde lieber verkaufen, solange ich auf den Betrieb noch stolz sein kann, und auf mich.»

«Wollt Ihr Euch nicht wieder hinsetzen?» Und als sie, ein wenig unsicher, stehenblieb, ging er zu ihr und führte sie zurück zu ihrem Sessel, und nachdem sie Platz genommen hatte, ließ er sich nicht weit entfernt auf dem Fußboden nieder, so daß sein Kopf in gleicher Höhe mit ihren Knien war wie einst der des kleinen Felix, wenn er auf den Fliesen spielte. «Wenn Ihr verkauft, Demoiselle, was wollt Ihr mit dem Geld machen? Ein größeres Haus kaufen? Färbergattinnen einladen? Bücher sammeln? Für Felix so viele Pferde und Rüstungen kaufen, wie er verlangt? Mit Sticken anfangen? Die ganzen Leute da draußen würden arbeitslos sein, es sei denn, ein anderer Dienstherr beschäftigte sie. Ihr würdet nichts zu tun haben, keine Interessen, keinen Platz in der Gemeinschaft außer dem einer reichen Witwe. Ist es das, was Ihr wollt? Es würde Euch in einem Jahr ins Grab bringen.»

«Was dann?» fragte sie.

«In sechs Monaten werde ich Euch eine Arbeitsgruppe geschaffen haben, der Ihr vertrauen könnt. Ich kann Euch immer helfen, sie zu ersetzen. Ich werde so viel Zeit hier verbringen, wie ich nur kann. Nennt mich Euren Schreiber, Euren stellvertretenden Verwalter, Euren Diener, was auch immer. Ihr könnt das.»

«Natürlich kann ich das. Ich kann Cristoffels sagen, was er tun soll. Löwen verkaufen. Das Pfandleihgeschäft – das hast du doch gesagt? – zurück nach Brügge verlegen und ausbauen. Gregorio einarbeiten. Die Weinkeller auf dem neuen Grundstück eröffnen. Auf Felix aufpassen – wenn er den Tjost überlebt – und dafür sorgen, daß er die Schenke nicht zugrunde richtet. Und eine Rolle im Welthandel mit Alaun spielen. Alles allein. Natürlich kann ich das.» Sie hörte, wie ihre Stimme durch den Schmerz in ihrem Hals heiser wurde. Sie hörte auf zu sprechen.

Claes wandte ihr den Rücken zu. Sie brauchte ihr Taschentuch nicht. Ihre Wangen waren nicht benetzt, obwohl ihre Augen durch das Licht etwas geblendet waren. Claes' Haar, vom Feuerschein umrandet, war jetzt trocken; wenn man es bürstete, würde es glatt und flach anliegen mit seltsamen Wellen und Locken an den Enden, als ob es versengt worden wäre. Als Junge, noch in der Lehrlingsdachkammer, mußte er sich wie alle Jungen manierlich für die Messe herrichten, und sie hatte ihn gern angesehen, wie er sich von den übrigen unterschied durch seine Größe und das Possenreißergesicht mit den Grübchen und dem aufmerksamen und gutgelaunten Blick. Sie hatte ihm das Haar gebürstet, als er nach seiner Verletzung fieberte. Tobias hatte ihn gepflegt. Das war einer der Gründe, warum sie den Arzt gebeten hatte, für sie zu arbeiten.

Claes hatte sich Mädchen gegenüber nie Zwang auferlegt, das wußte sie. Sie nahm an, daß das zu den vielen Dingen gehörte, auf die er verzichten müßte. Sie konnte nicht so tun, als ob das kein wesentlicher Punkt gewesen wäre. Als ihr jugendlicher Ehemann wollte er ihr mit einer heimlichen Liebesaffäre in Brügge keine Schande machen. Aber er könnte es diskret woanders tun, dachte sie. Sie könnte ihm keine ewige Keuschheit auferlegen. Womöglich würde sie noch zwanzig Jahre leben. Dieses Jahr wurde sie vierzig.

Sie hatte es nicht gesagt, aber an alle von ihm beschriebenen Auswirkungen hatte sie auch schon gedacht. Von Färbergattinnen verachtet zu werden schreckte sie nicht. Sie war mit keiner eng befreundet. Natürlich würde Tilde unglücklich sein und Felix ihr schwer zu schaffen machen. Natürlich könnte es sein, daß sie Leute wie Julius oder die neuen Geschäftsführer verlieren würde, die es als eine Beeinträchtigung ihres Status empfinden würden. Aber Claes selbst, begabt, wie er war, könnte den Schock abmildern, könnte Leute überreden, könnte mit Tilde und wahrscheinlich sogar mit Felix fertig werden. Und wenn Leute kündigten, wäre er ja hier, um andere zu finden. Er hatte gesagt, die Kaufmannswelt würde es sich angelegen sein lassen, ihm Konkurrenz zu machen. Sie zweifelte nicht daran, wer gewinnen würde, wenn es dazu käme. Sie fragte sich und hatte sich immer schon gefragt, woran es lag, daß kluge Männer nicht gesehen hatten, was sie gesehen hatte.

Und dann fiel ihr ein, daß einige es doch gesehen hatten. Und daß es Claes selbst war, der ihnen zu guter Letzt die Möglichkeit dazu bot. Was bedeutete, daß auch er genug hatte von simplen Aufgaben und simplem Umgang und vielleicht sogar von simplen Freunden. Wenn er nachgedacht hatte, könnte er herausgefunden haben, daß er sie eigentlich nicht vermissen würde. Aber er hatte natürlich nachgedacht. Hinter den unpersönlichen Einwänden steckten die persönlichen.

Er ließ ihr Zeit, sich zu fassen, und sie faßte sich. «Ich hätte dir sagen sollen, daß ich stolz auf dich bin. Du bist dir wohl klar darüber, daß das einzige Versagen dabei meines war. Du hast mir eine Unterstützung gewährt, die ich nicht verdiente und nicht auszunutzen vermag. Aber du hast geglaubt, daß ich es könnte, und ich fühle mich geschmeichelt.»

Er hatte dagesessen und ins Feuer geblickt, die Hände fest um die hochgezogenen Knie geschlungen. Der säuberlich geflickte Riß in seiner Jacke platzte über seinem gestreckten Rücken erneut auf. Als er ihre Stimme hörte, entspannte er sich insgesamt ein wenig, ohne seine Haltung zu ändern. Sie fand, daß sein Gesicht merkwürdigerweise älter aussah. Er sprach, als ob er sie nicht gehört hätte. «Ihr habt doch Freier.»

Es war schlecht ausgedrückt, das wußte sie; denn die Antwort darauf mußte ein Eingeständnis sein. An seine Gründe wollte sie nicht denken. «Ich will keinen von ihnen», erklärte sie.

Ein wenig zögernd sagte er: «Von den beiden Möglichkeiten würde die Heirat letztlich weniger mißlich sein als der Verkauf der Firma.»

Sie stellte fest, daß sie eine fragwürdige Belustigung verspürte. Er merkte es und sagte mit einem schwach aufschimmernden Lächeln: «Für Euch, meine ich. Zuerst einmal wäre es, als würde man vom Bürgermeister und den Schöffen verlangen, sich mit Felix' Stachelschwein ins Bett zu legen. Es würde auf lange Zeit Sorgfalt, Voraussicht, Aufmerksamkeit und gute Zusammenarbeit erfordern, und es würde nicht ohne eine Menge Zurückweisungen und einige Unannehmlichkeiten abgehen. Und ich würde fast sofort abreisen und es Euch überlassen müssen, mit allem, was immer sich ergibt, fertig zu werden. Aber wenn Gregorio so ist, wie ich es glaube, dann könnte ich ihm ein wenig von dem Alaun-Projekt anvertrauen. Das würde ihn an uns binden. Er würde Euch helfen.»

Ihr Ausdruck mußte sehr beunruhigt gewesen sein, denn er unterbrach sich und fuhr dann fort: «Das heißt, wenn ich das Thema wiederaufnehmen darf? Ich war nicht sicher, ob Ihr es endgültig beendet hattet. Zum Beispiel habt Ihr mir keine Gelegenheit gegeben, meine unparteiische Liste der Vorteile einer gemeinschaftlichen Geschäftsführung vorzulegen. Ich habe Euch immer bewundert und respektiert und verehrt. Das ist, was mich betrifft, der Hauptpunkt. Tatsächlich weiß ich nicht, ob ich noch andere Teilhaber brauche. Überdies habe ich einen Vorwand, Bischof Coppini aufzusuchen, der, davon bin ich überzeugt, den unbedingt erforderlichen Dispens erteilen könnte, denn es besteht ja keine Verwandtschaft. Das heißt, ich bin der uneheliche Enkel der ersten Frau des Ehemanns Eurer verstorbenen Schwester. Wenn ich es richtig sehe?»

Er war bereit, seine Entscheidung zu revidieren. Indes war sein Hinweis auf das Verwandtschaftsverhältnis seine Art und Weise, sie daran zu erinnern, daß nicht nur der Alters- und Rangunterschied bedacht werden müsse, sondern auch dieser Umstand. Solche ungleichen Heiraten haben tatsächlich stattgefunden, wenn Eigentum übertragen und Erben gezeugt werden mußten.

Das würde sie sich mit einem Ehevertrag nicht erkaufen, dafür aber sein Können für ihre Firma. Sie hatte schon einen Erben, Felix, und auch zwei Töchter. Er hatte vielleicht ebenso viele uneheliche Sprößlinge, sorglos ausgesät. Auch das würde sie wohl niemals erfahren. Sie merkte mit einemmal, daß sie über die Situation nachdachte, als ob sie real wäre, als ob er ihren Vorschlag akzeptiert hätte, während es doch noch gar nicht geschehen war.

Sie erhob sich vom Stuhl. Im selben Augenblick, in dem sie sich rührte, drehte er sich um und stand auch auf, nicht sehr nahe und ohne zu lächeln. «Können wir es schlicht und einfach so sagen?» fragte sie. «Diese Firma braucht einen Mann an der Spitze, und ich habe dich gebeten, diesen Platz einzunehmen, indem du mich heiratest. Glaubst du, daß du es machen kannst?» Sie fragte sich, ob sie ebenso erschöpft aussah, wie sie sich fühlte. Er sah nicht müde aus; er war nur ruhiger als gewöhnlich. Er kam nicht näher. Er roch nach Pferd und Leder und Schweiß, aber sie rümpfte die Nase nicht.

«Ich habe es gründlich durchdacht», antwortete er. «Es ist die beste Lösung. Die beste auch für mich. Im Augenblick glaube ich das jedenfalls. Es mag so manches geben, was uns entgeht, weil es spät ist und wir so lange geredet haben. Seid Ihr auch der Meinung, daß wir heute abend nichts mehr besprechen sollten? Und würdet Ihr mich dann morgen, so früh, wie Ihr es wünscht, rufen lassen?» Er sah ihr wieder forschend ins Gesicht und fuhr dann fort: «Das ist keine Undankbarkeit. Ich bin mir darüber klar, was Ihr mir anbietet. Ich möchte, daß Ihr noch einmal darüber nachdenkt.»

«Ich verstehe das und bin einverstanden. Laß dir soviel Zeit wie du willst. Stell es bis zu deiner Abreise zurück, wenn du möchtest.»

Er antwortete sofort. «Nein. Morgen in aller Frühe.»

«Ich werde dich morgen früh rufen lassen.»

Sein angespannter Gesichtsausdruck lockerte sich plötzlich. Er lächelte sie offen und beruhigend an. Er zögerte ein wenig, dann sagte er: «Nun wünsche ich Euch eine gute Nacht, meine Herrin. Keine traurige oder beschwerliche. Was immer dabei herauskommt, nichts soll Euch abträglich sein, wenn ich es verhindern kann.»

Meine Herrin hatte er beschlossen, sie zu nennen, womit er sowohl das Zwanglose als auch das Formelle vermied. Er verstand es immer, das Richtige zu tun. Oder fast immer.

«Gute Nacht», erwiderte sie. Und er lächelte, machte kehrt und verließ das Zimmer. Sie fragte sich, als sie die geschlossene Tür ansah, was er noch hätte sagen, welche andere Geste er vielleicht hätte machen können; und sie erkannte, daß weder das eine noch das andere möglich gewesen wäre.

Für beide eine Nacht, um darüber nachzudenken. Und morgen eine drängend frühe Entscheidung, um sie beide vor lange anhaltender Peinlichkeit zu bewahren. Oder – wer könnte es ihm zum Vorwurf machen? – aus ganz und gar praktischen Gründen. Um jetzt bei diesem erschreckenden Geschäft mit Venedig Fortschritte zu erzielen, mußte er vor seiner Abreise nach Italien heikle Informationen sammeln und viele Berechnungen anstellen. Dazu noch alles andere, das erledigt werden mußte. Einschließlich Felix.

Marian de Charetty sank wieder in ihren Sessel. Sie lehnte ihren von der drahtverstärkten Haube umhüllten Kopf an die Kissen, ließ ihre Ärmel von den Armlehnen herabhängen und stellte verzweifelt fest, daß ihr Herz wie eine Baßtrommel schlug. Sie hatte es ihm aufgezwungen. Aber er würde es niemals bereuen. Niemals. Niemals.

Kapitel 26

Der erste, der wie vom Schlag getroffen wurde, war Meester Gregorio von Asti, der seine neue Brotherrin, die Witwe de Charetty, erst seit einer Woche kannte. Den Arbeiter Nicolaas kannte er überhaupt nicht, abgesehen von einer flüchtigen Begegnung an der Pumpe im Hof, bei der sich gezeigt hatte, daß der junge Mann unzuverlässig war. Gregorio hatte auch in Erfahrung gebracht, daß er Claes genannt wurde.

Kaum hatte Meester Gregorio sehr früh am nächsten Morgen die Bänder seines schwarzen Baretts verknotet und seinen Talar angelegt, da wurde er gleich gerufen, und als er die Kontortür öffnete, saß seine Arbeitgeberin, ein wenig erregt, schon an ihrem Schreibtisch. Die Waage stand noch auf dem Tisch, auch die Hauptbücher, das Tintenfaß und die Federn lagen noch da. Desgleichen die Preistafel mit den Reihen bunter Wollbüschel. Am Ende des Schreibtischs saß der junge Mann von der Pumpe, bekleidet mit der üblichen blauen Charetty-Livree. Er hatte den Kopf gesenkt und fuhr erstaunlicherweise mit einer Feder an Reihen von Zahlen oder Namen auf dem obersten Blatt eines dicken Stapels von Papieren entlang, den er auf einem Knie balancierte.

Er blickte auf und lächelte, und er lächelte auch die Demoiselle de Charetty an, eine kleine, rundliche und nicht unattraktive Frau, die eine geradezu furchterregende Miene aufgesetzt hatte. Sie räusperte sich und sagte: «Meester Gregorio, danke, daß Ihr gekommen seid. Es handelt sich eigentlich nicht um eine geschäftliche Angelegenheit, obwohl ich im Namen der Firma meine Freude darüber zum Ausdruck bringen möchte, daß Ihr zu uns gekommen seid, und ich hoffe, Ihr werdet gern mit uns arbeiten. Nicolaas und ich brauchen Eure Hilfe in einer persönlichen Angelegenheit.»

Uns. Wir. Bei dem Einstellungsgespräch hatte es geklungen, als wäre sie die alleinige Geschäftsinhaberin. Ihr Sohn war nicht da. Aber dieser Junge. Ehemals Claes und jetzt Nicolaas. Hilfe in einer persönlichen Angelegenheit? Meester Gregorio von Asti, der zu seiner Zeit sehr viele Verträge, sehr viele Nachlaßregelungen, sehr viele Erklärungen dieser oder jener Art notariell beurkundet hatte, wartete in aller Ruhe ab. Sein Blick wanderte von dem Jüngling zu einem Punkt unterhalb des Gürtels seiner Arbeitgeberin. Der Altersunterschied machte es unwahrscheinlich, aber man konnte nie wissen. Es sei denn, der Junge war ein unehelicher Sohn und kürzlich anerkannt?

«Ich werde gern alles tun, was ich kann», sagte Gregorio in aller Form. Ihm fiel auf, daß der Junge die Frau wieder anlächelte und ihre Nervosität überraschenderweise Züge unfreiwilligen Humors annahm.

«Es handelt sich nicht«, sagte sie, «um Schwangerschaft oder Adoption. Claes, der sich von jetzt an seines unverkürzten Namens Nicolaas bedienen wird, ist der uneheliche Sohn einer entfernten Verwandten. Das ist absolut verbürgt. Er ist seit seiner Kindheit in diesem Haus ausgebildet worden, natürlich in einer dienenden Stellung. Er kennt das Geschäft in- und auswendig. Er ist auch, und das müßt Ihr mir glauben, ein junger Mann von ganz ungewöhnlichen Fähigkeiten.»

Meester Gregorio lächelte liebenswürdig. Ein junger Mann von ganz ungewöhnlichem Äußeren war er gewiß. Augen wie diese und derart volle, aufgeworfene Lippen sah man bei Geisteskranken. Ebenso die breite, niedrige, ungefurchte Stirn. Die Wange hatte er sich aufgeschlitzt. Immer noch lächelnd, hatte sich der junge Mann wieder seinen Papieren zugewandt. Meester Gregorio sagte anerkennend: «Ich sehe, daß er jedenfalls lesen und schreiben kann.»

«Ja», antwortete die Witwe de Charetty. «Ihr habt Euch natürlich die Geschäftsbücher vorgenommen. Ihr habt gesehen, welche Abschlüsse die Firma seit Mitte Februar getätigt hat, und habt auch die Aktennotizen gelesen über die Verhandlungen, die ich geführt habe und zu denen Nicolaas mich begleitet hat. Ihr müßt wissen, daß alle diese Verhandlungen von Nicolaas geplant und in die Wege geleitet worden sind, daß er sämtliche Erwerbungen vorgeschlagen, kalkuliert und durchgeführt hat, abgesehen von der offiziellen Vorbereitung der Dokumente und den formellen Abkommen, die ich selbst geschlossen habe. Er ist tüchtiger, Meester Gregorio, als ich. In der Tat tüchtiger als meine bisherigen Angestellten. Er möchte in der Firma bleiben. Er hofft, sie mit unser aller Rat groß und erfolgreich zu machen. Aber er besitzt, wie Ihr seht, nicht den Rang, um Macht auszuüben. Ich habe daher mit ihm über die Möglichkeiten gesprochen, wie ich ihm diesen Rang verleihen könne.» Sie hielt inne.

Gregorio von Asti, der gern kirchliche Litaneien hörte und Gefallen daran fand, wenn des Abends mit verteilten Rollen gelesen wurde, hatte das Gefühl, er sei in eine solche Lesung hineingeraten und sollte jetzt seinen Teil vortragen. «Ihr wünscht Euch zu verheiraten?» fragte er. «Das ist ja vortrefflich. Ich bin natürlich entzückt, wenn ich bei der Beurkundung behilflich sein kann.»

Sie sah ihn prüfend an. Ihre Ärmel waren heute morgen viel eleganter als sonst, und ihr Haar war immer noch unsichtbar, denn es war mit einer Art Kürbis aus Brokat bedeckt und nicht wie üblich mit Voile, drahtverstärkt und zurechtgebogen wie eine Belagerungsmaschine. «Ihr habt natürlich vor», sagte sie, «gleich nach der Hochzeit zu mir zu kommen und zu kündigen. Ich hoffe, Ihr werdet es nicht tun. Wir brauchen Euch. Und wir sind drauf und dran, viel Geld zu verdienen.»

Davon war er überzeugt. Er fragte sich, was der Junge für einen Trick draufhatte. Wenn er tatsächlich diese ganzen Geschäfte in die Wege geleitet hatte, dann war er bestimmt tüchtig. Er könnte die Frau heiraten, die Firma schröpfen und in einem Monat mit dem Gold verschwinden.

«Zum Teil wird das Geld», fuhr sie fort, «aus der normalen Erweiterung der verschiedenen, schon vorhandenen Geschäfte dieser Firma stammen. Obwohl besonders Nicolaas diese Erweiterung veranlaßt hat und auch in Zukunft mit Rat und Tat zur Verfügung stehen wird, will er keinen Gewinn daraus ziehen. Alle Betriebe und der ganze Grundbesitz, die mir im Augenblick gehören, einschließlich des Betriebs in Löwen, der mir von meinem Vater vererbt wurde, müssen so gesichert werden, daß die Erträge nur mir und nach mir meinem Sohn zukommen können. Alles, was Nicolaas als mein Agent verdient, wird auch an die Firma ausgezahlt, von der er ein vereinbartes Gehalt beziehen wird.»

Das war interessant – sie sicherte sich ab. Seinem Gesicht nach zu urteilen, machte das dem jungen Mann überhaupt nichts aus. Nein. Natürlich nicht. «Verzeiht mir», sagte Meester Gregorio, «aber Ihr habt einen Sohn und zwei Töchter. Sind sie nicht von Euch abhängig, was die Erbschaft und ihre Mitgift betrifft?»

Der Junge kritzelte etwas, dann hob er den Kopf und sah die Frau an. «Das ist es. Ich wußte, wir haben etwas vergessen. Ich könnte den ganzen Tag auf golddurchwirkten Kissen liegen, und Ihr könntet Henning verkaufen und mich mit Diamanten behängen, so daß Felix in seiner Schenke betteln muß und Tilde und Catherine Straßenkehrer heiraten müssen. Eure Ausgaben und mein Lohn müssen kontrolliert werden. Das bedeutet Treuhänder. Das bedeutet eine gute Buchführung und eine Überprüfung der Bücher durch einen Unabhängigen.» Er wandte sich an den Aktuarius. «Wir waren schon zu dem Schluß gelangt, daß es sich weniger um eine Heirat als um eine Neufassung des Vertragsrechts handelt. Das ist der Grund, warum wir Euch brauchen. Wir möchten, daß es noch heute vormittag erledigt wird.»

Solche Ansichten äußerten Laien immer. «Es ist unwahrscheinlich», sagte Gregorio von Asti, «daß das geschehen kann.»

«Hm», erwiderte der Junge. «Ich glaube, es könnte gehen. Ich habe eine Botschaft an Meester Anselm Adorne geschickt. Sobald wir die schwierigsten Probleme bereinigt haben, werde ich es Euch und der Demoiselle überlassen, einen Vertrag aufzusetzen. Meester Anselm kann den *Ecoutète*, den Justizbeamten und vielleicht einen der Bürgermeister als Vertreter der Stadt bitten herzukommen. Mit ihm werde ich den Aldermann der Färberzunft und Meester Bladelin aufsuchen sowie den Bischof von Terni wegen einer Sondergenehmigung. Auch ihm habe ich eine Botschaft gesandt. Bis Mittag könnten wir genug Leute im *Hôtel Jerusalem* haben, um mit dem privatrechtlichen Vertrag, wie es sich gehört, zu Rande zu kommen. Dann kann der Bischof oder andernfalls Meester Anselms Kaplan in der Jerusalemkerk die kirchliche Trauung vornehmen, und alles ist erledigt.»

Gregorio warf der Witwe einen Blick zu. Sie sah aus, als wäre sie trotz allem ein bißchen benommen. Benommen war nicht das richtige Wort, um zu beschreiben, wie ihm, Gregorio, zumute war. In einer Beziehung hatte die Demoiselle recht gehabt. Der Bursche hatte Verstand. Er war gefährlich. Ein Anflug von Mitleid mit Marian de Charetty überkam ihren Syndikus. «Ich verstehe», sagte er. «Das ist alles sehr gut geplant. Aber warum die Eile, wenn ich fragen darf?»

Der junge Mann sah ihn ganz freimütig an. «Weil alle genau das denken werden, was Ihr gerade gedacht habt, und weil es einen Aufruhr geben wird. Sobald die Ehefrauen die Geschichte erfahren, wird es keine Heirat geben. Sie werden ihre Ehemänner durch Drohungen einschüchtern. Wir wollen, daß sich alles so abspielt wie bei einer normalen geschäftlichen Verhandlung, in deren Verlauf ein guter Vertrag abgeschlossen wird, der alle Parteien rechtlich sichert.»

«Euch selbst ausgenommen, soviel ich sehe. Wenn Ihr, wie Ihr sagt, von jedem direkten oder indirekten finanziellen Gewinn Eurer zukünftigen Frau ausgeschlossen zu werden wünscht, abgesehen von dem Euch bestimmten Lohn? Wovon wollt Ihr zum Beispiel leben, wenn sie, was Gott verhüten möge, sterben sollte? Das Erbe würde dann auf ihren Sohn übergehen, und ihm würde es freistehen, Euch zu entlassen. Ich vermute, da Ihr ihn nicht erwähnt habt, daß er bei dieser Abmachung kein Mitspracherecht hatte.»

«Das», sagte Marian de Charetty, «ist die zweite Schwierigkeit. Mein Sohn ist siebzehn und eigensinnig. Ich möchte, daß die Eheschließung stattfindet, ehe er davon erfährt.» Sie hielt inne und fuhr dann fort: «Nicolaas und ich sind da nicht einer Meinung. Wir machen es so, weil ich darauf beharre. Ich will nicht, daß meine persönlichen Entscheidungen im voraus von Felix durchkreuzt werden. Nachdem wird es schon schlimm genug sein. Und wenn das Gesetz normalerweise seine Zustimmung oder seine Anwesenheit vorschreibt, dann müßt Ihr das Gesetz umgehen.»

«Es gibt Möglichkeiten, wenn die Kirche wohlwollend ist. Aber wenn er, sei es nicht jetzt, sondern in späteren Jahren, rachsüchtig ist, dann gibt ihm dieser Vertrag die Handhabe dafür.»

«Er braucht alle Befugnisse, die das Gesetz ihm einräumt», sagte der junge Mann, «vorbehaltlich der Rechte seiner Mutter. Das muß klar sein. Felix wird mir keine Scherereien machen und Euch auch nicht, wenn Ihr ihn erst kennengelernt habt. Er ist nur jung. Und was das Geld betrifft, so kann ich es mir auch ohne die Firma Charetty verschaffen, Meester Gregorio. Ich glaube, die Demoiselle machte eine Andeutung über ein neues Unternehmen. Das wird meines sein, das mit meinen Geschäftsfreunden aufgebaut wird und keine Mittel von dieser Firma abzieht, obwohl ich hoffe, daß es ihr letztlich nützen wird. Auch Euch, wenn Ihr wollt. Das ist auch der Grund, warum Meester Anselm bereit sein wird, uns zu unterstützen, was Euch sicherlich wundert. Ihr mögt glauben, daß er ein Bürge von einigem Format ist und ich etwas weniger unzuverlässig bin, als es den Anschein hat. Aber nur die Zeit kann es Euch beweisen. Einstweilen bitten wir Euch nur um Eure Hilfe bei der Ausfertigung eines Vertrags. Seid Ihr entsetzt?»

Verblüfft war Gregorio. Er war von furchtsamer Bewunderung erfüllt. Er empfand ein starkes Verlangen, ehe diese Besprechung zu Ende war, einen Ehevertrag für diese beiden Drahtzieher in Angriff zu nehmen, die tun würden, was sie, wie sie behauptete, tun wollten – genau, vollständig und regelrecht. Einen so bindenden Vertrag, daß er, was für Betrügereien auch immer der junge Mann vorhatte und in welchem Wahn die Frau auch lebte, niemals gebrochen werden könnte.

Dann dachte er, daß er sehr gern eine Weile hierbleiben würde, um zu sehen, wie es weitergeht.

Der zweite, der die Neuigkeit erfuhr, war Anselm Adorne, dem ein Päckchen übergeben wurde, als er sich von den Knien erhob und seine Frau, seine Kinder und die Dienerschaft nach der Morgenandacht aus der Jerusalemkerk, der von Anselms Vorfahren erbauten Kirche, hinausgeleitete. Das Päckchen enthielt einen Brief mit mehreren engbeschriebenen Seiten, deren Inhalt ihn veranlaßte, eine Hand auf den Arm seiner Frau zu legen und zu sagen: «Ehe du dich deinen Haushaltspflichten widmest, müssen wir miteinander reden. Dann muß die Halle aufgeräumt werden. Wir bekommen heute vormittag Gäste.» Er mußte warten, womit er schon gerechnet hatte, während sie in die Küche eilte und Anweisungen erteilte. Dann begab sie sich zu ihm in ihrer beider Schlafzimmer.

Sie war etwas aufgeregt. Nicht besorgt, denn alle ihre Kinder waren da, sogar Jan, der zu Ostern aus Paris nach Hause gekommen war. Und nach sechzehn Ehejahren kannte sie ihren umsichtigen, höflichen Mann und seine Freundlichkeit. Wenn mit Pater Pieter in seinem stillen Refugium bei den Kartäusern etwas los wäre, mit den Onkel und Tanten, den Schwestern und Brüdern, den unzähligen Cousins und Cousinen, Nichten und Neffen der Familien Adorne und van der Banck, dann hätte er es ihr gleich gesagt.

An Geschäftliches dachte sie nicht. Sie wußte natürlich Bescheid über einige seiner vielen Unternehmungen. Margriet van der Banck war eine vierzehnjährige Waise, als sie ihn heiratete, aber sie hatte eine hervorragende Erziehung genossen. Sie konnte gut organisieren, war eine gute Mutter und eine vorzügliche Hausfrau. Der Haushalt war ihr Aufgabenbereich, und es war nicht nötig, daß sie sich in ihres Mannes Angelegenheiten einmischte. Außer natürlich, wenn es sich um Dinge handelte, die sich auf ihre gemeinsame Zukunft auswirkten wie diese Alaun-Affäre. Darüber hatte er ihr alles erzählt. Sie wünschte immer noch, er würde die Finger davon lassen.

Deshalb war sie erschreckt, als er, nachdem sie sich hingesetzt hatte, um irgendeine aufregende Neuigkeit über eine Vorstellung, eine Einstellung oder eine Erwerbung zu hören, von eben der Angelegenheit sprach, die sie beunruhigte. Von der Alaun-Verhandlung und diesem Färberei-Arbeiter, diesem sehr anständigen jungen Mann Claes, der so nett zu Marie und Katelijne gewesen war und der sich angeblich dieses ganze gefährliche Projekt ausgedacht hatte, zusammen mit irgendeinem Arzt in Italien, der ihn unterstützte. Der ihn, was wahrscheinlicher war, eingespannt hatte, um seine Bekanntschaft mit Anselm auszunutzen. Obwohl Anselm offenbar an die Fähigkeiten des jungen Mannes glaubte.

Aber nicht jedermann war so hervorragend wie Anselm. Anselm war neunzehn, als er sie heiratete, war mit zwanzig Ratsherr von Brügge geworden und hatte im selben Jahr den ersten Preis beim Weißen Bären-Turnier gemacht. Anselm war ein freier Bürger, aber seiner Abstammung nach ein Aristokrat, ein Verwandter von Dogen. Der junge Mann war ein Arbeiter. Aber jetzt sagte Anselm: «Du erinnerst dich doch an den jungen Claes, der zum Charetty-Haushalt gehört. Hier ist ein Brief von ihm. Er kommt gleich her, um unsere Hilfe für Marian de Charetty zu erbitten. Das Geschäft ist so ausgebaut worden, daß sie jetzt einen Teilhaber braucht. Sie glaubt,

Claes sei am geeignetsten, den Betrieb zu leiten, aber er hat natürlich nicht den erforderlichen gesellschaftlichen Rang. Um diese Schwierigkeiten zu beseitigen, hat sie dem jungen Mann offenbar vorgeschlagen, ihn zu heiraten.»

Margriet konnte einen Laut des Erschreckens nicht unterdrücken. Anselm schaute auf, wie das so seine Art war. «Meine Liebe, das ist ihrer beider Angelegenheit. Die Demoiselle hat den Entschluß gefaßt. Sie möchte, daß der Ehevertrag noch heute vormittag ausgefertigt und unterschrieben wird, und bittet um meine Hilfe, um es zu bewerkstelligen. Claes schreibt, sie scheue sich, darum zu bitten, aber er wisse, daß sie gern den kirchlichen Segen hätte. Er fragt, ob wir gestatten, daß die Vertragsunterzeichnung in unserer Halle stattfindet und anschließend eine Messe für sie in der Jerusalemkerk gehalten wird.»

Margriet schwieg einen Augenblick, denn er hatte sie gerügt. Aber zuletzt konnte sie nicht mehr an sich halten: «Er glaubt, du seiest ihm zu Dank verpflichtet, sonst hätte er dich nie darum gebeten. Das ist die erste unheilvolle Folge eurer Zusammenarbeit.»

Er legte den Brief beiseite und setzte sich. «Natürlich hat er deshalb darum gebeten. Aber es gibt noch einen anderen Grund. Ich weiß, daß Marian de Charetty recht hat. Er könnte ihren Betrieb führen wie kein anderer, nur daß er zur Zeit die gesellschaftliche Stellung nicht besitzt.»

«Aber du weißt, daß das nicht alles ist. Wenn Marian ihren Lehrling heiratet, statt sich einen erfahrenen Betriebsleiter zu suchen, statt eine zweite Ehe mit einem Mann ihres Alters und ihres Standes einzugehen, dann wird sie in dieser Stadt zu einer Witzfigur. Vielleicht ist er wirklich der beste Betriebsleiter, den zu bekommen sie hoffen konnte. Aber wenn sie ihn heiratet, ist ihr das Geschäft wichtiger als ihre Würde. Claes! Ein reizender Junge, aber so ungebärdig, daß er immer wieder ausgepeitscht wird. Jedesmal, wenn er aus Löwen zurückkam, haben alle meine Freundinnen ihre Hausmädchen eingesperrt. Was denkt Marian sich dabei?»

«Er ist ruhiger geworden», erwiderte Anselm. «Du hast zugelassen, daß er unsere Töchter beim Karneval begleitete. Vielleicht ist er reif für die Ehe. Vielleicht, Liebste, haben sie einander gern.» Er zögerte. «In dem Brief, das muß ich zugeben, stand allerdings nichts davon. Als eine geschäftliche Abmachung stellt er es hin.»

«Vielleicht hat *sie ihn* gern. Das wird der Klatsch behaupten. Er ist ein junger, kräftiger Mann, den Frauen anziehend finden. Es muß leicht für ihn gewesen sein, sie für sich zu gewinnen. Eine geschäftliche Abmachung! Davon bin ich überzeugt! Felix ist enterbt, und diese beiden armen Mädchen...»

«Nein», sagte Anselm. «Dazu äußert er sich ganz eindeutig. Das Geschäft gehört nach wie vor der Demoiselle und ihren Kindern. Sein Aktuarius und der *Ecoutète* werden einen Vertrag aufsetzen, auf Grund dessen er überhaupt nicht am Gewinn beteiligt ist. Er will nichts als die Führung des Betriebs, die für ihn, wie er sagt, genug Belohnung und Befriedigung bedeute. Ich glaube es ihm. Das gab für mich den Ausschlag.»

«Du wirst ihm also helfen?» fragte Margriet. «Ja, das tust du vermutlich wegen des anderen Geschäfts. Du bewunderst ihn. Ich werde natürlich behilflich sein, soweit ich kann, weil du mein Mann bist und mir diese arme Frau leid tut, die gute Freunde brauchen wird. Ihre Kinder ebenso. Was wird ihr Sohn sagen?»

«In dem Brief heißt es, er solle es erst nach der Zeremonie erfahren. Das hat seine Mutter gewünscht, nicht etwa Claes. Oder vielmehr Nicolaas, wie wir ihn jetzt vermutlich nennen sollten.» Er stand auf, ging zu ihr hinüber und legte ihr die Hand auf die Schulter. «Du wirst also bei der kirchlichen Trauung die Rolle der Brautjungfer übernehmen?»

«Die Kirche!» Margriet schreckte auf. «Wir müssen die Kirche in Ordnung bringen! Ja, ich werde die Rolle der Brautjungfer übernehmen. Eine verheiratete Frau wäre in diesem Fall besser als eine unverheiratete, obwohl wir jemanden von Rang brauchen könnten. Katelina van Borselen zum Beispiel. Aber sie ist auf dem Weg in die Bretagne. Das wird Gelis ärgern und noch ein paar andere kleine Mädchen, die sich Hoffnungen gemacht hatten.»

«Und größere Mädchen auch», sagte ihr Mann trocken.

Als an jenem Tag die Mittagsglocke laut über Brügge läutete, nahmen im Betrieb Charetty die Tuchwalker und Färber, die Zuschneider und Stoffspanner, die Fuhrleute und Reitknechte, die Hof- und Lagerarbeiter unter Hennings prüfenden Augen ihre schmutzigen Schürzen ab und gingen zu ihrem Mittagsimbiß nach Hause oder in die Charetty-Küche. Weil Meester Gregorio und die Witwe weggegangen waren, um irgend etwas zu erledigen, was, wußte man nicht, waren ihre Untergebenen etwas geräuschvoller als gewöhnlich, obwohl sie Claes vermißten, der üblicherweise da war und sie unterhielt. Einer der Leute versuchte, als Henning es nicht hörte, die Witwe nachzumachen, wie Claes es manchmal machte, aber er konnte es bei weitem nicht so gut.

In dem hohen Kirchenschiff der Jerusalemkerk war die Glocke auch für diejenigen vernehmbar, die vor dem seltsamen bunten Altar mit den Schädeln und Leitern, den Sinnbildern der Passion, versammelt waren und wo der kleinwüchsige Francesco Coppini, Bischof von Terni, die kirchliche Trauung beendete. Auf dem Altar, der mit einem von Margriet van der Banck gestickten Tuch bedeckt war, stand das vergoldete Silberkreuz, das Bruchstücke von Christi Kreuz enthielt, die Anselms Vater und Onkel aus dem heiligen Land mitgebracht hatten. Auf beiden Seiten des Altars führten schmale Stufen hinauf in die obere Galerie mit ihrer weißen Balustrade, die durch unsichtbare Fenster hoch oben im Turm erhellt wurde. Die Kirche hatten die Adornes erbaut als Nachbildung der Grabeskirche in Jerusalem und zur Erinnerung an den Ort ihrer Pilgerfahrt.

Mit ihrer Kleidung machten die Anwesenden dem herrlichen Gebäude alle Ehre. Margriet trug ihr gutes Brokatkleid mit dem hohen Gürtel, der sich mit der Spitze des breiten Hermelinkragens traf, und ihre Hörnerhaube. Anselm und die Freunde der Adornes vom Stadtrat und den Zünften waren in angemessenen Gewändern erschienen, die knöchellang waren und seidene Revers oder Pelzkragen hatten, und sie trugen kräftige Pelzmützen in allen möglichen Größen. Bezeichnenderweise waren keine Frauen unter ihnen.

Die Braut war genauso gekleidet wie am Morgen, weil sie keine Zeit gehabt hatte, sich umzuziehen: sie trug eine wattierte Haube, die ihr Haar völlig verdeckte, und ein steifes, bescheidenes Kleid mit gefällig befestigten Hängeärmel und einem viereckigen Ausschnitt sowie eine Halskette mit einem prachtvollen Anhänger. Die unter dem Kinn sichtbare Haut war, wie Margriet feststellte, schön und glatt und durchaus annehmbar. Marian hatte hübsche blaue Augen und gesunde Zähne und, wie man behaupten konnte, gewöhnlich eine ansprechende Gesichtsfarbe.

Auch der Junge war genauso gekleidet wie am Morgen, als er gekommen war, um alles in die Wege zu leiten. Wenigstens war er nicht in der blauen Arbeitskleidung der Firma Charetty erschienen, was aus dem Ereignis nicht bloß eine Komödie, sondern eine regelrechte Farce gemacht hätte. Das dunkle Serge-Wams paßte ihm so gut, daß es wohl sein eigenes war, vermutlich in Italien von seinem Lohn gekauft. Darüber trug er einen seitlich offenen Überwurf von mittlerer Länge, der der eines Schreibers sein könnte, aber er war dunkelgrün und nicht schwarz, was wohl zu teuer für ihn gewesen wäre. Sein gut gebürstetes Haar sträubte sich gegen den Rand der schief aufgesetzten Mütze, die ohne Schmuck war. Seine Hose, ebenfalls dunkelgrün, war die einzige ungeflickte, die Margriet je an ihm gesehen hatte. Auch hatte sie ihn nie zuvor ohne ein Lächeln gesehen.

Nachher gab es ein mühsames Hochzeitsessen an einem Tisch, der für sie alle in der Halle gedeckt war. Dann erwähnte jemand die Flandern-Galeeren, und das Gespräch kam in Gang und schien nicht wieder versiegen zu wollen, denn es war das Thema, das jedem Kaufmann in Brügge am Herzen lag, weil es seinen Geldbeutel unmittelbar betraf. Alvise Duodo, der Narr, hatte also auf dem Heimweg der Flandern-Galeeren nach Venedig in London angelegt. Und natürlich hatte der englische König sie beschlagnahmt, weil er für seinen Krieg gegen seine Verwandte des Hauses York Schiffe brauchte. Angelo Tani und Tommaso Portinari fielen vor Entsetzen in Ohnmacht. Nicht nur wegen der Tuchverluste. Würde ihre Londoner Niederlassung die Bälle für das Paumespiel bekommen? Doria hatte Trompeten und Klavichord-Draht mitgeschickt, Jacopo Strozzi Zahnstocher und Spielkarten. Würden die Waren entladen oder die ganze Zeit im Frachtraum bleiben, wenn die Schiffe in die Meeresstraße geschickt würden, um gegen andere Engländer zu kämpfen, die von Calais ausliefen?

Bischof Coppini sprach sehr wenig. Er hatte die Aufgabe, sich nach Calais zu begeben und die Engländer dort mit den Engländern in England, die die Flandern-Galeeren beschlagnahmt hatten, zu versöhnen. Eine gute Idee, zugegeben. Aber in dem Augenblick, in dem das geschehen und der Friede erklärt war, würde der Papst in der Lage sein, seinen Kreuzzug zu beginnen, um Konstantinopel zurückzuerobern, und der König von Frankreich und der Herzog von Burgund und der König von England (welcher von den Herren auch immer sich bei der umstrittenen Thronfolge durchsetzte) hätten keine Ausrede mehr, sondern müßten eine Flotte und ein Heer bereitstellen, um ihm zu helfen. Dann könnte es sein, daß die Flandern-Galeeren demnächst von Herzog Philipp in Sluis beschlagnahmt werden, ebenso alle schottischen Kanalboote, die portugiesischen Hulke, die Normandie-Kriegsschaluppen, die bretonischen Karavellen und die Koggen aus Hamburg. Wie soll ein Kaufmann solche Zeiten überstehen? Man brauchte einen Astrologen.

«Ihr könntet ein Monopol auf dem Fischmarkt anstreben», sagte der junge Ehemann, dessen wenige Bemerkungen bisher respektvoll gewesen waren und nicht übermäßig dumm. «Fischerboote sind so ungefähr die einzigen Schiffe, die man nicht auf einen Kreuzzug schicken kann. Aber die Fastenzeit nähert sich schon ihrem Ende, so daß vielleicht von einer Unterstützung dieses Gewerbes nicht viel zu erwarten ist.» Der Witz war nicht so übel, und sie hatten genug von Meester Anselms Wein getrunken, um herzhaft zu lachen. Tatsächlich dachte der eine oder andere von ihnen im stillen, daß der Junge unwissentlich etwas angesprochen hatte, das ins Auge zu fassen sich lohnen könnte.

Als sie aufbrachen, waren sie alle in guter Stimmung. Als sie nach Hause kamen, neigten sie dazu, die Heirat, an der sie Anteil genommen hatten, eher zu verteidigen als anzugreifen. Und sie alle kannten die Bedingungen des Vertrags, warum er abgeschlossen worden war und zu wessen Gunsten. Auf diese Weise, und es war die einzig mögliche gewesen, erfuhren die mächtigsten Familien in Brügge zumindest die Tatsachen.

Als der Bischof gegangen war und der Bürgermeister und die Rechtsgelehrten, legte Margriet van der Banck der Neuvermählten den Arm um die rundlichen, hübschen Schultern und zog sie in ihr Schlafzimmer, um sie für den Heimweg herzurichten. Ihr neuer Aktuarius, der aufgeweckte Meester Gregorio, war schon in das Haus Charetty zurückgekehrt. Dort würde die Demoiselle, an der Seite ihres Ehemanns, dem Personal die Neuigkeit verkünden. Allerdings nicht gleich, denn zuerst mußte sie es ihrem Sohn und ihren Töchtern sagen.

Eine beängstigende Aussicht nach einem anstrengenden Vormittag. Die Demoiselle war blaß vor Erschöpfung. Es gab nichts, was man mit Worten ausdrücken konnte. Margriet umarmte sie und versuchte ihr stumm zu bedeuten, daß sie eine Freundin sei. Sie war eine stolze Frau, Cornelis' kleine Witwe. Sie war nicht zurückgewichen, sondern hatte sich ein wenig an Margriets Umarmung geklammert. Dann löste sie sich von ihr und dankte ihr.

Später, als die Neuvermählten gegangen waren, sagte Margriet etwas in diesem Sinn zu Anselm, aber obwohl sie darauf wartete, sagte er nicht, was geschehen war, als er seinerseits den jungen Nicolaas in sein Zimmer mitgenommen hatte. Es gab auch nichts darüber zu sagen. Nach seinem Gast hatte Adorne das stille Örtchen des Hauses aufgesucht und war gerade rechtzeitig in sein Zimmer zurückgekommen, um den jungen Mann, der bisher ganz gelassen gewesen war, zitternd dasitzen zu sehen, als ob durchs Fenster der Blitz eingeschlagen wäre. Als Nicolaas dann Adorne über den Fliesenboden herankommen hörte, drehte er sich um.

Anselm blieb stehen und blickte auf ihn hinunter. «Wieviel Schlaf hast du letzte Nacht bekommen, Freund Nicolaas? Gar keinen, scheint mir.»

Während eines Kampfes pflegen Männer tief Luft zu holen und stoßen dann plötzlich mit dem Atem die Angst aus. Nicolaas lächelte, als er das tat, und schüttelte den Kopf, immer noch lächelnd. Anselm fragte sich, wo der Junge die letzte Nacht der Freiheit verbracht hatte. Oder gewissermaßen die letzte Nacht der Jugend. «Jeder Bräutigam», sagte er leichthin, «darf eine Nacht mit seinen Freunden verbringen.»

Er hatte gehofft, der Junge würde den scherzhaften Ton aufgreifen. Aber Claes' Augen wanderten, als ob er schon mit anderen Dingen beschäftigt wäre. «O nein», erwiderte er. «Ich war die ganze Nacht in meinem Zimmer.»

Anselm Adorne sah ihn an. Dann zog er sich einen Stuhl heran, setzte sich und betrachtete das in sich gekehrte Gesicht. «Nicolaas, du würdest doch nicht gern alles rückgängig machen, wenn du könntest? Wieder aufstehen, wenn die Arbeitsglocke läutet, Tuch durch die Färberküpen ziehen und mit einfachen Leuten und Kindern Umgang haben? Es wäre eine Sünde, wenn man bedenkt, was du mit deiner Begabung der Welt schenken kannst.»

«Geld?» Nicolaas sprach an das Fensterbrett gewandt. «Ich war ganz glücklich, als ich keins hatte. Und ich konnte andere Menschen auch recht glücklich machen.»

«Natürlich. Aber das war die Arbeit deiner Jugend. Du brauchtest mehr. Du hast aus eigenem Antrieb damit aufgehört.»

«Ja», antwortete Nicolaas.

Anselm Adorne beobachtete ihn. Es hatte keinen Sinn zu sagen: Du hast dir das ausgesucht. Hast du nicht vorausgesehen, wie es sein würde? Bist du dir nicht darüber im klaren gewesen, daß du noch nicht damit fertig werden konntest? Er dachte: Er wird damit fertig werden müssen, um dieser armen Frau willen. Was würde es ihm erleichtern? Den Kummer in Wein zu ertränken bestimmt nicht.

«Ich nehme an», sagte Adorne, «daß meine Frau und die Demoiselle sich noch einiges zu erzählen haben. Kann ich, während du wartest, nachschauen, ob Marie und Katelijne mit ihrem Unterricht fertig sind? Sie werden es mir nie verzeihen, wenn ich dich weggehen lasse, ohne daß sie dich begrüßt haben.» Er hielt inne und fügte dann hinzu: «Natürlich wissen sie nichts, und es wäre ihnen auch ganz gleichgültig.»

Anselm Adorne war ein Mann, der versuchte, die Gefühle anderer zu verstehen. Margriet hatte ihn manchmal gewarnt: *Du kannst zu weit gehen. Außerdem, Anselm, irrst du dich manchmal.* Diesmal irrte er sich nicht, obwohl der junge Mann erst nach einem Augenblick sagte: «Das würde mich sehr freuen.» Anselm Adorne stand auf, ging ohne übermäßige Hast hinaus, fand seine Töchter und brachte sie zu ihrem Freund Claes, der sie schon lächelnd erwartete, Wollfäden für das Abnehmespiel bereits auf den Händen.

Als seine Angetraute aufbruchbereit war, fand Adorne das Verhalten des jungen Ehemanns ohne Fehl und Tadel. Nicolaas sprach ihm und Margriet in aufrichtigen Worten seinen Dank aus. Ganz ungezwungen nahm er den Umhang der Demoiselle und legte ihn ihr um die Schultern. Sie sah zu ihm auf, und man konnte sehen, daß sie wieder Mut schöpfte und zugleich wieder Farbe bekam.

Adorne und Margriet waren mit heruntergekommen und wünschten der Demoiselle und ihrem Ehemann viel Glück, als ihr Kanalboot ablegte, um sie nach Hause zu bringen. Dabei bemerkte Anselm Adorne nicht, daß sein studierender Sohn Jan ins Haus geschlendert war. Heißhungrig wie alle studierenden Söhne, stürzte er sich auf die Reste des Festmahls und fragte die Bedienten aus. Er erhielt eine unglaubliche Antwort. Und keine zehn Pferde hätten ihn dazu bringen können, diese Antwort für sich zu behalten.

Kapitel 27

Die Schläge der Mittagsglocke nahm Felix de Charetty überhaupt nicht wahr, der sich selbst, unter dem doppelten Verlust einer Menge Geld und eines Mädchens leidend, als Trostpflaster für seinen Stolz in die Poortersloge eingeladen hatte, das Vereinshaus der Gesellschaft des Weißen Bären. Das Wahrzeichen der Gesellschaft, «Beertje van de Loge», das auf einem Eckstein des Gebäudes stand, war einst, wie man sich erzählte, von dem albernen Narren Claes umarmt worden, nachdem er durch den Kanal geschwommen war und den kostbaren Hund von Simon of Kilmirren erschlagen hatte.

Damals war es noch lustig gewesen, mit Claes zusammen zu sein, auch wenn er ein Narr war. Ehe er begonnen hatte, ihm zu erzählen, was er mit Mädchen wie Mabelie tun konnte oder nicht tun konnte. Felix war, offen gesagt, gar nicht traurig gewesen, aus der peinlichen Lage mit Mabelie herauszukommen. Es hatte sich nämlich herausgestellt, daß sie John Bonkle nicht verlassen wollte, und John Bonkle hatte sie auch keineswegs loswerden wollen. Sie waren beide ein bißchen betrunken gewesen, er und Jannekin.

Heute hatte Felix sich vorgenommen, kein Bier anzurühren, denn er wollte einen guten Eindruck machen. Die Gesellschaft des Weißen Bären, dessen großer Tjost das Turnier nach Ostern eröffnete, war außerordentlich exklusiv und nahm als Mitglieder nur Adlige und Angehörige des Großbürgertums auf. Tuchhändler, Seidenhändler und Pelzhändler vermochten gerade noch aufgenommen zu werden, und natürlich Grundbesitzer. Angehörige von Zünften wurden nicht aufgenommen, doch bei größeren Maklern und Gastwirten machte die Bruderschaft Ausnahmen. Als Sohn eines Maklers kam Felix' Zulassung gerade noch in Frage. Über Färben oder Walken sprach er nicht. Daher war es etwas beängstigend, das schöne Gebäude an der Kanalbrücke zu betreten, Männer zu begrüßen, die er in Gesellschaft seiner Mutter gesehen hatte, und eine Einladung zu einem Becher Wein anzunehmen.

Ihm wurde klar, daß er, wenn er öfter herkommen würde, mehr Geld benötigen würde. Er brauchte sowieso mehr Geld, wenn er jeden Tag tjostieren würde, wie es eigentlich erforderlich wäre. Zwar besaß er die Rüstung und einige Waffen. Aber er brauchte mehr

Lanzen, und er müßte einen Ersatzschild haben. Und worauf es natürlich vor allem ankam, das waren die Pferde.

Zwei müßte er haben, und zwar kräftige. Eins stand im Stall; es hatte seinem Vater gehört, der allerdings kaum gekämpft und es bloß benutzt hatte, um auf- und abzureiten und den Leuten Eindruck zu machen, wenn er an der Reihe war, als Hauptmann der Kompanien auf den Mauern zu befehligen. Felix hatte vor, sich ein zweites Pferd zu leihen. Einer von den de Walles hatte es halb und halb angeboten. Aber viele der Familien, die er kannte, wollten selbst teilnehmen, die Breydels und die Metteneyes, die Bradericx, die Halewynes und die Themsekes. Es vererbte sich vom Vater auf den Sohn, daß man sich an den Tjost wagte und versuchte, das Horn oder die Lanze oder den Bären zu erringen. In der großen Zeit kamen die Besten vom burgundischen Hof nach Brügge, um teilzunehmen. Leute wie Jacques de Lalain und der Bastard von Burgund.

Ein Schauder durchfuhr Felix, aber er lehnte tapfer den angebotenen zweiten Becher ab. Er mußte ein besseres Pferd haben. Und noch ein Schild. Er konnte doch nicht gegen große Ritter kämpfen, wenn er so schlecht gerüstet war. Er stürzte sich begierig in jedes Gespräch über die Turniere und nahm alle Auskünfte, die er darüber erhalten konnte, in sich auf, wie und wo vorher geübt werden mußte. Er hätte mit einem erfahrenen Angehörigen der Bruderschaft wie Anselm Adorne herkommen sollen, obwohl Adorne ihn ja damals in seinem Haus wie ein Kind behandelt hatte, nachdem Claes die Kanone ins Wasser gekippt, den Kopfputz des Mädchens an Land gebracht und das Holzbein des Mannes zerbrochen hatte.

Er sah Jan Adorne, der ihm von der Tür aus Zeichen gab, und dachte, der komme ihm genauso gelegen. Mit fünfzehn war er höchstwahrscheinlich zu jung für den Tjost, doch mußte er mit seinem Vater schon oft in der Poortersloge gewesen sein. Felix schwenkte seinen Becher und winkte ihm. Sein Ärmel, der auch winkte, hätte um ein Haar eine Karaffe umgestoßen. Er hatte sich für den heutigen Tag wirklich gut angezogen, die Ärmel waren über die ganze Länge mit Bändern verziert, und unter dem Umhang trug er das gut wattierte Wams, das, wie der Schneider mit Recht gesagt hatte, seine Brust richtig zur Geltung brachte. Eingedenk der vielen Leute hatte er einen sehr hohen Hut aufgesetzt statt eines breitkrempigen. Er wünschte nur, sein Kragen würde unter dem Kinn nicht so fest zugeknöpft sein. Das machte es schwierig, nach unten zu sehen und zu verhindern, daß seine Ärmel die auf den Bänken sitzenden Leute störten.

Jan gab wieder ein Zeichen und war noch nicht hereingekommen. Verärgert machte sich Felix auf den Weg zur Tür und erkannte den Grund. Jan war nicht allein, Bonkle war bei ihm und Sersanders und Lorenzo Strozzi und noch andere. Es war erstaunlich, wie Lorenzo es immer fertigbrachte, dem Kontor seines väterlichen Cousins zu entkommen. Oder vielleicht hatte die Glocke zum Mittagsmahl geläutet. Nein. Er hatte schon zu Mittag gegessen. Es mußte später sein. Er kam zur Tür und sagte: «Ich komme noch nicht raus, ich bin beschäftigt. Was willst du?»

«Felix», sagte Jan.

Das war alles, was er sagte. Die anderen ringsum sagten gar nichts. Ihre Gesichter waren absonderlich. Na ja, keiner seiner Freunde zeichnete sich durch Schönheit aus. Aber ihr Ausdruck war komisch. Als ob sie etwas zu erzählen hätten und nicht sicher wären, ob es sich um einen großen Witz oder ein großes Unglück handelte. Einen Augenblick lang machte sich Felix Sorgen, und dann stieß einer der jüngeren Mitläufer im Hintergrund einen Schnaufer aus, der wie ein kochender Fischkessel zischte, und krümmte sich zusammen, die Hände auf dem Unterleib. Etwas Speichel landete auf Felix' Knöpfen, und er wischte ihn angewidert ab.

Offenbar nichts Schlimmes, wenn es so komisch war wie das alles. Felix schien es der Anfang eines Streichs zu sein, der ihm gespielt werden sollte. «Wenn ihr nichts zu sagen habt», erklärte er, «gehe ich wieder hinein. So was Dummes, Jan, diesen Pöbel in den Verein deines Vaters zu bringen. Wiedersehen.»

Er wollte hineingehen, aber einer der Schöffen, der nachsichtig um die Gruppe herumgegangen war, kam gerade vor ihm zur Tür, und er mußte zurücktreten. Als sich die Tür öffnete, merkte er, daß Jan Adorne wieder schrie, und wurde wütend. Es war unerträglich. Zornbebend drehte sich Felix noch einmal um und fauchte seine Freunde an: «Geht weg! Macht, daß ihr wegkommt! Ich will euch nicht sehen!»

«Felix!» kreischte Jan Adorne. «Der Lehrling Claes hat deine Mutter geheiratet!»

Die Tür schloß sich, ohne daß Felix es merkte. «Was?» fragte er.

Ein anderer Junge wiederholte es noch einmal und sprach besonders deutlich wie ein Lehrer: «Deine Mutter hat Claes geheiratet.»

«Den Lehrling Claes», sagte eine Stimme von hinten.

Der dienstbare Junge erläutere: «In Jans Haus. Heute morgen.»

Das war also der Streich, den sie ihm spielten. Felix spürte, wie ihm die Adern auf der Stirn schwollen. Hinter der Gruppe der sogenannten Freunde ließ ein grinsender Fuhrmann sein Pferd langsamer gehen. Und zwei Tuchhändler, die miteinander redend aus dem Marktzollamt kamen, drehten sich um und sahen herüber. Hinter Felix hatte sich die Tür des Vereinshauses wieder geöffnet und blieb jetzt offen, während drinnen Köpfe gereckt wurden.

Außer sich vor Wut, trat Felix vor und trieb die schlurfende Schar seiner Quälgeister vor sich her. Sein Gesicht war scharlachrot und seine Stimme leise, als er sagte: «Claes und meine Mutter gehen euch überhaupt nichts an! Ich werde euch lehren, hierher zu meinem Vereinshaus zu kommen und vor all meinen Freunden ein Geschrei anzustimmen. Wenn ich mit euch fertig bin, werdet ihr wünschen, ihr wäret nie geboren worden. Meine Mutter wird deinen Vater aufsuchen, Jan Adorne!»

Als er auf sie zuging, waren sie zurückgewichen, so weit sie konnten. Sie standen auf der anderen Seite der schmalen Straße und sahen ihn an. Hinter ihm erklomm einer der ganz reichen Herren mit einem Begleiter die Stufen der Poortersloge und ging leise lachend hinein, ließ aber die Tür offen. Der Begleiter blieb zurück und hielt die Tür für zwei andere Herren auf, die nach ihm kamen. Lorenzo Strozzi sagte zu Felix: «Du solltest zu Jans Vater gehen und mit ihm sprechen. Er wird es dir bestätigen. Es ist wahr.»

Sie hatten schon früher einander Streiche gespielt. In Schwulitäten zu geraten und aus der Patsche herauszukommen, das war normal, auch heftige Streitereien und sogar quälende Angst. Aber zwischen Jungen und unter Jungen, nicht vor der Poortersloge. Die Ungeheuerlichkeit des gesellschaftlichen Problems lähmte Felix schon, der nicht gerade der einfallsreichste Jüngling war, sobald er sich dessen bewußt war und sich mühte, damit fertigzuwerden. Bei Lorenzos Worten begann sein Magen unter dem flüchtigen Eindruck von etwas ganz Unbeherrschbarem vor Schmerz unregelmäßig zu zucken, es war wie Wetterleuchten. Allein was ihm bewußt wurde, brachte ihn in Wut. Er stürzte auf sie zu und beschimpfte sie.

Diesmal wichen sie nicht zurück, obwohl sie unsicher waren. Sie ließen ihn auf sie eindreschen. Ab und zu versuchte einer zu sprechen und fand Felix' Faust an seinem Kinn. Es war lächerlich. Lorenzo war der erste, der sich faßte und mit den besten Absichten Felix beim Arm ergriff. Felix schlug Lorenzo auf die Hand, es tat weh. Lorenzo sagte wütend: «Na schön, wenn er es nicht glauben will, ist es seine Sache», und ging weg.

Die kleineren Jungen rückten auf. John Bonkle sagte mit gerötetem Gesicht: «Ach, hört auf. Das macht es bloß schlimmer. Du hättest es ihm nicht hier sagen sollen, Jan.»

Jan Adorne drehte sich um. «Doch, ich mußte es sagen. Er wollte ja nicht herauskommen. Er mußte es doch erfahren, oder? Sonst geht er nach Hause und findet...»

«... ihn im Bett», sagte einer der kleineren Jungen.

«... Felix' Stiefvater», sagte ein anderer. «Claes!» Sie konnten nicht mehr vor Lachen und hielten sich aneinander fest. Hinten am Eingang zur Poortersloge standen einige Männer und sahen einander an, und der Lärm aus dem Vereinshaus hatte deutlich abgenommen. Anselm Sersanders war es, der es merkte; er beugte sich vor, und es gelang ihm, Felix am Arm zu ergreifen. «Ihr anderen, verschwindet», sagte er. «John, hilf mir. Jan, du kommst besser mit.»

Felix' Kopf, der sehr heiß gewesen war, fühlte sich plötzlich sehr kalt an. «Was... Es ist doch nicht wahr?»

Er ging, Jan Adorne an einer Seite und Jans Vetter Anselm und John Bonkle auf der anderen. Sein Wams stand offen und ließ einen Fleck auf seinem Hemd sehen, und seine Hose war, wie sich herausstellte, feuchtkalt. Sein Magen revoltierte. Er sagte verzweifelt: «Ich brauche dringend... Es ist doch nicht wahr?»

Sie waren mitten im Geschäftsviertel von Brügge, dennoch fanden sie erfreulicherweise einen Winkel für ihn, wo er sich übergeben konnte, den aber, was weniger erfreulich war, ein Trupp betrunkener Leichterschiffer besetzt hielt, die ihn noch anfeuerten. Dann brachten sie ihn hinunter zu einer Kanalrampe, setzten ihn an den Rand des Wassers und tauchten sein Taschentuch für ihn ein. Er zitterte. «Das war», sagte er, «der übelste Streich, den ihr je ausgeheckt habt. Das war gemein. Das war unanständig und niederträchtig...» Tränen rannen über ihm über die Wangen. «Ihr hättet euch was anderes ausdenken können.» Er sah, daß sie einander anschauten. Der

Wackerstein, der ihm schwer im Magen gelegen hatte, steckte ihm jetzt in der Kehle. «Ich gehe in die Schenke. Ich will euch nicht wiedersehen.» Sie rührten sich immer noch nicht, und er auch nicht. Ein Würgen überkam ihn. Dann schlug er die Hände vor das Gesicht und schluchzte.

John Bonkle legte ihm eine Hand auf die Schulter, schnitt Jan Adorne eine Grimasse und sagte: «Nun mach schon. Es ist besser, wenn er hört, was du weißt.»

Henning betrachtete die ungewöhnliche Kleidung seiner Herrin und sagte ihr, Jonkheer Felix sei in die Poortersloge gegangen. Noch wußten Henning und das Personal nichts. Als sie vom *Hôtel Jerusalem* zurückkamen, hatte Nicolaas die Demoiselle ins Haus gebracht und war dort geblieben. Das Personal durfte es nicht vor dem Sohn des Hauses gesagt bekommen. Und der Sohn des Hauses, meinte Nicolaas trocken, erfahre es vielleicht besser drinnen als draußen.

Felix' Mutter schwieg, sie dachte daran, daß die Zeugen des Vormittags die Nachricht wohl verbreiten würden. Aber zuerst gingen sie sicherlich nach Hause. Und obwohl es nicht richtig war, wenn Felix es in der Öffentlichkeit erfuhr, würde sein Stolz gewiß verhindern, daß er an einem Ort wie dem Vereinshaus der Kämpfer des Weißen Bären eine Szene machte. Er würde wohl direkt nach Hause kommen. Nicolaas hatte gewollt, daß sie es Felix vorher sagte, und es wäre sicherlich klüger gewesen. Nicolaas hatte ihr keine Vorwürfe gemacht. Sie nahm an, das würde er niemals tun, ebensowenig wie Henning. Es kam ihm nicht zu, das zu tun; bei geschäftlichen Dingen allerdings, wenn er nicht daran dachte, sprach er mit ihr von gleich zu gleich.

Sie hatte wenigstens eine Angelegenheit hinter sich bringen wollen und deshalb Messer Gregorio gebeten, Tilde und Catherine zu suchen und in ihr Schlafzimmer zu schicken. Sie hatte sich vorher genau eingeprägt, wie sie es den Mädchen sagen wollte, und berichtete ihnen in vereinfachter Form das, was Adorne und die anderen erfahren hatten. Weil Claes klug sei und sie alle ihn so gern hätten, habe sie ihn gebeten, ihr bei der Leitung der Firma zu helfen, so daß er immer bei ihnen bleiben würde. Aber Männer und Frauen, die zusammenblieben, mußten heiraten. Nun war Claes, den Nicolaas zu nennen sie lernen müßten, ihr neuer Ehemann. Aber natürlich werde er niemals die Stelle ihres Vaters einnehmen. Sie beide sollten ihn, wie sie es auch tue, als einen Freund ansehen.

Catherine war verärgert. Jetzt würde Claes für ihre Mutter Geschenke aus Italien mitbringen und nicht für sie. Sie wurde beruhigt. Alles werde bleiben, wie es bislang war. Wenn es Geschenke gäbe, werde natürlich jeder eins bekommen. Claes werde nur im Haus arbeiten, nicht mehr im Betrieb. Und er solle Nicolaas genannt werden. Catherine war zufrieden.

Nicht so Tilde, die ganz blaß war. «Keine von unseren Freundinnen», sagte sie, «hat eine Mutter, die einen Diener heiratete.»

Ehe Marian antworten konnte, erklärte ihre jüngere Tochter entrüstet: «Claes ist kein Diener! Nicolaas, meine ich.»

«Was ist er denn? Hast du es Felix gesagt?» fragte Tilde ihre Mutter.

«Sobald er nach Hause kommt. Tilde, du und Catherine, ihr habt beide recht. Nicolaas ist ein Diener, weil er in diesen Stand hineingeboren ist. Aber hat jemand, den ihr kennt, jemanden geheiratet, der so klug ist wie er? Ihr wißt, daß er sich von allen anderen im Betrieb unterscheidet. Er ist sogar anders als Henning.»

«Hast du etwa daran gedacht, Henning zu heiraten?» fragte Tilde scharf. «Warum heiratest du nicht Oudenin de Ville? Er paßt dem Alter nach besser zu dir. Wirst du ein Kind bekommen?»

Entsetzt sah Marian ihre Tochter an. Sie hatte nicht gewußt, was ihr bevorstand. Das jedenfalls hatte sie nicht erwartet. Sie hörte Catherine entrüstet sagen: «Sie ist unsere Mutter. Sie hat ihre Kinder schon bekommen.»

«Ja?» fragte Tilde. «Na, vielleicht wird unser neuer Vater für all die Kinder sorgen, obwohl wir vermutlich nie erfahren werden, ob sie von ihm oder von Felix stammen.»

Sie starrte ihre Mutter durchbohrend an. Ein liebes, stilles dreizehnjähriges Mädchen. Marian fragte ganz ruhig: «Was meinst du damit?»

«Du hast keine Ahnung, was vor sich geht. Weißt du, daß sie sich gegenseitig ihre Geliebten verkaufen? Claes übernahm Mabelie von Simon of Kilmirren. John Bonkle bekam sie von Claes. Und Felix hat sie John abgekauft. Dafür brauchte er die acht Pariser Groschen.»

In dem Augenblick machte Nicolaas die Tür auf. Marian stand

langsam auf, Tilde, die schon stand, kehrte ihrer Mutter den Rücken und ging schnurstracks auf ihn zu. Dann spuckte sie auf seine Kleider und verließ das Zimmer.

Catherines Gesicht begann sich zu verziehen. «Ach, du liebes bißchen, ein Wutanfall», sagte Nicolaas und rieb die Stelle mit seinem Taschentuch ab. «Glaubst du, es wird einen Fleck geben?» Er setzte sich hin und rieb weiter. «Ich weiß es nicht. Was meinst du, Catherine? Wird sie sich daran gewöhnen? Es ist sehr schwer, eine Minute mit jemandem Schlittschuh zu laufen und in der nächsten festzustellen, daß er jeden Winter mit einem Schlittschuh laufen will.»

Catherine klammerte sich an ihre Mutter, aber ihr Gesicht hellte sich auf. Sie sagte vorwurfsvoll: «Sie hat gesagt, du habest Mabelie an Felix verkauft.»

Nicolaas grinste. «Das hat sie bestimmt nicht gesagt. Ich war enttäuscht von Mabelie. Weißt du, daß sie John Bonkle mir vorgezogen hat? Und dann hat Felix eines Abends zu viel getrunken und geglaubt, er könne sie John abkaufen. Aber nette Mädchen wie Mabelie kauft man nicht. Sie ist immer noch Johns ganz besondere Freundin. Hast du einen besonderen Freund?»

«Ich mag dich», sagte Catherine.

«Na, das ist schön», fand Nicolaas. «Aber du mußt mich mit Tilde und deiner Mutter teilen. Und du weißt, daß Tilde aufgebracht ist. Wir müssen uns sehr ruhig verhalten und nett zu ihr sein, bis sie sich an alles gewöhnt hat. Jetzt bleibst du erst mal bei deiner Mutter. Meine Herrin?»

Sie nahm Catherine auf den Schoß und legte lächelnd ihre Wange an die ihrer Tochter. Ich darf es nicht vergessen. Ich darf nicht vergessen, daß er bei mir ist. Ich bin nicht allein. «Ja, Nicolaas?»

«Ich habe darum gebeten, daß Felix, wenn er kommt, gesagt wird, er möge erst zu mir und nicht gleich zu seiner Mutter kommen. Erlaubt Ihr mir das?» Gestern hätte sie es abgelehnt. Heute wußte sie schon, daß sie mit Felix nicht fertig werden würde. Du lieber Himmel, nicht einmal mit Tilde wurde sie fertig. Sie nickte.

«Ich glaube», fuhr Nicolaas fort, «daß man Tilde heute besser sich selbst überläßt. Catherine, hättest du etwas dagegen, heute abend bei deiner Mutter zu schlafen? Weißt du, Tilde ist wütend und könnte etwas sagen, was sie gar nicht so meint. Aber es wird nicht lange anhalten.»

Catherine sah ihn an. «Ich weiß nicht. Ich hatte gehofft, du würdest mich heiraten, aber ich glaube, Tilde hat tatsächlich geglaubt, sie würde dich demnächst heiraten und Kinder bekommen. Darum war sie so böse wegen Mabelie. Sie paßte immer auf, ob Mabelie dick würde und ein Kind bekäme.»

Nicolaas grinste wieder. «Na, wenn sie eins bekommt, dann ist es von John Bonkle. Ich habe keine Kinder eingeplant, das kann ich dir sagen. Du und Tilde, das reicht.»

«Und Felix», sagte Catherine.

«Und Felix», wiederholte Nicolaas und sah über ihren Kopf hinweg ihre Mutter an.

Weil sich kurze Zeit später die Nachricht von einem köstlichen kleinen Skandal in Brügge verbreitete und weil Felix überdies, wie jemand von ihm sagte, das Zeug zu einem Mann hatte, kam er an jenem Nachmittag allein zurück und ging über den Hof ins Haus. Dort trat ihm Meester Gregorio, der nach ihm Ausschau gehalten hatte, in den Weg. «Junger Herr.»

Die Anrede überraschte ihn. Dann wurde ihm klar, daß das, was in solcher Heimlichkeit stattgefunden hatte, wahrscheinlich nicht einmal hier bekannt war. Er wartete gleichmütig ab, was der Mann zu sagen hatte. Seinen Hut hatte er abgenommen. Sersanders hatte ihm seinen Umhang geliehen, um das ruinierte Wams und alles andere zu verdecken. Anselm war freundlich gewesen, obwohl doch sein Onkel einer der Verräter gewesen war. Alle seine Freunde waren übrigens zu guter Letzt freundlich gewesen. Jeder von ihnen hätte ihn für die Nacht aufgenommen. Aber dann wäre der Morgen zu ertragen gewesen und die Gesichter ihrer Eltern.

Gregorio hatte ausgesehen, als habe er eine Botschaft zu übermitteln, aber offenbar hatte er es sich anders überlegt. Er zögerte. Dann sagte er: «Verzeihung, Jonkheer. Mir scheint, Ihr habt eine Neuigkeit gehört.»

Felix' Rücken wurde steif. «Ich sehe, daß Ihr darüber Bescheid wißt.»

Das knochige Gesicht des Mannes wurde nicht weicher. «Nur weil man mich brauchte, um den Vertrag aufzusetzen, der Eure Belange sichert. Eure Mutter hoffte, sie würde Euch hier finden, wenn sie zurückkäme. So wie die Dinge liegen, bat sie mich, Euch zu sagen, Ihr möget zu ihr kommen, nachdem Ihr mit Nicolaas gesprochen habt.» Er hielt inne. «Sie hat einen anstrengenden und schwierigen Tag gehabt.»

«Claes», sagte Felix.

«Ich bin überzeugt, es macht ihm nichts aus, welchen Namen Ihr gebraucht. Ich sollte Euch sagen, er werde in Euer Zimmer kommen, wenn Ihr ihn rufen laßt.»

Ihn rufen lassen. Claes, der mit entblößtem Rücken geduldig auf seine Strafe wartet. Claes, der Unterwürfige, dem es nie etwas ausmachte, wenn seine Pläne scheiterten oder seine kunstvollen Gebilde von anderen Leuten zerbrochen wurden. Bis jetzt, da er nun auf eine Weise dazu gebracht würde, daß es ihm etwas ausmacht, die er sein Lebtag nicht vergessen würde. Felix begann zu sprechen, dann fiel ihm ein, daß Claes für diesen der Ehemann seiner Mutter war. Deshalb sagte er: «Seid so freundlich und bittet Nicolaas, in zehn Minuten in mein Zimmer zu kommen. Ich möchte mich erst umziehen. Und dann werde ich meine Mutter aufsuchen.» Der Mann nickte und ging weg.

Als er in sein Zimmer kam, war Tilde da, sie lag schlafend auf seinem Bett, und ihr Gesicht war verquollen vor lauter Weinen. Er mußte sie wecken, dann hielt er sie im Arm und strich ihr über das Haar, während sie zu reden versuchte und immer wieder in Tränen ausbrach. Sie war noch da, als sie beide das Klopfen an der Tür hörten, das ihnen Claes' Kommen verriet. Felix ließ seine Schwester nicht los und sagte nur: «Du kommst zu früh. Geh in das Zimmer, in welchem auch immer du schläfst.»

Tilde, die vor Schreck aufgehört hatte zu schluchzen, sah ihn an. «Es wird alles gut werden», sagte er. «Ich bringe es in Ordnung. Wisch dir das Gesicht ab und geh in dein Zimmer. Ist Catherine da?»

«Ich glaube nicht. Nicolaas sagte, sie solle heute abend bei Mutter bleiben. Sie ist unten beim Abendessen.»

«Dann geh, Tilde. Ich komme nachher zu dir.»

Nachdem sie gegangen war, zog er sich ein sauberes Hemd an, eine saubere Hose und ein Wams. Als er die Tür öffnete, stand Claes auf dem Flur gegen die Wandtäfelung gelehnt. «Du weißt, wo ich schlafe», sagte er. «Da können wir nicht ungestört reden.»

Felix hielt die Tür auf, ließ ihn herein und schloß sie dann. Er hatte das dunkle Wams, das Claes trug, noch nie gesehen; sein Hemd war allerdings nicht ganz neu. «Ich erhielt die Nachricht», sagte Felix, «an der Tür der Poortersloge. Vielleicht hast du auch das so eingerichtet.»

«Deine Mutter glaubte, sie würde dich hier vorfinden. Etwas möchte ich dir sagen, dann mußt du schnell zu ihr gehen. Sie braucht dich.»

«Wie hast du sie dazu gebracht, das zu tun?» Es lohnte sich kaum, die Frage zu stellen. Felix wußte, daß Claes immer die richtige Antwort zu geben verstand. Er hatte nie zugeben wollen, wie klug Claes war. Julius hatte das auch nie zugegeben.

«Ich habe das Geschäft zu schnell ausgebaut», erklärte Claes. «Du wirst bald so weit sein, daß du es leiten kannst, aber bis dahin hat deine Mutter niemanden, dem sie vertrauen kann. Sie bot mir eine Partnerschaft in Form einer Ehe an. Das ist alles. Ich habe keinen Anteil am Geschäft. Es gehört ganz und gar ihr oder dir. Ich kann dir sagen, daß es allgemein bekannt sein wird, daß ich deine Mutter ehre und respektiere, daß aber nicht die Rede davon ist, daß ich ihr Zimmer teile. Der Familie gehört das Geschäft. Ich bin der Kompagnon und Vertreter des Geschäfts.»

«Wie lange hast du gebraucht, das zu deichseln?»

«Gestern abend wurde zum erstenmal darüber gesprochen, und heute morgen wurde es beschlossen.»

«Und rasch in die Tat umgesetzt, falls ich es unterbinden sollte? Ich könnte es wahrscheinlich immer noch unterbinden.»

«Nein, es ist unanfechtbar. Jedenfalls wird die Sache jetzt allgemein bekannt, und ein Widerruf würde die Lage nur verschlimmern, ohne die Tatsachen zu ändern. Unsere Eile sollte den Klatsch drosseln; ein weiterer Grund war, daß ich bald nach Italien reisen werde und vorher noch eine Menge für den Betrieb tun muß. Ich hatte gehofft, du würdest mir helfen.»

«Du hast sie immer nachgemacht», sagte Felix plötzlich. «Du hast immer...» Er hielt inne.

«Das ist schon lange her. Ich bin hier, seit ich zehn war. Glaubst du, ich würde irgend etwas tun, um euch allen zu schaden?»

Felix dachte an das Kanalufer, und seine Kehle brachte ein Geräusch hervor, das wie ein skeptisches Lachen begann. Er stand

Claes gegenüber, getrennt durch die Breite des kleinen Zimmers. Beide hatten sich von Anfang an nicht gerührt. «Du hast sie überredet, einen Arbeiter zu heiraten, der zwanzig Jahre jünger ist und dem sie die Leitung ihres Geschäfts überträgt. Den sie mir vor die Nase setzt. Ich bin der Erbe der Firma Charetty – dafür braucht sie keinen anderen Mann. Die Leute werden das nicht hinnehmen. Sie werden nicht für dich arbeiten. Und weil du nur ein Diener bist und noch dazu einer, den meine Mutter selbst großgezogen hat, wird die Geschäftswelt ein so fabelhaftes Märchen nicht glauben, daß du sie um des Betriebes willen geheiratet hast. Sie werden glauben, daß sie... daß sie...»

Er hielt inne. Dann: «Ich glaube, Tilde wird nie wieder ausgehen.» Und als Claes zum erstenmal eine Bewegung machte, fuhr er in bitterbösem Ton fort: «Und du behauptest, du willst uns nicht schaden. Du hast uns sehr wohl schaden wollen. Wie oft hast du die andere Wange hingehalten. Wie oft bist du ausgepeitscht worden. Das ist die Rache, die du übst, nicht wahr?»

Er hatte viel Zeit gehabt, darüber nachzudenken, am Kanalufer und auf dem Heimweg. All das hatte er nicht zu seinen Freunden gesagt. Der Stolz ließ es nicht zu. Aber sie widersprachen ihm auch nicht, als ihm zum Bewußtsein kam, daß Claes endlich eine wundervolle, köstliche Vergeltung übte. Sie konnten nicht widersprechen. Es ist wahr. Es konnte keinen anderen Grund geben. Seine Mutter war eine alte Frau. Und wenn Claes sich anstrengte, dann konnte er die meisten Menschen dazu bringen zu tun, was er wollte. Vor allem Frauen.

«Rache wofür?» fragte Claes. «Niemand hat mir etwas zuleide getan. Ich habe euch gern.»

So machte er es immer, um die Lage zu entschärfen; indem er nicht zurückschlug. Aber diesmal würde er damit nicht durchkommen. «Wenn du uns gern hast, warum machst du uns dann zum Gespött? Meine Mutter zu einer Witzfigur? Verbaust Tildes und Catherines Zukunft? Was glaubst du, wie mir vor der Poortersloge zumute war? Was, glaubst du, empfinde ich, wenn ich tatenlos dabeistehe und zusehe, wie mein eigener Diener die Firma meiner Mutter leitet? Und nicht einmal der Betrieb wird daraus Nutzen ziehen: nicht wenn unsere Arbeiter sich von dir nichts sagen lassen und die Kaufleute uns die kalte Schulter zeigen und sich über uns lustig machen. Vielleicht bist du klug, aber wieviel Erfahrung hast du im Vergleich mit anderen? Du wirst das Geschäft zugrunde richten. Und dann spielt es keine Rolle, welchen Gewinn du nicht entnimmst, es wird nichts da sein für mich oder meine Mutter oder meine Schwestern.»

«Wenn das nicht geschehen wäre, hätte deine Mutter verkauft oder Oudenin geheiratet.»

«Beides wäre besser gewesen als das. So wie die Dinge liegen, werden wir das Beste daraus machen. Du wirst heute abend aufbrechen. Du kannst eins der Pferde nehmen. Ich werde dir genug Geld mitgeben, daß du bis Genf kommst. Jaak de Fleury wird dich aufnehmen, davon bin ich überzeugt. Du bist der Bastard seiner Nichte. Wenn er es nicht tut, wirst du dir eben Arbeit suchen müssen. Ich bin sicher, das wird leicht sein. Du kannst dir die Firma von jemand anderem suchen und sie leiten. Oder du findest, nachdem dir jetzt das Kämpfen beigebracht wurde, vielleicht Arbeit bei einem *Condottiere*. Aber halte dich ja fern von Astorre und unserer Truppe. Du gehörst nicht mehr zu dieser Firma. Wir nehmen dich nicht in Dienst und haben nichts mit dir zu tun. Ist das klar?»

«Ja, das ist klar. Du wirst es mit deiner Mutter besprechen müssen. Aber was geschieht, wenn sie nicht einverstanden ist? Sie verwaltet die Kasse.»

Felix starrte ihn an. «Drohst du mir?»

«Nein. Zumindest denke ich, daß ich irgendwo eine Stellung bekommen würde. Weißt du, für deine Mutter hast du in jeder Beziehung Vorrang vor mir und wirst ihn immer haben. Aber wenn du in diesem Augenblick von ihr verlangst, zwischen uns zu wählen, dann wird sie allein aus Gründen des Stolzes mich wählen müssen. Es wäre vernünftiger, es später zu versuchen.»

«Die Freunde meines Vaters... die Geschäftskreise werden dich aus der Stadt hinausjagen.»

«Mag sein.»

«Henning wird kündigen.»

«Du könntest ihn zurückholen, nachdem ich aus der Stadt hinausgejagt worden bin. Hör mal, Felix, der erste Fehler, der mir unterläuft, und ich bin draußen, das weißt du doch – lange bevor ich Gelegenheit dazu hätte, die Firma zugrunde zu richten. Du brauchst dich nicht dabei sehen zu lassen, daß du behilflich bist oder die Abmachung billigst. Gregorio kann mich zu Verhandlungen begleiten. Ich habe nur vorgeschlagen, daß du es tust, weil du auf diese Weise ein wachsames Auge auf mich haben könntest. Obwohl mir auch dein Rat nützlich wäre. Nichts Besseres konnte in Löwen geschehen als Oliviers Entlassung.»

Er hatte immer eine Antwort parat. Welchen Gedankengang man auch einschlug, er war da und wartete schon. Er hatte wohl alles ausgearbeitet. Ein unangreifbarer Ehevertrag. Seine Mutter war so manipuliert worden, daß sie überzeugt war, dies sei die beste Lösung, und er würde nun die mißliche Aufgabe haben, ihr Schmerz zuzufügen. Sofern er ihr nicht beweisen konnte...

«Wir müssen», sagte Claes, «das Personal im Betrieb und im Haus vor dem Feierabend davon unterrichten. Deine Mutter wird es tun. Du brauchst nicht dabei zu sein. Aber willst du nicht jetzt zu ihr gehen und dich überzeugen, daß es wirklich das ist, was sie will? Wenn nicht, werde ich meinen Kopf nicht gegen euch beide durchsetzen. Du kannst die Heirat zwar nicht rückgängig machen, aber ich werde weggehen. Dann kann Gregorio die Leute zusammenrufen, und wir sagen ihnen die endgültige Entscheidung. Ist das recht und billig?»

«Nicht sehr. Du hast eine Nacht und einen Tag gehabt, um meine Mutter zu einem Entschluß zu bringen. Und vorher wochenlang, davon bin ich überzeugt, um sie darauf einzustimmen. Ich habe nur ein paar Minuten.»

«Aber du bist ihr Sohn.»

Er wollte zu seiner Mutter gehen. Ihm fiel nichts ein, wie er Claes aus seinem Zimmer herausbekommen könnte. Schließlich ging er zur Tür, machte sie auf und sagte: «Geh in dein Zimmer und warte da.» Und Claes ging hinaus, ohne mit der Wimper zu zucken, als ob er gar nicht der Ehemann seiner Mutter wäre. Felix spürte, wie sich ihm wieder die Kehle zuschnürte. Er wartete, bis er sich wieder gefaßt hatte. Dann ging er zum Kontor seiner Mutter und klopfte an der Tür.

Mit siebzehn auf sich allein gestellt zu sein ist beängstigend.

Ein paarmal hatte Felix so vor dem Arbeitszimmer seines Vaters gestanden, seinen ganzen Mut zusammengenommen, um zu klopfen und hineinzugehen und Cornelis' Zorn wegen irgendeiner Verfehlung, die sich für Cornelis' einzigen Sohn und heißgeliebten Erben nicht schickte, über sich ergehen zu lassen.

Cornelis hatte nie wirklich gewußt, wie Felix war. Seine Mutter wußte es und hatte ihm oft einen härteren Klaps gegeben, aber sie war immer im Hintergrund dagewesen, streng und verständnisvoll. Selbst wenn er sich gegen sie aufgelehnt hatte, fühlte er sich in Sicherheit. Jetzt nicht mehr. Er war so kraftlos, daß seine Hand nicht einmal zitterte, als er sie schließlich hob, um an der Tür seiner Mutter zu klopfen. Ihm war einfach kalt.

Als sie nicht antwortete, klopfte er noch einmal, nicht sehr laut. Dann wurde ihm klar, daß das Geräusch, das er vorher gehört hatte, ihre Stimme gewesen war und daß sie jetzt zum zweitenmal Herein rief. Behutsam öffnete er die Tür.

Seine Mutter saß allein in ihrem Kontor an ihrem großen Schreibtisch. Wenn sie mit Henning oder Julius etwas zu besprechen hatte, dann saß sie ebenso steif da, und das Licht vom Fenster fiel größtenteils auf Henning oder Julius und kaum auf sie. Der einzige Unterschied jetzt war, daß sie die Ellbogen auf die Tischplatte gestützt und die Hände vor den Lippen gefaltet hatte, als ob sie sie anhauchte, um sie zu wärmen. Ihre Augen, vermutete er, betrachteten prüfend seine veränderte Kleidung, sein verstörtes Aussehen. Es machte ihm überhaupt nichts aus, daß sie sah, was sie ihm angetan hatte. Das hatte sie verdient. Dann ging er etwas näher heran und sah, daß sie die Augen geschlossen hatte.

Seine nächsten Schritte brachten ihn ganz dicht an den Schreibtisch. Statt ihn anzusehen, preßte sie die Lider noch fester zusammen. Dann schlug sie die Augen auf und nahm die Hände herunter. Als sie sprach, klang ihre Stimme, als ob ihre Zunge am Gaumen klebte. «Dein Freund», sagte sie, «kannte dich besser als ich. Nicolaas hatte mich gebeten, dir heute morgen alles zu sagen.»

Er stand vor ihr. «Du hättest das sowieso gesagt.»

Sie hatte den Blick nicht von seinem Gesicht gewandt, seit sie die Augen geöffnet hatte. «Sieh mich an, wie ein Erwachsener einen Erwachsenen ansieht. Denke an Nicolaas, wie ein Erwachsener an ihn denken würde. Denke an alles, was du von ihm und von mir und von dir selbst weißt. Wir drei lügen einander nichts vor.»

Er stellte fest, daß er angefangen hatte, wieder normal zu atmen.

Er reckte sich ein bißchen. «Aber du hast es mir nicht gesagt. Wohl damit ich es nicht verhinderte.»

«Ja.» Er wünschte, sie würde mehr sagen und protestieren und es zu erklären versuchen, damit er wieder wütend werden konnte.

«Dir war es also gleichgültig, wie mir zumute war? Du wolltest einfach die Heirat über die Bühne bringen, ehe ich davon hörte. Du wußtest, sie würde... ich würde...»

«Ich wußte, daß du sie undenkbar finden würdest. Ja, darum hatte ich gehofft, ich könnte die Sache so regeln, daß du den Wunsch verspüren würdest, darüber nachzudenken. Felix, du kennst Nicolaas sehr gut. Glaubst du, er würde versuchen, mich um seiner eigenen Ziele willen in eine Ehe hineinzulocken? Glaubst du das wirklich?»

Claes. Jahrein, jahraus an seiner Seite. Aber...

«Ach weißt du, er ist schlau.»

Ihr Gesicht entspannte sich, als ob sie wußte, wieviel es ihn gekostet hatte, das zu sagen. «Er ist auch klug. Wenn du das Gefühl hast, du könntest dich in der Öffentlichkeit kaum noch sehen lassen, ohne die Selbstachtung zu verlieren, so mußt du wissen, daß er dasselbe Gefühl hat. Er weiß, was die Leute sagen werden. Ich auch. Deshalb müssen wir sehr triftige Gründe gehabt haben, um diesen Schritt zu tun, meinst du nicht?»

«Die Firma.» Felix sagte es nachdrücklich und nicht mit der ungläubigen Verachtung, die er empfunden hatte, als er gekränkt war. «*Er* hat gerade gesagt, es gehe darum, die Firma in Gang zu halten, bis ich sie leiten könne. Als ob ich das so wollte. Als ob mein Vater dich jemals aufgefordert hätte... von dir erwartet hätte...»

«... daß ich einen seiner Lehrlinge heirate», beendete seine Mutter den Satz. Er hörte, daß sie tief Luft holte. «Nein, das hätte dein Vater nie gewollt. Aber dein Vater ist tot. Ich bin noch da. Auch mein Leben muß geführt werden. Es ist nicht mehr die Firma, die dein Vater aufgebaut hat, es ist eine ganz andere, und sie wird sich noch weiter verändern. Ich möchte dabeibleiben; ich möchte mein Leben lang darüber nachdenken. Aber das könnte ich nicht ohne Hilfe. Bis du so weit bist, wird ein Mann gebraucht, der der Firma nahesteht. Felix, ich will keinen Mann haben, der deines Vaters Platz einnimmt. Ich will nur einen Freund haben.» Sie hielt inne und fügte dann hinzu: «Und es wird jedermann, das verspreche ich dir, kund und zu wissen getan, daß Nicolaas nur ein Freund ist.»

Er spürte, wie sein Gesicht wieder rot anlief, weil solche Beteuerungen überhaupt nötig waren. Es klang so einleuchtend. Bloß daß er der Erbe und Nicolaas nur unwesentlich älter war als er. Und es war allgemein bekannt, daß Nicolaas sein Diener war.

«Die Menschen», sagte seine Mutter, «haben in unterschiedlichen Lebensabschnitten unterschiedliche Begabungen. Manchmal müssen wir mitansehen, daß andere den Preis davontragen, aber unsere Zeit kommt später. Es wäre engherzig, den anderen dann zurückhalten zu wollen. Nicolaas ist für dich und mich ein Freund. Du bist für mich ein Sohn. Was kann sich daran jemals ändern?»

Etwas bewegte sich auf seiner Wange, aber er konnte sich nicht vorstellen, daß er unwissentlich weinte. «Gerade eben hat er gesagt, er würde weggehen, wenn du es wünschtest. Er sagte aber auch, ich solle nicht erwarten, daß du in diesem Augenblick mich statt seiner erwählst, aber ich könnte dich fragen, und vielleicht würdest du es später tun.»

Seine Mutter antwortete nicht gleich. Schließlich sagte sie: «Wie könnte ich dich statt seiner erwählen? Du bist mein Sohn. Wo immer du bist, bist du erwählt. Und, Felix, wie könntest du besser dran sein, wenn Nicolaas weggeht, wenn alle Gelegenheiten versäumt werden und die Firma bankrott macht und mein Lebensweg enden muß? Nimmt ein Mann auf diese Weise seinen Platz in der Welt ein?»

Er erkannte dann an der Kälte auf seinem Kinn, daß er tatsächlich weinte. «Es war an der Poortersloge», sagte er und schürzte die Lippen gegen den Schmerz in der Kehle. Seine Lider zuckten, als er zum Schreibtisch blickte und sah, daß sie die Hände wieder zum Mund und dann zur Stirn gehoben hatte, so daß sie ihren Augen Schatten spendeten. Aus diesem Schatten heraus sagte sie: «Ich würde diesen ganzen Tag noch einmal über mich ergehen lassen, um dir das zu ersparen. Es hätte dir gesagt werden müssen. Es war mein Fehler. Ehrlich gesagt, eigentlich sollte ich diejenige sein, die weggeht. Vielleicht werdet ihr, du und Nicolaas, eines Tages beschließen, mich zu verlassen. Ich verdiene es.»

Unter ihren Händen hatten sich ihre Lippen zu einem gequälten Lächeln verzogen. Aber dann nahm sie die Hände herunter, und er sah, daß ihr Gesicht tränennaß war und ihr die Tränen über die glänzende Haut rannen. Dann war er bei ihr, sie hielten sich in den

Armen und preßten ihre feuchten Wangen aneinander. Es war das allererste Mal, daß sie zugab, Unrecht gehabt zu haben. Ein Erwachsener einem anderen Erwachsenen gegenüber. Sie hatte es selbst gesagt.

Irgendwann im Laufe des dann folgenden, immer wieder unterbrochenen Gesprächs hörte er sich sagen, er wolle, daß sie glücklich sei. Irgendwann in diesem Meinungsaustausch erfuhr er, ohne daß es ausgesprochen wurde, daß das Glück seiner Mutter untrennbar verknüpft sei mit Nicolaas. Das war für ihn nicht völlig neu. Denn sein Unglücklichsein war schließlich weitgehend darauf zurückzuführen gewesen. Doch auch früher hatte er Nicolaas mit anderen geteilt, vor allem mit Frauen. Er hatte den Kopf auf den Schoß seiner Mutter gelegt und ließ sich von ihr über das Haar streichen, bis sie sich wieder gefaßt hatte. Dann sagte er: «Es ist nicht mehr zu ändern, nehme ich an. Wenn du es wirklich willst, werde ich dir beistehen.»

Ein Erwachsener konnte es sich leisten, großmütig zu sein. Er war ihr Sohn und erwählt. Sie war eine Frau und so schwach, daß sie die Hilfe von Claes, seinem Diener, brauchte. Das könnte er ihr ersparen. Was genau, das würde sich ergeben: Wie genau er sich mit den bevorstehenden Geschehnissen abfinden würde, darüber wollte er lieber nicht nachdenken. Heute konnte sich seine arme Mutter auf ihn verlassen.

Er erwartete, daß sie ihm einen Kuß auf die Stirn drücken würde. Sie zögerte, dann klopfte sie ihm nur auf die Schulter, als er aufstand, und sah ihn mit verschleierten und besorgten Augen an. Er schniefte, beugte sich herab und küßte sie seinerseits herzhaft.

Kapitel 28

Messer Gregorio, der ruhig arbeitete und dabei die offene Tür im Auge behielt, hörte den Schritt seiner Brotherrin und war schon aufgestanden, als sie ins Zimmer trat. Sie bat ihn, sämtliche Arbeiter und das Hauspersonal in den größten Färberschuppen zu rufen und neben den Zahltisch eine Kiste zu stellen, auf die sie dann steigen wollte. Sie sprach ruhig und ohne ein Schwanken in der Stimme, aber ihre Lider waren ein wenig rot. Sie fügte hinzu: «Henning wird Euch behilflich sein. Ich habe ihn gebeten, in mein Zimmer zu kommen, so daß er die Nachricht als erster erfahren kann.» Untadelig. Untadelig von Anfang bis Ende, ein Lehrstück der Menschenführung. Nur die verspätete Benachrichtigung des Sohnes war ein Fehler gewesen. Es war schwer vorstellbar, wie der Diener des Sohnes das wieder in Ordnung bringen sollte.

Gregorio von Asti tat, wie ihm geheißen, und dann kam Henning mit gerötetem Gesicht und schloß sich ihm an. Ebenso wie er beantwortete Henning keine Fragen seiner Untergebenen. Schwatzend wie die Stare, strömte bald die gesamte Charetty-Belegschaft, von den Färbergesellen bis zu den Stalljungen, von der hochmögenden Köchin bis zu den Mägden, die Fußböden schrubbten und Gemüse putzten, in die Färberei.

Dann kam die Demoiselle im Sonntagsstaat aus dem Haus. Nicht in Begleitung ihres frisch angetrauten Ehemanns. Der junge Mann, der ihr auf den Hof folgte und ihr, als er sie eingeholt hatte, den Arm reichte, war, wie Gregorio fasziniert feststellte, ihr Sohn Felix de Charetty, etwas bleich und in einer Jacke, die nicht zu seinem Wams paßte. Sie hatten gerade den Färberschuppen erreicht, als eine Tür schlug und der Urheber der ganzen Geschichte zielstrebig auf den Hof kam. Köpfe drehten sich. Die lächelnden Gesichter ließen, wie Gregorio sah, keinen Groll erkennen. Claes stürzte, reichlich spät, über den Hof. Jetzt zwar Kurier und sehr vornehm, aber immer noch Claes. Er war groß und gut gebaut und aus der Ferne eine stattliche Erscheinung. Aus nächster Nähe war es natürlich nicht ganz so.

Jetzt kam er in den Färberschuppen und sah sich um. In seinem Gesicht konnte Gregorio keine Spur von Triumph, Scham oder Verlegenheit entdecken. Offenbar hatte er danach Ausschau gehalten, wo er, Gregorio, mit Henning stand. Sie waren in der Nähe der Demoiselle und ihres Sohnes, aber nicht neben ihm. Nicolaas drängte sich durch die Menge, trat zu Gregorio und Henning und wandte das Gesicht der Witwe zu. Sie stieg auf die Kiste, und alles wurde sehr still.

Es war keine ungewohnte Situation für sie. Schließlich hatte sie seit dem Tod ihres Mannes die Firma geleitet. Sie begann damit, daß sie allen für die ihr geleistete Hilfe und für ihre Treue dankte. Dann sprach sie davon, daß die Zeiten schwierig gewesen seien, nachdem ihr Mann gestorben war, davon, daß sich die Wünsche der Kunden verändert hätten, und davon, mit welcher Art von Geschäften man Geld verdienen könne und mit welchen nicht. Es habe sich im Laufe des letzten Jahres gezeigt, daß die Firma Charetty sehr solide sei und, vorausgesetzt, sie gehe mit der Zeit mit, noch solider werden könne, vielleicht sogar sehr reich. Sie freue sich, ihnen das zu sagen, denn sie hoffe, daß alle bei ihr bleiben und an dem, was komme, teilhaben werden.

Bei alldem sei ihr viel Hilfe gewährt worden. Insbesondere von ihrem Betriebsleiter Henning und von Meester Julius, der abwesend sei, aber zurückkommen und ihr weiterhin helfen werde. Doch habe sie auch von einem von ihnen Unterstützung erhalten, und zwar von Claes, den sie nun, da er Kurier sei, Nicolaas nennen sollten. In den letzten sechs Monaten seien viele gute Gedanken über die Führung des Betriebs von Nicolaas gekommen. Er habe eine Begabung dafür. Er könnte mit seiner Begabung zu irgendeinem anderen Unternehmen gehen und es sehr erfolgreich machen. Aber um ihn zu bewegen, bei der Firma Charetty zu bleiben, habe sie, die Eigentümerin, sich zu einem bedeutsamen Schritt entschlossen.

Nicolaas sei ein junger Mann, der eine große Zukunft vor sich habe. Sie übertrage ihm daher die Geschäftsführung der Firma. Nach wie vor werde Henning Betriebsleiter sein und Nicolaas mit Rat und Tat zur Seite stehen, wie bisher ihr. Messer Gregorio werde einstweilen Meester Julius vertreten und ihn nach seiner Rückkehr unterstützen. Und ihr Sohn Felix werde an Nicolaas' Seite sein, um sich zu unterrichten und zu gegebener Zeit ihren Platz der Eigentümerin einzunehmen.

Wegen des aufkommenden Gemurmels hielt sie an dieser Stelle

inne. Köpfe reckten sich. Ausrufe. Unauffällig ließ Gregorio seinen forschenden Blick über die Umstehenden gleiten. Henning, dessen Gesicht immer noch gerötet war, starrte vor sich hin ins Leere. Der Knabe Felix, sehr aufrecht neben der Kiste, auf der seine Mutter stand, blickte die Arbeiter an, als ob er sie haßte. Nicolaas stand ganz still, völlig konzentriert und aufmerksam. Alle beobachtete er, wie Gregorio feststellte, von seiner Frau bis zu den Leuten, die an den Färberküpen seine Freunde gewesen sein mußten.

Die Witwe fuhr fort: «Ihr werdet Nicolaas Verständnis entgegenbringen müssen und ihn so unterstützen, wie ihr nur könnt, denn er hat für alle eine sehr große Aufgabe übernommen. Aber ich glaube, ihr könnt mir dankbar dafür sein, daß ich nicht einen Fremden in die Firma geholt habe. Ihr kennt einander. Er ist schon lange hier. Natürlich hat seine Ernennung noch ein anderes Problem aufgeworfen. Wie ihr wißt, bin ich verwitwet und schutzlos, wie eine Frau nun einmal ist. Ich wollte keinen Ehemann haben, der mir gefällt, aber euch nicht, die ihr gewissermaßen auch zu meiner Familie gehört. Jetzt muß ich mich mit der Tatsache abfinden, daß ich mein Haus und die meisten meiner Angelegenheiten mit meinem neuen Geschäftsführer teile.»

Felix senkte den Blick. Nicolaas hingegen hob den seinen. Marian de Charetty sah ihn an und lächelte. Mit fester Stimme sagte sie: «Es schien nur eine einzige vernünftige Lösung zu geben. Ich fragte ihn, ob er unbeschadet des Geschäfts, an dem ihm kein Gewinnanteil zustehen wird, bereit wäre, diese Anstellung mit einer Heirat zu verbinden. Er war einverstanden. Ein Ehevertrag zwischen uns ist heute morgen besiegelt worden.»

Schweigen. Dann ein wimmernder Klagelaut mit einem gemurmelten Unterton. Dann ein Stimmengewirr. Die hohen Töne stammten von Frauen. Die lächelnden Gesichter, stellte Gregorio fest, waren ausschließlich weibliche. Und was die Frauen dachten, war so offenkundig, als ob sie es lauthals verkündeten: Ein kräftiger Bursche in ihrem Bett! Schön für die Witwe!

Die Witwe selbst lächelte. Es war ein starres Lächeln, aber ein echtes. Wenn sie zitterte, dann sah man es nicht. Sie hatte Mut. Natürlich hatte sie Mut, sonst hätte sie sich auf die ganze Sache gar nicht eingelassen.

Eine Frau schrie gellend: «Ein dreifaches Hoch auf die Demoiselle!», und es waren Frauen, die mit den Hochrufen begannen, während die meisten Männer erst in den dritten einstimmten. Sie machten unterschiedliche Gesichter. Sie waren sich noch nicht darüber klar, was sie empfanden. Sie würden es erst wissen, wenn diese Versammlung vorbei war und sie sich in einem Winkel zusammenscharen konnten.

Marian de Charetty sagte: «Ich danke euch. Mir erschien es angebracht, dieses Ereignis zu feiern. Ich sehe, daß die Sonne noch scheint. Wenn ihr euch auf den Hof begebt, wird Henning einige Männer nehmen und ein Weinfaß herausbringen, so daß ihr auf unser Wohl anstoßen könnt. Und auf eures. Und das der Firma.»

Es war vorbei. Die Demoiselle stieg mit Hilfe ihres Sohnes von der Kiste herunter. Zögernd kamen einige ihrer Leute auf sie zu, um mit ihr zu reden. Sie gab einem nach dem anderen die Hand, lächelte und sprach kurz mit ihnen. Henning war schweigend weggegangen, um seinen Auftrag auszuführen. Man sah, daß Nicolaas ihm mit den Augen folgte, dann traten ein oder zwei der weniger zurückhaltenden Männer zu ihm, und bald umgab ihn eine kleine Gruppe, die immer größer wurde.

Gregorio sah, daß er keinen Versuch unternahm, sich neben die Demoiselle zu stellen und aus dem Anlaß einen Hochzeitsempfang zu machen. Die versuchsweise zum besten gegebenen Witze schien er nicht zu hören. Fragen nach seiner und ihrer Arbeit beantwortete er bereitwillig, sogar begeistert, so daß einige der Fachleute unter den Umstehenden davon angesteckt wurden, näher herankamen und weitere Fragen stellten. Schließlich ging Nicolaas mit einer ganzen Schar von Leuten hinaus und setzte sich auf ein altes Faß. Nach einer Weile erhob sich Gelächter. Noch mehr Männer kamen auf den Hof und schlossen sich ihm an.

Die Demoiselle war immer noch von genügend Leuten umringt, um die Aufteilung gerecht erscheinen zu lassen. Messer Gregorio ging zu ihr und ihrem Sohn hinüber. «Demoiselle, meinen Glückwunsch», sagte er. «Des Herzogs Schatzmeister hätte nicht besser oder klüger sprechen können.»

«Ich hatte Felix, der mich beriet», erwiderte sie. «Kommt der Wein?»

Er war gekommen. Ohne Hast löste sich die Menge um Nicolaas auf oder bildete sich vielmehr neu, so daß sich ihr Mittelpunkt zu dem Tisch verschob, auf dem die Becher standen. Der Wein wurde eingeschenkt. Die Witwe hob ihren Becher und brachte einen Trinkspruch auf die Anwesenden aus, die dann auf ihr Wohl tranken. Anschließend ging sie mit ihrem Sohn ins Haus. Gregorio wartete interessiert ab.

«Natürlich», sagte Nicolaas, «würde ich gern draußen bleiben und mich mit all meinen Freunden betrinken, aber ich nehme an, Ihr und ich sollten hineingehen. Ich habe Henning gesagt, sie könnten eine halbe Stunde lang nach Herzenslust trinken, und dann solle er zu uns hereinkommen.»

Gregorios Gesicht blieb ernst. Nur mühsam bezwang er seine Neugierde und fragte nicht, wie Felix de Charetty hatte gewonnen werden können. Seiner Miene nach zu urteilen war er zwar nicht gerade bekehrt, doch sie hatten ihn zumindest überredet mitzumachen. Statt dessen fragte Gregorio: «Wieso kamt Ihr so spät?» Sie machten sich gemeinsam zum Haus auf.

«Ein Brief von … ein Brief. Ich werde der Demoiselle später darüber berichten. Ich muß möglichst bald nach Italien aufbrechen. Am Tag nach dem Tjost.»

«Schwierigkeiten?» fragte Meester Gregorio.

«Nun ja, Schwierigkeiten insofern, als ich gehofft hatte, länger bleiben zu können, um alles zu regeln. Es ist nicht gerecht Euch und der Demoiselle gegenüber. Ich werde noch soviel erledigen, wie ich kann. In einer Beziehung ist es ganz gut, wenn ich früher aufbreche. Die Aufregung kann sich dann allmählich legen. Die Leute würden in aller Öffentlichkeit mit mir Streit suchen, aber nicht mit der Demoiselle.»

«Wer würde mit Euch Streit suchen?»

«Derjenige, an den Ihr denkt», erwiderte Nicolaas ohne Feindseligkeit. «Wir sollen ins Wohnzimmer gehen. Es gibt den besonderen Wein.»

«Und Italien?» wollte Gregorio wissen. «Was für Schwierigkeiten gibt es in Italien?»

«Die Schwierigkeit in Italien ist, daß Giacomo Piccinino die Seite gewechselt hat.»

Das hatte so wenig mit Färberküpen und Hochzeiten und Wein im Wohnzimmer zu tun, daß Gregorio stirnrunzelnd fragte: «Der Condottiere? Er stand doch im Sold des Königs von Ferrante von Neapel. Ach so, ich verstehe. Die Charetty-Truppe und Hauptmann Astorre unterstützen jetzt ein geschwächtes Heer. Piccinino hat also zu den Mitgliedern des Hauses Plantagenet übergewechselt?»

«Ja, Piccinino unterstützt jetzt den Herzog von Kalabrien.»

Sie waren an der Haustür angekommen. «Aber was könnt Ihr tun?» fragte Meester Gregorio und starrte Nicolaas an.

«Eigenhändig die Wende im Krieg herbeiführen. Ach wo! Bei Piccinino befindet sich ein Mann namens Lionetto. Ich mag nicht, daß er auf der falschen Seite ist.»

«Das verstehe ich nicht.»

«Kann ich mir denken. Ist auch gut so», sagte der ungewöhnliche junge Mann. «Sonst würdet Ihr auf der Stelle kehrtmachen und weggehen. Ich warne Euch. Bleibt nicht in dieser Firma, wenn Ihr gern alles friedlich habt.»

Mit Einbruch der Dunkelheit überkam Marian de Charetty Erschöpfung. Die Gespräche, die Vorkehrungen hatten den ganzen Abend gedauert. Tilde, die nicht zum Wein ins Wohnzimmer gekommen war, erschien zum Abendessen und setzte sich mit Felix, Catherine, Nicolaas und ihrer Mutter zu Tisch. Ihr Gesicht war ausdruckslos und verquollen, aber wenigstens antwortete sie, wenn sie angesprochen wurde, und hielt die Hand ihrer Mutter, neben der sie saß. Nicolaas ließ sie in Ruhe und sprach über das Tjostieren.

Man konnte sehen, wie der Gedanke in Felix' Kopf eindrang und dort Gestalt annahm. Man konnte sehen, wie er, statt einsilbige Antworten zu geben, gesprächig wurde. So war es keine Überraschung, als er ziemlich laut fragte: «Hast du nicht gesagt, Mutter und ich würden feststellen, daß die Firma bemerkenswert viel Geld verdienen wird? In diesem Fall, nehme ich an, könnte sie doch wohl für ein zusätzliches Pferd oder zwei und, sagen wir, einen Schild aufkommen?»

Nicolaas' Antwort, der seelenruhig zustimmte, stand im Widerspruch zu der scharfen Ablehnung von Felix' Mutter. Sie sah Nicolaas an. Er erklärte: «Ich sehe nicht ein, warum nicht. Er steht an der Spitze des Unternehmens. Er sollte beim Weißen Bären eine gute Figur machen.»

«Ich dachte...» sagte sie und hielt plötzlich inne.

«Ihr dachtet, die Firma könnte es sich nicht leisten. Das habe ich auch gedacht. Aber die Leute haben heute nachmittag nur halb soviel Wein getrunken, wie ich angenommen hatte, und die Hochzeit kam billig.» Er lächelte sie an. Tilde sah verwirrt von einer Seite zur anderen. Marian begriff, daß die Familie natürlich von ihm erwartete, daß er sparen und die Ausgaben beschränken würde. Mit einem Trick hatte er sie dazu gebracht, daß sie ihm Freigebigkeit zugestand.

Später, als die Mahlzeit beendet und Tilde und Felix gegangen waren und Catherine schon im großen Bett ihrer Mutter schlief, war Marian vor dem Kamin im Wohnzimmer zum erstenmal mit ihrem Ehemann allein. Er war den ganzen Tag dagewesen, doch hätte es gewissermaßen auch Henning sein können. Nur daß Henning auch in tausend Jahren nicht all das zustande gebracht hätte, was Nicolaas seit dem letzten Abend bewerkstelligt hatte. Auch Cornelis nicht.

Mit Cornelis hatte sie natürlich eine Hochzeitsnacht gehabt. Und sie selbst hatte Nicolaas klargemacht, daß es keine geben würde. Er hatte eingewilligt und sogar dafür gesorgt, daß Catherine bei ihr schlief. Und er hatte auch all die gemeinsamen Ankündigungen in die Wege geleitet, die der Öffentlichkeit die Grundlagen seiner Ehe bekanntgaben. Um ihretwillen, das wußte sie.

Aus demselben Grund mußte er ihr Schlafzimmer bald verlassen und das Zimmer aufsuchen, das er sich in einem anderen Flügel eingerichtet hatte. Als sie zurückkam, nachdem sie nachgeschaut hatte, ob Catherine schlief, schenkte sie ihm noch einen letzten Becher Wein ein und sah im Schein des Feuers, daß seine Lider schwer waren. Sie fragte sich, ob seine letzte Nacht auch schlaflos gewesen war, oder ob er sie in traumloser und zuversichtlicher Ruhe verbracht hatte. Er sagte plötzlich: «Entschuldigung. Ihr müßt auch müde sein.»

Er sprach, als ob sie nie zusammen gewesen wären, außer um lebhaft Konversation zu machen. Als ob sie ihn, der während seiner Krankheit in Fieberträumen oben im Bett gelegen hatte, nie gepflegt hätte. «Ich glaube», sagte sie, «es gibt nichts auf der Welt, worüber ich jetzt reden möchte. Doch, über etwas. Den Tjost.»

«Er wird nicht teilnehmen. Auf mein Wort!»

«Nach all den Ausgaben? Zwei Pferde? Ein Schild?» Ihr Lächeln vertiefte sich.

«Bedenkt doch, wie freigebig ich mit Eurem Geld war. Es verleiht ihm ... es wird ihm bei seinen Freunden helfen.»

«Du meinst, er kann sich damit brüsten, wie er dich ausnutzt?»

«So ungefähr. Außerdem verdient er es.» Nicolaas schloß die Augen. «Du lieber Himmel, ich muß gehen», sagte er, öffnete sie wieder und stand auf.

Er zögerte. Sie saß da, ganz erschöpft vor Müdigkeit, und versuchte, ihn zu zwingen, nichts mehr zu sagen. Keine gut erfundene, gekonnte Koda zu der ganzen Angelegenheit, wobei von ihr erwartet würde, daß sie ebenso gekonnt antwortete.

«Ich glaube, Ihr werdet wahrscheinlich dann noch schlafen. Ich werde den ganzen Morgen im Betrieb oder im Kontor blieben. Schickt nach mir, wenn Ihr mich sehen wollt.»

Er schenkte ihr plötzlich ein strahlendes Lächeln. Seine Augen waren immer noch halb geschlossen. Sie erwiderte sein Lächeln und sagte: «Gute Nacht, Nicolaas», und sah ihm nach, als er zur Tür ging. Er drehte sich um, die Hand auf der Klinke und holte Luft, um etwas zu sagen, aber lächelte dann nur.

Sie hätte es dabei belassen sollen, aber sie fragte: «Was wolltest du eben sagen?»

«Ich wollte um einen Gefallen bitten, überlegte es mir dann aber doch anders.»

Sie wurde angenehm neugierig. Der Ton seiner Stimme ließ deutlich erkennen, daß sie nicht beunruhigt zu sein brauchte. «Da du es dir nun anders überlegt hast, kannst du mir ja ruhig sagen, was es war.»

«Ich weiß nicht, welche Farbe Euer Haar hat.»

Sie spürte, wie ihre Lebensgeister erwachten. Ihr Gesicht brannte von der Hitze des Kaminfeuers. Der Blick, der schläfrig auf ihr ruhte, wies alle entwaffnenden Nuancen von Zuneinung, Schalkhaftigkeit und flehentlichen Bitten auf. Das geschrubbte Gesicht bei der Messe, das gebändigte Haar und das Aufblitzen von Belustigung über irgendein harmloses Komplott.

Marian de Charetty erhob sich von ihrem Platz am Kamin, sah dem Jüngling lächelnd in die Augen und zog die Nadeln heraus, mit denen die runde, wattierte Haube befestigt war, die sie den ganzen Tag getragen hatte.

Morgens hatte sie keine Zeit gehabt, das Haar darunter festzustecken, wie sie es gewöhnlich tat. Sie hob das stabile Haubengestell an und schüttelte den Kopf, so daß sich das unter der Haube verborgene Haar entrollte und ihr über Brust und Rücken und Schultern fiel. Es hatte die Farbe ihrer Ärmel: das dunkle Braun von Lampenruß, vermischt mit Gelberde und dem roten Widerschein von Zinnober. Es war das erste, was sie gelernt hatte: wie man Stoff so färbt, daß ihr Haar dadurch vorteilhaft zur Geltung gebracht wurde. Wenn sie es abends öffnete, pflegte Cornelis es mit Seide aus Kathei zu vergleichen.

Jetzt betrachtete es ihr zweiter Ehemann geruhsam und sagte einfach: «Ja, ich habe, glaube ich, recht gehabt.»

Undeutlich kam ihr zum Bewußtsein, daß er natürlich die Schattierung ihres Haars gekannt hatte. Auch wenn es bedeckt gewesen war, mußte irgendwann einmal der Haaransatz unter dem Drahtgestell zu sehen gewesen sein. Und daher war er sicher gewesen, daß es kein Grau gab, das ihr Schande machte. Es war die wortlose Koda, die sie gefürchtet hatte. Und obwohl sie vielleicht seine Schlußfolgerung durchschaute, konnte sie ihm die Überlegung, die dazu geführt hatte, nicht zum Vorwurf machen. Sie lächelte und sagte: «Nächstes Mal wird es schwarz sein. Ich wechsle die Farbe alle fünf Tage. Wozu bin ich sonst Inhaberin einer Färberei?»

Er feixte. «Das wäre, glaube ich, Grund für eine Nichtigkeitserklärung der Ehe. Bis morgen.»

Er schloß die Tür, und sie setzte sich wieder hin, umwallt von dem schimmernden Haar.

Kapitel 29

Wäre Ostern nicht in die Zeit zwischen ihrer erstaunlichen Personenstandsänderung und dem Tjost der Bruderschaft des Weißen Bären gefallen, hätte die Lage für Marian de Charetty schwieriger ausgesehen. So aber ging die Eigentümerin der Firma Charetty am Morgen nach ihrer Heirat gleich ihren üblichen Geschäften in Lagerhäusern, Kontoren und auf Märkten nach, während man auf den Straßen das wütende Klappern von Webstühlen, das Quietschen von Pumpen und das Rumpeln von Karren und Wagen hörte, denn die Stadt eilte sich, alle Arbeiten zu beenden, um bereit zu sein für die Anforderungen der Kirche und die Freuden des anschließenden Festes.

Natürlich war es reine Neugier, wenn die Leute Marian de Charetty begrüßten; und diejenigen, die wirkliche Freunde waren, taten ihr Bestes, um sie in ihrem Gefühl zu bestärken, sie habe richtig gewählt, was immer sie auch persönlich dachten. Geschäftsleute neigten dazu, bei Beginn einer Verhandlung eine freundliche, wenn auch kursorische Bemerkung zu machen, sie müßten nun vorsichtig sein, denn die Demoiselle könne sich ja jetzt auf den Rat dieses jungen Mannes stützen. Diejenigen, die mit der Familie Adorne befreundet waren oder sie schützten, waren sowohl höflich als auch behutsam.

Nur die Kinder waren weder das eine noch das andere. Es waren nicht viele, aber wenn die Demoiselle das Kichern hinter einer Brückenmauer oder vom Fuß einer Treppe oder von einem Hauseingang hörte, wußte sie, daß es nur ein Echo der Erwachsenengespräche war: die Rede einer empörten Mutter oder eines verblüfften Dienstmädchens. Ein einziges Mal war sie wirklich verletzt, als drei kindliche Soprane den Ruf *Mankebele! Mankebele!* anstimmten – Hinkepott Isabelle, die legendäre Wucherin und Kupplerin. Sie drehte sich nicht um und wollte nicht wissen, zu welcher Familie die Kinder gehörten und erzählte auch niemandem von dem Vorfall.

Wie er versprochen hatte, verbrachte Nicolaas den ersten Vormittag nach der Hochzeit auf dem Betriebsgelände und hielt sich seitdem einen Teil jedes Tages dort auf. Es war natürlich überaus wichtig, daß er das tat. Die Aufregung im Betrieb mußte sich legen, die verletzte Würde wiederhergestellt und ein neues System geschaffen werden, das akzeptabel war und weiterbestehen würde, wenn er nicht da war.

Dafür brauchten sie beide Gregorio, und ihm widmete Nicolaas den größten Teil seiner Zeit und sein ganzes Feingefühl. An der Tüchtigkeit des Syndikus bestand kein Zweifel. Aber er mußte auch beweisen, daß er mit den Arbeitern zurechtkam und Verständnis für sie hatte. Nicolaas hatte seine Neugier erregt, aber es war ein zynisches Interesse, das wußte Marian. Ehe er weiteren Zugang zur Betriebsführung erhielt, mußte seine Loyalität gesichert sein. Noch zwei Wochen Zeit, Ostern nicht mitgerechnet. Zusammen mit Gregorio setzte Nicolaas die Umorganisation des Unternehmens fort, die er schon begonnen hatte. Mieter wurden gefunden für einen Teil des neuen Grundbesitzes. Arbeiter wurden für Reparaturen und Umbauten der übrigen Gebäude eingesetzt. Nicolaas wollte größere Lagerräume haben, die zentraler gelegen und besser zugänglich waren. Daher blieb die Färberei unter der Leitung von Henning, Bellobras, Lippin und der Demoiselle persönlich auf dem jetzigen weitläufigen Gelände am Kanalufer, wo die Abwässer und die Gerüche weniger störend waren.

Die Wohnräume der Familie blieben dort, auch das Kontor der Demoiselle. Aber das teure Haus in der Spanjaardstraat wurde der Verwaltungssitz des Unternehmens. Marian hatte da ebenfalls ein Arbeitszimmer, das groß genug war, so daß sie dort Kunden oder Geschäftsfreunde empfangen konnte, wenn sie wollte. Das geräumigste Zimmer wurde zur Kanzlei, in der Nicolaas und Gregorio jeder einen Schreibtisch hatten. Außerdem wurden zwei weitere Schreiber eingestellt sowie ein Junge für Botengänge, eine Wirtschafterin und ein Mann für schwerere Arbeiten, der sich auch um den kleinen Stall kümmerte.

Daß Nicolaas im großen und ganzen recht hatte, wußte Marian. Schon zu der Zeit, als der Betrieb noch kleiner war, bedeutete es einen fortwährenden Kampf, auch nur mit den knappsten Aufzeichnungen auf dem laufenden zu bleiben, und sie selbst hatte da nicht gerade für Abhilfe gesorgt, indem sie darauf bestand, daß Julius die Hälfte seiner Arbeitszeit mit Felix verbrachte. Astorres Aufgebot, das erste seit einem Jahr, hatte die Lage verschlimmert. Kontrakte erforderten Register, zumindest in doppelter Ausfertigung. Ein Mann, der für einen kämpfte, mußte seinen Namen und den Ort, wo sein Heim und seine Verwandten waren, vermerken lassen, ebenso seine Waffen und Rüstung und Einzelheiten über sein Pferd, bis hin zu dessen Zeichnung. Die Bücher für diese Eintragungen stapelten sich jetzt zusammen mit den Hauptbüchern für die Färberei und das Pfandleihgeschäft auf Regalen, ebenso die Abschriften der Bücher für Löwen, die überprüft werden mußten. Bei einer der vielen Besprechungen in diesen Tagen hatte Nicolaas die Demoiselle gefragt, ob sie etwas dagegen habe, wenn er den Makler Cristoffels kommen lasse, damit die Zukunft von Löwen besprochen werden könne.

Bei allem hatte auch Gregorio ein Mitspracherecht. Die längerfristigen Vorhaben vertraute ihm Nicolaas nicht an, sondern nahm sie ganz auf seine Schultern. Über das meiste, was er tat, glaubte Marian de Charetty Bescheid zu wissen. Er erstattete ihr getreulich Bericht. Aber manchmal, wenn sie die Aufschriften auf den Briefen sah, die er nach Genf, Mailand, Venedig oder Florenz schickte, fiel es ihr schwer, ihre Beklommenheit zu verbergen. Diese gewagten Unternehmungen waren einfach zu gewaltig. Er hatte sie beruhigt. Es wurde in seinem Namen unternommen, und wenn es fehlschlug, würden nur er und seine anderen Teilhaber darunter leiden. Dennoch war sie immer noch besorgt.

Sie konnte sich auch vorstellen, daß nicht alles ganz glattging. Wenn er ohne sie einen geschäftlichen Besuch machte, fragten die Leute oft nach seiner Befugnis, entweder weil sie von seinem neuen Status noch nichts wußten oder um ihn in Verlegenheit zu bringen. Einmal wurde ein Bote zu ihr geschickt, der um ihre Genehmigung bitten sollte. Sie war wütend gewesen, aber Nicolaas hatte die ganze Angelegenheit sehr gleichmütig hingenommen. Ihm sei das noch lieber als das Verhalten der Kaufleute, die ihm lächelnd falsche Zahlen andrehen wollen, sagte er.

Vom Gildemeister der englischen Kaufleute hörte Marian, Nicolaas habe Colard Mansion aufgesucht, und sie fragte sich, ob er seinen Freund für die Briefe einspanne, die er seinen Schreibern nicht anvertrauen konnte. Erst später, als sie einige Seiten las, die er für sie dagelassen hatte, wurde ihr klar, daß seine Schrift, die man früher nicht hatte entziffern können, weil er zu schnell schrieb, jetzt sehr viel lesbarer war, ohne daß er langsamer geschrieben hätte.

Er hatte erstaunlicherweise auch noch für andere Dinge Zeit gefunden. Die wenig exklusive Bogenschützengesellschaft des heiligen Sebastian hatte ihn als Mitglied aufgenommen, und er verbrachte dort täglich eine Stunde mit Scheibenschießen und wurde auf diese Weise mit den anderen Mitgliedern bekannt. Er besuchte auch den kleinen Gießer, der einen Teil von Astorres Rüstungsbedarf gedeckt hatte und ein Waffenmeister gewesen war. Felix war es, der seiner Mutter erzählte, daß Nicolaas seine kürzlich erworbenen Kenntnisse der Kriegskunst wieder auffrischte. Um all das Geld zu schützen, das er zu verdienen gedenke, hatte Felix gemeint.

Der Waffenstillstand vom Hochzeitstag hatte nicht lange gewährt.

Jetzt hinterbrachte er seiner Mutter von Zeit zu Zeit jedes bißchen Klatsch über Nicolaas, das er aufschnappen konnte. Sofern sie das Zimmer nicht verließ, was sie manchmal tat, konnte sie sich nicht dagegen wehren. Bisher war ihr fast alles schon bekannt gewesen. Zum Glück war Felix meist außer Haus und übte. Er hatte die noch fehlenden Teile seiner Tjost-Ausrüstung gekauft, weit großartiger und weit teurer, als vernünftig war, aber sie hatte keine Einwände erhoben, weil Nicolaas es auch nicht getan hatte. Als die Tage vergingen und sich der Zeitpunkt des Turniers näherte, versuchte sie, nicht daran zu denken, obwohl Felix bei jeder Mahlzeit mit leuchtenden Augen die Namen der berühmten Männer aufzählte, die teilnehmen sollten.

Mit leuchtenden Augen und voll ängstlichen Trotzes. Wenn er vor ihrer Heirat verletzlich gewesen war, dann war er jetzt mit seiner gespielten Tapferkeit doppelt verletzlich. Er tat ihr leid, und sie fragte sich, wie er zurechtkäme, da er sie einerseits verachtete, andererseits aber verteidigte. Einmal kam er mit einem Bluterguß auf der Wange nach Hause, gab aber keine Erklärungen darüber ab. Und die Frau eines ihrer Kunden hatte ihr voll Bewunderung berichtet, wie ihr lieber Sohn Felix neulich für seine Mutter eingetreten war, als eines dieser schlecht erzogenen Mädchen aus Damme so taktlos gewesen war. Die Tochter des Pfandleihers war es. Die Tochter von Oudenin, dem Pfandleiher.

Wenn er zu Hause war, hielt er sich bei seinen Schwestern auf oder bei Henning und seinen Stellvertretern. Gregorio übersah er geflissentlich, von dem er (mit Fug und Recht, wie seine Mutter vermutete) annahm, daß er dabei war, sich auf Nicolaas' Seite ziehen zu lassen. Mit Nicolaas sprach Felix überhaupt nicht, beobachtete ihn aber oft ausgiebig. Wenn er das tat, hatte er einen Ausdruck in den Augen, der Marian seltsamerweise an Cornelis erinnerte. Es war ein berechnender Blick.

Zu Ostern empfing sie keine Gäste; seit Cornelis' Tod hatte sie es sowieso selten getan. Allerdings erhielt sie Einladungen. Eine kam von der Familie Adorne. Tilde und Catherine verbrachten dann den Tag mit ihrer Mutter und Nicolaas im *Hôtel Jerusalem*, während Felix anderweitig verabredet war. Sie wurden freundlich aufgenommen, und Marian war dankbar.

Die Einladung von Wolfaert van Borselen stand auf einem anderen Blatt. Schon weil er mit einer schottischen Prinzessin verheiratet war – einer der sechs Schwestern des schottischen Königs, die ihn mit halb Europa verschwägern sollten: mit Frankreich und Savoyen, mit der Bretagne, Tirol und Seeland.

Marian de Charetty kannte die Prinzessin und ihren Mann und wußte, daß sie in ihrem Schloß in Veere großen Aufwand trieben und es auch in ihrem Stadthaus mit dem hohen Giebel in Brügge, in das sie und Nicolaas zum Abendessen geladen waren, sehr förmlich zuging.

Als der Tag kam, stand die Demoiselle in ihrem Schlafzimmer zwischen ihren ringsum ausgebreiteten Gewändern und dachte an das, was sie erwartete. Sie nahm an, daß sie Charles sehen würde, den achtjährigen Sohn der van Borselen. Wahrscheinlich auch Ludwig von Brügge, Herrn von Gruuthuse, dessen Frau eine van Borselen war, und vielleicht Guildolf, einen Verwandten der Gruuthuse, der noch unverheiratet war. Gewiß würden Florens van Borselen und seine Frau da sein, aber nicht ihre Tochter Katelina, die sich jetzt in der Bretagne aufhielt. Marian erinnerte sich, daß das Mädchen bei dem Vorfall in Damme dabeigewesen war, der für Nicolaas mit Auspeitschen endete.

Felix, Julius und Claes. Die Scherereien, die sie verursacht hatten.

Ihre Augen wurden feucht. Sie wandte ihre Gedanken entschlossen der Auswahl der Kleider zu, die nicht groß war. Ihr bestes Kleid, ihre eleganteste Haube, die wie immer ihr Haar verbarg. Sie machte sich da keine Illusionen. Nichts Bräutliches, nichts Jugendliches, nichts anderes als sonst, um neugierige Beobachter hinters Licht zu führen. Daß sie, wenn sie abends allein war, die Haube abnahm und ihr Haar, weil es ihr Freude machte, offen trug, ging niemanden etwas an.

Auf seine Bitten hin hatte sie Nicolaas' Garderobe inspiziert. Wieder hatte Felix die spöttische Bemerkung fallen lassen, Freund Nicolaas sei jetzt Kunde bei einem Schneider. Da er nicht anders gekleidet war als vorher, konnte sie nur annehmen, daß er Ersatz brauchte. Dann bemerkte sie, daß die Wämse, Jacken und Hosen zwar immer noch dieselben gedämpften Farben aufwiesen, aber von besserem Schnitt und aus soliderem Stoff waren, eben wie es einem Geschäftsführer ihres Betriebs zukam. Außerdem hatte er sich einen mantelartigen Überrock mit einem nicht sehr aufwendigen Pelzbesatz machen lassen. Im Gegensatz zu ihr hatte er vorausgesehen, daß es einen Anlaß geben würde, ihn zu tragen.

Sie war neugierig und hatte sich die Hauptbücher angesehen, aber die Rechnungen für diese Kleidungsstücke erschienen da nicht. Das bedeutete sehr wenig. Er könnte einen Gewinn erzielen und den Betrag an einem Vormittag wieder ausgeben, und sie würde es nie erfahren. Aber sie hatte das Gefühl, ohne zu wissen warum, daß er auf andere Weise dafür bezahlt hatte. Sie hatte keine Bemerkung darüber gemacht, als sie den Mantel in die Hand nahm und begutachtete. Er war passend für den Anlaß.

Der Abend stellte sich als sehr vergnüglich heraus, hatte aber einige Anstrengung und viel harte Arbeit gekostet. Das Haus war voll von Wachskerzen und Leuten, und die Gespräche der Leute wurden von Trompeten übertönt. Alle, die Marian erwartet hatte, waren da, und noch viele andere. Sie unterhielt sich mit Ludwig von Gruuthuses Frau, die aufgeweckt und freundlich war und ihr sagte, wie fasziniert ihr Mann von dem jungen Nicolaas und seinem Interesse für Schießpulver gewesen sei.

Sie sprach mit Guildolf von Gruuthuse, den sie mochte und der mit seinen fünfzehn Jahren in mancher Beziehung erwachsener war als Felix.

Sie sprach mit Katelina van Borselens Vater, der ihr Komplimente machte und sagte, er würde gern mehr über diesen Kurierdienst erfahren, den der energische junge Nicolaas aufgezogen habe. Wie sie sehen könne, strömten die Schotten bereits nach Brügge zur heiligen Blutprozession und zur Messe, und es würde ihn sehr wundern, wenn sich darunter nicht einige neue Kunden befänden, die gern Briefe nach Italien schicken würden.

In der Tat sah sie auch hier ziemlich viele Schotten, was nicht erstaunlich war. Wylie, George Martin, der Mann, den sie Sandy Napier nannten und mit dem Nicolaas sprach. Einige von ihnen hatten vermutlich im vorigen Jahr zu Bischof Kennedys Passagieren in Damme gehört. Sie fragte sich, ob sich noch jemand von ihnen an die Sache mit dem Lehrling Claes und der Kanone erinnerte und was sie von dem Ganzen hielten. Napiers Gesicht, das sah sie, drückte nichts als lebhaftes Interesse aus.

Beim Abendessen saß sie neben Jean de Ghistelles, dem Oberjägermeister von Flandern, der mit Gruuthuses Schwester verheiratet war. Nicolaas, den man jetzt nicht mehr an Hand seiner großartigen Lachanfälle aufspürte, saß auf der anderen Seite von Graf Franck und neben einem sehr jungen und sehr pummeligen Mädchen, das Marian nach einigem Nachdenken als Florens van Borselens jüngere Tochter erkannte. Gelis, die Tilde beim Karneval so erbittert hatte. Marian lächelte ihr über den Tisch hinweg zu. Hätte Nicolaas es nicht so gut mit Kindern verstanden, hätte er ihr leid getan.

Ihr Mitgefühl oder das von irgend jemand anderem wäre nicht unangebracht gewesen. Von dem Augenblick an, da er das eisige Gesicht des fetten Kindes sah, das ihn am Tisch musterte, wußte Nicolaas, daß ihn nur noch sehr wenig von einer Katastrophe trennte. Aber natürlich hatte er von dem Augenblick an, als die Demoiselle die Einladung annahm, gewußt, daß es so kommen würde. Er hatte sich geschützt, indem er Florens van Borselen und seine Frau vorher in Geschäften aufsuchte, um herauszufinden, wie sie auf seine überstürzte Eheschließung reagierten. Die Frau, glaubte er, hätte, wenn es nach ihr gegangen wäre, bestimmt bissige Bemerkungen darüber gemacht, aber in Gegenwart ihres Mannes folgte sie dessen Beispiel und bekundete eine unvoreingenommene Höflichkeit.

Felix hatte natürlich schon längst weit und breit die Geschichte seines Abendessens in Gent verkündet. Aus dem Bericht konnte sogar geschlossen werden, wenn man genau hinhörte, daß Nicolaas dabei gewesen war. Daran war nichts, was irgend jemanden bestürzen könnte. Doch gab es in anderer Hinsicht Grund genug, um jedermann zu bestürzen. Etwa die Tatsache, daß er am Karnevalsabend von den Schwestern van Borselen vor dem drohenden Tod gerettet worden war. Eine Tatsache, die aus einer Reihe von Gründen nicht ans Licht gekommen war.

Einer dieser Gründe, die Gelis vielleicht kannte, war, daß ihre Schwester sich entschlossen hatte, den frühen Abend allein mit Ribérac zu verbringen. Und daß er, somit eingeladen, versucht hatte, sie zu vergewaltigen. Der andere Grund, den Gelis bestimmt kannte, war, daß Nicolaas und ihre Schwester die späteren Stunden allein in ihrem Haus verbracht hatten. Wo er nicht vorsätzlich versucht hatte, etwas zu tun, aber zweifellos alle Wünsche Jordan de Ribéracs in die Tat umgesetzt hatte.

Gutes Zureden würde nichts nützen. Freundlichkeit auch nicht. Marian de Charettys frisch angetrauter Ehemann zupfte seinen pelzbesetzten Überrock zurecht und sprach das Kind an seiner Seite mit einer Stimme an, die niemand belauschen konnte: «Jetzt seid ruhig und hört mir zu, sonst erzähle ich allen von Eurer Schwester und dem Vicomte de Ribérac.»

«Er hat ja nichts getan!» Gelis' Gesicht war puterrot.

«Ich werde es aber behaupten. Und laßt uns das hinter uns bringen: Erstens, die Demoiselle de Charetty wird kein Kind bekommen.»

«Doch», erklärte Gelis van Borselen.

«Zweitens, es geht Euch überhaupt nichts an, aber wir haben eine geschäftliche Abmachung getroffen, deshalb wird sie kein Kind bekommen.»

«Sie könnte aber.»

«Sie wird aber nicht.»

«Du mußt also Felix beseitigen. Beim Tjost am nächsten Sonntag.»

Er hatte sich schon gefragt, ob irgendein Zyniker diesen Gedanken verbreiten könnte. Hier, beim Abendessen, hatte er es nicht erwartet. «Ihm wird nichts geschehen», sagte er.

«Du weißt, daß er nicht gut genug ist. Du hast ihn selbst auf die Probe gestellt. Dann hast du ihm die ganze Rüstung gekauft.»

«Deshalb muß ich verhindern, daß er verletzt wird. Sonst geben die Leute mir die Schuld.»

«Hast du dafür gesorgt, daß er enterbt wird?» fragte das fette Mädchen. Sie war vom Teufel besessen.

«Warum verlangt Ihr nicht, den Ehevertrag zu sehen? Felix ist nicht enterbt. Ihm und seiner Mutter stehen immer noch sämtliche Gewinne der Firma zu. Wenn sie beide morgen sterben, bekomme ich nichts.»

Ihr Blick ruhte auf dem pelzbesetzten Überrock. «Der ist hübsch», sagte sie.

«Die Quittung habe ich in meiner Tasche. Jetzt hört auf, Euch in meine Angelegenheiten einzumischen, und denkt daran, daß ich Eurer Schwester mehr schaden kann als Ihr mir.»

«Das hast du schon getan.»

Weitere Schüsseln wurden gebracht und auf den Tisch gestellt. Geschickte Hände reichten Weinflaschen über ihre Schultern. «Ihr habt ihr sicherlich Botschaften durch Tauben geschickt.»

«Ich habe geschrieben. Sie wird es noch nicht bekommen haben. Dir hat sie einen Brief geschickt. Ich habe ihn gelesen.»

«Vermutlich wußte sie, daß Ihr es tun würdet. Soll ich den Brief bekommen oder nicht?»

Sie hatte darauf gesessen. Ein vielfach zusammengefaltetes Bündel von Seiten, jetzt in Muschelschalenform, das Siegel aufgebrochen, wurde mit einem Ruck herausgeholt und übergeben. Er steckte es in seine Tasche. «Ich hab eine Frage», sagte er.

«Ja?»

«Seid Ihr der Meinung, daß die Demoiselle de Charetty Eurer Schwester auch geschadet hat?»

Das Gesicht, das wieder in seiner normalen Teigigkeit erstarrt war, wandte sich ihm feindselig zu. «Was hat sie damit zu tun? Du bist es, der getan hat, was du getan hast.»

Die Situation wurde klar. «Ah», sagte Nicolaas. «Ich dachte, Ihr hättet erwartet, daß ich Katelina heirate.»

«Sie heiraten!» Gelis van Borselen gab ein unschönes Gelächter von sich. «Damen heiraten doch keine Lehrlinge.»

«Ihr werdet mir also zustimmen, daß, wenn jemand in dieser Situation der Leidtragende ist, es die Demoiselle ist, die mich geheiratet hat.»

Gelis blickte am Tisch entlang. «Sie ist eine Närrin», erklärte sie.

«In dieser Hinsicht vielleicht. Aber auf keine andere Weise. Habt Ihr vor, ihr zu schaden?»

Sie war schlau. «Du bist außer Gefahr. Ich kann ja nichts tun, ohne Katelinas guten Namen oder deine alberne Herrin zu schädigen, nicht wahr? Aber es war kein Vergnügen für dich, mich zu treffen. Der nächste Brief aus der Bretagne wird auch kein Vergnügen für dich sein, wenn du überhaupt einen bekommst. Und noch weniger Freude wirst du haben, wenn Felix beim Tjost ums Leben kommt und man dir die Schuld gibt.» Er holte tief Luft, aber sie kam ihm zuvor, ehe er etwas sagen konnte. Ihre Augen blitzten. «O ja, ich weiß, du behauptest, ihm werde nichts passieren. Aber ich kann dir sagen, daß das nicht stimmt. Und ich kann dir sagen warum, wenn du es nicht schon weißt. Die schottischen Namen sind gerade bekannt geworden. Die Namen der schottischen Teilnehmer. Darunter ist der beste Turnierkämpfer, den sie haben. Simon of Kilmirren.»

«Laßt mich mal nachdenken», sagte Nicolaas. «Ich erinnere mich. Etwas mit einem Hund.»

«Und mit einem Mädchen namens Mabelie», sagte Gelis giftig.

Abends in seinem Zimmer las Nicolaas den Brief aus der Bretagne.

Katelina, stellte er fest, traute ihrer Schwester ebensowenig wie er. Selbst für einen bestens informierten Leser enthielt der Brief keinerlei persönliche Mitteilung. Die Reise sei annehmbar gewesen. Die Stellung finde sie gar nicht so langweilig. Dann fügte sie ein bißchen Hofklatsch bei, unter anderem, was er schon wußte, daß nämlich der Sohn der Herzogin die Mätresse des Königs von Frankreich für sich gewonnen habe, die ihm, wie der Hof glaubte, bis September die Syphilis angehängt haben würde.

September? Er hielt inne bei diesem auffällig erwähnten Monat, und dann fiel ihm ein, daß der Faschingsdienstag in den Februar gefallen war, so daß selbst für nachrechnende kleine Schwestern der Hinweis keine verborgene Bedeutung hatte.

Die Pointe, der offenkundige Zweck des Briefes brachte ihn mächtig zum Lachen, was er nicht erwartet hätte. Er steckte den Brief weg und nahm sich vor, Lorenzo Strozzi morgen irgendwann aufzusuchen. Die Nachricht über Simon gab er nicht an Felix' Mutter weiter. Sie würde es noch früh genug erfahren. Merkwürdigerweise brachte Gregorio das Thema zur Sprache, als Nicolaas nach einem Vormittag, der im Morgengrauen begonnen hatte, zu ihm in das neue Gebäude kam.

Es waren nur noch wenige Tage bis zu seiner Abreise, und Nicolaas hatte endlich damit begonnen, seine Sendungen einzusammeln. Bei Adornes kühlem, gebieterischem Kollegen Jacopo Doria, der ihm eine Dokumententasche für Genua übergab. Bei Angelo Tani und Tommaso, der eine geschäftsmäßig und der andere deutlich zurückhaltend, und beide beleidigt, weil Nicolaas es ablehnte, vor Montag aufzubrechen. Bei Arnolfini, der ihm bläßlich amüsiert und kommentarlos Briefe für Lucca und Sforza übergab. Und Arnolfini hatte ihm das versprochene Gold des Dauphin für noch zu leistende Dienste ausgezahlt. Er hatte sich dafür Kleider gekauft und einen Mann. Das hoffte er jedenfalls.

Jetzt in der Spanjaardstraat ging er durch das neue Haus in sein großes Kontor, klopfte jedem eifrigen Schreiber auf die Schulter und begrüßte Gregorio am anderen Schreibtisch, während er sich auf einen Stuhl fallen ließ und seine Papiere bereitlegte. Sie arbeiteten, bis die Mittagsglocke erklang und die jungen Leute Erlaubnis erhielten, hinunterzugehen und zu essen. Gregorio sagte: «Ich möchte etwas fragen.»

«Ja?» Nicolaas schrieb dabei weiter.

«Wegen des Tjosts am Sonntag. Die Klatschmäuler behaupten, für unseren Felix werde es ein harter Kampf werden. Irgendein Schotte halte sich für seinen persönlichen Feind.»

«Ja, Simon of Kilmirren.» Nicolaas streute Sand über das eben gefertigte Schriftstück, schaute auf und stieß auf einen eigentümlich harten Blick aus schwarzen Augen. «Er ist einer derjenigen, die scharf beobachtet werden müssen, wenn ich weg bin. Er ist mehr erpicht darauf, mir zu schaden als Felix, aber ihm wird keines von beidem gelingen, wenn ich es verhindern kann. Ich habe Felix' Mutter versprochen, daß er am Tjost nicht teilnehmen wird, und das wird er auch nicht.»

«Dann werdet Ihr ihn entführen müssen», sagte Gregorio trocken. «Er wird jetzt keinen Rückzieher mehr machen.»

«Ach, man kann nie wissen. Aber jetzt muß ich *Euch* etwas fragen. Ihr wart die ganze letzte Nacht nicht in Eurem Zimmer, und die Nacht davor auch nicht.»

Der Blick aus den schwarzen Augen wurde noch härter. Gregorio lehnte sich zurück. «Bezahlt Ihr mich auch in den Nachtstunden?»

«Brügge», sagte Nicolaas, «ist das größte Klatschnest von Flandern. Wenn Ihr auf eine solche Weise eine Dame etabliert, dann bedeutet es gewöhnlich ein Arrangement auf Dauer. Da Ihr in einer Hinsicht ein Arrangement auf Dauer habt, kam mir der Gedanke, Ihr könntet auch in anderer Hinsicht ein Arrangement auf Dauer planen. Zum Beispiel bei der Firma, bei der Ihr angestellt seid.»

Nachdem Gregorio ihn eine Weile prüfend angesehen hatte, fragte er: «Bespitzelt Ihr mich?»

Nicolaas feixte. «Das brauche ich gar nicht. Tommasos Geliebte wohnt in dem Haus neben Eurer Freundin. Tommaso Portinari. Das Klirren seiner Ringe verrät einem, wann er morgens weggeht. Meint Ihr, ich könnte sie kennenlernen?»

Es war reichlich früh, ein solches Thema anzuschneiden, aber er hatte nicht viel Zeit. Er wußte, daß der Syndikus einen stets wachen Verstand hatte. Er würde, hoffte Nicolaas, nicht länger glauben, daß seine Geliebte in irgendeiner Weise begutachtet werde. Er würde, hoffte er, bald begreifen, daß vielmehr seine Geliebte aufgefordert werde, ihn, Nicolaas, zu begutachten. Über den sie zweifellos schon viel gehört hatte. Und gegen den sie gewiß schwere Bedenken hegte. Gregorio hatte die Augenbrauen hochgezogen. Er lächelte nicht, das tat er selten. Aber er runzelte auch nicht die Stirn. Er fragte: «Jetzt?»

«Warum nicht?»

Nach dem ersten Schreck (sie wusch sich gerade das Haar) verlief die Begegnung erstaunlich gut, und sie kochte für beide eine vortreffliche Mahlzeit. Sie hieß Margot. Sie war distinguiert. Sie war nicht unintelligent. Sie konnte der ganzen scherzhaften Unterhaltung folgen außer bei drei Gelegenheiten, als Nicolaas einen Ort, eine Person beziehungsweise einen Gegenstand erwähnte, die mit der Firma Charetty zu tun hatten. Bei diesen drei Gelegenheiten war er befriedigt, daß sie den Zusammenhang nicht verstand, wie er es auch erwartet hatte.

Als sie aufgebrochen waren, sagte er: «Sie gefällt mir sehr. Wenn die Firma wächst, werdet Ihr eine bessere Unterkunft für sie finden können.»

Gregorio ging sehr langsam. «Ich bin nicht sicher», sagte er, «ob es mir gefällt, was Ihr getan habt.»

Dazu konnte man nicht viel sagen. Nicolaas ging schweigend neben ihm weiter.

«Ich nehme an», fuhr Gregorio fort, «daß es keine andere Möglichkeit gab, es rechtzeitig nachzuprüfen. Bedeutet es, daß sie überwacht wird?»

«Mein Gott, von wem?» Nicolaas feixte. «Von Tommaso vielleicht. Sie ist es wert. Ach nein. Ich hatte gesagt, ich würde Euch vielleicht ein Angebot machen, und ich mache es. Es handelt sich um ein Geschäft von mir, und es hat mit der Firma Charetty nichts zu tun. Das heißt, ich übernehme das Risiko, aber die Firma Charetty wird an dem Gewinn beteiligt sein. Das Problem besteht darin, daß es mit absoluter Verschwiegenheit vor sich gehen muß. Ich habe einen Kompagnon, der jetzt in Italien ist, und ich brauche einen Syndikus, auf dessen Verschwiegenheit ich mich verlassen kann.

Wenn mein Unternehmen scheitert, habt Ihr immer noch Eure Anstellung in der Firma Charetty – es sei denn, es scheiterte Euretwegen. Das nehme ich nicht an. Aber es hat bekanntlich schon Leute gegeben, die Vertrauensbrüche begangen haben.»

Gregorio antwortete nicht gleich. Dann sagte er: «Niemand kann versprechen, daß er sich nicht vielleicht mit seinem Brotherrn überwirft und sich dann einen neuen sucht. So was kommt vor. Ihr werdet vielleicht meine Art und Weise nicht mögen, wenn Ihr mich besser kennenlernt. Mir werden vielleicht Eure Pläne nicht gefallen, wenn ich darüber unterrichtet werde. Aber eins will ich Euch sagen. Ich finde die Jurisprudenz nun mal interessanter als das Geld. Und kein Rechtsgelehrter kann seinen Beruf lange ausüben, wenn er Geheimnisse nicht zu wahren weiß. Es mag sein, daß ich Euch verlasse, aber ich werde Eure Pläne nicht verraten.»

«Na, das ist schön», sagte Nicolaas. «Kommt in mein Zimmer, wenn Ihr nach Hause kommt, dann werde ich Euch erzählen, was Ihr nicht wißt, und höchstwahrscheinlich werdet Ihr Eure Siebensachen packen und weggehen. Inzwischen muß ich hier noch einen Besuch bei Lorenzo Strozzi machen. Das Essen war wirklich *sehr* gut.»

«Ihr müßt wiederkommen», sagte der Syndikus. Es schien aufrichtig gemeint zu sein.

Lorenzo Strozzi, der seit dem peinlichen Vorfall vor der Poortersloge mit keinem Angehörigen des Charetty-Haushalts mehr gesprochen hatte, versuchte den Pförtner in der Ridderstraat zu der Aussage zu veranlassen, er sei nicht zu Hause, dann resignierte er verärgert und warf Nicolaas einen wilden Blick zu, als er ins Kontor kam und sich hinsetzte, ohne dazu aufgefordert zu sein. Nicolaas sagte ihm, warum er gekommen sei.

Nach dem dritten Wort hatte Lorenzo aufgehört, ihn zu unterbrechen. Nach dem zehnten malte sich schieres Entsetzen in seinen Zügen. Zuletzt starrte er Nicolaas nur an und wiederholte: *«Schiffbrüchig!»*

«Vor der bretonischen Küste. Das erfuhr ich von einem Informanten. Aber gerettet und bei guter Gesundheit. Der einzige Vogel Strauß, den man heil an Land brachte. Der Haken ist nur, daß er beschlagnahmt wurde, bis der Versicherungsanspruch geregelt ist in Anbetracht der Gegenansprüche, versteht Ihr, für Schiffbruch und Treibgut. Eine wirkliche Schwierigkeit. Sehr wenige Leute in der Bretagne wissen, wie ein Strauß gefüttert werden muß.»

«Der Tierpfleger? Er muß doch einen Tierpfleger haben! Gewiß hat doch bestimmt jemand Beschwerde eingelegt? Der Strauß ist doch für den Herzog von Mailand. Ein Bevollmächtigter! Wir sollten einen Bevollmächtigten entsenden!»

«Aber wollen wir denn, daß der Herzog von unseren Schwierigkeiten erfährt? Vergeßt nicht, es war das Haus Medici, das es übernahm, einen Strauß für den Herzog zu besorgen, und Ihr wart es, der sagte...» Er unterbrach sich. «Habt Ihr Geld für den Strauß bekommen und es ausgegeben?»

Lorenzo Strozzi starrte ihn an. «Wofür könnte ich es hier ausgeben? Ich habe es nach Florenz geschickt, damit meine Mutter es für die Firma beiseite legt. Die Firma, die Filippo und ich in Italien gründen wollen. Mit unserem eigenen Geld. Nicht durch die Heirat mit einer alten Frau.»

«Ich kenne keinen, der das getan hat», sagte Nicolaas. «Und wenn die Dame vernünftig wäre, würde sie bestimmt kein Geld, das ihr oder ihrer Familie gehört, einem neuen Ehemann überlassen. Seid nicht albern. Wollt Ihr, daß ich herausfinde, was in der Bretagne geschieht, oder wollt Ihr es tun? Wenn Ihr kein anderes Schiff bekommen könnt, wird der Strauß wohl laufen müssen. Sofern er nicht einem Ortsansässigen zugesprochen wird. Der könnte ihn Euch verkaufen.»

«Können Strauße laufen?» fragte Lorenzo.

«Ich glaube nicht, daß sie fliegen. Allerdings vermute ich, daß er es in ein oder zwei Wochen lernen könnte. Er wird dem englischen Krieg ein Ende machen, wenn er über Calais fliegt. Ein Schiff wird mit einem anderen zusammenstoßen.»

«Für dich ist die Sache vielleicht nicht ernst...»

«Na schön», sagte Nicolaas. «Botschaft in die Bretagne. Wo er ist, wer ihn hat, ob er gefüttert wird und laufen kann. Sie werden glauben, wir sprächen vom jüngsten Bastard des Herzogs... Lorenzo, schon gut, nehmt es nicht so ernst. Ich werde es für Euch herausfinden und es so erledigen, daß die Medici Euch nicht belästigen. Was ist mit Caterina und Eurer Mutter? Ich breche Montag auf, wenn

Ihr mir Briefe mitgeben wollt. Keine Gebühren. Bezahlt mich mit Straußeneiern.»

Er war nicht sicher, ob Lorenzo, als er ihn verließ, weniger sorgenvoll aussah als bei seiner Ankunft, aber er glaubte es.

Kapitel 30

Es waren noch vier Tage bis Sonntag. Nicolaas berichtete Gregorio von der Alaun-Mine, und der Syndikus wurde sehr blaß und blieb es eine halbe Stunde lang. Danach nahm sein Gesicht wieder Farbe an, und er begann sich Notizen zu machen. Dann bemerkte Nicolaas, daß Gregorio jedesmal, wenn er ihn ansah, die Stirn runzelte. Marian de Charetty, die darüber unterrichtet worden war, daß Gregorio jetzt sozusagen ein Vollmitglied beider Firmen sei, bat ihn, sie in ihrem Kontor aufzusuchen und mit ihr darüber zu reden, und als er wieder herauskam, sah er ein wenig ruhiger aus. Allerdings runzelte er immer noch die Stirn, wenn ihm Nicolaas über den Weg lief.

Am Donnerstag spürte Felix' Mutter die endgültige Teilnehmerliste der Kämpfer des Weißen Bären auf und fand Kilmirrens Namen darauf. Ihre weitere Entdeckung, daß die anderen Hausbewohner es schon wußten, ärgerte sie. Ostentativ richtete sie keine neue und besorgte Bitte an Nicolaas. Und nach dem Sonntag (was immer am Sonntag geschah) würde sie Nicolaas sowieso verlieren. Wenn sie nicht an Felix dachte, dann dachte sie daran.

Nicolaas mußte nach Italien gehen, das wußte sie. Die beachtlichen Honorare, die er bekommen hatte, und die noch höheren, ihm bereits versprochenen, waren bedingt durch die Nachrichten aller Art, die er nach Mailand brachte. Er mußte die Medici aufsuchen wegen des Geldes, das sie Tobias vorgestreckt hatten, um Handfeuerwaffen zu kaufen, und Thomas, um seine zusätzlichen fünfzig Schützen anzuwerben. Er mußte die berichtigte *condotta* kassieren und die Wiederanlage des Geldes in die Wege leiten.

Er mußte den Botschaften, die Tobias, Thomas, Julius und Astorre wohl für ihn hinterlassen hatten, entnehmen, wo sich die Truppe aufhielt, was sie brauchte und wie ihre Aussichten waren.

Er mußte offiziell und inoffiziell aus all seinen neuen Bekannten die Auskünfte herausholen, die er zusammen mit neuen Briefsendungen zurückbringen würde. Einige waren in ausgeklügelten Codes abgefaßt und überaus wichtig. Einige enthielten bloß Marktpreise, was nützlich für das eigene Unternehmen und für andere war. Und einige, von den Acciajuoli und anderen, drehten sich um das Projekt, das Marian fürchtete.

Er würde eine gute, starke Leibwache mitnehmen, wenn auch nicht so stark wie die Kampftruppe, die mit Astorre nach Süden gegangen war. Und jetzt war Sommer. Er würde die Strecke schnell zurücklegen. Aber wie schnell er sie auch zurücklegte, zwei Monate würde er mindestens weg sein, vielleicht sogar länger, und es ihr allein überlassen, dem feindseligen Simon entgegenzutreten. Und womöglich auch Jordan de Ribérac. Diese Aussicht beunruhigte sie. Nach einigem Nachdenken fiel ihr jedoch ein, daß es eine Alternative gab.

Wäre sie nicht so besorgt gewesen, wäre sie bei ihrem Plan vielleicht anders vorgegangen. Aber so, wie die Dinge lagen, fing sie Nicolaas am Freitag im Morgengrauen ab, als er frisch und fröhlich die Treppe hinunterlief und sagte: «Setze dich da mal hin.»

Sie waren allein. Die Zimmer ringsum waren leer. Er setzte sich bereitwillig auf die Stufe, auf die sie gedeutet hatte, und schaute sie aufmerksam an. Sie setzte sich ein Stück weiter unten hin und faltete die Hände auf dem Schoß. «Vertraust du Gregorio?» fragte sie.

«Ja.»

«Die Firma allein zwei Wochen lang leiten? Könnte Gregorio das?»

«Nein.»

«Ich dachte...»

«Nein, Ihr kommt nicht mit mir mit, Demoiselle.»

Sie gab einen Laut des Mißvergnügens von sich. *Immer* wußte er auf Anhieb Bescheid. In dem Ton, in dem sie mit Henning sprach, sagte sie: «Nicht nach Mailand. Ich will nur bis Dijon mitkommen und den Mann meiner Schwester besuchen und dann meinen Schwager Jaak und seine liebe Frau in Genf. Findest du nicht, daß ich ihnen sagen sollte, wen ich geheiratet habe?»

«Nein.»

«Meine einzigen Verwandten?» Marian beobachtete ihn, während er sich überlegte, wie er reagieren sollte.

«Eure Schwester ist tot, und Thibault muß fast siebzig sein und ist seit Jahren nicht bei Sinnen. Es würde Euch nur betrüben und ihn wahrscheinlich auch. Er hat kein Interesse an mir bekundet seit dem Tod meiner unglücklichen Mutter.»

«Er hatte eine Tochter aus der zweiten Ehe mit meiner Schwester.»

Sein Gesicht war ganz ruhig. «Adelina. Sie war fünf, als ich zu Jaak geschickt wurde. Sie wird jetzt verheiratet sein.»

«Und du willst sie nicht sehen? Und auch den Vater deiner Mutter nicht, ehe er stirbt? Machst du es ihm so sehr zum Vorwurf, daß er dich zu Jaak geschickt hat? Später hat er wenigstens etwas für dich getan, als er erfuhr, wie sie dich behandelten. Er sorgte dafür, daß du zu Cornelis und mir geschickt wurdest.»

Da veränderte sich sein Gesicht und er sagte: «Ja, dafür muß ich ihm dankbar sein. Aber ich brauche ihn nicht zu sehen. Würdet Ihr es mir verzeihen, würdet Ihr es mir erlauben? Wenn Ihr unbedingt der Meinung seid, daß Ihr ihn besuchen müßt, dann könnte ich Euch dort absetzen mit einer Eskorte, die Euch heil und sicher wieder nach Hause bringt.»

«Und Jaak in Genf?»

Er lächelte plötzlich. «Ich weiß nicht, was Ihr da vorhabt. Zumindest keinen Krankenbesuch. Wollt Ihr ihnen womöglich um meinetwillen Eindruck machen?»

Sie lächelte auch. «Zum Teil. Warum gönnst du mir das Vergnügen nicht? Was könnte Jaak mir oder dir jetzt antun?»

«Euch beleidigen. Und ich könnte da nicht ruhig zusehen und es geschehen lassen.»

«Dann hast du immer noch Angst vor ihm?»

Nicolaas antwortete erst nach einer kurzen Pause. «Ich kann ihn jetzt verstehen.»

«Aber physisch?»

«Ach, physisch habe ich Angst vor ihm. Ja. Immer noch.»

«Du würdest gern gegen ihn kämpfen können? Ihn schlagen? Ihn überwältigen?»

Sein Blick ließ nichts als Überraschung erkennen. «Jaak de Fleury ist dreißig Jahre älter als ich. Mindestens. Wenn ich Angt vor ihm habe, dann habe ich immer vor ihm Angst. Was kann ich da tun, physisch, das sinnvoll wäre?»

Sie schluckte. Sie begann zu sprechen und schluckte wieder. «Ich habe dich nach deiner Meinung über ihn gefragt, das bedeutet aber nicht, daß ich von euch beiden erwartete, meiner Heirat wegen in Streit zu geraten. Ich möchte ihn gern besuchen. Ich glaube auch nicht, daß es dir schaden würde. Und wenn er mich beleidigt, kannst du mich mündlich verteidigen. Du weißt, daß du das kannst.»

Er schwieg.

«Und Thibault», fuhr sie fort, «ist älter geworden und krank. Ihn zu besuchen ist gewiß bloß ein Gnadenakt. Er hat dich und deine Mutter bei sich behalten. Du wurdest erst weggeschickt, als er sich nicht mehr um dich kümmern konnte.»

Sie hielt inne und sagte dann: «Ich weiß, daß du mir das wahrscheinlich ausreden kannst. Aber ich möchte wirklich dort hingehen. An beide Orte. Ich würde es nicht vorschlagen, wenn ich glaubte, es könnte dir schaden.»

Er hatte die Ellbogen auf die Knie gestützt, hielt beide Hände vor den Mund und blickte an ihr vorbei in die dämmerige Halle. Sie verließ sich darauf, daß er alle Argumente erkannte, die sie nicht gebraucht hatte, und daß er sich selbst ein Bild von ihren Motiven machte. Wenn es falsch war, dann um so besser. Sie sah, daß er zu guter Letzt einen Entschluß faßte, als ob er ihn ausgesprochen hätte: *Ja, ich kann es ertragen.* Aber er stimmte nicht sofort zu, sondern fragte: «Was wird Felix davon halten?»

«Es wird weder für dich noch für mich schmeichelhaft sein. Du hast einen Triumphzug verlangt, und schwach, wie ich bin, war ich einverstanden. Kleinliche Rache an Jaak de Fleury. Und natürlich eine Warnung. Jetzt kann Jaak dem kleinen Claes, der die Witwe de Charetty hinter sich hat, nichts mehr tun.»

Er hatte schon längst erkannt, daß das ihr wirklicher Grund war. «Ich wünschte», sagte er, «Felix würde uns so gut kennen, wie wir ihn anscheinend kennen. Ja, natürlich, wenn Ihr es so unbedingt wollt, dann machen wir es.» Danach war er noch eine Stunde im Betrieb und ging dann unerwartet mit Gregorio in die Spanjaardstraat. Vormittags, das wußte sie, hatte er eine Besprechung mit Jehan Metteneye.

Der Klatsch hatte sie auf die Mittel und Wege hingewiesen, deren sich Nicolaas wahrscheinlich bedient hatte, um Gregorio in ihre Geschäfte hineinzuziehen. Wie er Jehan Metteneyes natürliches Vorurteil überwunden hatte, ahnte sie nicht. Seine Frau hatte seit der Heirat weder mit Nicolaas noch mit ihr gesprochen. Nicolaas und ein hübsches Mädchen, im Keller erwischt. Sie bemühte sich, nicht daran zu denken. So waren Männer nun mal. Manchmal hatte sie gewünscht, Cornelis wäre weniger maßvoll gewesen. Sie nahm an, daß Jehan Metteneye auch seine Geheimnisse hatte und sie, in den Badehäusern ordentlich gewürzt, gegen Nicolaas' vertrauliche Mitteilungen eingetauscht hatte. Um, was überaus wichtig war, Metteneye für sich zu gewinnen, würde ein junger Mann sich aller nur möglichen Mittel und Wege bedienen müssen. Was sie nicht wußte, tat ihr nicht weh.

Und währenddessen galt es, an Felix und das Turnier vom Weißen Bären zu denken. Ihr Sohn schlief noch. Sie würde ihm nicht dadurch helfen, daß sie sich Sorgen machte. Sie mußte alles so planen, als ob er den Tjost am Sonntag unverletzt, glücklich und erfolgreich überstehen würde. Als ob es tatsächlich wahrscheinlich sei, daß sie am Montag aufbrechen und zwei Wochen lang durch Burgund und Savoyen reisen könnte.

In diesem Fall müßten fürchterliche Listen aufgestellt und Vorkehrungen getroffen werden. Das Geschäft, das sie gewöhnlich betrieb, würde von Gregorio überwacht werden müssen. Das war natürlich der Grund, warum Nicolaas so früh in die Spanjaardstraat gegangen war. Sie mußte daran denken, daß er auch nur ein Mensch war und sie ihm nicht unbegrenzt Bürden aufhalsen konnte. Aber bisher schien er noch nicht überfordert zu sein.

Als später an diesem Vormittag drei Reiter auf den Hof preschten, arbeitete sie gerade mit Henning in ihrem Kontor und achtete nicht auf den kleinen Tumult draußen. Fünf Minuten später kam Felix mit hochroten Wangen hereingestürzt. «Mutter!»

Hinter ihm kam jemand, der wirklich sehr prächtig gekleidet war in einem samtenen Reitanzug und mit einem drapierten Hut, der mit Juwelen geschmückt war. Sie kannte den Mann. Es war Roland Pipe, der zur Hofhaltung des Grafen Charles von Charolais gehörte, des eigensinnigen Sohns des Herzogs von Burgund.

Sie erhob sich und knickste. Henning drückte sich an die Wandtäfelung. Der Fiskal des Grafen verbeugte sich. Felix sagte: «Mutter! Der Graf hat gefragt... Herr Roland bringt eine Einladung für mich von Monseigneur de Charolais. Eine persönliche Einladung. Zu einer großen Jagd. Einer besonderen Jagd am Sonntag in Genappe. Ich muß jetzt aufbrechen. Sofort.»

«Eine solche Ehre!» sagte Marian de Charetty. Sie bat ihren Gast, Platz zu nehmen, gab Henning einen Wink, er möge Wein bringen, und setzte sich hin, erregt und lächelnd und atemlos. Eine bürgerliche Mutter, überwältigt von der Gnade, die ihrem bürgerlichen Sohn zuteil wurde.

Eine Mutter, die Gott dankte, daß ihr Sohn jetzt keine Ausrede erfinden mußte, wenn er sich beim Tjost des Weißen Bären am Sonntag nicht den feindlichen Lanzen stellte. Denn wenn der Erbe des Lehnsherrn rief, dann war keine Ausrede nötig. Gott, dachte sie, und noch jemandem, sei Dank!

Als Nicolaas sehr viel später zurückkam, war Felix schon fort. Der ganze Betrieb war erfüllt von der Neuigkeit. Nicolaas setzte sich hin und ließ sich die Geschichte von den Färbern berichten. Die meisten von ihnen waren enttäuscht. Es war natürlich schön, daß die großen Herren endlich den Wert der Familie Charetty erkannten. Aber was wurde nun aus ihrem besonderen Vergnügen und ihrem Stolz, wenn sie beim Tjost in der Menge standen und sagen konnten: «Da! Das da ist der junge Herr!»

Einer, der seine Kohlsuppe mit ihm zu teilen pflegte, sagte: «Warum gehst du nicht an seiner Stelle, Claes? Die Rüstung ist doch da.»

«Das ist eine Idee», antwortete Nicolaas. «Ich würde jeden Kampf gewinnen. Ich werde Forestier. Ich werde es euch zeigen. Kommt mit. Wollen wir es nicht alle mal probieren?»

Als seine Herrin aus dem Fenster sah, um den Grund für das allgemeine Gejohle und Gelächter herauszufinden, hatten sie ein Seil als Schranke gespannt, jeweils einen huckepack genommen und einander paarweise angegriffen; als Helme dienten ihnen Kochtöpfe und als Lanzen Rührhölzer. Sie zerbrachen einen Stock, und Hennings scheltende Stimme dröhnte über den Hof. Dann nahm einer der Kämpfer seinen Helm ab, und Henning sah sich dem Ehemann seiner Herrin gegenüber und wurde still.

Nicolaas sprang herunter. «Ich werde den Stock bezahlen. Nein, nein, es war unrecht, sie von der Arbeit wegzuholen. Wir hatten uns einfach über die Ehre für Jonkheer Felix gefreut.»

Feixend räumten sie rasch auf und verzogen sich. Sie würden abends notfalls länger arbeiten, um den Zeitverlust wettzumachen. Marian sah, daß die Leute bester Stimmung waren, und auch Henning, der seine Untergebenen kannte, hatte Verstand genug, das einzusehen. Er lächelte ebenfalls, wenn auch gezwungen, und sagte: «Es ist schade um den Tjost, aber immerhin eine Ehre, wie Ihr sagt, Freund Nicolaas.»

Dann kam Nicolaas rasch die Treppe herauf, klopfte an ihre Tür und machte sie auf. «Belohnung?» fragte er. Sie rümpfte die Nase. «Ich weiß», sagte er. «Diesmal ist es die Erleichterung, die stinkt. Ich dachte schon, mein schlau geschmiedetes Komplott sei fehlgeschlagen.»

«Aber du hattest Alternativpläne?»

«O ja. Drei Hundedresseure und Gregorios Geliebte. Das heißt, ich hatte Gregorio noch nicht gefragt.» Er lächelte geradezu überschwenglich. «Habe ich nicht einen besonders guten, schweren Wein verdient? Felix ist also fort?»

Ihr Kinn zitterte, als sie ihn anlächelte. Sie wurde ernst und fragte: «Werden sie ihn gut behandeln?»

«Natürlich. Er wird tatsächlich den Dauphin sehen. Wahrscheinlich zum letztenmal. Aber sie sind wohlerzogen. Sie werden nicht knausern.» Er hielt inne. «Der Nachteil ist, daß Ihr weg sein werdet, wenn er zurückkommt. Habt Ihr ihm davon berichtet?»

«Von dem Triumphzug? Ja.» Ihm den Rücken zuwendend, schenkte sie freigebig den Wein ein.

«Wenn er darüber nachdenkt, wird er froh sein. Er wird Herr im Haus sein, bis Ihr zurückkommt. Und er braucht meine Abreise auch nicht mitanzusehen.»

Sie gab ihm seinen Becher und blieb eine Weile stehen, den ihren in der Hand. «Ich weiß es nicht. Er ist nicht sehr schwierig. Ich glaube, er hat ein wenig die Einstellung von Tilde. Sie haben es beide gern, wenn du hier für sie schuftest.»

Er war wirklich erleichtert. Die lächerlichen Grübchen, die ein oder zwei Tage nicht zu sehen gewesen waren, erschienen wieder. «Wenn ich nicht weiß», sagte er, «wo meine Grenzen sind, könnte ich dann nicht genausogut hier dafür bezahlen, statt in der Ferne auf Wonnepfaden zu wandeln? Er sollte sich die Wonnepfade ansehen. Besonders diesmal. Er hätte mir seine Rüstung für Genf leihen sollen. Mir ist ein Gedanke gekommen.»

Sie ging zu ihrem Stuhl und setzte sich hin. «Jetzt kann ich es ertragen. Worum dreht es sich?»

«Wollen wir nicht schon Sonntag während des Tjosts aufbrechen? Dann sind die Straßen frei. Es sei denn, Ihr wollt doch dabeisein?»

Sie erschauerte. «Nein.»

«Also?»

«Es wäre niemand zum Helfen da. Alle werden zuschauen. Du wirst vielleicht nicht einmal eine Leibwache bekommen, die mitgeht.»

Während er sich gerade anschickte, sie zu überreden, wußte sie, daß er schon Pläne gemacht hatte. Noch eine Alternative. Er hatte die Leibwache abbestellt. Er hatte eine andere und eine Eskorte für sie bei dem früheren Waffenmeister, der jetzt die Metallgießerei leitete, gefunden. Ihre persönlichen Dienerinnen waren bereit mitzukommen, und auch die Köchin aus der Spanjaardstraat; Gregorio würde sich einen Ersatz suchen müssen. Morgen sollte gepackt werden.

Sie beobachtete ihn und fragte schließlich: «Und wann kommt Simon?»

Er feixte. «Morgen. Aber ganz so früh können wir nicht aufbrechen. Dann sind auch noch die Straßen verstopft.»

«Er wird noch hier sein, wenn ich zurückkomme. Und de Ribérac womöglich auch.»

Er lächelte immer noch freundlich. «Sie mögen Euch gedroht haben, aber ihr wahres Interesse gilt mir. Sie werden sowieso nicht zusammen kommen. Sie können sich nicht ausstehen. Jedenfalls habe ich Gregorio Bescheid gesagt: Während ich weg bin, zieht er wieder in Julius' Kontor. Abends laßt Ihr niemanden herein.»

«Wirklich?»

«Außer auf Einladung natürlich. Es gibt überall Wonnepfade, oder es sollte sie geben.»

Sein strahlendes Lächeln forderte sie auf, ihn nicht ernst zu nehmen. Sie fragte sich belustigt, wer mit ihr auf den erwähnten Pfaden wandeln sollte. Gregorio hatte seine Geliebte. Metteneye war versorgt. Alle ihre Kunden hatten Ehefrauen. Da blieb wohl nur Oudenin. Oder womöglich sogar Henning. Sie machte sich Vorwürfe. Nicolaas hatte an ihre Sicherheit auf dem Rückweg gedacht. Daß er sich um das, was sie nach ihrer Rückkehr trieb, Sorgen machte, war zuviel verlangt.

An der Seite einer überaus hübschen jungen Frau und gefolgt von einer großen Zahl von Bedienten ritt Simon of Kilmirren am Samstag durch die lärmerfüllten Straßen von Brügge. Hinter ihm trugen Page und Knappe seinen Schild und seine Waffen, und Reitknechte führten seine prächtigen Pferde. Berittene in Livree führten die Packmaulesel und trugen die goldbefransten Wimpel, die auf dem ganzen Weg von Calais geweht und geflattert hatten.

Simon selbst trug seine Tjostrüstung und seinen Helm, dessen grüne Federn ihm bis auf den Arm herabhingen. Sein feingeschnittenes Gesicht mit der hellen Haut drückte höfliche Langeweile aus. Leute drehten sich nach ihm um. Das Haar, das, soweit es nicht bedeckt war, golden schimmerte, und der silbern glänzende Panzer waren etwas, das man nicht alle Tage sah, nicht einmal bei den großen Rittern. Vor allem nicht bei den großen Rittern, die dem Gott des Schaukampfs schon oft ein Auge oder ein gesundes Gebiß dargebracht hatten.

Als Simon vorbeigeritten war, begann das geschäftige Durcheinander wieder. Teilnehmer am Turnier, Diener und Pferde, Damen und Begleiter, Zuschauer, die meilenweit aus der Umgebung nach Brügge kamen – all das bedeutete Jahr für Jahr schwere Arbeit, blühenden Handel und natürlich Geld. Auch Beifall für die einflußreiche Stadt Brügge, Gastgeberin für die Zierde des Rittertums. Stolz und auch Eigennutz beflügelten die Zimmerleute. Sie hämmerten Tag und Nacht und errichteten auf dem Markt die Tribünen und die Schranken des Kampfplatzes, die Maler stellten die Banner und Wappen fertig, die städtischen Beamten eilten mit den Vertretern der Kämpfer des Weißen Bären überallhin, sorgten für das Herrichten und Räumen der Straßen, für die Festvorbereitungen, den Ablauf von Zeremonien und Schaustellungen sowie für die Unterbringung und Bewirtung der zerstreuten Schar der Herausforderer.

Morgen würden sich die Turnierkämpfer, jeder mit seinem Gefolge, in einem feierlichen Aufzug von der Abtei Eckhout hinter dem Palast von Ludwig von Gruuthuse zum Kampfplatz auf dem Markt begeben. Heute abend stieg Simon of Kilmirren wie gewöhnlich im Haus von Jehan Metteneye ab, und sein Banner, die Tafel mit dem Wappenschild und sein Helmbusch wurden, wie es Sitte war, auf dem Fensterbrett seines Zimmers zur Schau gestellt.

Zuerst hatte er Muriella und ihre Damen im Haus ihrer Gastgeberin abgeliefert. Er fand sie ganz erfreulich. Sie war reich; ihr Bruder, ein Schotte, der Engländer geworden war, trieb Handel am Stapelplatz Calais. Sie war dunkel im Gegensatz zu seiner Blondheit und eindrucksvoll in Karmesinrot gekleidet und trug eine erstaunliche Kopfbedeckung, die wie eine Art Schmetterling aussah. Allerdings konnte sich nichts von allem, dessen war er sich bewußt, mit goldblondem Haar und grünen Federn und einer silbernen Rüstung messen.

Der Bruder, John Reid, hatte sich von der Idee eines Ehekontrakts einigermaßen angetan gezeigt, obwohl deutlich wurde, daß ihm ein Titel für das Mädchen lieber gewesen wäre. Aber Simons titelführender Onkel in Schottland war alt, das hatte er beiläufig erwähnt, und sein titelführender Vater in Frankreich, leider durch die Verhältnisse von seinem einzigen Sohn und Erben getrennt, besaß eine ertragreiche Grundherrschaft. Das war natürlich eine zweischneidige Waffe. Seines Vaters Vermögen war vermutlich schon auf irgendwelche Mönche oder eine Geliebte überschrieben worden, um es seinem ungeliebten Sohn vorzuenthalten. Und wenn sein Vater auch wahrscheinlich seinem Erben das Land nicht vorenthalten konnte, so konnte es der König von Frankreich gewiß, wenn er erfuhr, was Simon in Calais getrieben hatte. Dennoch war John Reid interessiert gewesen. Daher hatte er Simon erlaubt, Muriella als seine Ehrendame mitzubringen – selbstverständlich in Anwesenheit eines Chaperon, wie es sich gehörte.

Die Anwesenheit des Chaperon störte ihn im Augenblick nicht. Heute abend war das große Festmahl im Haus De Mane am Marktplatz. Der Forestier, der Sieger des Vorjahrs, würde schon mit seinen Herolden, Pfeifern und Trommlern durch die Stadt ziehen und die vornehmen Damen und hochgeborenen Jungfrauen verständigen, die von der Bruderschaft zu dem Bankett erwartet wurden.

Muriella würde seine Tischdame bei dem Festmahl sein, das wohlweislich früh enden würde, damit er sie wohlweislich nach Hause begleiten könne. Danach wurde er schon anderswo erwartet zu einem wohlerprobten Willkommen, wie er es immer vor einem Wettkampf machte. Mühelos, sachverständig und rasch. Auf diese Weise verschwendete man weder Zeit, ehe es begann, noch bei dem Versuch wegzukommen, wenn man fertig war. Er wollte es schließlich morgen gut machen, um seiner Dame willen.

Denn wenn die Dame ihn beim Turnier hatte gewinnen sehen, wenn sie mit ihm getanzt und bei den Banketten einen Becher mit ihm getrunken hatte, ehe sie allabendlich in ihr kaltes Bett zurückkehrte, dann würde sie vielleicht beginnen, an diese kurze Heimreise in seiner Gesellschaft zu denken. Sie würde seine Ritterlichkeit bewundern. Sie würde vielleicht, wie Damen es tun, davon träumen, sie auf die Probe zu stellen. Und in irgendeinem Gasthof unterwegs würde sie, davon war er überzeugt, Mittel und Wege finden, um auf eine freundliche, zuvorkommende Weise die unbedeutende Behinderung durch den Chaperon zu beseitigen.

Und wenn er dann immer noch den Wunsch verspürte, würde er den Bruder um ihre Hand bitten und um die Mitgift, die ihm schon zu dreiviertel versprochen war.

Währenddessen war Simon in Metteneyes Haus, wo er die Unterkunft für sich, seine Diener, seine Pferde und seine Habseligkeiten regelte, zurückhaltend höflich zu Jehan Metteneyes Frau, die immer noch so neckisch und hängebusig war, wie er sie in Erinnerung hatte. Das Mädchen Mabelie war natürlich weg. Die Frau erwähnte das nicht, auch nicht die Affäre mit dem Schurken Claes. Nachdem er Brügge letztes Mal verlassen hatte, waren Reisende auf dem Weg nach Schottland für eine ganze Weile zu ihm auf Besuch gekommen und hatten ihn mit der herzerfrischenden Nachricht von der aussichtsreichen Wiederherstellung seines jungen Freundes erfreut. Und später wurde Simon berichtet, dieser sei ermutigt worden, von Brügge nach Italien zu gehen und Soldat zu werden. Das Ende eines Unruhestifters vermutlich.

John of Kinloch, der schottische Kaplan, war es, der ihm diese Illusion raubte. Magister John kam ihm auf der Treppe entgegen und nahm, statt beiseite zu treten, die Gelegenheit wahr, ihm Komplimente zu machen über die herrliche Rüstung, von der er schon soviel gehört habe, und über das prächtige Wams, das er jetzt angelegt habe und dessen linker Ärmel, wie er sehe, eines Königs würdig sei. Dann bemerkte er, ohne sich vom Fleck zu rühren, wie sehr Simon die neuesten Nachrichten vom jungen Nicolaas interessieren müßten.

Wenn der Kerl glaubte, einen Berührungspunkt gefunden zu haben, dann hatte er damit kein Glück. «Verzeiht», sagte Simon. «Ich kann mir gar nicht vorstellen, wen Ihr meint.» Er sah die Treppe hinunter. Metteneye kam. Rettung.

«Oh», erwiderte John of Kinloch. «Ihr erinnert Euch an ihn, damals hieß er Claes. Wer hätte gedacht, daß all das geschehen würde, als man keine Hoffnung für sein Leben mehr hatte?»

Damit war Kinlochs Lächeln erklärt. Simon lächelte jetzt seinerseits den Kaplan und Jehan Metteneye an, der gerade die Treppe heraufgestiegen kam. Er sagte im Ton höflicher Belustigung: «Ich habe gehört, er war in Italien. Hat er da ein Vermögen verdient? Als Truppenführer?»

Beide Männer lachten. Kinloch trat beiseite, Metteneye nahm auf derselben Stufe seinen Platz ein und tippte Simon mit einem Finger auf die Brust. «Jetzt haben wir Euch drangekriegt», sagte er. «Ihr werdet es nie erraten. Nein, hier in Brügge, der junge Schlingel. Er hat die Witwe Charetty geheiratet und leitet ihren ganzen Betrieb!»

«*Geheiratet!* Das kann doch nicht sein!»

«Doch, doch, ganz rechtmäßig», sagte der Kaplan. Sein Lächeln war noch breiter geworden, der Teufel sollte ihn holen. Er hatte bekommen, was er wollte. Simon versuchte gar nicht, seine Gefühle zu verbergen. «Natürlich», fuhr der Kaplan fort, «sind sie verwandt, aber es soll einen Dispens geben. Es wundert mich, daß Bischof Coppini es nicht erwähnt hat, als ihr beide in Calais wart. Er hat die kirchliche Trauung vorgenommen. Zusammen mit Anselm Adornes Kaplan.»

Coppini, der Mistkerl. Nein, er konnte natürlich nichts von Mabelie oder der Kanone oder dem Hund wissen. Oder von den Scherenblättern. Aber Anselm Adorne wußte es und hatte die Heirat unterstützt. Heirat! Und wer von den Männern, die er während des Turniers treffen würde, fand Claes jetzt noch unterhaltsam? Metteneye hatte mit toleranter Belustigung gesprochen. Metteneye, der so gut wie jeder andere versucht hatte, Claes zu verprügeln.

Die beiden sahen ihn immer noch an. «Wenn man bedenkt», sagte Simon, «wieviel Ärger er verursacht hat, dann erstaunt Ihr mich. Es muß ein Altersunterschied von zwanzig Jahren zwischen Claes und der armen Frau bestehen. Er leitet den ganzen Betrieb, sagt Ihr?»

«Ja, ja», erwiderte Metteneye. «Und Ihr würdet es nicht glauben, was er dafür getan hat. Waffen und Artillerie gekauft und eine große Truppe aufgestellt und nach Neapel in den Krieg geschickt. Hat einen privaten Kurierdienst aufgezogen zwischen Flandern und den italienischen Staaten. Das Färber- und Pfandleihgeschäft ausgebaut. Grundstücke gekauft und eine neue Geschäftsführung eingesetzt...»

«Alles mit dem Geld der Witwe? Ich wußte nicht, daß sie soviel besitzt.»

«Ach, sie hatte eine ganze Menge», erwiderte Metteneye, «aber das meiste wird mit Darlehen und Schuldverschreibungen gemacht. Das ist das Gute dabei, daß er mit der Truppe vom alten Astorre und dem Kurierdienst früh angefangen hat. Die Medici unterstützen ihn, und die anderen, mit denen er Verträge hat. Es liegt in deren Interesse, ihm Darlehen zu geben, versteht Ihr.»

Der Kaplan stand grinsend dabei. Andere Leute kamen unten auf den Gang. «Er muß», sagte Simon, «die arme Dame bezaubert haben. Hoffentlich wacht sie nicht eines Morgens auf und stellt fest, daß ihr Mann und ihr Betrieb und ihr Geld allesamt weg sind.»

Jehan Metteneye nickte. «Genau das sagt meine Griete immer. Und vielleicht ist etwas Wahres dran. Aber an ihrem Betrieb haben sie Wunder gewirkt. Ihr solltet mal vorbeigehen, ehe sie morgen abreisen.»

«*Abreisen?* Ihr wollt damit sagen, der junge Ehemann verläßt Brügge vor dem Tjost? Ich dachte, ich würde ihn in golddurchwirkter Kleidung am besten Fenster finden. Oder womöglich eine Lanze für seine ältliche Ehefrau brechen sehen. Offenbar ist ihr Sohn zum Turnier zugelassen worden, also dürfte es für einen landlosen Bastard keine Schwierigkeiten geben.»

Das war eine sehr unkluge Äußerung. Die Metteneyes waren, wie die Charettys, von bürgerlicher Abkunft und landlos, wie lang ihre

Ahnenreihe auch sein mochte. «Ich habe nichts gegen den Tjost», sagte Jehan. «Die Metteneyes haben immer teilgenommen, und der junge Pieter wird morgen dabeisein. Aber manchmal muß das Geschäft vorgehen. Der junge Mann nimmt, wie ich gehört habe, seine Frau mit, um in den *Hôtels Fleury* in Dijon und Genf Besuch zu machen. Verwandte und zweifellos wichtige Kunden. Und was den jungen Felix betrifft...»

Der Kaplan nickte lächelnd und ging an ihnen vorbei. Metteneye fuhr mit leicht gerötetem Gesicht fort, Neuigkeiten zu verbreiten.

«Der junge Felix, könnten manche sagen, ist jetzt besser dran, als wenn er an dem Tjost teilnehmen würde. Er bekam eine persönliche Einladung vom Grafen von Charolais, überbracht vom Fiskal des Grafen. Leider für denselben Sonntag, also was konnte er tun? Aber ich nehme an», meinte Jehan Metteneye, «Ihr werdet morgen trotzdem jemanden finden, der es wert ist, daß man eine Lanze gegen ihn bricht. Jetzt versperren wir Euch den Weg, und Ihr seid in Eile.»

Er war einigermaßen in Eile, nahm sich aber dennoch die Zeit, wie es ihm empfohlen worden war, an dem großen, gut gehaltenen und ordentlichen Grundstück der Charettys hinter der langen Mauer vorbeizugehen. Er machte ein paar Besuche. Und dann machte er sich nachdenklich auf den Weg, um die stattliche schwarzhaarige Muriella abzuholen.

Der Abend verlief erfreulich. Das Bankett war üppig, und seine unmittelbare Umgebung behagte ihm. Er unterhielt sie mühelos und machte seiner jungen Tischdame, deren Juwelen sein Ansehen bei den Brügger Adligen nicht gerade minderte, weiterhin neckend den Hof. Von jemandem, der derlei Dinge für ihn aufbewahrte, hatte er für Muriella eine Rose mitgebracht, und sie hatte ihm erlaubt, ihre Hand nicht nur zu küssen, sondern auch zu streicheln. Danach vermied er jegliche weitere Überschwenglichkeit, indem er der Tischdame seines Nachbarn besondere Aufmerksamkeit schenkte. Sie war außerordentlich ansprechbar.

Wie er gehofft hatte, dauerte das Bankett nicht lange. Dann brachte er, von Dienern begleitet, seine Dame nach Hause und verabschiedete sich liebenswürdig und höflich. Sie drehte sich um, als sie ihre Unterkunft betrat und hielt die Rose fest umklammert. Er war natürlich noch auf der Straße. Er verbeugte sich. Danach entließ er seine Diener und ging durch die weniger belebten Straßen, umhüllt von der Anonymität seines Kapuzenmantels. Träge kehrten seine Gedanken zu der weißen Haut und dem schwarzen Haar der Dame Reid zurück und zu den ausgesprochenen Wonnen, die der Rest von ihr zu versprechen schien. Als er zu Betkines Haus kam, war er erfüllt von einer peinlichen Energie, die, zur Anwendung gelangt, einige außerordentlich lustvolle Momente hervorrief, aber immer wieder das Verströmen verweigerte.

Er konnte nicht die ganze Nacht dableiben. Er blieb doppelt so lange, wie er vorgehabt hatte, und als er wegging, war es längst dunkel. Inzwischen hatte das Hämmern bei Lampenlicht aufgehört und die Stimmen schuftender Arbeiter waren verstummt. Der Marktplatz war hell erleuchtet, und an dem gelegentlichen Gemurmel konnte man erkennen, wo die Stadt ihre Wächter aufgestellt hatte, die das Gemenge aus Holz, Latten und Segeltuch beschützen sollten, bis der Tjosttag anbrach. Es waren noch andere Geräusche zu hören. Das Grunzen der allgegenwärtigen Schweine. Das Miauen von Katzen. Das leise Jammern eines fordernden Kleinkindes hinter einem erhellten Fenster. Zwischen offenen Laden drangen Schnarchgeräusche hervor. Das Plätschern von Wasser im Kanal. Das Rascheln von irgendwelchem Abfall, vom Wind verweht. Das hohle Dröhnen einsamer Schritte auf einer Brücke. Gedämpftes Hundegebell aus unterschiedlichen Richtungen.

Hier hatte er einst einen schönen Hund verloren. Und ein hübsches, dralles Mädchen.

Der Wind war stärker geworden. Er trug ein seltsames Geräusch heran, über das Simon nachdachte, der immer noch auf dem Marktplatz stand. Man könnte meinen, daß am Rand der Innenstadt eine Generalprobe für den morgigen Tjost abgehalten würde. Eine Nachahmung en miniature des Geschreis, des Gebrülls der Zuschauer, schwach wie Meeresrauschen in einer Muschel.

Der Wind trug es wieder heran. Simon lauschte angespannt, alle Sinne geschärft, vor allem der Gehörsinn. Als die Glocke hoch oben zu schlagen begann, war er einen Augenblick lang wie taub und fast von Sinnen.

Dann schlug sie wieder, dröhnte gewaltig und ließ den Glockenturm erzittern. Und noch einmal. Und noch einmal.

Jemand schrie. Ein Fenster wurde von einem Licht erhellt, dann ein zweites. Eine Tür schlug. Die Glocke läutete und läutete. Und über allem erhob sich jetzt eine überlaute Stimme, die vom Glockenturm herab verkündete, was ein Gebot des Allmächtigen zu sein schien. Ein Mann, dessen Worte undeutlich durch den großen Schalltrichter kamen. Die große Feuerglocke. Und der Sprachtrichter nannte den Ort: die Färberei und das Haus der Familie Charetty.

Natürlich konnte zu einer Zeit, da alle Häuser aus Holz und die Dächer mit Stroh gedeckt waren, ein Feuer eine ganze Stadt in einer Stunde vernichten. Jetzt würden Backsteine und Quadern und Ziegel und Schiefer dem Feuer vielleicht widerstehen, aber Treppen und Anbauten waren aus Holz, und drinnen Balken und Paneele.

Die Stadt nahm ihre Verpflichtungen ernst. In jedem Viertel fand man eine Aufbewahrungsstelle für Eimer und Besen. Sobald sie den Sprachtrichter hörten, wußten die Leute, was sie zu tun hatten. Denn Brügge war eine Stadt, die von Tuch lebte, die Tag und Nacht auf den Stoffballen in ihren Kellern saß und auf all dem anderen Material, das ein Kaufmann einlagern mußte.

Der Lagerraum eines Pfandleihers war voll von Stoffen in Form von verpfändeten Kleidern. Und eine Färberei enthielt mehr als nur Ballen von Stoff und Bündel von Garn, nämlich noch die Farben. Die Fäßchen mit Safrangelb. Die Säcke mit getrockneten Galläpfeln für schönes, kostbares Schwarz und die Säcke voll Brasilholzklötzchen für Karmesinrot. Die Kräuterbündel: Büschel von Färberwau, die an Sparren hingen. Flache Schalen mit zu Pulver zerriebenem Waid, Schweinsblasen voll Kreuzdorn und Saftgrün und Maulbeeren. Fässer voll Beizenfarbstoff und Appreturen und Harzen. Schuppen voll Sodaasche und leeren Weinfässern zum Auskratzen und Verbrennen. Und überall auf dem Hof die hölzernen Küpen und Geräte und Spannrahmen; die hoch aufgestapelten Karden zum Rauhen. Und die Leinen mit aneinandergereihten Garndocken und gespannten bunten Stoffen, die das Haus mit der Färberei und diese mit dem Lagerhaus in einem unendlichen Muster wie ein Zauberpuzzle aus Wolle verbanden.

Simon of Kilmirren machte kehrt und begab sich dorthin, wo jetzt der ferne Lärm trotz der durchdringenden Geräusche, die sich ringsum verstärkten, deutlicher wurde. Und wo man jetzt, weil sich der Himmel färbte, sehen konnte, daß es dort brannte, und zwar heftig.

Leute rannten an ihm vorbei, halb nackt und mit klappernden

Eimern. Er blieb einen Augenblick stehen und ging dann gemächlich hinter ihnen her. Was auch immer geschehen würde, es würde geschehen, ehe er dort war.

Was natürlich stimmte. Als er hinkam, hatte das Feuer gerade das Haus in seine Gewalt gebracht und drang durch den Hof vor. Die Straße, in die er einbog, wimmelte von hin und her eilenden schreienden und halbnackten Menschen.

Am Tor zum Hof und auf dem Hof dahinter drängten sich die Menschen. Pferde wurden hinausgeführt, Eimer blitzschnell weitergereicht. Silberne Bögen und Kaskaden von Wasser zogen sich durch die Luft und lösten sich in weißem, zischendem Dampf auf. Als die Feuerlinie vorrückte, begannen die Eimerreihe und die Leute, die auf den Brand einschlugen, zurückzuweichen. Lodernde Stoffteile wurden aus dem Haus herausgesogen und durch die Luft gewirbelt und setzten Säcke und Kisten in Brand, die auf den Hof geschleppt worden waren. Simon drängte sich weiter vor und kam an einem Mann mittleren Alters mit einer Nachtmütze vorbei, der einen Sack mit Koschenille herauswuchtete und dessen dicker, nackter Bauch scharlachrot gefleckt war. Simon fragte jemanden: «Was ist mit den Leuten im Haus?»

Der Mann, den er angesprochen hatte, sammelte Hauptbücher auf, die über den Boden purzelten, nachdem sie offenbar aus einem Fenster im Obergeschoß heruntergeworfen worden waren. Er sagte: «Die Hunde haben uns geweckt. Ich glaube, wir haben alle herausgeholt.» Er trug ein schwarzes Wams, das offen war. Auch das Gesicht mit der Hakennase war schwarz und eingefallen vor Anstrengung.

«Hört mal», sagte Simon. «Ich werde mich darum kümmern. Geht und seht, was Ihr sonst noch retten könnt.»

Er wartete, bis der Mann weggegangen war, dann warf er die Hauptbücher bedachtsam eins nach dem anderen wieder mitten ins Feuer. Danach trieb die Hitze alle zurück, und er war es zufrieden, mit den anderen auf der Straße zu stehen und zuzusehen, wie die Firma Charetty niederbrannte, während das Rufen und Schlagen zu beiden Seiten weiterging, wo die nächst stehenden Häuser mit Wasser übergossen und geräumt wurden.

Ringsum hatte sich die Menge in kleine Gruppen aufgeteilt, alles schwieg, nur wo Frauen sich umarmten und getröstet wurden, hörte man gedämpftes Weinen. In einer solchen Gruppe sah er den Mann, mit dem er gerade gesprochen hatte, neben einer kleinen, ansehnlichen Frau stehen, die schönes Haar hatte. Zwei hübsche junge Mädchen mit geschwollenen Gesichtern klammerten sich an sie. Er bemerkte sie zuerst wegen des freien Raums, der wohl aus Ehrerbietung um sie herum gelassen worden war. Dann wurde ihm klar, wer sie natürlich sein mußten.

Das prächtig anzusehende Feuer hatte jetzt seinen Höhepunkt erreicht. Die Verschmelzung von seltenen und kostbaren Substanzen hatte einen Scheiterhaufen von außerordentlicher Leuchtkraft in Rot und Gelb hervorgerufen, durchschossen von grellem Grün, Anilingelb und beunruhigendem Violett. Über das prasselnde Dröhnen hinweg kündigte ab und zu ein Knall oder ein Zischen einen Silberstreifen oder einen Busch Gummigutt an oder eine Pfeilspitze aus roten, sprühenden Funken, und all das spiegelte sich in den Wasserpfützen auf dem Hof.

Dann drehte sich der Wind, und die schwarze Rauchwolke fand zugleich mit dem Gestank der verbrannten Stoffe den Weg zur Straße. Als ob sie aufgeweckt worden wäre, setzte sich die Menschenmenge in Bewegung. Das Haus, halb Asche, halb Feuer, stellte jetzt keine Bedrohung mehr dar. Die Nachbarhäuser waren nicht mehr gefährdet, und die Leute gingen einer nach dem anderen weg. Die Frau, die Marian de Charetty sein mußte, stand noch da und schaute ihnen nach. Simon sah, daß der Mann im schwarzen Wams höflich mit ihr sprach. Dann ging er weg und blickte sich um. Bald war er umringt. Er würde natürlich für alle Leute der Witwe Unterkunft finden müssen.

Aber sie war ja gar keine Witwe mehr; und es war absolut klar, worauf sie wartete. Etwas Wichtigeres als bloß der Kummer ihrer Angestellten und deren Verluste. Und in der Tat, eine Gestalt löste sich aus der letzten Gruppe rußgeschwärzter Männer, die von den Löscharbeiten zurückkamen, und trat mit kräftigen, nackten Füßen zu der Frau und ihren beiden Töchtern. Dieser unsterbliche junge Schweinehund: dieser Nicolaas.

Welchen Ausdruck auch immer sein Gesicht trug, er war verborgen unter einer klebrigen Schicht aus Ruß und Schweiß. Wo das aufgeknotete Hemd seinen Körper nicht bedeckte, war die Haut nicht nur schmutzig, sondern auch verbrannt. Dann sah Simon seine Zähne aufblitzen, und das größere der beiden Mädchen löste sich von der Schulter der Mutter und rannte ihm plötzlich entgegen. Nicolaas legte den Arm um sie und küßte sie auf die Stirn. Dann ging er mit ihr weiter und zog mit einer Hand die Frau und das jüngere Mädchen wortlos an sich. Das lange, zerzauste Haar der Mutter umwehte sie alle.

Was er dann sagte, war nicht zu verstehen, aber die Augen der Frau sprachen für sich. Tatsächlich brauchte sich niemand, der sie beobachtete, fragen, was sie zur Heirat veranlaßt hatte. Dann löste sich ihr junger Ehemann behutsam von ihr und den Mädchen und rief dem Mann in Schwarz etwas zu, der sich umdrehte und antwortete und sich umschaute; dann sah er Simon und deutete auf ihn.

In seinem schwarzen Umhang und dem seidenen Gesellschaftsanzug, der durch Betkine allerdings ein wenig zerknittert war, wartete Simon, während Nicolaas herüberkam und vor ihm stehenblieb. Unter dem Schmutz war das Gesicht des jungen Mannes bleich.

«Da die Welt voll ist von einträglichen kleinen Betrieben», sagte Simon, «warum dann in einen einheiraten, der so schlecht riecht, wenn er heiß wird? Wie ich höre, hast du vorgehabt, dich morgen schleunigst in Sicherheit zu bringen. Aber du siehst, daß wir uns dennoch getroffen haben.»

Sie mochten ihn jetzt Nicolaas nennen, aber der Junge, der all die Prügel bezogen hatte, stand immer noch vor ihm. «Von Gregorio höre ich», sagte Nicolaas, «daß er all unsere Hauptbücher in Eurer Obhut gelassen hat.»

«Gregorio?» Simon sah sich um.

«Der Syndikus in Schwarz. Er hat natürlich nicht gewußt, wer Ihr seid.»

Simon machte den Mann in Schwarz ausfindig und lächelte ihm zu. Der Mann kam herüber.

«Oh, noch so ein prächtiger Angestellter, in Urin getränkt. Sage ihm, er soll nicht herkommen. Wenn das allerdings der Mann ist, den du meinst, dann habe ich ihn noch nie gesehen und deine armseligen Hauptbücher auch nicht. Bist du sicher, mein lieber Nicolaas, daß dein Syndikus es nicht bequem fand, sie ins Feuer zurückzuwerfen? Dergleichen hat es schon gegeben.»

Gregorio war herangekommen. Er wandte sich an den Jüngling,

den er, Gott schütze ihn, als seinen Brotherrn ansehen mußte, und fragte: «Was hat er damit gemacht?»

«Hat sie, nehme ich an, ins Feuer geschleudert», sagte Nicolaas. «Dies ist ein Herr, der Simon of Kilmirren heißt. Es gibt mir Gelegenheit zu wiederholen, was ich neulich gesagt habe. Wenn er versucht, irgendein Gebäude von uns zu betreten oder einen unserer Angestellten zu behindern oder gegen ihren Willen mit der Demoiselle zu sprechen, dann müßt Ihr sofort Meester Metteneye und Meester Adorne rufen.»

Simon betrachtete die Clownaugen des Burschen, die in dem geschwärzten Gesicht groß und weiß waren wie Blasen. «Es muß doch bestimmt irgendeine Beleidigung geben, die dich zu einer männlichen Haltung zwingt. Aber, bei Gott, ich weiß wirklich nicht, was es sein könnte. In einem einigermaßen bewegten Leben, Meester Gregorio, habe ich niemals einen Diener getroffen, der so feige war wie derjenige, der sich Euren Herrn nennt.»

Er lächelte und ging von dannen, und keine Erwiderung folgte ihm.

Nach einem Augenblick sagte Gregorio: «Ich nehme an, Ihr habt Eure Gründe.»

Nicolaas drehte sich um. «Ich weiß nicht, ob ich welche habe oder nicht. Es muß über mehr nachgedacht werden als über eine Streiterei.»

«Die Hauptbücher...»

«Die sind nicht unersetzlich. Und wenn Euch die Frage auf der Zunge liegt, wer das Feuer gelegt hat – ich weiß es nicht.»

«Aber Ihr werdet versuchen, es herauszufinden?»

«Nein, Ihr. Und Ihr werdet viel Hilfe bekommen. Die Stadt nimmt derlei Dinge ernst. Aber ich erwarte nicht, daß etwas gefunden wird.»

«Und die Darlehen... Die Bürgschaft für all diese Darlehen, und die Einnahmen, die Ihr braucht, um sie zurückzuzahlen...»

«Ach ja, es hätte in keinem ungünstigeren Augenblick passieren können. Wer immer das Feuer gelegt hat, kalkulierte das ein. Wahrscheinlich haben sie es auch einkalkuliert, daß die Hälfte von uns in den Flammen umkommt. Aber keiner verbrannte. Und das ist wirklich das Wichtigste.»

Die Demoiselle war mit den Mädchen herangekommen. «War das nicht...»

«Hergekommen, um zu sagen, wie leid es ihm tue. Na, nicht ganz. Über all das reden wir später. Jetzt wollen wir sehen, was getan werden muß.»

Nicolaas brach am Dienstag nach Genf auf, nur zwei Tage später, als ursprünglich beabsichtigt. Ihn begleitete die angeheuerte Eskorte, die er schon besorgt hatte, mit den Mauleseln und seinen Pferden, die er mitsamt dem Zaumzeug aus den Ställen gerettet hatte. Ebenso aus den Ställen gerettet waren die schon für die Reise gepackten Satteltaschen und ein einzelner Wagen, vollgepackt mit Stoffballen für Jaak de Fleury (von deren Auslieferung allerdings dringend abgeraten worden war).

Zurückgelassen hatte er die Kisten und Koffer, die Marian de Charetty für eben diese Reise vorbereitet hatte und die jetzt alles enthielten, was sie an Kleidern und Schmuckstücken noch besaß. Denn es kam nun nicht in Frage, daß sie mitfuhr. Sie und Gregorio hatten zuerst angenommen, daß auch er nicht reisen würde. In dieser längsten Nacht ihres Lebens gab es keine Möglichkeit, darüber nachzudenken. Überaus gastfreundlich nahmen Leute ihr obdachloses Personal auf. Einer der Bürgermeister kam, die Nachtmütze auf dem Kopf, und brachte den Stadtmedikus mit, der sich um die Brandwunden der Angestellten kümmern sollte. Eine Wache wurde rings um das Haus aufgestellt, in dem das Feuer noch flackerte und schwelte, um alles zu schützen, was zu retten sich noch lohnen könnte, sobald sich die Trümmer abgekühlt hatten. Winrich, der Geldwechsler, holte seine Freunde und bezog mit ihnen an dem Teil des Hauses Posten, wo sich irgendwo unter dem Schutt ein Haufen geschmolzenen Silbers befand aus der Truhe, in der die Demoiselle ihre Silbermünzen aufbewahrt hatte. Morgen würde das Münzamt seine Beamten herschicken, und dann würde sie vielleicht einen Teil des Wertes erstattet bekommen. Das übrige, Schuldscheine und Bürgschaften, all das war verloren, ebenso das gesamte Inventar der Färberei, abgesehen von ein oder zwei Säcken mit den wertvollsten Farbstoffen, die Henning selbst hinausgeschleppt hatte.

Dann hatten sich im Morgengrauen die Demoiselle und Nicolaas und Gregorio, verrußt und erschöpft, in der wie durch ein Wunder vorhandenen, noch unbezahlten Zufluchtsstätte in der Spanjaardstraat an einen sauber gescheuerten Tisch gesetzt, einen Napf Suppe in der Hand, und geredet. Es war nicht sehr vernünftig, aber da sie zu müde war, um zu schlafen, hatte Marian de Charetty das Recht erwirkt, ihre schlimmsten Ängste dadurch zu vertreiben, daß sie zu planen versuchte, solange noch Männer da und bereit waren, zuzuhören und ihr zu helfen.

Gregorio, wachgehalten durch die ihn immer noch verblüffende Seltsamkeit der Beziehung, beobachtete, wie Nicolaas für die Demoiselle die Entschlüsse faßte. Bis zur Messe im Mai waren es weniger als zwei Wochen, aber irgend etwas konnte bewerkstelligt werden. Der Betrieb in Löwen würde ihnen einige Waren liefern, die sie verkaufen konnten. Die Zunft würde sie mit einem Einkaufskredit unterstützen und höchstwahrscheinlich auch mit einer Art Grundstücksbeteiligung. Die Spanjaardstraat und das andere Grundstück, das Nicolaas gekauft hatte, waren für die Färberei nicht geeignet. Aber die Spanjaardstraat würde zuerst ihre Wohnung und das Kontor aufnehmen, und soweit die anderen Gebäude nicht schon vermietet waren, könnten einige der Arbeiter dort untergebracht werden. Vielleicht auch in der Weinschenke. Die übrigen könnten nach Löwen versetzt werden.

Der Betrieb in Löwen wurde also nicht verkleinert, sondern unter Leitung von Cristoffels weitergeführt. Das weitläufige Gelände in Brügge mit seinen zahlreichen Geschäftszweigen zu ersetzen lohnte sich nicht. Sie sollten sich um Qualitätsarbeit bemühen auf dem Gebiet des Färbens, des Handels und der Pfandleihe. Besser färben als Florenz. Wertvolle Pfänder annehmen, die eine sichere, aber keine raumintensive Lagerung erforderten. Darlehen zu hohen, gut verschleierten Zinsen.

Das war, wie Gregorio wußte, Nicolaas' Wunschtraum. Schon lange vor dem Brand hatte er sich das zusammengereimt. Er sagte: «Ihr redet von Geldgeschäften in Verbindung mit Luxushandel. Dagegen habe ich nichts. Aber woher soll das Geld kommen, um all das jetzt aufzuziehen? Ihr habt viele Leute zu unterhalten. Ihr habt Schulden für dieses und die anderen Gebäude. Tuche von Kunden sind verbrannt; die Leute werden dafür Entschädigungen verlangen, und auch für Euer eigenes Tuch, das auf Kredit geliefert wurde. Eure beschlagnahmten Pfänder sind nicht mehr vorhanden, und das bedeutet, daß jedes Darlehen ein Verlustgeschäft ist; und diejenigen, die ihre Waren zurück haben wollen, werden Forderungen gegen

Euch erheben. Ihr habt Waffen auf Kredit gekauft. Die Kosten für die Söldnertruppe, die noch ausstehen, werden womöglich höher sein als das, was sie einbringt. Wenn Euer Hauptmann gefangengenommen wird oder Eure Soldaten eine schwere Niederlage erleiden, werdet Ihr vielleicht hohes Lösegeld bezahlen oder Schadenersatz leisten müssen. Ihr werdet unter Umständen nicht die Mittel haben, um Ersatz für Menschen und Rüstungen und Pferde zu schaffen und den Rest Eures Kontrakts zu erfüllen, und könnt nicht sicher sein, einen neuen zu erhalten. Auch diesem Risiko seid Ihr jetzt ausgesetzt und habt nun keine Firma hinter Euch, die den Schlag auffangen kann.»

Gregorio hielt inne, senkte den Blick und wandte ihn von dem abgespannten, unbewegten Gesicht der Witwe ab. Irgendwann im Laufe der Nacht hatte sie das sehr hübsche Haar zusammengerafft und einen Reitumhang über ihrem Nachtgewand festgesteckt. Er hatte sich gefragt, ob er zulassen sollte, daß sie sich zurückziehe, getröstet durch die Hirngespinste eines jungen Mannes, aber er hatte dann erkannt, daß es letztendlich hilfreicher war, wenn sie der Wirklichkeit ins Auge blickte. «Demoiselle, es tut mir leid, das sagen zu müssen. Aber das einzige, was Ihr noch tun könnt, ist, Eure Belegschaft, mich eingeschlossen, zu entlassen und nach Löwen zurückzukehren, nachdem Ihr den ganzen neuen Grundbesitz wieder verkauft und einige Eurer Gläubiger abgefunden habt. Und Nicolaas kann sich jetzt natürlich nicht mit seinem Alaun-Projekt befassen.»

Aufrichtig bedauernd hob er den Blick wieder, als er geendet hatte. Die blauen Augen der Demoiselle ruhten auf ihm, dann richteten sie sich auf Nicolaas.

Nicolaas sagte: «Nicolaas befaßt sich nicht nur mit seinem Alaun-Projekt, er bricht auch am Dienstag auf, um es abzuschließen. Dieses Vorhaben allein wird uns wieder auf die Beine bringen. Man könnte glauben, es sei noch nie ein Schiff untergegangen oder es habe noch nie eine Überschwemmung oder eine Hungersnot gegeben. Für uns ist das hier ein Unglück, aber nicht für unsere Mitbürger. Sie werden uns unterstützen. Sie werden uns eine Kreditverlängerung gewähren. Und wenn sie es nicht aus Brüderlichkeit tun, dann werden sie es aus Eigennutz tun. Dafür werde ich sorgen. Ihr habt die fabelhaften Kurierdienstverträge vergessen. Sehr viel Tuchhandel werden wir vielleicht nicht betreiben können, aber wir können mit Nachrichten handeln.»

Die hatte er vergessen. «Die Sendungen?» fragte Gregorio.

«Hier, in der Spanjaardstraat. Ich würde ein ganz anderes Gesicht machen, wenn sie nicht hier wären.»

«Dienstag?» fragte die Demoiselle.

Nicolaas drehte sich zu ihr um. «Die Färberei ist immer von Euch geleitet worden. Ihr kennt die Zunft, Ihr wißt besser über die Probleme Bescheid als sonst jemand. Wir haben morgen und Montag noch Zeit, alles zu planen, Ihr und Gregorio und Henning und ich. Cristoffels ist unterwegs. Und in ein paar Tagen habt Ihr Felix wieder hier.» Er hielt inne und fuhr dann fort: «Es ist wirklich für alle am besten, wenn ich mich jetzt auf den Weg mache. Natürlich nicht nach Dijon. Aber ich werde das Tuch nach Genf bringen und dann direkt nach Mailand gehen. Ich werde zurückkommen, sobald ich kann. Verlaßt Euch darauf.»

«Genf!» sagte die Demoiselle scharf.

«Das Tuch ist bestellt worden. Das Geld wird nützlich sein.»

Gregorio, dem die Augen zufielen, setzte sich entschlossen auf. «Wenn es sich um Thibault und Jaak de Fleury handelt – die haben die letzte Lieferung nicht bezahlt. Es wäre sicher besser, wenn wir das Tuch hier für die Messe aufheben.»

«Vielleicht habt Ihr recht.» Nicolaas sah die Demoiselle an und las offenbar in ihrem Gesicht etwas, das Gregorio entgangen war. Nicolaas fragte sie: «Habt Ihr Felix vergessen? Wir haben Glück gehabt, daß er nicht hier war und keine törichte Tapferkeit an den Tag gelegt hat. Wenn er zurückkommt, wird er Euch sagen, wie schlecht wir alles gemacht haben.»

Die Demoiselle lächelte; kurz danach stand sie auf und ging langsam in ihr kleines Arbeitszimmer, wo ein Strohsack für sie bereitgelegt worden war.

Als sich die Tür geschlossen hatte, wandte sich Gregorio an Nicolaas. «Sie verdankt Euch sehr viel. Die Firma auch. Aber hört auf meinen Rat. Intelligenz ist nicht genug, um einen Ausweg aus dieser schlimmen Lage zu finden. Das erfordert Erfahrung, es erfordert Behutsamkeit. Eure Pläne waren ihrem Wesen nach immer riskant. Ihr wollt sie weiter verfolgen. Ihr habt schnell gelernt. Noch schneller sogar habt Ihr Selbstvertrauen erlangt. Aber Erfahrung besitzt Ihr immer noch nicht.»

Nicolaas sah ihn an. Zu Gregorios Überraschung setzte er ein besonders strahlendes Lächeln auf. Es endete mit einem Gähnen, das ihm fast die Kiefer auseinandergerissen hätte. «Freund Goro, glaubt Ihr denn, ich wüßte das nicht? Aber wenn alles, was Ihr gesagt habt, richtig ist, und es ist richtig, dann brauchen wir schnell sehr viel Geld von irgendwoher. Und ob ich die Erfahrung habe oder nicht, ich werde es besorgen.»

Kapitel 31

Ohne zu ahnen, dass die Firma Charetty in Schutt und Asche lag und daß, was noch schlimmer war, die Witwe Charetty keine Witwe mehr war, befand sich ihr Unterführer Thomas auf dem Weg nach Süden, um zu kämpfen, begleitet von vier Schwadronen von Lanzenreitern und fünfzig Mann, die gewillt, wenn auch noch nicht ganz imstande waren, mit den Handfeuerwaffen umzugehen, die dieser gräßliche junge Claes ihm aufgehalst hatte.

Begleitet wurde er von den beiden Burschen Gottschalk und Abrami, die Claes ebenfalls ausgesucht hatte. Thomas stellte fest, daß er froh über sie war. Abrami, ein in Deutschland ausgebildeter Armbrustschütze, verstand von Handfeuerwaffen mehr als er. Und Gottschalk war nicht nur ein Schreiber, sondern auch so etwas wie ein Bader. Als Thomas' Bremsenstiche sich entzündeten, was sie oft taten, vollbrachte Gottschalk mit Pasten und Pudern geradezu Wunder. Thomas genoß den Ritt nach Süden trotz des Packs von Pferdejungen und Lagerknechten und was sonst noch immer auf einem langen Feldzug mitkam.

Das war die unerfreuliche Seite. Die erfreuliche Seite waren die Frauen. Diesen Teil der Angelegenheit überließ die Witwe immer Astorre und ihm und beanstandete auch nur selten die Rechnungen. Schließlich konnte man von einem kämpfenden Mann nicht erwarten, daß er sich selbst mit Nahrung versorgte, sein Getreide selbst mahlte und seine Wäsche selbst wusch. Das war Frauenarbeit. Und wenn ein Mann aufgehört hatte zu kämpfen, dann erwartete er von der Freizeit mehr, als bloß ein Würfelspiel und etwas zu trinken.

In Neapel würde natürlich kein Mangel an Frauen herrschen. Ein Heer, das auf den Kampf wartete, zog sie an wie ein Pferd diese verdammten Bremsen, und ihre Stiche taten ebenso weh – oder wenn sie nicht stachen, dann riefen die Kämpfe um sie Schmerzen hervor. Deshalb war es vernünftig, von vornherein ein paar Frauen mitzunehmen. Auf den Karren saßen sogar eine oder zwei Ehefrauen, und eine von ihnen stillte. Ihr Kind war das einzige, das er gesehen hatte, aber manchmal tauchten noch mehr auf. Das war Sache des Vaters. Ein Mann bekam nur einen Sold. Es war seine Sache, ob er mehr als ein Maul damit stopfen wollte.

Thomas und sein Reiterzug überquerten die Alpen ohne Zwischenfall.

In Mailand holte er die Handfeuerwaffen ab. Ihm wurde auch eine Überraschung bereitet, die ihn aber nicht übermäßig betrübte.

Ende April erreichte er Neapel nach einer ganzen Menge geschickter Ausweichmanöver und stellte fest, daß die Stadt vor lauter feuchtkaltem Regen kaum zu sehen war. Er hatte einen Melder vorausgeschickt, um Astorre von seiner bevorstehenden Ankunft zu verständigen und hoffte, es würde noch ein paar vernünftige Quartiere mit trockenen Zimmern geben und mit nicht mehr Ratten im Stroh als denen, die man sowieso einkalkulieren mußte.

Das Kastell war groß genug, um alle Obersten und Hauptleute aufzunehmen und auch diesen unehelichen aragonischen König mit Namen Ferrante. Aber die Quartiere für die Leute waren eine andere Sache. In manchen Städten wurde man außerhalb untergebracht, zwischen den Mauern und den Außenbefestigungen, und zwar in Holzhütten. Manchmal mußte man sogar die eigenen Zelte aufschlagen. Manchmal wurde man bei irgendeiner Familie mit hineingestopft, die gezwungen wurde, einen aufzunehmen.

Thomas freute sich, Julius zu sehen. Er wartete, als er heranritt, schon am Tor mit einem gutgekleideten Mann, dem neapolitanischen Verpflegungsoffizier. Thomas beobachtete den Mann mit einiger Befriedigung, als dieser kurz an der ordentlichen Reihe von Truppen und Wagen und Troß entlangritt und zustimmend nickte. Dann wurden Thomas ein Schreiber und ein Bewaffneter zugeteilt, und zusammen mit Julius machte er sich daran, alle unterzubringen.

Während dieser Tätigkeit konnte man sich nicht unterhalten. Astorre, sein Hauptmann, war auf einem Streifzug. Soviel erfuhr er. Dann fragte ihn der Aktuarius, wie die Reise verlaufen und ob in Brügge alles in Ordnung sei, was Thomas bestätigte und dann fragte, ob Hauptmann Astorre immer noch derselbe alte Mistkerl sei. Das hatte Julius bejaht und kurz gelächelt und gemeint, er werde ihn gewiß wiedererkennen.

Thomas warf ihm dann und wann einen Blick zu und fand Julius irgendwie verändert. Ein für einen Schreiber gutgebauter Mann war er immer gewesen mit einem kräftigen, knochigen Gesicht, wie man es bei einem Berufssoldaten erwarten würde. Astorre hatte mehr als einmal gesagt, es würde ihn nicht wundern, wenn die Witwe ihn eines Tages in ihr Bett holte, und dann wären sie alle Untergebene von Meester Julius. Aber wenn das so war, dann hatte es sie nicht davon abgehalten, ihn nach Italien zu schicken, und er hatte nicht gezögert wegzugehen. Und wenn es eine Frau in Brügge gab, die Meester Julius jemals nähergekommen war als das Tintenfaß auf seinem Schreibtisch, dann müßte er, Thomas, erst noch von ihr hören.

Also was war jetzt anders? Julius hatte diesen Anflug von Übermut verloren, das war es. Diese Bereitwilligkeit, mit Claes und dem jungen Felix Unfug anzustellen, wobei sie sich so oft in die Nesseln gesetzt hatten. Vielleicht fehlten ihm die beiden. Oder vielleicht war er eifersüchtig auf Claes mit seinem schönen blauen Kurieranzug, dem Bankherren jetzt zunickten, während er von Henning immer bloß Nasenstüber bekommen hatte. Oder er hatte es mit Astorre verdorben, was nicht schwierig war, vor allem, wenn man kein Soldat war. Oder vielleicht hatte er bloß Neapel und den Regen satt. Von Neapel und dem Regen konnte man genug bekommen, wenn man kein Mann war, der Frauen gern hatte. Thomas, der sich auf der Strecke von Brügge nach Neapel schon alle Mädchen auf den Wagen zweimal vorgenommen hatte, bedauerte Julius.

So war das mit Julius. Er hatte Neapel satt, hatte den Regen satt und war insbesondere die fürchterliche Gesellschaft von Syrus de Astariis seit drei Monaten leid, der ihm zeigte, wie er seine Leute in Trab hielt, während er auf die Ankunft der Verstärkung für seine Truppe wartete.

Ebenso wie das übrige buntscheckige Heer des Königs hatte

Astorres Kerntruppe, Armbrustschützen und Reiter, den größten Teil des Winters in Neapel verbracht, abgesehen von gelegentlichen Ausfällen, um die sehr wenigen Bewegungen des Feindes zu verfolgen, der von Herzog Jean von Kalabrien und dem Burschen Orsini angeführt wurde, dem Fürsten von Tarent.

Wenn sie innerhalb der Mauern waren, übernahmen sie ihren Anteil an den verschiedenen heftigen Scharmützeln, ganz zu schweigen von ausgesprochenen Gefechten, die sie in Übung hielten. Von Zeit zu Zeit wurden sie von den mächtigen Herren gezählt, die die verschiedenen für König Ferrante kämpfenden Heere kommandierten. Nichts von diesen Geplänkeln verdroß Astorre, der einfach seine kleine Gruppe weiter kommandierte, was er außerordentlich gut verstand. Doch im Laufe der Wochen sehnte Julius sich danach, daß Tobias endlich käme, der, wenn Bruder Gilles geheilt war, nach Süden kommen sollte, sich aber nach drei Monaten noch immer nicht hatte blicken lassen.

Julius wurde klar, daß Tobias ihm fehlte. Tobias fehlte ihm, weil er der einzige gebildete Mensch war, mit dem er über die Familie Charetty reden konnte. Die Witwe und Felix. Und den schrecklichen Claes, der soviel Prügel bezogen hatte, der jetzt hier sein und ihm Gesellschaft leisten und gewillt sein sollte, ihm zuzuhören. Und sich irgendwie zu bessern. Daher ließ sich Julius spät am Abend mit Thomas und den beiden neuen Männern, Gottschalk und Abrami, in dem kleinen Zimmer des Hauptmanns auf einen Stuhl plumpsen und sagte: «So, nun erzählt mir alle Neuigkeiten.»

Und Thomas antwortete: «Ja, ich habe mir schon gedacht, daß Ihr Euch wundern werdet. Dreihundert Gulden monatlich mehr, als vereinbart war. Na, was sagt Ihr dazu?» Julius starrte Thomas an. «Für die Leute mit Handfeuerwaffen», erklärte Thomas. Er runzelte die Stirn. «Was habt Ihr denn geglaubt? Neunhundert Gulden wurden dem Hauptmann in der *condotta* zugesagt. Jetzt haben wir fünfzig Mann mehr, alle ausgebildet. Ich bekam die Zusage vom Sekretär des Herzogs. Dreihundert Gulden extra. Wartet nur, bis der Hauptmann das hört.»

Vorsichtig richtete Julius seine Gedanken auf Thomas. «Astorre», sagte er, «wird entzückt sein. Die Witwe auch. Das ist eine gute Nachricht, Thomas. Habt Ihr das alles mit Meester Tobias ausgehandelt?»

Thomas war gut gelaunt und verschmähte es sowieso, als jemand zu gelten, der sich mit Lesen und Schreiben abgab. «Mit Hilfe von Meester Gottschalk», sagte er. «Meester Tobias war nicht da.»

Julius sah ihn fragend an. «Ist er nicht mehr in Piacenza? Oder in Florenz? Ist Bruder Gilles noch in Mailand, Thomas?»

Thomas grinste. «Ihr müßtet die Geschichten von Bruder Gilles hören. Nein, er ist geheilt und nach Florenz geschickt worden, heißt es. Und Meester Tobias war wirklich in Piacenza, denn er hat die Handfeuerwaffen für uns besorgt. Hat sich aber Zeit gelassen. Er ist erst Ende Februar wieder nach Mailand gekommen, wurde uns gesagt.» Er hielt inne.

«Und?» fragte Julius scharf.

Thomas grinste von neuem. «Na ja, er ist wieder weggegangen. In die Abruzzen.»

Julius starrte ihn an. Vor seinem geistigen Auge sah er die italienische Westküste von Rom bis ganz nach Süden, wo er sich im Kastell von Neapel jetzt anschickte, für König Ferrante zu kämpfen. Und vor seinem geistigen Auge sah er die Ostküste Italiens und das Küstenland auf der anderen Seite, die Abruzzen. Ein sehr interessanter Landstrich, denn dorthin, hieß es gerüchtweise, marschierte das Heer von Giacomo Piccinino, der jetzt von Herzog Jean von Kalabrien bezahlt wurde und seine Streitkräfte mit denen des Herzogs Jean vereinigen wollte, um einen Großangriff gegen Neapel einzuleiten.

«Warum hat sich Tobias in die Abruzzen aufgemacht?» fragte Julius.

Thomas' Grinsen schien eingefroren zu sein. «Ach, das ist kein Geheimnis. Er wollte sich Hauptmann Lionetto anschließen. Er ist wieder zu Lionetto zurückgegangen, bei dem er war, ehe er zu Astorre überwechselte. Wartet nur, bis Hauptmann Astorre das hört. Da wird es kein Halten geben. Sie werden ihn in Ketten legen müssen, sonst geht er auf und davon, um allein gegen den Grafen Piccinino und Hauptmann Lionetto und Meester Tobias zu kämpfen.»

Die ganze Nacht lag Julius schlaflos da und dachte darüber nach. Es hätte ihn nicht überraschen sollen. Schon seit Bologna war er daran gewöhnt, im Stich gelassen zu werden. Er wußte, daß jedermann für sich selbst sorgte und man nichts erwarten konnte. Er hatte Tobias nicht gut gekannt. Er hatte ihn leicht aufbrausend und unduldsam gefunden und oft überempfindlich, aber einigermaßen aufrichtig im Umgang und mit einem sicheren Urteilsvermögen begabt. Er hatte mehr auf seine Gesellschaft gebaut, als er sich klargemacht hatte. Er hätte wissen müssen, welche Macht das Geld letztlich besitzt.

Als Astorre mit seiner kleinen Kampfeinheit zurückkam, stellte sich heraus, daß er über Tobias schon Bescheid wußte. Nach ein paar beiläufig geäußerten Kraftausdrücken war die Sache für ihn erledigt. Der Verlust des Bereiters würde ihn mehr bekümmert haben. Jedenfalls hatten sie jetzt diesen Mann Gottschalk, und der war doch ein Bader, nicht wahr? Gewohnt, mit Salben und Wunden umzugehen? Ein Medikus war so gut wie jeder andere.

So würde, wenn man es sich recht überlegte, ein Mann wie Astorre eben reagieren. Aber Julius, der gewohnt war, die Neigung des Bartes und das Glitzern des Auges unter der Narbe zu deuten, schien es, daß noch etwas anderes dahintersteckte. Er wartete, bis sie allein waren, und fragte dann: «Was beunruhigt Euch dann? Ein tatsächlicher Angriff am Horizont? Eine richtige Schlacht?»

«Ach, das glaube ich nicht», gab Astorre zur Antwort. «Herzog Jean hat eine große Streitmacht da drüben und eine Menge Festungen, von Baronen gehalten, die Ferrante nicht mögen. Wir sind noch nicht stark genug, um auszubrechen und sie zu schlagen.»

«Können wir es uns denn leisten abzuwarten? Piccinino marschiert jetzt die Ostküste entlang. Und es heißt, der König von Frankreich habe in Lyon Truppen massiert und wolle sie herüberbringen, um seinem Cousin Jean zu helfen.»

«Hat er vielleicht. Vielleicht auch nicht. Man würde glauben, er habe gerade jetzt mit England und Burgund genug am Hals, um auch noch Bewaffnete nach Italien schicken zu können. Und was den Grafen Piccinino betrifft – er muß erst den Süden der Abruzzen erreichen und dann Italien überqueren, um zu seinen Freunden hier zu gelangen. Er wird feststellen, daß das schwieriger ist, als er glaubt, vor allem wenn das Mailänder Heer südwärts zieht und ihm nachsetzt. Nein, wenn es eine Schlacht ist, auf die Ihr wartet, dann müßt Ihr noch ein Weilchen länger warten.»

«Dann habt Ihr irgendwelche anderen Neuigkeiten gehört?»

«O ja, Neuigkeiten habe ich gehört. Thomas, komm her und setze dich. Meester Julius will meine Neuigkeiten erfahren, und die soll er hören. Du auch. Dann kannst du dir überlegen, ob du dich wie dieser Bursche Tobias Lionetto anschließen willst oder nicht. Jetzt weiß ich, warum er es getan hat. Bei Gott, jetzt weiß ich es.»

Thomas starrte Astorre an. Julius' ganzer Gehirnkasten war leer, er starrte ebenfalls Astorre an. Astorre sagte nur: «Claes.»

Thomas fragte: «Claes?»

Und Julius fragte sehr zögernd: «Ist Claes ein Spion geworden?»

«Spion!» Köpfe drehten sich. Astorre ersetzte das eine gebrüllte Wort durch eine ganze Salve. «Vielleicht ist er das geworden. Ich glaube jetzt alles von dem kleinen Scheusal. Alles. Thomas, wie gefällt es dir, für Claes zu arbeiten? Speichellecken um ein Trinkgeld? Ihm danken für ein neues Paar Stiefel?»

Thomas wurde vor Verwirrung krebsrot. Auch Julius errötete, denn er dachte wie wild nach. Claes, der unterwürfige Kurier; der fröhlichste Diener in Brügge, der die meisten Prügel bezog. Claes, der gut rechnen konnte und vielleicht endlich seinen guten Rat beherzigt hatte. «Hat er angefangen», fragte Julius, «im Geschäft zu helfen? Hat ihn die Demoiselle ins Kontor geholt?»

«Ins *Kontor*?» schrie Astorre. «Heilige Muttergottes, die Wahnsinnige hat ihn *geheiratet*!»

Julius begann zu lachen. Er lachte die ganze Zeit, während Thomas besorgte Fragen stellte und Astorre entsprechend hitzige Erklärungen abgab, die jedes Desaster aufführten, das ihnen bevorstand, angefangen mit der Verletzung ihrer Würde bis zum drohenden Bankrott der Firma, der sie alle zu Bettlern machen würde, es sei denn, sie könnten sich damit abfinden, Befehle von einem hochnäsigen jungen Beschäler entgegenzunehmen, der, bei Gott, eine Fähigkeit hatte, über die, bei Gott, jedermann Bescheid wußte und die er, bei Gott, benutzt hatte, um dahin zu gelangen, wohin anständige Männer nicht gelangen konnten.

Julius erinnerte sich, daß zumindest Tobias Mailand aus anderen Gründen als der unziemlichen Heirat der Demoiselle verlassen haben mußte, weil diese damals noch gar nicht stattgefunden hatte. Aber Astorre, zitternd vor Zorn, wollte nichts davon wissen. «Wenn es eine Hochzeit gegeben hat, dann darum, weil es genug Hurereien für einen Skandal gegeben hat. Dieser Mistkerl! Claes! Vielleicht hat Tobias ihn dazu angestiftet! Vielleicht hat *Lionetto* ihn dazu angestiftet! Vielleicht ist Lionetto der neue Charetty-Hauptmann und auf dem Weg nach Süden, um uns alle zu vernichten und es den Jungvermählten zu ersparen, unseren Sold auszuzahlen. Ich bringe ihn um!»

«Wen?» fragte Julius.

«Sie alle!» brüllte Astorre absolut folgerichtig, zog sich dann zurück und betrank sich dermaßen, daß er mit dem stärksten Mann, den er finden konnte, Streit anfing und gewann.

Julius verbrachte zwei Tage damit, ihn zu beruhigen, und es gelang ihm einigermaßen, ohne, was im Interesse von König Ferrante von Neapel lag, den Kernpunkt einer gärenden Animosität zu eliminieren, die, wie Thomas einmal vermutet hatte, gute Aussichten bot, den gesamten Widerstand eigenhändig zu brechen.

Julius selbst verspürte weder Ärger noch Neid, sondern wurde immer vergnügter und neugieriger. Aus welchem Grund auch immer hatte es begonnen? Und was würde jetzt dabei herauskommen?

Eine Woche bevor Julius die Nachricht von seiner Heirat erhielt, brach Nicolaas nach Mailand auf. In Brügge ließ er eine tapfere Frau und zwei weinende Kinder zurück. Er ließ auch Gregorio zurück, während Cristoffels stündlich erwartet wurde. Er vertraute ihnen beiden. Gemeinsam konnten sie, auch ohne ihn, den Wiederaufbau beginnen. Und in drei oder vier Tagen sollte Felix seinen Aufenthalt in Genappe beendet haben und kurz darauf seiner Mutter wieder zur Verfügung stehen.

Tatsächlich traf drei Tage nach Nicolaas' Aufbruch der junge Makler Cristoffels aus Löwen in Brügge ein. Er wußte nichts von dem Brand und nahm an, die Witwe und ihr neuer Gemahl seien schon auf dem Weg nach Dijon und Genf. Wie betäubt durch die Nachricht über die Färberei, antwortete Cristoffels nicht sofort auf die nachdrücklichen Fragen der Witwe nach ihrem Sohn Felix. Dann riß er sich zusammen und beruhigte sie sofort. Dem Jonkheer gehe es gut. Die ihm auf Genappe gewährte Gastfreundschaft sei offenbar überaus erfreulich gewesen. Von Genappe aus habe er in Löwen Station gemacht, um die Pferde zu wechseln, ehe er mit seinen Dienern nach Süden geritten sei. Das heißt, er wußte ja nichts von dem Brand und daher auch nicht, daß seine Mutter ihre Pläne geändert hatte und war auf die Idee gekommen, ihr und Meester Nicolaas nachzureiten.

Also nach Dijon zu reiten und dann gleich nach Genf, falls er sie in Dijon verfehlen sollte.

An diesem Punkt seines Berichts hielt Cristoffels inne, da ihm der Gesichtsausdruck der Demoiselle unheimlich vorkam, und er warf Gregorio einen Blick zu, der ihm aber auch nicht weiterhalf. Dann sagte die Demoiselle: «Ich bin froh, daß ich weiß, wo Felix ist. Ich dachte einen Augenblick, es könnte sich lohnen, ihm nachzureiten. Aber er wird Nicolaas bald treffen und erfahren, wie die Lage ist. Ich nehme an, wir werden ihn nächste Woche sehen.»

Cristoffels hatte taktvoll geschwiegen. Er hatte ganz genau wiedergegeben, was Felix gesagt hatte, als er den Plan faßte, seine Mutter und deren zweiten Ehemann zu treffen. Aber den Ausdruck von Felix' Gesicht, als er das sagte, hatte er nicht beschrieben.

Felix' Diener bekamen, als er nach Dijon ritt, dieselbe Miene zu sehen, und deshalb enthielten sie sich des üblichen Geplauders und fanden sich damit ab, daß die Reise so gräßlich werden würde wie immer, wenn der Jonkheer schlechter Laune war.

In Dijon hielt er sich nicht lange auf, und dann ging es ohne seine Mutter und Claes weiter. Nein, man mußte ihn ja jetzt Nicolaas nennen, sonst bekam man vom jungen Felix eins mit der Reitpeitsche übergezogen. Ganz schön gereizt war der Jonkheer, und das war kein Wunder: stolz und zugeknöpft, daß die alte Frau ja nicht kritisiert wurde, und wahnsinnig wütend auf Claes. Nicolaas. Du lieber Himmel, wie soll man daran denken, ihn Nicolaas zu nennen, wenn es erst zwei Monate her ist, daß man beim Würfeln das Strumpfband eines Mädchens von ihm gewonnen hat?

Er hatte also seine Mutter in Dijon verfehlt, und sie mußten nun die ganze Strecke nach Genf reiten. Und es lag auf der Hand warum. Die alte Frau gab mit ihrem neuen Ehemann an, und der Jonkheer wollte ihr den Spaß verderben. So sah es jedenfalls aus, wenn man den jungen Felix kannte. Kein übler Bursche. Ehrlich gesagt, ab und zu tat er einem leid. Wenn er nicht gerade große Reden und die Reitpeitsche schwang.

Es war Mitte Mai, die Zeit der Lämmer, des jungen Laubs und der Obstbaumblüte, und die schönen, rauschenden Flüsse und tiefen Wälder wimmelten von wildlebenden Tieren und Pflanzen. Nichts von allem sah Felix auf dem Ritt nach Süden. Er schlief in den Gasthäusern, die seine Diener für ihn ausgesucht hatten, und er steckte die Hand in den Geldbeutel, um Essen und Trinken und das Bett und Wegezölle zu bezahlen und Almosen zu geben, und er dachte an seine Mutter und Claes. Nicolaas.

Er traf in Genf ein und begann nach Haus und Hof, Lager und Ställen von Jaak de Fleury zu suchen, dessen Nichte einem Diener das Kind Claes geboren hatte.

Felix kannte Jaak de Fleury und seine Frau Esota nicht, für die Claes als Kind gearbeitet hatte. Und zu denen Claes jetzt auf Besuch kam, zweifellos in der ganzen Pracht, die Charetty-Geld kaufen konnte. Nicht Claes, sondern Nicolaas, verheiratet mit der Eigentümerin der Firma Charetty und reich.

Denn alles war natürlich ganz anders gekommen, als Felix es an jenem Tag im Arbeitszimmer seiner Mutter erwartet hatte: damals hatte sie mit ihm wie mit einem Erwachsenen gesprochen, und er hatte akzeptiert, daß Nicolaas nun zur Familie gehörte. Nicolaas gehörte nicht zur Familie. Er war das Familienoberhaupt. Er war nicht der Freund seiner Mutter; er war ihr Gebieter. Nicolaas, Felix' Diener, der seine Mutter so behext hatte, daß sie ihn, Felix, bat, zurückzutreten und Nicolaas die Chance seines Lebens zu geben. Die Chance, mit seinem billigen Triumph vor seinen Verwandten zu protzen. *Diese alte Frau ist meine Ehefrau. Das hier ist ihr Sohn Felix, aber schenkt ihm keine Aufmerksamkeit. Ich leite jetzt die Firma.*

Durch Cristoffels hatte er von der Reise seiner Mutter gehört. Zuerst war der Schock so groß gewesen, daß Felix nicht wußte, was er tun sollte. Aber wenn er jetzt überhaupt weinte, dann aus Wut. Er versuchte, seinen Gedanken Einhalt zu gebieten, ehe sie so weit gingen. Ein Kaufmann zeigte niemals seine Gefühle. So wurden Geschäfte abgeschlossen. So stach man den Mann aus, mit dem man verhandelte.

Als sie das Haus gefunden hatten, wollte der Pförtner sie nicht einlassen, und Felix mußte sich persönlich einschalten und seine ganze Überzeugungskraft aufwenden. Jaak de Fleury mochte sich für einen großen Kaufmann und Makler halten, aber er bezog Charetty-Tuche und kaufte und verkaufte genau wie die Firma Charetty. Und Felix' Mutter war überdies seine Schwägerin. Obwohl Jaak de Fleury anscheinend keinen Wert auf die Verwandtschaft legte, und Felix de Charetty seinerseits gewiß nicht den Wunsch verspürte, irgendwelche Zugeständnisse zu erzwingen.

Trotzdem hatte man den Erben der Firma Charetty ohne Widerrede einzulassen. Es sei denn, seine Mutter und Nicolaas wären schon drinnen. Es sei denn, Nicolaas steckte hinter der Verzögerung oder gar Weigerung...?

Nein, es kam jemand. Ein großer, stattlicher Mann in einem prächtigen Brokatgewand mit herabfallenden Ärmeln über einem hochgeschlossenen Wams aus gemusterter Seide und mit einem drapierten Hut, der größer war als seiner und doppelt so teuer. Der Mann trug eine goldene Kette um den Hals und eine Menge dezenter Schmuckstücke. Seine Backenknochen waren blank und vorstehend wie eine Miserikordie. Nur seine Augen, groß und dunkel und dicht bewimpert, waren gar nicht strahlend, trotz des flüchtigen Lächelns, das seine schönen Zähne sehen ließ.

«Man meldet mir», sagte Jaak de Fleury, «daß ein junger Verwandter vor meinem Tor steht. Ich bin sofort gekommen. Zur Zeit drängt die Arbeit. Mein Schreibtisch ist überladen. In einer Stunde erwarte ich Besuch und habe viele Briefe zu schreiben, doch für ein kurzes Wort unterbreche ich die Arbeit. Ein junger Verwandter, der mich zu sprechen wünscht. Und Ihr, nehme ich an, seid es?»

Felix war fasziniert von den prachtvollen Zähnen. «Ja», sagte er.

Die prachtvollen Zähne zeigten sich bei einem zweiten Lächeln, hinter dem ein Anflug von Mißbehagen erkennbar wurde.

«Ja», betete Jaak de Fleury nach. Seine Stimme klang ermutigend. «Ihr werdet mir, hoffe ich, erlauben, Euch ein Kompliment zu machen wegen Eures vortrefflichen Huts. Es ist in der Tat ungewöhnlich, ein so erlesenes Kleidungsstück in Genf zu sehen. Und wie hervorragend ist der Schnitt Eurer Jacke.»

Hinter Felix rührte sich einer seiner Diener. Felix war wütend. Er fragte sich, warum ihn der Mann an seiner Schwelle zurückhielt und über Kleidung sprach. «Danke, Monsieur», sagte er. «Ich war auf Genappe zur Jagd.»

Die dunklen Augen blickten schärfer drein. Es trat eine ganz kleine Pause ein. Dann vergrößerte ein richtig spontanes Lächeln den zusammengepreßten Mund. «Auf Genappe! Mein junger Verwandter hat mit dem Dauphin gejagt! Jetzt fällt auch etwas Ruhm auf Euren armen Verwandten in Genf! Und nun sagt mir, mein Junge, wie heißt Ihr?»

«Ich habe es Eurem Verwalter schon gesagt. Ich bin Felix de Charetty aus Brügge. Ich kam, weil ich erwartete, meine Mutter hier zu finden.»

«Eure Mutter! Das ist aber verwunderlich! Ihr seid Felix de Charetty – natürlich besteht eine Verwandtschaft, irgendwie verschwägert. Ihr habt recht. Und Ihr erwartet, Eure Mutter in diesem Haus zu finden?»

«Ist sie nicht hier?» Felix war nicht nur wütend, er wurde auch immer ärgerlicher. Der Mann mochte reich sein und auf den ersten Blick auch freundlich, aber er stand immer noch innerhalb des Hofs, eine beringte Hand auf dem offenen Tor, und er, Felix de Charetty, stand mit seinen Leuten und Pferden immer noch draußen.

«Nein», sagte Monsieur de Fleury. «Und hat auch keine Nachricht geschickt, daß sie kommen wollte, die arme Dame. Zweifellos braucht sie irgendwelche Hilfe.»

«Dann habt Ihr Euch geirrt. Sie braucht keine Hilfe. Sie wollte nur nach Süden reisen mit ihrem... Sie hatte vorgehabt, Euch zu besuchen.»

«Mein lieber junger Freund», sagte Jaak de Fleury. Seine Stimme klang jetzt so anders, daß Felix seinen Ärger vergaß und ihn wie gebannt ansah. «Mein lieber junger Freund, wenn Ihr einige Tage auf Genappe verbracht habt – ist es möglich, daß Ihr nichts aus Brügge gehört habt? Daß Ihr nicht in Brügge wart, ehe Ihr nach Süden aufgebrochen seid? Daß Ihr tatsächlich diese entsetzliche, ganz entsetzliche Neuigkeit nicht gehört habt?»

«Was denn?» Zu beiden Seiten kamen seine Diener heran. Alle drei starrten wie Schwachsinnige auf die reichgekleidete Gestalt vor ihnen.

«Mein armer, armer Junge. Die Firma Charetty gibt es nicht mehr. Sie ist vorigen Monat, am Tag vor dem Weißen Bären-Turnier, niedergebrannt.»

Sie wurden dann hereingebeten. Die Diener und die Pferde und das Gepäck verschwanden. Felix' Herz hämmerte. Er folgte Jaak de Fleury die Treppe hinauf und durch Korridore, rannte in ihn hinein, wenn der Kaufmann anhielt, um Fragen zu beantworten, und verlor den Anschluß, wenn er zurückblieb, um sich weitere Fragen auszudenken.

Seine liebe Frau Mutter sei am Leben und seine Schwestern auch. Niemand sei umgekommen. Das Haus, der Betrieb, das Lager, alles sei vernichtet. Eine Tragödie. Eine Tragödie, zumal die Dame nach allem, was man hörte, schon hochverschuldet gewesen sei wegen unvorsichtiger Engagements. Und Monsieur de Fleury habe noch Gerüchte anderer Art gehört, aber er gedenke nicht den Sohn der Dame dadurch zu beleidigen, daß er davon spreche. Es handle sich um eine Heirat mit einem gewissen Küchenjungen. Obwohl das Unsinn sei, schadeten derartige Geschichten dem Ruf einer Firma und auch dem der Angestellten. «Aber natürlich», sagte Jaak de Fleury, als er endlich in ein Wohnzimmer eintrat und seinen betäubten Gast auf eine Sitzbank hinwies, «gibt es jetzt leider keine Firma Charetty mehr. Also sind Gerüchte bedeutungslos. – Ein wenig Wein?»

«Ich muß mich gleich auf den Weg machen», sagte Felix.

«Ja, natürlich. Aber erst ein wenig Wein, ruht Euch etwas aus. Meine Frau wird ihn bringen. Esota! Esota! Hier ist Felix de Charetty, dessen Betrieb neulich in Brügge niedergebrannt ist. Meine Frau», wandte er sich, betont liebenswürdig, wieder an Felix, «liebte Eure Mutter voll inniger Zuneigung. Hier ist sie.»

Mit den Gedanken in Brügge, stand Felix da und blieb auch unaufmerksam stehen. Herein kam eine Frau, ein wahres Stück Malheur, teigig-bleich wie Pudding, eingezwängt in ein seidenes Futteral, das gefärbte Haar mit Bändern durchflochten. Sie trat auf ihn zu, hob zwei drapierte und bepuderte Arme und umschloß ihn. Seine Nase versank in Fleisch, fand eine Lücke und verstopfte sie. Er befreite sich keuchend.

«Felix!» sagte Esota de Fleury, die Hände auf seinen Schultern. «Mutterloses Kind!»

Von neuem erschreckt, wandte Felix den Kopf. Jaak de Fleurys Lächeln war beruhigend. «Esota! Der Junge wird glauben, seine Mutter sei tot, und sie ist unversehrt. Zugrunde gerichtet, aber unversehrt.»

Für ein so großes Gesicht waren Esotas blanke Augen zu klein. Sie waren nach wie vor auf Felix gerichtet. Sie ließ eine Hand zu seiner hinuntergleiten und führte ihn zu der Bank, setzte sich neben ihn und umschloß seine Hände mit ihren. «Und dennoch mutterlos», sagte sie. «Diese unselige Ehe, einer unschuldigen Witwe aufgezwungen. Wie könnt Ihr uns verzeihen? Eure Mutter vergewaltigt durch einen Diener aus unserer Küche.»

Jaak de Fleury, der an Stelle seiner Frau Wein für seinen Gast einschenkte, drehte sich um. «Aber das ist doch bloß ein Gerücht, Esota. Wir wollen nicht davon sprechen.»

«Es ist wahr», sagte Felix.

Sie starrten ihn an. Nach einem Augenblick merkte er es und riß sich zusammen. Er holte tief Luft. «Nicht vergewaltigt. Wenn das Gerücht das behauptet, wäre ich zu dankbar, wenn Ihr es dementieren würdet. Nicolaas und meine Mutter haben vor kurzem lediglich als geschäftliche Abmachung einen Ehevertrag geschlossen. Ungeachtet seiner Herkunft aus dem Dienerstand ist er nach Ansicht meiner Mutter sehr geschäftstüchtig und kann ihr bei der Leitung der Firma behilflich sein. Dieser Vertrag verleiht ihm die entsprechende Befugnis.»

Die Frau ließ seine Hände los. «Nicolaas!» sagte sie belustigt.

«Ich nehme an, das ist sein Vorname», sagte der Kaufmann. «Wir haben ihn natürlich so in Erinnerung, wie er in unserer Küche genannt wurde. Eine solche Schicksalswende erleben nicht viele Knaben. Eine geschäftliche Begabung, sagt Ihr? So besitzt er also jetzt die Firma zusammen mit Eurer Mutter?»

«Nein, er bekommt nur ein Gehalt. Bekam es. Es wird jetzt nicht viel für ihn abfallen. Da ist nichts zu besitzen.»

«Außer Schulden», gab Jaak de Fleury zu bedenken. Er setzte sich und betrachtete nachdenklich das Glas in seiner Hand. «Es sei denn, es wäre Geld da, von dem wir nichts wissen? Geschäftstüchtig, habt Ihr gesagt.»

«Es ist Grundbesitz vorhanden. Und Löwen gibt es noch. Und noch andere Investitionen. Etwas könnte getan werden. Wir werden uns gemeinsam etwas einfallen lassen.»

«Glaubt Ihr nicht, daß irgendwo noch Geld ist? Kein Bargeld? Keine Investitionen? Ich habe nur gefragt, weil im Fall von Brandstiftung gewöhnlich jemand Nutzen daraus zieht, und hier scheint es niemandem zum Vorteil zu gereichen.»

«Brandstiftung?» Felix' Magen, der angefangen hatte, sich zu beruhigen, begann wieder zu rumoren. Sein Haar, das am Morgen fest aufgerollt gewesen war, löste sich in der Hitze allmählich. «Jemand hat das Feuer *gelegt*?» fragte er.

«So heißt es. Nicht Eure Mutter und Ihr auch nicht, das versteht sich von selbst. Vielleicht jemand, der einen Groll gegen den jungen Ehemann hegt. Was sonst könnte es sein? Allerdings muß ich sagen, daß ich mich frage... Ah, ich höre unten Stimmen. Das wird jetzt Euer Stiefvater sein.»

Felix wiederholte das Wort nicht. Er starrte seinen Peiniger nur an.

Jaak de Fleury lächelte. «Nicolaas. Er ist doch Euer Stiefvater, habt Ihr es nicht selbst gesagt? Ihr wußtet nicht, daß er in Genf ist und Francesco Nori vom Bankhaus Medici besucht? Ich war gespannt, ob mein bescheidenes Haus das Ziel seines nächsten Besuchs sein würde. Und nachdem Ihr gekommen wart, mein lieber Junge, habe ich jemanden zu Francesco geschickt, um ganz sicher zu sein, daß Nicolaas wirklich herkommt. Ihr wollt ihn doch nicht gern verpassen. Und ich muß zugeben... Ich muß zugeben», wiederholte der Kaufmann, während er aufstand und sein Glas auf einen Tisch stellte, «daß ich überaus neugierig bin. Warum ist er nach einer solchen Katastrophe nicht in Brügge und unterstützt seine Frau in der Stunde der Not mit seinem großen Geschäftssinn, von dem wir gehört haben? Was bringt ihn nach Genf? Und wohin, frage ich mich, gedenkt er von hier aus zu gehen? Wie groß sein Geschäftsführergehalt auch sein mag, es wird sich, nehme ich an, nicht grenzenlos alles damit bestreiten lassen. Wie interessant das alles ist.»

Er blieb stehen, als sich die Tür öffnete, und auch Felix stand auf. Jaak de Fleury lächelte seine Frau an: «Esota, meine Liebe, erinnerst du dich an Claes, der jetzt Felix' Stiefvater ist? Um Felix' willen möchte ich, daß du ihn in deinem Wohnzimmer empfängst. Er wird nicht anmaßend sein. Davon bin ich überzeugt.»

Der hochgewachsene Mann an der Tür trat ein, und es war, wie Felix sah, Nicolaas und nicht Claes. Nicolaas, gebräunt von der frischen Luft und nicht bläßlich und verschwitzt von der Arbeit in der Färberei. Nicolaas, nicht in Charetty-Blau gekleidet, sondern in kräftiges Braun und Grün, mit einer ärmellosen Jacke über seinem Wams, zweckmäßigen Reitstiefeln, einem ledernen Kreuzbandelier und einem Schwert in einer schmucklosen Scheide. Nicolaas, der sich die Krempe eines Baretts in den feucht gekräuselten Saum seines sandfarbenen Haars gedrückt hatte und dessen offene Augen den Raum durchforschten, die Frau bemerkten und dann auf Felix ruhten. Felix las darin alles mögliche. Zuletzt, ganz deutlich, Besorgnis.

«Bist du nicht überrascht?» fragte Felix.

«Nicht wenn du direkt aus Genappe hergekommen bist. Deine Mutter ist noch in Brügge.»

«Das habe ich gehört. Auch, daß das Haus abgebrannt ist. Was machst du denn hier?»

«Außenstände eintreiben. Und Tuch verkaufen.» Nicolaas imitierte niemanden, machte keine Grimassen, riß keinen Witz und feixte nicht einmal. Er sprach jetzt so, wie er gesprochen hatte, seit seine Mutter ihn am Geschäft beteiligt hatte. Er sprach wie all die langweiligen Kaufleute, über die er und Felix und (manchmal) Julius sich immer lustig gemacht hatten.

«Außenstände eintreiben? Von wem?» fragte Felix. Er hatte Jaak de Fleury und seine Frau vergessen, der eine hinter ihm stehend, die andere sitzend.

«Von Thibault und Jaak de Fleury, hoffentlich», sagte Nicolaas.

Aus dem Hintergrund meldete sich Jaak de Fleury. «Mein lieber Claes! Ich sehe die Notwendigkeit ein. Aber leider schulden wir deiner Herrin nichts.»

Nicolaas sah an Felix vorbei. «Ich habe, als ich hereinkam, kurz mit Eurem Verwalter gesprochen, Monsieur de Fleury. Er hat Euren Schreiber gebeten, eine Aufstellung der ausstehenden Beträge anzufertigen. Für das, was Ihr nicht sofort begleichen könnt, brauche ich eine notariell beglaubigte Schuldanerkenntnis. Ich habe auch die Tuchpartie mitgebracht, die Ihr bestellt habt, Monsieur. Für die Bezahlung dieses Postens wäre die Demoiselle ebenfalls dankbar. Ihr werdet, davon bin ich überzeugt, bestrebt sein, ihr auf jede Weise zu helfen.»

Jaak de Fleury lächelte. Seine vorstehenden Backenknochen glänzten: er strahlte seine Frau, den Wein einschenkenden Diener und die beiden jungen Männer an, die vor ihm standen. «Kommt», sagte er. «Wir wollen uns hinsetzen. Das sind Dinge, mit denen man sich nicht in Eile befassen sollte. Zum einen ist Geld gerade jetzt knapp in Genf. Tatsächlich bin ich überrascht, daß du das Tuch so weit nach Süden gebracht hast. Ich hatte gedacht, du würdest bei der Brügger Messe einen besseren Preis erzielen. Es kommt natürlich darauf an, welche Verwendung du für das Geld hast. Oder auch für die Schuldscheine.»

«Ich dachte, das liegt auf der Hand. Das Geschäft muß wieder aufgebaut werden.»

«Natürlich. So wirst du also mit dem Geld, das du kassiert hast – bei mir und zweifellos auch bei den Medici –, nach Brügge zurückkehren. Und was ist mit den noch ausstehenden Schulden? Kommst du wieder her um dieser Beträge willen?»

«Monsieur, es wird Euch mitgeteilt werden, wo und wie Ihr Euren Verpflichtungen nachzukommen habt.»

«Wie ich höre, bevorzugst du Venedig. Wird das Geld für das Tuch auch dort hingebracht?»

«Es wird nach Brügge gebracht», sagte Felix. «Wenn jetzt Geld da ist, das uns geschuldet wird, dann werde ich es mitnehmen.»

«Ohne Bewachung?» fragte Jaak de Fleury. «Euer tüchtiger Nicolaas und seine Bewaffneten werden nicht bei Euch sein. Ihr habt davon gesprochen, nach Brügge zurückzukehren, aber er hat nichts davon gesagt. Ich habe von den Medici gehört, daß er im Gegenteil auf dem Weg nach Süden ist, nach Mailand. Wer weiß, wo er und das Geld sich danach befinden werden?»

Nicolaas rührte sich, unternahm aber keinen Versuch, sich hinzusetzen. Plötzlich schnitt er eine Grimasse von der Art, an die Felix sich erinnerte und die er immer machte, wenn er sich gegen seinen Willen zu etwas entschloß. Nicolaas sagte: «Hat er dir gesagt, daß ich das Feuer gelegt habe?»

«Hast du es getan?» Es war nicht unwahrscheinlich, daß de Fleury recht hatte. Nicolaas hatte seine Mutter geheiratet, soviel Vermögenswerte, wie er nur konnte, zu Geld gemacht und anderswo angelegt, und dann hatte er sowohl den Betrieb als auch die Beweise vernichtet. Das würde er kaum zugeben, wenn er vorhatte, nach Brügge zurückzukehren. Aber darauf vertrauend, daß er entkommen könnte, würde er es vielleicht gestehen. Und in diesem Fall würde Felix ihn umbringen.

«Nein», sagte Nicolaas. «Es gibt andere, die in Frage kommen. Deine Mutter kennt sie. Da ich es nicht beweisen kann, gehst du am besten gleich mit dem Geld nach Brügge zurück. Nimm meine Eskorte, es sind Leute aus Brügge. Ich werde andere anheuern.»

«Das wirst du nicht. Du kommst mit nach Brügge. Jetzt. Notfalls an deinem Sattel festgebunden. Monsieur de Fleury wird mir behilflich sein, davon bin ich überzeugt.»

Jaak de Fleury stand auf und ging entschlossen zur Tür, wo er sich umdrehte und so den Ausgang versperrte. «Aber gern», sagte er.

Nicolaas sah ihn betrübt an. «Das ist peinlich», sagte er.

«Das bereitet deinen Streichen ein Ende, meinst du wohl», fauchte Felix.

«Nein», erwiderte Nicolaas. «Natürlich wäre es ziemlich einfach abzureisen, aber du kannst wirklich nicht ohne mich die geschuldeten Beträge kassieren und die Dokumente entgegennehmen. Das heißt, ich bin sicher, daß Monsieur de Fleurys Angestellte über jeden Verdacht erhaben sind, aber ich weiß, was fällig ist und wie es nachzuprüfen ist. Vielleicht könnte ich, an Händen und Füßen gefesselt, dort hingebracht werden, wo sich die Buchhaltung befindet? Oder könnte der Schreiber die Bücher herbringen?»

Er klang so ernst wie zuvor, aber etwas in seinem Gesicht erweckte Felix' Mißtrauen. Felix zögerte. Wenn Nicolaas hier war, um Geld zu kassieren, dann vermochte niemand, das stimmte, es besser einzutreiben als er. Schließlich brauchte Felix nichts weiter zu tun, als das Geld in Verwahrung zu nehmen und Nicolaas unter Bewachung zu seiner Mutter zurückzubringen. Dann würden sie sehen, was das für geheimnisvolle Verstecke in Venedig waren. Venedig!

Zu guter Letzt wurden Schreiber und Kassenbücher ins Wohnzimmer gebracht und ein Tisch hereingetragen, an den sich Nicolaas setzte, ihm gegenüber ein amüsierter Jaak de Fleury, umgeben von seinen Angestellten. In der ersten halben Stunde ließ der Kaufmann weiterhin Amüsement erkennen, allerdings ab und zu eindeutig Langeweile, wenn eine höfliche Frage nach der anderen gestellt und in den Büchern eine Seite nach der anderen aufgeschlagen wurde, so daß Nicolaas' Finger mit sanftem Nachdruck die Beweise für seine strittigen Punkte aufspüren konnte. Oder vielmehr für seine Behauptungen. Auf Streit ließ sich Nicolaas nicht ein. Die Einwände, die erhoben wurden, kamen von de Fleurys Angestellten, die von Zeit zu Zeit ihren Herrn ansahen, wenn ein Punkt verloren zu sein schien.

Wenn das geschah, erkannte der Kaufmann das Zugeständnis an, ohne einzugreifen. Infolgedessen betrug die endgültige Aufstellung der Summen, die Thibault und Jaak de Fleury der Firma Charetty schuldeten, das Doppelte von dem, was der Verwalter zuerst geschätzt hatte, und es war sogar etwas Silber als Anzahlung vorhanden. Es wurde mit den Schuldscheinen, die unterzeichnet und von einem öffentlichen Notar beglaubigt worden waren, in eine Kassette gelegt. Felix biß sich auf die Nägel, während er zusah, wie die Kassette verschlossen wurde. Dann wandte sich Nicolaas an ihn. «Felix, du wolltest die Kassette nach Brügge bringen. Ich werde mitkommen. Da ist die Kassette, und da sind die Schlüssel. Je schneller wir zurückkommen, um so besser.»

Er sah ihm tief in die Augen. Felix zögerte. Er sehnte sich danach, den fetten, parfümierten Händen der Frau und dem dunklen, amüsierten Blick ihres Mannes zu entkommen. Sie hatten gesagt, Nicolaas habe vor, nach Italien weiterzureiten. Vielleicht wollte er das immer noch. Erst einmal unterwegs, könnte ihn nichts daran hindern, Felix das Geld zu entreißen und wieder umzukehren. Er hatte Bewaffnete bei sich.

Offenbar glaubte Nicolaas, daß all das hinter ihm liege. Daß er Felix irgendwie dazu gebracht habe, ihm zu vertrauen. Lächelnd sagte Nicolaas: «Du wolltest mich an meinem Sattel festbinden, glaube ich mich zu erinnern. Monsieur de Fleury würde sicher behilflich sein. Er könnte sogar einige Leute mit dir mitschicken, wenn du meinen nicht trauen willst. Aber vielleicht hast du das Gefühl, daß es nicht unbedingt nötig ist.»

Wie alle Diener war er allzu selbstsicher geworden. Felix fand, daß es doch recht zweckmäßig wäre, all diese Vorsichtsmaßnahmen durchzuführen, und er wandte sich an Monsieur de Fleury und sagte es. Nicolaas sah überrascht aus. Er sah immer noch überrascht aus, als Monsieur de Fleury nicht nur zustimmte, sondern sofort zur Tat schritt. Eine Kopfbewegung von Monsieur Jaak, und sein Verwalter stand in freundschaftlicher Weise dicht neben Nicolaas. Monsieur Jaak verließ mit seinem Schreiber das Zimmer, um Leute herbeizurufen und für Vorräte, Waffen und Pferde zu sorgen. Die Geldkassette stand immer noch auf dem Tisch, deshalb blieb Felix auch da. Er ertrug mit ungewöhnlicher Geduld die tätschelnde Hand von Esota de Fleury.

Nicolaas stand ganz still, sein Wächter neben ihm. Nach einiger Zeit kam der Schreiber zurück, um den Verwalter und Madame de Fleury zu holen. Er brachte den Schlüssel für das Wohnzimmer mit. Der Verwalter warf Nicolaas einen wütenden Blick zu und ging hinaus, aber Madame hatte es nicht eilig. Sie winkte den Schreiber weg und winkte noch einmal ärgerlicher, als er zögerte. Felix bedauerte ihn. Er war sogar etwas beunruhigt, als der Schreiber mit Erlaubnis seiner Herrin ohne sie hinausging, die Tür zumachte und von außen den Schlüssel umdrehte. Er ließ die Geldkassette zurück, deshalb blieb Felix auch da in der unbehaglichen Gesellschaft von Esota de Fleury und des Dieners, seines Stiefvaters.

Felix erwartete, daß Jaak de Fleury zurückkommen werde. Er schien lange wegzubleiben. Nicolaas ging auf und ab, und Felix beobachtete ihn. Er sah sogar, daß Nicolaas zum Fenster schlenderte und jemandem auf dem Hof, den er kannte, zunickte, als bräuchte man sich gar keine Sorgen zu machen. Doch erst, als Nicolaas vom Fenster zurücktrat, ein Halstuch in der Hand, und sich höflich über die Demoiselle beugte, fand Felix es merkwürdig, und er drehte sich um.

Aber inzwischen war das Halstuch fest über die vollen, angemalten Lippen der Demoiselle gebunden, und Nicolaas' Arm holte bereits mit einer dicken Korbflasche zum Schlag gegen seinen, Felix', Kopf aus. Felix versuchte zu schreien, aber sein Mund wurde zugehalten von einer großen, vertrauten Hand, die nach neuer Tinte roch wie Collinet Mansion.

Der Schlag gab ihm einen lächerlichen Gedanken ein, ehe ihm das Denken verging. Wenn Collinet Mansion da war, dann mußte auch Claes in der Nähe sein.

Claes würde ihm helfen.

Kapitel 32

Felix de Charetty, der Mitte April von zu Hause aufgebrochen war, um auf Genappe mit dem Comte de Charolais und dem Dauphin von Vienne auf die Jagd zu gehen, kehrte nicht zurück. In Brügge war allgemein bekannt, daß er nach Süden geritten war, um seine Mutter und den jungen Burschen einzuholen, Nicolaas, mit dem er immer zusammen gewesen war und der die Demoiselle geheiratet hatte.

Dann gab es welche, die es ein bißchen komisch fanden, daß Nicolaas nach dem Brand einfach so weggegangen war. Obwohl die Witwe natürlich sehr gute Hilfe hatte durch diesen fleißigen neuen Aktuarius Gregorio und durch Cristoffels, der in einem guten Ruf bei den Maklern stand, die mit ihm Geschäfte zu machen pflegten. Tatsächlich war es erstaunlich, was sie alles getan hatten, um die Firma in wenigen Wochen wieder in Gang zu bringen.

Aber dennoch sah man bei Marian de Charetty den Unterschied. Was immer man von der Eheschließung hielt, dieser junge Mann hatte Köpfchen und war nützlich für sie. Und jetzt war er weg, und ihr Sohn auch. Und etwas war rätselhaft. Denn auf die eine oder andere Weise hatte Felix gewiß Nicolaas eingeholt. Und von dem Brand erfahren. Und wie jeder gute Sohn hatte auch er bestimmt den Wunsch gehabt, nach Hause zu kommen, seine Mutter zu trösten und ihr dabei zu helfen, alles in Ordnung zu bringen. Der Mai war vergangen und die erste Juniwoche war angebrochen, aber Felix war nicht gekommen.

In der Spanjaardstraat sahen die beiden heiratsfähigen Schwestern von Felix keinen Grund, sich Sorgen zu machen. Ihre Mutter wies darauf hin, daß er und Nicolaas sich vielleicht verpaßt hätten. Felix sei womöglich schon sehr weit geritten, ehe er von dem Brand erfuhr. Catherine fand auch ohne Felix die Mai-Messe und die Blutprozession recht vergnüglich, da sie jetzt allmählich darüber hinwegkam, daß sie all die hübschen Dinge verloren hatte – ihre Kleider und ihre ältesten Spielsachen, die Tagesdecke für ihr Bett, die sie selbst gemacht, und die Truhe, die ihr ein Mann aus Danzig geschenkt hatte.

Jetzt bekam sie mehr Geschenke, weil die Leute Mitleid mit ihr hatten, und als Gegenleistung erzählte sie allen von dem Brand. Je mehr sie sich erinnerte, um so besser wurde dann der Bericht, und es gab immer neue Leute, denen sie es erzählen mußte.

Auch Tilde erholte sich, wenngleich etwas langsamer, denn so manches von ihrem Vater würde sie nie wiedersehen. Und manchmal dachte sie nachts an Felix und erinnerte sich an den kleinen Dolch, den Felix immer bei sich trug, und wie leicht aufbrausend er war. Sie hoffte, wenn die beiden sich trafen, daß Nicolaas nicht vergessen würde, die richtigen Worte zu Felix zu sagen, wie er es immer getan hatte. Zuerst hatte sie geglaubt, Nicolaas habe etwas so Entsetzliches getan, daß keiner von ihnen mehr mit ihm sprechen sollte. Dann setzte sich bei ihr die Ansicht durch, daß alles die Schuld ihrer Mutter sei. Jetzt, seit dem Brand, tat ihre Mutter ihr so leid, daß sie beiden verziehen hatte. Zumindest würde Nicolaas, wenn er zurückkam, im selben Haus wohnen, und ihre Mutter würde glücklich sein.

Nur waren Anfang Juni weder Felix noch Nicolaas zurückgekommen, und Tilde hoffte, sie würden nicht mehr lange wegbleiben. Sie hatte ein neues Kleid, da die alten verbrannt waren, das mit Steifleinen ausgefüttert war. Aber natürlich sprach ihre Mutter im Augenblick nicht von Ehemännern, denn Ehemänner bedeuteten Mitgiften, und die Firma mußte erst wieder auf die Beine gebracht werden. Und obwohl ihre Mutter manchmal blaß aussah und in scharfem Ton sprach, weil sie soviel arbeitete, hatte sie gerade neulich erst gesagt, wie gut sich alles anlasse: genau wie Nicolaas es geplant hatte. Tilde hatte dann angenommen, sie würde nun über Freier sprechen, aber sie war statt dessen aufgestanden und hatte das Zimmer verlassen.

Die Adornes sprachen auch von Nicolaas, aber nicht so unbefangen, denn Anselm und seine Frau waren sich nicht völlig einig über den Plan, der sie und den jungen Mann zusammengebracht hatte. Aber wenn er nicht zu Hause war, widmete Anselm Adorne dem Thema viel Zeit, vor allem, wenn er bei den Doria und Spinola im Genueser Konsulat war.

In der Medici-Niederlassung empfingen Angelo Tani und Tommaso, der zweite Geschäftsführer, die Beauftragten der Witwe und erwiesen sich als sehr hilfsbereit in der Frage von Darlehen und nachsichtig angesichts der Verschuldung, wie Nicolaas es vorausgesagt hatte. Ab und zu erkundigten sie sich auch bei Jacopo und Lorenzo Strozzi nach den Fortschritten des für Mailand bestimmten Straußes. Um Nachrichten über den Strauß zu erhalten, verließ sich Lorenzo Strozzi jetzt auf Katelina van Borselens kleine Schwester. Dem letzten Brief aus der Bretagne zufolge war der Strauß noch am Leben, aber beschlagnahmt und konnte erst nach Abschluß eines Rechtsverfahrens an Bord eines Schiffes gebracht werden.

Gelis van Borselen, die es zu dieser Zeit notwendig fand, häufig nach Brügge zu kommen und oft im *Hôtel Jerusalem* und in der Spanjaardstraat vorsprach, hatte Lorenzo Strozzi in das Haus ihres Vaters kommen lassen, um ihm diesen Teil von Katelinas Brief bekanntzugeben. Sie fand Lorenzo Strozzi schwermütig, aber romantisch. Er hatte geschworen, hieß es, erst zu heiraten, wenn er ein eigenes Geschäft hatte. Sie freute sich auf weitere Gespräche über Strauße.

Über den Rest von Katelinas Brief sagte sie weder ihren Eltern noch Lorenzo etwas. Es war der erste, der aus der Bretagne eintraf, nachdem Nicolaas die alte Frau geheiratet hatte. Aber nachdem Gelis das Siegel aufgebrochen und den Brief geglättet hatte, stand da überhaupt nichts über Nicolaas und die Hochzeit, denn ihre Briefe hatten Katelina noch nicht erreicht. Auch keine Briefe von anderen. Irgendein Schiff mußte untergegangen sein.

Sie würde alles noch einmal schreiben müssen. Und diesmal noch dazu über den geheimnisvollen Brand bei den Charettys, und daß Nicolaas drei Tage danach nach Süden aufgebrochen und der Charetty-Sohn verschwunden sei. Nicht bei einem Tjost ums Leben gekommen (wofür, wie Nicolaas selbst erwähnte, er verantwortlich gemacht worden wäre), sondern einfach aus Brügge weggeschickt und nie wieder gesehen. Wofür natürlich niemand Nicolaas verantwortlich machen konnte.

Das war der, für den sie und Katelina keine Mühe gescheut hatten, um ihn am Karnevalsabend aus dem Kanal zu fischen. Katelina hätte ihn nicht mit nach Hause nehmen sollen. Schließlich war Katelina noch nicht verheiratet. Und wenn sie nicht vorsichtig war, würde ihr Ruf leiden und sogar Guildolf von Gruuthuse würde anfangen, sich anderweitig umzusehen. Aus dem, was sie schrieb, ging in Anbetracht der Tatsache, daß Herzog François und der König von Frankreich dieselbe Mätresse hatten, hervor, daß der Hof in der Bretagne ebenso lasterhaft war wie alle anderen. Antoinette Sowieso hieß sie. Katelina sprach von ihr, als ob sie dauernd mit ihr zusammen wäre. Wahrscheinlich, um sich von der alten Herzogin zu erholen, der Schwester des schottischen Königs, die launisch und noch dazu dumm zu sein schien und nicht in die Heimat zurückkehren wollte, um jemand anderen zu heiraten, nachdem ihr Mann jetzt tot war.

Katelina schrieb, der Hof wimmele von Schotten, die auf Besuch kämen und versuchten, den Rest der Mitgift der alten Herzogin zu bekommen, die aber nie ausbezahlt worden sei. Katelina schrieb, Jordan de Ribérac sei eines Tages an den Hof gekommen in einer geschäftlichen Angelegenheit des Königs von Frankreich, der ihm Geld schulde und sich bei allem auf ihn verlasse. Jordan de Ribérac reite oft an die Küste, um seine Schiffe zu überprüfen. Katelina schrieb, sie tue so, als würde sie ihn nicht kennen, er aber habe die Unverschämtheit besessen, ihr die Hand zu küssen und in Gegenwart der Herzogin mit ihr zu plaudern, als hätte er sie nie beleidigt oder nie versucht, Nicolaas umzubringen. Katelina bat sie, Nicolaas zu bitten, er möge ihr schreiben.

Katelina war eine Närrin.

Gegen Ende der ersten Juniwoche traf ein Bote des Geschäftsführers der Genfer Medici mit Unterlagen für Angelo Tani ein. Er brachte auch einen Brief mit, den er Marian de Charetty aushändigte. Dieser war von ihrem Mann Nicolaas, der sich beeilte, ihr zu versichern, daß alles gutgehe und Felix wohlbehalten bei ihm sei. Er fügte hinzu, es scheine wegen des Geldes, das sie bei sich hätten, das Beste zu sein, wenn Felix mit nach Italien komme und dann gemeinsam mit ihm heimkehre. Die Erfahrung könne Felix im übrigen guttun. Dann folgten einige ausführliche Mitteilungen und überzeugende Vorschläge zu Handelsfragen. Die Grußworte, mit denen der Brief schloß, waren genau, wie sie sein sollten. Es war ein freundlicher Brief. Marian de Charetty las ihn und zog den Schluß daraus, daß Felix sich mißliebig aufführte und Nicolaas beschlossen hatte, sich auf diese Weise mit ihm auseinanderzusetzen. Sie hatte keine Angst um Felix. Sie hegte die gleiche Besorgnis wie Tilde. Wenn Felix etwas in die Quere kam, konnte er anderen Menschen gefährlich werden.

Da Felix de Charetty sich bewußtlos am Ufer des Genfer Sees befand, vermochte er zu der Zeit, als der freundliche Brief an seine Frau Mutter aufgesetzt und geschrieben wurde, niemandem gefährlich zu werden. Jetzt, in den darauf folgenden Tagen, konnte man von ihm nur sagen, daß er für niemanden außer sich selbst eine Gefahr war, wenn er versuchte, von dem Pferd loszukommen, auf dem er festgebunden war, oder es nach der einen oder anderen Seite aus der Kolonne hinauszutreiben, während sein Kopf noch entsetzlich weh tat von dem Schlag, der ihn in Jaak de Fleurys Haus niedergestreckt hatte.

Wie Nicolaas ihn aus dem Haus und aus Genf herausgebracht hatte, wußte er immer noch nicht. Die kostbare Geldkassette war natürlich in Nicolaas' Besitz. Die Bewaffneten rings um ihn waren alle von Nicolaas angeheuert. Seine beiden eigenen Diener waren auch da, etwas leichter gefesselt als er, da sie, wie er vermutete, weniger Antrieb hatten zu fliehen und sich dann ohne Geld nach Hause durchzuschlagen. Von dem Augenblick an, da er das Bewußtsein wiedererlangt hatte, festgezurrt auf dem Rücken eines fremden Pferdes, waren sie geritten, als ob der Teufel hinter ihnen her wäre.

Natürlich hatte Jaak de Fleury seine Bewaffneten losgeschickt, um sie zu verfolgen und ihn zu retten oder zumindest die Hilfe des erstbesten Offiziers des Herzogs von Savoyen erbeten. Jeden Moment würden sie eingeholt und angehalten werden.

Dazu kam es nicht. Welchen Trick auch immer Nicolaas angewandt hatte, kein rächender Reitertrupp fegte an ihnen vorbei. Als sie auf den vor Müdigkeit taumelnden Pferden das Seeufer verließen und sich auf das ansteigende Gelände begaben, das zum Paß hinaufführte, sah Felix ein, daß niemand ihm helfen würde. Wenn er die Kassette nach Hause bringen und das übrige Charetty-Geld finden wollte, um das er betrogen worden war, dann würde er es selbst tun müssen.

An jenem Abend fühlte sich sein neuer Feind offenbar so sicher, daß er es wagte, ein Zimmer in einem Gasthaus zu nehmen. Auf einem am Zügel geführten Pferd sitzend, die Hände zusammengeschnürt, die Füße unter ihm festgebunden, sah Felix, daß die Bewaffneten vorausgeschickt wurden, um alles zu regeln.

Er hatte sich geweigert, sein Wort zu geben, daß er nicht fliehen würde. Er hatte sich geweigert, mit irgend jemandem zu sprechen. Als sie das erste Mal Rast machten, hatte er den Wein ausgespuckt, den Nicolaas ihm anbot, und als sie ihm die Fesseln lösten, hatte er sich seiner Hände bedient, um ihn zu würgen. Deshalb hatten sie nicht gewagt, ihn mit ins Haus zu nehmen. Sie blieben draußen und aßen auch da, wo man sie von der Straße aus nicht sehen konnte. So hatten sie es bis jetzt gemacht.

Er hatte sich gefragt, wie Nicolaas verhindern wollte, daß er in einer Wirtschaft laut um Hilfe rief, aber es war ganz einfach: man half ihm, der gefesselt und geknebelt und unter Umhang und Kapuze verborgen war, nach drinnen, als ob er betrunken wäre. Er roch

Essensdüfte und Holzkohle und Bierschwaden und hörte ein Durcheinander von Sprachen und das Getrampel gestiefelter Füße und das Klappern von Holztellern und Humpen auf Tischen. Seine Füße stießen gegen Stufen, und ihm kam die Idee, er könnte ihnen Tritte versetzen, aber ehe er den Gedanken ausführen konnte, ergriffen ihn kräftige Hände unter den Achseln und trugen ihn nach oben. Er erinnerte sich, daß Claes einmal auf diese Weise hochgehoben worden war. An Bord der Flandern-Galeeren. Kurz bevor sie ihn ins Meer schleuderten.

Hatte er das alles so übelgenommen? Die ganze Zeit? Ihn gehaßt und verabscheut, und ebenso Julius und Jaak und seine Mutter?

Eine Tür ging auf, und dahinter wurde er abgesetzt, gehalten von einer einzigen Hand. Die Tür schloß sich, sperrte den Lärm von unten aus, und ein Schlüssel wurde im Schloß gedreht. Felix zerrte an dem Arm, der ihn festhielt, und warf den Kopf wie ein Schlachtroß zurück, um die hinderliche Kapuze abzuschütteln. Sein Kopf begann heftig zu schmerzen. Die zweite Hand ergriff von neuem seinen anderen Arm. Widerstand leistend, taumelte er rückwärts und wurde dann mit einem Ruck auf ein niedriges Bett gestoßen. Seine Kapuze wurde gepackt und zurückgeschlagen, aber sein Mund blieb noch geknebelt.

Nicolaas stand neben dem Bett und sah auf ihn herunter. Er sagte: «Merkst du, wie still es ist? So dick ist die Tür. Und außerdem stehen meine Leute draußen. Also versuche erst gar nicht zu schreien. Ich brauche etwas zu essen und Schlaf, und du auch. Doch zuerst will ich mit dir reden.»

Felix hatte sich eine Zeitlang gefragt, warum Nicolaas ihn und seine Diener nicht gleich umgebracht hatte. Aber der Grund war natürlich, daß er fürchtete, verfolgt zu werden. Jetzt war er die Sorge losgeworden und konnte es so einrichten, daß Felix etwas schicklicher starb, und vielleicht auch, daß die Schuld einem anderen angehängt wurde.

Felix hatte kein Verlangen danach, mit seinem Mörder zu reden. Er ließ es sich also angelegen sein, die Augen geschlossen zu halten, während der andere noch sprach, streckte sich auf dem Bett aus und hob das Kinn. Das Kennzeichen eines Kaufmanns ist Würde. Er hoffte, daß er auch gelangweilt aussah. Sein Herz und die Lunge, die nicht gelangweilt waren, weigerten sich mitzumachen.

«Hör mal», sagte Nicolaas, «wenn ich mich bei dir entschuldigen will, könntest du mich wenigstens anschauen. Tut dein Kopf noch so weh?»

Schweigen. Das Scharren eines Stuhls. Wieder Nicolaas' Stimme, von einem niedrigeren Niveau. Sie klang ganz unterwürfig. «Ich nehme an, ich hätte an deiner Stelle nicht den Mut, so dazuliegen. Du mußt ja glauben, ich würde dich in Stücke schneiden und die Teile deiner Mutter schicken. Ich habe dir auf den Kopf geschlagen, weil ich dich wegkriegen mußte. Ich mußte dich wegkriegen, weil ich dich mit dem Geld nicht allein heimreiten lassen konnte und weil ich nicht mitkommen konnte. Ich konnte nicht mitkommen, weil ich nach Mailand gehen mußte. Und ich mußte nach Mailand gehen, weil deine Mutter und Anselm Adorne und eine Menge anderer Leute mit einem höchst geheimen Handelsgeschäft zu tun haben, das dich so reich machen wird, daß der Brand gar keine Rolle spielt. Aber nur, wenn ich nach Mailand komme. Und nur, wenn andere Leute nichts darüber erfahren. Leute wie Jaak de Fleury.»

Felix lag ganz still. Sein Kopf tat weh.

«Nachdem du soviel gehört hast», sagte Nicolaas, «komme ich jetzt dazu, den Knebel aufzuknoten. Ich habe einen Dolch, Felix. Ich weiß, daß du nicht überzeugt bist, aber du kannst mich nicht überwältigen. Ich will nur, daß du zuhörst. Danach werde ich alle Fragen beantworten, die du stellen möchtest. Und danach werde ich dir meinen Dolch geben. Wenn du weggehen willst, kannst du es tun.»

Sein Kopf wurde angehoben. Felix öffnete die Augen. Der Knebel wurde von seinem trockenen Mund abgenommen. Er würgte, schluckte und würgte wieder. Nicolaas goß etwas aus einer Flasche in einen Becher. «Spuck ihn aus, wenn du willst, aber es ist guter Wein aus Kreta, und du brauchst ihn. Schau mal, ich habe etwas getrunken. Jetzt trinkst du die vergiftete Hälfte.»

In seiner Stimme klang so etwas wie ein Lächeln an, aber Felix lächelte nicht. Er trank, als ihm der Becher an die Lippen gehalten wurde. Seine Hände waren immer noch gefesselt. «Jetzt warte ich», sagte er, «bis du mir den Dolch gibst, dann mache ich die Tür auf, und deine Leute töten mich auf dem Weg nach draußen.»

«Aber zuerst wirst du mich umgebracht haben. Nun komm schon. Paß auf. Hast du einen Schlag auf den Kopf bekommen, oder was ist los?»

«Ich werde anfangen, dir zu glauben, wenn du meine Handgelenke losbindest, deine Leute wegschickst und mich den Gastwirt rufen läßt, damit er mir hilft, dich unter Bewachung wieder nach Genf zu bringen. Du kannst in Genf dann über alles sprechen.»

«Nicht über ein Alaun-Monopol.» Nicolaas' Blick war starr geworden und seine Stirn gerunzelt wie immer, wenn er sich an etwas erinnern wollte. «Du stehst in dem Ruf», sagte er, «unbesonnen zu sein. Nicht wie John und Sersanders und wir anderen. Man war der Meinung, du könntest vergessen, daß das Vorhaben so geheim ist, und würdest darüber reden. Aber du bist ein Kaufmann und es ist dein Geschäft, und da du schon hier bist, kannst du genausogut in Mailand sein, wenn es abgeschlossen wird. Erinnerst du dich an den Griechen mit dem Holzbein?»

Der Wein aus Kreta war sehr gut. Nicolaas hatte den Becher wieder gefüllt, und Felix leerte ihn. Sein Kopfschmerz ließ nach, und sein Magen fühlte sich warm an. *Erinnerst du dich*... Auf diese Weise hatte Nicolaas oft begonnen, irgendeine Heldentat wieder ins Gedächtnis zu rufen und auszuschmücken. Mit einem Zucken der Schulter hatte er den ernsten, bärtigen Griechen und sein Hinken und die ganze lustige Geschichte heraufbeschworen. Die Kanone im Wasser und die Kaninchen. Die Nacht im Steen. Und den Abend, als die Wasserrohre platzten.

Felix richtete sich auf, Kissen im Rücken, Becher in der Hand und wiederholte: «Ein *Alaun*-Monopol?»

«Ja.» Nicolaas hatte sich wieder auf den Stuhl gesetzt, die Flasche in beiden Händen. Er schien sie zu mustern. Ohne Warnung erschienen die albernen Grübchen auf seinen Wangen und verschwanden wieder.

«Was ist?» fragte Felix.

Nicolaas schaute auf. «Nichts.»

Felix wartete verärgert.

«Das heißt», sagte Nicolaas, «ich habe bloß nachgedacht. Ich wünschte, du säßest hier, und ich wäre Felix de Charetty.»

«Der eine Mutter hat.» Felix' Ärger wuchs. Warum erzählte er ihm jetzt, er wäre gern Felix de Charetty? Das wünschten sich die meisten Leute.

Jedenfalls war es ihm gelungen, den Mistkerl daran zu erinnern, wer hier wer war. Mit gesenkten Augen sagte Nicolaas: «Das war dumm von mir. Tut mir leid. Was das Alaun betrifft, du hast es gesehen. Fässer voll weißen Pulvers in der Färberei. Alle brauchen es, um Farben auf Stoff zu fixieren. Es macht Felle geschmeidig und Pergament haltbarer. Glas wird dadurch besser und Papier.»

«Das weiß ich alles», sagte Felix.

«Ich wußte nicht, daß du es weißt. Dann weißt du wahrscheinlich auch, woher es kommt. Das schlechtere Material aus Afrika, Spanien, von vulkanischen Gegenden entlang der italienischen Westküste, von Inseln wie Lipari und Ischia. Das beste Material stammt von den byzantinischen und türkischen Küsten des Mittelmeers. Und seit Hunderten von Jahren haben die Genuesen darüber verfügt. Das weißt du natürlich auch. Seit Jahren ist es auf genuesischen Schiffen nach Brügge gekommen und von den Adornes und Dorias verkauft worden, den Verwandten der Adornes und Dorias in Genua. Daher die Verbindung zwischen Anselm Adorne und Schottland. Antoniotto Adorne, Doge von Genua, hat im vorigen Jahrhundert Schottland besucht, um Beträge zu kassieren, die ihm für Alaun geschuldet wurden.»

«Versuchst du deshalb, Schotten zu ermorden?» fragte Felix. «Wegen eines Alaun-Monopols?» Ein Kaufmann würde nie erkennen lassen, daß ihn eine solche Einleitung interessierte. Einem entführten Kaufmann mochte es verziehen werden, wenn sein Herz vor Aufregung hämmerte.

«Wenn ich alles gesagt habe», antwortete Nicolaas, «mußt du dir selbst darüber klarwerden. Aber höre ein bißchen zu. Zuerst einmal mußt du mehr über Alaun erfahren. Zum Beispiel, daß es um so besser und teurer ist, je reiner es ist. Und das beste Material kommt, wie ich erwähnt habe, vom östlichen Ende des Mittelmeers. Lagerstätten rings um das Schwarze Meer wurden von genuesischen Handelsgesellschaften verkauft, die sich unter den Kaisern von Byzanz in Caffa und Trapezunt niedergelassen hatten.

Das beste Alaun überhaupt gibt es südlich von Konstantinopel an einem Ort, der Phokaia heißt und am Golf von Smyrna liegt. Vor fast zweihundert Jahren wurde es von genuesischen Brüdern namens Zaccaria abgebaut, die Handelsvertreter in Konstantinopel gewesen waren. Aber sie konnten ihre Vormachtstellung nicht halten, und die byzantinischen Griechen stürzten sich auf Phokaia und Chios, was den genuesischen Kaufleuten überhaupt nicht paßte.

Deshalb traf vor mehr als hundert Jahren eine genuesische Kriegsflotte dort ein, eroberte Phokaia und Chios zurück und gründete auf Chios eine Art Kaufmannsgenossenschaft, die von den Familien und später von den Erben der Kaufleute, die die Flotte bezahlt hatten, betrieben wurde. Zu ihnen gehörten die Adornes von Genua.»

«Danke für die Belehrung», sagte Felix. «Aber all das war vor unendlich langer Zeit, und außerdem haben die Türken es jetzt sowieso. Hast du mit den Türken ein Abkommen getroffen?»

«Die Adornes haben es getan. Und die übrigen Genuesen, die die Minen auf der Insel Chios ausbeuten. Die Türken beherrschten den größten Teil des Gebiets, und um zu überleben, mußte die Phokaia-Alaun-Gesellschaft jährlich 20000 Golddukaten an den Sultan bezahlen. Dann fiel vor fünf Jahren Phokaia selbst an die Türken, die genuesischen Gesellschaft behielt Chios, verlor aber alle Alaun-Minen.»

«So hast du also doch ein Abkommen mit den Türken getroffen», sagte Felix. Er erinnerte sich, daß die monotone Stimme seines Vaters, wenn er von Themen wie diesen sprach, ihn als Jungen aus dem Haus getrieben hatte. Als er jetzt zuhörte, vergaß er sogar seinen Hunger. Handel und Geld. Ein Monopol, hatte Nicolaas gesagt.

«Ein venezianischer Kaufmann in Konstantinopel hat ein Abkommen mit den Türken getroffen», meinte er. «Er besaß da eine Färberei und wußte Bescheid über Alaun. Er sagte den Türken, er könne die Alaun-Minen in Phokaia ausbeuten, wenn sie ihm eine Konzession erteilten, und sie sagten, sie würden darüber nachdenken, vorausgesetzt, er könne genug Geld auftreiben für seine Auslösung. Seine Name war Bartolomeo Giorgio oder, wie die Venezianer ihn aussprechen, Bartolomeo Zorzi.»

Er hielt inne. Das tat er oft, wenn er glaubte, etwas Wichtiges gesagt zu haben. Felix dachte nach. Dann platzte er damit heraus: «Der Grieche mit dem Holzbein!»

Nicolaas lächelte. «Nicolai Giorgio de' Acciajuoli, der in Europa Lösegeld sammelte, um seinen Bruder Bartolomeo Giorgio zu befreien. Und vor allem sammelte er in Städten wie Brügge und Ländern wie Schottland, die Alaun brauchen.»

«Er mochte dich, weil du ihm das Bein gebrochen hast. Bietet er uns durch seinen Bruder besonders billige Preise für Alaun an?»

«Er bietet uns besonders billige Preise für Alaun an. Und regelmäßige Alaun-Lieferungen. Und sogar einen Alaun-Vorrat, wenn wir ihn haben wollen. Und das wollen wir.»

«Warum?» fragte Felix und sagte dann, als Nicolaas nicht sofort antwortete: «Ach so. Das ist wohl das Geheimnis?»

«Geheimnis? Es ist der geschäftliche Trick, der dir ein Vermögen einbringen wird, und deiner Mutter. Aber wenn du mit einem anderen Menschen – nur *einem* – darüber sprichst, wird deine Mutter bis auf ein lächerliches bißchen alles verlieren. Ich werde es dir sagen, aber du mußt begreifen, was es bedeutet.»

«Als Entgelt für mein Schweigen. Oh, ich weiß, was es bedeutet.» Felix wünschte, Nicolaas würde woanders hinsehen.

Nicolaas sah nicht woanders hin. «Wenn du nach Brügge kommst, werden dir Gregorio und deine Mutter und Anselm Adorne alle bestätigen, daß es wahr ist, was ich dir jetzt sage. In Mailand hat mir Meester Tobie geholfen.»

«Tobie?»

«Der Arzt. Weil er über Kräuter Bescheid wußte. Und weil die Acciajuoli und die Adorne Leute kennen, die in den Alaun-Minen von Phokaia gearbeitet haben, und weil Tobie einen Vorwand hatte, in Italien zu sein, wo er sich umschauen und mit ihnen reden konnte... Felix, hör zu. Niemand weiß es bis jetzt, daß sich in Hügeln nördlich von Rom eine riesige Lagerstätte von erstklassigem Alaun befindet. Das beste, von dem man je gehört hat. Besser als das Alaun von Phokaia.»

Felix spürte, wie sein Herz bersten wollte. Seine Stimme war heiser. «Kauft Tobias sie für uns? Ist dafür das Geld bestimmt?»

Nicolaas senkte den Blick. «Felix, keiner kann sie kaufen, denn sie liegt im Kirchenstaat. Die Familie, die das Land in Besitz hat, hat es vom Papst gepachtet. Sobald die Entdeckung bekannt wird, wird der Papst die Rechte kaufen, die Mine verpachten und die Gewinne behalten. Die Gewinne werden gewaltig sein. Ausreichend, um einen Kreuzzug zu unternehmen.»

«Aber wenn du sie entdeckt hast, wird dich Papst Pius doch bezahlen. Uns. Tobias.»

«Das würde er bestimmt. Aber das wäre alles. Jemand anderes würde die Minen erschließen. Die Firma Charetty hat das Kapital dafür nicht. Auch nicht einmal vor dem Brand. Und sobald die Minen fördern, hat der Papst ein Alaun-Monopol.»

«Hat er nicht», widersprach Felix. «Du hast doch selbst gesagt. Bartolomeo Zorzi fördert in Phokaia. Für Venedig, das an die Türkei Abgaben bezahlt.»

«Das stimmt. Und ich nehme an, einige irregeführte Christen wie zum Beispiel sämtliche Kaufleute in Brügge und Genua und Florenz kaufen von ihm. Aber welcher gläubige Anhänger des Kreuzes wird, sobald das päpstliche Alaun auf dem Markt ist, noch vom Halbmond kaufen? Insbesondere, wenn das päpstliche Alaun eine Sündenvergebung mit sich bringt und das türkische Alaun die Exkommunikation. Er wird auch den Preis erhöhen.»

«Also?» fragte Felix freudig. *Was für ein Scherz? Was für ein Streich?* fragte er sich in Gedanken. Das Leben war dazu da, Abenteuer zu erleben. Das Leben war dazu da, Gelegenheiten zu ergreifen, Angebote anzunehmen, Gewinne zu machen. Das Leben war nicht dazu da, bei Mutter zu Hause zu bleiben.

«Wir halten also die Nachricht über die Entdeckung der neuen päpstlichen Alaun-Mine zurück», sagte Nicolaas gleichmütig. «Und die Venezianer bezahlen uns dafür. Und liefern uns soviel Alaun zu Schleuderpreisen, wie wir haben wollen, und so lange wir es haben wollen. Oder bis jemand anderes die Entdeckung macht. Wir könnten zwei Jahre dabei herausholen und einen Alaun-Vorrat, der uns zugute kommt, wenn die Preise steigen.»

Felix dachte nach. Er merkte nicht einmal, daß er lange nachgedacht hatte. Sein Herz hämmerte. Er sah, daß Nicolaas ihn beobachtete und leicht lächelte. «Und warum gehst du nach Mailand?»

«Ich muß meinen Kurierdienst wahrnehmen. Sendungen abliefern und entgegennehmen und für beides Gebühren kassieren. Ach ja. Tobie hat mir die Beweise geschickt. Adorne hat sie gesehen, und deine Mutter auch. Jetzt muß ich mit den Venezianern reden. Nicht mit den Florentinern, die würden die päpstlichen Minen sofort bekannt machen und sie selbst ausbeuten. Vielmehr mit den Venezianern, die das Phokaia-Alaun bewirtschaften.»

«Und darum hast du in Venedig Geld angelegt?» fragte Felix.

«Zum Teil. Als ich anfing, wußte ich nicht, daß all das geschehen würde. Auch nicht, daß ich in Brügge bleiben würde.»

«Wolltest du weggehen?»

«Ich bin weggeschickt worden. Wegen ungebührlichen Benehmens. Das mußt du doch noch wissen.»

«Aber du bist zurückgekommen und hast meine Mutter geheiratet.»

Sie hatten von Mann zu Mann gesprochen. Einen Augenblick glaubte er, daß ihm Nicolaas von Mann zu Mann antworten werde. Aber obwohl er zögerte, sagte er schließlich nur: «Ja.»

Danach gab es noch mehr Fragen und Antworten. Irgendwann band Nicolaas, während er weiterredete, Felix' Hände los. Ein Abendessen wurde gebracht und verzehrt. Das Bett, das breit genug war für fünf, wurde für die Nacht zurechtgemacht. An diesem Punkt sagte Nicolaas: «Ich habe meinen Leuten gesagt, sie sollen deine beiden Diener befreien und ihnen sagen, daß du beschlossen habest, aus freien Stücken mit nach Mailand zu reiten, aber wenn sie es bezweifeln, könnten sie herkommen und mit dir sprechen. Offenbar sind sie eingeschlafen, ohne sich zu beunruhigen. Habe ich recht gehabt?»

«Ich glaube schon», sagte Felix. Das Essen, die Wärme, der Wein und die Müdigkeit, all das zusammen machte es schwierig, die Wörter auszusprechen. «Du wolltest mir, glaube ich, deinen Dolch geben.»

«Das habe ich vergessen», sagte Nicolaas. «Hier ist er. Welche Seite des Betts willst du?»

Aber Felix war schon im Bett, und obwohl er glaubte, daß er antwortete, tat er es nicht.

Kapitel 33

Diesmal riss niemand die Fensterladen auf, als der Charetty-Trupp in Mailand einritt. Erstens war es viel zu heiß. Und zweitens hatten sich die rivalisierenden Söldnerführer fast alle schon längst auf ihre Schlachtfelder begeben – einige waren südwärts nach Neapel gesprengt, andere gen Osten, dem abtrünnigen Grafen Piccinino hinterher.

Wer kein Söldnerführer war, ließ sich vom Erscheinen eines jungen Kaufmannssohns und dessen Betriebsleiters nicht beeindrucken, wie groß deren Begleitschutz auch sein mochte. Der Geleitbrief, mit seiner Unzahl von mediciischen und burgundischen Unterschriften, den Nicolaas bei sich trug, schaffte Felix sofort Einlaß an der Porta Vercellina und sicherte ihnen einen freundlichen Empfang im *Gasthaus zum Hut*.

Aber von alldem bemerkte Felix nichts. Sieben Tage lang war er nun schon an Nicolaas' Seite geritten und hatte sich mit ihm über Geschäfte unterhalten, so wie es ein Mann mit seinem Geschäftsführer tun sollte. Seine Fragen hatte Nicolaas durch genaue, ausführliche Erklärungen beantwortet, die er ganz und gar nicht langweilig fand. Sie hatten über Henning und Bellobras, über Gregorio und über Cristoffels in Löwen gesprochen. Nicolaas hatte Felix' Meinung zu vielen Dingen hören wollen. Und da er den dringenden Wunsch hatte, Felix möge all den bevorstehenden Verhandlungen folgen können, war er ihm von Zeit zu Zeit damit auf die Nerven gegangen, daß er versuchte, ihm Italienisch beizubringen.

In der Auseinandersetzung mit Nicolaas war etwas von der Angriffslust und der eindringlichen Art seiner Mutter in Felix zum Vorschein gekommen, gemeinsam mit der Ungeduld, die seinem Vater zu eigen gewesen war. Nicolaas trug ihm gegenüber keine Ehrerbietung zur Schau, sondern bediente sich desselben nüchternen, sachlichen Tons, wie ihn Julius seiner Herrin gegenüber anzuschlagen pflegte. Damit war Felix einverstanden. Etwas von der Scham, dem Zorn und der Angst der vergangenen acht Wochen wich langsam zurück.

In Mailand, das statt von Luft nur von Ziegel- und Marmorstaub erfüllt war, mußte Nicolaas vier Geschäftsbesuche für das Haus Charetty machen, und Felix, falls er es wünschte, konnte ihn begleiten. Felix wollte mitkommen, sobald er seine Stiefel abgestreift, sein Wams geöffnet, ordentlich Wein getrunken und sich schön ausgeschlafen hätte. Er ließ sich im Gasthof sofort auf das Bett fallen und gestattete Nicolaas, das Abendessen zu bestellen und sich um ihre Begleitmannschaft zu kümmern.

Nicolaas, der immer noch in seinen Stiefeln steckte, machte einen sehr zufriedenen Eindruck und sagte, er würde alles für morgen in die Wege leiten. Ob Felix in der Zwischenzeit Lust hätte mitzukommen und ihm bei der Übergabe von geheimen Botschaften zuzuschauen? Die Erschöpfung kämpfte mit dem letzten Rest von Mißtrauen und siegte dann.

«Geh du allein», sagte Felix und schlief fast augenblicklich ein. Als er aufwachte, dämmerte es, und Nicolaas, der friedlich auf dem Rollbett schlummerte, wollte sich nicht wecken lassen. Auf einer Truhe stand ein kaltes, halb aufgegessenes Abendbrot neben einer tropfenden Kerze. Felix machte sich darüber her, wobei ihm immer wieder etwas herunterfiel; da Nicolaas weiterhin schlief und der Wein ganz hervorragend war, nahm er kurzentschlossen die Flasche mit ins Bett. Schließlich mußte er frisch sein für die Verhandlungen morgen. Heute morgen.

Etwas später am gleichen Tag hätte es Cicco Simonetta, Oberhaupt der mailändischen Kanzlei, vielleicht sehr befremdet, die geschäftlichen Angelegenheiten der Charetty mit einem spitzgesichtigen Achtzehnjährigen besprechen zu müssen, dessen Italienisch äußerst bruchstückhaft war, wenn man ihn nicht entsprechend vorgewarnt hätte. So hingegen wurde die geforderte Summe für die neuberechnete *condotta* unverzüglich bezahlt sowie die entsprechenden Unterlagen ausgehändigt. Daß noch andere Unterlagen in der vergangenen Nacht den Besitzer gewechselt hatten, als die mündlichen und schriftlichen Botschaften überbracht worden waren, fand keine Erwähnung.

Obwohl Messer Cicco ein vielbeschäftigter Mann war, zeigte er sich sehr wohlwollend. Er interessierte sich sehr für alles, was Felix ihm von seinem gerade zurückliegenden Besuch in Genappe erzählte. Er fragte Felix, ob er dort dem Kammerherrn des Dauphin, Messer Gaston du Lyon, begegnet sei. Felix mußte dies verneinen und stellte zu seiner Verwunderung fest, daß Nicolaas bejahend nickte und den Mann nicht nur getroffen hatte, sondern ihm einen Gefallen schuldete.

Ein weiteres Mitglied des herzöglichen Haushalts, der Messer Prosper Schiaffino de Camulio de' Medici, gesellte sich zu ihnen – er war die rechte Hand des Herzogs bei diplomatischen Missionen in Frankreich, wie Messer Cicco lächelnd bemerkte. Sie unterhielten sich über die Verteidigung des Königreichs Neapel (bei der Hauptmann Astorre eine tüchtige Hilfe war) und die zunehmende Hoffnung, daß es dem Feind schließlich an Geld und Truppen mangeln würde, wenn Frankreich und Savoyen sich außerstande sähen, ihre großartigen Versprechungen einzuhalten.

Felix erwähnte die prächtigen Rüstungen und Waffen der Charetty-Truppen und lobte Astorre, seinen Sekretär Julius und seinen Arzt Tobias Beventini da Grado.

Cicco Simonetta di Calabria, der sich schließlich nicht alles merken konnte, erwähnte, daß Messer Tobias' Hilfe bei Hauptmann Lionetto allseits viel Bewunderung hervorgerufen hätte.

Felix, der von wattiertem Steifleinen schon so umhüllt war wie von ägyptischen Mumienbinden, hätte sich nicht noch gerader aufrichten können. So rief er nur überrascht und erschreckt: «Lionetto!»

Nicolaas sagte: «Messer Tobias, der ja Hauptmann Lionetto schon lange kennt, wurde von Seiner Heiligkeit dem Papst mit der Aufgabe betraut, jenen dazu zu überreden, die gottlosen Truppen des Grafen Giacomo Piccinino zu verlassen und auf unsere Seite hinüberzuwechseln. Er hatte Erfolg. Hauptmann Lionetto wurde anderen Sinnes. Er verließ den Grafen Piccinino und befindet sich zur Zeit bei dem Grafen von Urbino.»

«Aber davon hast du mir ja gar nichts gesagt. Und Tobias?» fragte Felix.

Messer Cicco ergriff an Stelle von Nicolaas das Wort. «Mir scheint, daß der tapfere Doktor keine Gelegenheit mehr dazu haben wird, in Neapel zu kämpfen. So wie ich meinen gnädigen Herrn von Urbino kenne, wird er Euren Messer Tobias in seinen Diensten behalten haben. In diesem Fall werdet Ihr seinen Wert erstattet bekommen, so daß Ihr Euch einen neuen Arzt suchen könnt. Jedoch wird der Dienst, den Ihr und er uns erwiesen habt, nicht vergessen werden. Werdet Ihr Euch auch an den Kämpfen beteiligen, Messer Felix?»

Messer Felix errötete. «Nichts würde ich lieber tun.»

«Euer Mut ist lobenswert», sagte Cicco Simonetta. «Wir sollten das würdigen. Ihr habe eine weite Reise hinter Euch, vielleicht möchtet Ihr Eure Künste ein wenig auffrischen? Ich würde mich freuen, Euch den Turnierplatz zur Verfügung zu stellen und die Übung, für die unsere Meister sorgen können. Unsere Plaudertasche Niccolo kennt das Training, das wir zu bieten haben.»

Felix brauchte keinen Nicolaas (Niccolo?), um zu wissen, was die mailändischen Meister für ihn tun konnten. Vertieft darin, Termine zu machen, vernahm er, wie Nicolaas für sie beide untertänigst eine Abendeinladung mit Messer Prosper de Camulio de' Medici annahm. Er war auf Nicolaas wütend. Er hätte ihm die Sache mit dem Doktor erzählen müssen. Andererseits machte der herzögliche Kanzler einen sehr zufriedenen Eindruck. Und wenn ein Abend mit einem herzöglichen Gesandten auch langweilig sein mochte, war Geschäft doch Geschäft. Er hoffte, daß die Buden der Frauen lange offen bleiben würden. Manchmal, in einer neuen Stadt, konnte man Listen kaufen. Aber als er dies Nicolaas gegenüber erwähnte, hatte jener nur gelacht, sich aber geweigert zu verraten wieso.

An Nicolaas' Seite verließ er den Arengo und trat in die heiße mailändische Sonne hinaus. Einen Augenblick lang war sein Ärger vergessen. Alles in Mailand war riesig. Vor ihnen lag die größte Kirche, die Felix je gesehen hatte. Sie befand sich noch im Bau und war von Gerüsten umstellt, auf denen braungebrannte Arbeiter in Lendenschürzen von Brett zu Brett glitten wie die Möwen auf dem Kran. Man mußte aufpassen, falls mal ein Flaschenzug steckenblieb und ein Eimer sich vorzeitig entleerte. Das Hämmern hinter ihnen kam aus den Werkstätten, erklärte Nicolaas, wo der Marmor aus den Steinbrüchen angeliefert wurde.

Felix wollte die Wunder des Palazzo Medici sehen, wo sie ihren nächsten Geschäftsbesuch abstatten sollten. Er hatte zweifarbige Beinlinge und seinen besten Überrock angelegt und am selben Morgen noch einen Strohhut gekauft, um seinen Teint vor der Sonne zu schützen. Außerdem freute er sich darauf, Tommasos Brüder kennenzulernen, die von jenem beneidet wurden und denen Felix unbekümmert ein Kistchen mit Silber und Wechseln anvertrauen wollte, das zu Tommaso nach Brügge weitergeleitet werden sollte.

Auf dem Weg zu den Medici ging Nicolaas noch bei der Kanzlei eines Aktuarius vorbei und holte drei Päckchen mit Unterlagen ab, die er in Silber bezahlte. Nachdem er eine Taverne an der Piazza Mercanti gefunden hatte, ging er mit Felix hinein, bestellte Wein, öffnete die Päckchen und untersuchte sie. Es stellte sich heraus, daß sie zwei vollständige Aufstellungen der Gutschriftsanzeigen enthielten, die Jaak de Fleury geliefert hatte, welche aufs Wort genau abgeschrieben und notariell beglaubigt worden waren. Eine Abschrift war für sie. Die andere sollte bei Maffino, dem Handelsvertreter der Fleurys in Mailand, hinterlegt werden, um zukünftige Nachfragen zu vereinfachen. Auch die Originale waren dabei, die sie jetzt mitnahmen, um sie Pigello Portinari von den Medicis zu verkaufen.

«Zu *verkaufen*?» fragte Felix.

Nicolaas, der die Päckchen gerade wieder zusammenlegte, war sich anscheinend nicht bewußt, irgend etwas Bemerkenswertes gesagt zu haben. «Na, so kommen wir am besten an unser Geld», meinte er. «Oder zumindest an das bißchen, das Monsieur Jaak uns widerwillig zugestanden hat. Vielleicht hast du Lust, alle sechs Monate nach Genf zu pilgern und nach Kräften abzukassieren, ich hingegen finde, daß sich der Aufwand nicht lohnt. Statt dessen lassen wir einfach die Medici durch ihre Genfer Dependance Jaak de Fleury das Silber abpressen.»

Felix starrte ihn an. «Warum sollten sie das denn machen?»

Nicolaas legte die Päckchen beiseite und winkte dem Wirt. «Sie machen so was immer. Es ist ihr Geschäft, Schulden einzutreiben. Genauso verfahren sie mit den päpstlichen Bullen. Und außerdem schulden sie mir noch einen Gefallen. Ich hab ihnen eine Geheimschrift ausgetüftelt, die kein Sterblicher entziffern kann, ich selbst inbegriffen.»

Felix starrte ihn immer noch an. Dann sagte er: «Willst du damit sagen, daß die Medici dir all das Geld zahlen werden, das Jaak de Fleury uns schuldet?»

«Nun ja, zumindest das, was er uns zugestanden hat. Deshalb sind wir doch hier, oder? Wir wollen Geld zusammenbekommen, um dein Geschäft wieder aufzubauen. Deshalb konnten wir nicht gleich nach Brügge zurück.»

«Ich dachte, wir wollten...»

«Ja, ja, auch. Aber denk nicht laut in der Öffentlichkeit», sagte Nicolaas. «Und nun komm. Pigello und Accerito warten auf dich.»

Der Palazzo Medici war ein langes, niedriges Gebäude mit einer Reihe von ziemlich ausgefallenen Fenstern über einer Art Festungsmauer aus vierkantig behauenen Bausteinen. Felix hatte geglaubt, man würde ihnen nach italienischem Brauch aus einem großen Kupferkühler auf der Loggia Wein anbieten, aber die Loggia war eben erst im Bau und er sah ein, daß dort jeder Wein zu Schlamm geworden wäre.

Sie wurden von Pigello Portinari empfangen, der die gleiche charakteristische Nase besaß wie Tommaso, aber aus anderem Holz geschnitzt war – was Wunder, schließlich war er ja Einkäufer und Finanzexperte eines herzöglichen Hofs. Er hatte eine fliehende Stirn und Tränensäcke unter den Augen. Er wirkte ebenso kahlköpfig wie Doktor Tobias, aber sein Haupt war mit einem kleinen, runden Hut bedeckt. Wegen der Hitze trug er nur einen kurzen Überrock zu Hemd und Hose. Der tiefsitzende Gürtel kaschierte den stattlichen Bauch eines guten Essers. Felix verspürte eine herzliche Zuneigung zu ihm.

Der persönliche Besuch von Messer Felix ehrte Messer Pigello, und er führte die beiden sofort in sein Büro. Auf seinem Tisch lag das Kästchen mit Silber von Messer de Fleury, das Niccolo ihm gestern abend zur Verwahrung übergeben hatte, das aber von Messer Felix noch persönlich überprüft werden sollte.

Messer Pigello stellte fest, daß außerdem noch weitere Wechsel aus der herzöglichen Kanzlei da waren. Und waren dies die Gutschriftsanzeigen, von denen Niccolo gesprochen hatte?

Wie Felix bemerkte, verwandte Pigello arabische Ziffern, die er geschwind auf kleinen Zetteln addierte; Nicolaas, der seine Rechnung überprüfte, tat es ihm gleich. Auf den Wechseln waren die Summen in stattlichen römischen Ziffern ausgewiesen, mit denen man nicht so einfach hantieren konnte.

Accerito, der andere Bruder, kam irgendwann herein, und Felix war froh darüber, nicht mehr hinschauen zu müssen, als zählte er auch mit, und sich ein wenig mit Accerito unterhalten zu können. Er hatte sowieso genug gesehen. Was immer auch passieren mochte, Nicolaas betrog ihn nicht. Er sorgte dafür, daß er reich wurde.

Sie blieben gerade lange genug, um das Geschäftliche zu erledigen und (drinnen) kandierte Nüsse und ein wenig außerordentlich guten Wein zu sich zu nehmen, der in schweren Pokalen serviert wurde, die außen mit einem an Orangenspalten gemahnenden Muster verziert waren. Messer Pigello äußerte ein anmutiges Kompliment über die Heirat der Demoiselle de Charetty, wobei er sich gegen Felix und Nicolaas verneigte, und meinte dann, daß die Firma trotz der traurigen Nachricht vom Brand unter solcher kluger Führung immer erfolgreicher werden würde.

Neuigkeiten reisten schnell. Dieses Thema, das zu Hause so schmerzlich war, schrumpfte durch den geschäftlichen Rahmen auf ein Nichts zusammen. Felix hatte sich kaum verbeugt und Nicolaas seinen Dank gemurmelt, als die Unterhaltung schon wieder eine andere Richtung eingeschlagen hatte.

Hinterher erinnerte sich Felix an seine Versuche, einem angeregten Austausch über die Seidenmärkte des Ostens zu folgen. Da chinesische Seide schwer zu bekommen war, bemühte sich Konstantinopel händeringend um Seide, die es verkaufen konnte. Chios konnte seine überall loswerden. Ein florentinischer Konsul in Trapezunt würde ein Vermögen verdienen. Felix verstand von alldem nur wenig. Aber selbst wenn es ihn nichts anging, würde er immer große Zuneigung für jemanden verspüren, der dabei war, sein Glück zu machen. Natürlich, die Medici in Florenz besaßen eine Seiden-*botteghe*. Marco Parenti, mit der Schwester der Strozzis verheiratet, war Seidenhändler. Wie auch die Bianchi in Florenz.

Die Namen, die Nicolaas ihm gegenüber noch nie erwähnt hatte, bedeuteten Felix nichts. Er hörte zu, war aber ebenso begierig, Messer Accerito auf einen Rundgang durch den halbfertigen Palast zu begleiten. Tief beeindruckt von den Fresken an Wand und Decken und davon, daß keiner der Angestellten von ihnen beeindruckt zu sein schien, kam er wieder. Nicolaas war gerade dabei, sich zu verabschieden. Seine beiden Grübchen waren deutlicher zu sehen, als er Messer Pigello anlächelte.

«Das ist ja seltsam!» sagte er. «Der Herzog hat es sogar mir gegenüber erwähnt. Ihr habt nicht gewußt, daß er sich einen dressierten Strauß wünscht?»

«Nicht ehe ich von Tommaso diesbezüglich informiert wurde», versetzte Pigello. «Offenbar mußte man das Tier ganz aus Spanien holen.»

«Den Vogel», sagte Felix. Er schaute von Nicolaas zu Pigello.

«Und dabei hat es wohl irgendeine Verzögerung gegeben.»

«Ein Schiffbruch», sagte Nicolaas. «Der unglücklicherweise einen Rechtsstreit nach sich gezogen hat. Aber ich habe gehört, daß der Vogel lebt und wohlauf ist.»

Es hatte nicht den Anschein, als mache Pigello Portinari sich deshalb ernsthaft Sorgen. Er meinte: «Ich bin sicher, daß Messer Strozzi und mein Bruder es schließlich doch noch fertigbekommen werden, daß der Vogel in Mailand ankommt. Natürlich wird man es sehr zu schätzen wissen, solltet Ihr ihnen dabei behilflich sein können.»

«Seid bedankt für Euer Vertrauen», sagte Nicolaas. «Aber ich habe zur Zeit alle Hände voll zu tun. Und ich möchte auf gar keinen Fall Messer Tommaso seines Triumphes berauben. Der Strauß, gesund und munter in Brügge, bereit, als Geschenk von Herzog Philipp an Herzog Francesco auf die Reise zu gehen. Das ist doch was.»

Draußen auf der Via dei Bossi sagte Felix: «Der Strauß.»

«Ja?» Nicolaas bahnte sich hüpfend den Weg zwischen schwitzenden Leuten hindurch und unter Markisen entlang, und wenn er einem hübschen Mädchen begegnete, lächelte er ihm zu.

Felix sagte: «Die Medici haben noch nie etwas von dem Strauß gehört. Messer Cicco hat ihn auch gar nicht erwähnt.»

«Nein», erwiderte Nicolaas hinter ihm. Mit drei Orangen trat er aus einem überdachten Marktstand hervor und begann im Gehen mit ihnen zu jonglieren, störte Grüppchen von Hausfrauen auf und gutgekleidete Adlige und Kaufleute, schwitzende Männer mit Soutanen, Dienstboten und Arbeiter, Marktleute und Kinder. Zwei Männer, die auf einem Balkon saßen und Schach spielten, schauten hinunter, als eine Orange an ihren Ohren vorbei nach oben schwebte und wieder herabfiel.

«Aber in der Botschaft, die du Tommaso gebracht hast, stand doch, daß der Herzog einen haben wollte.»

«Ja», sagte Nicolaas. Drei Hunde und mehrere Kinder liefen hinter ihm her.

«Also hast du es dir ausgedacht? Du hast dir die ganze Geschichte ausgedacht? Niemand will einen Strauß haben?»

«Unsinn», sagte Nicolaas. «Ich will einen haben. Tommaso will einen haben. Lorenzo will einen haben. Und wenn ich erst die Kanzlei benachrichtigt habe, daß er auf dem Weg ist, will auch der Herzog einen haben. Und wenn keiner ihn haben will, geben wir ihn eben in die Lotterie wie dein Stachelschwein. Wir spannen ihn vors Wasserrad und schauen ihm zu, wie er all die Eimer frißt. Wir lassen ihn im Kran laufen. Wir nehmen ihn, um die Kanäle abzufischen. Winrik kann sein Geld in ihm aufbewahren. Jeder sollte einen Strauß haben. Oder eine Orange. Fang.»

Felix konnte sie nicht fangen, so fiel sie in den Brunnen an der Stadtmauer, an dem sie gerade vorübergingen, und die Spritzer drangen ihm in die Nase.

Es machte ihm nichts aus. Einen Augenblick lang – wie lange? – war Claes wieder da, einer von ihnen.

Aber Nicolaas war es, nicht Claes, der Felix an jenem Abend zum Haus von Prosper de Camulio de' Medici begleitete.

Ein warmer, kräftiger Wind war aufgekommen, so daß es trotz des Staubs angenehm war, unter dem Schatten der gewellten roten Dachvorsprünge und der Balkone durch die engen Straßen zu gehen, vorbei an den schiefen Eingangsstufen mit ihren leuchtenden Blumenschalen. Über ihnen flitzten die Mauersegler hin und her, unberechenbar wie Mücken, und ihr fernes Flöten schlug in ein dünnes, zischendes Pfeifen um, wenn sie herabstießen. Messer Camulios Haus befand sich im Süden der Stadt, nahe am kreisförmigen inneren Kanal. Zwischen ihm und dem äußeren Wasserring lagen einige wichtige Kirchen und Herbergen, dicht an den extra dafür angelegten Stichkanälen, auf denen die Leichter ins Stadtinnere fuhren. Die Brüder Portinari unterstützten zwei solcher Kirchen, ihnen wurden dafür einige Privilegien gewährt.

Handel. Reichtum. Ruhm. Gut gelaunt und mit neuem Selbstvertrauen trabte Felix de Charetty neben Nicolaas über das Pflaster. Aufmerksam lauschte Nicolaas seinem detaillierten Bericht über den Nachmittag mit dem Tjostmeister des Herzogs auf dem Turnierplatz des Herzogs im (halb wiederaufgebauten) Castello.

Sie erreichten die Casa Camulio, die von einem Wappen über dem Eingang geziert wurde. Die Säulengänge des kleinen warmen Innenhofs lagen im sinkenden Sonnenlicht. Prosper de Camulio bat sie, es sich am Brunnen bequem zu machen. Er hatte nur noch einen weiteren Gast. Vier Männer, die aßen und sich unterhielten, und keine Damen dabei. Eine Gruppe von Männern, die sich leise über Geld unterhielten.

Prosper de Camulio de' Medici, ein Mann von Mitte Dreißig, besaß das, was Felix inzwischen als den Stil eines Diplomaten und Politikers zu identifizieren wußte. Er war leicht bekleidet, trug ein Leinenhemd, einen feinen Überrock und einen mit Veilchen bestickten Seidenschal, der aus Frankreich zu stammen schien. Bei ihm befand sich ein Genueser namens Tomà Adorne. Camulio und Adorne. Felix wußte, welches Interesse beiden gemeinsam war, weil Nicolaas es ihm erzählt hatte.

Tomà Adorne war ein kleiner, fleischiger Mann in mittleren Jahren, und sein fahles Haar war von der levantinischen Sonne vollkommen ausgeblichen. Er hatte nichts von der schlanken, spöttischen

Schönheit Anselm Adornes und trotzdem – hatte Nicolaas gesagt – war er mit ihm verwandt.

So lange schon in Brügge verwurzelt, so angesehen, so herrlich flämisch schien es, als kennte der Stamm Adorne keine anderen Wurzeln. Aber sechs Generationen zuvor (sagte Nicolaas) hatte der Verlust von Akko die Vorfahren der Adornes, Kaufleute allesamt, aus dem heiligen Land vertrieben: ein Zweig der Familie ging nach Flandern, der andere ins heimische Genua. Und ehe man sich's versah, hatten die gewitzten See- und Kaufleute aus dem genuesischen Fischerdorf Camoglio begonnen, sich in den genuesischen Kolonien anzusiedeln, und ein gewisser Vivaldo de Camulio besaß einen Tuchhandel in Byzanz.

Vor vier Generationen, zu Lebzeiten von Anselm Adornes Urgroßvater, wurde Gabriel Adorne als erster Adorne Doge von Genua. Inzwischen beherrschten seine Verwandten und die mit ihm befreundeten Kaufleute die Insel Chios sowie den Alaun-Handel von Phokaia. Einige Jahre danach lebte auch ein Niccolo de Camulio dort. Später verband sich dessen Familie (sagte Nicolaas) mit den Erben eines Antonios de' Medici, um Niccolo de Camulio de' Medici hervorzubringen, den Aktuarius der Commissarii von Genua, dem es oblag, über Bezugsrechte und Steuereinkünfte in Phokaia und Chios Bericht zu erstatten. Und das war die Blutlinie ihres Gastgebers, Prospers de Camulio.

Heute waren die Türken im Besitz der Alaun-Gruben in Phokaia, aber der Handel von Chios wurde immer noch aus Genua kontrolliert, und zu den genuesischen Kaufleuten auf Chios gehörten immer noch Baldassare und Paolo und Raffaele und Niccolo und Giuliano und Tomà Adorne.

Die Franzosen hielten jetzt Genua besetzt. Aber zu den vertriebenen Genuesern mit Besitz auf Chios gehörte Prosper Adorne, Graf von Renda, Edler von Ovada und der beiden Ronciglioni, der Mann, der am meisten Anspruch darauf hatte, der nächste Doge von Genua zu werden. Er war Tomàs Cousin. Er war ein weit entfernter Verwandter von Anselm Adorne. Er war ein langjähriger Freund und Helfer ihres Gastgebers Prosper de Camulio und besaß denselben Vornamen. Und er war der erste der Genueser Rebellen, den der Herzog von Mailand heimlich unterstützte, da auch er die Franzosen aus Genua vertrieben sehen wollte.

Außerdem hatte Doktor Tobias diesen Mann kürzlich auf seinem Landsitz aufgesucht, um, so erzählte Nicolaas, über diese interessante Sache mit dem Alaun zu sprechen.

Alaun verband Tomà Adorne und Camulio. Alaun, in einem Atemzug mit der Politik der Stadtstaaten genannt, versetzte Felix, wenn er es sich recht überlegte, in einen Zustand der Angst und der freudigen Erregung. Aussicht auf große Reichtümer bewirkte die Erregung – Angst befiel ihn, wenn er Nicolaas ansah und erkennen mußte, daß da etwas war, dessen Tiefen er nicht abschätzen konnte.

Die Angst sowie sein rudimentäres Italienisch ließen ihn schweigen, während die anderen redeten. Das Gespräch hatte einen gereizten Unterton. Nicolaas schien diesen nicht zu bemerken. Methodisch erledigte er seine Aufgabe, die darin bestand, seinen genuesischen Zuhörern ein schriftliches Gutachten und eine Schätzung des Alaun-Lagers zu erläutern, das die Charetty-Handelsgesellschaft kürzlich auf dem Territorium des Kirchenstaats entdeckt hatte. Das Gutachten und die Schätzung waren von Venetianern unterzeichnet und gegengezeichnet. Felix sah das alles zum erstenmal.

Prosper de Camulio war es, der von den Papieren aufblickte und sagte: «Hieraus wird doch offenbar, daß Venedig die Lager schon gesehen hat und weiß, daß sie eine Bedrohung seines türkischen Alaun-Monopols darstellen. Wenn diese Unterschriften echt sind.»

«Der Mann, der das unterschrieben hat, Caterino Zeno, befindet sich in Mailand», erwiderte Nicolaas. «Er wartet nicht weit von hier darauf, gerufen zu werden, sobald ich Eure Zustimmung zu seinen und meinen Bedingungen bekommen habe. Falls Ihr ihn als zuverlässigen Sprecher Venedigs anerkennen mögt.»

«Seine Vorfahren haben Konstantinopel regiert», erwiderte Adorne. «Wenn Venedig ihn geschickt hat, nehmen sie Euch ernst. Ihr verratet uns nicht, wo dies Lager gefunden wurde. Aber Venedig habt Ihr es anscheinend gezeigt.»

Nicolaas sah ihn an. «Venedig wird aufgefordert, für das Schweigen über dieses Alaun-Vorkommen zu bezahlen, Venedig wäre damit einverstanden gewesen, diese Übereinkunft direkt mit meiner Handelsgesellschaft zu treffen – mich für mein Schweigen zu bezahlen und mir eine Alaun-Konzession zuzugestehen. Wenn ich nicht darauf bestehe, gibt es für sie keinen Grund, Kaufleute Genuas in ihre besonderen Bedingungen mit aufzunehmen.»

«Aber Ihr wollt uns beteiligen, gegen eine ansehnliche Bezahlung. Warum Genua?» fragte Tomà Adorne. «Warum nicht die Kaufleute Luccas? Oder Mantuas?»

Nicolaas saß da, die großen Hände zwischen den Knien, und ließ seinen großäugigen, unschuldigen Blick auf den Genuesern ruhen. Dann sagte er: «Die Demoiselle de Charetty hat festgestellt, daß die Adornes und Doria und die anderen genuesischen Kaufleute von Brügge immer redlich sind in ihren Geschäften mit dem Färberhandel. Ich habe diese Konzession auf Genua beschränkt, sonst wäre sie ja wertlos. Ihr würdet mich nicht dafür bezahlen, daß ich Eure Konkurrenten mit hineinbrächte.»

«Und Euer Anliegen ist natürlich, Profit zu machen», sagte Messer de Camulio. «Ihr habt noch nicht daran gedacht, an den Papst heranzutreten? Mit dem Geld aus einer derartig ergiebigen Grube könnte er einen Kreuzzug finanzieren und die phokäischen Bergwerke befreien. Dann gäbe es eine Unmenge billigen Alauns und kein Monopol mehr.»

Felix sah Nicolaas an. Nicolaas lächelte. «Ich habe daran gedacht», sagte er. «Aber würde ein Kreuzzug die phokäischen Bergwerke befreien? Fände überhaupt ein Kreuzzug statt, während Neapel und England und Frankreich und Burgund ihre Truppen doch gerade so dringend brauchen? Es müssen erst eine Menge christliche Kriege zu Ende gehen, ehe die Türken den Papst zu fürchten haben.»

«Und wie steht es mit Eurem Gewissen als Christ?» fragte Messer de Camulio. «Indem Ihr den venezianischen Handel schützt, schützt Ihr auch den türkischen Handel.»

«Wer tut das nicht?» fragte Nicolaas zurück. «Der Westen braucht das, was die Türkei verkaufen kann. Und die Türkei braucht ihren Handel noch nötiger und wird nicht Krieg führen wollen, wenn man sie nicht dazu zwingt, damit sie ihrer Geschäfte nicht verlustig geht. Könige führen Kriege, aber Händler, das könnt Ihr mir glauben, werben um ewigen Frieden.»

«Verstehe», sagte Messer de Camulio. «Und warum verlangt Ihr dann Eure Konzession nicht gleich direkt vom Türken?»

Felix sperrte den Mund auf. Dann machte er ihn wieder zu. Nicolaas sagte: «Das hätte ich natürlich machen können, wenn ich eine größere Handelsgesellschaft besäße. Dann könnte ich fast jede

Summe für mein Schweigen fordern und alle Konzessionen erzwingen, die mir einfielen, auch eine Änderung im Alleinverkaufsrecht. Ich besitze solche Macht nicht, aber Venedig hat sie. Ich kann nicht an den Türken herantreten. Aber ich denke wohl, daß Venedig es für mich tun wird.»

«Ich hab mich gefragt, ob das wohl Eure Antwort sein würde», sagte Prosper de Camulio. «Also wird Euer Plan letztendlich Venedig begünstigen?»

«Venedig besitzt das türkische Alleinverkaufsrecht. Das kann ich nicht ändern. Unsere Konzession wird zur Folge haben, daß die Venezianer weniger Profit aus uns herausschlagen können. Und so ist es nur fair, wenn sie sich am Türken schadlos halten. Ihr macht immer noch Gewinn – und ich auch.»

Tomà Adorne rieb sich das Kinn. «Das ist wahr», sagte er. «Ihr habt Glück gehabt, Messer Niccolo. Ihr seid in die Lage versetzt worden, etwas zu entdecken, womit Ihr viele reiche Institutionen erpressen könnt, zumindest für eine gewisse Zeit. Und ich denke, Ihr habt recht. Der Preis, den die christliche Kirche auf ihre Waren setzen wird, wird den Tribut, den die Türken fordern, bei weitem übersteigen. Und in der Zwischenzeit wird der Alaun-Preis für Euch und Genf fallen, so daß im Grunde alle Tuchmacher davon profitieren können. Ich kann an Euren Bedingungen nichts auszusetzen finden. Trotzdem würde ich gern noch wissen, wie Ihr die Florentiner auszuschließen gedenkt. Sobald die Medici Eure Konzessionen herausbekommen, werden sie sich über den Grund die Köpfe zerbrechen. Denkt daran, daß sie päpstliche Bankiers sind. Und falls ihnen die Existenz dieser Gruben zu Ohren kommen sollte, werden sie es von jedem Turm verkünden.»

«Ich habe daran gedacht», sagte Nicolaas. «Aber Konzessionen werden aus allen möglichen Gründen vergeben. Zum Beispiel befinden sich Venedig und Florenz selbst ständig in irgendwelchen Verhandlungen über den Seidenpreis. Man könnte Florenz leicht weismachen, unser billiges Alaun sei das Ergebnis einer Geschäftsabsprache. Man kann Hauptbücher so ziemlich alles aussagen lassen.»

«Ihr bestimmt», versetzte Tomà Adorne. «Ich meine, Ihr solltet uns nun Eure Bedingungen im Detail vortragen und uns dann zum Abschluß kommen lassen, ehe Ihr doch noch Lucca und Mantua auf die Liste Eurer Günstlinge setzt. Dann können wir nach Eurem Förderer Caterino Zeno schicken lassen. Ein Freund von Alvise Duodo von den venezinanischen Galeeren, wenn ich nicht irre? Und ein Verwandter von Marco Zeno, dem Kommandanten der flandrischen Galeeren?»

«Meine Herren», erwiderte Nicolaas mit Respekt. «Ihr kennt ihn besser als ich.»

Weil sie es nicht wußten oder es unwichtig fanden, erwähnte niemand das wichtigste Detail im Leben des Messer Caterino Zeno von Venedig, dieses Detail betraf die Identität seiner schönen Frau Violante. Es spielte auch bei der Unterhaltung am nächsten Vormittag keine Rolle, als das geplante Treffen stattfand und jenes Abkommen ratifiziert wurde, das die Handelsgesellschaft der Charetty augenblicklich reich machte und ihnen die Aussicht auf solide zukünftige Vermögenswerte in Form von Konzessionen und Steuern gewährte.

Prosper de Camulio stellte den Mailänder Beauftragten zur Verfügung, der die Zahlungen nach Brügge leiten sollte. Felix, hohläugig nach einer Nacht, in der er kaum geschlafen und unentwegt geredet hatte, unterschrieb alles, was gegengezeichnet werden mußte, und verschwand dann, sobald es ging, zum Castello, um etwas von seiner aufgestauten Erregung loszuwerden.

Viel später kam auch Nicolaas auf den Turnierplatz. Natürlich hatte er schon im Winter einige Wochen dort verbracht. So erklärte sich das Gebrüll, mit dem er begrüßt wurde, und das Gelächter, als er sich durch die ersten Übungsrunden hindurchkasperte. Dann trat der Tjostmeister vor, warf ihm ein Schwert zu, dann eine Streitaxt und eine Lanze, besorgte ihm schließlich ein Pferd und machte einen Waffengang mit ihm.

Erstaunlicherweise fiel Nicolaas nicht herunter. Felix, der ihm mit den anderen zubrüllte, wurde langsam nachdenklich. Als man ihm zum Schluß sagte, er solle aufsitzen und selbst mit seinem einstigen Diener eine Lanze brechen, erhob er die Waffe ohne die zornige Hochstimmung, die er noch von jenem albernen Tjost in Brügge erinnerte. Der Kampf verlief diesmal auch anders. Er tat sein Bestes, konnte Nicolaas aber nicht aus dem Sattel heben, obwohl Nicolaas ihn zweimal fast herunterstieß. Dann kam jemand aus der Kanzlei angelaufen und fragte nach ihm; Nicolaas verabschiedete sich vom Waffenmeister und ging.

Er kam nicht wieder. Felix nahm an, er sei mit den Vorkehrungen für die Heimreise beschäftigt. Diesmal würden sie es eilig haben auf der Reise, wo sie seiner Mutter doch die großartigen Neuigkeiten erzählen mußten. Die Gutschriftsanzeigen der Medici wurden schon von einem Abgesandten der Medici nach Brüssel gebracht. Die venezianischen und genuesischen Zahlungsanweisungen würden sie selbst mit nach Brüssel nehmen. Den Oberkörper nackt, saß Felix unter den Bäumen im Kreis seiner neuen Freunde, aß, plauderte höflich mit jemandem, den er wiedererkannte, zog sich grübelnd an und stattete dann dem Büro des Cicco Simonetta im Arengo einen kurzen Besuch ab. Danach kehrte er zum Gasthof zurück.

Nicolaas war dort, in der Weinlaube im Garten saß er mit einigen ihrer Soldaten zusammen. Felix erkannte ihn an dem herausklingenden Gelächter. Als Nicolaas sich auf seinen Zuruf hin nicht erhob, ging Felix hinaus und gesellte sich zu ihnen, trank etwas Ale und stellte fest, daß er sich auch dem Gelächter hingeben wollte. Viel später – in dem Zimmer, das er mit Nicolaas teilte – zog Felix sich zum zweitenmal das durchweichte Hemd über den Kopf und machte sich daran, ein paar Antworten zu bekommen.

Nicolaas gab immer Antworten. Er sagte: «Ich hab der Begleitmannschaft gesagt, sie sollten sich für die Rückreise nach Brügge morgen früh bereithalten. Aus Sicherheitsgründen hab ich noch ein paar Mann mehr angeheuert, aber die Bankwechsel sind für alle Fälle schon kopiert. Ich habe überlegt, ob du wohl etwas dagegen hättest, allein zurückzureiten.»

Felix starrte ihn – das Hemd noch in der Hand – wütend an.

«Du hast das ganze Geld», sagte Nicolaas.

Er hatte Genf ganz vergessen. Er hatte all sein Mißtrauen vergessen. Er fragte: «Und wohin willst du?»

«Ich dachte, jemand sollte Tobie aufsuchen und ihm danken. Er hat dies alles arrangiert. Ich dachte, er sei hier. Wir verdanken ihm eine Menge, und ich möchte mich vergewissern, daß es ihm gutgeht.»

«Tobias?» sagte Felix. «Er ist auf der anderen Seite des Landes. Bei dem Grafen von Urbino und Lionetto.»

«Das meint man», sagte Nicolaas.

«Und was ist mit meiner Mutter?» wollte Felix wissen.

«Du bist doch da», sagte Nicolaas. «Und sie hat gute Helfer. Nun wird das Geld alle Probleme lösen.»

«Sie braucht mich wohl nicht, wie?» sagte Felix. «Nur das Geld.»

«Wofür würde sie sich wohl entscheiden?» fragte Nicolaas.

«Kommst du überhaupt wieder zurück nach Brügge?» fragte Felix.

Nicolaas grinste. «Das muß ich doch wohl, meinst du nicht? Sonst gibst du das ganze Vermögen für Turnierrüstungen aus. Natürlich komme ich zurück. Im übrigen habe ich ja gar kein Geld.»

Stille. Felix stand da und knautschte sein Hemd zusammen. Dann fragte er: «Warum hast du meine Mutter geheiratet?»

Die großen Augen wichen seinen nicht aus. Er konnte in ihnen keine Arglist sehen. Nach einer kurzen Pause sagte Nicolaas: «Weil es das Richtige war.»

Felix schaute zu Boden. «Verstehe», sagte er dann. Er schwieg eine Weile, dann sagte er: «Sie möchte uns wohl beide gern wieder zu Hause haben. Aber sie hat ja Hilfe. Wir könnten jemand anderen das Geld bringen lassen.»

«Ja, natürlich, das könnten wir machen», erwiderte Nicolaas. «Aber warum? Möchtest du noch in Mailand bleiben?» Der Fußboden war mit Papieren übersät. Er setzte sich hin, schlug die Beine übereinander, sammelte sie auf und sortierte sie auf seinen Knien. Er sagte nicht: Willst du mitkommen? In Felix' Kopf wurde ganz unversehens aus einem sprunghaft aufflackernden Wunsch, der erst kürzlich neue Nahrung erhalten hatte, ein fester Entschluß. Er sagte: «Ich will nach Neapel. Ich will zu Astorre und Julius stoßen und kämpfen.»

Nicolaas hatte seine Papiere geordnet und sah auf. «Ja, warum eigentlich nicht. Du solltest diese Erfahrung ruhig machen.»

Felix hörte auf, das Hemd zu zerknautschen. «Du meinst, ich sollte gehen?» sagte er.

Nicolaas balancierte die Papiere auf seinen verschränkten Knöcheln. «Wenn du es möchtest. Es ist zwar unfair deiner Mutter gegenüber, aber sie ist das ja gewöhnt. Nur versuche nicht, deine Gewissensbisse damit zu beschwichtigen, daß es mich gibt. Ich bin kein Ersatz, wenn du fällst.»

Felix stand stirnrunzelnd da. Nicolaas ließ seinen Blick wieder über die Papiere gleiten. Felix entgegnete: «Ich werde nicht fallen. Nicht wo wir all das Geld hier haben. Glaubst du, ich laß dich das ganz allein ausgeben? Aber ...»

Er brauchte nichts weiter zu erklären. Nicolaas hatte offenbar schon verstanden. Er sagte: «Na, du weißt ja, wie dringend Julius eine strenge Hand braucht. Vielleicht ist das am Ende doch eine sehr gute Idee. Da bin ich womöglich vor dir in Brügge. Du hast doch nichts dagegen, wenn ich mir eine nette Turnierrüstung kaufe?»

Er legte den Kopf in den Nacken und schaute wie eine Eule drein. Felix legte das Hemd hin, grinste, wanderte um das Bett herum und setzte sich, sah auf Nicolaas und dessen Papiere herab. «Du willst mich doch bloß loswerden», sagte er dann. «Dabei weißt du noch gar nicht, was heute in der Kanzlei losgewesen ist.»

«Nein, weiß ich nicht», sagte Nicolaas gehorsam.

«Ich wurde von Cicco Simonetta gerufen, und er fragte mich, ob ich wohl ein Geschenk des Herzogs für die Demoiselle de Charetty annehmen würde. Er hat mir Geld angeboten.»

Vom Fußboden aus war ihm Nicolaas' ganze Aufmerksamkeit gewiß. «Und da hast du ihm gesagt, wir hätten Geld satt», sagte Nicolaas.

«Ich hab ihm gesagt, daß ich an Stelle von Geld lieber um einen großen Gefallen bitten würde. Zum Beispiel, daß der singende Sklave aus Guinea wieder zu uns zurückkommt, dessen Dienste meine Mutter so schmerzlich vermißt hat.»

Das narbige Gesicht unter ihm veränderte sich. «Loppe?» sagte Nicolaas. «Ich wußte gar nicht, daß er dich getroffen hat.»

«Aus irgendeinem Grund», sagte Felix, «hat es ihm Spaß gemacht, mit uns zusammenzusein. Er mag Mailand jetzt nicht mehr, wo Bruder Gilles fortgegangen ist. Er hat Angst, daß sie ihn zu Cosimo nach Florenz schicken. Weißt du, ich finde wirklich», sagte Felix verträumt, «daß ein Afrikaner, der ordentlich angezogen ist, in jeder Handelsgesellschaft einen guten Eindruck macht.»

«So?» sagte Nicolaas.

«Also war Messer Cicco freudig bereit, Loppe zurückzugeben. Und ich hab ihm gesagt, ich hoffte, an seiner Statt etwas nach Mailand zu schicken, woran der Herzog noch mehr Freude haben würde.»

«Tatsächlich?» sagte Nicolaas. «Ein Sack zollfreies Alaun? Ein schicker Helm? Eine Jacke mit Hermelinschwänzen? Oder... Felix? Was hast du gedacht, würde ihm eine Freude machen?»

«Das, was er, wie du sagst, bestellt hat und doch nicht bestellt hat. Ich hab vorgeschlagen», sagte Felix, «daß der Herzog unbedingt einen Strauß haben sollte.»

Unten fragte man sich, ob die beiden jungen Männer aus Flandern sich wohl gegenseitig umbrachten, so ein lautes Gebrüll und Gestampfe drang durch die Decke. Aber als sie etwas später herunterkamen, rot im Gesicht und ziemlich zerzaust, hatte der Ältere dem Jüngeren den Arm um die Schultern gelegt und es sah so aus, als lachten sie.

Kapitel 34

Die Herzoginwitwe von Bretagne, die in ihrer frühesten Jugend eine kurze, kinderlose Ehe geführt hatte, war weder besonders alt noch besonders weise. Auch ihre verstorbene Schwester Marie, die den Monarchen des benachbarten Frankreich geheiratet hatte, war eine im Grunde recht alberne Person gewesen, wenn man ihr auch eine gewisse Freude an der Schönen Literatur und an Dichtern anerzogen hatte. Ihr junger Hof war damals wegen seiner Vorliebe für Dichter fast in Verrufenheit geraten, wobei man weniger von Ausschweifungen sprach als von ihrer bloß kindlichen Leichtfertigkeit.

Die Witwe Isabelle, die allen modischen Begeisterungen und Leidenschaften nachgab, war eine sehr oberflächliche Dame, die man von fast allen Dingen leicht ablenken konnte, ausgenommen ihrer Angst, nach Schottland zurückgeschickt zu werden. Ihr kleiner Hofstaat, so ganz anders als der des Herzogs, ihres jungen Neffen, war sehr abgeschieden; die Wellen der großen Politik gelangten selten bis hierher. Deshalb gestattete man ihr auch, die Schar ihrer Katzen und Hofdamen um ein Mitglied der van Borselen-Familie zu vermehren, die burgundisch orientiert war. Das war ein Zugeständnis. Frankreich, das die Bretagne beherrschte, war gar kein Freund von Burgund. Und Burgund, so ging das Gerücht, war kein Freund von

Frankreichs Protegé, dem englischen König aus dem Hause Lancaster.

Trotzdem war der Herzog von Bretagne, nachdem er seinen geübten Blick über Katelina van Borselen hatte gleiten lassen, durchaus dafür, sie dazubehalten und seiner Tante aufwarten zu lassen. Sie würde nichts Gefährliches in Erfahrung bringen können. Vielleicht würde es ihnen sogar gelingen, sie zur bretonischen Sichtweise zu bekehren. Er würde dieses glänzende Haar gern entflochten sehen und ebenso gern ihren Körper betrachten können, aber Antoinette würde ihn wieder ihres Betts verweisen. Und außerdem schätzte er an seinen Frauen gewöhnlich einen frischeren Teint.

Im April hatte die neue Hofdame der Herzoginwitwe tatsächlich noch etwas mehr Farbe gehabt. Die Veränderung ihrer Haut hatte zusammen mit einigen anderen im Mai begonnen. Und jetzt, Mitte Juni, konnte Katelina keinen Zweifel mehr an ihrem Zustand haben. Sie ging mit dem Kind eines unehelichen Dieners namens Claes schwanger. Es hätte keine solche Überraschung sein sollen, denn in einem eigensinnigen Trotzanfall hatte sie diese Möglichkeit den Göttern vor die Füße geworfen. Sie hatte Claes belogen. Sie hätte alles gesagt, um ihn dahinzubringen, das zu tun, was er getan hatte.

Was sollte sie nun tun? Die arme, törichte Schwester der Herzoginwitwe hatte grüne Äpfel mit Essig zu sich genommen, um ihre Mutterschaft zu verhindern. Das könnte sie auch probieren, oder stärkere Mittel anwenden. Sie war in der Bretagne, weit weg von zu Hause; niemand würde etwas merken. In jedem Hofstaat gab es eine Dienerin, die jemanden kannte – einen Barbier, eine Hebamme, die der Natur ins Handwerk zu pfuschen verstand. Aber es mußte auch klappen. Manchmal setzte sich das Kind durch und kam mißgebildet zur Welt. Manchmal starb man dabei.

Und wenn sie das Kind ausreifen ließ? Dann müßte sie den Hof verlassen, Freunde finden, die sie verbargen, und das Kind in Pflege geben. Das war vorgekommen, bei Frauen, die Geld hatten. Sie besaß aber keine Mittel. Sie hatte nicht die leiseste Ahnung, wie eine solche Angelegenheit geheimzuhalten sein könnte. Die Schande ihrer Familie wäre nicht auszudenken. Um ihrer Familie willen mußte sie dem Kind einen Vater geben. Und deshalb brauchte sie einen reichen und einflußreichen Liebhaber, und zwar möglichst schnell. Oder natürlich einen Ehemann.

Es war ein reicher und einflußreicher Liebhaber in der Nähe. Sie hatte den Wunsch ihres Vaters erraten, daß sie eines Tages die – verheiratete oder unverheiratete – Mutter eines burgundischen Prinzen sein würde. Er würde an einer Liaison mit einem lasterhaften Herzog, der schon über eine ständige Mätresse verfügte, nichts auszusetzen haben. Nur daß sich ein Liebhaber von edler Herkunft kaum sonderlich geschmeichelt fühlen würde, erblickte nach sieben Monaten oder noch eher ein Sohn oder eine Tochter das Licht der Welt, und sich schon aus Erfahrung wenig geneigt zeigen würde, dieses Kind anzuerkennen und standesgemäß aufziehen zu lassen. Hingegen würde ein vertraglich gebundener Ehemann eher den Kalender außer acht lassen und sich beglückt über den Erben zeigen, den er so schnell gezeugt hatte, denn vor der Welt als Trottel dazustehen.

Sie hatte einen Ehemann gewollt. Sie hatte gehofft, sich hier in der Bretagne entscheiden zu können, frei vom Druck der Familie. Und den hatte sie wirklich nicht zu spüren bekommen. Seit sie im April fortgefahren war, hatte sie noch keinen einzigen Brief erhalten. In den ersten Wochen, ehe sie sicher um ihren Zustand wußte, hatte sie das Leben genossen, welches sie sich vorher erträumt hatte – der anspruchslosen Herzoginwitwe Gesellschaft zu leisten, sich mit den Dramen, den Schauspielern eines neuen Hofstaats vertraut zu machen, sich die eigene Rolle darin auszusuchen. Sie lernte, dem Herzog aus dem Weg zu gehen und sich mit seiner Mätresse anzufreunden. So hatte sie den ersten Besuch von Jordan de Ribérac als doppelt unangenehm empfunden.

Hinterher war sie froh, daß sie zumindest noch nichts von ihrem Zustand geahnt hatte. Sie war völlig unvorbereitet. An einem Aprilmorgen betrat er das Audienzzimmer der Herzoginwitwe. Unversehens wurde der kleine Raum zu einer engen Schale für seine Größe und Massigkeit. Sein Mantel war aus lucchesischem Samt. Seine Hutbänder waren goldbestickt. Sein Gesicht mit dem mehrfachen Kinn war frisch, und er lächelte, aber die Augen rissen ihr die Kleider vom Leib.

Als der Seigneur de Ribérac das letzte Mal Brügge besucht hatte, war Claes beinahe im Karnevalsfeuer umgekommen. Als sie ihm das letzte Mal begegnet war, hatte er ihr seelenruhig vorgeschlagen, sich ihrer Tugend auf dem Küchenfußboden zu entledigen, als Vorbereitung auf eine Ehe mit ihm. Was sie ihm verweigerte, bot sie in der gleichen Nacht noch Claes an. Aber das konnte Jordan de Ribérac nicht wissen. Sonst würde er nicht nur dessen Gesicht zernarben oder zwei unfähige Mörder anheuern. Er würde ihn eigenhändig töten.

Nun sah es so aus, als stattete er der Herzoginwitwe bloß einen Höflichkeitsbesuch ab. Er blieb eine halbe Stunde lang und sprach mit allen Hofdamen. Sie konnte nicht weglaufen. Sie rechnete nicht damit, daß er sie ansprechen würde, aber ebendies tat er, mit kaltem Blick und amüsiertem Lächeln. «Nanu, Mademoiselle! Gar kein Freier da, bei Euren Reizen? Oder zumindest wissen wir in Brügge von keinem, wo sie ja ihre Hanswürste wie Fische in Fässern aufbewahren, wie ich gehört habe. Es war klug von Euch, nach Bretagne zu gehen. Trefft hier Eure Wahl. Wartet erst, bis die Luft reiner und frischer ist, bevor Ihr Euch nach Flandern zurückwagt.»

«Auch in Bretagne, Monsieur», entgegnete sie darauf, «ist die Luft nicht so frisch, wie ich es wünschte.»

Das war kindisch. Es machte gar keinen Eindruck. Er breitete sein Lächeln einfach vor seiner Zuhörerschaft aus. «Brügge!» sagte er. «Ein Ort für kleine Handwerksbetriebe und sich paarende Diener. Ein weiser Mann würde die Stadt von beidem säubern. Vergeßt Brügge. Wartet, bis Ihr die Karnevalsnacht in Nantes erleben könnt, teure Dame. Wie auch Eure bisherigen Erfahrungen aussehen mögen, dies wird Eure Erwartungen übersteigen, glaubt es mir.»

Er hatte sich abgewandt, ehe sie eine Antwort darauf fand. Er wußte es. Er wußte irgend etwas.

Später, nachdem er gegangen war, verließ Katelina die Räume der Herzoginwitwe und betrat die Empfangszimmer, wo sie vielleicht der Mätresse des Herzogs begegnen würde.

Offensichtlich war der König Frankreichs sehr zufrieden darüber, daß keine französischen Geheimnisse vom Hof der Herzoginwitwe nach Flandern sickern konnten. Und daß ein flämisches Geheimnis seinen Weg nach Frankreich finden könnte, sollte ihm die allergrößte Zufriedenheit bereiten. Als sie Antoinette de Maignélais endlich gefunden hatte, wußte diese natürlich schon alles über Jordan. Meine Liebe, Frankreich war ja voll von diesen Schotten, die herkamen und in seinen Kriegen kämpften und dann dablieben, um reich zu werden. Dankbare Könige gaben ihnen Lehen, so wie diesem Ribérac. Ein aufgeweckter Mann mit einem guten Blick fürs Geschäft brauchte nicht lange, um sich Beziehungen zu verschaffen, Flotten zu kaufen, Besitz zu erwerben. Und der Lohn? Das geneigte Ohr des Königs, meine Liebe, was alles Finanzielle anging, und ein paar der dunkleren kleinen Geheimnisse aus seiner Schatzkammer. Ihre derzeitige Majestät entsandte ihn oft nach Bretagne, um die Affären der Schwester seiner ersten Frau zu entwirren. Sie selbst, sagte Antoinette, zöge allerdings weniger korpulente Männer vor.

Katelina mußte der Dame beipflichten, wie es die meisten Leute taten. Als Agnès Sorel, die große Mätresse des französischen Königs, vor zehn Jahren starb, wurde ihr Platz von ihrer Cousine Antoinette, Madame de Villequier, eingenommen: einige meinten, ehe sie Witwe wurde, andere meinten, hinterher. Als die Lust des Königs abstumpfte, fand sie ihm jüngere Gefährtinnen. Für diese sorgte sie immer noch, und sie war ebensooft an der Seite des Königs wie des Herzogs. Das Gerücht ging, sie hätte des Königs schwärendes Bein dem Herzog angehängt. Sie war klug, geradezu und praktisch.

Katelina sagte: «Das Fett ist es weniger. Traut man ihm?»

In gespieltem Schmerz senkten sich die Lider über die strahlenden, geschminkten Augen. «Meine Liebe, Ihr solltet es besser wissen!» sagte Antoinette. «Wenn es jemanden am Hof gibt, dem man trauen kann, dann ruhen wir nicht eher, als bis wir ihn umgeändert haben. Nun, da er alle Fäden zur königlichen Münze ziehen kann, hat unser lieber Jordan wohl alles Geld, das er begehrt. Aber nun, wo Ihr es ansprecht, laßt uns nachdenken. Was vermöchte ihn sonst noch zu reizen?»

«Dieselbe Stellung beim nächsten König?» fragte Katelina.

Die geschminkten Augen wandten sich ab. «Ah», sagte Antoinette. «Erzählt es mir. Ist das ein Gerücht?»

«Nein», erwiderte Katelina. «Man hat ihn in Genappe gesehen. Er besitzt Informationen über den Kammerherrn des Dauphin, die er nur in Genappe erhalten haben kann. Er hat mindestens einen Bogenschützen aus der schottischen Garde bei sich.»

«Woher wißt Ihr das?» fragte Antoinette.

«Er hat keine Gewalt über mich oder über meine Familie. Aber er versucht mich zu einer Heirat zu überreden.»

«Warum?» fragte Antoinette. «Natürlich seid Ihr sehr schön. Aber er ist ein reicher Mann und kann unter den Frauen seines eigenen Landes wählen.»

«Um seinen schottischen Sohn um das Erbe zu bringen», entgegnete Katelina. «Er will Erben haben. Wenn er sie erst hat, wird sein vorhandener Sohn vielleicht nicht mehr lange leben.»

«Und er hat eine flämische, eine burgundische Dame erwählt», sagte Antoinette. «Welch ein Glück, daß er fett ist und Euch nicht reizt. Ein doppeltes Glück. Auf fette Männer wird man leicht aufmerksam, wenn der Klatsch seinen Lauf nimmt.»

«Klatsch geht mich nichts an», sagte Katelina.

«Das merke ich schon», erwiderte Antoinette. «Aber Ihr wißt doch, meine Liebe, daß in Bourges, wo der König sich aufhält, die Mauern aus Klatsch bestehen und die Burggräben; daß es der Klatsch ist, der dort die Schießscharten besetzt hält. Klatsch, meine Liebe, an Stelle von Stein und Mörtel.»

Zu dieser Zeit schrieb Katelina ihren Brief an Gelis, den diese an Claes weiterreichen sollte. Für einen oberflächlichen Leser ging es in jenem Sendschreiben vorwiegend um den erstaunlichen Schiffbruch eines Straußes. In den darauffolgenden Wochen kehrte Antoinette nicht zum Thema Jordan zurück. Und später, als Katelina wußte, daß sie schwanger war, unternahm sie nichts, um das Gerücht, das sie in Umlauf gebracht hatte, zu schwächen oder rückgängig zu machen.

Nach dem zu urteilen, was Claes ihr erzählt hatte, war an der Sache etwas dran. Antoinette würde es König Charles berichten. Und König Charles würde über eigene Mittel verfügen, die Treue seines Vicomte de Ribérac auf die Probe zu stellen. Wenn das Gerücht stimmte, wenn er der Mann des Dauphin und ein Verräter war, würde sie für die Behandlung, die er ihr hatte angedeihen lassen, großzügig gerächt werden. Ebenso für das, was er Claes angetan und ihm anzutun versucht hatte.

Claes. Sie hatte ihn Nicolaas nennen wollen, und er hatte ihr gezeigt, daß dieser Wunsch ihr nicht zur Ehre gereichte. Nun, da sie noch mehr Grund dazu hatte, ihren Stolz zu unterdrücken, merkte sie, wie sehr es ihr widerstrebte. Sie erinnerte, wie Claes der Mann und Geliebte gewesen war, und daß er kein Mal der Knechtschaft an sich trug, sondern nur des Glücks. Er war Nicolaas.

Und so dachte sie zum erstenmal darüber nach, wie er sich wohl zu dem Kind stellen würde. Er hatte keinen Anlaß dazu gehabt, hiermit zu rechnen. Sie hatte ihn vom Gegenteil überzeugt. Er hatte gesagt, und sie hatte es ihm geglaubt, daß er nicht den Wunsch hegte, sich zu verehelichen. Die Alternative dazu hatte er ausdrücklich von sich gewiesen. Aber wenn nun ein Kind kam?

Wenn dessen Ankunft vereitelt würde, was empfände er dann? Es zu beseitigen war ihr Recht, genauso wie es ihr vorbehalten gewesen war, seine Empfängnis zu riskieren. Wenn sie es heimlich zur Welt brächte, um es dann in Pflege zu geben, würde er es wissen wollen? Vielleicht nicht. Oder er würde das Kind dann zu sich nehmen. Und um des Kindes willen bekannt machen, wer seine Mutter war.

Wie war er selbst denn aufgewachsen? Sie wußte so wenig über ihn. Sie glaubte, daß er ein paar Jahre lang bei seiner Mutter gewesen war. Dann war er zu einem entfernten Verwandten gekommen, der ihn unsanft behandelt hatte. Nein. Ein Mann, der so aufgewachsen war, würde es nicht zulassen, daß man sein Kind weggab. Man müßte ihm dann weismachen, daß es nicht seins war. Es sei denn...

Es sei denn. Der zweite Monat ging vorüber, ihre Augen wurden groß und unergründlich und ihre Wangenknochen traten stärker hervor. Manchmal kam sie zu spät zu ihrem morgendlichen Dienst bei der Herzoginwitwe, aber nie verpaßte sie einen. Sie begegnete vielen Männern, aber keinem, der ihr gefiel. Sie nahm keine Liebhaber, sondern dachte an den einzigen, den sie gehabt hatte.

In der zweiten Juniwoche, als sie wußte, daß sie nun etwas unternehmen mußte, kehrte Jordan de Ribérac zurück. Diesmal hatte sich die Herzoginwitwe mit ihrem Astrologen eingeschlossen und ihre diensthabende Begleitung war nicht da. Von dem Pagen an der Tür abgesehen, saß Katelina allein im Vorderzimmer. Der massige Mann ließ sich, ohne viele Umstände zu machen, neben ihr nieder.

Wieder zogen diese Augen sie nackt aus, vom Fichu bis zum hochgeschnürten Mieder und weiter. Und diesmal gab es etwas zu sehen. Jordan de Ribérac meinte: «Nun, Demoiselle, wo steckt denn Euer Gatte?»

«Ihr meint, ich müßte einen haben?» versetzte Katelina. «Macht Ihr mir erneut einen Antrag, Messer de Ribérac?»

Er lächelte. Dann sagte er: «Es sind nicht so viele Bewerber, nicht wahr? Der Herzog würde sicherlich entgegenkommend sein, aber er kann Euch nicht heiraten und außerdem soll der Zustand seines Beins wirklich besorgniserregend sein, wie mir zu Ohren gekommen ist. Und was die anderen angeht, wißt Ihr ebensogut Bescheid wie ich. Ihr habt doch die Neuigkeiten von daheim gehört?»

Sein Tonfall hieß sie ja sagen. Ein instinktives Gefühl zwang sie zur Wahrheit. «Nein. Es sieht so aus, als seien alle Briefe verlorengegangen.»

Er zog die Augenbrauen hoch. «Ah ja. Dann darf ich Euch vielleicht als erster das Neueste von Euren vielversprechenden Freunden berichten. Mein Sohn. Wir wollen mit meinem Sohn beginnen. Es hat den Anschein, als befände Simon sich kurz vor einer äußerst vorteilhaften Verbindung mit einer Dame namens Muriella, der Tochter John Reids, der am Stapelplatz Calais Handel treibt. Wird sie fruchtbar sein? Das frage ich mich. Simon hat für Kinder nichts übrig. Aber ich fürchte, Ihr müßt der reizenden Illusion abschwören, die wir beide einst teilten. Mein lieber Simon wird nicht auf Euren Pfiff herbeigelaufen kommen. Wen gibt es da noch? Ich habe gehört, daß die Familie Gruuthuse nun auf den jungen Guildolf Druck ausübt, sich endlich zu entscheiden. Er ist jung. Aber er hätte Eure Zurückweisung vielleicht überwunden und wäre zu Euch gekommen, nur leider befindet er sich mit seinen Eltern in Brügge und Ihr habt ihn verlassen und seid hier. Armer Guildolf.»

Jordan de Ribérac seufzte. «Und sonst ist da doch niemand, oder? Ihr hattet etwas gegen die anderen beiden Kandidaten Eurer Eltern, so wird es Euch nichts ausmachen, wenn Ihr vernehmt, daß jeder von ihnen einen Vertrag mit dem Mädchen seiner Wahl abgeschlossen hat. Ich kenne niemanden sonst, dem es gelungen wäre, den Zauberkreis Eurer jungfräulichen Zurückhaltung zu durchstoßen. Es sei denn, man zählte den jungen Arbeiter Claes mit.»

«Wohl kaum», sagte Katelina.

«Wohl kaum?» sagte der massige Mann. «Nachdem Ihr und Eure Schwester sich solche Mühe gegeben haben, ihn – *zweimal?* – aus unseren Kanälen zu ziehen? Ein Akt der Barmherzigkeit, den ich natürlich bewundere. Wenn er tatsächlich meinen Sohn mit seiner Schere umgebracht hätte, würde ich vielleicht anders darüber denken.»

«Ich dachte, das Schicksal Eures Sohnes zählte zu Euren geringsten Sorgen», sagte Katelina.

«Aber nein. Nein», erwiderte er. «Ich sorge mich sehr um ihn. Vielleicht wünsche ich ihn nicht bei guter Gesundheit, aber ich möchte gefragt werden, was den Zeitpunkt und die Art und Weise seines Abgangs angeht. Ich mag es gar nicht, wenn man meinen väterlichen Rechten in dieser Weise zuvorkommt. Was nicht heißen soll, daß ich

Claes irgendwie ernst genommen hätte. Claes ist ein Verlierer. Er ist gezeichnet von immerwährendem Ehrgeiz und stetem Versagen. Seht Euch doch seinen jüngsten Kunstgriff an.»

Sie wollte dazu nichts sagen. Sie zog die Augenbrauen hoch. Der dicke Mann ihr gegenüber seufzte.

«Könnt Ihr glauben, daß er seine Herrin überzeugt hat, ihn zu heiraten? Trauzeugen wurden bestochen, der Sohn wurde vorsichtshalber in Unwissenheit belassen, notarielle Unterlagen wurden für all ihr Vermögen aufgesetzt. Mit ihrer liebevollen Einwilligung. Man sagt, sie soll ganz vernarrt in ihn sein. Und nun ist der einzige Erbe nach Süden gelockt worden, wo ein Soldatengrab auf ihn warten könnte. Ein Coup, dem man schon mäßigen Beifall klatschen könnte, hätte der junge Mann nicht den Fehler begangen, in seiner Aufregung das Geschäft seiner Braut niederzubrennen, ihr Haus, ihr Geld und all ihre Hauptbücher. Sie wird wohl ihre Schulden nicht mehr abtragen können. Alles ist verloren, nur die Ehe nicht.»

Ihr wurde übel, doch der Zorn, der Haß, die Angst und der Stolz halfen ihr, sich zusammenzunehmen. Sie konnte an seinem Gesicht ablesen, daß er jede dieser Regungen erkannt hatte und noch nicht von ihr ablassen würde. Als sie wieder sprechen konnte, erwiderte sie: «Ich darf Euch gratulieren. Das ist auch ein Talent, kleine Klatschgeschichten von einem Ort zum anderen zu tragen. Selbstverständlich schenke ich Euch Glauben. Es wundert mich nur, daß das Feuer bei den Charettys ein Zufall war.»

Er dachte über ihre Worte nach, sein Gesicht blieb ernst. «Ihr meint, es war Absicht? Sicherlich hatte der junge Mann Nebenbuhler. Den Pfandleiher Oudenin. Vielleicht noch andere. Sie ist eine hübsche Frau, wenn auch nicht mehr jung. Sie sollen ein rührendes Bild abgegeben haben, hat man mir erzählt: Der junge Ehemann, nur halb bekleidet, umarmte vor ihrem verkohlenden Liebesnest seine Gattin, die im Nachthemd dastand. Versteht Ihr nun, warum ich Euch frage: Wo ist Euer Gatte?»

«Ich habe keine Schwierigkeiten, Euch zu verstehen, Messer de Ribérac», sagte Katelina. «Und ich kann nur wiederholen: Macht Ihr mir erneut einen Heiratsantrag? Vielleicht sollte ich daran Interesse haben.»

Seine Augen mit den tiefschwarzen Pupillen fixierten ihr Gesicht. «Habt Ihr das?» fragte Jordan de Ribérac leise.

«Andererseits», versetzte Katelina, «könnte ich unfruchtbar sein oder Ihr unvermögend und dann wären all Eure Pläne zunichte gemacht. Nein. Nach reiflicher Überlegung vermag ich mir keinen Umstand vorzustellen, der mich dazu bringen könnte. Worüber wollen wir jetzt sprechen? Aber vielleicht haben wir uns jetzt gar nichts mehr zu sagen. Laßt mich nachschauen, ob die Herzoginwitwe Euch nun empfangen möchte.»

Er erhob sich gleichzeitig mit ihr und stand dann reglos da, schaute zu ihr herab. Einen Augenblick lang fragte sie sich, was sie wohl tun würde, höbe er die Hand wie damals bei Claes und ließe seinen Ring durch ihre Wange schneiden. Aber er machte nur auf dem Absatz kehrt, durchquerte den kleinen Raum und blieb an der Tür stehen, wo er die Positur eines Höflings einnahm, der auf seine Audienz wartete. Sie sah ihn dann nicht mehr herauskommen oder das Schloß verlassen.

Später fand Antoinette de Maignélais sie in dem Zimmer, das sie mit den anderen teilte. Antoinette führte sie zu einem Fenstersitz und fing eine beiläufige Unterhaltung an. Dann sagte sie plötzlich: «Messer de Ribérac hat es so eingerichtet, daß er Euch allein sprechen konnte. Verdächtigt er Euch?»

«Er wollte wissen, ob ich ihn immer noch heiraten möchte. Nein. Er hat keinen Verdacht geschöpft», antwortete Katelina. «Aber ich traue ihm immer weniger.»

«Ihr habt einen guten Riecher», sagte die Mätresse des Herzogs von Bretagne. «Und Ihr habt recht. Man hat diskrete Nachforschungen angestellt. Man ist Boten gefolgt. Die Banken hatten einiges zu berichten. Aber das Bild ist noch nicht fertig. Man erwartet noch Berichte aus burgundischen Quellen, und das erfordert Zeit und Geld. Aber ich glaube, daß Monsieur de Ribérac in zwei Monaten an andere Dinge denken wird als daran, sich eine neue junge Frau zu suchen.»

Es tat ihr gut zu wissen, daß er etwas von dem Leid erdulden würde, welches er mit so rascher Kunstfertigkeit seinen Mitmenschen zufügte. Es hatte ihn zornig gemacht, dachte sie, daß Claes, sei es auch nur für kurze Zeit, nach der Hand einer kleinen Witwe getrachtet hatte. Aber der Zorn wurde wieder besänftigt durch das Vergnügen, es ihr berichten zu können. Er konnte doch wohl nicht wissen, wozu sie Claes benutzt hatte. Natürlich hatte sie ihn benutzt und sollte von einem Diener wie ihm nichts anderes erwarten, als daß er aus ihrem Bett in das der erstbesten Frau springen würde, die ihm zum Bürgerstand verhelfen konnte, auch wenn sie eine alte Frau mit erwachsenen Kindern war.

Halbnackt hatte er die Witwe umarmt. Vielleicht hatte sie ihm auch das Bad eingelassen und seine Kleider vor ihm versteckt. Wie alt, wie häßlich sie auch sein mochte, er würde für sie das Männchen darstellen. Jedes Mädchen in Brügge wußte das. Mabelie. Sie selbst.

Und er hieß Claes. Er hatte nie Nicolaas geheißen. Ihr Erstgeborenes hatte einen Claes zum Vater, einen unehelichen Arbeiter mit betörenden Sprüchen und einem weiten, unschuldigen Blick, hinter dem sich Schläue verbarg und rücksichtsloser Ehrgeiz. Vielleicht die Tretmühle des Ehrgeizes, aber bestimmt nicht die des Versagens. Da irrte sich Jordan de Ribérac. Langsam, von einer Frau zur nächsten, von einem Mann zum nächsten, stieg Claes die Treppe hinauf, die ihn vom Lehrling zum Kaufmann und von dort zu jedwedem Gipfel führen würde, den er sich setzen könnte.

Er hatte Katelina nicht gebraucht. Ihr Name und Rang ohne Geld waren wertlos für ihn. Er brauchte das, was er schließlich bekommen hatte – die Besitzerin eines kleinen Unternehmens, deren Stand, wie gering er auch sein mochte, nun seiner geworden war. Brandstiftung konnte ihn vielleicht aufhalten. Man würde vielleicht noch auf andere Weise versuchen, ihn am Aufstieg zu hindern. Aber anders als der massige Mann konnte sie Claes von mehreren Seiten beurteilen. Die Neuigkeiten von seiner Heirat hatten das Bild vervollständigt. Nun kannte sie ihn. Nichts als der Tod würde ihn noch aufhalten. Er brauchte sie nicht und würde erst recht kein Interesse an dem Kind haben, das sie trug. Das Problem war gelöst.

Katelina van Borselen erledigte still ihre Aufgabe. Wer sie kannte und mochte, bemerkte, daß sie etwas in sich gekehrt war und mehr Zeit in ihrem Zimmer verbrachte als sonst. Von dort mußten sie sie oft holen, damit sie, wie sie es oft tat, als Interpretin fungierte bei einer der nicht endenwollenden Diskussionen über die Mitgift der Herzoginwitwe.

In Frankreich sollte ein Treffen stattfinden. Die schottischen Unterhändler hatten ihre Forderungen ausgearbeitet und wollten den Rechtsstreit, den der König mit seiner Schwester hatte, verhandeln. Natürlich war Sir William Monypenny dabei. Später würde Bischof

Kennedy eintreffen. Vielleicht Flockhart. Und der schöne, blonde Mann, den die Herzoginwitwe angeblich favorisierte und der seit Katelinas Ankunft nicht mehr dagewesen war, dem es aber gelingen würde, wieder Farbe auf Katelinas bleiche Wangen zu zaubern.

«Kommt, Katelina!» riefen ihre Freunde. «Kommt und sagt Simon of Kilmirren guten Tag!»

Es war in der zweiten Woche des Juni. Überall in Europa wurden Streitkräfte und Truppen in Bewegung gesetzt und begannen, gleich Holzklötzen in einer Schachtel, ihrem Schicksal entgegenzufallen.

Bevor der Juni zu Ende war, erreichte Felix, Erbe der Charetty-Handelsgesellschaft, Neapel und stieß zu den Truppen seiner Mutter unter Hauptmann Astorre und dem Aktuarius Julius. Als persönlichen Diener hatte er einen prächtigen Neger namens Loppe bei sich. Außerdem brachte er ein Geschenk des Herzogs von Mailand an den König mit: achtzehnhundert Reiter, die die päpstliche Armee verstärken und König Ferrante dabei behilflich sein sollten, seine Feinde aus dem Umland von Neapel zu vertreiben. Voll neugewonnener Kühnheit zog König Ferrante aus Neapel heraus und forderte den Feind zum Kampf auf.

Das war nicht sehr klug, aber er hatte Glück. Jean, Herzog von Kalabrien, legte eine ungewohnte Vorsicht an den Tag und weigerte sich zu kämpfen. Als man ihm trotzdem auf den Leib rückte, floh er mit seiner Streitmacht in die kleine Stadt Sarno, die auf einem flußumgürteten Hügel dreißig Meilen südlich von Neapel liegt, und ließ sich belagern. Das Heer von König Ferrante mitsamt den Truppen des Papstes, des Herzogs von Mailand und den vielen Söldnerheeren, zu denen das von Hauptmann Astorre gehörte, machte sich daran, sie auszuhungern, wie es damals üblich war.

Sie hätten damit auch Erfolg haben können. Es traf sich nur unglücklich, daß insbesondere die Söldner König Ferrantes schon eine Zeitlang keinen Sold mehr bekommen hatten und der König zur Zeit auch nicht die geringste Ahnung hatte, wie er sie bezahlen sollte. Aus dem feindlichen Lager erreichten sie verlockende Angebote. Männer begannen zu desertieren.

So beschloß König Ferrante mit etwas Bedauern und einem guten Schuß bedenkenlosen Optimismus, einen Angriff zu wagen, statt den

Belagerungszustand aufrechtzuerhalten. Er hatte nur eine begrenzte Attacke gewollt, so sagte er hinterher. Aber seine gelangweilten und unbesoldeten Soldaten dachten anders darüber. Dies geschah in der ersten Juliwoche. Daß bei Sarno eine Entscheidungsschlacht geschlagen worden war, blieb eine Zeitlang unbekannt.

Zu diesem Zeitpunkt fanden überall Entscheidungsschlachten statt. Eine unblutige Schlacht trug sich in England zu, als die Anhänger Yorks, die Weiße Rose unter Bischof Coppini und dem Earl of Warwick bei Calais übersetzten und im Triumph in London einzogen. Man mußte nur noch nach dem König der Lancaster suchen (dem, wenn schon Rosen vergeben wurden, eine rote angemessen sein würde) und nach seiner Königin, der Schwester Jeans, Herzogs von Kalabrien.

Der Herzog von Mailand war sehr erbaut. Die Anhänger Yorks zollten dem Rat und der Führung Bischof Coppinis, des päpstlichen Gesandten nach England und Flandern und Geheimbotschafters des Herzogs von Mailand die vollste Anerkennung. Bischof Coppini, der so hart an seinem Kardinalshut arbeitete, ging vor lauter Glück die einfühlsame Tinte aus.

James, König von Schottland, war schon länger zu dem Schluß gekommen, daß er sich im englischen Krieg beide Seiten warmhalten müsse, damit er bei dessen Ende auf jeden Fall einen Freund mit einer Rose hatte. Die englische Besetzung von zwei guten schottischen Städten war ihm schon lange ein Dorn im Auge gewesen: Berwick an der östlichen Grenze und Roxburgh an der südlichen. König James und seine Berater hatten den Eindruck, daß jetzt, da die Engländer gerade so beschäftigt waren, ein guter Zeitpunkt gekommen sei, eine kleine, scharfe Attacke gegen die englische Garnison in Roxburgh zu riskieren.

König James und der Chefartillerist hatten eine ernsthafte Unterredung miteinander. Deren Ergebnis war, daß die beiden großen Kanonen von Mons herausgeholt und für eine Reise fertig gemacht wurden. König James kam selbst noch, um sie anzusehen, die alte Meg und die neue Martha. Er streichelte sie. Niemand besaß solche Kanonen. Niemand außer dem türkischen Sultan. Wäre er nicht schon König von Schottland mit sechs dummen Schwestern, hätte er die Laufbahn eines gefeierten Meisterkanoniers eingeschlagen.

Kapitel 35

Auch Nicolaas, der einst Claes geheißen hatte und nie einsam gewesen war, verfolgte einsam seinen Kurs auf dem anstrengenden, langen Ritt nach Südosten, quer durch Italien von Mailand nach Urbino, und machte von dort an Hand der Zerstörungen die Route der beiden Heere ausfindig. Ein Mann, der in der drückenden Hitze des Hochsommers südwärts den Kirchenstaat durchquerte, begegnete auf Schritt und Tritt den Verwüstungen von Graf Giacomo Piccinino und seiner Armee, welche es eilig hatte, an der Vernichtung Neapels teilzunehmen.

Anfang Juli erreichte Nicolaas den Tronto und wechselte vom Kirchenstaat in die Abruzzen über, jenes östliche Gebiet zwischen den Appeninen und dem Meer, das zum Königreich Neapel gehörte. Hier gingen die brennenden Bauernhöfe und rauchenden Schloßruinen auf das Konto des nachfolgenden päpstlich-mailändischen Heers unter dem Grafen von Urbino. Es war dieses Heer, das von Nicolaas überholt wurde, und in welches er, da es zum Stehen gekommen war, fast hineinritt.

Südlich und parallel zum Tronto fließt der Tordino. Und am Ufer des Tordino hatte das päpstlich-mailändische Heer sein Lager aufgeschlagen, dem Heer des Grafen Piccinino gegenüber, das am gegenüberliegenden Berghang ebenfalls halt gemacht hatte.

Bei Einbruch der Dunkelheit traf Nicolaas am Ziel seiner Reise ein. Zu seiner Rechten lag über den schwarzen Kuppen der Berge immer noch der Nachglanz des Sonnenuntergangs am Himmel. Vor ihm lag, von Lampen erhellt, die Stadt der Zelte, die aus Seiden in allen Farben aufgebaut war, und deren Standarten stachelgleich emporragten. Er konnte die Viper und den Adler von Alessandro und Bosio Sforza ausmachen; Kreuz und Halbmond auf dem Azurblau und Gold der päpstlichen Standarte und, sie alle überragend, den Adler von Federigo, des Grafen von Urbino, ihres Heerführers. An der Bergflanke lagen die Zelte der Feinde wie glühende Asche; die Standarte von Graf Giacomo Piccinino konnte man nur erraten.

Nicolaas hatte seinen Auftritt eigentlich auf den nächsten Morgen vertagen wollen, aber er kam zu nahe heran und wurde vom Wachtposten angerufen. Der Geleitbrief, den er mit sich führte, forderte einige Beachtung, und so ließ man ihn, seine Diener und Pferde unter Bewachung ins Lager reiten und führte ihn kurze Zeit darauf zu dem großen Zelt, das er gesucht hatte.

Tobias Beventini da Grado, dessen kahler Kopf im Kerzenschein glänzte, saß in Wams und Unterhosen da und hatte einen Fuß in einem Eimer stecken. Den anderen hielt er zwischen den knochigen Händen und betrachtete ihn versunken. Unter der doppelten Windung seiner Nasenlöcher sah sein Mund noch schmaler aus als sonst. Hinter ihm stand ein Feldbett und links ein Klapptisch, auf dem sein Arztkoffer lag und in großem Durcheinander Töpfe, eine Schale und ein paar Papiere. Außer ihm war niemand im Zelt.

«Fünf ist die übliche Anzahl», sagte Nicolaas.

Der Doktor blickte auf. Seine farblosen Augen, schon rund geworden, blieben unverändert. «Zeit wird es ja. Es sei denn, du hättest Hämorrhoiden.»

«Meine Diener haben welche», sagte Nicolaas hilfsbereit. «Wollt Ihr Euch spezialisieren?»

«Ich bin der Hinterteilexperte des Heiligen Römischen Reiches», sagte Tobie. «Sie brauchen keinen Arzt. Sie brauchen jemanden, der eine neue Sorte Pferd erfindet. Du hast meinen Rat befolgt und die Frau geheiratet.»

«Ich befolge immer Euren Rat», erwiderte Nicolaas. «Ihr habt jedenfalls meinen befolgt und den Grafen überredet, Lionetto zu bestechen. Und auch für eine beträchtliche Summe – ich hab das bei seinem mailändischen Handelsvertreter Maffino nachgesehen. Astorre ist bestimmt sehr wütend. Er glaubt wahrscheinlich, Ihr hättet die Hälfte von Lionettos falschen Rubinen. Darf ich eintreten oder geht dann Euer Bein mit Euch durch?»

Der Arzt Tobie ließ seinen Fuß los und stellte ihn vorsichtig neben den anderen Wassereimer. «Bist du allein?» fragte er dann.

«Von zwei Dienern mit Hämorrhoiden abgesehen, ja», sagte Nicolaas. Er kam herein und ließ eine Satteltasche neben das Feldbett fallen. «Ich hab Felix zu Astorre nach Neapel weitergeschickt.»

Es war drückend heiß im Zelt. Die Dauben des Eimers waren beschlagen. «Du Dummkopf», sagte Tobie.

«Er kann nicht ewig ein Kind bleiben», erwiderte Nicolaas. «Ein großes mailändisches Kontingent zog gerade los. Sie werden kaum kämpfen.»

Vom Eimer her kam eine Reihe leiser, nachdenklicher Planscher. «Bei dir hat es gebrannt», ließ Tobie sich dann vernehmen. «War das Absicht?»

«Ich weiß, wer es war», sagte Nicolaas. «Die Aktion richtete sich gegen mich. Solange ich hier bin, wird denen in Brügge nichts passieren. Und nun, wo wir all das Geld haben, können sie das Geschäft wiederaufbauen.»

Tobies kleiner Mund verbreiterte sich. Seine runden, farblosen Augen sanken tiefer in die Wangen. Dann legte er beide Hände auf den Hocker, hob seine tropfenden Füße aus dem Wasser und setzte sie behutsam auf einem Handtuch nieder.

«Bitte setz dich doch. Nimm mein Bett. Aber schlaf nicht ein, ehe du mir alles erzählt hast. Wie reich bin ich denn?»

Nicolaas ließ sich mit der Vorsicht eines Mannes nieder, der anstrengende sechzig Meilen in glühender Hitze geritten ist und sich nicht allzugut fühlt. Er sagte: «Nicht so reich wie ich, aber Ihr könnt die Hinterteile vielleicht hinter Euch lassen. Woher habt Ihr denn die wunden Füße? Eine neue Kur gegen Hämorrhoiden? Verküpt Ihr Eure Patienten jetzt und tretet auf ihnen herum?»

Tobie hob einen Fuß hoch und machte sich daran, ihn abzutrocknen. «Wie ich mich freue, daß du so glücklich bist», sagte er. «Und ich kann nur hoffen, daß ich soviel bekomme, wie ich verdiene, nach all der Herumreiterei durch ganz Latium mit diesen beiden betrunkenen Bergleuten von Zorzi. Also ist Messer Caterino Zeno beeindruckt.»

«Alle sind beeindruckt», sagte Nicolaas. «Wir teilen uns die Konzession mit den Genuesern.»

Tobie blieb mit dem kleinen Zeh am Handtuch hängen und schrie: *«Was?»*

«Was denkt Ihr denn, warum ich Euch auf Camulio hingewiesen hab? Wir müssen mit den anderen Kaufleuten in Brügge zusammenarbeiten. Wir brauchen Adorne. Wir brauchen die Adornes. Venedig und die Türken können sich jederzeit in die Haare geraten. Und wir können Freunde auf Chios gebrauchen, die ein Auge auf die Venezianer haben.»

Der kahle Schädel des Doktors hatte sich gerötet. Die dünnen Haarbüschel an seinen Ohren bauschten sich auf und gaben Schweißtropfen frei. Er sagte: «Ich hätte es allein in die Hand nehmen sollen. Wärst du nur über all diese Berge gekrochen mit zwei Alaun-Bergleuten und einem Vergrößerungsglas. Die Konzession ist nichts mehr wert, sobald Tolfa entdeckt wird. Dieser Abenteurer da Castro hat schon mit seinem Astrologenfreund angefangen, Proben zu schürfen. Wußtest du das?»

«Nein», sagte Nicolaas.

«Und der Name seines Astrologenfreundes, mein rechenkundiger Gefährte, lautet Zaccaria. Wußtest du das?»

«Nein», sagte Nicolaas.

«Nein», wiederholte der Arzt. «Dann überleg dir mal folgendes. Die Franzosen regieren schon in Genua. Die Franzosen würden gern Burgund angreifen. Die Franzosen würden Sforza gern lossein und ihren eigenen Mann ins Herzogtum Mailand einsetzen. Und es geht ein Gerücht, daß sie Venedig bitten werden, ihnen zu helfen. Also kein Adorne mehr, kein Sforza, keine Möglichkeit, Venedig mit den neuen Alaun-Gruben Angst einzujagen. Wenn Venedig Frankreich dabei hilft, halb Italien zu erobern, wird der nächste Papst ein Franzose sein und Venedig wird das neue Alaun selbst bearbeiten.»

Nicolaas hatte seinen Geldbeutel geöffnet. Er zog ein Stück Papier daraus hervor und hielt es wartend in beiden Händen, bis Tobie abbrach, und beugte sich dann vor, um es ihm zu reichen. Es war von Zahlen bedeckt. Tobie nahm es entgegen und las es durch.

«Euer Anteil», sagte Nicolaas. «Es ist so angelegt, wie Ihr es gewünscht habt.»

Tobie rieb sich seine tropfende Nase mit dem Handrücken. Dann las er es noch einmal, wobei seine Finger feuchte Stellen auf dem Papier hinterließen.

Nicolaas sagte: «Ich glaube nicht, daß Venedig sich dazu bereit erklären wird, Frankreich zu helfen, oder glaubt Ihr das? Ich glaube nicht, daß Frankreich es sich leisten kann, irgendwen anzugreifen, es sei denn, das Haus Lancaster würde die Vorherrschaft in England gewinnen. Aber es wäre Eile vonnöten, denn es heißt, dem französischen König ginge es gar nicht so gut. Und wenn er stirbt, wird der Dauphin König. Gaston du Lyon reist schon immer hin und her, weil der Dauphin und Mailand ein Bündnis planen. Und dann – wird natürlich irgendwer die Grube in Tolfa finden. Vielleicht Zaccaria. Aber doch nicht sofort. Und das ist das Geld, was wir schon für unser Schweigen bekommen haben. Auch wenn wir nur eine

Rate bekommen, eine ordentliche, wird das eine Hilfe sein. Außerdem ist da noch das Seidengeschäft.»

«Was für ein Seidengeschäft?» fragte Tobie. Er sah immer noch gebannt auf das Stück Papier herab.

«Um Florenz zu beruhigen. Ich hab es mit den Venezianern abgesprochen. Florenz bekommt auch eine bestimmte Menge billigen Alauns, aber nur, wenn es Zorzi dafür zu gleichen Teilen billige Seide nach Konstantinopel schickt. Florenz würde auch gern am Schwarzen Meer Handel treiben, aber sie haben keinen Konsul dort. Venedig möchte das verhindern. Wenn der Kaiser von Trapezunt und die Medici darauf bestehen, wird sich Venedig darum kümmern, daß jemand aus der Charetty-Handelsgesellschaft mit diesem Konsulat beauftragt wird.»

Tobie ließ langsam das Blatt sinken. «Wohl Geheimschriften ausgetüftelt», sagte er.

Nicolaas lächelte breit. «Nur ehrliches Handeln», erwiderte er. «Wir könnten ein Schiff kaufen. Felix hätte Spaß daran. Julius könnte die ganze Niederlassung leiten. Dafür würde er wohl auch Türkisch lernen müssen.»

Die farblosen Augen des Arztes blickten ihn prüfend an, als fahndeten sie nach den Anzeichen einer Krankheit. «Du meinst das doch nicht so ganz im Ernst», sagte er dann. «Du denkst dir Ausweichmöglichkeiten aus für den Fall, daß ich recht habe und nicht du und Frankreich bis nach Italien vordringt. Aber bald könnte der Dauphin König sein.»

«Eines Tages ist Felix Herr der Charetty-Handelsgesellschaft», entgegnete Nicolaas. «Und ich habe den Eindruck, er wird ein strengerer Herr, als der alte Cornelis es je war.»

Der Arzt erhob sich. Barfuß ging er zur Tür des Zelts und klopfte an den Pfosten; als sein Diener erschien, schickte er ihn mit dem Eimer und einer Liste von Anweisungen weg. Er trat wieder ein, setzte sich und griff nach seiner Hose. «Nachts gibt's hier auf der Ebene manchmal Vorpostengefechte. Auch tagsüber. Nichts Ernsthaftes. Sie brüllen sich was zu und fordern einander zum Kampf heraus, das ist alles. Wenn wir nicht mehr Truppen geschickt bekommen, können wir an diesem Mistkerl nicht vorbei und nach Neapel. Magst du Hühner?»

«Dort, wo sie hingehören, ja», sagte Nicolaas. «Warum? Habt Ihr welche?»

«Zwanzigtausend», erwiderte Tobie. «Wir haben auch einen Haufen Maultiere mitgenommen. Ochsen. Schafe. Dir sind vielleicht die Felder aufgefallen, nachdem du den Tronto überquert hast. Alles Getreide schön abgemäht und gedroschen. Gute Bauernjungs, diese Urbinati.»

Die Tür ging auf. Tobie fuhr fort, sich anzukleiden, während ein Tisch ausgeklappt und gedeckt wurde. Becher und ein Weinkrug kamen zum Vorschein. Jemand trug ein zweites Bett hinein und stellte es auf. Nicolaas erhob sich und setzte sich an den Tisch. «Was haben sie denn mit dem Getreide gemacht?» fragte er dann.

«Zum Markt gebracht», sagte Tobie. «Und es den bedürftigen Bauern und deren bedürftigen Herren für viel Geld verkauft. Und das ist nur für ihren Lebensunterhalt. Du solltest mal sehen, was die Söldnerführer alles an Beute zusammenbekommen haben. Übrigens hast du mich noch gar nicht gefragt, ob ich bei Lionetto bin.»

Jetzt, da er begonnen hatte zu essen, war Nicolaas so hungrig, daß seine Kiefer schmerzten. «Brauch ich ja auch nicht: Ihr seid ja nüchtern. Warum bist du in den Abruzzen geblieben?»

«Graf Federigo hat mich darum gebeten. Der Kommandant.»

«Und?»

«Er ist ein recht ungewöhnliches Exemplar von einem Condottiere», erwiderte Tobie. «Du hast bestimmt schon von ihm gehört. Er regiert Urbino, und Urbino ist nicht gerade ein Paradies. Sein einziger Reichtum sind seine Soldaten. Und sie sind auch gut.»

Nicolaas blickte auf das, was er vom Gesicht des anderen übers Hühnchen hinweg erkennen konnte. «Ihr seid niemandem etwas schuldig.»

«Genau das habe ich auch gedacht», bellte Tobie zurück. Dann riß er den Bratvogel in Stücke.

Das Mahl war lange vorüber und sie lagen schlafend in der Dunkelheit, als sie vom einzigen Alarm der Nacht geweckt wurden, und dieser Alarm kam nicht vom Feind. Es war Lionetto, der die Zeltschnüre auseinanderriß und gegen die Betten trat, erst gegen das eine, dann gegen das andere, wobei er eine Laterne herumschwenkte. Das erste, was Nicolaas sah, als er sich umdrehte und aus zusammengekniffenen Augen nach oben blinzelte, war der Schopf schulterlangen karottenroten Haars, die Knollennase und die Haut, die im Lampenlicht so uneben aussah wie Tweed.

Lionettos Lächeln gab selten seine obeliskförmigen Zähne frei wie jetzt. «Da habt Ihr Euer Griechisch und all die Namen für unnatürliche Laster. Und da ist ja das Bürschchen, das ich ins Meer geworfen habe. Sauberer ist er davon ja nicht geworden.»

Nicolaas erwiderte seinen Blick und lag ganz still. Seine Haut war von Schweißperlen bedeckt.

Tobie wuchtete sich hoch. Im Licht der Lampe sah man, daß ein Nasenloch wie eine Schnecke aufgerollt war. «Hat mein Herr Federigo vielleicht nach ihm geschickt?» sagte er dann.

«Das höre ich ja gar nicht gern», sagte Lionetto. «Urbino ist also auch schon korrumpiert. Ist das hier Wein? Ihr habt doch nichts dagegen. Die Neuigkeiten haben mich durstig gemacht. Oh. Also so was. Ich hab ihn vergossen.»

Das Weinrinnsal floß quer über den Fußboden, über das verknitterte Laken von Nicolaas' Bett und mündete dann in eine Lache an seiner Kehle. Lionetto lachte auf ihn hinunter, den Kelch immer noch schräg in der Hand, und Nicolaas hielt einfach seinem Blick stand, ohne etwas zu sagen. «Jetzt siehst du besser aus», sagte Lionetto. «Naß.»

Hinter ihnen war Tobie aufgestanden; sein kahler Schädel glänzte, seine Augen blickten rund und bedrohlich. «Und er hat mehr Geduld als ich», sagte er. «Ihr seid betrunken. Ich werde darüber Bericht erstatten.»

«Betrunken?» rief Lionetto. Er schlenderte zum Tisch zurück, zerrte einen Hocker heran und setzte sich, während er seinen Becher von neuem füllte. «Das halbe Lager wird morgen betrunken sein, hochberühmter Doktor. Wir ertränken unseren Kummer. Wir verstecken unsere armen kleinen Ängste. Was wird die selbstherrliche Witwe wohl nun machen? Die Tochter des Pfandleihers, die dachte, sie sei ein Mann. Aber du hast ihr ja bewiesen, daß sie's nicht ist, nicht, nasser Junge? Hast sie geheiratet. Aber nicht zu Bett gebracht. Konntest sie nicht zu Bett bringen. Aber das Geschäft hast du bekommen. Welches Geschäft? Das Haus ist abgebrannt und all ihre kleinen Soldaten fort und mausetot. Armes kleines Weibsstück.»

Nicolaas setzte sich auf. «Nachrichten aus Neapel.»

Der Arzt, der gebannt auf Lionetto herabgeschaut hatte, beugte sich plötzlich vor und schlug ihm den Becher aus der Hand. «Ja? Nachrichten aus Neapel?»

Lionetto brüllte auf. Nicolaas griff ein, hob den heruntergefallenen Becher auf, füllte ihn und setzte ihn hart vor den Hauptmann hin. Dann legte er dem Arzt die Hand auf den Ellbogen und hielt ihn zurück. «Laßt uns hören», sagte er dann. Der Wein sickerte und tröpfelte über seine Haut. Er zitterte.

«Wenn Ihr hinausgeht, werdet Ihr gleich Piccininos Leute losjubeln hören. Die Überlebenden kommen gerade an. Neapel ist gefallen. Ferrante ist tot. Das Heer ist zersprengt. Und wißt Ihr warum?» fragte Lionetto. «Weil man den Handfeuerwaffenschützen keinen Sold gezahlt hat und sie zum Feind übergewechselt sind. Ferrante hatte Herzog Jean und sein ganzes Heer in Sarno eingeschlossen. Statt sie auszuhungern, griff er an. Und die Handfeuerwaffenschützen standen auf den Mauern und schossen ihnen rote Löcher in Helme und Brustpanzer, bis keiner mehr übrig war, der kämpfen konnte.»

Er goß den Wein hinunter und sah grinsend auf. «Astorres Leute. Mit Handfeuerwaffen, die Ihr ihnen gekauft habt. Jetzt ist er tot und Ihr beide sitzt hier warm und trocken mit dem Geld der *condotta*.»

«Haltet den Mund», sagte der Arzt. Er schaute zu Nicolaas hin, der wieder erschauert war.

«Nein», sagte dieser. «Sie sind bezahlt worden. Julius hätte sich darum gekümmert. Und Astorre hatte sie im Griff.»

«Das ist doch jetzt egal», erwiderte Tobie.

Natürlich war es unwichtig. Astorre. Julius. Und Felix.

«Den Staatsmännern wird es wohl wichtig sein», versetzte Lionetto. «Jetzt können die Franzosen ihren Kandidaten in Neapel einsetzen. Aber mir geht's gut. Ich habe einen Vertrag bis September, dann kann ich nach Hause gehen. Oder wieder zu Piccinino zurück.»

«Was wird denn jetzt geschehen?» fragte Tobie.

«Hier? Piccinino braucht weiter nichts zu tun, als auf seinem Berghang zu bleiben und uns den Weg zu versperren. In einer oder zwei Wochen haben der Herzog von Mailand und der Papst vielleicht wieder ein neues Heer aufgestellt und machen einen zweiten Versuch. Tausend Leute mehr und wir könnten dem kleinen Grafen eine neue Schlacht liefern. Wir könnten nach Süden marschieren und einige der kleinen Städte zurückerobern, die unter Ferrantes Einfluß standen. Aber Neapel können wir nicht zurückerobern. Dazu brauchen wir eine vollständig neue Streitmacht im Osten.» Er hielt den Kopf schräg und lauschte. «Habe ich es Euch nicht gesagt: Hört Euch das an.»

Durch die Zeltleinwand schien matt und hell der Schein vieler Lampen und das Rot neu entfachter Feuer. Lauter werdende Stimmen ließen sich vernehmen und das Geschrei von aufgestörtem Vieh.

«Ich dachte, Ihr würdet es gern als erste erfahren», sagte Lionetto. «Das ist gar kein schlechter Wein. Ich werde den Krug mitnehmen.»

Dann ging er. Keiner von ihnen sagte etwas. Nicolaas ließ Tobies Arm los und ging allein zur Tür, wo die Zeltwand hochgeschlagen war. So wie Lionetto es vorausgesagt hatte, waren die neuesten Nachrichten jetzt im Lager des Feindes eingetroffen. Der Jubel vom Berghang war zunächst nur schwach vernehmbar gewesen, wurde jetzt aber lauter. «Und nun?» fragte die Stimme des Arztes pointiert. «Ein neues Zahlenspiel?»

Nicolaas stand in der Tür und lauschte. Das Geschrei auf ihrer Seite, das nun anschwoll, war anders als das Geschrei vom gegenüberliegenden Berghang. Es war nicht mit Siegesjubel zu verwechseln. Es war Beifall, anhaltend und mitfühlend, für Männer, die gut gekämpft und verloren hatten. Er kam aus ihrem eigenen Lager. Die Zeltklappe gab unter Nicolaas' Griff nach. Er starrte auf das zerrissene Tuch in seiner Hand und ließ es dann fallen. «Ich hab es falsch gemacht», sagte er. «Ich hätte ihn schlagen sollen.»

«Herrgott noch mal», versetzte Tobie. «Kannst du an nichts anderes denken?»

Nicolaas antwortete nicht. Sein ganzer Körper fühlte sich an wie mit Schweiß und Wein bedeckt und sein Herz schlug wie eine Kanonenkugel, die auf straffgespanntes Leder trifft. «Kommt her und seht Euch das an», sagte er dann, ohne sich umzusehen.

Als Tobie die Tür erreicht hatte, stand er ebenso reglos da wie Nicolaas, lauschte und sah zu, wie sich jeder freie Platz zwischen den Zelten mit schreienden, nackten und halbbekleideten Männern füllte. Und so wie er sah er dann die Reiter, die nach und nach durch die Tore der Zeltstadt einritten, sich durch die Menge drängten und einer nach dem anderen absaßen inmitten von Gebrüll und hellem Fackellicht. Erschöpfte Männer, verwundete Männer. Männer, die die Niederlage bei Sarno überlebt hatten und zurückgeritten waren, nicht in die Geborgenheit ihres Zuhauses, sondern hierher, um sich unter der Fahne ihres anderen Heers zu sammeln.

Feuerbrände umgaben sie und ließen unbekannte Gesichter und unbekannte Züge sehen. Dann erkannten sie plötzlich etwas Vertrautes: der Schnurrbart eines Mannes namens Manfred, des Rittmeisters. Der schwarze, unbehelmte Kopf eines ungarischen Armbrustschützen, der den Hals in weißes Tuch gewickelt trug. Zwei schwarzgekleidete, zerlumpte Männer – der eine von der Sonne verbrannt und mager, der andere sehr aufrecht und muskulös mit schräggeschnittenen Augen und einer klassischen Nase, der einhändig vom Pferd glitt, die andere Hand in einer Schlinge.

«Julius», sagte Tobie laut. Seine Stimme klang merkwürdig. «Und da, hinter ihm, Astorre. Heilige Muttergottes, du hättest ihn schlagen sollen. Ich hätte ihn umbringen sollen. Ich werde ihn umbringen. Lionetto hat gewußt, daß sie in Sicherheit sind.»

Die Worte klangen Nicolaas nach, aber er zollte ihnen keine Aufmerksamkeit, da er schon mitten im Gedränge war und mit gesenktem Kopf auf die arg mitgenommenen Männer zusteuerte, die immer noch im Gänsemarsch ins Feldlager getaumelt kamen. Er berührte jeden von ihnen, an dem er vorüberging – Manfred, Gottschalk, Abrami und Thomas, von dem zuerst nur die Schulter zu erkennen war und der sich mit grauem Gesicht ganz überrascht umwandte. Astorre, der schwerfällig absaß, das Kinn hochgereckt, die Augen halb zugefallen. Lukin. Und der schwarze Loppe mit ausdrucksloser Miene. Dann Julius, der stillstand und ihn ansah.

Hinter ihm stand Felix.

«Ach, da bist du ja», sagte dieser. «Ich hab doch gewußt, daß du hier sein würdest. Das war eine ganz ordentliche Schlacht. Wie viele Männer hab ich getötet? Ich hab's vergessen.»

«Acht, hast du gesagt», erwiderte Julius. Er hatte sich nicht gerührt.

Nicolaas blieb an seinem Platz stehen.

Er hörte Tobie sagen: «Das dahinten ist mein Zelt. Es wird daneben noch eins aufgebaut. Ich werde Nicolaas helfen, sich um die Männer und eure Pferde zu kümmern. Es ist reichlich zu Essen da. Sagt Bescheid, was ihr haben wollt. Habt ihr den Grafen gesehen?»

«Wir kommen gerade aus seinem Zelt», sagte Astorre. Seine Stimme klang rauh.

«Dann geht jetzt los», sagte Tobie. Nicolaas bemerkte, daß er und Julius einen Blick wechselten. Die Menschenmenge begann sich zu zerstreuen. Er hörte Tobie sagen: «Nehmt euch zusammen. Wartet auf mich. Ich werde mich gleich um alles kümmern.»

Bei den Lastkarren war es dunkel. Nicolaas setzte sich auf den trockenen Lehmboden und konnte sich nicht mehr zusammennehmen. Er hörte die Stimme von Julius über sich: «Na, du Dummkopf, was ist los? Hast du gehofft, wir würden nicht wieder zurückkommen?»

Er konnte nicht antworten. Er merkte, daß Julius sich über ihn beugte, was mit gebrochenen Knochen vermutlich recht schmerzhaft war. Er hörte Schritte und eine andere Stimme. Es war Tobie, der sagte: «Es tut uns allen leid, daß ihr wieder da seid. Wir wollten uns an eurem Kopfgeld schadlos halten. Kannst du kein Wechselfieber erkennen, wenn du es vor dir hast? Sag mal Gottschalk Bescheid, daß er herkommen soll.»

Nicolaas machte die Augen auf. Nur Tobie war da und kniete neben ihm. «Unglaublich. Du bist doch nur ein Sterblicher», sagte er. «Es ist tatsächlich Wechselfieber, und ich habe es kommen sehen. Du wirst es schon überstehen.»

Nicolaas lehnte den Kopf schräg an den Lastkarren und antwortete ihm, so gut es seine klappernden Zähne zuließen, mit einem unsicheren, unsteten Lächeln.

«Allerdings werden wir nie erfahren, wodurch es ausgelöst worden ist, nicht wahr?» sagte Tobie. «War es Erleichterung oder Enttäuschung?»

Kapitel 36

Wenn man immer über eine robuste Gesundheit verfügt hat, aber sein Leben lang unentwegt verprügelt worden ist, wundert man sich nicht mehr, wenn einem abwechselnd heiß und kalt wird, man etwas Fieber hat und sich krank fühlt, bis die Schmerzen abgeklungen sind. So etwas war nie wichtig gewesen, weil es immer vorübergegangen war. Jetzt, in Tobies Zelt, nach einem in der Erinnerung undeutlichen Intervall, währenddessen er sehr wenig sah, aber manchmal Stimmen vernahm, empfand Nicolaas es genauso. Manchmal, wenn er aufwachte, war es dunkel, manchmal hell. Es kümmerte ihn wenig, ob er überhaupt aufwachte.

Die Stimme, die ihn schließlich erreichte und dann wachhielt, gehörte Felix, der sich gerade mit jemandem stritt. Die Stimme, die ihm antwortete, schien die von Julius zu sein, aber Nicolaas konnte nicht feststellen, worum sie sich stritten. Er lauschte immer noch, als ein Schatten über sein Bett fiel und er Tobie erkannte, ein Tuch in der Hand.

«Ah», sagte dieser. «Sei still, oder du hast sie gleich beide auf dem Hals.»

Seine Lippen und seine Zunge wollten zunächst seinem Impuls, Tobie anzulächeln und zu sprechen, nicht folgen. Der Wille siegte dann doch. «Und was macht das?» sagte Nicolaas.

Die farblosen Augen, von dunklen Schatten gerändert, mit verengten Pupillen, wandten sich zu ihm hin. «Ja, was macht das», versetzte Tobie. «Piccinino langweilt sich. Urbino langweilt sich. Die großartigen jungen Edelmänner beider Seiten, die die Scharmützel befehligen, fordern sich jetzt zum persönlichen Zweikampf heraus. In zwei Tagen soll ein Tjost stattfinden, und Felix möchte dabei mitmachen.»

«Ein Tjost?» sagte Nicolaas unsicher.

«Es soll auf dem Schlachtfeld, auf der Ebene zwischen den beiden Heeren stattfinden. Ordnungsgemäß überwacht, und natürlich wird für die Zeit ein Waffenstillstand verkündet. Ich halte diese Art von Ritterlichkeit für Idiotie», sagte Tobie.

Er hörte Felix nebenan sagen: «Er redet ja. Es geht ihm besser. Nicolaas? Sag ihnen, sie sollen mich gehen lassen.»

Felix trat an das Bett heran. Unter einem Arm hielt er den unglaublichen Helm, den der Dauphin ihm geschenkt hatte, mit dem roten Federbusch und dem Kopf eines Adlers. Er hatte ihn wohl mit seinem Gepäck aus Genappe mitgebracht.

Sein Gesicht hatte sich verändert – der Hals war dicker geworden, Nase und Wangenknochen wirkten fester und kräftiger. Auch die fliegenden Locken waren verschwunden und sein Haar, das nun unterhalb der Ohren kurz geschnitten war, hatte seine Glätte wiedergewonnen.

Nicolaas sagte: «Ich hab gehört, du hättest acht Männer getötet. Eine Lüge. Du hast sie totgeredet.»

Auch Julius war hereingekommen. Er trug immer noch eine Schlinge, und das kräftige Gesicht sah blasser aus als sonst. Er wandte sich direkt an Nicolaas, wie ein Aktuarius an einen Lehrling, so als seien sie zu Hause in Brügge. «Er hat recht. Er hat sehr gut gekämpft für einen Bengel, der nie auf das hört, was man ihm sagt. Hat er in Mailand geübt?»

«Ja. Wer sind die Herausforderer?» fragte Nicolaas. Er sah Tobie nicht an, wußte aber um dessen wütenden Blick.

«Ich sollte schon beim Tjost des Weißen Bären kämpfen», sagte Felix. «Das weißt du doch. Und wenn ich beim Weißen Bären kämpfen kann, werde ich doch auch mit ein paar hitzköpfigen Söldnern zurechtkommen.»

«Wer sind sie?» wiederholte Nicolaas. Nur mit Mühe hielt er die Augen offen.

«Ach, niemand Besonderes», erwiderte Felix. «Nardo da Marsciano. Er kämpft gegen Francesco della Carda. Und Serafino da Montefalcone hat eine Herausforderung an einen gewissen Fantaguzzo da San Arcangelo geschickt. Und da hab ich auch eine Herausforderung geschickt. Der Graf hat gesagt, daß ich es dürfte.»

«Der Graf hat gesagt», zischte Tobie, «daß jeder der Überlebenden von Sarno herzlich aufgefordert sei, eine Lanze zu brechen, und er würde den Preis verdoppeln. Felix könnte sonstwen ziehen. Piccinino persönlich.»

«Den Grafen? Der Graf hätte Angst vor ihm», sagte Nicolaas, den Blick auf Julius gerichtet. Julius war ihm mit einem flüchtigen Achselzucken und Nicken zu Willen. Nicolaas fuhr fort: «Der Graf holt sich vielleicht einen dieser Armbrustschützen aus Brač, um Felix abzuschießen, wenn er sich den Schranken nähert, und weg ist er. Wenn Felix schon acht Männer getötet hat, weiß ich nicht, wie irgendein Sterblicher ihn noch zurückhalten kann.»

«Ich wußte ja, daß du das sagen würdest», rief Felix. «Und du mußt mir beim Anlegen der Rüstung helfen und die Namen aller Kämpfer aufschreiben. Ich bin damit noch nicht fertig.»

«Für die Nachwelt. Du bist nicht fertig, aber ich», sagte Nicolaas, dessen Augen nun endgültig zugefallen waren. Er glaubte, er habe die Dinge im Griff und würde die Augen wieder öffnen können, sobald Felix weg war, aber sein Körper dachte offenbar anders darüber.

Allerdings war dies sein letzter ungewollter Rückzug. Als er das nächste Mal erwachte, blieb er mehrere Stunden wach und konnte etwas feste Nahrung zu sich nehmen. Die Zeit reichte auch, um sich endlich die Schlacht bei Sarno erzählen zu lassen. Sarno, wo es eine lange Belagerung ohne Blutvergießen hatte geben sollen, sich aber wegen der Deserteure ein unsinniger Angriff auf einen Turm entwickelte. Nachdem dieser unkluge Angriff Erfolg hatte, weitete er sich zu einem umfassenden Sturm aus, der undurchdacht, unzusammenhängend und ohne Führer war. Wie Lionetto schon erzählt hatte, wurden die angreifenden Truppen von ihren eigenen Mauernpostierten und Handfeuerwaffen niedergeschossen.

Astorre war – als einziger im ganzen Heer – mit fast all seinen Leuten herausgekommen. Die Handfeuerwaffenschützen gehörten nicht zu ihm. König Ferrante war mit zwanzig Reitern nach Neapel geflohen. Der mailändische Botschafter hatte all seine Unterlagen verloren, war aber heil nach Nocera entkommen. Ebenso sei es den Strozzi ergangen, die laut Julius schon alles Wertvolle aus Neapel herausgeschafft hatten, sein Guthaben inbegriffen. Jean, Herzog von Kalabrien, stand nun als Sieger da. Er bräuchte nur sein Heer neu zu sortieren, sich etwas Verstärkung zu besorgen, und könnte dann nach Neapel marschieren und es einnehmen. Dieses Heer hier, das in den Abruzzen steckengeblieben war und kindische Tjoste abhielt, würde ihn nicht aufhalten. Julius war zornig, aber der alte Veteran Astorre brachte alle zur Vernunft. Sein zusammengekniffenes Auge glitzerte wieder und seine O-Beine hatten ihre Elastizität zurückgewonnen.

«Was können wir schon machen? Wir kommen nicht an Piccinino vorüber. Schlagen können wir ihn auch nicht. Aber wenn wir ihm im Weg stehen, halten wir ihn davon ab, Herzog Jean zu Hilfe zu eilen. Je länger wir ihn hier festhalten, desto größer die Chance, aus Mailand Verstärkung zu bekommen. Laßt ihn doch schön tjostieren, sag ich. Singt ihm was vor. Macht alles, nur kämpft nicht, ehe wir dazu bereit sind.»

Nicolaas, der Astorre aus den Tiefen seiner Kissen beobachtete, stellte fest, daß jener ihn nie direkt ansprach. Seit er zurückgekommen war, ging Astorre ihm aus dem Weg. Er war jetzt der neue Ehemann der Demoiselle, der geneigt sein könnte, aufzuspringen und ihn herumzukommandieren, wohingegen er gestern noch ein von Astorre ausgiebig geprügelter Schüler gewesen war. Nicolaas verstand, daß die Situation eine schwierige war. Er hoffte, Astorre würde die Einsicht haben, sich mit diesem Problem an Julius zu wenden, der bisher einen bemerkenswerten Mangel an Neugier an den Tag gelegt hatte, was die Ehe von Nicolaas betraf. Es war anzunehmen, daß die Autorität des Arztes diese in Schach hielt. Es war wohl angebracht, sich bald einmal mit Julius zu unterhalten.

Die Gelegenheit dazu ergab sich am Tag des Turniers, das keineswegs provinziellen Charakter hatte. Die Streiter des Grafen stellten sich den Rittern des Herzogs, und die Ehre beider Seiten verlangte nach Pracht und Herrlichkeit.

Die Bruderschaft des Weißen Bären in Brügge hätte es nicht besser machen können. Vom Wettstreit angespornt, errichteten die Tischler beider Heere Tribünen und stellten Standarten auf, Arbeiter bauten bemalte Zelte auf, die mit Schildern behängt waren. Die Sonne fiel auf Trompeten und Wappenröcke und machte die Platten der Rüstungen glänzen. Die Decken der vorüberschreitenden Pferde hatten leuchtende Farben und schleiften durchs Gras, ihre Mähnen waren mit Federn und Quasten verziert. Absurd herausgeputzte Vögel und andere Tiere sprangen von den Helmen der Streiter und hüpften, den Gang ihrer Träger annehmend, an den Schranken entlang wie ein Bestiarium, das in bestürzender Weise zum Leben erwacht ist. Hinter den Zelten zu beiden Seiten der Schranken lungerten die beiden feindlichen Heere herum. Nicolaas war auch da, er wurde von Julius gestützt.

Der Hauptmann legte Felix höchstpersönlich die Rüstung an. Julius hatte ihnen Sitzplätze besorgt, und von dort aus konnten sie nun das Blau der Charetty in der Ferne erkennen. «Es wird schon gutgehen», sagte Julius. «Er ist schnell. Selbst Astorre war überrascht.»

Nicolaas antwortete: «Ich habe ihm den Tjost des Weißen Bären verdorben. Er weiß es aber nicht.»

Julius sah ihn über den Nasenrücken hinweg an. «Du hast Felix nach Neapel geschickt. Erzähl mir nicht, du hättest ihn nicht aufhalten können. Wenn er deine Heirat geschluckt hat, schluckt er alles.»

«Hat Astorre meine Heirat geschluckt?» fragte Nicolaas.

Julius grinste. «Soll ich dir sagen, was er gesagt hat, als er davon erfuhr?»

«Nein», sagte Nicolaas.

«Er dachte, Meester Tobias sei auch zu Lionetto zurückgegangen. Sein anderes Ohr fiel ihm fast ab. Und als Felix ihm sagte, daß du bloß der Geschäftsführer bist und Tobie sein Wort nicht gebrochen hat, ging es ihm schon besser.»

«Daß es ihm besser geht, sehe ich», sagte Nicolaas. «Sein Hinterkopf hat mich fast versengt. Sag ihm, die Witwe wird alles ihm und Thomas überlassen. Wie sollte ich ihm auch befehlen, was er zu tun hat?»

«Ich werde es ihm ausrichten», meinte Julius zweifelnd. «Aber was ist, wenn du ihm doch einmal etwas befehlen willst?»

«Dann wird Felix es ihm sagen.»

Die schräggeschnittenen, schmalen Augen sahen ihn an.

«Felix ist der Erbe der Charetty-Handelsgesellschaft. Das darfst du nie vergèssen. Ihm und seiner Mutter gehört das Geschäft. Ich bin nur jemand, der ihnen noch etwas schuldet.»

«So wie du Jaak de Fleury etwas schuldest?» sagte Julius. «Er hat dich auch aufgezogen. Und dann ist da noch Simon of Kilmirren. Er hat dir das Schwimmen beigebracht. Zu ihm bist du auch sehr nett gewesen. Und ich nehme wohl an, daß du ebenfalls vorhast, dich bei demjenigen zu bedanken (wer war es eigentlich? Ein energischer Lautenspieler mit einer Tochter?), der dir dieses elegante Mal auf der Wange beschert hat. Sogar Lionetto scheinst du etwas zu schulden, wenn man sich anschaut, wie du ihn mit dir machen läßt, was er will.»

Es war inzwischen sechs Monate her, daß Nicolaas sich in Mailand von Julius getrennt und Astorre das Heer nach Neapel geführt hatte. Er war der Gewohnheit entwachsen, Julius zu verstehen. Und Julius hatte ihn noch nie verstanden. Nicolaas sagte: «Ich hab ihn für Astorre aufgespart. Sind sie einander schon begegnet?»

Abgelenkt ließ Julius sein unwiderstehliches, versonnenes Lächeln sehen. «Am ersten Morgen. Keiner hatte sich etwas zu vergeben. Nein, Astorre war im Vorteil. Er hatte mehr zu verteidigen als Lionetto. Aber bis jetzt ist nur mit Worten gekämpft worden.»

Vage sagte Nicolaas: «Nicht zuletzt sind sie jetzt auf derselben Seite. Möchte Astorre denn bei der Charetty bleiben?»

«Geh taktvoll mit ihm um. Ja, er wird bleiben», sagte Julius.

«Und du?» fragte Nicolaas. Er wartete.

Julius sah ihn nicht an. Sein Blick war auf die Schranken gerichtet, wo sich ein Muster gebildet hatte – das vertraute Muster des regelrechten Tjosts. Zwischen den Barrieren war das Gras glatt, leer und grün. Zu beiden Seiten standen die gewappneten und behelmten Streiter in Bereitschaft. Die Sonne blitzte auf erhobenen Trompeten und das unheilverkündende Dröhnen der Trommeln wurde zu ihnen herübergetragen.

Julius wandte sich zu ihm um. «Ich bleibe», sagte er. «Bis ich herausbekommen hab, wie du es machst.»

«Was denn?» fragte Nicolaas.

«Geld verdienen. Was dachtest du denn? Da ist Felix», sagte Julius.

Beide verstummten jetzt und sahen zu.

Die Ehre des Tages gebührte den Wettkämpfern von Graf Federigo, und Felix wurde kein Haar gekrümmt. Sein Antlitz leuchtete unter seiner Schmutzschicht und war mit Lorbeer umkränzt. Felix wandte sich benommen und strahlend von einer Seite zur anderen, als er mit den Siegern entlangmarschiert kam, von den Trommeln, Pfeifen und Trompeten beider Heere angeführt. Loppe, der in charettyblauer Seide steckte, trug den ausgesetzten Preis, eine mit Goldmünzen gefüllte Geldbörse, hinter ihm her.

Die Prozession wand sich zweimal um das Feld herum und teilte sich dann. Langsam zogen sich die Zuschauer zurück, die eine Hälfte auf die Bergflanke, die andere zur Zeltstadt in der Ebene. Eilig begannen die Arbeiter die Schranken wieder abzubauen. Dann zogen sich die Gefolge der Kommandanten mit flatternden Standarten und Trommelklang in entgegengesetzte Richtungen zurück, nachdem sie kurz voneinander Notiz genommen hatten. Felix scherte sogleich aus, als die feierliche Prozession ins Feldlager einzog und keuchte und brüllte unter den Gratulationsschlägen seiner Freunde, wobei er immer ein wachsames Auge auf Loppe und die Geldbörse hatte.

Tobie war nicht da. «Ist doch klar», sagte Felix. «Habt ihr es denn nicht *gesehen*?»

Da sie nicht so privilegiert wie Felix waren, hatten seine Freunde es nicht gesehen.

«Habt ihr es denn nicht *gehört*?» wollte Felix ganz erstaunt wissen. «Einer von den mailändischen Feldwebeln verlor die Herrschaft über sein Pferd und kam schnurstracks über den Platz gejagt, als de Marsciano gerade in die Schranken galoppierte. Sie stießen beinahe zusammen und hätten getötet werden können, aber Graf Federigo bemerkte es. Er galoppierte sofort mit seinem Schlachtroß dazwischen und es gelang ihm, das Pferd des Feldwebels zur Seite zu schwenken. Aber sein eigenes Pferd machte so einen Satz, als er ihm die Sporen gab, daß es ihm fast das Rückgrat zerschmetterte. Er kam wieder runter, kann sich aber nicht bewegen. Er leidet Höllenqualen.»

«Graf Federigo?» fragte Thomas.

Astorre, der vorübereilte, blieb stehen. «Was trödelt Ihr denn hier herum? Jonkheer Felix, laßt Euch die Rüstung abnehmen und Euch frottieren. Graf Federigo? Er ist nicht tot. Er hat sich nur den Rücken verletzt, so daß er Schmerzen hat, wenn er sich rührt. Meester Tobias und Meester Gottschalk werden sich um ihn kümmern. Auf jeden Fall haben wir unseren Preis gewonnen. Messer Alessandro hat ihn überreicht. Eine schöne Geldbörse für die Familie der Charetty. Er lebe dreimal hoch...»

«Zeitverschwendung», sagte Julius. «So wie ich Felix kenne, wird er keinen Pfennig herausrücken. Und was machen wir jetzt ohne unseren guten Kommandanten, Herrn Federigo da Montefeltro, Graf von Urbino?»

«Alessandro Sforza wird ihn vertreten», sagte Nicolaas. «Er ist der Bruder des Herzogs von Mailand. Herrn Federigos guter Schwiegervater.»

«Ich habe aber gehört», sagte Julius, «daß Alessandro sehr kampfeslustig ist. Glaubst du, er würde einen Kampf anzetteln?»

«Das weiß ich nicht», sagte Nicolaas. «Obwohl ich mich bemühe, es interessant zu finden, schon wegen Astorre. Bevor hier irgentwas passiert, will ich mich für den Heimweg rüsten. Ich hoffe, daß auch Tobie, wenn er den Grafen wiederhergestellt hat, mit mir kommen wird. Und ich glaube, Felix wird schließlich doch noch dazu bereit sein, mit seinen Lorbeeren nach Brügge mitzukommen.»

Er wartete. «Tobie?» fragte Julius.

«Wir haben geschäftlich miteinander zu tun», erwiderte Nicolaas. «Er ist fast so gut wie du. Versteht mehr von Abführmitteln.»

«Danke», sagte Julius. Er machte eine kurze Pause. «Und um was für Geschäfte geht es?»

«Um solche, die Geld einbringen», sagte Nicolaas. «Wenn du nicht zu Astorre gegangen wärest, hätte ich dich gefragt, ob du bei uns mitmachen willst. Es sind Geschäfte für die Charetty, aber ich kümmere mich mehr darum als die Demoiselle. Ich habe ihr einen Aktuarius besorgt. Gregorio von Asti.»

«Felix hat es mir erzählt. Ich habe von ihm gehört. Weiß Felix, wovon du jetzt redest?» fragte Julius. Er wirkte überrascht.

Nicolaas grinste. «Das ist das erste Geheimnis, das er, soweit ich weiß, für sich behalten hat. Ich habe ihm gesagt, wenn er irgend jemandem etwas davon verriete, wären wir das ganze Geld los.»

«Es klingt nicht so, als bräuchtet ihr mich», sagte Julius. «Du hast es ja offenbar schon getätigt, was immer es für ein Geschäft sein mag?»

«Nun, du hast gleichzeitig in Neapel Kriege gewonnen», sagte Nicolaas. «Und nun muß es geleitet werden und ich bitte dich hiermit, uns zu helfen. Wenn du kein Interesse hast, auch gut, dann will ich dich auch nicht mit den Einzelheiten belästigen. Wenn du Interesse hast, sag mir Bescheid. Aber laß dir Zeit. Tobie muß ja erst Graf Federigo wieder zusammenflicken, ehe wir wegkönnen. Zumindest singt er nicht.»

Er war froh darüber, wieder im Zelt zu sein, denn das Fieber hatte ihn mehr geschwächt, als er zugeben mochte. Julius ließ ihn allein. Er war ziemlich still gewesen und hatte sich noch nicht entschieden, aber Nicolaas glaubte, daß er schließlich doch mit nach Brügge zurückkommen würde. Reglos auf dem Bett liegend, fing er an, über Astorre und seine Offiziere nachzudenken, schlief aber beinahe sofort ein.

Als er wieder aufwachte, war es dunkel und im anderen Bett lag Tobie, der bei Kerzenlicht las. Er bewegte sich, und Tobie fragte ohne aufzuschauen: «Hast du Julius bekehrt? Es schien dir wohl doch wichtig genug.»

«Ich habe eine Fährte gelegt», erwiderte Nicolaas. «Es bleibt noch genug Zeit, ihn zu fragen, wie gut sein Türkisch ist. Und was macht der Graf?»

«Er wird am Leben bleiben», sagte Tobie. Er warf seine Papiere hin. «Er hat nur noch ein Auge, eine gebrochene Nase, einen schwachen Rücken und ist 38 Jahre alt. Die Innenseite seines Rückens ist aufgerebbelt wie eine alte Steppdecke und er kann sich keinen Zoll bewegen, aber er wird schon am Leben bleiben. In zwei Wochen kann er wieder aufstehen.»

«Julius hat behauptet, Alessandro wolle kämpfen.»

«Alessandro möchte losziehen und eine siegreiche Schlacht befehligen, während Urbino krank ist», versetzte Tobie. «Sie haben gerade am Bett des Grafen Kriegsrat gehalten. Was das Gehirn und das Mundwerk meines Herrn Federigo angeht, fehlt ihm nicht das geringste. Er hat eine halbe Stunde damit verbracht, ihnen zu beweisen, daß wir nicht genug Leute für einen Angriff haben und die Gegenseite durch die ewigen Scharmützel schon allzusehr reizen. Wir müssen Ruhe bewahren und warten.»

«Aber?» sagte Nicolaas.

«Aber er ist mit Alessandros Tochter verheiratet. Er mußte Zugeständnisse machen. In zwei Tagen darf Sforza mit drei Reiterschwadronen einen Angriff auf einen feindlichen Flügel machen. Vielleicht kann er ihre Vorräte und Mannschaftszahl verringern. Wenn er verliert, ist zumindest nicht gleich das ganze Heer dahin.»

«Astorre?» sagte Nicolaas.

«Nein, Gott sei Dank nicht», erwiderte Tobie. «Die Männer von Sarno haben genug getan. Er wird die neuen Schwadronen nehmen, die unruhigen, die noch nicht ihre Feuertaufe erhalten haben.»

«Ich möchte zurück nach Brügge», sagte Nicolaas.

«Das kannst du ja auch, in ein paar Tagen. Wenn du noch etwas länger wartest, komme ich mit. Sonst verschwindest du noch mit all unserem Geld. Weiß Julius, daß ich mit in die Sache verstrickt bin?»

«Er hat sich nicht weiter aufgeregt, als ich's ihm erzählt habe», sagte Nicolaas. «Und was das Geld angeht, werden die raubgierigen Augen von Felix darüber wachen. Da braucht Ihr Euch keine Sorgen zu machen.»

«Natürlich nicht», erwiderte Tobie. «Er hat sich bewährt, nicht wahr? Ich glaube kaum, daß er sein Leben lang auf Schlachtfeldern herumziehen möchte. Du bist doch wirklich ein Genie, weißt du das. Felix einzureden, daß Brügge sein Zuhause ist, daß in Wirklichkeit er die Firma leitet und du bloß der Geschäftsführer seiner Mutter bist, ist wirklich ein Meisterstück. Er kann dich noch nicht einmal entlassen.»

«Nein. Aber ich kann Leute entlassen», sagte Nicolaas.

«Du magst es wohl nicht, wenn man dich auseinandernimmt?» sagte Tobie. «Aber das ist mein Beruf. Und du wirst dich daran gewöhnen müssen, meinst du nicht auch? Ich weiß zuviel.»

«Ihr wißt soviel, wie ich Euch anvertraut habe. Und wenn Ihr Geld gewollt habt, seid Ihr nicht schlecht dabei gefahren. Wenn Ihr Unterhaltung sucht, dann untersucht die Dinge nicht allzuoft allzu genau, sonst ist nichts mehr da, was Euch amüsieren könnte.»

Die nächsten beiden Tage waren ziemlich unangenehm wegen des Aufruhrs im Lager, als eine Reiterschwadron mit der anderen um das Recht rangelte, beim geplanten Angriff dabeizusein und Ruhm und Beute erringen zu dürfen. Unter Qualen an sein Bett gefesselt, versuchte der Graf von Urbino von seinem Zelt aus vergeblich das Durcheinander zu entwirren, konnte aber den Befehl nicht aufheben, den er selbst Alessandro Sforza erteilt hatte. Als der Angriff zur festgesetzten Zeit beginnen sollte, war das halbe Feldlager kampfbereit und nicht nur die drei begünstigten Schwadronen, die Sforza über die Ebene führen wollte.

Diese Vorbereitungen waren dem Feind nicht entgangen. Er schien nicht nur um den Angriff, sondern auch um seinen Umfang zu wissen. Als Sforza aus dem Lager herausstürmte, konnte man sehen, wie Piccinino ebenfalls von seinem Berg herunterkam. Als Sforzas drei Schwadronen von einer Seite plötzlich ins Freie brachen, sprengte ihnen eine ebenbürtige Schar von der anderen Seite entgegen.

Der Sekretär Paltroni stand draußen vor dem Zelt des Grafen und übermittelte diesem die von den Meldegängern überbrachten Nachrichten. Bevor nun die Anweisungen des Grafen zurückgelangen konnten, entschloß sich eine Gruppe seiner weniger intelligenten Offiziere zu weiteren Aktivitäten. Die Tore wurden geöffnet. Eine vierte, hastig aufgesessene Schwadron stürmte hinaus und steuerte im Galopp auf das Herz des Gefechts zu. Auf dem gegenüberliegenden Berg öffnete sich ebenfalls ein Tor und Reiter eilten heraus.

Die beiden ursprünglichen Heeresgruppen stießen auf der Ebene ohne jeden Plan, ohne Strategie aufeinander. Zu dem alles erschütternden Donner der Hufe kam der dumpf ratternde Aufschlag von Schild und Lanze und Pike und das Krachen von Stahl auf Stahl. Fast reglos hing das andauernde Gebrüll der Männer und das kreischende Wiehern der Pferde über der feindlichen Begegnung. Schleier aus rotem Staub stiegen auf, verweilten und bedeckten im Herabfallen die dunkle, glitzernde Masse auf dem Schlachtfeld.

Hinter den Staubschleiern wogte es wie in einem Bienenkorb. Ineinander verhakt, bewegte es sich hierhin und dorthin, die Ränder geformt und wieder umgeformt von den stampfenden Sprunggelenken und runden, herumwirbelnden Kruppen der Schlachtrosse. Die neuen Schwadronen, die im Galopp erst von der einen, dann von der anderen Seite dazustießen, teilten sich und stürzten sich mitten ins Gedränge.

Die Masse breitete sich aus und lockerte sich. Dort, wo der Kampf am schlimmsten gewütet hatte, bildeten sich dunkle Lücken, deren Ursache unsichtbar blieb. Die Schar der Lebenden wirbelte herum, bildete neue Ketten und Knäuel, so daß sich die Gefechtslinie immer weiter ausdehnte. Der bergabwärts fließende Strom der Reiter schien nun nicht mehr abzureißen.

Astorre, der vom höchsten Punkt des Lagers aus mit den anderen Hauptleuten zusah, machte plötzlich auf dem Absatz kehrt und sagte etwas zu Thomas. Kurz darauf saßen die Überlebenden von Sarno ebenso wie das übrige Lager bewaffnet und kampfbereit formiert zu Pferd, beobachteten das Ganze und warteten.

Tobie war nicht unter ihnen, aber Julius, angetan mit Brustharnisch und Helm, den linken Arm von der Binde befreit. Er fühlte Astorres Blick auf sich ruhen, der Hauptmann sagte jedoch nichts. Julius konnte Lanze oder Schwert halten und sein Pferd mit den Knien lenken, wenn es sein mußte.

Es war kein Befehl für eine allgemeine Beteiligung am Kampf ergangen. Aber wenn sie nicht losritten, würde es vielleicht ein Gemetzel dort auf dem Feld geben, wo Piccininos gesamte Truppe über sie herfiel, um sie zu besiegen. Bis jetzt hatte es abwarten geheißen. Aber Tobie war nicht da, und das bedeutete etwas anderes.

Felix hatte seinen stutzerhaften Helm aufgesetzt. Sein Gesicht war blaß und die grauen, tiefliegenden Augen glänzten in ihren Höhlen. Die Hitze spiegelte sich in seiner Rüstung. Sie trugen alle Handschuhe; Astorres ganzes Söldnerheer war mit den blauen Bändern der Charetty versehen. Astorre selbst trug auch seinen besten Helm, den mit Nasenteil. Der Federbusch, der in Mailand noch so tapfer ausgesehen hatte, hing jetzt in sein bärtiges Gesicht hinein, das von heftiger Gemütserregung verzerrt war. Er bellte Thomas auf seiner Seite etwas zu, der dastand ohne zu antworten und mit der Hand immer über das Heft seines Schwerts strich.

Julius sah sich ständig um. Abrami. Manfred. Ein großer Mann in einer guten Halbrüstung hinter ihm sagte: «Ich kann Lionetto nicht sehen. Ist er schon weggegangen?»

Unter dem Helm befand sich das vertraute Gesicht von Nicolaas mit der unvertrauten Narbe und den beiden Grübchen. «Was willst du denn hier?» sagte Julius.

«Die Frauen haben mich vom Lastkarren geworfen», erwiderte Nicolaas. «Bevor ich irgendwas machen konnte. Tobie ist gar nicht da.»

«Ich weiß... Und das bedeutet, daß... Ach du liebe Zeit, da ist er ja», sagte Julius.

Niemand nahm an, daß er von Tobie sprach, obwohl der Arzt vor Urbinos Zelt erschienen war. Sein Blick war auf die Gestalt von Graf Federigo gerichtet, der, steif wie eine Grabstatuette, auf sein Schlachtroß gehoben wurde.

Der Graf trug keine Rüstung. Er hatte sich ein Lederwams geborgt und irgendwer hatte es über dem Verband zugeschnürt, der ihn von der Hüfte bis zum Kinn umgab. Anstatt eines Helms trug er eine leichte Kappe auf den sich lichtenden Locken, die noch vom Kissen plattgedrückt waren. Darunter ragte sein mächtiges, zerklüftetes Gesicht hervor, mit dem tief eingesunkenen Auge und der gebrochenen Nase, die ihn unverkennbar machten.

Dies war nicht die erste Verwundung in seinem Kriegerleben, aber sie hatte ihm den Tod bisher am nächsten gebracht, und das bei einem Waffengang eines freundschaftlichen Tjosts! Nun stellte der Rücken seine schwache Stelle dar. Vor Schmerzen grau im Gesicht, hielt er den Atem an, als er losritt. Aber er steuerte eine erhöhte Stelle an, parierte sein Pferd und bat um die Aufmerksamkeit aller. Trotz der Schmerzen atmete er tief durch, um sicherzugehen, daß seine kräftige Stimme auch tragen würde.

Er machte Alessandro Sforza keine Vorwürfe, sondern sagte nur, daß der Feind offenbar sein gesamtes Heer nach und nach ins Feld zu schicken gedenke, und deshalb müßten sie es ihm gleichtun, wenn sie die heutige Schlacht nicht verlieren wollten. Man hätte ihre Einheiten schon gezwungen, sich allzusehr zu verteilen, und wenn man ihnen nicht zur Hilfe käme, würde dem Feind bald ein Durchbruch gelingen. Dann wäre das ganze Lager verloren und all ihre Hoffnungen, Neapel zu erreichen und König Ferrante bei der Verteidigung der Hauptstadt zu helfen, zunichte gemacht. Er hätte sich gewünscht, daß denjenigen, die schon so hart gekämpft hatten, eine weitere Schlacht erspart geblieben wäre, aber nun käme es leider anders. Gott würde es ihnen vergelten.

Man hatte keine Zeit mehr, um noch viele Worte zu machen. Sie saßen auf. Julius sagte zu seinem ehemaligen Lehrling: «Um Himmels willen. Ist das deine erste Schlacht?»

«Kein Problem», erwiderte Nicolaas. «Einfach obenbleiben und den Kopf einziehen. Was machst du denn hier? Du bist ein Aktuarius.»

«Mir geht's genauso wie dir. Ich fühle mich bei Astorre sicherer als hinten beim Troß. Bleib an seiner Seite und tu das, was er sagt.»

Nicolaas fing an zu lachen. Ehe Julius ihn nach dem Grund fragen konnte, hatten sie die Umgrenzung verlassen und legten an Tempo zu. Als sie sich erst im Trab und dann in leichtem Galopp über die Ebene dem Schlachtgetümmel näherten, knallten über ihnen die Standarten im Wind und die Trompeten schmetterten ihnen voraus.

Die Schlacht von San Fabiano dauerte sieben Stunden. Als endlich die Dämmerung dem Blutvergießen ein Ende bereitete, hatte sich dieses Treffen einen Namen als eines der kostspieligsten seiner Zeit verdient. Vierhundert Pferde waren getötet worden. Wie viele Soldaten ums Leben gekommen waren, war weniger leicht festzustellen, da beide Seiten ihre eigenen Toten bargen. Der Reserveangriff unter dem Grafen von Urbino hatte zwar die unmittelbare Bedrohung seines Feldlagers abgewandt. Aber kurze Zeit danach kämpfte das gesamte Heer Piccininos gegen alles, was Sforza und Urbino zu bieten hatten, und Pardon wurde nicht gegeben.

Der Kampf, nicht länger auf ein zentrales Handgemenge beschränkt, teilte sich und wogte mal in diese, mal in jene Richtung; manchmal war Urbinos Zeltlager gefährdet, dann wurden Piccininos Leute gegen ihren Berghang gedrängt. Tote Pferde lagen wie Findlinge herum. Andere, die verletzt waren und um sich schlugen, behinderten Reiter und brachten sie zu Fall. Überall lagen Männer. Während man kämpfte, konnte man kaum darauf achten, worum man einen Bogen machen mußte.

Später, als die Sonne langsam unterging, trat man vielleicht auf Sterbende oder ritt Männer nieder, die zu Fuß kämpften oder liefen oder wie betäubt dastanden, halb ohnmächtig von der Strapaze, ihren Verletzungen oder der Hitze.

Julius überlebte den Kampf, ebenso Astorre. Er hatte Astorres Talente im Feld nicht umsonst gelobt. Das konnte jener am besten, Männer ins Gefecht führen, sie leiten, sie bei guter Stimmung halten und auf sie achtgeben.

Heute konnte er nicht auf seine Schar achtgeben. Niemand hätte das gekonnt. Die Schützen der Handfeuerwaffen hatten am meisten gelitten, da sie den Nahkampf weniger gewohnt waren. Sie hatten nicht einmal ihre Büchsen bei sich, welche sie hier auch nicht hätten einsetzen können. Dagegen hatten die Armbrustschützen beider Seiten ein wahres Blutbad angerichtet. Julius hatte Abrami fallen sehen, und Lukin, den besten Koch und Beschaffer von Lebensmitteln, den Astorre je gehabt hatte. Der Schmied Manfred hatte schon zu Beginn des Kampfs sein Pferd verloren, war aber heil heruntergekommen und hatte sich ein anderes eingefangen. Später stellte Julius mit Erleichterung fest, daß jener Nicolaas an seiner Seite hatte.

Irgendwann sah er auch Felix bei ihnen, dann preschte der Junge mit auf- und abhüpfendem Helm davon, bis Astorre ihn zurückrief. Die ganze Zeit über hatten alle ein Auge auf Felix und blieben, wann immer es möglich war, an seiner Seite. Er war der Sohn ihrer Herrin, kostbar und leider auch tapfer genug, um beträchtliche Risiken einzugehen. Julius verbrachte einen nicht unerheblichen Teil der Zeit, in der er gerade nicht kämpfte, damit, nach dem jungen Felix Ausschau zu halten. Er bemerkte, daß Nicolaas es ebenso machte. Sogar Tobie. Am meisten überraschte ihn der Anblick von Tobie, der ohne Helm und mit seinem Pferd am Zügel dastand, um der bandagierten Gestalt des abgesessenen Grafen Federigo mit der freien Hand wieder in den Sattel zu helfen. Dann wurde Julius vom Gefecht fortgerissen, so daß er Tobies Kahlkopf aus den Augen verlor.

Nach und nach war sein Arm so oft getroffen worden, daß er ihn nicht mehr spürte und sich seine Hand im Panzerhandschuh wie ein Fleischklumpen anfühlte. Julius hob den Kopf und machte seine trockenen, brennenden Augen weit auf. Die Sonne ging langsam unter und das Schlachtfeld war mit den dunklen Körpern der Gefallenen übersät.

Die übriggebliebenen Reiter bewegten sich auf stolpernden Pferden langsam voran und blockierten ihrem Feind eher mit ihrer physischen Anwesenheit den Weg, als mit spitzen Lanzen oder herumwirbelnden Schwertern. Das Gefecht erlahmte und die zerstreuten Söldnergruppen sammelten sich wieder, schmolzen zu hartnäckigen Blöcken zusammen, forderten einander aber nicht mehr zum Kampf heraus. Die Luft, rosig koloriert, war erfüllt von einem herabstoßenden Schwarm zierlicher kleiner Vögel, deren Gezwitscher aber im anschwellenden Geschrei der Verwundeten unterging.

«Stellt euch auf», sagte Astorre. «Bildet eine Linie. Der Graf läßt zum Rückzug blasen.»

Tobie war immer noch beim Grafen. Manfred. Dann Nicolaas, der nach hinten sah, und hinter ihm, du liebe Zeit, Lionetto. Thomas war da. Felix? Julius verrenkte sich den Hals. Ein Glitzern weckte seine Aufmerksamkeit. Auf der anderen Seite des Schlachtfelds zog Piccinino ebenfalls seine Männer zurück, auch seine Trompeter warteten schon.

Überall waren noch Männer zu sehen, die zu Fuß zurückkamen oder träge weiterkämpften, da sie das Absetzen noch nicht bemerkt hatten.

Auch Felix befand sich barhäuptig und ohne Pferd unter ihnen. Er kämpfte zwar nicht mehr, sah aber aus, als suchte er irgend etwas. Julius rief ihn laut. Astorres Stimme, die noch lauter war, ließ Felix hochsehen, als gerade die Trompeten einsetzten, und er begriff, daß die Schlacht vorüber war. Lächelnd richtete er sich auf und winkte. Den Helm trug er unter den Arm geklemmt; der scharlachrote Federbusch hing nach unten, der Adlerkopf funkelte der Sonne entgegen. «Lauf, du Dummkopf!» rief Julius.

Er hatte Felix gemeint. Es war aber Nicolaas, der seinem Pferd die Sporen gab und aufs Schlachtfeld sprengte, Felix entgegen. Er ritt einen Halbkreis, um zwischen die sich sammelnde feindliche Linie und Felix' Rücken zu gelangen. Felix, der plötzlich aufwachte, winkte ihm eilig zu und fing an zu laufen. Nicolaas warf sein Pferd herum, um ihn zu überholen und neben ihm zu galoppieren.

Der Rückzug war noch nicht ganz abgeschlossen. Die Trompeter Piccininos hatten noch nicht ihr Antwortsignal ertönen lassen, obwohl seine Truppen sich schon fast formiert hatten. Vielleicht zog gerade der einzelne Reiter, der aus Urbinos Gruppe hervorbrach, das Auge eines guten Armbrustschützen auf sich. Selbst in dem schon schwachen Abendlicht war ein Reiter ein leichtes Ziel.

Julius, der die kleine Rettungsaktion beobachtete, sah die Waffe aufblitzen und schrie. Nicolaas hörte ihn. Es machte aber keinen Unterschied. Der Bolzen war schon auf dem Weg.

Nicolaas hatte sein Pferd angehalten und beugte sich herab, um Felix in den Sattel zu ziehen, als dieser scharf die Luft einzog. Sein Mund öffnete sich. Statt hochzuspringen, sank er langsam in die Knie. Einen Moment später hatte Nicolaas die Zügel weggeworfen und kniete neben ihm. Sie konnten sehen, wie er Felix bei der Schulter nahm und ihn dann festhielt, auf seinen Rücken sah. Der Bolzen zwischen seinen Schulterblättern war gut zu erkennen.

Julius zwang sein Pferd vor, saß dann aber ab und lief zu Fuß. Er sah, daß Tobie es ihm gleichtat. Nach diesem letzten Schuß hatten sich die Lebenden vom Schlachtfeld zurückgezogen. Auf keiner Seite regte sich noch etwas; man hob nur noch die Verwundeten auf. Die Trompeten hatten die letzte Kadenz ihrer Fanfare erreicht. Julius trat neben den verwundeten Jungen.

Tobie war schon da, hinter Felix. Er berührte ihn nicht, schaute nur zu Nicolaas empor und dann zu Julius, wobei er ein wenig den Kopf schüttelte.

Nicolaas hatte mit Felix gesprochen. Das leise Murmeln hielt auch an, als Julius schon neben ihm stand, er konnte es aber nicht verstehen. Manchmal stellte Felix eine Frage, und Nicolaas antwortete ihm. Er hatte eine Hand unter den Arm des Jungen gelegt und hielt ihn so hoch; die andere lag über dem mörderischen Bolzen ausgebreitet und hielt Felix' Kopf nach vorn, so daß seine Wange auf Nicolaas' Schultern ruhte. Sein kurzgeschnittenes Haar bewegte sich etwas in dem leichten Wind, der sich in der Dämmerung erhoben hatte.

«Du kannst ihn hinlegen, wenn ich den Bolzen herausgezogen habe», sagte Tobie. «Er wird es nicht mehr schaffen, Nicolaas.»

«Er weiß es», sagte Nicolaas.

Julius schaute nach unten. Irgendeine Botschaft mußte zwischen ihnen hin- und hergegangen sein. Dann wandte er seinen Blick von Felix ab und fand Tobie, sagte zu ihm: «Ja. Ehe die Schmerzen stärker werden.»

Anderswo wimmerten Männer auf dem Schlachtfeld, aber Felix

gab keinen Laut von sich, als der Armbrustbolzen herausgezogen wurde, wenn auch Julius das Hervorspritzen des Blutes vernahm. Tobie hakte ihm den Brustharnisch auf und Nicolaas löste seinen Griff, ließ den schmächtigen, sehnigen Körper vorsichtig zu Boden gleiten.

Felix sah hager aus, so wie er aussah, wenn er in der Nacht zuvor zuviel getrunken oder sich zu sehr aufgeregt oder zuviel Zeit mit Grielkine verbracht hatte. Seine großen, seichten, glanzlosen Augen waren nur auf Nicolaas gerichtet. «Warum hast du meine Mutter geheiratet?» fragte er.

«Weil ich euch beide liebe», sagte Nicolaas.

Kurz darauf sagte Tobies ruhige Stimme: «Drück ihm die Augen zu.»

Nicolaas trug Felix de Charetty vom Schlachtfeld ins Zelt zurück, wenn Loppe ihm auch beim letzten Stück behilflich war. Dann schlug der Arzt die Zeltklappe herunter und kam erst nach einer ganzen Zeit wieder heraus.

Nicolaas kam überhaupt nicht wieder heraus und mußte dort wohl geschlafen haben. Als er am nächsten Tag in Astorres Zelt stand, waren seine Satteltaschen schon gepackt. Wortlos ging er an Julius und den anderen vorüber. Tobie war es, der verkündete: «Nicolaas meint, und da hat er, finde ich, recht, daß man der Mutter des Jungen so schnell wie möglich die Nachricht überbringen sollte. Nach der Beerdigung reitet er los, ob mit oder ohne Fieber. Er nimmt Loppe mit, aber ich wäre ruhiger, wenn du auch mitgingest. Das heißt, falls du überhaupt nach Brügge zurückgehst.»

Julius kannte den Kalender. Heute war Mittwoch, der 23. Juli. Wie eilig man auch immer reiten mochte, Marian de Charetty würde den Tod ihres Sohnes erst nach vielen Wochen erfahren, vielleicht erst im September. «Und was ist mit dir?» fragte er. «Nein, natürlich nicht. All die Verwundeten.»

Die Augen des Arztes waren geschwollen vor Schlaflosigkeit. «Ich hab alle Hände voll zu tun. Eine sinnlose Tragödie, wenn es je eine gab. Wir sind am schlechtesten dabei weggekommen, scheint mir. Aber Piccinino wird wohl so bald nicht wieder angreifen, wenn er es überhaupt noch einmal tut – er hat zu hohe Verluste gehabt. Astorre wird bis zum Ende seines Vertrags hierbleiben, und ich lasse ihm dann natürlich Gottschalk da. Ich komme nach Brügge, sobald es geht.»

«Dann reite ich auch», sagte Julius. «Felix, Claes und ich. Wir haben eine Menge zusammen erlebt, und Felix war ein guter Junge. Aber ich hätte nicht gedacht...» Er brach ab.

Der Arzt richtete seinen seltsamen Turmfalkenblick auf ihn. «Daß Nicolaas so darauf reagieren würde? Wir beide haben den Tod auf dem Schlachtfeld schon gesehen. Für ihn war es das erste Mal.»

«Ja. Und außerdem muß er der Mutter des Jungen vor Augen treten. Der Witwe. Seiner Frau», sagte Julius mit unbewegtem Gesicht.

Kapitel 37

In Mailand musste Messer Gaston du Lyon, der zu Tode gelangweilt und entnervt im Hospitio Puthei saß, plötzlich zu seiner Überraschung feststellen, daß zwei Mitglieder jener so außergewöhnlichen kleinen Handelsgesellschaft der Charetty ohne Ankündigung in die Stadt gekommen waren.

Nachforschungen ergaben, daß sie die Nacht in einer Schenke verbrachten, wenn auch nicht in ihrem gewohnten *Gasthaus zum Hut*. Sie hatten einen Geschäftsbesuch gemacht, um dem Sekretär des Herzogs von Mailand die unglaubliche Nachricht von der Niederlage bei San Fabiano zu überbringen (ein schwerer Schlag für den Herzog, der schon die Verluste von Sarno zu verkraften hatte). Dann, so sagte sein Informant, seien die jungen Männer in ihren Gasthof zurückgekehrt, ohne auch nur den Versuch zu machen, das Castello, die Acciajuoli oder die Piazza Mercanti zu besuchen oder noch ein wenig spazierenzugehen.

Am Morgen wollten sie in den Norden abreisen. Der eine sei der vielversprechende Jüngling, den Gastons Herr, der Dauphin, damals bei der Jagd in Genappe befragt hatte. Falls er Botschaften bei sich hatte, würde Gaston gern wissen, was für welche. Gaston hatte auch noch einige, die Nicolaas mitnehmen könnte.

Gaston du Lyon, Kammerherr, persönlicher Diener und Vorleger des allerdurchlauchtigsten Dauphin von Vienne, Erstgeborenen des allerchristlichsten Königs von Frankreich, entsandte ein Marzipanpräsent und fünf Hausdiener, um M. Nicolaas und seinen Gefährten abzuholen und sie ins Hospitio zu bringen, ehe es noch später wurde.

Sie kamen, ohne sich zuvor umgezogen zu haben, was wenig respektvoll war, aber nichts direkt Ungewöhnliches, wenn Männer eilig ritten, um Nachrichten zu überbringen. Sie hatten an der Schlacht tatsächlich teilgenommen. Der Vergnügte, Nicolaas, hatte sich erheblich verändert seit der denkwürdigen Episode mit der Lawine. Das war aber nicht weiter verwunderlich, wenn man bedachte, womit er nun zu tun hatte. Der andere, ein gutgebauter Bursche, den er von ebendieser Episode her noch erinnerte, war der Aktuarius der Charetty, Messer Julius. Sie hatten einen schwarzen Diener dabei, einen hünenhaften Kerl, der draußen auf sie wartete.

Man erstattete Messer du Lyon kurz über die Kämpfe in den Abruzzen Bericht. Die meiste Zeit sprach der Aktuarius. Zu Messer du Lyons Enttäuschung führte Nicolaas keine Geheimbotschaften mit sich und wollte auch keine annehmen. Er interessierte sich auch nicht für die Neuigkeiten, daß Prosper de Camulio in der Stadt und auf dem Weg nach Genappe sei. Gaston du Lyon, der ein feines Ohr für Gerüchte hatte, wollte gern wissen, warum dieser Bursche Nicolaas angeblich einige Zeit mit Prosper de Camulio und den Venezianern verbracht hatte, ehe er südwärts in die Abruzzen ritt. Laudomia Acciajuoli, bei der man vorsichtig nachgefragt hatte, behauptete, nichts davon zu wissen und sich nicht darum zu kümmern. Hingegen hatte der Arzt des Herzogs, Giammatteo Ferrari, verhaltenes Interesse gezeigt.

Gaston du Lyon war von Nicolaas enttäuscht. Schließlich hatte er ihm schon eine Reihe von Gefallen getan. Ohne ihn hätte Messer Nicolaas den jungen Felix im Mai niemals aus Genf weggelockt bekommen. Der Junge war übrigens tot. Er hatte gefragt. Auf jeden Fall hatte der Dauphin auch mit dem jungen Herrn Felix abgeschlossen. Er war nicht diskret gewesen.

Der Kammerherr war pikiert und machte sich nicht sogleich die

Mühe, seine eigenen Neuigkeiten anzubringen. Er wies Nicolaas die kalte Schulter und erzählte vom neapolitanischen Krieg: Nach Sarno hatte Herzog Jean überraschenderweise keinen Gebrauch von seinem Sieg gemacht und war nicht nach Neapel gekommen. Vielleicht konnte man die Stadt noch retten, wo die Zeit für Kämpfe bald vorüber sein würde. Die Kaufleute würden aufatmen. Ebenso der Herzog von Mailand. Er hatte, so sagte man, hunderttausend Golddukaten ausgegeben, um Herzog Jean von Genua und Neapel fernzuhalten. Oder es ihm zumindest schwerzumachen. Und der Papst, hieß es, plante schon eine Rache für Sarno, indem er ein neues Heer nach San Severino entsandt hatte.

In England hatten die Anhänger Yorks London besetzt. Es sah so aus, als würde König Henry den Krieg verlieren, so daß Seine Allerdurchlauchtigste Majestät, der Vater des Dauphin, jetzt wohl kaum etwas gegen Burgund unternähme.

Der Aktuarius, der ganz aufgeweckt war, reagierte angemessen und stellte intelligente Fragen. Der junge Nicolaas sagte immer noch sehr wenig. Seit Genf war das Mal auf seiner Wange sehr verblichen. Und man durfte nicht vergessen, daß er die Geheimschrift der Medici entschlüsselt hatte.

Mit nur etwas zu dick aufgetragener Höflichkeit sagte Gaston du Lyon: «Ich sollte Euch nun nicht länger aufhalten, da Ihr so erschöpft seid. Ist Euer Anliegen in Burgund denn dringend, Freund Nicolaas? Oder könntet Ihr ein wenig bei der Genfer Messe verweilen?»

Diesmal reagierte der Jüngling sofort. Das erinnerte Gaston an jenes abendliche Kartenspiel bei Monna Laudomia. «Sollen wir dort vorbeischauen?» fragte Nicolaas.

Gaston du Lyon warf ihm einen amüsierten Blick zu, der auch vom Dauphin hätte kommen können. «Falls Ihr mit de Fleury Geschäfte machen solltet», sagte er dann, «treibt Eure Forderungen ein, ehe die übrigen Gläubiger die Goldkisten plündern.»

«Ah, verstehe», entgegnete der Jüngling.

Messer du Lyon hatte zwar nicht darauf gehofft, auf beide Wangen geküßt zu werden, war aber trotzdem enttäuscht. Es war der andere, der Rechtskundige, der sich überrascht aufrichtete und sagte: «Monsieur? Was habt Ihr da gesagt?»

Gaston du Lyon wandte sich ihm zu: «Nur eine kleine Neuigkeit.

Die Bankkunden Thibault und Jacques de Fleury sind bankrott erklärt worden.»

«Seid Ihr sicher?» wollte der Aktuarius wissen.

Messer du Lyon hielt verblüfft inne, verzieh dem Burschen dann aber nach kurzem Nachdenken. Jener war sicherlich sehr aufgeregt. «Ja», sagte Messer du Lyon. «Es gibt gar keinen Zweifel. Sie haben alles verloren. Es hat eine große Aufregung gegeben deshalb. Sie hatten viele Gläubiger.»

«Nicolaas?» sagte der Aktuarius. «Nicolaas. Jaak de Fleury.»

«Ja, ich habe gehört», entgegnete der Kurier. «Ich bedanke mich für diese Nachricht. Messer du Lyon, Ihr müßt uns entschuldigen. Wir müssen morgen früh aufbrechen.»

«Ihr reist nach Brügge», sagte Gaston du Lyon. «Aber werdet Ihr auch in Genappe vorbeischauen können? Mein Herr, der Dauphin, würde Euch bestimmt sehr gern sehen und von den Neuigkeiten hören. Der Tod des armen Jungen, den er wie einen Sohn geliebt hat.»

«Ich werde tun, was ich kann», erwiderte Nicolaas. «Aber ich meine, auf beiden Seiten sind die Schulden ehrenhaft beglichen worden. Monsieur, ich danke Euch.»

In der Diplomatie begriff man, wenn ein Vertrag beendet war. Offenbar hatte sich ein anderer, gewinnträchtigerer irgendwo geboten. Er würde den Dauphin warnen. Flüchtig fragte er sich, ob dieser junge Mann wohl wußte, wie schlecht es dem Vater des Dauphin ging. Gaston du Lyon begleitete seine Besucher lächelnd zur Tür.

Wäre er mit ihnen gegangen, hätte es ihn amüsiert, den Aktuarius neben der hochgewachsenen, stummen Gestalt seines ehemaligen Lehrlings wahre Luftsprünge aufführen zu sehen, die nichts von seiner berufsüblichen Zurückhaltung ahnen ließen. Der schwarze Diener ging mißbilligend hinter den beiden her.

«Jaak de Fleury!» rief Julius. «Herr der Goldtruhen. Dieser aufgeblasene Dreckskerl, der seine Diener ausblutete. Wie mich zum Beispiel. Und diese arme Frau so manipuliert hat, wie es ihm paßte. Dich hat er wie einen Hund behandelt. Erzähl mir nicht, daß es anders gewesen ist. Bankrott! Ist es die Möglichkeit!»

«Ja», sagte Nicolaas.

«Und?» fragte Julius.

Es überkam ihn wieder jene Gereiztheit, die er merkwürdigerweise verspürte, seit sie Urbinos Heerlager in San Fabiano verließen. Natürlich erwartete er von Nicolaas nicht, daß er den verrückten Hanswurst von jener Leichtergeschichte damals in Damme, vom Waterhuus-Streich oder von den Eskapaden mit Mädchen und Ziegen spielen sollte. Aber er hatte nicht damit gerechnet, daß jener sich in acht Monaten zu einer verheirateten Version Lorenzo Strozzis entwickeln würde.

«Du machst dir wohl Sorgen wegen all der Stoffe, die wir geschickt haben, und wegen des Geldes, das Fleury uns schuldet», sagte er dann. «Na gut, dann kannst du das Geschäft in Brügge eben nicht wiederaufbauen, aber da ist ja immer noch Löwen und die *condotta*. Man kann eben nicht alles hinbekommen. Herrgott noch mal», sagte Julius. «Ist es all das nicht wert, wenn man nur an Jaak de Fleurys Gesicht denkt?» Er hielt inne und gab seiner Phantasie Raum. «Und der Demoiselle wird es auch zupaß kommen. Zumindest weiß sie jetzt, daß sie die Fleurys und ihre ewigen Intrigen los ist. Willst du schon hineingehen?»

Nicolaas war durch die Tore des Gasthofs gegangen, ohne ein Wort zu sagen. Im Nachglanz des Sonnenuntergangs sah man ein Paar gesetzter, gutgepflegter Wagenpferde stehen, die von livrierten Dienern gehalten wurden. Ihr Geschirr war mit bestickter Seide verziert und die Embleme auf Diener und Pferden waren den beiden jungen Männern von den Falken, Diamanten und Federn im Innern eines gewissen Palazzos wohlbekannt. Dazu das Motto, das in die Schabracken eingewebt war. *Semper* hieß immer. Und *immer*, das waren die Medici.

«Wir haben Besuch», sagte Nicolaas. «Wir könnten weggehen und warten, bis sie verschwunden sind. Aber ich weiß nicht so recht. Ich bin müde.»

Früher war es überhaupt nicht wichtig gewesen, wie Claes sich fühlte. Man wußte es gar nicht. Aber nun war seine unglaubliche Energie natürlich von all den Aufregungen und dem Fieber angegriffen, und er mußte sich überlegen, ob er dieses Reisetempo beibehalten wollte. Nicolaas war immer schon ein guter Planer gewesen. Ohne viel Überzeugung in der Stimme sagte Julius: «Vielleicht warten sie ja auf jemand anderen.» Dann schlüpfte Loppe, der seine Kunst des Gedankenlesens von Felix auf Nicolaas übertragen zu haben schien, hinein und kam mit einer Grimasse und einem Rapport in seinem eleganten, herzöglichen Italienisch wieder zurück. Die Besucher waren nicht nur ihre, sondern saßen schon in ihren Zimmern, um auf sie zu warten. Der Wirt hatte gewußt, was er den Herren Pigello und Accerito Portinari von der örtlichen Filiale der Medici schuldig war.

«Sie werden nicht den ganzen Abend lang warten», sagte Loppe. «Ich könnte Euch anderswo ein Zimmer besorgen.»

Er hatte sich an Nicolaas gewandt. Es war Julius schon aufgefallen, daß er oft mit Nicolaas wie ein Mann zum anderen redete und keineswegs wie ein Sklave zum Mann seiner Herrin. Nicolaas bemerkte das offenbar gar nicht, sondern stand in Gedanken versunken da, bis er schließlich sagte: «Nein. Es ist wohl besser, wenn wir sie begrüßen. Aber du brauchst nicht aufzubleiben.»

Loppe rührte sich nicht. «Wenn es für einen spät ist, ist es auch für drei spät. Die Herren Portinari könnten ja morgen wiederkommen.»

Diesmal sah Nicolaas ihn an, zeigte aber weder Überraschung noch Gereiztheit. Er sagte einfach nur: «Nein. Ich will morgen frühzeitig aufbrechen.» Und Loppe schickte sich sofort drein, sandte seinen Herren nur einen Blick nach, wie Julius bemerkte, als sie den Gasthof betraten und die Treppe zu ihrem Zimmer hinaufstiegen. Dort saßen ohne jedes Anzeichen von Ungeduld Pigello Portinari und sein Bruder und Handelsvertreter Accerito.

Messer Pigello, der einen kurzen, leichten Überrock mit tiefangesetztem Gürtel trug, der seiner Korpulenz schmeichelte, hatte eine ungewöhnlich frische Farbe in seinem ausdruckslosen, eingefallenen Gesicht mit der langen Nase. Sein auffallender Hut war in der Mitte mit einer großen Goldschmiedearbeit verziert, die von einem Smaragd mit Tafelschnitt gekrönt wurde. Er trug tatsächlich noch mehr Ringe an den Fingern als das letzte Mal, da Julius ihm begegnet war, als er und Astorre ins Palazzo kamen, um die herzögliche Gutschrift für die *condotta* zu hinterlegen. Seine übliche liebenswürdige Herablassung hatte sich zu offener Freundlichkeit aufgeschwungen. Auch Accerito, der eine kleinere Brosche trug, machte einen sehr selbstzufriedenen Eindruck.

Julius fragte sich, ob Messer Pigello sich wohl an Claes erinnern konnte, den Burschen, der Pierfrancescos Pferde gebracht hatte, dann fiel ihm aber ein, daß Felix gesagt hatte, er und Nicolaas hätten Pigello hinterher noch einmal aufgesucht. Irgendwelche undefinierten Geschäfte. In jener geheimnisvollen Mission, für die Nicolaas Julius' Mitarbeit benötigte, und von der er nichts mehr gehört hatte?

Jedenfalls nahmen die Brüder Portinari Nicolaas' Erscheinen in der gleichen Weise zur Kenntnis wie sein eigenes. Sie waren leutselig.

Sie waren leutselig und vorwurfsvoll, genauso wie der Kammerherr des Dauphin. Da die Charetty-Handelsgesellschaft die Casa Medici mit Geschäften beehrte, möchten Messer Niccolo und sein Aktuarius doch so freundlich sein, in Mailand vorzusprechen. Messer Niccolo hatte doch sicher schon von der Schließung des Betriebs von Thibault und Jaak de Fleury gehört?

Gleich war es Julius besser zumute, trotz des Irrtums, in dem sie befangen zu sein schienen, was Nicolaas' Rang anging. *Messer!* Ach nein, das hatte er ja ganz vergessen. Die lächerliche Heirat. Trotzdem war er froh darüber, sich dieser Begegnung nicht entzogen zu haben. Er überlegte noch, ob er Nicolaas nach Erfrischungen schicken sollte und sah dann etwas gereizt ein, daß das seine eigene Aufgabe war. Als er sich entschuldigte, sah Nicolaas sich kaum um und dachte auch nicht daran, ihn aufzuhalten.

Julius beeilte sich. Er wollte brennend gern erfahren, wie schlimm die Fleury-Katastrophe gewesen war. Als er mit dem Diener zurückkehrte, war auf dem Tisch kein Platz mehr für die Kelche, soviel Papier war dort ausgebreitet. Es schien sich vorwiegend um Zahlenkolonnen zu handeln. Die großen Hüte von Pigello und Accerito wogten auf und ab, wobei sie fast wie Hochzeitsglocken läuteten, während ihre Besitzer sich über die Zahlen unterhielten. Nicolaas, dessen Haar sich in der Hitze gekräuselt hatte, saß in seiner ordentlichen, von der Reise beschmutzten Jacke da und schien sie zu beobachten. Wenn sie verstummten, sagte er manchmal etwas dazu.

Julius, der sich selten die Mühe machte, Gesichter zu studieren, bemerkte, daß Nicolaas müde und nicht sonderlich entgegenkommend aussah. Julius schenkte Wein ein und bemühte sich, die Atmosphäre aufzulockern. Schließlich war der Fall von Jaak de Fleury ein Grund zum Feiern.

Die Brüder Portinari nahmen mit ambrosianischer Höflichkeit den Wein entgegen und blätterten dann weiter, wobei sie sich ausschließlich an Nicolaas wandten. «Ist mir etwas entgangen?» fragte Julius.

Alle sahen auf. Messer Pigello schaute kurz von Julius zu Nicolaas und wieder zurück. Dann sagte er: «Es geht um eine hohe Summe. Natürlich will ich die Verantwortung auf mich nehmen, aber ich hätte gern, daß Ihr und Euer Partner alles überprüft. Und dann ist da natürlich noch die Waffensendung in Piacenza. Die Bestellung wurde bei Messer Agostino durch Messer Tobias aufgegeben.»

«Sie wurde für Thibault und Jaak de Fleury gemacht», sagte Julius schnell. Alle sahen ihn an. Plötzlich fing sein Gesicht an zu brennen. Er sagte: «Und diese Aufstellungen sind...»

«Guthaben, die Eure Gesellschaft bei Messer de Fleury hatte», sagte Messer Pigello. Die Ungeduld, die in seiner wie stets höflichen Stimme mitschwang, fiel kaum auf. «Und die entsprechenden Gutschriften für das Gold und den Besitz von Thibault und Jaak de Fleury, bei ihrem Handelsvertreter Maffino in Italien hinterlegt und von uns für Euch sichergestellt und eingezogen, sobald der Bankrott öffentlich wurde. All das kommt natürlich zu den Forderungen hinzu, die wir, wie Ihr ja wißt, im Juni von der Charetty-Handelsgesellschaft übernommen hatten. Glücklicherweise sind wir frühzeitig vor dem Genfer Bankrott gewarnt worden, so daß wir uns ausreichend schadlos halten konnten.

«Normalerweise», sagte Messer Pigello, «ist eine weitblickende Firma gegen Katastrophen zu Wasser versichert. Aber ein Kaufmann denkt nur selten an Katastrophen zu Land und daran, entsprechende Vorkehrungen zu treffen. Die Demoiselle de Charetty ist eine Ausnahme unter Geschäftsleuten.»

«Wie ist de Fleury denn Bankrott gegangen?» fragte Julius plötzlich. Nicolaas, das Kinn am Rand seines leeren Bechers, vermied seinen Blick.

«Eine sehr, sehr hohe Abhebung von Kapital. Mehr wissen wir nicht. Dazu kamen die Forderungen der Gläubiger, sobald das Defizit bekannt wurde. Ihr wißt ja, daß zu dieser Zeit die Augustmesse stattfindet. Kleine Kaufleute, die sich schon auf Einkäufe festgelegt haben, riskieren selbst einen Bankrott, wenn sie ihre Guthaben, die sie vertrauensvoll bei solch einer Firma hinterlegt haben, nicht abheben können. Firmen wie Eure, die Stoffe auf Kredit verkauft haben, werden wahrscheinlich weder die Stoffe noch das Geld wiedersehen.» Messer Pigello hielt inne und sah seinen Bruder an. «Daraus sollte jeder Kaufmann eine Lehre ziehen, auch unser Zweig in

Brügge. Niemals einen Kredit zu verlängern, ganz gleich, um welche Firma oder Persönlichkeit es sich handeln mag.»

«Also haben wir nun die an Jaak de Fleury noch nicht gelieferten Waffen als Entschädigung», sagte Julius. «Und was sonst noch?»

Nicolaas stellte seinen Becher hin und schob ihm mit dem Ellbogen ein Blatt hinüber. «Das. Genug, um das Geschäft aufzukaufen, wenn davon noch etwas übrig ist.»

«Nicht vom Genfer Geschäft», entgegnete Pigello Portinari. «Sie haben es zerstört. Ich sagte Euch ja schon, das Ganze sprach sich herum. Es gab viele kleine Gläubiger. Irgendein Hitzkopf führte einen Massenansturm an, die Menge stürmte die Gebäude, nahm sich alles, was sie finden konnte und zündete den Rest an. Der Besitzer entkam. Jaak de Fleury. Es gibt noch einen älteren Bruder, einen stillen Teilhaber namens Thibault in der Nähe von Dijon. Unsere Filiale in Genf meint, Jaak de Fleury sei wohl dorthin gegangen. Natürlich muß ich Euch bitten, unseren Geschäftsführer Francesco Nori in Genf aufzusuchen. Er hat noch Stoffe von Euch, und ein paar andere Dinge.»

«Das ist ja ganz unglaublich», sagte Julius. Ihm war etwas benommen zumute. Was auf den ersten Blick wie himmlische Rache ausgesehen hatte, war nun in ein Verhängnis umgeschlagen. Nicolaas, dessen reglose Hände noch auf dem Tisch lagen, betrachtete den Geschäftsführer so eindringlich, daß sein ganzes, kräftiges Gesicht zu einem Prüfgerät geworden zu sein schien. Julius ging auf, daß es eine Frage gab, die niemand gestellt hatte. «Und was ist aus der Frau von Jaak de Fleury geworden?» fragte er. «Der Demoiselle Esota?»

Messer Pigello hatte den dringenden Wunsch, seine Papiere zu ordnen. Er ließ einen fragenden Blick über die Runde gehen und fing dann von niemandem gehindert an, sie zusammenzulegen und einen säuberlichen Stapel zu formen. «Ach, das ist eine traurige Geschichte, wie ich gehört habe», erwiderte er dann. «Die Menge meinte es nicht böse. Aber die Dame war wohl schwer gebaut und leicht erregbar. Anstatt still wegzugehen, versuchte sie einigen den Weg zu versperren und rief andere dazu auf, ihr zu helfen. Man schenkte ihr keine Beachtung und drängte sich vorbei. Sie fiel hin, man trat auf sie. Aber es war ihr eigenes Gewicht, das sie umbrachte. Ihr kanntet sie?»

«Ja», erwiderte Nicolaas. «Nein, mit so etwas konnte sie nicht fertig werden.»

Messer Pigello sah ihn an. «Man mag vielleicht sagen, daß ihr Mann sie nicht hätte zurücklassen sollen. Aber man soll nicht richten. Aus Angst und Gier tun Menschen die seltsamsten Dinge. Wir als Bankiers wissen das. Aber nun zur Konkursmasse.»

Nicolaas sagte: «Die Demoiselle muß sich damit einverstanden erklären, und Meester Julius soll uns beraten. Ich würde vorschlagen, daß die Waffen in Piacenza bleiben, das Silber bei Messer Tani in Brügge deponiert und das Tuch von Eurer Filiale hier und in Genf verkauft wird. Der Erlös abzüglich Eurer Kommission kann unserem Konto hier gutgeschrieben und Hauptmann Astorre zur Verfügung gestellt werden. Messer Julius?»

Messer Julius war einverstanden. Viel anderes blieb ihm auch nicht übrig. Er sagte sehr wenig, als der Geschäftsführer der mailändischen Medici und sein Bruder ihre Papiere einpackten und förmlich ihren Abschied nahmen. Als er merkte, daß Nicolaas keine Anstalten machte, über die Schwelle zu treten, begleitete er die würdigen Bankiers selbst nach unten und über den Hof zu ihren Pferden. Draußen war es dunkel, und die Mauersegler hatten sich zur Ruhe begeben.

Als er zurückkam und auf dem letzten Treppenabsatz stand, hörte er Glas bersten, und sobald er ihr Zimmer betrat, knirschten seine Sohlen auf Glassplittern. Die zum Glück leere Weinkaraffe lag unter dem Fenster, wo sie mit solcher Wucht gelandet war, daß der ganze Fußboden glitzerte.

«Tut mir leid, ist mir heruntergefallen», sagte Nicolaas. Er war so blaß, als hätte er den ganzen Tag in einer Färberwerkstatt zugebracht, schaute aber sonst ganz ungerührt drein.

Julius sagte: «Du hast ja eine schöne Schweinerei auf dem Fußboden angerichtet! Hättest du nicht auch ein Vermögen verdient und meine Arbeitgeberin geheiratet, würde ich dich dafür vielleicht verprügeln. Da kommt jetzt entweder Loppe oder unser Wirt, der wissen will, ob wir seine Fenster eingeworfen haben. Du wirst ihm Rede und Antwort stehen. Und sowie das hier wieder weggefegt ist, möchte ich wissen, was hier überhaupt vor sich geht. Alles.»

Aber er erfuhr gar nichts. Während Loppe ohne ein Wort zu sagen die Splitter zusammenfegte, machte sich Nicolaas trotz der vorgerückten Stunde daran, alles für ihre Abreise am nächsten Morgen vorzubereiten. Ehe er zurückkam, hatte Julius sich noch eine weitere Weinkaraffe bestellt, diesmal eine aus Zinn, und hielt eine private Feierstunde ab, die ihn schließlich ins Bett führte.

Nachdenklich lag er eine Zeitlang da. Einen jungen Burschen unterhaltend zu finden, der die Stirn hat, die eigene Herrin zu heiraten, ist eine Sache. Unter ihm zu arbeiten ist eine andere. Die Art, wie Tobie mit Nicolaas umging, hätte ihn warnen sollen. Wenn er gemeinsam mit den anderen bei dieser neuen Operation mitmachen wollte, würde er es lernen müssen, Nicolaas so zu nehmen, wie Portinari ihn nahm – als Mitarbeiter.

Er hatte die Abruzzen mit der Bereitschaft verlassen, welche Aufgabe auch immer zu übernehmen, zumindest solange das Heer noch nicht wieder voll einsatzbereit war. Nicolaas, der in der letzten Zeit leicht ermüdete, hatte es immer wieder verschoben, ihm Genaueres zu dieser neuen Operation mitzuteilen, aber ehe sie in Brügge ankamen, würde er wohl alles darüber wissen. Nach dem, was er heute gesehen hatte, zweifelte er nicht daran, daß es etwas sehr Einträgliches sein würde. Nicolaas war ein sehr junger Mann mit Gaben, die ihm natürlich schon aufgefallen waren. Aber es gab Anzeichen für Züge, die darüber hinauswiesen. Seltsamerweise hatte auch Felix angefangen, den einst so gedankenlos benutzten Diener wie einen Ebenbürtigen zu behandeln. Hatte an diesen Verhandlungen teilgenommen. Und, was das Erstaunlichste war, hatte darüber geschwiegen. Felix war nicht mehr da. Nun würden die kleinen Töchter die Handelsgesellschaft erben, und die Männer, die sie ehelichten. Aber das betraf nur die Charetty-Gesellschaft. Nicolaas verfolgte inzwischen auch seine eigenen Unternehmungen. Wenn er die richtigen Leute hinter sich hatte, würde er vielleicht schon bald mehr erreichen, als sich irgendwer hätte träumen lassen. Da wurde der eigene Stolz empfindlich berührt. Sein Mitarbeiter werden. Und ihn vielleicht ein bißchen weiterführen, als er allein kommen würde.

Wäre Nicolaas älter, hätte Julius nicht lange überlegt. Er würde schon aus purer Neugierde dableiben. So würde er erst abwarten müssen, ob er Claes, den Mann der Demoiselle, würde hinnehmen können. Aber es war auf jeden Fall einen Versuch wert.

Er drehte sich auf die andere Seite und war schon eingeschlafen, als Nicolaas zurückkehrte. Es hätte ihn sehr befriedigt, wenn er gewußt hätte, daß Gregorio in Brügge schon eine ganze Zeit vor ihm zu genau demselben Resultat gelangt war.

In diesem Jahr kamen die flandrischen Galeeren früh in Brügge an. Der Himmel war strahlend blau, als sie in der ersten Septemberwoche bei Sluis dem Hafen entgegenglitten. Die Menschenmenge auf der Landzunge sah zu, wie sich die leichten, geblähten Segel senkten. Dann wurden die Galeeren schnurgerade zu ihren Liegeplätzen gerudert, ein Bild in Gold und Rot und Blau und strahlendem Weiß, die Trompeten glitzerten in der Sonne.

In ihren Laderäumen lag Mastixharz vom Mittelmeer, Elfenbein und brauner Zucker. Dieses Jahr brachten sie Ingwer aus Damaskus und violetten Kamelottstoff von Zypern mit, vierzig Fässer mit Korinthen und Edelsteine wie immer: Rubine, Türkise, Diamanten und Staubperlen, die zerrieben als Arznei Verwendung fanden. Sie führten Seidenstoffe mit sich, Appretur zum Färben, weißes Zuckerwerk und dreißig Sack gute Baumwolle. Es gab in Syrien verpackten Moire. Messina hatte Felle von Astrachanlämmern geschickt. Dazu kam Schwefel aus Sizilien, Porzellan aus Mallorca und Rosenwasser aus den persischen Gärten, Sanktusglocken, Meßbücher, Noten und Glasbecher in verschiedenen Farben, auch in Rosa. Es gab Indigo aus Bagdad, Galläpfel und Krapp und Kermesfarbstoff. Sie hatten hundertfünfzig Fässer Malvasier an Bord sowie einen Ballast von Alaun.

Alle wußten, daß der Kommandant in diesem Jahr ein venezianischer Adliger namens Piero Zorzi war.

Wie stets befand Marian de Charetty sich mit ihrem Haushalt zur Ankunft der Galeeren in Brügge. Ihre zentralen Interessen lagen jetzt in Brügge, und da sie in Löwen einen guten Stellvertreter hatte, verbrachte sie weniger Zeit dort. Alle sagten, wie angegriffen sie doch ausgesehen hätte, als der junge Felix im April wegging, und natürlich auch nach dem schrecklichen Brand. Einen Monat oder länger war sie nicht mehr sie selbst gewesen, bis sie im Juni dann die Nachricht erhielt, daß der Knabe mitsamt diesem jungen Banditen Nicolaas heil in Genf angekommen sei. Vier Wochen später war wieder ein Brief gekommen, von den Medici nach Brügge befördert.

Der junge Nicolaas, jener Knabe, den sie geheiratet hatte, befand sich irgendwo in Italien und würde nicht wie erwartet zurückkommen (womöglich gar nicht wieder). Und ihr kostbarer Felix, dem man nicht einmal das Tjostieren gestattet hatte, war in den Krieg gezogen, war südwärts gen Neapel gezogen, um König Ferrante beizustehen.

Wer hatte ihn bloß dazu ermutigt? Und ob ermutigt oder nicht, was konnte sie auch schon anderes erwarten, wenn sie einmal ihre weibliche Sensibilität zurückstellte und bedachte, daß sie schließlich ein Söldnerheer besaß? Jeder Junge, der sein Pulver wert war, würde doch früher oder später eine Rüstung anlegen und sich beweisen wollen. Sie konnte nur sich selbst die Schuld geben. Sich selbst und jenem schrecklichen Jungen.

Trotzdem vermißte man Claes. Auch sie vermißte ihn irgendwie, ihn und seine Witze. Wenn nicht auch anderes.

Natürlich wußte sie, was geklatscht wurde. Es half ihr sehr, daß es soviel zu tun gab, und auch die Männer, die Nicolaas ihr ausgesucht hatte, standen ihr zur Seite. Gregorio war ihre rechte Hand. Aber auch Bellobras, Cristoffels, Henning und Lippin waren ihr treu ergeben. Alle halfen mit, das Geschäft wiederaufzubauen und neu zu gestalten, wie sie es sich vorgenommen hatten, damals, kurz nach dem Brand.

Zu Anfang war es sehr schwer gewesen. Aber in den ersten Junitagen hatte Tommaso Portinari sie aufgesucht und ihr gute und schlechte Nachrichten überbracht. Sie erhielt einen Brief, in dem stand, daß Felix und Nicolaas sich aus ihrer Reichweite entfernt hatten und in die italienischen Kriege gezogen seien. Außerdem war da noch das Päckchen mit Wechseln von der Medici-Bank, bezogen auf Summen, die sie niemals erwartet hätte. Geld für die *condotta*: für die zusätzlichen Soldaten, die zu minimalen Kosten so gut aufgestellt und bewaffnet worden waren. Unglaubliche Summen, die von der Fleury-Firma zu stammen schienen. Irgendwie war es Nicolaas gelungen, an eine Aufstellung der Fleuryschen Schulden zu gelangen und die Medici dazu zu bringen, sie ihm auszuzahlen. Es war ihr wie ein Wunder vorgekommen. Den nächsten Besucher hatte sie nicht als den erkannt, der er war, denn sie hatte mit dem venezianischen Kaufmannshaus der Bembo noch nichts zu tun gehabt. Erst als er allein mit ihr im Büro stand, hatte der Besucher jenes Blatt Papier aus der Tasche gezogen, über das sie noch erstaunter war als über alle vorherigen Sendungen.

Nachdem er gegangen war, hatte sie Gregorio gerufen und ihm gezeigt, was Felix und Nicolaas geschickt hatten. Ihre Unterschriften waren da zu lesen und dazu noch genuesische und venezianische Namen, die sie nicht gänzlich entziffern konnte. Die dort aufgeführte Geldsumme war hoch genug, alle Schulden zu begleichen. Die dazu noch versprochene Summe würde sie reich machen.

Plötzlich merkte sie, daß sie die Unterschriften schon lange betrachtete. Die von Nicolaas, schwarz und sicher und formvollendet, weil er schon in sehr jungen Jahren Schreibunterricht bekommen und in den letzten Monaten bei Colard gelernt hatte. Das ausladende Gekritzel von Felix, der nie Lust zum Lernen gehabt und sich von niemandem hatte unterrichten lassen. Aber sein Schriftzug bewies, daß er jetzt doch angefangen hatte zu lernen.

Sie sagte: «Sie haben wohl das Alaun-Geschäft abgeschlossen. Selbst wenn morgen jemand die päpstliche Grube findet, haben wir das hier.»

Gregorio war kaum in ihre Nähe gekommen, seit sich Felix' Reiseziel herumgesprochen hatte. Er war ein taktvoller Mann. Jetzt erwiderte er: «Es ist sehr gut, daß der Jonkheer am Geschäft Anteil nimmt. Es hat mich auch nicht überrascht, daß er nach Neapel geritten ist oder daß Nicolaas es ihm erlaubt hat. Jeder Junge sollte seine Erfahrungen auf dem Schlachtfeld gemacht haben, und das Risiko ist zur Zeit dort sehr gering. Sie können es sich nicht leisten zu kämpfen. Außerdem ist die Kriegssaison bald vorbei.»

Das versuchte sie sich auch zu sagen. Sie konnte auch einsehen, warum Nicolaas es nötig gefunden hatte, Doktor Tobias zu suchen. Ohne Tobie, so stand es in seinem Brief, hätten sie kein Alaun-Geld erhalten. Er hoffte, Tobie und auch Julius wieder mit zurückzubringen.

Tobie. Sie verstanden sich offenbar gut. Die Färberei und ihr Haushalt hatten sich nun daran gewöhnt, Claes Nicolaas zu nennen, wenn sie von ihm sprachen. Sie gaben ihm keinen Titel, denn er hatte kein Anrecht auf den «Meister» des studierten Mannes oder den «Herrn» desjenigen von höherer Geburt. Das störte sie nicht. Für ihn würde es auch ohne den Kunstgriff eines Titels schwer genug sein, sich auf all diesen Ebenen angemessen zu bewegen.

Es fiel ihr auf, daß jene, die Gregorio nahestanden, ihn nun «Goro» nannten. In den drei Monaten, die er jetzt mit den anderen zusammenarbeitete, hatte er viel gelernt. Es gab keine Unruhe mehr im Betrieb. Sie überhörte die Spitznamen, die man Bellobras anhängte. Als ihre finanziellen Probleme gelöst schienen und sie eine Bürde weniger hatte, konnte sie auch wieder unter Menschen gehen und lachen und manchmal mit Tilde und Catherine kleine Reisen in andere Städte unternehmen, Freunde besuchen und sich Unternehmungen für die beiden ausdenken.

Die Mädchen wurden jetzt auch schon allein eingeladen; jemand nahm Tilde mit auf eine Segelpartie im Familienkreis außerhalb des Hafens. Dann und wann war Marian niedergedrückt, wenn sie an ihren Sohn und an Nicolaas dachte. Im August trafen neue Nachrichten ein. Es hatte eine Schlacht mit schweren Verlusten im Süden Neapels gegeben und einen ganzen Tag lang konnte sie an nichts anderes denken. Dann kamen ihr auf Umwegen Einzelheiten zu Ohren. Dem Charetty-Söldnerheer unter Astorre ging es offenbar gut. Sie waren nordwärts gezogen, zum Grafen von Urbino, wo sie hoffentlich sicherer sein würden. Sie hoffte, daß Felix, der ja nun seine Feuertaufe gehabt hatte, wieder nach Hause kommen würde, gemeinsam mit Nicolaas. Dann wieder versuchte sie, gar nichts zu hoffen und sich nur um ihren Betrieb zu kümmern.

Arbeiten. Das stärkste Heilmittel. Nicolaas hatte recht gehabt. Hätte sie alles aufgegeben, hätte sie die Firma verkauft und säße nun in einem Landhaus beim Spitzenklöppeln, schaute nur noch aus dem Fenster, dann wäre sie bestimmt schon tot.

Mitte August war alles wieder aufgebaut und nach ihren Wünschen ausgestattet. Sie hatte wieder Tuch auf Lager, aber feineres als zuvor, und ihre Farben waren von bester Qualität. Sie hatte auch besser qualifizierte Angestellte für ihr Geschäft gewinnen können, aber niemanden dafür entlassen. Leute, die aus Mitgefühl bei ihr gekauft hatten, fuhren darin fort, weil sie mit ihrer Ware zufrieden waren. Und auch ihre Kulanz in finanziellen Dingen wurde bemerkt.

Eben diesen Weg hatte die Firma nach Nicolaas Meinung einschlagen sollen, und Gregorio war am besten geeignet, sich um alles zu kümmern. Wucher war streng untersagt. Aber Anleihen gegen Sicherheiten, Lombardkredite, waren das Herz des Pfandleihgeschäfts, und dieses Prinzip ließ sich ganz einfach auf den Austausch fertiger Waren gegen Rohmaterial übertragen. Und auch auf andere Transaktionen. In den Hauptbüchern waren nie Kredite verzeichnet, nur verspätete Zahlungen. Sie bemerkte Tildes Interesse am Geschäftlichen und ließ sie manchmal neben sich sitzen und zuhören.

So verging der Rest des Augusts. Hinterher dachte sie daran als an eine seltsame Zeit, in der sie dreiviertel glücklich gewesen war. In den letzten Tagen des Augusts klopfte es an der Tür – dieses Klopfen ging nun der Veränderung voran.

Sie war gerade im neuen Lagerhaus, das sie hinter dem großen Gebäude in der Spanjaardstraat errichtet hatte, als es ertönte. Der Pförtner, der auf das Klopfen hin öffnete, holte Gregorio. Dieser kam und sah, daß sie gerade mit einer Schreibtafel in der Hand dastand und zwei ihrer Lagerhalter beaufsichtigte, die den Warenbestand prüften. Vor dem Eintreffen der flandrischen Galeeren gab es immer viel zu tun. Der Ton, in dem er «Demoiselle!» rief, war keineswegs beiläufig, so daß sie sich rasch umwandte. «Kann ich Euch sprechen?» fragte er. «Es ist Besuch für Euch da.»

Er wollte sie nicht erschrecken, sie durfte keine Angst haben. Sie sprach mit den Angestellten und kam dann zu ihm, die Schreibtafel noch in der Hand. Gregorio sagte: «Es ist die Firma, mit der wir Geschäfte gemacht haben. Thibault und Jaak de Fleury.»

Verwirrt nickte sie. «Die Medici haben ihre Schulden bezahlt.»

«Ja, ich weiß», entgegnete Gregorio. «Und Monsieur Jaak de Fleury ist ein Verwandter von Euch?»

«Meine Schwester hat seinen Bruder geheiratet», antwortete sie. «Ich dachte, das sei Euch bekannt. Wir haben nie viel füreinander übrig gehabt. Ganz abgesehen von seinen unbezahlten Rechnungen. Also was gibt es? Eine Nachricht von ihm?»

«Er ist hier, Demoiselle», sagte Gregorio. «Ich habe ihn im Haus warten lassen, weil ich nicht sicher bin, ob Ihr ihn empfangen solltet. Er ist nicht Herr über sich.»

«Das ist ja mal etwas ganz Neues», sagte Marian de Charetty. «Wenn es je einen Mann gab, der Herr über die ganze Welt, sich selbst inbegriffen, war, dann ist das Jaak de Fleury. Was ist denn passiert?»

Gregorio lächelte flüchtig. «Offenbar ist das nicht für meine Ohren bestimmt. Es tut mir leid, Demoiselle. Ich konnte es nicht aus ihm herausbekommen. Aber er hat ein Dutzend Pferde vor dem Haus stehen, zwei Lastkarren und ein paar Diener. Was immer passiert sein mag, es muß sich um etwas Ernsthaftes handeln.» Er hielt inne. «Ich dachte... wenn Ihr mir erlaubtet zu sagen, Ihr wäret fort, könnte er sich ein Gasthaus suchen und wiederkommen, wenn er sich beruhigt hat.»

«Ihr glaubt, daß er hierbleiben will?»

«Das weiß ich nicht. Aber ich meine, woanders wäre er besser aufgehoben. Falls es sich ohne Schwierigkeiten arrangieren ließe.»

Sie sah ihn starr an und faßte dann einen Entschluß. «Nein. Ich werde ihn empfangen. Wenn ich nicht möchte, daß er hierbleibt, werde ich es ihm selbst sagen. Gegen meinen Willen kann er sich hier wohl kaum einnisten.»

«Wollt Ihr, daß ich in Rufweite bleibe?» fragte Gregorio.

Marian de Charetty ließ im Geiste alles Revue passieren, was sie über den unangenehmen Schwager ihrer Schwester wußte. Von einem körperlichen Angriff auf Erwachsene hatte sie nichts gehört. Falls diese nicht zufällig Diener waren, und das war sie ja nicht. Seelische Grausamkeit, das war etwas anderes. Ihr fiel ein, daß Nicolaas in Jaak de Fleurys Küche aufgewachsen war. Und daß sie, in Jaaks Augen, seinen Küchenjungen geheiratet hatte. Es würde keine besonders nette Unterhaltung werden. Sie wollte dabei nicht einmal Gregorio zum Zeugen.

«Nein», sagte sie. «Wenn ich nicht einmal mit meinem Verwandten fertig werde, werde ich auch nicht wissen, wie ich Astorre und Felix anfassen soll, wenn sie aus dem Krieg zurückkehren. Sagt mir, wohin Ihr ihn geführt habt. Macht Euch keine Sorgen. Ich bin dafür bekannt, geschickt mit dem Feuerhaken umzugehen.» Sie lächelte ihm zu und ging dann langsam ins Haus. Die Tür ihres kleinen Geschäftszimmers war offen. Drinnen saß Jaak de Fleury auf ihrem Stuhl am Schreibtisch und hatte all ihre aufgeschlagenen Hauptbücher vor sich liegen.

«Hier werde ich sitzen», sagte er. «Und ich werde das große Schlafzimmer nehmen, das da drüben. Eurem Mann dort draußen habe ich gesagt, er solle die Pferdeburschen und die anderen irgendwie unterbringen. Sie sind anspruchslos. Das ist ihnen beigebracht worden. So. Ich sehe, daß es Euch gutgeht, meine Liebe. Wir müssen uns darum kümmern, daß das anhält. Ihr wißt natürlich, warum ich hier bin?»

Noch nie zuvor hatte sie ihn anders als gut gekleidet und üppig von Juwelen geschmückt gesehen. Er hielt sich auch jetzt wie ein Kirchenfürst, aber sein Mantel war staubig und zerdrückt vom Reiten, die Federn an seiner Kappe zerfranst und schmutzig. Auch sein Gesicht war um die großen Augen und die runden Wangenknochen herum eingesunken, die schmalen Lippen rissig und aufgesprungen. Er trug zwar Ringe an den Fingern, aber die übliche, mit Edelsteinen besetzte Kette fehlte, und Mantel und Hut waren schmucklos. Er sah aus wie ein Mann, der gerade einer Schlacht entkommen ist.

«Was ist geschehen?» fragte Marian de Charetty.

«Ihr wißt es nicht?» sagte er. «Ach ja, Frauen. Eine andere Spezies. Wenn es Euch beträfe, gäbe es unerhörte Szenen und Geschrei, als hätte vorher niemand Verrat, Neid oder Bosheit zu erleiden gehabt. Was geschehen ist? Ich habe mein Geschäft verloren, liebe Schwägerin. Der Herzog von Savoyen hob bei mir unter irgendeinem Vorwand eine so hohe Summe ab – stahl sie mir –, daß ich nicht alle Forderungen begleichen konnte. Und meine Gläubiger, in merkwürdiger Hellsichtigkeit, nahmen den Rest, so sie es vermochten.» Lächelnd schlug Jaak de Fleury die Augen nieder. Dann klappte er die Hauptbücher, die er sich angeschaut hatte, eines nach dem anderen zu, legte sie zu zwei gleichen Stapeln aufeinander, die er mit je einer schön geformten Hand bedeckte.

«Ich habe kein Geschäft. Ich habe kein Haus. Ich habe nur noch das Geld, das Ihr mir schuldet, und die Chance, mich an jenen zu rächen, die mich am Ende glaubten. Ich kann der Charetty-Handelsgesellschaft mein Wissen und meine Erfahrung zur Verfügung stellen, mein Geld zurückgewinnen und jenen Bettlern zeigen, was ein erfolgreicher Geschäftsmann ist.»

Er starrte sie an, zuversichtlich, lächelnd, kalt. Sie fühlte ihr Herz klopfen. «Das tut mir natürlich leid», sagte sie. «Aber Ihr irrt Euch. Diese Firma schuldet Euch gar nichts. Die Schulden lagen auf Eurer Seite. Ich hab sie über die Medici bezahlt bekommen.»

Die glänzenden Augen flackerten kurz auf. «Ah», sagte er. «Vielleicht vom jungen Claikine, Eurem Gatten? Er hat sie in Genf eingetrieben, nachdem es ihm gelang, Euren Sohn halb umzubringen und zu entführen. Vielleicht hat er Euch nicht gesagt, daß der Saldo zu Euren Gunsten weniger als die Hälfte von dem betrug, was die Charetty mir schuldete?»

Marian de Charetty trat einen Schritt vor. Sie legte die Hand auf die hohe Lehne des Stuhls, der Besuchern vorbehalten war, ging dann um ihn herum und setzte sich. Sie faltete die Hände. «Sagt offen, was Ihr wollt», bemerkte sie dann. «Ich weiß schon von meinem Mann, daß er mit Felix in Genf gewesen ist. Und ich habe Unterlagen erhalten, die Felix eigenhändig in Mailand unterschrieben hat. Deshalb bin ich nicht geneigt, Euch zu glauben.»

«Oh, Ihr könnt mir schon glauben, daß ich bankrott bin», sagte Jaak de Fleury. «In ein, zwei Tagen wird das in ganz Brügge herum sein. Und Ihr könnt mir auch glauben, daß Euer Sohn mein Haus aufsuchte und Euer Mann eine Waffe zog und ihn zu Boden streckte, um ihm die Heimkehr zu Euch zu verwehren. Jeder meiner Leute kann das bestätigen. Auch die, die wegliefen und mich im Stich ließen. Sogar die Freunde dieses Schurken, den Ihr geheiratet habt.»

«Und die in Mailand gegebene Unterschrift?»

«Wohl unter Zwang erbracht, das arme Närrchen. Jetzt hat Euer Gatte natürlich Euren Sohn Felix nach Italien geschickt, aber bislang haben seine Bemühungen, den Rivalen zu beseitigen, noch keinen Erfolg gehabt. Soweit ich weiß, hat der Junge Sarno überlebt. Das Leben in den Abruzzen an der Seite von Monsieur Nicolaas dürfte er aber nicht lange überleben. Würdet Ihr es mir gestatten, in Eurer Küche um Speise und heißes Wasser zu bitten? Wie Ihr Euch denken könnt, habe ich eine beträchtliche Zeit zu Pferde gesessen.»

Marian de Charetty erhob sich. «Ich kenne ein Wirtshaus, das Euch zufriedenstellen wird», sagte sie. «Und Euch sowohl mit Speisen als auch mit heißem Wasser dienen kann. Es tut mir leid, daß Ihr Euer Geschäft verloren habt, aber Ihr werdet mich nicht dazu bewegen können, Euch zu helfen. Ihr habt einen Bruder in Burgund. Ich schlage vor, daß Ihr bei ihm Zuflucht sucht.»

Immer noch lächelnd blieb er sitzen. «Aber meine Liebe, Thibault hat auch kein Geld», sagte er. «Und muß noch für eine stürmische Tochter sorgen. Nein. Wenn ich meinen Lebensunterhalt verdienen muß, wird es in Brügge sein. Wenn Ihr mir nicht helfen wollt, muß ich mich an andere wenden. Auf jeden Fall an die Färberzunft. Ich habe gehört, daß sie Euch nach dem Brand unterstützt haben. Sie könnten auch mir Darlehen besorgen. Aber vielleicht bleiben sie zurückhaltend, wenn sie erfahren, wie ihr Gold in der Geldbörse jenes Dieners, den Ihr geheiratet habt, aus dem Land getragen wurde. Ehe man ihm die Beweise zeigte, konnte Euer armer Sohn es kaum glauben. Er wehrte sich sehr tapfer. Er wehrte sich noch, als er zu Boden ging. Die Färber von Brügge können stolz auf ihn sein, wenn es auch Eure Kunden beunruhigen könnte.» Jaak de Fleury schüttelte traurig den Kopf. «Nach solch einem Brand und solch einem Betrug wird das Vertrauen der Öffentlichkeit in die Charetty-Gesellschaft schwer erschüttert sein. Es wäre besser, wenn Ihr mich zum Partner nehmen würdet. Wir würden Gewinne erzielen. Und Eure Freunde und Euer Geschäft bräuchten gar nicht erst von unangenehmen Gerüchten beunruhigt zu werden.»

Sie starrte ihn an.

«Könnt Ihr mir immer noch nicht glauben?» sagte er. «Nehmt Euch eine Stunde Zeit. Fragt meine Leute, wenn Ihr wollt. Ich werde hier sein, wenn Ihr zurückkommt. Vielleicht könntet Ihr auf Eurem Weg auch nach der Küche schicken und um heißes Wasser und Speisen bitten, wie ich es vorhin schon vorgeschlagen habe. Und sagt, sie sollen sich beeilen. Eure Dienerschaft macht einen ebenso schlechten Eindruck wie Eure kleine Firma.»

«Ich werde nicht nur Eure Leute befragen, ich werde auch mit meinem rechtsgelehrten Mitarbeiter sprechen», erwiderte sie. «Wenn ich zurückkomme, werden mehrere Männer bei mir sein. So sei es Euch erlaubt, hier eine Stunde zu sitzen. Ich werde Euch auch eine Erfrischung bringen lassen. Und wenn Ihr nichts dagegen habt, werde ich die vertraulichen Hauptbücher meiner Firma mitnehmen. Eines aber solltet Ihr Euch merken: Welche Druckmittel Ihr auch über mich zu haben glaubt, sie werden null und nichtig sein in dem Augenblick, da mein Gatte und mein Sohn über diese Schwelle treten.»

«Gute Frau», sagte er. «Sie werden nicht wiederkommen. Der eine ist im Krieg und der andere hat Geld auszugeben. Euer Nicolaas wird es nicht wagen, zurückzukehren und sich dem zu stellen, was er mir schuldet. Meine Hauptbücher sind zwar verbrannt, wer wird aber seinem Wort Glauben schenken, wenn es gegen meines steht? Entscheidet Euch. Ihr habt keinen Erben und keinen Gatten mehr und müßt Euch vorsehen. Wenn die Natur Euch auch ersteren versagt, ist zumindest der zweite zur Hand.»

Da begriff sie das volle Ausmaß seines Vorhabens, und ihr Griff um die Stuhllehne wurde fester. «Eure Gattin? Esota?» fragte sie.

«Ach, man hat sie umgebracht», sagte er. «Euer Gatte war, glaube ich, schon fort, als es passierte, so daß es nicht seine Hände gewesen sein können. Sie hätte die Reise ohnehin nicht überstanden. Sie mußte soviel mitschleppen, die Arme.»

Er lächelte noch, als sie ging. Unten traf sie auf Gregorio, und gemeinsam befragten sie die Genfer Dienerschaft. Diese bestätigte Jaak de Fleurys Worte, wie Marian es schon erwartet hatte. Sie bestätigten sie zornig und widerstrebend und offenbar wahrheitsgemäß, was sie nicht erwartet hatte. Als sie mit ihnen fertig war und mit Gregorio ins Wohnzimmer ging, zitterte sie.

«Werft ihn hinaus», sagte Gregorio.

«Ich hab Euch doch schon erzählt, was er dann verbreiten wird. Und diese Leute haben Felix gesehen und geschworen, daß Nicolaas ihn niedergeschlagen hat. Glaubt Ihr, daß sie lügen?»

«Nein», sagte Gregorio. «Aber ich kann mir ebenso viele gute wie schlechte Gründe vorstellen, warum man Felix zum Schweigen bringen wollte.»

In diesem Moment war ihre Angst zum erstenmal gebannt. Sie starrte Gregorio an. Dann sagte sie: «Ich will mich ganz klar ausdrücken: Es gibt keinen Menschen auf der Erde, und schon gar nicht Jaak de Fleury, der mein Vertrauen zu Nicolaas' Treue erschüttern könnte. Wir sprechen hier nur über einen Weg, Nicolaas sowie dieses Geschäft zu schützen. Nicht alle kennen ihn so gut wie ich.»

Gregorio sagte: «Ihr laßt also lieber zu, daß dieser Mann sich hier in Eurem Haus etabliert, als daß er draußen Gerüchte verbreitet?»

«Ja», sagte sie. Sie dachte, er würde erneut Einwände erheben, doch als er dann schwieg, fuhr sie fort: «Ihr stimmt mir also zu?»

Gregorio seufzte ungeduldig. «Niemand, der all seine Sinne beisammen hat, würde das tun», sagte er dann. «Aber ich glaube, daß Ihr recht habt mit Eurem Vertrauen. Ich glaube, daß Nicolaas zurückkommt, sobald er kann, und den Jonkheer mitbringt. Aber da ist noch etwas anderes. Ihr sagt, Messer de Fleury habe die Hauptbücher eingesehen?»

«Sie lagen da alle», erwiderte Marian. «Er ist kein Laie. Besser als jeder andere konnte er sogleich aus ihnen schlau werden.»

«Wenn er die Eintragungen gesehen hat, weiß er, daß Euer Haus floriert», sagte Gregorio, «was immer für eine anderslautende Geschichte er auch verbreiten möchte. Er will das Geschäft haben. Und er hat sich überlegt, wie er glaubt, es bekommen zu können. Es gibt für ihn noch eine andere Möglichkeit, eine, die ihm vielleicht noch nicht deutlich geworden ist. Falls er die Summen gesehen hat, die Bembo uns bezahlt hat.»

Marian de Charetty schwieg. Jene Eintragung war der einzige Hinweis auf die langen, riskanten Verhandlungen, die ihnen das Alaun-Geld eingebracht hatten. Um diese Angelegenheit zu schützen, würde sie auf alles eingehen oder alles verlieren müssen.

Gregorio hatte das gewußt. «Werft ihn hinaus», hatte er gesagt, aber nur, um zu prüfen – und das war vernünftig –, wieviel Vertrauen sie zu dem jungen Mann besaß, den sie geheiratet hatte.

«Dann bleibt er also, bis Nicolaas kommt», sagte sie. «Aber was machen wir mit der Bembo-Eintragung?»

«Laßt das meine Sorge sein», erwiderte Gregorio. «Mir wird schon irgend etwas einfallen, wie wir sie vorübergehend kaschieren können.»

Sie sagte: «Er ist ein sehr unangenehmer Mann.»

«Aber es ist ja nur für kurze Zeit», sagte Gregorio. «Unternehmt nichts. Die Belegschaft ist Euch wohlgesonnen, sie verstehen Andeutungen. Henning und ich werden uns darum kümmern, daß alle Geduld aufbringen. Vielleicht möchtet Ihr Eure Töchter eine Weile fortschicken. Die Last wird vorwiegend Eure sein.»

«Ja», sagte sie. Nun, da es entschieden war, fühlte sie, wie sie etwas Mut und Entschlußkraft wiedergewann.

Sie mußte ja ohnehin warten. Dann konnte sie auch ebensogut während des Wartens kämpfen.

Kapitel 38

Als sie und ihre Diener endlich das Genter Tor von Brügge erreichten, hatte Julius jeden Versuch aufgegeben, sich mit Nicolaas zu unterhalten.

Auf ihrem Ritt von Mailand nach Norden war Julius über die

Alaun-Gruben aufgeklärt worden. Wenn ihn die Nachricht über das Guthaben bei de Fleury schon erstaunt hatte, so machte ihn diese Enthüllung, die einen gerissenen Opportunismus offenbarte, gänzlich sprachlos. Er nahm zur Kenntnis, daß Tobie sich mit diesem Vorhaben von Anfang an beschäftigt hatte, der neue Aktuarius Gregorio im Bilde war und die Demoiselle dem Unternehmen offenbar ihren Segen gegeben hatte. Und auch von diesen Plänen hatte Felix gewußt und sie für sich behalten. Julius sah seine Überlegungen bestätigt. Falls es ihm gelänge, sich mit Nicolaas zu arrangieren, lagen praktisch unbegrenzte Möglichkeiten vor ihm.

Nicolaas ertragen zu müssen, erzeugte in Julius bereits eine leichte Gereiztheit. Jetzt, wo es dem Jungen nicht gutging, gab es keine Entschuldigung. Vor einer Woche hatte er die letzten Nachwirkungen des Fiebers abgeschüttelt, und obwohl er, wie sie alle, unter den Strapazen der Reise litt (nur Loppe machte da eine Ausnahme), war er wieder gesund. Das heißt, sein Körper war gesund. Aber nachdem er die Alaun-Geschichte ausgepackt und sich kurz zu den übrigen Angelegenheiten geäußert hatte, die das Haus Charetty nun beschäftigten, war Nicolaas in Schweigen versunken.

Felix natürlich. Julius, der selbst auch von den langen, anstrengenden Tagesritten erschöpft war, sah ein, daß er und Nicolaas den Tod des Jungen in ganz anderen Dimensionen begreifen mußten. Natürlich trauerte er um Felix – so wie ein Lehrer jeden munteren Jungen betrauert, den er einst unterrichtet hat und den er aus irgendwelchen Klemmen befreit hat. Nicolaas aber trauerte um ihn wie ein Schuljunge um den anderen. Dazu kam noch, daß er der Mutter die Todesnachricht in der lächerlichen Rolle eines Stiefvaters überbringen mußte. Aber das hatte er sich selbst eingebrockt, als er die Witwe heiratete, und Julius sah keinen Grund, deshalb Mitleid mit ihm zu haben.

Schließlich erreichten sie das Stadttor von Brügge, und der Torhüter, ein alter Feind, sagte: «Ho! Ihr werdet bei der Charetty einige Veränderungen vorfinden, Ihr beiden.»

Nicolaas war gerade dabei, Passierscheine zu sortieren. Julius erwiderte: «Das will ich auch hoffen. Mir ist zu Ohren gekommen, daß die Pförtner im Frühling ein Fest gefeiert und dabei alles niedergebrannt haben. Das wäre nicht passiert, wenn ich dagewesen wäre, darauf kannst du dich verlassen.»

«Es gibt Schlimmeres als einen Brand», sagte der Torhüter mit einem tückischen Grinsen.

«Und das wäre?» fragte Nicolaas. Die Passierscheine lagen auf einem großen Krug guten deutschen Biers. Der Torhüter grinste so breit, daß all seine Zahnlücken sichtbar wurden, nahm das Bier und überließ Nicolaas die Papiere.

«Zum Beispiel, daß die Witwe glaubt, Ihr wäret alle tot, und sich wiederverheiraten will», sagte er. «Zumindest hört man das. Sonst wäre es doch auch nicht rechtens, daß der Mann Tag und Nacht dort bleibt, zu all ihren Verhandlungen geht und sie für sie macht, nicht? Wo ist denn der Junge?»

«Wenn wir die Demoiselle gesprochen haben, wird sie's dir sagen», erwiderte Nicolaas. «Was für ein Mann denn?»

Er klang ruhiger, als Julius zumute war. Im stillen ließ er eine Reihe von Namen Revue passieren. Der Pfandleiher Oudenin. Einer der Färber. Dieser andere Aktuarius Gregorio.

«Sie sagen, die beiden wären verwandt», sagte der Torhüter. «Du warst doch auch mit ihr verwandt, Claes, nicht wahr? Sie hat es wohl gern, wenn ihre Verwandten um sie sind. Jaak, so heißt er. Aus Genf. Jaak de Fleury.»

Nicolaas sagte nichts. Dann wiederholte er: «Er *wohnt* bei ihr?»

«Und leitet alles», sagte der Torhüter. «Hat genug Erfahrung, kann man sagen. Ein richtiger Kaufmann. Bei dem eine Frau sich anlehnen kann.»

«Nun hör zu. Laß es ruhig angehen. Nicht sofort zu ihr», sagte Julius.

«Doch, sofort zu ihr», sagte Nicolaas. Sein Gesicht hatte schon die Farbe geändert, von Sepia zu Lederbraun unter einer Flickendecke von Schmutz. «Wenn sie ihn zu sich genommen hat, muß er sie dazu gezwungen haben», sagte er. Er hatte den Torhüter stehenlassen und war schon mitten auf der Brücke.

«Hat er ihr erzählt, du seiest tot? Oder Felix? Oder was?»

«Er hat ihr gesagt, ich hätte Felix in Genf niedergeschlagen und ihn dazu gezwungen, mit mir nach Mailand zu kommen. Hat Felix dir das nicht erzählt?»

«Nein», erwiderte Julius. Er war völlig erschöpft und hatte sehr wenig Lust, sich mit einem simplen juristischen Tatbestand beschäftigen zu müssen. Jaak de Fleury war bankrott. Er hatte der Charetty gar keine Forderungen zu stellen, und man konnte ihn leicht loswerden. Wenn er, Julius, sich etwas frischer gefühlt hätte, würde er mit Freuden höchstpersönlich dafür sorgen, ihn loszuwerden. Ein Jammer, daß die Frau ihn aufgenommen hatte, womöglich hatte sie es aus fehlgeleiteter Menschenliebe getan. Vielleicht hatte sie aber auch keine Ahnung, was Monsieur Jaak für ein Mann war. Julius hingegen erinnerte sich noch sehr genau daran, wie Jaak damit gedroht hatte, Claes die Hände abzuhacken.

«Hast du Felix niedergeschlagen?» fragte Julius. «Wenn das stimmt, hattest du bestimmt gute Gründe dafür, und selbst wenn nicht, würdest du sie vom Gegenteil überzeugen. Oder willst du damit sagen, daß er damit gedroht hat, dich zu verunglimpfen?»

«Er könnte das Vertrauen der Öffentlichkeit zur Firma erschüttern», sagte Nicolaas. «Oder ...» Er brach ab.

Gereizt sagte Julius: «Ja, was? Wenn wir so weitermachen, sind wir gleich da.»

«Es gibt nur ein Geheimnis, daß du und ich und die Demoiselle gern vor Jaak de Fleury bewahren würden», sagte Nicolaas. «Nein, es gibt zwei – aber das zweite geht dich nichts an.»

Die Alaun-Gruben. Julius spürte, wie auch sein Gesicht alle Farbe verlor. «Wie können wir ihn aufhalten, wenn er das schon herausgefunden hat?» sagte er dann.

«Es gibt mehrere Möglichkeiten», sagte Nicolaas. «Ebenso, wie es mehrere Möglichkeiten geben muß, einer Frau beizubringen, daß ihr einziger Sohn gefallen ist. Ich schlage vor, wir denken mal ein bißchen nach, anstatt zu reden.»

Noch nie hatte Claes so mit ihm geredet. Hier war wohl etwas Disziplin vonnöten. Aber als er den Ausdruck auf Nicolaas' Gesicht sah, hatte er ein Einsehen und sagte gar nichts.

Die Straßen von Brügge waren ebenso wie die Zufahrtsstraßen zur Stadt sehr überfüllt, weil die flandrischen Galeeren angekommen waren. Wie sehr sie und ihr kleines Gefolge auch drängen mochten, es war schwierig, mit den Pferden voranzukommen. Außerdem entdeckten sie auch noch fortwährend bekannte Gesichter. Nicolaas ließ den Kopf hängen, erwiderte keinen Gruß und trieb sein Pferd Meter um Meter durchs Gedränge. Julius, der länger fortgewesen war, lächelte erschöpft freundlichen, vertrauten Gesichtern zu, wobei er Grüße und Versprechungen murmelte.

Später nahm er an, das sei der Augenblick gewesen, da Nicolaas Julius, Loppe und die wenigen Männer, die sie für die Reise angeheuert hatten, aus den Augen verlor.

Es schien aber nicht weiter von Bedeutung. Nach Nicolaas Worten ritten sie ja zum neu gekauften Haus in der Spanjaardstraat, das die Demoiselle nun als Hauptquartier benutzte. Julius bog in die Straße ein, fand das Haus und war davon sehr beeindruckt.

Im Hof war von Nicolaas oder seinem Pferd nichts zu sehen. Mit einiger Bedrückung fragte Julius sich, ob das erste Zusammentreffen mit Jaak de Fleury und, schlimmer noch, mit Felix' Mutter, ihm zufallen würde. Er fragte gerade den Torwächter aus, als ein zierlicher Mann aus dem Haus trat. Er war ungefähr in Julius' Alter, hatte eingefallene Schläfen, ein mageres Gesicht und eine sehr lange, dünne Nase, deren Strenge durch eine enorme Mulde zur Spitze hin gemildert wurde. Er fragte mit klangvoller Stimme, ob er irgendwie behilflich sein könnte.

Seine schwarze Kleidung verriet ihn. Dies war ohne jeden Zweifel Gregorio von Asti, jener Aktuarius, der fünf Monate lang seinen Schreibtisch innegehabt hatte. Julius stellte sich vor, eilte durch die nötigen Höflichkeitsfloskeln und fand heraus, daß Nicolaas noch nicht erschienen war und sowohl die Demoiselle als auch Messer de Fleury ausgegangen waren – die Demoiselle zu den flandrischen Galeeren und Monsieur, um einen Besuch in der Stadt zu machen.

Der Aktuarius bewahrte eine höfliche Zurückhaltung, während er ihm dies mitteilte. Julius sagte: «Wir wissen schon Bescheid über Jaak de Fleury. Wir haben auch eine Idee, was dahinterstecken könnte. Es ist Zeit, daß man sich darum kümmert. Meester Gregorio, wie ist das Befinden der Demoiselle?»

Die klugen schwarzen Augen beurteilten ihn und seine Frage. Dann sagte Meester Gregorio: «Verständlicherweise hat sie an wenig anderes als an die Rückkehr des Jungen gedacht. Eine schlechte Nachricht wäre besser als gar keine.»

«Sie soll sie von Nicolaas erfahren. Er wird gleich kommen. Es ist nichts, was man auf der Straße erzählen kann.»

«Also ist ihr Sohn tot», sagte Gregorio. «Armer Junge. Arme Frau. Aber womöglich hört sie es noch auf der Straße. Ich wollte nämlich gerade losgehen und sie suchen. Sagt mir, ist er bei San Fabiano gefallen?»

Vielleicht hatten Astrologen den Namen jener Schlacht erraten. Es gab keinen anderen Weg, wie die Nachricht so früh in Brügge hatte sein können. Julius machte den Mund auf.

Gregorio sagte: «Die Berichte von der Schlacht kamen gerade vor einer Stunde hier an. Ein anderer Hauptmann aus Graf Federigos Heer soll hier vorbeigekommen sein und die Nachricht überbracht haben. Das hat mir der Torwächter gesagt. Der Mann erwähnte Felix mit keinem Wort. Er fragte nach Messer de Fleury und ging ihn dann suchen.»

«Ein anderer Hauptmann? Wer? Doch nicht etwa Astorre?» fragte Julius. Ihm war kalt.

«Nein. Nicht der Hauptmann der Demoiselle. Eher sein Rivale, denke ich», sagte Meester Gregorio. «Ein Söldnerführer namens Lionetto.»

An jenem Tag hatte Nicolaas andere Dinge im Kopf als seine persönliche Sicherheit. Auch sonst hätte er jeden Gedanken daran verworfen. Niemand wußte, daß er nach Brügge kam. Er bedachte nicht das Genter Tor und die schnellfüßigen Freunde des Torhüters.

Von dem Augenblick an, da Nicolaas die Zugbrücke passiert hatte, beschäftigte ihn das Problem Jaak de Fleury. Er ließ nur davon ab, um sich auf die andere, wichtigere Sache vorzubereiten, die ihm noch oblag. Er ritt mit gesenktem Kopf, weil er nicht gegrüßt werden und Fragen zum Krieg und zu Felix beantworten wollte. Anfangs fiel es ihm gar nicht auf, daß sein Pferd nicht rein zufällig angerempelt wurde, sondern von zwei anderen, die jeder an einer Flanke seines Pferdes ritten.

Die Reiter trugen Stadtlivree und boten lächelnd an, ihn zum Haus der Demoiselle zu geleiten. Er lehnte ab, bemühte sich aber um Höflichkeit, als sie weiter darauf bestanden. Es war ihre Beharrlichkeit, die bewirkte, daß er sich zum erstenmal nach Julius umschaute und feststellen mußte, daß niemand hinter ihm ritt.

Seltsamerweise drängte sich der Alptraum des Kanals und des Weinfasses in seine anderweitig beschäftigten Gedanken. Er glaubte, es käme wohl von den beiden glattrasierten Gesichtern an seiner Seite her, die den bärtigen, betrunkenen Gesichtern, welche er aus den Nebeln jener Nacht erinnerte, irgendwie ähnelten.

Es waren dieselben Gesichter.

Das erkannte er erst, als er schon an ihnen vorüberstürzte, denn sein Pferd war gestolpert, unerklärlicherweise zu Boden gegangen und hatte ihn dabei heftig abgeworfen. Er rollte sich herum und fand sich in einem dunklen Torgang wieder, hinter dem ein Stück Ödland und die Ufer des Kanals lagen. Hinter ihm sprach eine fremde Stimme in gutem Flämisch. Nicht mit ihm: Sie versicherte Vorübergehenden, daß der Reiter keinen Schaden genommen hätte und man sich um ihn kümmern würde. Er rollte sich noch einmal herum, und zwei besorgte Schatten tauchten über ihm auf, der eine hielt ein Messer in der Hand.

Nicolaas war nicht der schwerfälligste Schüler des herzöglichen Schwertmeisters in Mailand gewesen. Inzwischen hielt er das eigene Schwert in der Hand, und als der Dolch herabgefahren kam, parierte er ihn, bog sich zurück und sprang auf. Er konnte nicht an den beiden Männern vorbei und auf die Straße laufen, aber er konnte durch den Torgang zum offenen Gelände dahinter gelangen, wohin er denn auch lief.

Nun wußte er auch genau, wo er sich befand. Der Tunnel, durch den er gelaufen war, gehörte zu dem halbverfallenen Haus, das neben den Färberwerkstätten der Charetty gestanden hatte. Jetzt stand er im ehemaligen Obstgarten. Vor ihm war der Kanal. An einer Seite stand eine Mauer ohne Tritte. Er wäre tot, ehe es ihm gelänge, dort hinaufzuklettern. An der anderen stand jene halbverfallene Mauer, die früher den Garten von den Färberwerkstätten abgetrennt hatte. Die Trümmer dahinter bezeichneten jene Schuppen, in denen sich einst all seine Arbeitskollegen versammelt hatten, um die Nachricht von der Heirat der Demoiselle zu vernehmen.

Die beiden Männer in Stadtlivree hatten zwar erheblich mehr Erfahrung im Kämpfen als er, besaßen aber nicht seine Reichweite. Der Schwung seines Schwerts gefiel ihnen gar nicht. Andererseits waren sie zu zweit.

Beim Sturz war schon seine Kappe hinuntergefallen. Im Laufen warf er seine Jacke von sich, so daß er nur noch Hemd und Hose trug und in seiner Bewegungsfreiheit durch nichts behindert war. Er wirbelte dabei herum, und sein Schwert schnitt durch die Luft, so daß seine Verfolger Abstand halten mußten. Er hatte noch Zeit genug für den Gedanken, daß es keine Angst war, die er empfand, sondern Erleichterung. Statt Rechenschaft ablegen zu müssen, war er aufgerufen, seinen körperlichen Mut zu beweisen.

Das tat er. Als er die verfallene Mauer erreichte, täuschte er sie. Der Mann, der ihm am dichtesten auf den Fersen war, lief ihm ins Schwert. Der andere eilte mit seinem Messer herbei. Nicolaas duckte sich, fand die niedrigste Stelle der Mauer und warf sich hinüber, von einem zornigen Angreifer verfolgt. Er drosch während seines Sprungs auf ihn ein und schlitzte ihm die Schulter auf. Er wäre auch sehr gut unten gelandet, hätte ihm nicht der Zeh von Jaak de Fleury buchstäblich im Weg gestanden. Er fiel mit voller Wucht hin, warf sich herum und hatte das Schwert des Kaufmanns an der Kehle; die eigene Waffe war ihm aus der Hand gefallen. Der übriggebliebene, blutende Angreifer riß ihn hoch.

Vor ihm lag das unebene Feld, auf dem einst die Böcke und Spannrahmen gestanden hatten. In unregelmäßigen Abständen blühten Pflanzen in Rot, Blau, Gelb und Violett. Dahinter lagen zwischen Grasbüscheln die verrußten Ziegelsteine des Hauses, in dem er seit seinem zehnten Lebensjahr mit Unterbrechungen gewohnt und gearbeitet hatte. Ihm gegenüber stand der Mann, der in den Jahren davor sein Herr und Meister gewesen war.

Ein ruhiger, lächelnder, grausamer Meister. Ein Kaufmann, der versucht hatte, die Charetty-Firma zu ruinieren und der jetzt in seiner Notsituation darauf aus war, sie sich anzueignen. Ein unangenehmer Kaufmann mit einem Schwert in der Hand, der keine Worte auf ihn verschwendete, sondern einfach auf ihn zugeschritten kam in der Absicht, ihn zu töten.

Eine Hand hielt ihn beim Arm, ein Messer wurde hinter seinem Rücken gehalten. Beides gehörte dem Mann, dessen Schulter er verwundet hatte. Der Griff um seinen Arm war betäubend kraftvoll. Das Messer jedoch befand sich in der geschwächten Hand.

Nicolaas warf sich mit dem ganzen Gewicht nach hinten, nicht nach vorn. Sein Ellbogen bohrte sich in die verwundete Schulter des Mannes. Er spürte, wie die Klinge in seinen Körper eindrang, aber sie wurde ohne Kraft geführt. Der Mann stieß einen Schrei aus und ließ ihn los. Während er noch schrie, riß ihm Nicolaas das Messer aus der Hand und machte Gebrauch davon.

Der Mann stürzte zu Boden. Jaak de Fleury hatte ein Schwert. Seine eigene Waffe lag ganz in der Nähe auf der Erde. Er bückte sich und ergriff sie, wich aus, als Jaak de Fleurys Klinge über seinen Kopf hinwegsauste. Dann stand er da, das Schwert in der Hand, und parierte, hörte den ordentlichen Schlag, wie man ihn wieder und wieder auf dem Übungsplatz gehört hatte.

Hier wie überall sonst besaß er keinerlei Erfahrung, die er dem langen Leben derer entgegensetzen konnte, die ihm überlegen waren. Er hatte nur seinen Verstand, der Lehren aufnahm und sie für immer bewahrte.

Auf dem öden Feld, wo er sich einst bemüht hatte, neues Tuch in der Farbküpe auf- und abzustoßen, sich unverdrossen um den berüchtigten Urinzuber gekümmert und mit seinen klatschfreudigen Gesellen Fleisch und Ale und obszöne, zwerchfellerschütternde Witze geteilt hatte, stand er nun mit dem Schwert in der Hand da, trat zur Seite, verlagerte sein Gewicht, glitt hin und her und schützte sich so gut es ging vor seinem Großonkel, der ihn zu töten versuchte.

Der dreißig Jahre älter war als er.

«Würdest du gern gegen ihn kämpfen können? Ihn schlagen? Ihn überwältigen?» hatte Marian de Charetty gefragt.

Und er hatte erwidert: *«Wenn ich Angst vor ihm habe, dann habe ich immer vor ihm Angst.»*

Das stimmte. Die Angst, die man ihm mit sieben Jahren eingeprügelt hatte, würde er nie wieder verlieren.

Trotz des Fiebers, trotz der Anstrengungen jener traurigen Reise, trotzdem Jaak de Fleury einen kraftvollen Körper hatte und eines geschickten, kunstvollen Umgangs mit der Waffe mächtig war, war er, Nicolaas, dreißig Jahre jünger und hatte sich erst kürzlich einige ausgewählte Kunstgriffe der Schwertführung angeeignet. Aber was spielte das für eine Rolle? Wenn er Jaak de Fleury tötete, tötete er sein eigen Fleisch und Blut, seinen Verwandten. Und ließ seine Angst unberührt.

Er parierte wieder und wieder. Er wußte nicht, was er tun sollte.

Jaak de Fleury, dessen glänzendes, schweißüberströmtes Antlitz einem rosazuckrigen Konfekt glich, bemerkte dies und lächelte schwer atmend. Muskulös und wendig veränderte er seinen Stand. Er kämpfte ohne seinen Mantel, breitschultrig in seinem prachtvollen Wams. Die bauschigen Seidenärmel des Hemds schlugen gegen seine kräftigen Oberarmmuskeln. Immer wieder stach die Spitze seines Schwerts zu. Und wieder parierte Nicolaas.

Von dem verfallenen Haus weit hinter ihm erklang der Schrei einer Männerstimme, der anhielt, lauter wurde und näher kam. Jaak de Fleury blickte sich um. Auch Nicolaas sah dann schnell über die Schulter nach hinten.

Die Gestalt, die zwischen den eingestürzten Mauern hervorgesprungen kam, das rote Haar im Wind, war Lionetto.

Lionetto! Und die zwei, die hinterherliefen, die Schwerter gezückt, waren Julius, Gott segne ihn, und Gregorio.

Wie hatten sie ihn denn gefunden? – Das Pferd.

Was in aller Welt machte denn Lionetto hier? Nun, das war einfach zu beantworten. Er suchte nach Nicolaas. Auch Lionetto hatte gute Gründe, Nicolaas umbringen zu wollen. Nicolaas hatte bloß nicht gewußt, daß er es wußte...

Er konnte nicht gegen zwei Männer zugleich kämpfen. Er war nicht virtuos genug, um Lionetto zu besiegen, schon gar nicht, wenn Jaak de Fleury diesem zur Seite stand. Wie schnell sie auch laufen mochten, Julius und Gregorio würden nicht schnell genug bei ihm sein. Er mußte also sterben. Nicht an einer Tracht Prügel, sondern an der erwachsenen Version einer Tracht Prügel, die man bekam, wenn man sich in die Angelegenheiten der Erwachsenen einmischte.

«Verräter!» brüllte Lionetto. «*Hurensohn! Schurke und Abschaum!* Das Geld eines Soldaten stehlen! Sein Vertrauen mißbrauchen! Ihn seiner Geldbörse erleichtern und ihn verraten! O ja. Mach all das. Aber nicht mit Lionetto. Nicht mit Lionetto, mein Freund.»

Hauptmann Lionetto war da. Mit gezogenem Schwert stand er als dritter Punkt eines Dreiecks, das von ihm, Nicolaas und der glänzenden Gestalt Jaak de Fleurys gebildet wurde. Der Kaufmann, ein Auge auf Nicolaas gerichtet, trat ein wenig zurück und machte sein Schwert frei. Nicolaas beobachtete Lionetto.

Aber Lionetto sah Jaak de Fleury an. Er sagte: «Erst hab ich's nicht geglaubt. Gerüchte, sagte ich. Aber ich dachte, ich sollte mich doch vergewissern, wo ich all das neue Geld hingeschickt hatte. Das Geld des Papstes. Das Bargeld aus all der Beute. Und da war Eure mailändische Niederlassung geschlossen. Euer Maffino durchgebrannt. Kein Geld. Kein Geld für Lionetto.» Er lächelte. «Und so habe ich in Genf nach meinem Geld gefragt. Nach all meinem Geld. All den Ersparnissen, die ich dort hinterlegt hatte. Und was hat man mir gesagt? Auch weg. Alles weg. Und warum?»

Er hatte seine Stimme gesenkt, und während er noch sprach, fuhr sein rechter Arm vor. Ein Blutfleck erschien auf Jaak de Fleurys Schulter; der Kaufmann gab einen Laut von sich und sprang zurück, das Schwert erhoben.

Lionetto senkte seines. «Warum? Der Herzog von Savoyen, so sagt man, hat Jaak de Fleury befohlen, ihm all die Ersparnisse Lionettos auszuhändigen. So haben sie's gesagt. Das wollten sie mich glauben machen. Aber ist Lionetto von gestern? Nein.»

Wieder bewegte er sich. Das Schwert blitzte. Es pirouettierte um das verzweifelt erhobene des Kaufmanns herum, berührte dessen Arm und drang in ihn ein. Lionetto sagte: «Ich glaube, Ihr habt all mein Geld.»

Das Rosa von Jaak de Fleurys Gesicht veränderte sich, als hätte man zum Beispiel ein kleines Becherglas verdünnten blauen Waids hinzugegossen. Er zog keuchend die Luft ein. «Natürlich habe ich Euer Geld nicht», sagte er dann. «Es ist Eure eigene Schuld. Ihr habt die Seiten gewechselt. Ihr seid von Piccininos auf die Seite Aragons gegangen. Die Franzosen haben davon Wind bekommen. Sie gaben die Anweisungen, alles, was Euch gehörte, zu konfiszieren, Savoyen hat es mir befohlen.»

«Tatsächlich?» sagte Lionetto. Tänzelnd sprang er vor. Der Kaufmann wich zurück. «Vielleicht haben sie das tatsächlich gemacht. Aber Ihr bekamt doch eine Entschädigung.»

«Nein!» rief Jaak de Fleury. «Sie versprachen es. Sie zahlten nicht. Ich hatte es alles angelegt. Ihre Abhebung machte mich bankrott. Ich bin bankrott.»

«Das sehe ich», sagte Lionetto. Sein Schwert schnellte hoch. Vom Kragen des Kaufmanns fiel ein Edelstein herab. «Abgebrannt», sagte Lionetto. «Wo also ist mein Geld?»

«Es stimmt», schaltete Nicolaas sich ein. «Der französische König hat Savoyen befohlen, es zu konfiszieren. Er ist wirklich bankrott. Er lebt vom Geld der Charetty.»

Lionetto wandte sich ihm zu. «Kein Geld?»

«Nein. Laß ihn in Ruhe», sagte Nicolaas.

«Nicolaas!» rief Julius. «Er wollte dich doch umbringen!»

«Ah ja?» sagte Lionetto. «Warum wollte er denn meinen kleinen Nicolaas umbringen? Vielleicht werde ich ihn schonen. Ich selbst hatte gelegentlich schon nicht übel Lust, Nicolaas umzubringen. Ich habe fast Euren Arzt umgebracht, hab ich Euch das schon erzählt? Ich begegnete ihm auf seinem Ritt nach Norden. Euer Doktor Tobias. Das Geld, das er mir brachte, ließ mich Piccinino verlassen. Aber er betonte, daß er mir nichts Böses gewollt habe. Er hat mich reich gemacht, das ist wahr. Nur daß ich nicht reich bin, oder? Und wessen Schuld ist das?»

Jaak de Fleury war kein Feigling. Sein Eigendünkel hatte Mut immer überflüssig gemacht. Er stand schwer atmend da und sagte dann: «Ich sehe keinen Sinn darin, diese Auseinandersetzung fortzusetzen.» Damit drehte er sich um und ging fort.

Lionetto dagegen war ein Söldner. Er sagte: «Ich auch nicht, verehrter Monsieur.» Er machte ohne Hast drei Schritte hinter ihm her und rannte ihm das Schwert durch den Rücken.

Über den ausgestreckten, athletischen Körper gebeugt, zog er seine Klinge heraus, untersuchte sie und wischte sie dann sorgfältig an einem Grasbüschel ab. «Ich hoffe, daß Ihr das alle gesehen habt», sagte Lionetto. «Der arme Nicolaas hier kämpfte um sein Leben, und ich habe ihn gerettet. Was machen denn all diese Leute hier?»

«Schauen Euch dabei zu, wie Ihr Nicolaas rettet», sagte Julius. Auch er atmete ziemlich schnell. «Habt Ihr hier in Brügge dringende Geschäfte?»

Lionetto ließ seinen Blick in die Runde schweifen und sah dann Nicolaas stirnrunzelnd an. «Jetzt nicht mehr», sagte er. «Habe ich nicht auch mal mit dir ein Hühnchen zu rupfen gehabt?»

«Ja», erwiderte Nicolaas. «Aber ein anderer kämpfte mit mir an Eurer Statt. Ich meine, Ihr könnt die Angelegenheit als erledigt betrachten.»

Lionetto grunzte. «Und hast du gewonnen?»

«Nein, verloren», sagte Nicolaas.

Lionettos glühende Augen schweiften über das Feld, an Jaak de Fleury vorbei, wo ein Toter auf einer Seite der Mauer lag und ein weiterer auf derselben. Dann sagte er: «Nun, anscheinend bist du jetzt dahintergekommen, wie es geht. Wenn du den Tod dieses Kerls da für dich beanspruchen willst, kannst du es tun. Ich brauche nur eine Münze, um mir in Gent eine Unterkunft zu besorgen.»

«Nehmt meine Börse», sagte Gregorio und warf sie ihm zu.

Lionetto fing sie auf und starrte ihn an, ebenso wie die beiden anderen. Dann grinste er. «Ich habe Euch wohl einen Gefallen getan, wie?» sagte er. «Vergeßt das nicht. Vielleicht brauche ich mal jemanden, der mir einen Gefallen tut. Demoiselle?»

Er machte eine Verbeugung gegenüber jemandem, der aus der Menschenmenge hervortrat, die sich auf der Straße vor dem Tatort gebildet hatte. Dann steckte er sein Schwert in die Scheide und schlenderte davon, den Hut in der Hand.

Die näher kommende Gestalt war Marian de Charetty.

«Ach, du gütiger Gott», sagte Julius.

Gregorio wandte seinen Blick von dem in der Entfernung kleiner werdenden Lionetto ab. «Sie hat wohl gesehen, wer wen getötet hat. Vielleicht sollte Nicolaas...»

Nicolaas sagte: «Könntet Ihr... Vielleicht könntet Ihr die Leute dort wegbringen und diejenigen holen, denen Meldung erstattet werden muß? Ich bringe die Demoiselle zur Spanjaardstraat zurück.»

Sein Herz klopfte heftig nach dem Kampf und seine Hände zitterten. Er kämpfte gegen eine Anwandlung von Schwindel an, blieb stehen, wo er gerade stand und versuchte sich zu sammeln, so gut es ging. Je weiter sie sich von der Menge entfernte, desto abgeschiedener würden sie sein. Dennoch mußte sie das, was er ihr zu sagen hatte, in aller Öffentlichkeit entgegennehmen. Die Zuschauer würden sie nicht hören, aber sehen.

Schon daß er dort auf sie wartete, sagte ihr, was es für eine Nachricht war. Sie hatte sich so streng wie möglich angezogen; das Kleid war hochgeschlossen und an den Handgelenken eng anliegend; unter der Krempe ihres Huts wurden Kinn und Ohren von Tüllstoff verhüllt. Ihre strahlendblauen Augen lagen tief in den umrandeten Höhlen, Lippen und Wangen waren bleich.

Dann stand sie neben ihm und sah zu ihm empor: «Hat er dich verletzt?»

Das Gras, auf dem er stand, war blutbefleckt. Die Klinge in seinem Rücken fiel ihm ein. Es war kaum mehr als eine Fleischwunde und ließ sich leicht stillen. «Nein», sagte er dann. «Julius und ich – wir bringen Euch eine schlechte Nachricht.»

«Ich habe Felix verloren», sagte sie. Ihre Augen waren frei von Tränen.

«Er war plötzlich erwachsen geworden», sagte Nicolaas. «Er hat sich in Mailand mit um das Geschäft gekümmert und wollte in Neapel kämpfen. Das tat er auch und machte seine Sache gut. Astorre wird es Euch erzählen. Dann entschloß er sich, zu Urbinos Heer zu gehen, anstatt nach Hause zu kommen. Zum Grafen von Urbino und Alessandro Strozzi. Sie kämpften im Osten.»

«Ich weiß», sagte sie. «In den Abruzzen. Warst du auch da?»

«Er konnte sogar an einem Tjost teilnehmen», sagte Nicolaas. «Er gewann und war sehr glücklich. Kurz darauf ist er gestorben, beim Kampf. Es kam zu einer Schlacht, und er wurde von einem Armbrustbolzen getroffen. Es ging sehr schnell. Wir haben ihn dort begraben.»

Er sah sie zusammenzucken. Sie wollte noch keine Einzelheiten hören. Ihr Blick ruhte auf dem anderen Toten, der schlaff im Gras lag. «Er wollte das Geschäft haben», sagte sie dann.

«Er haßte die Charetty-Firma», sagte Nicolaas. «Und er haßte Frauen, glaube ich. Thibault hat zweimal geheiratet und er verachtete ihn deswegen, wie er auch deine Schwester und meine Mutter verachtete. Er ist es nicht wert, daß man an ihn denkt.»

«Nein», sagte sie. «Später wirst du mir mehr erzählen. Auch, wo er beerdigt liegt. Und... ach. Die Mädchen. Sie sind nicht zu Hause.»

«Wir könnten sie doch jetzt abholen.»

Das Haus in der Spanjaardstraat, das man nach dem Brand neu eingerichtet hatte, war ihnen vertraut und ihm fremd. Tilde und Catherine legten nicht die Zurückhaltung ihrer Mutter an den Tag, als man sie wieder nach Hause zurückholte, sondern gaben ihr etwas zu tun, indem sie sich trösten ließen. Nicolaas gegenüber benahmen sie sich wie damals, als er ihr vertrauter Gefährte war, der in ihrem Leben ein und aus ging. Es war, als hätte er ihre Mutter nie geheiratet.

Auch Marian de Charetty benahm sich, als sei sie immer noch Witwe. Sie kannte Claes seit zehn Jahren. Sie hatte Felix geboren und aufgezogen und hatte Cornelis schließlich vor Stolz auf sein Kind, auf seinen Sohn weich werden sehen.

Nicolaas nahm dies alles zur Kenntnis und machte sich dann, ohne sich einzumischen, daran, den Trümmerhaufen dieses Tages zu beseitigen.

Jaak de Fleury überließ er den beiden Rechtskundigen, die in diesem Fall eines durch nichts provozierten Angriffs keine Probleme sahen. Seine Leiche wurde weggeschafft. Gregorio machte sich sogleich energisch daran, die Entlassung von Jaaks Dienstboten in die Wege zu leiten. Was der Mann zurückgelassen hatte, würde man zu seinem Bruder schicken.

Umsichtig und ohne die Demoiselle damit zu belästigen, sammelten Gregorio und Julius all die kleinen Wertgegenstände ein, die Jaak mit dem Geld der Demoiselle gekauft hatte. In Silber umgewandelt würden sie wieder in ihre Geldbestände zurückkehren. Schließlich konnte Julius wegen den vorangegangenen Strapazen der Reise keinen klaren Gedanken mehr fassen und war froh, als Gregorio sich damit einverstanden erklärte, daß er sich in sein Bett zurückzog.

Nicolaas, unbeeinträchtigt wie eine Maschine, arbeitete weiter. Gregorio schaute bei ihm hinein und vernahm, daß er sich ebenfalls zurückziehen dürfte. Das tat er dann auch. Die trauernde Familie besaß sein Mitgefühl. Aber schließlich war er mit seiner Herrin nicht verheiratet.

Der Demoiselle entging nichts. Von Zeit zu Zeit kam ein verlegener Henning oder jemand anders aus ihrem Haushalt, um ein Hilfsangebot zu überbringen oder einen Besucher anzukündigen. Sie lehnte alles dankend ab, da sie glaubte, den Tag mit ihren Töchtern verbringen zu müssen.

Sie reichte den Kindern, die ihr noch blieben, in ihrem Wohnzimmer das Abendessen, aß aber selbst nichts. Nach einer Weile gaben die Mädchen dem Appetit der Jugend nach. Sie erholten sich schon von dem Schock. Morgen oder übermorgen würden sie alles über die Schlacht und den Tjost hören wollen.

Später, nachdem sie sie zu Bett gebracht hatte, hörte sie Tilde weinen, ging in ihr Zimmer und saß bei ihr, bis sie eingeschlafen war. Dann kleidete sie sich aus, zog ihr Nachthemd an und ging in ihr Schlafzimmer, wo sie am offenen Fenster saß, sich nach Cornelis sehnend.

Aber es war unsinnig, denn Cornelis hätte schrecklich gelitten. Sein Sohn. Sein Erbe. Sie hatte nur ihr Baby verloren.

Voll sanfter Freundlichkeit dachte sie an Cornelis zurück. Er war ihr ein guter Gatte gewesen, einen besseren hätte sie sich nicht wünschen können. Als ihr Vater Bankrott ging, *faute van den wissele*, so wie Jaak de Fleury, hatte Cornelis die Firma übernommen und wieder auf Erfolgskurs geführt. Er hatte sie mit Geschäftlichem nie behelligt. Sie kümmerte sich nur um das Kind und den Haushalt.

Und so wäre es noch heute, wenn Cornelis nicht gestorben wäre. Natürlich fühlte sie sich manchmal einsam. Heute nacht war sie einsam. Nur Tilde und Catherine kannten Felix so wie sie, und beide waren zu jung, um sie zu trösten. Dasselbe traf auf Felix' Freunde zu. Mit plötzlich aufwallender Dankbarkeit dachte sie an Margriet Adorne. Sie hatte ja Freundinnen in ihrem Alter, die sie verstanden. Morgen. Aber erst mußte diese Nacht durchlitten werden.

Sie wußte, daß sich in Felix' Zimmer eine Truhe mit all seinen Sachen befand. Obenauf lag ein mit einem roten Federbusch und einem Adlerkopf verzierter Helm. Sie hatte das allein entdeckt. Wer ihn dorthin gelegt haben mochte, hatte jedenfalls die Tür nicht verschlossen. Die älteren Mitglieder ihres Haushalts behandelten sie wie eine reife Frau, die einer Krise gewachsen war und um Hilfe bitten würde, wenn sie welche brauchte. Jetzt begriff sie, daß schon den ganzen Tag lang immer jemand in ihrer Nähe gewesen war, was sie auch tat. Dieser Jemand redete nicht und hielt sich auch nicht oft im selben Zimmer wie sie auf, aber er war da. Oft war dieser Jemand Nicolaas gewesen.

Bis zu diesem Zeitpunkt hatte sie über Nicolaas noch nicht so richtig nachgedacht. Als er weg war, hatte sie ihn vermißt. Sie hatte seine Stärke vermißt, auf die sie sich stützen konnte, und sein Verständnis. Heimlich hatte sie es ihm vorgeworfen, daß er sie verlassen hatte, so wie sie es Cornelis immer vorgeworfen hatte, wenn er nach Antwerpen gegangen war und sie mit irgend etwas allein fertig werden mußte.

Sie hatte Nicolaas aus dem gleichen Grund zurückersehnt. Nein. Sie hatte ihn wegen seiner kameradschaftlichen, von Unterbrechungen gekennzeichneten Gesellschaft vermißt, die Teil ihrer täglichen Freuden geworden war. Falls er ebenfalls Freude daran empfand, wußte sie es nicht. Aber sie wußte, daß er Geschmack an geschäftlichen Angelegenheiten gefunden hatte und auf diesem Gebiet herumexperimentierte. Noch vor kurzem, so schien es ihr, hätte er, falls er es gewünscht hätte, wieder in die Anonymität zurücktreten können. Statt dessen aber hatte er noch einen Schritt nach vorn getan und sich der Charetty-Handelsgesellschaft und ihr, Marian de Charetty, verschrieben.

Woran er wohl in dieser Nacht dachte? Er war mit Felix zusammengewesen. Er hatte seinen Tod nicht im Hof erfahren, zwischen Wollmützen und schmutzigen Körpern und stinkenden Schürzen. Der Tod von Felix hatte etwas mit ihm zu tun, denn Rücksicht und auch Schuldbewußtsein hatten ihn dazu bewogen, Julius mit auf jene halsbrecherische Reise zu nehmen, um ihr diese Nachricht am schonendsten beizubringen.

Aber die Umstände hatten es gewollt, daß sie von dem Tod ihres Sohnes auf brutalste Weise unterrichtet wurde. Was Nicolaas auch von Esota denken mochte, von ihrem Tod hatte er unterwegs gehört. Ebenso vom Bankrott Jaak de Fleurys. Er hatte mit beiden zusammen gelebt und alle Grausamkeiten überstanden, ohne sichtlich verbittert zu sein. Es war nicht seine Schuld, daß Jaak de Fleury tot war; Lionetto hatte ihn getötet. Aber heute hatte er erfahren müssen, daß sein Leben und sein Glück nichts gewesen waren in Jaaks Augen. Und heute hatte er getötet. Nicolaas, der vergnügt aus dem Steen zu kommen pflegte, den ganzen Rücken voll roter Striemen, hatte zwei Leben genommen.

Aber sie vergaß: Männer zogen nicht in den Krieg und blieben Kaufleute. Man hatte ihn jetzt gelehrt zu töten, ebenso wie Felix. Und einer von ihnen hatte den Preis dafür bezahlt.

Sie saß lange da, in Gedanken versunken. Im Haus war es still. Hinten im Flur war die Tür zu dem schönen Zimmer, das Jaak de Fleury für sich beschlagnahmt hatte, zugezogen und abgeschlossen, all seine Habseligkeiten waren darin aufgestapelt. Daneben lag das Zimmer, das Nicolaas ausgesucht hatte, als er und Gregorio vor dem Brand hier ihr Büro eingerichtet hatten. Kein Lichtschein drang heraus, aber die Tür war offen.

Sie war offen gewesen, als sie daran vorüberging. Sie wußte warum. Er war der Mann, der ihr Felix weggenommen hatte. Er war ihr Mann. Er war keiner von beiden. Es gab für ihn in dieser Tragödie keine Rolle, es sei denn, sie wollte ihm eine geben.

Wollte sie das? Heute nacht kreisten ihre Gedanken um ihre Familie, um Cornelis und Felix, Tilde und Catherine. Wie lange auch immer sie den Jungen Nicolaas schon kannte, er stand außerhalb dieses kleinen, engen Kreises. Ihn dort hineinzulassen wäre eine Art von Verrat. Er war für Felix das gewesen, was Julius für ihn gewesen war – ein Mentor, wenn man so will, ein Tutor. Für Cornelis war er ein Lehrling gewesen. Ihr hatte er sich als idealer Verwalter gezeigt: treu, fleißig und aufmerksam.

Draußen auf der Straße ging jemand mit einer Laterne vorbei. Der schwache Schimmer zog über ihre Kammer hin, bedruckte ihre Hände und ihr Nachthemd mit zarten Rauten. Ihr Haar, das ihr lockig in den Schoß fiel, glomm kurz auf. Sie schaute herab und strich mit der Hand hinüber.

Ich bin eine Närrin, dachte sie. Gregorio ist der ideale Verwalter. Julius ist treu und fleißig und aufmerksam. Aber ich habe Nicolaas dazu gebracht, mich zu heiraten. Dann wurde ich das Kind und er der Vater.

Nun habe ich kein anderes Kind, dachte sie. Und er hat auch niemanden, um mit ihm diesen Tag zu verstehen.

Die Tür war immer noch offen, als sie den Korridor entlangschritt, die kleine Flamme der Kerze mit der Hand abschirmend. Genau wie sie ruhte auch er sich am Fenster aus, hatte aber den Kopf zum Rauminnern gewandt, da er ihren Schritt hörte.

All die Betriebsamkeit des Tages war gewichen, unter die Oberfläche gerückt, um den Gedanken, die beachtet werden wollten, Platz zu machen.

Sie kannte diese Gedanken. Sie trat ans Fenster und sah auf ihn herab, so daß er ihre trockenen Augen erkennen konnte, und wie sie die kleinen Dinge im Griff hatte.

Er stand nicht auf, was sie rührend fand. Aber sein Gesicht entspannte sich ein bißchen.

Sie war mit Kindern und Ehemännern vertraut. Sie wußte, wie man Trost schenkte und entgegennahm. Sie sah, daß er begriff, was sie vorhatte, gerade in dem Moment, da sie die Kerze ausblies, weglegte und sich dann, das Nachthemd um sich ziehend, neben ihn ans Fenster setzte.

Es war hell genug, um seine Hand zu erkennen. Sie nahm sie leicht zwischen ihre beiden.

«Ich wußte nicht, was du wolltest», sagte er.

«Ich brauche jemanden, der mich braucht», sagte sie.

Sie war weiser, als ihr bewußt war. Und es stellte sich heraus, daß sie hierin die Stärkere war. Wie Ärzte es tun, ließ sie ihn erst die Fassung verlieren und nahm ihn dann in ihre tröstenden Arme, wie sie es mit Tilde und Catherine zu tun pflegte.

Aber er war nicht Tilde oder Catherine, und auch sie hatte sich verirrt, war bestürzt und litt. Seine Umarmung, die so sanft wie die ihre war, barg noch etwas anderes, und sie spürte, wie er es stumm zurückhielt. Das war der Augenblick, da sie seine Hände in ihren hochhob und sie durch die warme, glänzende Masse ihres Haars gleiten ließ. Dann drückte sie sie an ihre Brust, in jene Mulde, wo das Nachthemd zugeschnürt war. «Nicolaas?»

Seine Finger entglitten den ihren, blieben aber dort, berührten ihr Nachthemd. In seiner Unruhe sprach er französich. «Bedenke es.»

«Nein», erwiderte Marian de Charetty. «Denke gar nichts.»

Kapitel 39

Es entging der allgemeinen Aufmerksamkeit nicht, wie oder wo Marian de Charetty die erste Nacht nach ihrem zweiten schmerzlichen Verlust zubrachte. Ihre Tochter Tilde, von einem leisen Geräusch aufgestört, erhob sich vor Tagesanbruch und stellte fest, daß das Zimmer ihrer Mutter leer war. Nicolaas' Tür war verschlossen. Tilde hatte dort erst einen Augenblick lang verharrt, als sie ihre Mutter drinnen etwas sagen hörte. Was es auch gewesen sein mochte, sie brach fast sofort wieder ab, als sei sie außer Atem wie Catherine, und weinte gerade. Aber ihr Schluchzen hatte nichts von Trauer. Tilde schlich an der Tür vorüber. Dann, eng in ihrem Bett zusammengerollt, weinte sie nicht wie ihre Mutter, sondern wie Catherine.

Während der folgenden Tage begriff der gesamte Haushalt nach und nach, was geschehen war, denn weder die Demoiselle noch ihr Ehemann taten so, als teilten sie ihr Schlafzimmer nicht miteinander. Tagsüber war es ein Haus des schwarzen Tuchs, der Schneider und der Trauer. Nachts nahm die Demoiselle den Trost entgegen, der ihr rechtmäßig zustand. Wenn ihre Diener früher Unbehagen oder Groll empfunden und sich in obszöne Witze oder sogar Feindseligkeit geflüchtet hätten, entschuldigten und verziehen sie nun. Felix' Tod hatte alles verändert.

Julius beobachtete es voller Neugier. Er stellte fest, daß die Ehe nicht nur von Henning und den Männern akzeptiert wurde, die mit Claes zusammengearbeitet hatten, auch die ehrbaren Bürger, mit denen sie handelten, hatten sich offenbar mit der Vereinigung abgefunden, vielleicht schon vor der jüngsten Entwicklung. Er sprach mit Gregorio darüber und erfuhr von dem anderen etwas mehr über das Zustandekommen dieser Ehe. Er war immer noch etwas argwöhnisch Gregorio gegenüber, wie es wohl jeder gegenüber einem Berufskollegen ist, aber die Art, wie der andere sich bei Jaak de Fleurys Tod verhalten hatte, gefiel ihm, und auch bei den darauffolgenden, wenig angenehmen Pflichten hatte Gregorio sich als bescheidener, harter Arbeiter erwiesen. In den Stunden, die sie über den Hauptbüchern verbrachten, mußte Julius zugeben, daß der andere mehr als sachkundig war. Manchmal schien es ihm, als läge noch etwas anderes als Sachkenntnis in dem verwirrenden schwarzäugigen Blick, aber nachdem er herausgefunden hatte, daß Gregorio über eine Geliebte namens Margot verfügte, begriff er, daß jener ein ganz normaler Mann war. Die Frau kochte überdies sehr gut. Nachdem Gregorio ihn ungebeten eingeladen hatte, damit er sie kennenlernen sollte, konnte Julius sich des Eindrucks nicht erwehren, daß Gregorio sich im stillen köstlich amüsierte.

Für das übrige Brügge war Nicolaas natürlich der Held des Tages. Nun wußte jeder, was Jaak de Fleury für ein Schurke gewesen war. Einige wollten es gleich bemerkt haben, als der Mann hier so verdächtig aufgetaucht war, der Demoiselle die Zügel aus der Hand genommen und behauptet hatte, das Geschäft gehöre ihm. Nicolaas und Julius besaßen die Zahlen und konnten beweisen, daß das nicht stimmte und daß er darüber hinaus die arme Witwe seit Jahren übervorteilt hatte. Die Diener des jungen Felix gaben gern Auskunft, wie und warum Nicolaas Felix in Genf vor dem Zugriff M. Jaaks bewahrt hatte und wie einträchtig sie dann gemeinsam weitergeritten waren.

Natürlich war jedermann traurig, was den Jonkheer anging, allgemein fand man jedoch, seine Stadt und seine Familie könne stolz darauf sein, wie er für König Ferrante gekämpft und beim großen Tjost in den Abruzzen Lorbeeren errungen hatte. Ein Jammer bloß, daß es nicht hier gewesen war, so daß seine Freunde ihm hätten zujubeln können. Aber wenn ein junger Mann schon sterben mußte, gab es denn einen schöneren Tod?

Und was Nicolaas betraf, der vorher Claes geheißen hatte, wer hätte das gedacht? Hielt sich wacker gegen zwei bewaffnete Männer, tötete sie, und kämpfte dann gegen diesen Banditen de Fleury bis zum letzten Blutstropfen, auch wenn ein anderer diesen dann schließlich erledigt hatte. Und er war so rücksichtsvoll gegenüber seiner neuen Frau, man konnte es kaum glauben, und dann hatte er sie mit all dem Geld überschüttet, das er in Italien gewonnen hatte. Man mußte sich das nur anhören von den Gutschriften, die er ihr den ganzen Sommer über geschickt hatte, so daß sie all ihre Schulden bezahlen konnte und den Mädchen schöne Aussteuern sicher waren. Nicolaas hatte sich als guter Junge erwiesen.

Der einzige Mensch, der offensichtlich abgeneigt war, in diese Hymnen einzustimmen, war Nicolaas selbst, der einen Morgen lang wie betäubt Gratulationen und Schläge auf seinen verbundenen Rücken über sich ergehen ließ, um sich dann verzweifelt in die Arbeit zu flüchten. Julius und Gregorio standen ihm in seiner langen Arbeitszeit und der Abfolge von harten Verhandlungen ohne Murren zur Seite. Die von Jaak de Fleury getroffenen Entscheidungen wurden korrigiert oder rückgängig gemacht und statt ihrer neue getroffen. Der Kurierdienst wurde überprüft und neu organisiert. Alles, was Gregorio seit April unternommen hatte, wurde unter die Lupe genommen und besprochen, auch seine Einkäufe für die flandrischen Galeeren. Dann folgten die wichtigen Konferenzen mit Bembo und den venezianischen Kaufleuten.

Innerhalb von einer Woche sollte Venedig seine Zustimmung dazu geben, daß die Charetty-Handelsgesellschaft und die Kaufleute Genuas die abgesprochene Menge Alauns erwerben durften, das die flandrischen Galeeren an Bord hatten. Da es ihnen nur als Ballast diente, war es nicht viel. Aber so würde es zu einer Gewohnheit werden, und das nächste turnusmäßig ankommende Schiff mit Schüttgut aus Konstantinopel würde hier einlaufen, und die neuen Lagerräume der Demoiselle würden sich füllen. Selbst wenn die Obrigkeit morgen schon die neuen Gruben entdecken sollte...

Die einzigen Menschen in Brügge, die offenbar nicht mit Nicolaas zufrieden waren, waren all die Mädchen, mit denen er sonst immer umhergelaufen war, und die anscheinend gehofft hatten, er würde der Witwe bald überdrüssig werden und ihnen wieder nachsteigen. Einmal hatte Julius einige Zeit mit einer vornehmen Gruppe der de Veeres zugebracht, mit der er seines Erachtens noch nie Streit gehabt hatte, als sein Blick auf das haßerfüllte Gesicht eines dicken kleinen Mädchens fiel, welches er als das der jüngeren van Borselen-Schwester erinnerte. Nicolaas, auf den ihr Blick gerichtet war, schaute ausdruckslos zurück – das war in diesen Tagen einer seiner vertrautesten Schachzüge. Man konnte ihn nicht mehr wie früher orten, indem man dem Lachen anderer Leute folgte. Aber das wäre natürlich auch unschicklich gewesen, wenn man an den armen Felix dachte.

Mitten in das Durcheinander platzte der kahlköpfige Doktor Tobias aus den Abruzzen herein, nachdem er offenbar Graf Federigo und alle Männer seines Heers, die noch für eine Behandlung empfänglich waren, wieder zurechtgeflickt hatte. Ebenso wie Julius war auch Tobie von der italienischen Sonne rotbraun gebrannt. Das Haus in der Spanjaardstraat, das er ebenso wie Julius noch nicht gesehen hatte, machte auf ihn einen genauso tiefen Eindruck wie Gregorio, den er noch nicht kannte. Gregorio und Tobie zu sehen, wie sie einander abschätzend betrachteten, war ein Schauspiel, das Julius tatsächlich genoß. Er fand, sie seien einander womöglich gewachsen.

Nicolaas war nicht da, also führte Tobie eine private Unterhaltung mit der Demoiselle über Astorre und dessen Winterquartiere, die Abwicklung des Vertrags und wohl auch darüber, wie Tobie in Nicolaas' Alaun-Wagnis verwickelt worden und nun daran beteiligt war. Von allen hatte der Arzt das geringste Interesse an der Heirat der Demoiselle an den Tag gelegt, aber das rührte wohl daher, daß er sie kaum kannte. Schließlich waren sie sich nur ein einziges Mal vor zehn Monaten begegnet, als er sich entschlossen hatte, mit Astorre anstatt mit Lionetto zu ziehen.

Er ging aus der Zusammenkunft offenbar unversehrt hervor und hatte nach der Art, wie er ins Büro geschritten kam, wohl Grund zu der Annahme, er gehöre dazu. Die Schreiber waren gerade fort, aber es sah im Raum trotzdem noch nach Geschäften aus, mit den Tischen und Schränken und der methodischen Unordnung. Tobie warf einen Blick in die Runde, nickte Julius und Gregorio zu und fragte dann: «Und wo steckt der junge Herr?»

Julius runzelte die Stirn. Gregorio antwortete mit seiner melodischen Stimme: «Ihr werdet sehen, daß der junge Herr dieses Hauses tot ist. Nicolaas wird bald zurückkehren. Mit einigem Widerstreben steht er der Beerdigung seines Großonkels vor.»

Tobie hob eine Hand und strich sich damit über den Kahlkopf, wobei er seine einfache schwarze Kappe abnahm. «Beinahe mußte ich selbst beerdigt werden. Deshalb habe ich es auch nicht so eilig gehabt hierherzukommen. Unterwegs holte mich mein ehemaliger Hauptmann ein und wollte mir weismachen, ich hätte ihn absichtlich zugrunde gerichtet. Statt nach mir, hält er jetzt nach Jaak de Fleury Ausschau.»

«Er hat ihn schon gefunden», versetzte Gregorio trocken. «Falls Euer ehemaliger Hauptmann Lionetto ist.»

Julius bemerkte, daß Tobie und Gregorio einander anstarrten. Tobie fragte: «Ist es Jaak de Fleury, der gerade beerdigt wird?»

Gregorio nickte sanft. «Von Lionetto getötet. Der noch am selben Tag eilig weiterreiste. Er hat seinen Seitenwechsel offenbar bedauert. Wäre er bei Piccinino geblieben, wäre all das nicht passiert.»

«Vergeßt doch Lionetto», sagte Julius. «Haben wir schon eine neue *condotta*?»

Tobie sah ihn an. «O ja», sagte er dann. «Zumindest ist uns eine angeboten worden. Astorre ist bei allen gut angeschrieben, seit er heil aus Neapel rausgekommen und gleich Urbino zu Füßen geeilt ist. Der diesjährige Feldzug gegen Piccinino ist vorbei. Urbino hat auch seinen Kontrakt verlängert und wird mit seinem Heer in Magliano nördlich bei Rom überwintern, damit er und Alessandro den Papst über Weihnachten besuchen können. Astorre wird ihn begleiten, bis er von uns... von der Demoiselle hört, was er machen soll.»

«Wenn Ihr Nicolaas meint, warum sagt Ihr das dann nicht?» fragte Julius. Im selben Augenblick trat Nicolaas ein, der es aber nicht gehört zu haben schien und statt dessen Tobie ansah und ihn begrüßte.

Tobie erwiderte seinen Blick. Seine Augen waren rund und farblos und hatten einen häßlichen schwarzen Punkt in der Mitte, wie ihn etwa ein Wiesel sehen mochte, auf den ein Hühnerhabicht herabgestoßen kommt. «Was höre ich da über Jaak de Fleury?»

«Er ist tot», sagte Nicolaas. «Was höre ich da über Astorre und den neuen Kontrakt?»

Er bekam zwar eine Antwort, zwang aber Tobie dann nicht, sich weiter über Geschäftliches auszulassen, wo es so viele interessantere Themen zu besprechen gab. Nicolaas saß schweigend dabei, wie er es nun oft tat, und sagte nicht viel dazu. Aber Julius hatte sich in all die Neuigkeiten und den Klatsch förmlich hineingestürzt und unterhielt sich die ganze Mittagspause hindurch mit den beiden anderen, er hielt nur inne, wenn Besucher kamen. Immerzu sprachen Leute vor, die Felix' Mutter kondolieren wollten. Nachdem sie das getan hatten, machten sie alle naslang die Tür zum Büro auf, um mit den Freunden von Felix zu sprechen.

Sie hatten schon die Besuche von Sersanders und John Bonkle, von Colard Mansion (der nach Gottschalk fragte) und sogar von Tommaso Portinari erhalten, der wohl kaum zu Felix' Freundeskreis gehört haben konnte, aber den offenbaren unwiderstehlichen Drang hatte, mit Nicolaas freundschaftlichen Verkehr zu pflegen. Er hatte Nicolaas nach allen Einzelheiten des Tjosts und der Schlacht bei San Fabiano gefragt, und Nicolaas hatte es ihm erzählt.

Julius bemerkte, daß die Freunde von Felix Nicolaas nicht für das Geschehene verantwortlich machten, sondern insgeheim sehr erpicht darauf waren, alles über die Kämpfe zu erfahren. Nicolaas' Bericht, den er schon so oft hatte erzählen müssen, war inzwischen stark komprimiert worden, aber Julius konnte immer noch etwas hinzufügen. Er wußte selber auch eine ganze Reihe guter Geschichten über Sarno zu berichten. Irgendwie empfand er diese Dinge als sehr anregend und schämte sich dann dafür. Aber schließlich sollten die Toten doch nicht der Vergessenheit anheimfallen. Man sollte von ihnen erzählen.

Das tat er auch Lorenzo Strozzi gegenüber, der gerade vorbeischaute, nachdem Tobie angekommen war. Lorenzo wollte Nachrichten von seinem Bruder in Neapel sowie die Versicherung haben, daß König Ferrante auf seinem Thron bleiben würde und das Geschäft der Strozzi nicht in Gefahr war. Julius, als ein ebenso ängstlicher Besitzer hinterlegten Geldes, sagte Lorenzo, was er wußte, konnte ihn aber nicht beruhigen. Lorenzo fing dann an, sich über die Knauserigkeit der Strozzi in Brügge auszulassen, und daß die expandierende Charetty-Handelsgesellschaft doch bestimmt nach intelligenten jungen Handelsvertretern Ausschau hielte. Als niemand darauf einging, kam er wieder auf Felix zurück. Nicolaas erzählte ihm von der Schlacht. Als er schon an der Tür war, sah er Nicolaas an und sagte: «Ich bin Euch noch zu Dank verpflichtet, daß wir den Vogel wiederbekommen haben.»

Erst schaute Nicolaas ganz verständnislos drein. Dann sagte er: «Den Strauß? Wo ist er denn?»

Auf Lorenzos düsterem Gesicht breitete sich ein seltenes Lächeln aus. «Tommaso hat ihn», sagte er. «Sie haben das Tier in der Bretagne mit Muscheln gefüttert. Es kam in sehr schlechter Verfassung an, und er versucht es jetzt wieder so weit aufzupäppeln, daß es vor dem Winter noch über die Alpen geschickt werden kann. Ich habe auch das Geld dafür bekommen.»

«Gut», sagte Nicolaas.

«Ist das alles?» fragte Julius, als sich die Tür geschlossen hatte. «Wenn man Loppe glauben kann, hat Felix ihm erzählt ...»

«Ich weiß. Laß Tobie jetzt seine Geschichte zu Ende bringen.»

Also nahm Tobie seinen Faden wieder auf, war aber noch mittendrin, als alle aufstehen mußten, weil Giovanni Arnolfini eingetreten war, der lucchesische Seidenhändler, der der Demoiselle etwas schwarzen Samt mitgebracht hatte. Er war ein Geschenk vom allerdurchlauchtigsten Dauphin, um die trauernde Mutter über den Verlust ihres tapferen jungen Sohnes hinwegzutrösten.

Sie sprachen über Felix, und Nicolaas erzählte von der Schlacht. Nachdem Arnolfini gegangen war, sah Tobie Nicolaas an und fragte: «Warum schließt du denn diese verdammte Tür da nicht mal ab?»

«Weil gleich die Arbeitsglocke ertönen wird», erwiderte Gregorio, «und wir eigentlich alle Schreiber wieder hineinlassen wollen. Ich hab noch nichts gegessen. Wollen wir nicht Meester Tobias mitnehmen und uns etwas suchen? Falls die Demoiselle uns alle entbehren kann, heißt das.»

Nicolaas sagte: «Geht mal, ihr drei. Ich werd's ihr sagen. Bis nachher.» Dann stand er auf und ging. Tobie und Gregorio, die sich noch gar nicht kannten, wechselten wieder einen Blick.

Im Gasthaus hatten sie allen Raum für sich, weil sie so spät dran waren. Julius kannte es schon lange und bewirkte, daß die Tafel zu Ehren des Doktors üppig gedeckt und soviel Rheinwein bereitgestellt wurde, wie er trinken konnte. Allerdings trank Tobie dann gar nicht besonders viel, sondern verlangte statt dessen einen vollständigen Bericht darüber, warum Jaak de Fleury nach Brügge gekommen war und was ihm dann zugestoßen sei.

Hinterher saß er einen Augenblick lang da und stürzte dann eine größere Menge Weins auf einmal hinunter. «Und wie hat Brügge das aufgenommen?» fragte er dann. «Machen sie Nicolaas Vorwürfe?»

«Vorwürfe!» sagte Julius. «Er hat endlich seine Ehre zurückbekommen. Ihr könnt es vielleicht nicht mehr erinnern. Er hat nie jemandem Paroli geboten. Und nun, wo er und die Demoiselle...»

Gregorio warf ziemlich hastig ein: «Die Kaufleute haben die Ehe nun auch akzeptiert. Nicolaas hat einen guten Ruf. Gut genug, um auf geschäftlicher Ebene alles zu machen, was er möchte.»

Tobie achtete gar nicht darauf und sah immer noch Julius an, dem das Blut in die Wangen gestiegen war. «Verstehe», sagte Tobie. «Und was möchte er machen? Hat er Euch das auch schon verraten?»

Julius erwiderte: «Also, das heißt ja noch nicht, das Nicolaas die Firma leitet. Wenn die Alaun-Konzession erteilt worden ist, werden wir bestimmt alle dazu aufgefordert werden, an den Zukunftsplänen mitzuarbeiten. Alles, was ich weiß, ist, daß wir vielleicht zwei weitere Schwadronen für Astorre aufstellen werden in der nächsten Saison, da wir nun über alle zusätzlichen Waffen und das nötige Geld für die Ausrüstung verfügen. Man wird Euch wohl bitten, ob Ihr wieder als Feldarzt Astorres arbeiten wollt, wenn man das nicht schon getan hat. Die Färberwerkstatt wird weiterhin von der Demoiselle geleitet werden, aber um die Kreditseite und die Liegenschaften, Sachen wie Felix' Weinschenke, werden sich Gregorio und meine Wenigkeit kümmern. Vielleicht wird das auch noch ausgebaut.»

«Und Nicolaas?» fragte Tobie.

«Nun, da ist ja noch der Kurierdienst», sagte Julius. «Der macht sich mit einer guten Mannschaft schon sehr gut. Er wird ihn vorwiegend von Brügge aus leiten, aber etwas davon beim Hinundherreiten zwischen Brügge und Mailand selbst übernehmen, um den Kontakt zur mailändischen Seite zu halten. Ich denke, er könnte auch Euch sehr nützlich dafür finden, wenn Ihr bei Astorre in Italien seid.»

Er hielt inne und sah Gregorio an, aber Gregorio schien dem nichts mehr hinzufügen zu wollen. «Ist das alles, was er gesagt hat?» fragte Tobie. «Nichts erwähnt von Schiffen oder daß er in der

Fremde Zweigstellen eröffnen oder in den Seidenhandel einsteigen möchte?»

«Schiffe!» rief Julius aus.

Gregorio sagte: «Nein, nichts davon. Aber in den letzten Tagen mußte auch soviel erledigt und überprüft werden. Wie Julius schon gesagt hat, gab es noch keine Zusammenkunft, um irgendwelche Pläne zu machen. Die Demoiselle hat vielleicht auch warten wollen, bis Ihr zurück seid. Und bis die Alaun-Konzession durch ist. Ich hatte wirklich den Eindruck...» Er zögerte.

«Ja?» sagte Tobie.

«Daß Nicolaas auf etwas wartet», sagte Gregorio.

«Und das beunruhigt Euch nicht?»

«Warum sollte es?» fragte Julius.

«Wegen der Zukunft des Geschäfts natürlich», erwiderte der Arzt. Er riß von seinem Fasan Stücke ab und stopfte sie sich alle mit einer Hand in den Mund. «Felix war der nominelle Vorstand», sagte er dann. «Er ist nun nicht mehr da. Die Demoiselle ist der juristische Vorstand. Sie ist eine gute, tüchtige Frau, aber eine Angelegenheit von diesen Ausmaßen übersteigt ihre Fähigkeiten. Wer führt die Charetty-Firma, bis die beiden Töchter heiraten?»

«Ich dachte, das sei recht klar», sagte Gregorio. «Die gleichen, die gemeinsam die Alaun-Geschichte machen. Wir drei und Nicolaas. Außer daß Nicolaas als Ehemann der Demoiselle natürlich die stärkste Position hat.»

«Ohne uns würde er sicher nicht zurechtkommen», sagte Julius.

«Tatsächlich nicht?» sagte Tobie. «Ich habe ein wenig über all das nachgedacht, was ich bisher von Freund Nicolaas gesehen habe. Ich habe der Demoiselle zugehört, wie sie übers Geschäft gesprochen hat. Ich glaube nicht, daß Nicolaas uns dazu braucht, irgend etwas zu leiten. Er braucht uns, damit wir ihm helfen, das ist alles. Ob es uns gefällt oder nicht, Nicolaas ist der Herr der Charetty-Handelsgesellschaft. Und was sagt Ihr nun dazu? Ist er der Mensch, unter dem Ihr gern arbeiten möchtet?»

Genau das machte Julius auch Sorgen. Langsam sagte er: «Ich verstehe, was Ihr meint. Er ist jung.»

«Er ist knapp zwanzig», sagte Tobie. «Das sind fast zwanzig Jahre weniger als bei dem ältesten von uns. Es bedeutet, daß er – wie begabt er auch immer sein mag – noch keine Erfahrung hat.»

«Die können wir ja beisteuern», sagte Gregorio. Er beobachtete Tobie scharf.

«Das wird er zu schätzen wissen», sagte Tobie. «Es ist seine Stärke, Ratschläge zu beherzigen. Und er ist auch gut in der Handhabung von Leuten. Er hat das Wohlwollen eines jeden erlangt, der ihn jemals verprügelt hat, indem er fröhlich, gelassen und langmütig war und vor allem niemandem etwas nachtrug. So arbeitet man gern mit ihm. Zumindest ich würde deshalb gern mit ihm zusammenarbeiten. Aber ich habe angefangen, über diese unterwürfige Haltung nachzudenken. Ist sie echt?»

Julius grinste. «Habt Ihr schon mal gesehen, wie Nicolaas eine Tracht Prügel wegsteckt? Es ist echt.»

«O ja, er steckt sie schon weg, in dem Augenblick», sagte Tobie. «Aber was wäre, wenn er es nicht auch sofort wieder vergäße, wie Ihr offenbar glaubt? Was, wenn er jede Kränkung, jede Strafe still registrierte, weil er nämlich in Wirklichkeit ein ganz anderer Mensch ist?»

«Das hab ich mich auch schon gefragt», sagte Gregorio.

«Ja», sagte Tobie. «Ist er überhaupt so, wie er scheint? Und von der Überlegung an sind mir ein paar Sachen aufgefallen. Und das Fazit ist: Ich habe den Eindruck, daß diejenigen, die Freund Nicolaas nicht mag, von Freund Nicolaas beseitigt werden.»

Julius hörte auf zu kauen. Gregorio sagte: «Ich finde, wir sollten darüber reden.»

Das warme Wetter hatte viele Fliegen angelockt. Julius scheuchte sie weg, öffnete die Jacke und streifte sie ab, löste die oberen Häkchen seines Wamses und wandte sich dann Tobie zu: «Worauf wollt Ihr eigentlich hinaus?»

Der Arzt legte den abgenagten Knochen hin, tauchte seine Finger in ein Wasserschälchen und reinigte sich die Hände an der Serviette. Dann schob er den Teller weg und hielt sein Weinglas in beiden Händen. «Jaak de Fleury und Lionetto», sagte er nur.

Julius starrte ihn an. Er war gleichzeitig zornig und außer Atem. «Das ist ja lächerlich», sagte er dann. «Was werft Ihr denn Nicolaas vor? Er hat zwei Schergen getötet, die ihn umbringen wollten. Er hat Lionetto nicht getötet und de Fleury auch nicht, obwohl er weiß Gott allen Grund dazu gehabt hätte. Er hat nur Brügge – und das Geschäft – von ihnen befreit.»

«Ich will gar nicht behaupten, daß die Leute, denen er Schaden zufügt, es nicht verdienen. Zumindest die meisten von ihnen. Ich rede nur davon, daß er Rätselspiele und Geheimschriften erfindet, Fährten legt und sich dann gemütlich zurücklehnt, während andere Leute das Ganze hochgehen lassen.»

Tobie ergriff sein Weinglas, nahm einen kräftigen Schluck und setzte es dann ab. Er ließ seinen Blick von Julius zu Gregorio gleiten.

«Nehmen wir doch mal Lionetto», sagte er dann. «Ich mag Lionetto nicht. Nebenbei bemerkt, hat er Nicolaas auch mal wüst beschimpft, bei dieser Überschwemmung da in der Schenke. Dann hat er einen Kampf mit Astorre vom Zaun gebrochen, Nicolaas sah sich plötzlich in der Rolle eines Kontrahenten und kam fast dabei ums Leben. Wir können also mal davon ausgehen, daß Nicolaas Lionetto auch nicht so gern mag. Man sollte nun denken, Nicolaas würde sich über die Nachricht freuen, daß Lionetto im neapolitanischen Krieg auf der anderen Seite kämpft, unter Piccinino.»

«Hat er aber nicht», sagte Gregorio. «Ich kann mich noch daran erinnern, wie es war, als wir erfuhren, daß Lionetto die Seite gewechselt hat. Nicolaas freute sich gar nicht.

«Weil es ihm egal war, was Piccinino machte», sagte Tobie. «Er wollte Lionetto auf unserer Seite haben. Dieser Wunsch war so dringend, daß er, als der Papst Bestechungsgelder nach Mailand schickte, mich bat, den Herzog dazu zu überreden, mit einem Teil davon Lionetto von Piccinino wegzulocken. Das habe ich auch getan, und er kam zur mailändischen Seite zurück.»

«Warum sollte Nicolaas Lionetto auf unserer Seite haben wollen?» wollte Julius wissen.

«Das habe ich mich auch gefragt», sagte Tobie. «Dann habe ich mich gefragt, wo Lionetto denn all das Bestechungsgeld deponierte. Und nun ratet mal.»

«Er hatte es immer bei den Medici», sagte Julius. «Ich erinnere mich, daß Nicolaas in Genf mit den Medici Witze über Lionettos Glasjuwelen gerissen hat.»

«Und Jaak de Fleury mit Lionettos noch zu erwartenden Einlagen den Mund wäßrig machte», sagte Tobie. «Natürlich wußte Jaak de Fleury, wie gewinnträchtig das Söldnerhandwerk sein kann. Er hatte ja schon lange Hauptmann Astorres Geld verwaltet. Bis Nicolaas des Weges kam.»

«Nicolaas?» sagte Julius. Aber er erinnerte sich schon wieder. «Ach ja, in Mailand. Astorre hat seine Angelegenheiten den Medici übertragen, weil sie ihm erstaunlich niedrige Gebühren anboten.» Er hielt inne. «Aber wie hätte Nicolaas die Medici beeinflussen können?»

«Nicolaas hatte die Medici in der Hand», sagte Tobie. «Er ist ein Erfinder und Entzifferer von Geheimschriften. Er ist ein Informant. Natürlich gibt es Grenzen bezüglich dessen, was die Medici für ihn tun würden, aber einem Söldnerführer niedrige Gebühren anzubieten, um ihn anzulocken, liegt noch innerhalb dieser Grenzen. So war Astorres Geld in Sicherheit, und Lionetto, der seinen Widersacher verachtete und von de Fleury umworben wurde, übertrug sein Geld also nun Maffino, M. Jaaks Handelsvertreter in Mailand. Nicolaas war ziemlich erleichtert, als es endlich soweit war. Auf dem Weg nach Mailand hat er sich noch extra persönlich danach erkundigt. Das hat er mir erzählt.»

Nun meldete Gregorio sich zu Wort: «Also sollte Lionetto ruiniert sein, wenn Jaak de Fleury bankrott ginge?»

«Jaak de Fleury sollte bankrott gehen», sagte Tobie. «Jaak de Fleury war das Ziel. Lionetto war bloß die Rücklaufbremse, die das Geschoß im richtigen Winkel losgehen ließ.»

Wie sollte das möglich sein? Julius starrte ihn an. Jaak, der das Kind Nicolaas und den erwachsenen Nicolaas beschämt und mißhandelt hatte. War es möglich, daß er sich solche Rache ausgedacht haben sollte?

«Ihr habt uns noch nicht erzählt, warum Nicolaas Lionetto auf unserer Seite und nicht auf der des Feindes haben wollte», sagte Gregorio.

Tobies farblose Augen wandten sich Julius zu und hefteten sich dann auf Gregorio. Seine Lippen waren zusammengekniffen und er sah eingeschnappt aus. «Damit er ihn verraten konnte. Lionetto ist Franzose. Um Lionetto zu Fall zu bringen, mußte man nur in Frankreich Bescheid sagen, daß er für die Gegenseite kämpft und einen Haufen Geld bei einer illoyalen Firma in Genf auf die hohe Kante gelegt hat. Der französische König muß sich nicht extra anstrengen, um Thibault und Jaak de Fleury zu Fall zu bringen. Er braucht nur Lionettos große Spareinlage zu beschlagnahmen, und damit ist das Haus de Fleury automatisch erledigt.»

Julius sagte: «Ihr laßt durchblicken, daß Nicolaas all das vorhergesehen hat. Wie konnte er...»

«Nicolaas hat es nicht nur vorhergesehen, er hat es eingefädelt», sagte Tobie. «Er brauchte noch einen Dritten, der dem französischen König über Lionetto Bescheid geben würde, und da fiel ihm Savoyen ein. Erinnert Ihr Euch noch an die Lawine in den Alpen? Die war natürlich nicht geplant. Aber ich merkte, wie Nicolaas eine Idee kam. Er sah, daß der Mönch gleich losbrüllen würde, und feuerte ihn noch an. Reine Kinderei, die ihm noch leid tun sollte. Aber im Hospiz hatte er einiges an Klatsch aufgefangen. Und ich würde schwören, er wußte, daß ein Offizier des Dauphin, sich inmitten dieser Gruppe von Engländern befand.

«Nicolaas und Messer Gaston du Lyon begegneten sich dort und kamen ins Gespräch. Ich bin sicher, daß sie es auch ohne Lawine fertigbekommen hätten, miteinander zu reden. In Mailand sahen sie sich wieder – ich war dabei. Messer Gaston sollte sich im Auftrag seines Herren für den Kurierdienst der Charetty interessieren. Mit anderen Worten, der Dauphin hoffte, Informationen kaufen zu können. Und Nicolaas besaß genügend davon, die er verkaufen oder vielleicht auch gegen etwas anderes eintauschen konnte. Zum Beispiel gegen den Gefallen, daß der Dauphin mittels seiner savoyardischen Beziehungen Lionetto an Frankreich verraten würde.

Begreift Ihr denn nicht?» sagte Tobie. «Der Dauphin hätte das aus allen möglichen Gründen sowieso gern getan. Er haßt seinen Vater. Er würde Lionetto wieder auf die Seite Mailands bekommen. Und er hätte auch nichts dagegen, Jaak de Fleury zu Fall zu bringen. Die Firma hatte immer schon den Vater des Dauphin begünstigt, wenn Monsieur Jaak auch aus Gier die Kundschaft Lionettos nicht zurückwies. Und genauso handelte der Dauphin dann auch. Er gab die nötigen Anweisungen. Gaston du Lyon war gerade selbst in Savoyen, als Nicolaas zuletzt mit Felix dort vorbeikam. Ich bin überzeugt, daß es so zu Jaak de Fleurys Bankrott kam.»

Es war ihnen immer noch unmöglich, Nicolaas mit solcher Hinterlist in Verbindung zu bringen. Julius, der gegen seine Zweifel ankämpfte, ließ widerwillig seine Erinnerungen Revue passieren. Ein Vorfall kam ihm ins Gedächtnis. «In Mailand...» sagte er, «war es Gaston du Lyon, der Nicolaas und mir vom Bankrott berichtete. Und dann...» Er brach ab.

«Was dann?» fragte Tobie.

«Warteten die Medici auf uns», sagte Julius. «Sie konnten uns alles bezahlen, was Messer Jaak uns noch schuldete, in Geld oder Waren, und uns alle unbezahlten Waren vergüten, die Jaak de Fleury noch in Besitz hatte. Die bis dahin noch ausstehenden Forderungen hatte Nicolaas ihnen schon verkauft. Die Medici waren zufrieden, weil sie noch alles rechtzeitig hatten einbringen können – sie waren … sie waren vorher gewarnt worden.»

«Das glaube ich», sagte Tobie. «Außerdem hat Nicolaas mich noch angewiesen, dem Waffengießer in Piacenza zu sagen, mit Jaak de Fleurys Waffen eilte es nicht. Und für den Fall, daß sie schon fertig sein sollten, hatte ich Order, Agostino zu bestellen, er solle sie nicht nach Genf schicken.»

«Damit sie hier bei uns wären, wenn das Haus de Fleury fiele», sagte Gregorio. «Julius… Ihr wart doch mit Nicolaas in Mailand, sagtet Ihr, als der Bankrott bekannt wurde. Wie hat Nicolaas das denn aufgenommen?»

«Er war ebenso erschreckt wie ich wegen der Demoiselle Esota und dem zerstörten Geschäft. Er…»

«Was?» fragte Tobie.

«Warf eine Karaffe entzwei», schloß Julius lahm.

«Aber überraschte ihn irgend etwas?» fragte Gregorio. «Der Bankrott? Das Geld, das er empfing?»

Und Julius erinnerte sich wieder an jene heiße Nacht in Mailand, da sich die beiden grotesken Köpfe über den mit Ziffern bedeckten Papieren wiegten und Nicolaas einfach ohne ein Wort zu sagen dabeisaß; damals dachte Julius, er sei wohl vom Fieber so erschöpft gewesen. «Nein», antwortete er, «aber ich bin sicher, daß er der Demoiselle Esota keinen Schaden zufügen wollte.»

Überraschend fiel Gregorio ein: «Ich glaube auch nicht, daß er Messer Jaak töten wollte. Er parierte nur immer bei ihrem Zweikampf.»

Julius sagte gar nichts. Was ließ sich schon aus einem Mangel an Energie beweisen, nach einer erschöpfenden Reise und nachdem man schon zwei Männer getötet hatte? War es denn möglich? War es möglich, daß Nicolaas nach all den Vorhaltungen, die Julius ihm gemacht hatte, sich schließlich diese Art Rache, diese lange, lautlose Kette der Vernichtung ausgesucht haben sollte, um sich zu behaupten? Nach einer langen Pause sagte Julius: «Er hat Astorre beschützt. Er hätte Astorres Geld ja auch in Genf lassen können.»

«Vielleicht braucht er Astorre», sagte Tobie. «Felix hat er nicht beschützt.»

«Nein!» rief Julius heftig. «Das glaube ich nicht.»

«Und er brauchte die Demoiselle», sagte Tobie, als hätte Julius ihn nicht unterbrochen. «Zumindest für den Anfang. So wie er uns braucht, für den Anfang.»

«Wartet mal», sagte Gregorio. «Ich finde, Ihr geht zu weit. Ich kenne Nicolaas nicht gut, aber ich bin sicher, daß seine Gefühle für Felix und die Demoiselle echt sind. In der vergangenen Woche war er jenseits aller Verstellung. Julius wird mir recht geben.»

«Ja, natürlich», sagte Julius. «Herrgott noch mal, Tobie. Ihr habt ihn in San Fabiano gesehen. Das war doch nicht nur das Fieber. Ich war bei ihm, als er von dem Ausmaß der Katastrophe in Genf erfuhr. Er konnte kaum ein Wort herausbringen auf dem Ritt nach Brügge und ist immer noch nicht darüber hinweg. Wie könnte er denn so empfinden, wenn er jenes Ungeheuer wäre, von dem Ihr sprecht?»

«Reue vielleicht?» sagte Tobie. «Er ist noch keine zwanzig. Es ist sein erster Versuch. Beim nächsten werden die Detonationen vielleicht gezielter erfolgen. Die Frage ist nur, ob wir so lange dasitzen wollen und warten, bis es soweit ist. Nächstes Mal ist vielleicht einer von uns an der Reihe – oder wir alle. Absichtlich oder – im Zweifelsfall für den Angeklagten – aus Versehen. Zuerst habe ich ihn als einen Unschuldigen abgetan, der von einer überwältigenden Intelligenz heimgesucht wird und überall schrecklich aneckt. Ich glaubte, Ihr alle und ich, wir könnten das lenken. Aber was, wenn er überhaupt nicht naiv ist? Was, wenn er genau weiß, wohin er geht und sich diesen Weg ausgesucht hat?»

Schweigen trat ein. Julius mochte nichts sagen. Langsam drehte er die zusammengelegten Hände auf dem Tisch hin und her und konnte sich immer noch keinen Nicolaas vorstellen, der all diese Dinge tat. Dann konnte er ihn sich plötzlich doch vorstellen, mühelos.

«Es gibt aber keine richtigen Beweise dafür, oder?» fragte Gregorio.

«Da müßten wir den Dauphin oder den Herzog von Mailand zu Rate ziehen, die sich kaum dazu äußern würden.»

Julius wandte sich direkt an den Arzt: «Und was machen wir jetzt?»

Tobies Hände waren ruhig, seine Lippen vorgeschoben, der Blick auf die gegenüberliegende Wand gerichtet. Er machte den Mund auf und mußte unvermittelt niesen.

«Gesundheit», sagte Julius.

Zu seiner Überraschung wurde der Arzt rotfleckig im Gesicht. Dann sagte er brüsk: «Ich bleibe hier. Wenn er wirklich schon den falschen Weg eingeschlagen haben sollte, bin ich ziemlich sicher, daß ich ihn überlisten kann. Und wenn er das noch nicht getan hat, kann ich ihn vielleicht noch aufhalten. Ich glaube nicht, daß wir im Augenblick in irgendeiner Gefahr schweben. Er braucht uns. Aber ich habe wirklich vor, Marian de Charetty zu warnen.»

«Ich möchte auch bleiben», sagte Julius. «Aber vielleicht weiß die Demoiselle alles.»

Der helle Blick schwenkte zu ihm zurück. «Und deshalb hat er... Nein. Dann wäre sie mit Jaak de Fleury anders umgegangen. Goro?»

«Nein», sagte Gregorio. «Ich bin sicher, daß sie nicht weiß, wie Messer Jaak und Lionetto betrogen worden sind. Sie hätte ihm das nicht erlaubt. Sie ist eine sehr anständige Dame. Ich möchte bleiben, das sage ich ihr auch. Er kann nicht ganz unschuldig sein. Aber ich glaube auch nicht, daß er schlecht ist.»

«Zumindest noch nicht», entgegnete Tobie. «Nur mal aus reiner Neugier: War es Jaak de Fleury, der die Färberwerkstatt niedergebrannt hat?»

«Davon wissen wir nichts», sagte Gregorio. «Wir überraschten den Schotten dort. Simon.»

«Also hat sie mehr als einen potentiellen Feind», sagte Tobie. «Mir ist eine Idee gekommen: Warum hetzen wir nicht die beiden aufeinander?»

«Das ist schon passiert», sagte Julius.

Kapitel 40

Als sässe er in einem hölzernen Spieldöschen, deren Hebel einen Augenblick lang ruhten, wartete Nicolaas nicht nur, sondern wußte weder ein noch aus.

Man merkte ihm nichts davon an. Tagsüber widmete er sich unablässig seinen geschäftlichen Pflichten und nachts sorgte er für das Glück der Demoiselle.

Marian de Charetty war glücklich. Vom Beginn ihrer Ehe an hatte er um die dreifache Rolle gewußt, die er spielte – manchmal war er Claikine, das Kind, das ihr leid tat; manchmal Nicolaas, ihr Verwalter und Betriebsleiter, auf den sie sich stützen konnte wie auf Julius oder Gregorio; manchmal war er ein Ersatz für Cornelis, der die Last von ihren Schultern nahm, wenn sie müde war und dem sie vertrauen konnte, weil sie mit ihm verheiratet war.

Auch er wußte, wozu Mitleid und Einsamkeit führen konnten. Deshalb hatte er sich seit seiner Heirat an eine unausgesprochene Regel gehalten, die bei den Mädchen, die ihn zu kennen glaubten, nicht sonderlich beliebt war.

Er mußte nicht mehr das Leben eines Dienstboten ertragen und bedurfte – so konnte man meinen – auch keiner Kompensationen mehr. Statt dessen sah er sich von einer straff organisierten, anstrengenden Tätigkeit in Anspruch genommen, die ihm aber keinen Raum zur Entspannung ließ. Nicolaas ertrug dies nur mit Mühe. Welche Rolle es bei seiner Kapitulation in der Nacht des Todes von Jaak de Fleury gespielt hatte, wollte er nicht wissen. Dennoch konnte er am Morgen kaum übersehen, wie Marian durch diese Nacht verändert worden war – ihre frische Farbe und die liebevolle Ruhe, mit der sie von allem sprach, das Felix betraf. Mit Nicolaas sprach sie in demselben Tonfall. Er sollte Felix sein. Er sollte keinen Trost spenden, sondern ihn entgegennehmen.

So hatte es sich fortgesetzt. Die ersten Wochen waren ihr wie Flitterwochen vorgekommen – das Warten auf den Einbruch der Nacht erschien wie eine Strafe. Er mußte die Weisheit für sie beide aufbringen, daran zu denken, daß nur die sehr Jungen auf Dauer nächtelanger Lust gewachsen sind, mußte sanft sein, mußte erkennen, daß die Beziehung wieder etwas abklingen und sich früher oder später auf einer viel weniger intensiven Ebene einpendeln würde. Er glaubte, auch damit fertig werden zu können. Die Wirklichkeit forderte alle möglichen Tribute. Um seine überschüssigen Energien loszuwerden, hatte er immer noch den Übungsplatz und den Schießstand der Bogenschützen. Er brachte Julius dazu, ihn dorthin zu begleiten, und zwang sogar Tobie und Gregorio gelegentlich mitzukommen.

Sie dankten es ihm nicht, obwohl er den Eindruck hatte, daß es ihnen, wenn sie erst da waren, doch Spaß machte. Allein wegen des Geschäfts hatte er gehofft, daß die drei gut miteinander zurechtkommen würden; wegen des Geschäfts delegierte er alles, was ihm einfiel, an sie, damit sie sich daran gewöhnten, einander zu helfen.

Sie kamen gut miteinander zurecht. Sie waren alle ungefähr gleich alt und studierte Männer. Er hatte damit gerechnet, als Außenseiter behandelt zu werden, womit er recht behielt. Er glaubte, daß es, sobald ihm wegen einiger Sachen ruhiger zumute sein konnte, Zeit wäre, die drei fester anzufassen. Und dann neue Pläne zu schmieden.

Bald darauf wurde die Alaun-Konzession genehmigt. Das war das erste, worauf er gewartet hatte. Die Vereinbarungen waren alle schon getroffen worden und mußten nur noch durchgeführt werden. Nicolaas setzte Tobie daran und ging, um einen Besuch im *Hôtel Jerusalem* abzustatten.

Er hatte Adorne schon ein paarmal gesehen, seit er wieder hier war; sie würden nicht über Felix sprechen müssen. Es war auch nichts über Jaak de Fleurys Tod gesagt worden, den die Obrigkeit völlig problemlos verwaltet hatte. Seit der Trauung, die hier in dieser Halle stattgefunden hatte, war Margriet Adorne Marian eine gute Freundin gewesen, hatte ihr in den ersten Tagen ihrer Trauer beigestanden und half ihr nun bei der Erziehung ihrer Töchter.

Man hätte es sich gleich denken können, fand er, daß Tilde und Catherine in ihrer zornigen Eifersucht auch das genießen wollten, was ihre Mutter genoß, und man damit rechnen mußte, daß sie sich mit den jungen Leuten ihrer Kreise herumtreiben würden. Jemand würde sie zügeln müssen, denn letztendlich waren Aufmerksamkeit und Kontrolle das, was sie suchten. Er war der eine Mensch, der da nicht weiterhelfen konnte. Aber Marian und Margriet würden schon gemeinsam damit fertig werden.

Adorne freute sich ebenso über die venezianischen Papiere wie er, und sie verbrachten eine lange Zeit damit, Pläne zu schmieden.

Adorne, das lange, schöne, merkwürdige Gesicht unverändert, trug einen dunklen Mantel und ein dunkles Wams aus Rücksicht auf seine schottischen Kunden, deren König gerade gestorben war. Nicolaas war sofort eingefallen, daß die Nachfrage nach schwarzem Tuch steigen würde. Wer einmal Färber gewesen war, dachte immer wie einer.

«Ihr wißt doch, daß Prosper de Camulio nach Genappe kommt?» sagte Adorne.

Er erinnerte sich an einen heißen Abend in Mailand und Tomà Adorne. Und natürlich Felix.

«In genuesischen Geschäften? Oder im Auftrag Herzog Francescos?» fragte Nicolaas.

«Als Gesandter des Herzogs von Mailand», sagte Adorne. «Es geht um ein Bündnis zwischen dem Dauphin und Mailand. Das wird für Euch keine Neuigkeit sein.»

«Nein», erwiderte Nicolaas. «Wird er lange bleiben?»

«Lange genug, um Euch die Verbindungen zu verschaffen, auf die Ihr vielleicht wartet», sagte Adorne. «Was Mailand und den Dauphin angeht, scheinen die Umstände Venedig und Genua zu Bettgenossen zu machen. Falls Ihr auch in diesem Bett liegen solltet, hoffe ich nur, daß Ihr daraus auch wieder aufsteht.» Er wartete. Nicolaas, der gelernt hatte, wann man schwieg, sagte nichts. Anselm Adorne lächelte und band dann seine Papiere zusammen. «Morgen findet die Totenmesse für James, König von Schottland, statt. Seid Ihr und Eure Gattin tapfer genug, daran teilzunehmen?»

Er schnürte weiter. «Warum?» frage Nicolaas.

Adorne schob den Packen beiseite, faltete die Hände und sah ihn an. Dann sagte er: «Ich dachte mir schon, daß Ihr es vielleicht noch nicht wüßtet. Habt Ihr nicht gehört, wie der König starb?»

Nicolaas saß ganz still. «Ich weiß, daß er noch jung war. Ist er nicht in der Schlacht gefallen? Er kämpfte doch gegen die Engländer, oder?»

Adorne nickte. «In Roxburgh. Er belagerte die Burg mit seiner gesamten Artillerie, bei der sich auch die beiden Kanonen von Mons befanden. Eine davon explodierte, als er danebenstand, und brachte ihn um.»

«Meg war's bestimmt nicht, da bin ich sicher. Martha?» sagte Nicolaas.

«Die, die bei Damme sank», sagte Adorne. «Natürlich hatte das nichts damit zu tun. Sie ist von Sluis aus in gutem Zustand nach Schottland eingeschifft worden – wenn sie explodiert ist, dann aus irgendeinem anderen Grund. Aber Ihr solltet auf entsprechende Bemerkungen gefaßt sein, wenn Ihr zum Gottesdienst geht. Falls Ihr geht. Ich meine, Ihr solltet gehen.»

Er wartete. Nicolaas fragte: «Und wie viele andere kamen dabei um?»

«Nur der König und noch ein Mann», sagte Adorne. «Es war kein Massaker, sie hatten bloß Pech. Sie waren beide von Waffen fasziniert, der König und Kilmirren. Der andere Tote ist Alan of Kilmirren, der Onkel Eures alten Bekannten Simon. Ich habe gehört, Simon sei überglücklich. Er hat nun endlich das Sagen in Schottland.»

Nicolaas vernahm die Worte, aber sie blieben weit hinter seinen Gedanken zurück. Er merkte, daß Adorne nun einen anderen Ton angeschlagen hatte.

«Aber Ihr hattet doch die Absicht, diese Kanone zu versenken, nicht wahr?» sagte Adorne. «Monsignore de Acciajuoli bemerkte, wie Ihr den Leichter in die richtige Lage brachtet, ehe er in die Schleuse einfuhr. Und er fand hinterher das Muster der Wasserlöcher in der Wand.»

«Ich habe mir nur eine Methode überlegt, es zu bewerkstelligen», sagte Nicolaas. «Das war alles.»

«Und machtet es», sagte Adorne. «Warum?»

«Um zu sehen, was passiert», erwiderte Nicolaas unumwunden.

Er kam so spät zurück, daß er glaubte, Marian hätte sich schon zurückgezogen, aber aus der leicht geöffneten Schlafzimmertür drang noch schwaches Licht hervor. Nachts trug sie keine Trauer, sondern erwartete ihn in einem schönen Kleid, das die Farbe ihres gelösten Haars hatte. Das Gewand hatte keine Schnüre, und es war nichts darunter. Es gab Zeremonien, die er dafür ersonnen hatte. Heute nacht gab es keine Zeremonie auf der Welt, an der er hätte teilnehmen mögen. Aber er konnte auch nicht einfach an ihrer Tür vorübergehen. Er blieb stehen, klopfte leise an und ging dann, noch vollständig bekleidet, hinein.

Seit seiner Rückkehr war ihm dieser Raum vertraut geworden. Die schmalen Fenster mit ihren beschlagenen Laden und den Rechtecken vergitterten Glases. Der steinerne Kamin, vor dem eine mit Kissen beladene Sitzbank stand, den Rücken zur leeren Feuerstelle. Die bemalten Truhen, in denen sich ihr persönlicher Besitz befand. Das solide Tischchen, auf dem eine silberne Weinkaraffe mit Tülle und zwei Pokale standen und in dessen unterem Regal eine Schale mit Feigen oder Granatäpfeln bereitstand. Ihr Silberteller und ein Porzellankrug mit einigen späten Rosen standen auf einem anderen Regal. Dann gab es noch einen runden Spiegel und noch einen Tisch mit einer Wasserschüssel darauf. Daneben hing ein Handtuch an einem Halter.

Er sah zwei Hocker, einen Teppich und zwei Kissen auf dem Fußboden, die von ihrem Gewicht flachgedrückt wurden und vor Tagesanbruch aufgehoben und ausgeschüttelt werden mußten. Und dann natürlich das Bett, das bis zu den buntbemalten Dachsparren reichte, mit dem Vorhang und der Überdecke, die Marian für ihre Hochzeit mit Cornelis bestickt und taktvollerweise nicht ausgetauscht hatte. Das war eine Ehe gewesen, und diese war eine andere. Das Bett war breit genug für jede Art von Zeremonie.

Sie hatte auf dem Fenstersitz gesessen und war auch noch vollständig bekleidet. So brachte er selbst das Thema darauf: «Ich habe es gerade erfahren. Von der Kanone.»

Sie hatte den Kopfputz, den sie tagsüber immer trug, abgenommen und das Haar locker gelegt im Nacken zusammengesteckt. Ihre Kleider waren jetzt heller und hübscher als früher. Dieses hatte Brokatärmel, in denen das Gold glitzerte, und sie hatte eine lange Perlenkette angelegt. Nun erhob sie sich und trat einen Schritt auf ihn zu: «Ich wollte es dir erzählen. Wo hast du es gehört? Bei Anselm Adorne?»

Sie sagte nicht, wie Adorne es getan hatte, daß die Versenkungsaktion bei Damme damit nichts zu tun gehabt hätte.

Während er nachdachte, zog er die Tür hinter sich zu. «Ja», sagte er dann. «Und über Kilmirren habe ich etwas gehört.»

Sie nickte. Sie stand vor dem kleinen Tisch, die Hände lose vor sich verschränkt, und sah ihn an. Ihr Gesicht war offen, der Teint zart, und die ungewöhnlich strahlendblauen Augen hatte er recht gut zu lesen gelernt. «Was ist geschehen?» fragte er.

Sie stand selten so reglos da wie jetzt. Ihr Gesicht war ein wenig abgespannt. «Mir sind noch andere Neuigkeiten zu Ohren gekommen», sagte sie dann. «Es scheint, als spräche ganz Frankreich über den Fall des Vicomte de Ribérac.»

Jordan de Ribérac. Ein Schmerz lief über seine Wange, als hätte der Ring sie von neuem aufgeschlitzt. Er räusperte sich und sagte wieder: «Was ist geschehen?»

Marian de Charetty antwortete: «Es hat den Anschein, als habe man ihn bei illegalen Geschäften mit dem Dauphin erwischt. Der König war sehr zornig. Natürlich ist Messer de Ribérac all seiner Güter verlustig gegangen. Land, Häuser, Geld, all seines Besitzes.»

«Und was wird nun aus ihm werden?» fragte Nicolaas.

«Er wird wohl in den Verliesen von Loches eingekerkert werden», sagte Marian. «Vielleicht sperren sie ihn in den Käfig. Vielleicht enthaupten sie ihn sofort. Hast du das auch arrangiert?»

Er begriff, wie dumm es war, einfach bloß dazustehen und sie anzustarren. Dann sagte er: «Ich denke schon.» Und all seine Kraft zusammennehmend, sagte er zum drittenmal: «Marian, *was ist geschehen*?»

«Du hast ein paar sehr scharfsinnige Leute eingestellt. Der Arzt Tobias hat bei mir vorgesprochen. Er und Julius und Gregorio machen sich große Sorgen um die Zukunft des Geschäfts. Und so beschlossen sie, was ja auch richtig ist, mir ihre Sorgen vorzutragen und meine Meinung dazu zu hören.»

«Tobie», sagte er.

«Ja. Und Goro. Und unser guter Julius. Ich dachte, du hättest sie alle gern und sie dich», sagte seine Ehefrau. «Aber nun haben sie Angst vor dir.»

Ein tiefer Seufzer entrang sich seiner Brust. Zurück blieb ein Schmerz wie von einem heftigen Schlag. «Du brauchst keine Angst vor mir zu haben», sagte Nicolaas. «Frag mich, was du willst, und ich werde es dir sagen. Möchtest du dich nicht hinsetzen? Da, auf die Sitzbank, ich werde mich hierher setzen. Aber laß uns zuerst etwas Wein trinken. Erlaubst du, daß ich dir einschenke?»

Sie nickte und setzte sich. Als er ihr den Kelch reichte, bebte der Wein darin, aber man hätte nicht sagen können, ob es von ihrer oder seiner Hand war. Er bemerkte es und mußte an den rosa Kelch im Griff von Astorre und Lionetto denken. Ihm war kalt vor Angst. Aber so ging es ihm schon seit Wochen.

Während sie trank, ließ er sich auf dem Hocker neben dem Bett nieder, die Ellbogen auf die Knie gestützt und die verschränkten Hände an die Lippen gepreßt. Dann ließ er die Hände sinken und sagte: «Magst du mir jetzt erzählen, was Tobie gesagt hat?»

Es ging um Jaak de Fleury und Lionetto, wie er es sich schon gedacht hatte. Sie hatten es sich alles erstaunlich gut zusammengereimt. Und natürlich konnte Marian es an dem messen, was sie schon wußte. Zum Beispiel von seinen Verhandlungen mit dem Dauphin. Sie wußten nicht, daß er und Gaston zuerst erfolglos versucht hatten, de Fleury mit Bestechungsgeldern auf die Seite des Dauphin zu locken, aber das änderte natürlich im Endeffekt nichts.

Und sie wußten auch nichts von Jordan de Ribérac. Nur Marian und die van Borselen-Mädchen wußten von der Fehde zwischen ihm und dem Vicomte. Marian hatte zwar erraten, daß der Fall des letzteren etwas mit ihm zu tun haben konnte, aber sie konnte nicht wissen, wie es passiert war. Katelina war in der Bretagne, und er hatte darauf geachtet, niemanden nach ihr zu fragen. Gelis würde um ihrer Schwester willen nichts sagen. Und Felix, der sich vielleicht für das letzte Treffen in Gent interessiert hätte, war ja tot.

Schließlich stellte sich heraus, daß es der Tod des schottischen Königs gewesen war, der Tobie dazu bewogen hatte, die Demoiselle aufzusuchen. Während Marian ihm all das erzählte, unterbrach sie sich immer wieder, aber er hatte noch nichts dazu gesagt. Dann fuhr sie ziemlich gefaßt fort: «Bis dahin hatten sie immer gedacht, was du auch getan hast, niemand bräuchte sich deshalb Sorgen zu machen, verstehst du. Sie dachten, das wäre alles erledigt. Aber dann war da die Kanone.»

Jetzt meldete Nicolaas sich endlich zu Wort. Er sagte: «Ich wollte überhaupt nicht im Leichter sein, als er durch die Schleuse fuhr. Es war purer Zufall, daß uns jemand bat, bei der Badewanne des Herzogs zu helfen, und Julius und ... und Julius war einverstanden.» Er brach ab. «Wenn ich nicht mitgefahren wäre, wäre ich keinem von ihnen begegnet.»

Eigentlich redete er mit sich selbst, gar nicht mit ihr. Sie sagte nach einer kleinen Pause: «Du hast doch sicher gewußt, daß das Naßwerden gar keinen Einfluß auf die Funktionstüchtigkeit der Kanone haben konnte. Trotzdem könnten die Leute immer noch sagen, du wußtest das nicht und hofftest, es würde anders sein. Tobie ist sich nicht so ganz sicher, glaube ich. Aber als sie noch darüber stritten, fiel Julius und Gregorio etwas viel Wahrscheinlicheres ein. Durch die Versenkung der Kanone hast du ihre Ankunft in Schottland verzögert. Und falls das deine Absicht war, falls man dich damit beauftragt hatte, dann befaßt du dich mit Dingen, die wir nicht mehr für uns behalten können.»

Sie hielt inne. «Du warst ein Junge, als es passierte. Niemand hat sich etwas Ernstes dabei gedacht. Aber selbst ein Streich kann verhängnisvoll aussehen, wenn man später Verbindungslinien erkennt. Weil Schottland das Haus Lancaster unterstützte, war die fehlende Kanone ein Vorteil für die Gegenseite. Der Dauphin, der Herzog von Mailand, Bischof Coppini, König Ferrante in Neapel, Arnolfini und der englische Gouverneur – alles Leute, die gegen den französischen König und das Haus Lancaster sind, und du hast auf irgendeine Weise mit jedem von ihnen zu tun gehabt. Und sobald man sich dessen bewußt wird, werden die Leute glauben, du würdest nicht bloß für Kaufleute spionieren, sondern seist auch ein politischer Informant.»

«Der Vicomte de Ribérac war auf seiten des Dauphin», entgegnete Nicolaas.

«Aber du hattest doch allen Grund, ihn bestrafen zu wollen, nicht?» sagte Marian. «Und sobald es sich herumspricht, daß du nicht der bist, der du scheinst, dann traut man dir nicht mehr, und die Leute fangen an, sich irgendeinen Unsinn zusammenzureimen. Zur Entlassung alter Angestellter und der Anwerbung neuer... alle nach deiner Wahl. Zu... deiner Ehe, versteht sich. Darüber – wie sie es vielleicht sehen –, daß du Felix mit in Streiche verwickelt und von allem Ruhm, aller Verantwortung ferngehalten hast... und wie er gestorben ist.»

Hier versagte ihr die Stimme. Er blickte nicht hoch. Er wollte sie nicht weinen sehen. «Ich wünschte, ich wäre Felix», sagte er dann. «Das habe ich ihm auch einmal gesagt, in Mailand.» Er hatte die Ellbogen immer noch auf die Knie gestützt und merkte plötzlich, daß er sich langsam das Gesicht rieb, als verstreiche er irgendeine geheimnisvolle, schmerzstillende Salbe. Er verharrte so, die Nase von beiden Händen abgeschirmt, die geschlossenen Augen von den Fingern umspannt. «Und zu welchem Schluß ist Tobie gelangt?» fragte er dann.

Jetzt hielt die Stille so lange an, daß er schließlich doch die Augen aufmachte und sie ansah. Sie hatte geweint, aber nur ein wenig. Sie hatte auf ihn gewartet, das war alles.

«Er sagte, sie hätten den ganzen Tag darüber geredet. Sie sind zu keinem Schluß gekommen, weil sie nicht wußten, wie ich darüber dachte.»

«Und zu welchem Schluß bist du gekommen?» In diesem Augenblick vermochte er ihre Gedanken nicht zu lesen.

«Ich weiß von de Ribérac, der Arzt nicht. Ich weiß noch ein paar andere Dinge, Nicolaas, die er nicht weiß. Aber ich habe auch einen großen Vorteil. Ich weiß, wie du wirklich zu uns stehst. Zu Julius. Zu Felix. Und ich denke auch zu mir.»

«So?» sagte er. Er mußte ein Zähneklappern unterdrücken.

«Und so habe ich ihn schließlich darin bestätigt, was er selbst meinte, denke ich», sagte Marian. «Ich sagte ihm, du seist der beste, ergebenste Freund, den er oder sonst jemand sich nur wünschen könnte. Daß du fast alles fürs Geschäft getan hättest, nicht aus politischen Gründen. Daß Felix und seine Erziehung dir über alles gegangen sei, daß er immer ein Kind geblieben wäre, wenn du ihm nicht geholfen hättest. Aber ich sagte ihm auch, daß man dich Tag und Nacht bewachen muß, weil du große Begabungen besitzt, die gefährlicher sind als Meg oder Martha oder irgendeine andere Kriegswaffe, die es bislang gibt. Und daß du diese Begabungen noch nicht unter Kontrolle hast.»

Er hatte einen Kloß in der Kehle. Er konnte ihr darauf nicht antworten.

«Das habe ich ihm gesagt», fuhr Marian fort. «Und dann war ich der Meinung, daß, wenn er das wüßte, er auch das Recht habe, alles andere zu erfahren. Und so sagte ich ihm, wer du bist.»

«Sie haben die Nacht getrennt verbracht», sagte Julius.

«Tatsächlich?» sagte Tobie. Das einzige, was man von ihm sehen konnte, war sein schwarzberocktes Hinterteil. Er kniete auf einem Kanzleihocker und spähte aus dem Fenster.

«Warum erzählt Ihr uns denn nicht, was geschehen ist?» sagte Julius. «Nun ziert Euch doch nicht. Ihr habt mit der Demoiselle gesprochen. Ihr habt ihr alles erzählt. Was hat sie denn gesagt?»

«Das habe ich Euch doch schon erzählt», sagte Tobie. Er klang zornig. «Sie wollte erst mit Nicolaas sprechen. Dann läßt sie mich nach dem Gottesdienst rufen. Danach kann ich erst etwas Neues erzählen.»

«Aber wenn sie die Nacht getrennt verbracht haben...» fing Julius wieder an.

«Das kann doch alle möglichen Gründe haben», sagte Gregorio. «Nun laßt uns mal abwarten, was Tobie uns erzählen wird. Außerdem kann er soviel auch nicht wissen, warum hinge er sonst aus dem Fenster und schaute, ob sie nun gemeinsam zur Liebfrauenkirche gehen?»

Tobies Hinterteil gab kein Zeichen. Dann zuckte es. «Sie gehen weg!» rief er.

Julius sprang zum nächsten Fenster und riß eine Fensterlade auf. Unten stand tatsächlich eine Schar herausgeputzter Diener in der Livree der Charetty. Loppe überragte alle anderen. Sein Gesicht war ausdruckslos, was Julius inzwischen als schlechtes Zeichen zu erkennen gelernt hatte. Zwei Pferde warteten. Marian de Charetty mit weißem Kopfputz und dunklem Umhang saß schon auf, und dann trat auch Nicolaas aus dem Haus und ging auf seinen Steigbügel zu.

Julius löste sich ziemlich abrupt vom Fenster. Aus den Augenwinkeln sah er, daß Tobie es ihm gleichgetan hatte. «Das ist alles gar nicht mehr so lustig, nicht wahr, wenn man die Auswirkungen betrachtet», sagte Tobie.

Gregorio, der still ans Fenster herangetreten war, sah ebenfalls hinaus. «Sie hätten in jedem Fall hingehen müssen, um vor ihren Freunden den Schein zu wahren.»

«Nicht nur vor ihren Freunden», warf Julius ein. «Der edle Simon of Kilmirren wird sich unter den schottischen Trauergästen befinden.»

Tobie riß sich den Hut herunter. «Woher wißt Ihr das denn?» fragte er.

«Ich habe eben die richtigen Informanten», erwiderte Julius und zog eine Grimasse. «Liddell. Sekretär von Bischof Kennedy und Tutor des kleinen schottischen Prinzen. Sie sind alle im Haus von Herrn de Veere abgestiegen, wo ich gestern wegen einer Unterschrift vorbeigehen mußte. Liddell hat mir erzählt, Simon sei wegen der Totenmesse gekommen. Seine Frau hat er auch mitgebracht.»

«Ja, ich erinnere mich», sagte Gregorio. «Damals beim Turnier des Weißen Bären. Mylord Simon begleitete die Schwester von John Reid – dem Kaufmann – vom Stapelplatz. Muriella hieß sie doch.»

«Zweifelsohne heißt sie immer noch so», entgegnete Julius. «Aber das ist nicht die Dame, die er geheiratet hat. Seit fast vier Monaten ist Simon mit Katelina van Borselen verheiratet. Ich habe sie gesehen. Sie ist sehr schwanger.»

«*Sehr* schwanger?» fragte Tobie.

«Ja. Ich denke, daß Simon mindestens vier Wochen vor dem Priester dort angekommen ist. Liddell sagt, er sei überglücklich. Wir wissen ja alle, daß er seit Jahren versucht, Kinder zu zeugen. Wie hieß dieses Mädchen noch?»

«Muriella», sagte Gregorio trocken.

«Nein», sagte Tobie. «Die, die er meint, hieß Mabelie. Ach du meine Güte, Nicolaas. Er weiß nicht, daß Simon verheiratet ist?»

«Nein», sagte Julius und wurde wieder ernst. «Ich hätte ihn wohl warnen sollen.»

«Ja», sagte Tobie grimmig.

Glückseligkeit war das richtige Wort für die momentane Gemütsverfassung von Simon of Kilmirren. Als er darauf wartete, daß die Dienerinnen seiner Frau sie für die Kirche ankleideten, verspürte er kaum Ungeduld. Er bedauerte es etwas, daß ihre Schleppe so lang war. Zusammengelegt und unter der Brust festgehalten, wie es jetzt die Mode war, verbarg sie die runde, üppige Schwellung ihres Bauches.

Sie trug sein Kind. Kilmirrens Erbe, nun, da sein Vater so offensichtlich erledigt war und sein verdammter Geizkragen von Onkel endlich den Tod gefunden hatte. Kilmirren war sein, und der Titel würde ihm bald zustehen und nach angemessener Zeit auf das Kind übergehen.

Katelina machte sich wegen der Größe des Kindes Sorgen. Simon war unbesorgt. Nach all ihren jungfräulichen Beteuerungen in der Zilverstraat hatte ihn der Empfang, den sie ihm in Bretagne bereitete, einigermaßen überrascht. Nach kurzem Nachdenken erschien es ihm leicht verständlich. Die edle Katelina van Borselen war eben ganz ausgehungert nach eleganter Gesellschaft, Werbung und geschicktem Getändel.

An jenem ersten Abend in Bretagne hatte er sein schönstes Wams angezogen, das nach neuestem französischem Stil nur bis zur Taille reichte und die seidenbedeckten Hinterbacken und den schönen Hosenbeutel sehen ließ. Er hatte seine eleganteste zweifarbige Hose angetan, die auf den Oberschenkeln mit sich ineinanderwindenden Rosen bestickt war. Der Abend verlief so, als hätten reuige Engel allein für ihn jene demütigende Episode im rauchdurchzogenen Garten von Brügge neu, und diesmal ganz anders, aufgeführt. Was ihm dort verweigert wurde, wurde ihm in Bretagne schon am ersten Abend im Überfluß gegeben. Im verträumten Zusammensein mit Katelina nach dem Essen hatte er ihr Glas immer von neuem gefüllt und nach und nach jene unsichtbaren, entscheidenden Liebkosungen angebracht, in seinem leisen Gemurmel jenes Verlangen angedeutet, bis er wußte, daß die Stimmung jetzt seinen Wünschen entsprach.

Die Herzoginwitwe hatte nichts dagegen, daß er die edle Katelina an die frische Luft führte, in den warmen, mondhellen Garten. Diesmal bedrängten ihn Katelinas zitternde Finger schon köstlich, während er die Treppe hinunterschritt, und im letzten Schein der Lampen, der aus den Fenstern des Hauses drang, las er das angstvolle Verlangen in ihrem Gesicht. Dann waren sie allein in der Laube, und niemand verstand sich besser auf die Kunst, jene Angst in schmerzliche Glückseligkeit umzuwandeln, als Simon of Kilmirren.

Zwei Wochen später hatte sie dann die Befürchtung geäußert, schwanger zu sein. Halb widerstrebend lauschte er ihrem ängstlichen Flehen und heiratete sie. Nur halb widerstrebend, denn er konnte von ihr schon nicht mehr genug bekommen. Als die Schwangerschaft später bestätigt wurde, war er wunschlos glücklich.

Es kümmerte ihn gar nicht, ob man daran Anstoß nähme, daß er mit Katelina van Borselen schon vor der Hochzeit ein Kind gezeugt hatte. Er würde ihr jedes Jahr eines schenken. Tag und Nacht würde er ihr Grund dazu geben. Jetzt war sie es, mit der er seine ganze Zeit verbrachte.

Die schwarz verhängte Liebfrauenkirche war schon gedrängt voll, als sie dort ankamen, nur die Hauptleidtragenden fehlten noch. An der Tür standen die Vertreter des Herzogs, die auf die Gruppe aus dem Hause de Veere warteten. Der Herzog, dessen Nichte, Marie von Guelders, jetzt Königinwitwe von Schottland war.

Prinzessin Mary kam zuerst, geführt von ihrem Schwiegervater Henry van Borselen, Comte de Grandpré, Edler von Veere, Vlissingen, Westcappelle und Domburg, neben dem seine Gattin Jeanne de Halewyn schritt. Dann folgte der Ehemann der Prinzessin, Wolfaert van Borselen, und der schottische Bischof James Kennedy. Zwischen Wolfaert und dem Bischof gingen die beiden Kinder: Alexander, Herzog von Albany, der mittlere Sohn des verstorbenen schottischen Königs, und Charles van Borselen, sein neunjähriger Cousin.

Alexander, Herzog von Albany und Großadmiral von Schottland, war erst sechs Jahre alt. In der Begleitung von Bischof Kennedy, dem Cousin seines Vaters, war er in diesem Sommer nach Brügge gekommen, um am Hof von Burgund erzogen zu werden. Nun war sein Vater gestorben, aber niemand hatte Alexander nach Hause gebracht. Bischof Kennedy, den eine Erkrankung am Reisen hinderte, war immer an seiner Seite: ein geschickter Botschafter, ein wendiger Diplomat, der von jeder Nuance einer burgundischen Reaktion auf die neue schottische Führung Bericht erstattete.

Vielleicht wollte das Kind, das sehr warm angezogen in einem dunklen, juwelenbesetzten Wams und einer schottischen Mütze steckte, gar nicht zurück nach Hause. Alexander wirkte gereizt und verdrossen, wie er da neben seinem Cousin dahinschritt. Die Schotten, die anwesend waren, betrachteten den Bischof und das Kind und machten sich ihre Gedanken. Auch Simon of Kilmirren und seine Dame taten das, die mit den anderen folgten. Man hätte die fünfzehn Jahre Altersabstand zwischen ihnen schwerlich erraten können. Seine Frau, durch die Ehe gereift, sah jetzt älter aus als zwanzig. Und er hatte sich ja immer den Stil und das Aussehen seiner goldenen Jugend bewahrt.

Politik war wichtig. Aber als Simon mit seiner Frau durch das Seitenschiff geschritten kam, machte er sich sehr wenig Gedanken über den toten König. Er spürte, wie die Leute Katelina anschauten, die auch noch unter ihrem Schleier schön war. Auch ihm sahen sie nach, der in schwarzem, mit grauen Schleifen verziertem Samt steckte und den Hut mit Hahnenfedern in der Hand hielt.

Die Messe währte ewig, und die Musik war ermüdend, aber hinterher waren sie im benachbarten Palast Ludwigs von Brügge und seiner Frau, Wolfaerts Schwester, eingeladen. Simon freute sich schon darauf, Katelina zum erstenmal seit ihrer Rückkehr aus Schottland dem Brügger Adel präsentieren zu können. Vielleicht wußten einige noch gar nichts von ihrer Ehe, die mit solch Eile vollzogen worden war. Ihm waren einige neugierige Blicke aufgefallen, und irgendwer, der ihm bekannt vorkam, starrte ihn an, aber er konnte sich nicht an den Namen erinnern.

Er achtete darauf, Katelina nicht zu rügen, als sie auf ihrem unbequemen Sitz hin- und herrutschte. Trotzdem würde er froh sein, wenn sie das Kind erst geboren und einen weniger schwerfälligen Körper haben würde. Er entsann sich ihrer Brüste, wie sie gewesen waren. Dort auf der anderen Seite des Wandelgangs saß ein Mädchen, das ihm zugelächelt hatte, als sie eintraten. Sie hatte ebensolche kleinen, aufgehäuften Brüste gehabt, die sich unter dem Stoff ihres Gewands in florentinischem Stil teilten. Simon erwiderte ihr Lächeln gütig und streichelte Katelinas Hand, als sie von neuem ihre Haltung änderte.

Während sie langsam die Kirche verließen, konnte er sich noch rasch das Haar glattstreichen und seinen Hut im richtigen Schrägwinkel aufsetzen. Katelina legte ihren Schleier zurecht. Dann gingen sie über den von der Sonne beschienenen Vorplatz und betraten mit den anderen auserwählten Gästen Gruuthuses Palast.

Ludwig, Herr von Gruuthuse, begrüßte sie an der Schwelle. Sein Stil war zwar herzöglich, aber die faltigen Wangen, die schweren Augenlider unter dem Rand seiner Haarfrisur bezeugten seine Zugehörigkeit zu einer langen Ahnenreihe wohlhabender Bürger Brügges und Brabants. Gruuthuse war Höfling, Politiker und Geschäftsmann und befand sich kurz vor seiner Abreise nach Schottland, wo er dem neuen jungen König James III. die Glückwünsche von Herzog Philip überbringen sollte. Er kannte jeden Schotten, der eintrat, ebenso die meisten seiner Familienangehörigen. Der junge Guildolf hatte offenbar auch geheiratet. Das Lächeln seiner Braut, die vor Katelina einen Knicks machte, fand Simon unverschämt. Es erinnerte ihn an seine junge Schwägerin Gelis, die sich zum Glück schon nach Hause geschleppt hatte.

Sie durchschritten die geflieste Eingangshalle und stiegen eine Treppe empor, auf der an beiden Seiten livrierte Diener standen. Die Fenster waren sehr prächtig, ebenso die Kamine und Holzarbeiten.

Er warf einen kurzen Blick auf etwas, das wie eine Bibliothek aussah. Überall prangte das Motto der Gruuthuses. Und überall waren Schotten zu sehen. All die Kaufleute, dicke wie dünne, und ihre Hoteliers. Jehan Metteneye und seine Frau. Dieser Dummkopf John of Kinloch. Wylie, der Erzbischof von Brechin. Michiel Losschaert mit einigen Verwandten von der schottischen Seite und auch die Bonkles, von beiden Seiten des Wassers. Natürlich auch Anselm Adorne mit Frau und den älteren Kindern, seine Schwester und deren Mann Daniel Sersanders aus Gent mit ihrem Sohn Anselm. Napier of Merchiston. Stephen Angus. Forrester of Corstorphine. Und dazu alle möglichen Schotten, die gerade aus Bourges zurückgekommen waren, von den französischen Verhandlungen über Dänemark, Spanien und die bretonische Mitgift: natürlich Monypenny, und Flockhart in Begleitung einiger Volkarts von der flämischen Seite.

Sie hatten der Totenmesse für ihren verstorbenen Herrn mit ziemlichem Ernst beigewohnt. Er zweifelte nicht daran, daß sie in Schottland sofort darangehen würden, den nächsten Machtkampf zu planen und auszutüfteln. Eine flämische Königinwitwe, ein achtjähriger gekrönter König und das ganze Schlachtfeld eines England zwischen den Häusern Lancaster und York, aus dem sich Kapital schlagen ließ, wenn man seine Karten richtig auszuspielen verstand. Man brauchte nur nach guten Kartenspielern Ausschau zu halten.

Simon konnte wenig Interesse für seine Landsleute aufbringen. Er stand eine Zeitlang mit dem Sekretär der Herzogin zusammen, seinem Schwager, der die edle Katelina zu ihrem Aussehen beglückwünschte, jedoch nicht zu ihrer Schwangerschaft, die von ihrem geschickt gehaltenen Brokat verborgen wurde. Senor João stellte die Braut einigen anderen Damen vor und machte sich dann daran, Simons Wunsch zu entsprechen, der gern mit dem Kommandanten der flandrischen Galeeren, Piero Zorzi, bekannt gemacht werden wollte.

Simons Laune heiterte sich auf. Er hatte einige Geschäfte mit dem Kommandanten zu besprechen, einem kleinen, sympathischen Mann, der prächtig in Aschgrau und Silber gekleidet ging. Er konnte ihn in der Menschenmenge erkennen; Herr von Gruuthuse hielt ihn am Arm und steuerte ihn auf einen hochgewachsenen Mann und dessen Frau auf der anderen Seite des Raums zu.

Simon konnte die Dame nicht sogleich einordnen; da sie so tief in

Schwarz ging, mußte sie wohl eine Schottin sein. Der Mann war auch dunkel und sehr einfach gekleidet, trug keinerlei Schmuck, wenn man auch erkennen konnte, daß sein Überrock aus gutem Stoff und sein Gürtel teuer war. Sein Gesicht, das er nun dem Venezianer zuwandte, wirkte lebendig und interessiert, und als er plötzlich lächelte, erschien ein entwaffnendes Grübchen in jeder seiner Wangen.

Er lächelte, und Simon, der gerade mit Vasquez auf ihn zugeschritten kam, blieb stehen und sah ihn ungläubig an. Er war erstaunt und Zorn stieg in ihm auf, so daß es ihm einen Augenblick lang die Sprache verschlug.

Im selben Moment sah der andere zu ihnen hinüber, und auch sein Gesichtsausdruck veränderte sich ruckartig. João Vasquez, der davon gebannt war, hielt in seiner Vorstellung inne. Gruuthuse sah sie fragend an. Simon faßte seinen Gastgeber ins Auge. «Messer Gruuthuse», sagte er dann, «ich kann mir nicht vorstellen, daß Ihr wißt, was Ihr hier tut. Wir sind zusammengekommen, um den Tod unseres Königs zu betrauern. Ihr beleidigt uns, indem Ihr den Mann einladet, der seinen Tod verschuldete.»

Ebenso wie Anselm Adorne war auch Ludwig von Gruuthuse in der Lage, peinliche Situationen zu meistern. Er lächelte den Kommandanten an und trat ein wenig zur Seite, so daß Zorzi nicht mehr ganz im Kreis stand und Marian de Charetty, die mit ihm ging, ihn abzulenken vermochte. Vasquez blieb, wo er war.

«Also, Ihr könntet ebensogut den guten Männern einen Vorwurf machen, die die Kanone in Mons gegossen haben, wie Euch auf unseren Nicolaas stürzen», sagte Gruuthuse dann. «Mein Name sollte eigentlich Garantie genug sein. Ich würde nie einen meiner Gäste beschämen. Kommt. Es gibt andere, die Euch kennenlernen möchten.»

Simon rührte sich nicht und sah niemanden an, nur den Jungen, den er zuletzt gesehen hatte, als dieser in Lumpen vor den Überresten seiner brennenden Färberwerkstatt stand. «Wie kannst du es wagen, dich in dieser Gesellschaft sehen zu lassen? Wie kannst du es wagen, dich als Bürger zu verkleiden, als seien deine Pantinen und deine stinkenden Lumpen vergessen? Ich hätte nicht übel Lust, dir einen Denkzettel zu verpassen.»

«Das habt Ihr schon», sagte der Junge Claes. Sein Gesicht hatte sich verfärbt. Langsam wich er zurück, darin von diesem Gruuthuse unterstützt, der sich immer einmischen mußte.

Simon schlenderte hinter ihm her. «Du denkst wohl, ich würde wieder gegen dich kämpfen? Schwerlich. Aber wenn einer die göttliche Vorsehung so herausfordert wie du, sollte er sich vor höherer Gewalt hüten. So etwas kann passieren. Vielleicht noch ein Brand. Ein Geschäft könnte kläglich platzen. Vielleicht hat man kein Vertrauen mehr zum Haus Charetty. Das könnte unangenehm sein. Wovon würdest du dann leben, wenn es nichts mehr zu handeln gäbe? Du würdest dann zu deinen Färberküpen zurückkehren, nicht wahr? Und deine ältliche Gattin mitnehmen?»

«Kilmirren», sagte Ludwig von Gruuthuse, «nun ist es genug. Senor João, seid doch so gut, Euch um Euren Freund zu kümmern.»

Simon beachtete ihn gar nicht. Er sagte: «Was wirst du nur tun, *Nicolaas,* wenn du ihrer überdrüssig bist und sie dich nicht länger aushalten kann? Mir ist zu Ohren gekommen, daß du dich ihres Sohnes auch ziemlich schnell entledigt hast. Das wird dir noch mal leid tun. Ein junger Mann kann seinen Eltern viel Hilfe leisten, wenn er hart genug arbeitet und gut durchgeprügelt wird.»

Seine Bemerkungen begannen den Jungen zu treffen. Er sah einfältig aus. Dann sagte er: «Ser Ludwig, Ihr entschuldigt mich», und wollte auf dem Absatz kehrtmachen, aber Simon packte ihn grob am Ellbogen, wollte ihn zu einem Schlag herausfordern. Der Junge machte eine heftige Bewegung und blieb dann stehen. Simons Hände waren ein Schwert gewöhnt. Er konnte so hart zupacken, daß es blutete. Leute drehten sich nach ihnen um. Simon bemerkte, daß auch Katelina zu ihnen hinüberblickte. Er hoffte, sie würde herkommen.

«Laßt mich los», sagte der Junge.

«Du hast mich wohl nicht verstanden», sagte Simon.

«Doch, ich habe Euch sehr wohl verstanden», sagte er. Ihr Gastgeber hatte es aufgegeben und war gegangen, sein Gesicht sah finster aus. Dann ging Vasquez auch weg, und sie waren allein.

«Und du hast nichts dazu zu sagen?» sagte Simon.

«Hier habe ich Euch nichts zu sagen», erwiderte der Junge. «Wenn Ihr Eure Einbildungskraft anstrengen würdet, wüßtet Ihr, was ich denke.»

«Es wäre die Mühe nicht wert», sagte Simon. Er lockerte seinen

Griff. «Ah, da bist du ja», sagte er dann. «Komm und sieh dir diesen Dreckskerl an, der seine Herrin geheiratet hat und vor Edelleuten nichts zu tun weiß als dazustehen und zu zittern.»

«Meinst du Claes?» sagte Katelina van Borselen. «Aber niemand erwartet Tapferkeit von Claes, es sei denn, er würde dafür bezahlt.»

Sie und der Junge starrten einander an. Simon freute sich und fand, daß sie nie schöner gewesen sei als jetzt, wo sie so zornig war. Die Smaragde, die er ihr geschenkt hatte, hüpften und glitzerten an ihrer Kehle, und die Kanten ihres Hennin, dessen Schleier ihr Gesicht umrahmten, waren golddurchwirkt.

Nach einer, wie es schien, sehr langen Zeit sagte der Junge dann: «Ihr seid aus Bretagne zurück.»

«Ich hoffe, du hast den Strauß erhalten. Ich habe mein Bestes für den armen Lorenzo getan, weißt du.»

Es klang wie eine sinnlose Bemerkung. Simon hatte gehofft, sie würde Claes auch verhöhnen. Der Junge schaute drein, als hätte es ihm die Sprache verschlagen. Dann sagte er: «Er ist angekommen. Ich muß ihn mir heute ansehen gehen. Habt Dank dafür.»

«Und du hast geheiratet, wie ich gehört habe?» sagte Katelina. «Ist das dort deine Frau?»

Er drehte sich nicht um. «Ja», sagte er dann. «Und Ihr seid...»

«Ich bin mit meinem Herrn und Gatten hier, natürlich», erwiderte Katelina. «Mylord Simon. Sag, erwartet deine Frau schon? Ach nein. Dazu ist sie wohl doch schon zu alt. Bald mußt du deine Stieftöchter verheiraten. Sag mir Bescheid, wenn ich dir helfen soll, Ehemänner für sie zu finden.»

Simon starrte Katelina an. «Was hast du denn mit den Ehen von Küchenjungen zu schaffen? Machst du Scherze?»

«Wohl möglich», sagte Katelina. «Und ich bin es nun müde geworden. Sollten wir nicht heimgehen? Du siehst es doch immer gern, daß ich mich ausruhe.» Sie richtete ihren Blick auf diesen Claes. «Mein Mann kann gar nicht genug auf meine Gesundheit achten, verstehst du.»

Simon war mit dem Jungen noch gar nicht fertig. Er wollte ihm noch eine ganze Menge sagen, was immer Gruuthuse dazu meinte. Aber wenn Katelina sich so wie jetzt an seinen Arm lehnte, wurde er immer ein bißchen ängstlich, man konnte ja nie wissen. Schließlich wollte er nicht nach all den Jahren seinen Erben verlieren.

So lächelte er statt dessen auf diesen vertrottelten Claes herab und war sich des Bildes bewußt, das er und Katelina abgaben, wie sie da dicht beieinanderstanden wie ein romantisches Liebespaar in einem prächtigen Stundenbuch. Simon ließ sich Zeit und sah zur plumpen Frau des Jungen herüber, die immer noch im Hintergrund stand und sehr besorgt aussah. Simon lachte. Dann verbeugte er sich ironisch und führte seine Frau davon. Im Gehen warf Katelina die schweren Falten ihrer Schleppe zu Boden. Diese fiel hinter ihr herab, während sie ging, und ließ nun ihren angeschwollenen Bauch deutlich sehen. Den Bauch einer im fünften Monat schwangeren Frau.

Das zerstörte die anmutige Illusion, die er geschaffen hatte. Zuerst ärgerte Simon sich über ihre Nachlässigkeit. Dann begriff er, daß es keine Nachlässigkeit war, sondern Verachtung. Diese war deutlich an ihrem Gesicht abzulesen. Und der Junge, der mit seiner Frau stehengeblieben war, sah ihr wie betäubt nach.

Simon wandte sich seiner Katelina zu, hob die schöngeformte Hand und ließ sie zärtlich über ihren Leib gleiten. Dann blickte er über seine Schulter zurück. Er hoffte, Verachtung auszudrücken und natürlich Triumph. Der Gesichtsausdruck jenes Dummkopfs hinter ihm war das Beste, was ihm an diesem Tag passiert war.

Normalerweise gefiel es ihm nicht, wenn er eine Gesellschaft vorzeitig verlassen mußte, weil Katelina sich schwach fühlte. Aber das auffällige Stirnrunzeln von Gruuthuse und ein paar anderen Leuten machte ihm deutlich, daß er besser daran täte, sich zurückzuziehen und sich in aller Ruhe eine Entschuldigung auszudenken. Er brauste leicht auf und duldete ungern Dummköpfe um sich, besonders wenn er etwas getrunken hatte. Ewig war irgendwer beleidigt oder gekränkt, aber sein Haushofmeister renkte es gewöhnlich wieder ein, wenn nicht Simon selbst eine Einladung veranlaßte und den entsprechenden Leuten dann schmeichelte. Wenn es jemand wie Gruuthuse war, schickte er gewöhnlich ein reizendes kleines Geschenk mit einem unterwürfigen Begleitbrief vorbei. Selbstbeherrschung war Sache der Frauen.

Gewöhnlich vermochte die frische Luft Katelinas Verstimmungen zu heilen, aber diesmal erreichten sie das Haus von Veere, und sie zitterte noch immer. Er wollte gerade ihre Kammerzofe holen, als sie ihn am Verlassen ihres Schlafzimmers hinderte. «Was meintest du, als du das vom Charetty-Geschäft sagtest? Noch einen Brand?»

Simon versuchte sich zu erinnern und lächelte. Er hatte gar nicht geglaubt, daß sie zuhörte. «Hast du sein Gesicht gesehen?» sagte er dann. «Ich dachte, das würde ihm einen Schreck einjagen.»

Sie saß da, wo er sie hingesetzt hatte, auf einem Holzstuhl mit hoher Lehne, hinter ihr ein Kissen; sie war noch nicht im Bett. «Du hast es also nicht ernst gemeint?» fragte sie.

Er begriff gar nicht, wovon sie eigentlich sprach. Dann holte er eine Weinkaraffe hervor und schenkte sich ein. «Nun», sagte er dann, «ich soll ihnen doch wohl keine Geschäfte zuschanzen, oder? Es kommt darauf an. Es kommt darauf an, wie er sich aufführt. Aber warum willst du das wissen? Wieso ist es wichtig?»

«Natürlich ist es nicht wichtig», erwiderte Katelina. «Aber sie ist eine gute kleine Frau, Marian de Charetty. Es ist nicht ihre Schuld.»

«Natürlich ist es ihre Schuld», sagte Simon. «Sie hätte ihn nicht heiraten sollen. Weißt du, was mir zu Ohren gekommen ist? Er soll gar nicht so dumm sein, wie er aussieht.» Sein Glas war leer. Er füllte es von neuem.

«Wer?» fragte Katelina.

Es machte ihn immer reizbar, wenn sie so begriffsstutzig war. «Claes natürlich», sagte Simon. «Die Diener der Charetty können eine ganze Saga erzählen, was er in Mailand alles angestellt haben soll. Hast du von Jaak de Fleury gehört, dem Großonkel von ihm, der versuchte, das Geschäft an sich zu reißen?»

Das hatte sie. Manchmal wunderte man sich, was sie alles über die Geschäfte der Charetty-Firma wußte, wo sie doch so bedauernswert ahnungslos war, wenn es um seine eigenen ging.

«Also», sagte Simon, «es heißt, Claes habe Messer Jaak zu Fall gebracht. Er machte ihn nicht bloß bankrott, sondern ruinierte auch diesen Hauptmann da, Lionetto, und brachte Lionetto dazu, Jaak de Fleury die Schuld zu geben. So verlor dieser Jaak nicht bloß seine ganze Firma, sondern auch sein Leben, da Lionetto ihm nach Brügge folgte und ihn umbrachte. Ich glaube kein Wort davon», sagte Simon, «aber sie sind davon überzeugt. Claes – jetzt wird er Nicolaas genannt – soll auch hinter der Sache mit der Kanone stecken, die den König und meinen Onkel tötete. Man sagt, er sei ein Spion der Anhänger Yorks, brächte dem Dauphin Botschaften und hätte irgendeinen Zaubertrick erfunden, so daß die Medici sich ohne Worte miteinander verständigen können. Unsinn. Ich habe heute versucht, ihn zu beschämen, und du hast ihn ja gesehen.»

«Ich sah, daß er nicht kämpfen wollte», sagte Katelina. «Aber vielleicht...» Sie brach ab.

Simon runzelte die Stirn. «Das ist mir auch aufgefallen», sagte er dann. «Er hat Lionetto dazu gebracht, seinen Großonkel umzubringen. Er hat es nicht selbst getan. Gefällt mir gar nicht, jemand, der einem nichts zu entgegnen wagt und dann herumschleicht und Katastrophen einfädelt.»

Katelinas Stimme klang ziemlich seltsam, als sie sagte: «Dein Vater. Sein Leben nahm genau dasselbe Ende.»

«Der dicke Jordan?» Er fragte sich, wie sie nun darauf gekommen sein mochte. «Claes kann wohl kaum Jordan de Ribérac zu Fall gebracht haben, es sei denn, er tauschte mit dem Dauphin Gefälligkeiten aus.»

«Vielleicht tut er das», sagte Katelina.

«Nun, damit hätte er mir dann einen Gefallen getan», erwiderte Simon. «Und wenn er etwas mit der Kanone zu tun hat, die Onkel Alan umbrachte, dann hat er mir noch einen größeren getan. Weißt du, das ist wirklich eigenartig. Aber nein, es kann nicht sein.»

«Was kann nicht sein?» fragte sie. Sie sah ganz grün aus, wie stets, wenn sie übermüdet war.

«Es war alles zuviel für dich heute», sagte Simon. «Nun vergiß all diesen Unsinn. Ich hole deine Zofe.»

Nun hielt sie ihn tatsächlich am Handgelenk fest, um ihn am Gehen zu hindern. «Nein», sagte sie, «ich will es wissen. Was ist seltsam an Claes?»

Er war überrascht, ließ sich aber auf den anderen Stuhl fallen und schenkte sich noch mehr Wein ein. Er goß auch ihr ein wenig Wein in einen Becher. Sie wollte keinen. «Na, wenn er wirklich all diese Sachen veranlaßt hat», sagte er dann, «sollte man meinen, er wolle seine Familie loswerden, einen nach dem anderen.»

«Seine Familie?» frage sie und er wünschte, er wäre wirklich gegangen.

«Na, Jaak de Fleury, das war doch sein Großonkel», sagte er. «Und die Frau, die er heiratete, ist mit ihm verwandt, und er entledigte sich ihres Sohnes.»

«Wirklich?» sagte sie. «Davon hab ich nichts gehört.» Sie schien mit ihren Gedanken noch weiter weg. «Und wer denn noch?» fragte sie dann. «Ich dachte, Nicolaas – Claes – hätte gar keine Familie.»

Mit nichts als einer angenehmen Menge Weins im Magen fand er das sehr komisch. «Dieser Jaak ist weg», sagte er dann. «Und seine Frau Esota. Und der alte Thibault, sein Bruder, ist bankrott, und die Tochter, wie immer sie auch heißen mag. Der alte Jordan, mein verehrter Vater, ist erledigt. Mein Onkel Alan. Ich bin der einzige, dem er noch nicht schaden konnte, wenn man Lucia ausläßt, die ja in Portugal ist. Es ist wirklich erstaunlich. Er konnte mir bisher kein Haar krümmen. Er hat mir nur meinen Titel verschafft.»

Man sollte meinen, sie sei betrunken, so hartnäckig, wie sie immer weiter nachfragte. Er hoffte, das sei nicht der Fall, denn es würde dem Baby schaden. Benommen fiel ihm dann ein, daß sie ja gar nichts getrunken hatte. Wieder sagte sie: «Ich wußte nicht, daß Nicolaas noch Familie hat. Ich dachte, seine Mutter sei gestorben.»

Er fragte sich, woher sie das nun wieder wußte. «Ja, natürlich ist die dumme Schlampe tot, Gott sei Dank. Die Hure brachte ihn zur Welt, verhätschelte ihn ein paar Jahre lang, erzählte ihm ein paar Lügen und starb dann. Siehst du denn nicht, wie er ihr ähnelt? Siehst du das denn nicht?»

Katelina flüsterte jetzt, er begriff gar nicht wieso. Sie sagte: «Du kanntest sie also? Nicolaas' Mutter?»

Schlampen, eine wie die andere, und alle dumm. Er starrte Katelina an.

«Ob ich sie kannte?» sagte Simon. «Sie war meine Frau. Deshalb will dieser dumme Bastard nicht gegen mich kämpfen. Er denkt, er sei mein Sohn.»

Es gelang ihm gerade noch, sie aufzufangen, als sie vom Stuhl rutschte. Ihr Gesicht sah schrecklich aus. Er rief nach ihrer Kammerzofe und hielt sie an sich gedrückt auf dem Fußboden fest, streichelte ihr den Rücken, um sie zu beruhigen. «Es ist alles gut», sagte Simon. «Es ist alles gut. Vier Monate weiter, und du wirst ein prächtiges, schönes, dickes Baby haben. Claes ist einfach dumm, weißt du. Er hätte nie gedacht, daß ich dich heiraten und mit dir ein Kind zeugen würde. Einen echten Kilmirren, der alles erben wird, auf das er Ansprüche anmeldet. Er ist vielleicht dem Rest der Familie zuvorgekommen, aber mich hat er nicht übers Ohr hauen können.»

Kapitel 41

Gregorio, der nie fluchte, sagte: «Du lieber Gott.»

«Das kann man wohl sagen», versetzte Tobie. «Simon, der in Damme versuchte, Nicolaas umzubringen, hätte sein Vater sein sollen. Und Jordan de Ribérac sein Großvater. De Ribérac, der ihn, falls Ihr es nicht wissen solltet, offenbar mit seinem Ring fürs Leben verunstaltet hat. Und nun erzählt mir noch, daß es nicht Nicolaas' gutes Recht war, so viele Fährten zu legen und Fallen zu stellen, wie er Lust hatte.»

«Aber Jaak und seine Frau waren doch die einzigen, die durch Nicolaas zu Schaden kamen», sagte Julius.

Tobie riß sich den Hut herunter und rieb seine Glatze. «Nein. Anscheinend hat der Fall von Jordan de Ribérac auch etwas mit ihm zu tun. Die Demoiselle wußte nicht was. Aber sonst habt Ihr recht. Simon ist kein Haar gekrümmt worden. Und Nicolaas hat auch keine Schuld daran, daß die Kanone Simons Onkel tötete. Nicht direkt. Außerdem beharrt die Demoiselle auch darauf, daß der Tod von Jaak und seiner Frau nicht beabsichtigt war. Ich bin geneigt, mich Ihr darin anzuschließen», sagte Tobie.

«Meine unmaßgebliche Meinung ist, daß sie recht hat», sagte Gregorio. Und dann: «Herrgott noch mal. Der arme Bastard.»

«Genau darum dreht es sich doch, oder?» warf Julius ein.

«Er ist ein Bastard. Seine Mutter gebar – mein Gott, es muß wohl Simon gewesen sein – Simon ein Kind, das tot zur Welt kam, und ging dann zu ihrem Vater, dem alten Thibault, um sich zu erholen. Ihr Mann – Simon – rührte sie nie wieder an. Dann schaffte Nicolaas es, das Licht der Welt zu erblicken. Es konnte nur einer der Diener gewesen sein, aber sie bekamen nie heraus welcher. Inzwischen wächst der Junge heran... und sehnt sich wohl danach, denke ich, als ein Kilmirren anerkannt zu werden.»

«Als Nicolas de St. Pol», sagte Tobie. «Das ist der Name der Kilmirrens.»

«Claes van der Poele», sagte Gregorio. «Natürlich. Er ist ziemlich hartnäckig. Er wollte diesen Namen. Jetzt verstehe ich warum.»

Für Julius gab es nur eines, das wichtig war. «Was hat die Demoiselle nun gesagt?» wollte er wissen.

Tobie schwieg. Nach einer Pause antwortete er in seiner knappen, geschäftsmäßigen Art: «Sie sagte, ich solle Euch erzählen, wer Nicolaas ist. Ihr sollt dieses Wissen für Euch behalten. Sie meint, Simon würde wahrscheinlich seine Fehde fortsetzen wollen, und Ihr müßtet zur Kenntnis nehmen, daß es vielleicht gefährlich werden kann, für die Charetty zu arbeiten. Schließlich sagte sie, sie glaube an Nicolaas, an seinen Charakter und seine Treue, aber wir müßten uns entscheiden, ob wir als seine Wächter fungieren wollten, so daß seine Intelligenz gezügelt würde oder nicht. Sie hat tatsächlich *Wächter* gesagt», antwortete Tobie.

Er hielt kurz inne und fuhr dann fort: «Sie hat auch gesagt, der Venezianer Piero Zorzi veranstalte heute abend auf dem Flaggschiff der flandrischen Galeeren ein Fest und hätte sie und ihren Mann dazu eingeladen. Sie hätte zwar Nicolaas noch nicht wiedergesehen, glaubte aber, daß es das sei, worauf er gewartet hätte.»

«Noch nicht wiedergesehen?» fragte Julius. «Ist er denn nach der Kirche nicht mit ihr gekommen?»

«Hierher zurück?» antwortete Tobie. «Wo er genau wußte, was sie uns erzählt hat? Wir können von Glück sagen, wenn wir ihn diese Woche noch zu sehen bekommen. Wenn ich Nicolaas wäre, wüßte ich nicht, wie ich uns vor die Augen treten sollte.»

«Das kommt, weil Ihr nicht Nicolaas seid», sagte Gregorio. «Tobie. Ihr müßt es doch wissen. Nun ist er uns schließlich doch ausgeliefert. Inwiefern wird das seine zukünftigen Aktivitäten beeinflussen? Habt Ihr jetzt mehr Vertrauen zu ihm oder weniger?»

Tobie schwieg lange. Dann sagte er: «Ich weiß es nicht. Meine Meinung darüber ist wohl unverändert. Ich glaube, ich kann seinen Absichten zuvorkommen. Zumindest bin ich neugierig genug, es versuchen zu wollen.»

«Hier?» fragte Julius. «Meint Ihr, daß er hierbleiben wird?»

«Das weiß ich nicht», entgegnete Tobie. «Nicht wenn Venedig mitmachen sollte. Würdet Ihr in die Fremde gehen? Goro? Julius?»

«Mir ist es gleich, wo ich arbeite», sagte Gregorio. «Aber die Demoiselle braucht hier doch auch jemanden. Ich dachte, Ihr und Julius würdet ohnehin im nächsten Jahr zu Astorre zurückkehren. Da wäret Ihr vor Simon sicher.»

«Aber Nicolaas nicht», sagte Tobie. «Nicht wenn er hier in Brügge bleibt. Ich möchte wirklich wissen, was er gerade denkt.»

«Ich möchte wissen, wo er jetzt ist», sagte Julius. Er runzelte die Stirn. «Den Strauß, meine ich.»

«Wie?» fragte Tobie.

«Er hat gesagt, er wolle den Strauß ansehen. Er soll zum Herzog von Mailand geschickt werden, und Tommaso jammert, er stürbe ihm vorher weg.»

«Das ist typisch Nicolaas», sagte Gregorio mit seiner feierlich grollenden Stimme. «Wenn er uns nicht vor die Augen treten kann, verlaßt Euch darauf, daß er einen Strauß anschauen geht.»

Nicolaas war tatsächlich auf dem Weg zum Strauß.

Sein Hauptproblem war, daß er nicht wußte, wohin er gehen sollte.

Vorausgesetzt, man beschränkte das Problem auf Brügge und verlieh ihm keine kosmischen Ausmaße, gab es keinen Ort, an dem er sicher sein konnte, weder Tobie, Gregorio oder Julius zu begegnen, die jetzt Dinge über ihn wußten, die sie niemals hätten erfahren dürfen. Er konnte auch nicht nach Hause gehen und vor Marian treten, die jetzt von seinen... Arrangements wußte und sich mühte, ihm weiterhin zu vertrauen.

Das restliche Brügge war voller Leute, die gesehen oder gehört hatten, was heute morgen im Gruuthuse-Palast vorgefallen war. Oder die über Jaak de Fleury, Lionetto oder Felix reden wollten. Schließlich befanden sich auch Simon of Kilmirren und sein fruchtbares Weib Katelina irgendwo in Brügge, Katelina, deren Gemütsverfassung er zwar erraten konnte, deren Pläne er jedoch nicht kannte.

Also dachte Nicolaas lieber an den Strauß, der sich irgendwo in den Stallgehegen des Hauses der florentinischen Kaufleute befinden sollte, und zog los, um ihn in Augenschein zu nehmen. Er konnte ziemlich sicher sein, dort niemandem von der Charetty zu begegnen. Die Florentiner waren der morgendlichen Totenmesse für den schottischen Monarchen in der Mehrzahl ferngeblieben. Sie waren vollauf mit den flandrischen Galeeren beschäftigt.

Und da sie das so in Anspruch nahm, brauchte er sich vielleicht nicht um Geheimschriften zu kümmern oder um Botschaften oder um irgendeinen dieser lockenden, gefährlichen Stränge, die zu neuen, kunstvollen Plänen führten oder alte in Erinnerung brachten. Bloß diese einfache kleine Sache: ein Strauß, der nach Mailand geschickt werden sollte.

Ehe er noch die Schwelle des schönen, turmverzierten Gebäudes bei der Börse überschritten hatte, begegnete er Angelo Tani, dem Geschäftsführer der Medici. «Ich muß zu einer Sitzung, aber tretet ruhig ein», sagte Tani. «Tommaso ist irgendwo drinnen. Es wurde eine Botschaft für Euch abgegeben – warum hier, weiß ich nicht. Ein Junge hat sie überbracht. Ihr sollt heute nachmittag in die Zilverstraat kommen, zu Florens van Borselen.»

Nicolaas hörte sich sagen: «Ich dachte, er sei fort.»

«Das ist er auch. Seine Tochter möchte Euch sehen. Vielleicht wegen der Vorhänge für die Niederkunft. Sie haben schon ein paar schöne Stücke Taufsilber gekauft. Und bezahlt.»

«Tatsächlich», sagte Nicolaas. Er stand da und sah Tani nach; ein paarmal rempelten ihn Leute an, die heraus- oder hereinkamen. Ein etwa vierzehnjähriger Junge, ein *giovane*, sagte höflich: «Wenn Ihr Messer Tommaso suchen solltet, er ist in die Ställe gegangen.»

In seiner Höflichkeit schwang noch etwas anderes mit. Nicolaas sah ihn genauer an und erkannte, daß es derselbe Junge war, mit dem er und Felix gesprochen hatten, als sie den Leichter der Medici mit Lionetto nach Damme steuerten. Nicolaas sagte: «Ich habe gehört, daß du zur Zeit die ganze Firma auf dem richtigen Kurs hältst. Was macht Messer Tommaso denn? Will er verreisen?»

Der Jüngling entspannte sich etwas. Die Macht des mailändischene Geschäftsführers Pigello hing offensichtlich auch über dem Brügger Zweig. «Aber nein», erwiderte der Junge. «Er schaut wieder nach dem Strauß.» Eines seiner Augen funkelte.

«Schon wieder?» fragte Nicolaas.

«Er sieht sich den Dung an», sagte der Jüngling. Jetzt funkelten beide Augen.

Mit übermenschlicher Anstrengung riß Nicolaas sich von allem los, was ihn beschäftigte, drückte das Kinn gegen die Brust und fragte: «Messer Tommaso behandelt das Tier?»

Der mediciische *giovane* lächelte plötzlich engelhaft. «Nein», sagte er. «Messer Tommaso inspiziert nur den Dung. Der Vogel hat die Edelsteine von seinem Hut und zwei seiner Ringe gefressen.»

«Wäre es denn nicht die Aufgabe des *giovane*, seinem stellvertretenden Geschäftsführer bei diesem Problem behilflich zu sein?» fragte Nicolaas.

Der Junge schaute ihm ins Gesicht und lächelte dann wieder ganz erleichtert. «Das wollte er auch zuerst. Aber dann fand er, ich schaute nicht genau genug hin.»

«Armer Messer Tommaso», sagte Nicolaas. «Warum gehen wir nicht beide und helfen ihm? Wir könnten seine Jacke halten. Er zieht doch wohl dabei seine Jacke aus, oder?»

«Einer der Stallburschen gibt ihm eine Schürze», sagte der Junge. «Aber manche meinen, die Ringe könnten ewig im Strauß bleiben.»

«Oder als spätes, besonderes Geschenk für den Herzog von Mailand herauskommen», sagte Nicolaas. Sie gingen durch das Haus auf die Ställe zu. «Geht es dem Vogel denn jetzt besser?» wollte Nicolaas wissen.

«Man sagt es», erwiderte der Junge. «Das mit den Muscheln wißt Ihr?»

«Ja», sagte Nicolaas. «Wer zum Teufel hat ihn mit Muscheln gefüttert?»

«Er hat sie sich selbst gesucht», sagte der Junge. «Als er vom Wrack an Land gewatet kam. Dann hat er sich durch ein ganzes Kornfeld gearbeitet, ehe sie ihn einfangen konnten. Er läuft sehr schnell. Man brauchte acht Reiter, um ihn zu halten, denn sie mußten ja darauf achten, seine Federn nicht zu beschädigen. Er hat kleine Vögel gern.»

«Das ist ja ganz reizend», sagte Nicolaas.

«Zum Fressen. Und Insekten. Und Gräser. Sie mußten ihn in seinem Reisekäfig einsperren, sonst hätte er den Pferden alles Futter weggefressen. Er hat diesen enorm langen Hals. Und lange Beine. Er schlägt mit den Beinen aus, wenn Messer Tommaso versucht, in den Käfig zu schauen.»

«Wie... wie hat er sich denn die Ringe geholt?» fragte Nicolaas. Sie waren jetzt auf dem Hof. Aus den hintersten Ställen kamen dumpfe Schläge, gefolgt von einem tiefen, drohenden Brüllen. «Das ist doch wohl nicht der Vogel?» fragte Nicolaas.

«Das ist der Strauß», sagte der Junge. «Er brüllt, wenn er sich nicht wohl fühlt. Normalerweise zischt er, wenn er Messer Tommaso sieht. Manchmal gackert er. Messer Tommasos Ringe fielen herunter, als er seine Hände zu schnell durch das Gitter zurückzog.»

«Da hat er bestimmt gegackert», sagte Nicolaas. «Ist es dieser Stall hier? Die Pferde sehen jedenfalls gut aus. Da ist ja der Reisekäfig; du meine Güte, ist der riesig.»

«Es ist auch ein großer Vogel», sagte der Junge. «Fünf Fuß lang, acht Fuß hoch. Ein Hahn. Das kann man an den schwarzen und weißen Federn erkennen. Deshalb sind sie so wertvoll.»

Momentan schaute Tommaso Portinari nicht in den Straußenkäfig. Er befand sich auch nicht darin, um den Dung zu inspizieren. Er hatte noch nicht einmal seine Jacke gegen die Lederschürze ausgetauscht, die ihm schlaff in den Händen hing, als er mit dem Rükken an einen Pfeiler gelehnt dastand und seine Füße betrachtete. Entschlossen sah er dann auf. Mißgeschicke standen ihm. Er war blaß. Das dunkle, zerzauste Haar, das an der Stirn und über den Ohren rund geschnitten war, umrahmte das Gesicht mit den schöngeschwungenen Brauen und hohen Backenknochen. Er schaute drein wie ein Mann, dem man einfach zuviel zumutete.

«Eure Stiefel», sagte Nicolaas. «Hat er Eure Stiefel gefressen?»

Anstatt einer Antwort machte Tommaso Portinari bloß eine Kopfbewegung zum Käfig hin. Dieser war ungewöhnlich stabil, wie es sich für einen Dreihundert-Pfund-Vogel gehörte. Die massiven Seitenteile waren mit Fenstern versehen. Das Oberteil bestand aus offenen Rundhölzern. Die ganze Konstruktion stand in einer Pferdebox und strömte einen Geruch nach verfaulendem Obst, zerdrücktem Gras und Strauß aus. Nicolaas schwang sich auf die Wand der Pferdebox und sah rittlings auf den weitgereisten Gefangenen hinab. Dann fing er an zu lachen.

Das war der Anblick, der Julius empfing, als er über den Hof in die Ställe ging, nachdem er sich mit bösen Vorahnungen aufgemacht hatte, einen Mann namens Nicolaas de St. Pol zu suchen, der immer noch mit seiner Herrin verheiratet war. Er rechnete damit, ihn in irgendeiner verzweifelten Lage vorzufinden. Statt dessen vernahm er das grauenerregende Geräusch des für Claes typischen idiotischen Lachanfalls. Ein Geräusch, das ihn schon oft in die Klemme gelockt und ebensooft verrückt gemacht hatte.

Das Gelächter tönte von der Trennwand einer Pferdebox herunter. Claes... Nicolaas hockte da, bog sich und explodierte vor Lachen, während Tommaso Portinari und ein Junge unten standen und zu ihm emporsahen. In der Box stand ein stinkender Käfig, aus dem ein von Spucken und Zischen begleitetes Getrommel drang. Julius trat neben Tommaso und fragte: «Was ist das? Der Strauß?»

«Sieh dir das mal an», rief Nicolaas. Er langte sich einen Heurechen und wies damit auf ihn. «Da an der Seite ist ein Fenster.»

Julius trat an den Käfig heran. Der Junge war schon da. Sein Gesicht war rot angelaufen. Tommaso blieb reglos stehen und schien in die Betrachtung der Dachsparren vertieft zu sein. Nicolaas, der vor Lachen schluchzte, rutschte weiter vor, so daß Julius sein erwartungsvolles Gesicht mit den tiefen Grübchen sehen konnte. Julius schaute in den Käfig hinein.

Der Strauß zischte ihn an. Er hatte einen kleinen, plustrigen Kopf, einen Schnabel, der aussah wie eine Türangel, und farblose, feindselige Augen, die ihn an Tobie erinnerten. Der Kopf saß auf einem langen, zuckenden, glockenstrangähnlichen Hals. Das Ganze wurde von einem Paar kräftiger, auf und ab stolzierender Beine mit mächtigen Gelenken durch den Käfig getragen. Zwischen Hals und Beinen befand sich eine Art großer Hühnerbraten, den man mit einem Nadelkissen gekreuzt hatte. An jeder Seite hing ein rosafarbener Lappen herab.

Das Nadelkissen war sein gerupfter Körper. An dem wunden Rumpf, dort, wo die albernen Lappen hingen, waren einst vierzig schneeweiße Federn und ein glänzendschwarzer Mantel stolz zur Schau getragen worden. In der Nacht hatte irgendwer das Geschenk für den Herzog von Mailand gerupft. Der Strauß war zwar da, aber er hatte keine einzige Feder mehr.

Der Vogel tanzte auf seinen kräftigen Beinen. Er stieß den Schnabel durch die Gitterstäbe, seine Augen blitzten. Von Zeit zu Zeit schlug er so kräftig aus, daß die Seitenwände des Käfigs erbebten und den Schall zurückwarfen. Nicolaas, der vom Lachen Tränen in den Augen hatte, langte mit dem Heurechen hinab, um ihn etwas zu pieken.

Und die Tür des Straußenkäfigs tat sich auf.

Tommaso, der ganz seinen bitteren Gedanken hingegeben war, bemerkte es nicht. Der Junge stieß einen Freudenschrei aus. Julius sprang vor, kam aber viel zu spät. Mit vorgestrecktem Hals machte der Vogel seinen ersten Schritt nach draußen und dann den zweiten. Tommaso wirbelte herum. Der Junge lief rufend nach vorn. Der Strauß ließ sein tiefes, dröhnendes Brüllen ertönen. Und Nicolaas ließ sich, gerade als das Tier seinen dritten Schritt tat und das Bein zum vierten hochschwenkte, von der Stange fallen und landete einfach auf seinem Rücken, als es unter ihm vorbeiging.

Julius stieß einen Schrei aus und lief los. Nicolaas schrie auch, aber anders – er gab jenen krähenden Schrei von sich, der Julius nur allzu vertraut war. Der Strauß brach aus dem Stall hervor, stolzierte über das Pflaster und sprang dann wie eine Keule, die dem Ofen entkommen ist, durch die große Doppeltür auf die Vlamynckstraat hinaus, auf dem Rücken Nicolaas', der sich an ihm festklammerte und wie irrsinnig auf und ab hüpfte.

Julius zog scharf die Luft ein. Er raste auf die Straße hinaus, wo der Strauß aufs Geratewohl von einer Seite zur anderen eilte, dabei etwas von Fahrzeugen behindert, die von der Waaterhalle herabgefahren kamen. Der Strauß brüllte. Wie ein Garten voller Sonnenblumen hatte sich die Straße plötzlich mit blassen, emporgewandten Gesichtern belebt. Köpfe mit Mützen und Köpfe mit weißen Hauben zeigten sich auf den Eingangsstufen zu beiden Seiten der Straße, verschwanden in Türen, drückten sich zwischen Mauern. Ein Mann, der zwei Ballen auf dem Rücken trug, taumelte aus dem Weg und fand sich unter einem Hausvorsprung eingeklemmt. Aus einer umgestürzten Schubkarre kippte ein Schwall runder, glänzender Käse auf die Straße. Einer traf den Strauß am Bein, und er trat zornig danach. Ein Faß Quecksilber, das man bei einer Falltür hatte stehenlassen, ergoß sich in einem glänzenden Strom, der sicher für jemanden den Ruin bedeutete. Nicolaas, der immer noch oben war, sah sich danach um. Sein Gesicht war rosa vor Anstrengung und Glück.

Julius stieß einen krächzenden Laut aus. Er machte kehrt und raste zu den Ställen zurück, an beiseite taumelnden Stallburschen vorbei. Er riß eine Box auf und schwang sich auf das erstbeste ungesattelte Pferd, das ein Zaumzeug trug. Dann ritt er auf die Straße hinaus, andere auf seinen Fersen, und setzte Nicolaas nach. Claes. Mitten hinein in einen neuen wilden Streich.

Inzwischen war der Strauß zwar nicht mehr zu sehen, man konnte aber an Hand der aufgeplatzten Ballen und heruntergefallenen Bündel seinen Weg verfolgen. Balkone stellten abgefressene Weinranken und weggemampfte Topfblumen zur Schau, zweimal sah er auch leere, trunken herabbaumelnde Vogelkäfige. Ein Eckschrein war umgekippt, es stand nur noch eine Vase mit einigen Stengeln darin da.

Julius wendete sein Pferd und ritt auf den Kanal zu, gerade rechtzeitig, um den Strauß aus dem Torweg der Augustiner herauskommen zu sehen. Nicolaas war immer noch oben. Das Tier bewegte sich außerordentlich schnell, hatte aber jetzt eine Art Zügel um, die von weitem wie die Kordel einer Soutane aussahen.

Der Strauß lief unter anderem deswegen so schnell, weil ihm einige Hunde folgten. Von Zeit zu Zeit hielt er inne, um auszuschlagen, und die Hunde rutschten dann beiseite. Dann sauste der Strauß wieder unter Zischen und Gegacker los. Julius, der immer noch etwas weiter hinten war, konnte erkennen, wie Nicolaas sich mit der einen Hand festhielt, mit der anderen die geschlungene Kordel schwang und den Vogel davon abzuhalten suchte, die Brücke zu überqueren und in die Spanjaardstraat einzubiegen.

Seine Bemühungen hatten keinen Erfolg. Der Vogel schoß die Straße hoch, riß Ballen um und stieß mit dem Schnabel zwischen Fenstergitter. Zwei Betten, die man zum Lüften herausgehängt hatte, fielen in einer Wolke von Federn herab. Nicolaas fing eine von ihnen auf und versuchte, sie mit einer Hand zwischen die abgeschnittenen Federkiele des Straußes und das eigene Hinterteil zu stopfen. Julius, der vor Lachen schluchzte, raste hinter ihm drein. Dem Tonlieu entgegen. Der Stadtwaage. Dem Markt.

Von Zeit zu Zeit hielt der Vogel inne, vor einem mit Beeren beladenen Stand, und dann noch zweimal, als sich ihm eine Gruppe Männer in den Weg stellte oder ihn in die Ecke zu treiben versuchte. Er ließ sich aber immer nur kurz aufhalten. Zwei Hiebe seiner kräftigen Beine bewirkten, daß alles auseinanderlief. Der Kran zog vorüber und das Gildehaus und der Glockenturm. Der Vogel schoß über die Brücke zum Steen hin und trieb eine Schar kreischender Leute vor sich her. Bald würde er die Felder und Gärten zwischen der Genter und der Heiligkreuzbrücke erreicht haben, wo er so schnell laufen konnte, wie es ihm gefiel. Ein Strauß konnte vierzig Meilen in der Stunde zurücklegen, sagte man – schnell genug, um jeden Reiter zu töten, den er abwarf. Nicolaas schien sich aber keine Sorgen zu machen. Von Zeit zu Zeit zeigte er Julius sein ausgelassenes, absurdes Grinsen, und einmal machte er eine Hand frei und zeigte nach links vorn. Julius begriff nicht, was er damit sagen wollte.

Von hinten nahten nun weitere Reiter. Sie würden das Tier einkreisen und es mit ausgeworfenen Seilen anhalten und dann fesseln. Nur daß der Strauß offenes Land vor sich hatte. Julius spornte sein Pferd an, schwenkte um eine Ecke und begriff dann, was Nicolaas ihm hatte sagen wollen.

Vor ihm lag das seichte, zähflüssige Wasser eines der Speichenkanäle, die zu dem ganz Brügge umgebenden Fluß führten. Nicolaas drängte den Vogel von der Straße hinunter zur abschüssigen Kanalböschung. Der Strauß galoppierte ins Wasser hinein und wurde dann langsamer. Sein Kopf pendelte hin und her. Ein paar Schwäne, die eifrig gründelten, kamen erschreckt planschend nach oben, starrten das Tier an und traten dann zischend Wasser, dem Eindringling entgegen. Der Eindringling zischte zurück, schlug zu, und ein Schwan flog durch die Luft. Die anderen kamen mit vorgestreckten Hälsen lärmend heran. Angesichts dieser Überzahl ergab sich der Strauß, schlug noch zweimal aus und schwamm dann mit mühsamen Flügelschlägen den Kanal hoch. Manchmal tauchte er unter und drehte sich, aber Nicolaas – tropfnaß wie er war – ließ nicht los.

Nun hatte Julius schon ein halbes Dutzend Reiter bei sich. Vor ihm floß der Kanal unter einer Brücke hindurch, dem ringförmigen Fluß entgegen. Vor ihm erhob sich außerdem ein breiter Damm, an dem Windmühlen standen. Die Pferde waren jetzt schneller als der Vogel im Wasser. Julius schickte zwei Reiter vor, die die Brücke überqueren und dem Vogel von Osten auf den Leib rücken sollten. Er stellte die anderen sorgfältig in einem Halbkreis an der einzigen Stelle auf, an der der Strauß aus dem Wasser kommen konnte, an einer abfallenden Rampe, die zu einer der Windmühlen führte.

Er vergaß dabei, daß der Sinn einer Windmühle im Mahlen liegt und der Strauß hungrig war. Zu Beginn klappte der Trick ganz vorzüglich. Der Vogel, von den Reitern am linken Ufer erschreckt, wandte sich zur Rampe auf dem rechten. Er tauchte auf, sein rosafarbener Körper glänzte. An seinem Reiter floß das Kanalwasser herunter wie an einem Wasserfall. Julius rückte mit den anderen vorsichtig vor. Der Strauß sah die Kornsäcke im Hof liegen und das aufgeschüttete und überall verstreute Getreide und rannte dicht unter dem Segel eines Windmühlenflügels hindurch darauf zu.

Julius stieß eine überflüssige Warnung aus. Er dachte, Nicolaas würde den Vogel treten, ihn an der Kordel zurückziehen, ihn loslassen und sich herunterrollen. Die Segel kreisten knirschend und knatternd, verfehlten den Vogel, bedrohten ihn wieder, verfehlten ihn abermals. Der Strauß bückte sich und hob dann wieder den Hals, fraß, schaute um sich und bückte sich dann wieder, um zu fressen. Er bewegte sich ein bißchen, erst ein Bein und dann das andere, blieb aber immer dicht bei der Mühle, gebannt von dem Festmahl, das dort vor ihm ausgebreitet lag. Und als sich jede Betriebsamkeit und jeder Anlaß zur Betriebsamkeit erübrigten, kam Nicolaas wieder zur Besinnung.

Julius wußte davon nichts. Alarmiert und sogar wütend sah er Nicolaas mit ausdruckslosem Gesicht dasitzen, die Hand locker an der Kordel, und nichts tun.

Die Reiter, die das ebenso fasziniert betrachteten wie Julius, blieben zurück. Julius blieb nicht stehen. Mit gesenktem Kopf und fest auf dem Tier sitzend, trieb er sein Pferd vorwärts, den Segeln entgegen, unter denen der Strauß weidete. Er machte von seinen Sporen Gebrauch, um sich zwischen den Vogel und die Mühle zu zwängen. Ohne den offenen Schnabel und die stampfenden Füße zu beachten, rammte er dann dem Vogel mit seinem Pferd in die Flanke, so daß das Geschöpf wild flatternd, zischend und weit ausschlagend auf den Hof gestürzt kam, wo die anderen Reiter schon warteten.

Sie brauchten fünf Minuten, um ihn einzukreisen und zusammenzuschnüren. Vorher war Nicolaas abgesessen. Zuerst konnte er gar nicht stehen. Julius ließ ihn los, half dabei, den Vogel einzufangen, und achtete darauf, daß dieser sicher verwahrt in seinen florentinischen Stall zurückkehrte. Die vor Begeisterung trunkenen Reiter drehten zuerst noch eine Ehrenrunde um Nicolaas, so daß Julius ihm sagen mußte: *«Winke ihnen!»*

Da schaute er erst auf und deutete ein Winken an. Er zitterte wie ein Kranker; aber nach einem Schreck oder einer großen Anstrengung tun Menschen dies oft, und niemand dachte deshalb schlecht von ihm. Aber natürlich war es nicht deswegen, und es war auch kein Sumpffieber... und doch wußte Julius, daß Nicolaas selbst den Hebel des Vogelkäfigs aufgeklinkt hatte.

Zuerst war Julius sehr glücklich darüber gewesen, wieder in der

Gesellschaft des verrückten Claes zu sein, darüber, daß Claes wieder bei ihnen war. Aber natürlich konnte diese Freiheit niemals zurückkehren. Und wenn sie auch nur für eine Stunde zurückgekehrt war, dann aus dem falschen Grund. Nachdem er kurz nachgedacht hatte, war ihm das klar. Nach etwas Nachdenken und dem, was dort unter der Windmühle geschehen war.

«Warum fragen wir nicht den Müller, wo du dich ein bißchen ausruhen kannst?» sagte Julius. «Wir schicken einen Jungen, trockene Kleidung zu holen.»

Er erwartete keine Antwort und bekam auch keine. Das Gesprochene spielte bei dieser Art von Krise keine Rolle. Er war jetzt auf alles gefaßt, aber Nicolaas wurde weder ohnmächtig noch weinte oder brach er zusammen. Sobald er die Mühle erreicht hatte, saß er einfach auf einem Strohhaufen, hatte sich ganz klein gemacht und zitterte von Zeit zu Zeit. Irgendwer brachte ihm eine Decke und etwas zu trinken und verschwand dann verständigerweise auf eine entsprechende Geste hin. Julius saß neben dem ehemaligen Lehrling der Demoiselle de Charetty und versuchte, was für ihn ungewohnt war, herauszubekommen, was eigentlich passiert war, und zu überlegen, was nun zu tun war.

Darin ausgebildet, mit kritischen Situationen im Leben anderer aus zweiter Hand umzugehen, befand er sich selten, so wie jetzt, selbst mitten im Geschehen. Er räusperte sich. Er sah auf das Wenige, was er von Nicolaas erkennen konnte, vorwiegend Stücke von dessen Arm. Dann sagte er: «Also, manche Leute betrinken sich, andere reiten auf Straußen. Aber wir müssen uns alle irgendwann wieder der Wirklichkeit stellen. Ich sehe nichts, wovor du Angst haben müßtest. Wir sind nämlich alle der Meinung, mußt du wissen, daß du ganz richtig gehandelt hast, wenn man die Umstände bedenkt. Tobie findet das. Und Goro. Es gibt überhaupt keinen Grund, warum wir nicht alle so weitermachen sollten wie zuvor. Das meint die Demoiselle auch.»

Er machte eine Pause. Nach dem zu schließen, was er von Nicolaas' Atmen hörte, war dieser noch nicht fähig zu sprechen. Von der Annahme ausgehend, daß jedoch seine Ohren funktionierten, fuhr Julius gewissenhaft in seinem Monolog fort.

«Dein Problem ist natürlich, daß du dich immer so hinreißen läßt, du weißt schon. So... so wie Felix. Die Demoiselle versteht das auch. Sie hat uns sogar gebeten, dir zu helfen. Was für Einfälle du auch haben magst, du wirst bei ihrer Ausführung nicht allein gelassen werden. Wenn es fehlschlägt, dann sind wir alle mit daran schuld. Bald wirst du ebensoviel Erfahrung haben wie wir. Also vergiß einfach, was du getan hast. In Zukunft wird es anders laufen.»

Noch während er sprach, sah er, wie Nicolaas sich zwang zu schweigen. Die Ellbogen auf die Knie gestützt, saß er da mit den Händen vor dem Gesicht. Sein Haar hing in nassen Locken und Schlingen auf Stirn und Hals und Schultern herab, wo die Decke verrutscht war. Dann sagte er endlich etwas. «Du weißt nicht, was ich getan hab.»

Julius zögerte. Dann sagte er: «Ich will es auch nicht wissen. Fang von vorn an. Du kannst es.»

Stille. Nicolaas wischte sich mit einer Hand das Wasser aus dem Gesicht, ergriff dann einen Zipfel der Decke und trocknete sich damit langsam Haar und Gesicht. «Wahrscheinlich kann ich das», sagte er dann.

Es war nur ein formelles Zugeständnis. Aber zumindest deutete es an, daß er sich wieder in der Hand hatte. Es war leichter, mit einem Nicolaas, dessen Verstand arbeitete, umzugehen als mit einem Nicolaas, der schutzlos war und bei dem man nicht die geringste Ahnung hatte, wie man ihm helfen könnte.

«Mach keine Dummheiten mehr», sagte Julius. «Es lohnt sich nicht. Und außerdem ist es unfair der Demoiselle gegenüber.»

«Ja. Natürlich hast du recht», sagte Nicolaas langsam. Er hörte auf, sich das Haar trockenzurubbeln und kramte sogar ein Lächeln hervor. «Aber ich stehe für den Schaden ein, nicht die Demoiselle. Und ich hoffe nur, daß keiner der Hunde Simon gehörte.»

Wenn er seine Bemerkungen so auffassen wollte, konnte es Julius nur recht sein. Sehr bald schon kehrte der atemlose Junge mit trockener Kleidung zurück, und Nicolaas zog sich aus, trocknete sich ab und zog sich wieder an, wobei ihm nur die Haken und Ösen an seinem Wams etwas zu schaffen machten. Dann gab Julius ihm den Wein, den der Müller gebracht hatte. Nicolaas stürzte ihn in einem Zug herunter und erbrach sich gleich darauf.

«Nun komm», sagte Julius. «Zurück zur Spanjaardstraat. Es kommt nicht alle Tage vor, daß dein Hinterteil von einem Strauß zerpiekt wird.»

«Geh du nur», sagte Nicolaas. «Ich komme nach, sobald es geht. Ich hab noch einen Besuch zu machen.»

«Wieso das denn?» sagte Julius. «Wo denn? Ich bring dich hin, wo es auch ist.»

«Laß nur, ich schaff es schon», sagte Nicolaas. «Es ist nur in der Zilverstraat. Katelina van Borselen möchte mich sehen.»

Kapitel 42

Es kam Nicolaas nur angemessen vor, daß er heute, am schlimmsten Tag seines Lebens, für all seine Sünden damit büßen mußte, Katelina van Borselen vor Augen zu treten.

Nach einiger Diskussion ließ Julius ihn allein und ging ganz offensichtlich verwirrt und zornig zur Spanjaardstraat zurück. Dort würde er mit Sicherheit Tobie und Gregorio Bericht erstatten. Auch Marian würde wohl eine Erklärung verlangen, denn inzwischen war der Ritt auf dem gerupften Strauß bestimmt in aller Munde. Nicolaas hoffte, daß Julius, der nicht übermäßig diskret war, doch Schweigen bewahren würde über das, was geschehen war, nachdem der Vogel umzingelt worden war. Es war ihm klar, daß er hier nicht sitzen würde, hätte es Julius nicht gegeben. Julius hatte ihm diesen Dienst schon einmal erwiesen, dort im Wasser von Damme. Wenn er ihn doch entweder gleich vor allem Mißgeschick bewahrte oder damit aufhörte, ihn zu retten!

Der Weg zur Zilverstraat war eine Marter. Ihm war lächerlich schwach zumute, und ganz gleich, welche Hintergassen er auch nahm, immerzu begrüßte ihn jemand. Er war vorher nicht dazu imstande gewesen, sich auszudenken, was er Katelina sagen sollte, und nun, auf dem Weg zu ihr, hatte er keine Zeit mehr, es sich zu überlegen. Er kam ganz einfach am Tor an, und der Torhüter ließ ihn ein.

An der Tür kam ihm der Gedanke, daß er ja den Weg zur Küche und zu ihrem Schlafzimmer kannte. Aber selbst wenn ihr Vater nicht da war, würde sie ihn kaum dort anhören. Zumindest würde sie ihn leicht wiedererkennen, mit seinem nassen Haar. Wieder einmal schnurstracks aus dem Kanal. Ihre ganze Beziehung hatte etwas mit dem Wasser zu tun.

Diesmal stand ein Diener da. Nicolaas wurde in ein großes Empfangszimmer geleitet, dann schloß sich die Tür hinter ihm. Es war derselbe Raum, von dem sie ihm jenen ernsten, befriedigten Gruß herabgesandt hatte, am Morgen nach dem Karneval. An jenem Morgen, da er mit den Ziegen und Schellen am Wams unter ihrem Fenster vorbeigelaufen war.

Er wandte den Blick vom Fenstersitz ab, der leer war, und bemerkte, daß der übrige Raum ebenfalls leer war. Dann knarrte der Lehnstuhl am Kamin ein wenig.

Niemand erhob sich daraus. Natürlich, sie erwartete ein Kind und war schwerfällig. Sein Kind. Nicolaas trat vor und stand vor dem Stuhl, die Kappe in der Hand.

Fast hatte er es sich so vorgestellt – der plumpe Körper, der den Sessel ausfüllte, der Fall des Samts, der ihn verhüllte, und die Feindseligkeit in jenem Gesicht, das sich darüber erhob. Alles war da. Bloß, daß das Gesicht, der Körper, der Haß der eines Mannes, nicht der einer Frau waren. In dem Sessel, mit höhnischem Blick, saß Jordan de Ribérac.

Nicolaas, dem sowieso schon kalt war, fühlte, wie alles Blut aus ihm wich. Er stand da, töricht, wie gelähmt. Dann kehrten seine Sinne zurück, und er bekam wieder Farbe.

Jordan de Ribérac, von den Toten auferstanden. Lebendig, lebendig. Aber nun wußte er wohl allzugut, wer ihn zu Fall gebracht hatte. Der, den er offensichtlich nicht als seinen Enkel betrachtete. Nicolaas mußte jetzt blitzschnell überlegen, was der Vicomte de Ribérac noch wissen konnte.

So wie er dasaß, der Kaufmann und Finanzier, der Gefährte von Königen, sah er nicht danach aus, als hätte man seinen Geist in Loches gebrochen oder als sei er vor der Axt des Henkers geflohen. Er trug eine Goldkette von beträchtlichem Gewicht um den Hals, und sein enormes, gefälteltes Wams unter dem Umhang war mit Juwelen zugeknöpft. Auf seinem Kopf thronte ein großer, aufgekrempter Brokathut mit eingedrückter Krone. Darunter glänzten seine frischen, fetten Wangen und die kalten, hellen Augen.

«Nun, Claes van der Poele, du Mörder», sagte er. «Nimm doch bitte Platz. Es tut mir natürlich leid, dich im Namen meiner Schwiegertochter hierher gelockt zu haben, aber es schien mir klug, und sie war meiner Meinung. Wer weiß, welche gedungenen Schergen du sonst wohl mitgebracht oder mit welch genialem Trick du mich gefangengenommen hättest? Wie du dir denken kannst, bin ich ein peinlicher und deshalb sehr diskreter Gast Burgunds und trage zur Zeit wenig Verlangen danach, wieder nach Frankreich zu kommen.»

Nicolaas saß da. «Ihr seid also entkommen.»

Der kleine Mund verzog sich zu einem Lächeln. «Aus Bretagne, mit Hilfe meiner Schwiegertochter. Sie hatte damals zwar Simon noch nicht geheiratet, aber ganz klar erkannt, wie vorteilhaft es ist, französischen Grundbesitz in der Familie zu behalten. Ich bin vielleicht im Exil, aber ich lebe. Und wenn der Dauphin König wird, bekomme ich Ribérac natürlich wieder. Ein Argument, das, wie sich herausstellte, sogar stärker war als die unvernünftige Abneigung der edlen Katelina gegen mich. Simon weiß natürlich nicht, wie sie mir in Bretagne behilflich gewesen ist. Er wäre äußerst unzufrieden mit ihr, wenn er es wüßte. Seine Begrüßung heute nachmittag, als ich lebendig vor ihn trat, war alles andere als herzlich.»

«Er hat kein Interesse an Ribérac?» fragte Nicolaas. Er bemühte sich, ebenso ruhig wie sein Gegenüber zu sprechen, und saß ganz still.

«Er hat mehr Interesse an Kilmirren. Es ist natürlich ein schwerer Schock für ihn gewesen, daß er weder das Land noch den Titel besitzt und kurz davor ist, alle Freiheiten zu verlieren, die er unter dem armen Alan in Schottland gehabt hat. Ich muß mich übrigens bei dir bedanken, daß du Alan so geschickt beseitigt hast», sagte der massige Mann. «Als älterer Bruder ist er mir immer sehr unbequem gewesen, er hätte schon Jahre früher verschwinden sollen.»

«Ich habe nichts damit zu tun», sagte Nicolaas.

«Nein, natürlich nicht», sagte sein Großvater. «Mit wie vielen Toten hast du nichts zu tun. Alan. Die arme Esota de Fleury. Der unselige Messer Jaak. Jener arme junge Trottel Felix de Charetty. All deine lieben Freunde und Verwandten. Soweit ich höre, hat sich sogar der famose Lionetto glücklich geschätzt, dein Leben mit seinem Schwert zu retten, offenbar ohne zu wissen, daß du ihn ruiniert hast. Kein Wunder, daß Simon um sein Leben fürchtet.»

«Das braucht er nicht», sagte Nicolaas.

«Natürlich machst du es nicht direkt», sagte de Ribérac. «Man sagt, du seist fast vor ihm weggelaufen im Haus der Gruuthuses heute morgen. Aber du ziehst seine Aufmerksamkeit auf dich, nicht wahr? Erst nimmst du ihm irgendeine kleine Hure weg. Du läßt dabei eine gewisse Bemerkung fallen. Nun, wo sie weiß, was es bedeutet, hat es die heftige Abneigung, die die Demoiselle Katelina gegen dich hegt, bloß noch verstärkt, fürchte ich.»

Nun, wo sie weiß, was es bedeutet? Nicolaas wartete.

«Du bist doch wirklich der passivste Gegner, der mir je begegnet ist», sagte de Ribérac lächelnd. «Gott sei Dank, daß nichts von meinem Blut in dir fließt, dessen ich mich schämen müßte. Kannst du dich nicht mehr an die Bemerkung erinnern, die du fallenließest? *Das Benehmen eines Dummkopfs und die Veranlagung eines Mädchens, eine Schande für seinen Vater.* Das hat den armen Simon damals tief getroffen. Nach dem toten Schwächling, den er mit deiner Mutter zeugte, konnte er kein anderes Mädchen mehr schwängern, bis er Katelina traf. Du weißt doch, daß sie erwartet, nicht? Du bist enteignet, du armer Bastard.

Ich bin wirklich froh», fuhr Jordan de Ribérac fort. Die glänzenden Flächen seines Gesichts zeugten von einer großen, ungetrübten Heiterkeit. «Es gab mal eine Zeit, da dachte ich, ich müßte höchstpersönlich auf sie zurückgreifen, aber ein Mann wird der fleischlichen Gelüste wirklich einmal überdrüssig. Ich bin froh, daß Simon endlich was zustande gebracht hat.»

«Also soll ich mich nicht mehr um ihn kümmern?» fragte Nicolaas. «Darauf hatte ich mich schon gefreut.»

Es war ein Schuß ins Blaue, der dennoch die überhebliche Gelassenheit zu durchbohren vermochte. Nicolaas fühlte, wie ein schneller, scharfer Blick ihn traf. «Deshalb bist du hier, mein Herr Mörder», sagte de Ribérac. «Um dich davor zu warnen, etwas gegen mich oder gegen Simon zu unternehmen. Besonders gegen Simon.»

«Damit ich nicht Katelina heirate?» fragte Nicolaas.

Nun bekam er endlich die Antwort, auf die er gewartet hatte. «Katelina!» rief Jordan de Ribérac. «Ich dachte, ich hätte es dir gesagt. Habe ich dir nicht erzählt, daß sie deine Todfeindin ist, dein gefährlichster Gegner, der eine Mensch, der nicht ruhen wird, ehe du deine verdiente Strafe bekommen hast? Ich hätte nie gedacht, daß Simon noch einmal erzählen würde, wie er zum Hahnrei gemacht wurde – dieses schwärende Geheimnis seiner Vergangenheit! Aber er war natürlich betrunken. Heute morgen hat Simon ihr erzählt, wer du bist. Der Sohn ihres Gatten, könnte man sagen, wenn du ehelich wärest. Der Halbbruder ihres zukünftigen Kindes. Ich kann dir sagen: Wenn Simon dich für den Teufel hält, hält sie dich für Satan persönlich. Bei den Anschlägen, die die beiden gegen dich und deine Frau im Schilde führen, brauche ich mir gar keine Sorgen zu machen.»

Das glattrasierte Doppelkinn bebte, als der dicke Mann kicherte. «Das soll ich dir ausrichten. Sie hat ausdrücklich gesagt, ich sollte dir das ausrichten. Nun begreift sie alles, was du getan hast.»

«Die Demoiselle de Charetty hat gar nichts getan. Und die anderen in ihrer Firma auch nicht», sagte Nicolaas.

«Das glaube ich dir», sagte der massige Mann. «Katelina tut die Dame auch leid. Wenn du nicht wärst, würde ihr nichts passieren.»

«Ihr wird nichts passieren», sagte Nicolaas.

Jordan de Ribérac lächelte. «Tot wäre sie sicher. Aber wenn ich erst in Kilmirren bin und Simon sich nach einem neuen Betätigungsfeld umschauen muß, ist sie in Gefahr. Simon hätte lieber dieses Reid-Mädchen heiraten und wie ihr Bruder nach England gehen sollen. Wo er in Calais bei all diesen Betrügereien mitgemischt hat, werden ihn die Yorkisten gern aufnehmen. Er könnte in Southampton, in London, in Burgund ein Geschäft eröffnen. Vielleicht macht er das ja noch, Katelina wird ihn anspornen. Und all die Kaufleute, denen es nicht gefallen hat, daß ihnen eine ältliche Witwe und ihr kindlicher Liebhaber den Rang ablief, werden sich vielleicht gern auf seine Seite schlagen. Eifersucht hat mich zugrunde gerichtet, und sie wird auch dich zugrunde richten.»

«Wieso seid Ihr durch Eifersucht zu Fall gekommen?» fragte Nicolaas.

«Antoinette de Maignélais», erwiderte der Vicomte. «Du hast sicher noch nie von ihr gehört. Sie war zweifellos der Ansicht, der König zolle mir zuviel Aufmerksamkeit. Sie bekam irgendwie Wind von meiner Verbindung zu M. le Dauphin, und plötzlich erfuhr auch der König davon. Hätte mich die edle Katelina nicht gewarnt, wäre ich erledigt gewesen. Man könnte sogar sagen, daß auch du mir zur Flucht verholfen hast.»

«Wohl nach derselben Logik, die behauptet, ich sei mitschuldig am Tod Eures Bruders», entgegnete Nicolaas.

«Natürlich nicht direkt», sagte de Ribérac. «Wie solltest du sonst auch handeln? Katelina wußte, daß sie mich heimlich hinausschaffen mußte. Sie wußte auch, daß sich eines meiner Schiffe in St. Malo befand. Die *St Pol*. Übrigens wäre ich dir sehr dankbar, wenn du aufhörtest, dich des Namens unserer Familie zu bedienen. Claes van der Poele ist noch zu unangenehm nahe.»

«Ich werde daran denken», sagte Nicolaas. «Und so hat sie arrangiert, daß Ihr das Schiff besteigen und entkommen konntet?»

«Weil sie dort für Euch geschäftlich zu tun hatte», sagte de Ribérac. «Irgendeine Angelegenheit mit einem Strauß. Habe ich etwas Geistreicheres gesagt als sonst?»

«Ja», sagte Nicolaas. «Ihr habt meinen Tag heute vollkommen gemacht. War das alles, was Ihr von mir wolltet?»

Sein Großvater schaute ihn an. «Mein lieber Dummkopf», sagte er, «was sonst könnte ich von dir wollen, als dir zu sagen, wen du umbringen und wen du am Leben lassen sollst? Wenn du mir nicht nützlich bist, werde ich dich auch nicht mehr rufen lassen.»

«Ich verstehe», sagte Nicolaas. Er erhob sich. «Aber nächstes Mal seid Ihr vielleicht so mutig, mich in Eurem eigenen Namen zu rufen.»

Der massige Mann lachte laut. «Rede mir nicht von Mut, als wüßtest du, was das ist. Und ich kann dir versichern, daß du keinen zweiten Ruf von Simons edler Gattin erhalten wirst. Sollte das trotzdem der Fall sein, tätest du gut daran, ihn zu ignorieren.»

Auf seinem Heimweg beleidigte er zweifellos viele Leute, denn diesmal sah und hörte er nichts, bis er das Haus in der Spanjaardstraat wieder betreten hatte. Bald darauf bemerkte er Julius' Gegenwart, der ihn fragte, wie es ihm ginge, und dann wieder wegging. Er hatte wohl mit den anderen gesprochen, denn weder Tobie noch Gregorio kamen in seine Nähe, obwohl er im Haus und im Betrieb manches breite Lächeln sah. Ganz plötzlich fiel ihm der Strauß wieder ein.

Sein eigenes Zimmer, das er behalten hatte, war leer. Er stand eine Weile da und überlegte; dann, weil manches schließlich erledigt werden mußte, ging er zu Marian. Sie war mit Bellobras im Büro, den sie dann wegschickte. Er hatte sich schon darauf eingestellt, Erklärungen abgeben zu müssen, aber sie schien alles zu wissen; wahrscheinlich weil Julius doch nicht verschwiegen gewesen war. Oder nur in dem, was ihre letzte Unterhaltung anging.

«Mach dir keine Sorgen um den Strauß», sagte sie. «Gregorio und Henning haben schon wieder alles eingerenkt, sogar Tommaso ist nicht mehr böse. Ich habe ihm gesagt, er solle Herzog Francesco sagen, er sei krank, und ihn acht Monate aufbewahren, bis ihm die Federn nachgewachsen sind.»

«Wenn er ihn acht Monate aufbewahren kann», sagte Nicolaas. Er setzte sich. «Ich brauche wohl auch Wächter.»

«Hat Julius dir das erzählt?» fragte sie. Sie war blasser als sonst, aber ihr Blick war klar, stetig und liebevoll. Mit einemmal bemerkte er, daß sie prächtig gekleidet war, und ihm fiel ein, daß auch sie auf das venezianische Flaggschiff eingeladen war.

«Er sagte auch, sie wollten alle bleiben. Trotz allem.»

Er rechnete damit, daß sie sogleich antworten würde, was sie aber nicht tat. Nach einer Pause sagte sie dann: «Und du, Nicolaas, möchtest du bleiben?»

Zuerst war er sich nicht ganz sicher. Gestern abend hatten sie noch vorsichtig miteinander geredet, nachdem er erfahren hatte, daß sie alles über Jaak de Fleury wußte und daß sie Julius und den anderen von seiner Verbindung zu Simon berichtet hatte. Schließlich hatte sie errötend die Ausrede einer Frau benutzt, um allein schlafen zu können. Er hätte nicht sagen können, ob es die Wahrheit war, aber er war froh darüber. Welches Maß an Galanterie, welche Glut ist angemessen, wenn man nur sanfte Zärtlichkeit zu vergeben hat und kein neues, vieldeutiges Gelübde ersehnt? Er wußte es nicht und hatte sich davor gefürchtet, auf die Probe gestellt zu werden.

Also lauschte er ihrer Stimme, versuchte, ihre Gedanken zu erraten und überlegte natürlich auch, was Julius ihr wohl sonst noch erzählt hatte. «Es war nicht Katelina van Borselen, die mich in der Zilverstraat erwartete», sagte er dann. «Das war nur ein Trick. Es war Jordan de Ribérac.»

Sie errötete, als sie dasselbe empfand, was er empfunden haben mußte. Dann sagte sie: «Man hat ihn also nicht umgebracht.»

«Er entkam. Katelina van Borselen half ihm. Sie hat es Simon nicht erzählt.»

Er war nicht sicher gewesen, ob er ihr das hatte sagen sollen. Aber ihre Gedanken waren woanders. «Weiß er, daß du ihn verraten hast?» fragte sie.

«Nicht einmal das», erwiderte Nicolaas. «Er wollte mich nur davor warnen, Simon ein Haar zu krümmen. Seit ich damit angefangen habe, meine ganze Familie umzubringen, kann er mir ein gewisses Talent nicht absprechen. Außerdem meinte er, Simon und Katelina könnten wegen mir eine Bedrohung für dich und die Firma darstellen. Damit hat er wohl recht.» Er machte eine Pause. Dann sagte er: «Ich möchte bleiben.»

«Das habe ich auch erwartet», sagte Marian de Charetty. «Und wir gehen doch heute abend zu dem Fest auf dem Flaggschiff, nicht wahr?»

«Ja. Aber was auch geschieht, du mußt es entscheiden. Ich werde das tun, was du möchtest.»

«Ja, das weiß ich», sagte sie.

Sie besaßen jetzt ein eigenes Galaboot, so daß sie gemeinsam mit den anderen Booten stilvoll nach Sluis fahren konnten, ihre Ruderer elegant in Charetty-Blau und die alles überragende Gestalt des prächtig gekleideten Loppe hinter ihnen. Er hatte mitkommen wollen. Vor genau einem Jahr war Loppe noch auf einer flandrischen Galeere angekettet gewesen und hatte auf Befehl des Kommandanten tauchen müssen. Seitdem hatte er dem Herzog von Mailand und Felix gedient. Aber wenn er jetzt wieder nach Sluis kam, war es weniger aus Stolz, sondern – hätte man ihn gefragt – einer Vorahnung folgend.

Bevor sie nach Sluis fuhren, ging Nicolaas allein in die Kanzlei, wo er Julius, Tobie und Gregorio finden würde. Inzwischen hatte er sich umgezogen. Für die flandrischen Galeeren mußte er den Mantel tragen, den er sich für das Osterfest im Haus de Veere hatte anfertigen lassen. Seitdem war diesem geheimnisvollerweise eine Stickerei und ein besserer Pelz zuteil geworden, als er damals nötig gefunden hatte. Marian hatte das gemacht und hatte ihm auch das Wams machen lassen, das er trug und welches ebensogut saß wie ihr Damastkleid. Es hatte ziemlich großer Dreistigkeit bedurft – von Mut mochte er nicht sprechen –, in die Kanzlei hinauszuspazieren und sich ihnen zu stellen, wissend, was sie alles über ihn wußten. Er sagte das erstbeste, was ihm einfiel. «Hoffentlich falle ich diesmal nicht wieder ins Wasser. Ich trage alle Gewinne des nächsten Jahres an mir, und auch Eure Löhne.»

Tobie richtete ohne zu lächeln seinen prüfenden Blick auf ihn. Er sagte: «Prosper de Camulio ist angekommen. Vielleicht begegnest du ihm.»

«Ja, ich weiß», sagte Nicolaas. «Hört mal. Was die Firma angeht. Ihr habt gesagt, Ihr wolltet bleiben. Aber vielleicht wird es schwieriger, als Ihr gedacht habt. Simon wird uns Ärger machen. Und de Ribérac... sein Vater ist frei. Ich habe ihn heute morgen getroffen.»

Er konnte Julius nachdenken sehen. *«Zilverstraat?»* fragte Julius.

«Ja. Das war Jordan. Er wollte bloß bestätigen, daß meine... daß die Familie auf mein Blut aus ist. Sie werden die Charetty-Handelsgesellschaft ruinieren, wenn es nötig sein sollte.»

«Sie werden sich sehr anstrengen müssen, wenn sie die Charetty-Firma ruinieren wollen», bemerkte Gregorio.

Wenn man seine schwarze Kappe und die Nase eines Komikers sah, sollte man kaum denken, daß Gregorio soviel Härte besaß. Nicolaas betrachtete ihn mit einer ersten, schwachen Regung von Optimismus. Dann sagte er: «Das denke ich auch. Ich will damit auch nicht sagen, daß ich nicht kämpfen will. Die Frage ist nur, wo zahlt es sich am meisten aus?»

«Ich wüßte etwas», sagte Tobie.

«Ich bitte Euch nicht um weitere Versprechungen», sagte Nicolaas. Er begegnete Tobies farblosem Blick und versuchte ihn zu deuten.

«Ich mache auch keine», sagte Tobie. «Du weißt doch wohl, was du alles gegen dich hast? Auf jeden Fall mußt du Adorne an deiner Seite behalten. Der Bischof und einige Schotten werden zu Simon stehen. Der Herzog von Mailand und seine Verbündeten sind im Moment mit dem Dauphin befreundet, aber das kann sich bald wieder ändern.»

Julius blickte gereizt zu Tobie hinüber. «Wenn Ihr Angst habt, geht doch zu Lionetto zurück», sagte er.

Tobie überlegte. «Ich bezweifle, daß er mich freudig aufnehmen würde», sagte er dann, «inzwischen ist er Nicolaas wohl auf die Schliche gekommen. Ich werde wohl bei Astorre bleiben müssen.»

«Wir werden wohl alle bei Astorre bleiben müssen», sagte Nicolaas. Drei Augenpaare sahen ihn an. Dies war der Moment, da er zur Überzeugung gelangte, es sei besser, aufzustehen und zu gehen.

Draußen wartete Loppe, um mit Marian das Boot zu besteigen. Ihre Töchter hatten auch zur Galeere gerudert werden wollen, aber Marian hatte ihnen klargemacht, daß es eine geschäftliche Angelegenheit sei.

Für Catherine war Nicolaas schon wieder ein anderer geworden. Vom Geliebten ihrer Mutter hatte er sich in einen wundersamen Mann verwandelt, der auf einem federlosen Strauß durch ganz Brügge getobt war. Auch die wachsame und zurückhaltende Tilde betrachtete ihn jetzt mit anderen Augen. Flüchtig gab er der haltlosen Spekulation nach, ob wohl derselbe Anlaß auch die großen Herren Venedigs und ihre Verbündeten zu einer anderen Haltung veranlaßt haben mochte. Alle Angebote zurückgenommen und alle Kontakte abgebrochen? Und wennschon.

Inzwischen war es dunkel geworden. Julius verstaute sie im Boot und sah ihnen dann nach, den Widerschein der Lampe auf seinem braunen, gutgeschnittenen Gesicht. Er sah ein wenig ratlos aus.

Als sie in Sluis ankamen, sah wieder alles wie zur Zeit des Karnevals aus. An den Kanalufern hingen Laternen, Fackeln flackerten überall auf den von Gräben umzogenen Stadtmauern und Türmen, während die Festung, der Glockenturm und die Burg rötlich in der Ferne blinkten. Aber die vielen Menschen, die zu Fuß, mit dem Boot oder zu Pferde gekommen waren, hatten der Stadt den Rücken gekehrt und schauten zum Hafen hinaus, wo Hunderte von großen und kleinen Schiffen schaukelnd vor Anker lagen, mit Lichtperlen besetzt. Die Fahnen, Wimpel und Zeltdächer strahlten unter den großen Laternen am Masttop und in der Takelage wie Blüten in einer Hecke: azurfarben und indigoblau, mennige- und krapprot, zinnober und erdgrün. Und ganz allein in der Mitte, unter seiner Last von Lichtern und Blumen und Musik, der sich entrollenden Seide und der flatternden Fransen, lag das Flaggschiff der venezianischen Flotte und sah von Ferne aus wie eine Goldschmiedearbeit.

An Bord empfing Piero Zorzi mit seinen Edelleuten die Gäste und hieß die kleine, wohlhabende Marian de Charetty willkommen, betreffend derer er seine Anweisungen bekommen hatte.

Unter dem rosigen Licht des Baldachins sah ihr Gesicht nicht so angespannt aus wie im Haus der Gruuthuses, als sie zusehen mußte, wie man ihren Handwerker-Ehemann beleidigte. Zorzi, der seinen Gefährten von dem Vorfall erzählt hatte, erwähnte wieder seine Bedenken. Bei der Verwaltung ihres Reichs bediente sich die Führungsschicht des venezianischen Stadtstaats natürlich der Werkzeuge, die sich ihnen boten. Ihre Qualität schwankte. Aber normalerweise waren sie gebildeten Menschen zumutbar.

Bei diesem Jüngling hatte man Zweifel. Gerade heute noch hatten Corner und Bembo und andere venezianische Kaufleute von einem unsinnigen Streich berichtet. Nur unvernünftige Kinder veranstalteten Wettrennen und ärgerten ihre Erzieher. Der junge Mann mochte Piero Zorzi um einen Fuß überragen und in Damast und einen Pelzumhang gekleidet sein, aber er war immer noch ein Färberlehrling.

Trotzdem mußte man das Wohl des Stadtstaats im Auge behalten. Der venezianische Kommandant geleitete seine beiden Gäste durch die schwatzende, opulent gekleidete und geschmückte Menge und bat sie auf italienisch, sich in seine gastfreundliche Kajüte zu verfügen, wo Messer Prosper Camulio aus Genua und zwei seiner Freunde in Kürze zu ihnen stoßen würden.

Sie verstanden Italienisch. «Und Ihr, Kommandant?» fragte die flämische Dame.

«Leider rufen mich noch andere Gäste. Aber später werde ich sicher noch das Verngügen haben, mit Euch zusammenzusein. Durch diesen Vorhang bitte, Madonna.»

Marian de Charetty ging an seinem Arm vorüber. Hinter dem Vorhang befand sich ein kleines, getäfeltes Kabinett, das von silbernen Wandleuchtern erhellt wurde. Der Fußboden war mit einem Teppich bedeckt, darauf standen ein festgeschraubter Tisch und zu drei Seiten Bänke, auf denen Kissen lagen. Sie trat ein und dachte an Prosper de Camulio, der bald zu ihnen stoßen und ihr sein Beileid zum Tod ihres tapferen Sohnes Felix ausdrücken würde, den er in seiner mailändischen Villa empfangen hatte. Dann hörte sie, wie sich der Vorhang an der Tür schloß und der Kommandant sich mit steifem Gang entfernte.

Neben ihr stutzte Nicolaas plötzlich. Die Kajüte war gar nicht leer. Aus dem Schatten, in dem er gesessen hatte, erhob sich jetzt ein bärtiger Mann, beide Hände an einem Stock, und sah sie eindringlich an. Ein schwarzhaariger Mann in florentinischer Kleidung, dessen olivfarbene Haut und dunkle Augen, aus denen er Nicolaas jetzt betrachtete, nicht italienisch waren und dessen rote Lippen sich nun zu einem langsamen, amüsierten Lächeln öffneten. «Habt keine Angst, mein Freund Niccolo», sagte er. «Es gibt nichts, das ich Euch wegnehmen kann. Und das, was ich Euch anbieten werde, braucht Ihr nicht anzunehmen.»

Eine kurze Stille trat ein. Dann sagte Nicolaas neben ihr: «Es erleichtert mich, das zu hören.»

Vom Ton seiner Stimme beunruhigt, sah sie zu ihm empor, konnte aber sein Gesicht nicht deuten. Er sagte: «Demoiselle, Ihr erinnert doch Messer Nicolai Giorgio de'Acciajuoli, der auf seiner Reise nach Schottland im letzten Jahr durch Brügge kam? Messer Nicolai – meine Frau.»

«Ich muß Euch beglückwünschen», sagte der Grieche. Der Grieche mit dem Holzbein, der bei der versenkten Kanone in Damme dabeigewesen war. Der Nicolaas jenen ersten, scherzhaften Hinweis auf das phokaische Alaun gab. Der von Anfang an erraten hatte – war das möglich? –, daß er diesen jungen Mann vielleicht gebrauchen konnte.

«Messer Prospero...?» sagte Nicolaas.

«Er wird später zu uns stoßen», sagte der Bärtige. «Mit Messer Caterino Zeno und dessen Frau. Messer Caterino hat das Alaun-Abkommen genehmigt, Demoiselle. Ihr habt seine Unterschrift gesehen. Es wird Euch Freude machen, ihn kennenzulernen. Und seine Frau Violante. Die Prinzessinnen von Trapezunt sind für ihre Schönheit berühmt.»

«Dann sollten wir uns setzen», sagte Nicolaas. «Ihr werdet wohl recht bald zur Sache kommen wollen.» Seine Stimme klang wieder ruhig.

Der Grieche lächelte und machte der Demoiselle Platz. Sie setzte sich zwischen die beiden Männer, dem Vorhang gegenüber. «Unsere Freunde werden nicht kommen, ehe ich sie hole», sagte der Grieche. «Jedenfalls wißt Ihr, worüber wir sprechen wollen. Der Herzog von Mailand hat Eurer Handelsgesellschaft eine neue *condotta* für das nächste Jahr angeboten, aber Ihr seid noch nicht entschlossen?»

Marian begriff, daß Nicolaas ihr die Antwort überließ. Ruhig sagte sie: «Nein. Aber wir werden uns bald entscheiden. Nach San

Fabiano hat der edle Federigo sehr gedrängt. Ein konkurrierendes Angebot müßte uns wesentlich mehr bieten.»

«Wann meint Ihr, daß Ihr das mailändische Angebot unterzeichnen werdet?» fragte der Grieche.

Diesmal gab Nicolaas die Antwort. «Noch vor Jahresende, Monsignore. Ich werde wohl im November nach Mailand reisen.»

Das hatte sie nicht gewußt. Sie wartete.

«Aber Ihr hättet doch nichts dagegen, Eure Gesellschaft auf weitere Bereiche auszudehnen, oder? Eure Firma floriert, und das bringt Neider auf den Plan. Niemand würde einer Dame etwas zuleide tun wollen, aber je erfolgreicher ein Kaufmann ist, desto mehr fordert er zu Vergeltungsmaßnahmen heraus. Vieles spricht dafür, einen Teil des Geschäfts zu verlegen. Ihr habt Venedig schon in Erwägung gezogen. Ihr habt eine gute Beziehung zu den Genuesern. Durch Euren Kurierdienst habt Ihr Euch den Florentinern empfohlen. Nun müßt Ihr nur noch den Schauplatz auswählen, an dem Ihr aus all diesen Pluspunkten den größten Nutzen ziehen könnt. Natürlich spreche ich von Trapezunt.»

Man lernt es, sich bei Verhandlungen nichts anmerken zu lassen. Marian de Charetty ließ ihren Blick auf dem dunklen Gesicht ruhen, als hätte dieser Vorschlag gar nichts weiter zu bedeuten – einen jungen, noch nicht zwanzigjährigen Mann auf die andere Seite der Welt zu schicken. Nach Trapezunt. Das Juwel des Schwarzen Meeres. Die kostbare Handelsniederlassung mit dem Orient, die Venedig an die Türken zu verlieren fürchtete. Die nun, nach dem Fall Konstantinopels, der letzte Überrest des byzantinischen Kaiserreichs war, der letzte Kaiserhof, der letzte Schatzhort Griechenland.

Caterino Zeno, der den Alaun-Vertrag für Venedig unterzeichnet hatte, war mit einer byzantinischen Prinzessin verheiratet. Es war alles im voraus geplant. Nichts von alldem geschah zufällig. Sie brauchten Nicolaas, um einen Krieg zu führen, nicht für den Handel. Aber die Handelsgesellschaft der Charetty gründete sich auf Krieg und Handel.

«Wir haben eine ausgezeichnete Firma», sagte Nicolaas. «Ich bezweifle aber, daß Hauptmann Astorre ganz allein die Türken abwehren kann. Das wollt Ihr doch, nicht wahr?»

«Ich?» sagte der Grieche. «Ich erwarte gar nichts. Ich zeige Euch nur alle Möglichkeiten auf, das ist alles. Venedig hat seine eigenen

Söldner in Trapezunt (die allerdings herzlich wenig taugen), um seine Kaufleute zu verteidigen. Die genuesischen Kaufleute haben eine Art Leibwache. Womöglich kommt die nie zum Einsatz, denn der Sultan braucht den Handel und die Berge sind keine Ermutigung für ein osmanisches Heer. Nein. Ich habe an Geschäfte gedacht. Wenn Ihr Euren Hauptmann Astorre darum bittet, Euch zu begleiten, wird man ihn natürlich willkommen heißen. Der Kaiser persönlich würde sich großzügig zeigen. Aber vornehmlich geht es um Geschäfte. Um Geschäfte und Geld.»

Wieder bemerkte sie, daß Nicolaas es vorzog zu schweigen. «Und um was für ein Geschäft handelt es sich nun?» fragte sie.

Im Lampenlicht sahen die Augen des Griechen weicher aus. «In diesem Winter, Monna Marian, werden Abgesandte des Ostens in Italien eintreffen und um Hilfe gegen die Ungläubigen ersuchen. Unter ihnen wird ein venezianischer Kaufmann namens Michael Alighieri sein. Der Dichter Dante war einer seiner Vorfahren. Er lebt in Trapezunt und ist Wortführer des Kaisers David. Seine Aufgabe ist es, in Italien einen florentinischen Handelsvertreter für Trapezunt zu finden.»

«Eine Handelsniederlassung für Florenz am Schwarzen Meer? Dann wird Florenz die Medici damit beauftragen», sagte sie.

Der Grieche lächelte. «Aber was Florenz vorschlägt, muß Trapezunt und dem Kaiser nicht gefallen. Er wird von Kontantinopel bedroht. Sultan Mehmed hat sein Mißtrauen gegen die Genueser schon gezeigt. Deshalb könnte der Kaiser David darauf bestehen, daß Florenz einen Handelsvertreter nach seiner Wahl bestellt – eine Firma, die sowohl die Gunst Venedigs als auch der Medici besitzt. Eine Firma, die schon mit einem eigenen Heer gesegnet ist. In Trapezunt stationiert, wäre so ein Heer von unschätzbarem Wert. Für die Kaufleute. Für die kaiserliche Familie. Und die Bezahlung, die es fordern könnte, würde das widerspiegeln.»

Er strich sich den Bart, während er sie beobachtete. «Ich zweifle kein bißchen an Euren Erfolgen im mailändischen Krieg. Vielleicht schuldet Ihr dem Herzog von Mailand mehr, als ich weiß. Ich möchte Euch nur andeuten, meine Freunde, daß Ihr einen Vertrag mit Trapezunt mühelos bekommen könnt. Und auch einen Anteil – einen großen Anteil – vielleicht eines Tages einen marktbeherrschenden Anteil – am Seidenhandel mit dem Orient.»

Sie vernahm nur ihren eigenen Atem. Nicolaas saß da, die Augen rund wie Münzen, und atmete gar nicht. Er hatte ihr etwas von dieser Möglichkeit erzählt. Damals war es ihnen wie ein Traum vorgekommen, wie die Phantasien eines Buchhalters. Und selbst damals war es Julius gewesen, den er sich als Leiter dieses Firmenzweigs vorgestellt hatte. Julius, der nach Rom und Venedig und schließlich weit in die Ferne gehen würde, weiter als Kontantinopel, an die Ufer des Schwarzen Meeres.

Aber jetzt war nicht von Julius die Rede. Er selbst war gemeint.

Die Stille wurde tiefer, er senkte den Blick. «Ich verstehe», sagte Nicolaas dann. «Ihr werdet von uns wohl nicht sofort eine Antwort erwarten. Wir müssen noch mehr darüber wissen. Aber ich werde im November in Italien sein. Ich werde mit Messer Alighieri zumindest sprechen. Außer ...»

Sie spürte seinen Blick und neigte den Kopf, ging auf seine Frage ein. «Ich habe nichts dagegen einzuwenden», sagte die Demoiselle.

«Dann werde ich unsere Freunde holen», sagte der Grieche, «und wir wollen zusammen Wein trinken. Ohne irgendwelche Verpflichtungen natürlich. Venedig, Florenz und Genua. Der Türke macht seltsame Bettgenossen, meine Freunde. Aber solche Dinge sind es, aus denen Vermögen entstehen.»

Er stand geschickt auf, obwohl das Schiff leicht schwankte. Nicolaas erhob sich ebenfalls und hielt ihm den Vorhang auf. Dann ließ er den schweren Stoff wieder fallen und stand da, sah zu ihr herab. «Wenn ich Alighieri treffe, hat es noch nichts zu sagen», sagte er. «Wir können uns jetzt auch dazu entschließen, statt dessen die mailändische *condotta* anzunehmen.»

«Er hat sich auf unsere Zustimmung eingerichtet», sagte sie.

«Dann wird er sich auch auf unsere Ablehnung einrichten», sagte Nicolaas. «Nur du mußt dich entscheiden, wenn es soweit ist.»

Er sah so aus, wie er immer ausgesehen hatte. Wie er immer aussah. Liebevoll und ein bißchen besorgt, im verborgenen vor Aufregung glühend. Vor Aufregung über die Aussicht auf einen großen Streich. Den allergrößten.

«Sei nicht töricht, Nicolaas», sagte sie. «Dies ist die großartigste Chance, die die Firma jemals gehabt hat. Du hast doch keine Angst davor?»

Ein Kaufmann muß seine Gefühle verbergen. Das hatte sie Felix immer wieder gesagt. Sie widerstand dem umfassenden, großzügigen Blick, der in ihren Kopf zu schauen, ihre wahren Motive zu erraten suchte. Er wußte, daß ihm Probleme bevorstanden, wenn er in Brügge blieb und Simons Aufmerksamkeit auf sich lenkte. Das wirkliche Problem, das ihr bevorstand, kannte er nicht und konnte es auch nicht erraten. Er sagte: «Ich möchte nicht weggehen.»

«Sollen wir alle davon abhängen, was du möchtest oder nicht möchtest?» sagte sie.

Seine Stirn hatte sich gerunzelt. «Wir können uns noch bis zum Winter entscheiden», sagte er dann.

«Nein, mein Lieber», erwiderte sie, «wir entscheiden uns jetzt. Du wirst nach Trapezunt gehen. Und eines Tages kommst du dann mit dem Gewinn zu mir zurück.»

Es war ein faires Angebot, auf seine Art gerecht. Genau das hatte sie zu Felix gesagt, nach dem, was er in der Poortersloge hatte erdulden müssen. Sie hatte gesagt, daß Nicolaas und er sie eines Tages würden verlassen wollen.

Ihre Augen waren nicht so klar, wie sie es sich gewünscht hätte, und es erschütterte sie, daß Nicolaas sich ihr zu Füßen geworfen und ihre Hand ergriffen hatte, als wolle er sie zerquetschen. Dann küßte er in zeremonieller Manier die Innenfläche ihrer Hand und erhob sich, ließ sie noch immer nicht los. Sie betrachtete eingehend die kräftigen Fingerspitzen, die die eines Arbeiters waren, und entsann sich der Zeiten, als sie noch blau gewesen waren. Die Schritte, die sie beide vernahmen, kamen näher. Sie hielt den Blick auf ihrer beiden verschränkte Finger gerichtet und hörte in der Ferne die Stimme des Griechen, der mehrere Leute zu ihnen hingeleitete. Prosper de Camulio, hatten sie gesagt. Und Caterino Zeno und seine Frau Violante. Violante, die Prinzessin von Trapezunt.

Ihre verschlungenen Finger fielen auseinander und wurden Erinnerung. Nicolaas stellte sich neben sie und wartete mit ihr. Jemand hob den Vorhang hoch. Sie wußte nicht, was auf sie zukommen würde. Dann roch sie das Parfum, schwer, teuer, aufwühlend, und wußte, was sie aufgegeben hatte, für wen und warum.

Lächelnd trat sie dann vor, denn sie war ein Kaufmann.

Die Erzählerbibliothek

James Baldwin
Sonnys Blues
Gesammelte Erzählungen
Deutsch von Gisela Stege
256 Seiten. Gebunden

Gottfried Benn
Das letzte Ich
Sämtliche Erzählungen
256 Seiten. Gebunden

Albert Camus
Jonas oder
Der Künstler bei der Arbeit
Gesammelte Erzählungen
Deutsch von Guido G. Meister
256 Seiten. Gebunden

Roald Dahl
Georgy Porgy
Gesammelte Erzählungen
Deutsch von Wolfheinrich von der Mülbe, Hans-Heinrich Wellmann und Fritz Güttinger
448 Seiten. Gebunden

Ernest Hemingway
Die Stories
Deutsch von Annemarie Horschitz-Horst
500 Seiten. Gebunden

C 2329/2

Die Erzählerbibliothek

Henry Miller
Der Engel ist mein Wasserzeichen
Sämtlicher Erzählungen
Deutsch von Kurt Wagenseil und
Herbert Zand
352 Seiten. Gebunden

Robert Musil
Frühe Prosa aus dem Nachlaß
zu Lebzeiten
384 Seiten. Gebunden

Vladimir Nabokov
Der schwere Racuh
Gesammelte Erzählungen
Herausgegeben und mit einem Nachwort
von Dieter E. Zimmer
Deutsch von Wassili Berger, René
Drommert, Renate Gerhardt u.a.
352 Seiten. Gebunden

Jean-Paul Sartre
Die Kindheit eines Chefs
Gesammelte Erzählungen
Deutsch von Uli Aumüller
256 Seiten. Gebunden

John Updike
Werben um die eigene Frau
Gesammelte Erzählungen
Deutsch von Maria Carlsson, Susanna
Rademacher und Hermann Stiehl
320 Seiten. Gebunden

C 2329/2 a

Literatur für Kopf Hörer

Produziert von Bernd Liebner

Eine Auswahl

Rowohlt Cassetten

C 2321/3 a

Armin Müller-Stahl liest
Vladimir Nabokov
Der Zauberer
Deutsch von Dieter E. Zimmer
2 Tonbandcassetten im Schuber
(66005)

Walter Schmidinger liest
Italo Svevo
Zeno Cosini
Das Raucherkapitel
1 Tonbandcassette im Schuber
(66007)

Uwe Friedrichsen liest
Kurt Tucholsky
Schloß Gripsholm
3 Tonbandcassetten im Schuber
(66006)

Christian Brückner liest
John Updike
Der verwaiste Swimmingpool
Der verwaiste Swimmingpool,
Wie man Amerika gleichzeitig liebt und verläßt
Deutsch von Uwe Friesel und Monika Michieli.
1 Tonbandcassette im Schuber
(66004)

Christian Brückner liest
Jean-Paul Sartre
Die Kindheit eines Chefs
Deutsch von Uli Aumüller
3 Tonbandcassetten im Schuber
(66014)